Helfert, Joseph Alexa

Mittheilungen der K.K. Central-Commission

Helfert, Joseph Alexander von

Mittheilungen der K.K. Central-Commission

Inktank publishing, 2018

www.inktank-publishing.com

ISBN/EAN: 9783750138018

MITTHEILUNGEN

DER

K. K. CENTRAL-COMMISSION

FÜR

ERFORSCHUNG UND ERHALTUNG DER KUNST- UND HISTORISCHEN DENKMALE.

HERAUSGEGEBEN UNTER DER LEITUNG

SEINER EXCELLENZ DES PRÄSIDENTEN DIESER COMMISSION

DR JOSEPH ALEXANDER FREIHERRN VON HELFERT.

XXV. JAHRGANG.

NEUE FOLGE

DER MITTHEILUNGEN DER K. K. CENTRAL-COMMISSION ZUR ERFORSCHUNG UND ERHALTUNG VON BAUDENKMALEN.

REDACTEUR: DR KARL LIND.

WIEN, 1899.

IN COMMISSION BEI WILHELM BRAUMÜLLER

AUS DER K. K. HOF- UND STAATSDRUCKEREI.

INHALT

DES XXV. BANDES DER MITTHEILUNGEN. NEUE FOLGE.

(Zusammen 22 Tafeln und 132 im Texte und auf Beilagen vertheilte Illustrationen.)

Alte Steinkreuze und Kreuzsteine in Mähren.

Besprochen von *A. Franz.*

(Mit 6 Tafeln.)

IN dem erften unter obigem Titel (Band XIX, pag. 106) gebrachten Artikel (feitdem ift auch in Band XXI, pag. 74 ein Artikel „Alte Steinkreuze und Kreuzfteine aus der Umgebung von Mähr.- Trübau und Zwittau" von *A. Czerny* erfchienen) wurden bezüglich des urfprünglichen Zweckes und der einftigen Bedeutung diefer alten mährifchen Steinkreuze und Kreuzfteine die Verfionen und Traditionen von Cyrill-Kreuzen, Idolen, Gränz- und Bannkreuzen, Mal-, Gerichts- und Rabenfteinen, Gedächtniskreuzen, Sühn- oder Mordkreuzen, Schweden-, Grab- und Schlachtfeldkreuzen und Bonifacius-Kreuzen, welchen noch die Hufitenkreuze in Nieder-Oefterreich beizuzählen wären, wenn auch nur kurz, zur Sprache gebracht.

Damit ift aber die Reihe der Verfionen, Vermuthungen, Möglichkeiten und Traditionen noch keineswegs erfchöpft.

So hält *Schwoy* folche Kreuzfteine in der Form wie die Steine bei Reczkowitz, Fig. 79, Bichafowitz, Fig. 87, und Drasow, Fig. 104 der beifolgenden fechs Tafeln weiterer 64 mährifcher Steinkreuze und Kreuzfteine, für „Mauthfteine", bei welchen das Fuhrwerk anhalten mußte, während ähnliche folche Steine bei Wellehrad, zum Beifpiel bei Jalub und Zlechau (Časopis musejního spolku olom. VIII, pag. 162) für Gränzfteine der Herrfchaft Wellehrad aus dem Jahre 1689, alfo ziemlich fpäter Zeit, gehalten werden, wiewohl gerade eines diefer letzteren Kreuzzeichen von diefer Form viel eher wie die obgenannten als ein achtfpeichiges Rad, denn als ein Kreuz angefehen werden konnte.

Beide Anfichten können eben bei dem Fehlen eines unzweifelhaften Nachweifes nur als Muthmaßungen angefehen werden, umfomehr, da folche Kreuzformen auch bei anderen Kreuzfteinen, wie bei Kritfchen, Fig. 17 (Taf. II des erften Artikels), bei Eibenfchütz, Fig. 29 (Taf. III] als Beiwerke vorkommen und eine unverkennbare Verwandtfchaft bezüglich der Kreuzform mit jenen nach Often gewendeten Steinen bei Petersburg und Lefchkau in Böhmen (sborník velehradský II) und dem Steinkreuze auf Gothland (Illuftrirte Zeitung 1853, pag. 374) befteht. Auch erinnern all diefe charakteriftifchen, von den anderen fo ftark abweichenden Kreuzformen fehr lebhaft an die Form der romanifchen Confecrations-Kreuze oder, wenn man will, eines Sonnenrades, eines fogenannten Zauberkreifes, falls man nicht etwa gar hinter ihnen das Attribut des fagenhaften altfächfifchen Gottes der Fruchtbarkeit Krodo fuchen will. Viel eher dürften aber, wie es fcheint, gerade folche Steine als Denkmale aus jener Zeit der Chriftianifirung Mährens anzufehen fein, in welcher noch der „griechifch-flavifche Ritus" beftanden hat, als jene Steinkreuze, wie bei Köllein, Fig. 2, Sokolnitz, Fig. 8, Přikas, Fig. 50, Topolan, Fig. 52,

XXV. N. F.

Latein, Fig. 53, und Kutfcherau, Fig. 64, welche dermalen traditionell als Cyrill-Kreuze gelten.

Wie dem nun fei, jedenfalls haben diefe Steine urfprünglich ficherlich einen andern Zweck gehabt, als zur Markirung einer Gränze oder als Mauthzeichen zu dienen.

Ferner ift die Annahme nicht von vorherein ausgefchloffen, dafs ein Theil diefer Steinkreuze und Kreuzfteine „Eidkrenze" gewefen find, vor welchen die Zeugen-, Reinigungs-, Gerichtseide und Urfehden zur Zeit der Halsgerichtsbarkeit, von den Bürgern ftehend, von den Bauern kniend abgelegt, oder — wie es im „alten Brünner Recht" heißt: „er foll felbdritter erfprechen auf dem Kreuz" — „erfprochen" worden find.

Diefe Annahme wird durch den Umftand gewifs nur unterftützt, dafs manche diefer Steine wie jene in Krönau, Fig. 51, Příbram, Fig. 69, Habruwka, Fig. 78, inmitten der Ortfchaften ftehen oder ftanden, und dafs in vorchriftlicher Zeit die Eide immer auf der „Malftatt", vor dem Mal, einem Pfahl, auf welchem Schwert (sic!) und Schild hingen, gefchworen worden find, welche Malpfahle man bei der Chriftianifirung in Kreuze umgewandelt hat.

Wieder eine andere Verfion ift die, dafs diefe Steine „Bußkreuze" oder „Abfolutionskreuze" find, bei welchen die mit Kirchenbußen belegten, foris pofiti, ihre Andacht verrichten durften, oder folche Steine zur Sühne ihrer Schuld auf den Schultern tragen mußten. Solche Steine dürften wohl in der Regel, wie jener von Löfch, Fig. 36, oder Bautfch, Fig. 63, in der nächften Nähe der Kirchen geftanden, oder nur kleine Dimenfionen, wie jener in Příbram, Fig. 69, gehabt haben, wobei jedoch fogleich bemerkt werden muß, dafs der Příbramer Stein kaum zum Tragen beftimmt gewefen fein kann, da er ja wohl fonft keinen Anfatz befitzen würde, mit dem er offenbar in die Erde verfenkt gewefen ift und dafs bei keinem der genannten mährifchen Steine eine folche Tradition befteht. Traditionell wird von den bekannten mährifchen Steinen nur jener unweit der Kirche in Willimaa, Fig. 46, als Bußkreuz bezeichnet, wie bezüglich des Tragens folcher Steine nur eine Tradition bei dem Kreuzfteine bei Trebitfch, Fig. 80, vorkommt, bei welcher jedoch von keiner Kirchenbuße, fondern einer Wirthshauswette die Rede ift, abgefehen davon, dafs bei den Dimenfionen des Steines die ganze Sache von vornherein höchft unwahrfcheinlich ift.

Das Steinkreuz Fig. 45, Nedweis-Schnobolin, weift neben der Tradition, dafs es ein „Schwedenkreuz" fei, auch noch eine zweite etwas eigenartige Tradition auf, nämlich die, dafs es ein „Kreuzfahrerftein" fei. Es follen nämlich nach diefer Tradition die nordifchen Scharen der Kreuzfahrer bei ihrem Durchzuge durch Mahren etappenweife folche Merkfteine aufgeftellt

haben, damit fie nach der Befreiung Jerufalems den Weg in ihre ferne Heimat wieder zurückfinden könnten. Die Spuren einer faft ganz verwitterten Infchrift, wie es fcheint eines Eigennamens, gibt bezüglich diefer Tradition keinen Auffchluß. Ernft ift felbe aber wohl nicht zu nehmen, da die Kreuzfahrer in ihrer Begeifterung bei ihrem Zuge nach Jerufalem kaum bereits auf ihre Rückreife bedacht gewefen fein durften, und wenn fie es gewefen, kaum weder folche Steine mit fich geführt, noch Zeit und Muße gehabt haben dürften, fie erft an Ort und Stelle herzuftellen und endlich, wenn man fchon das eine oder das andere annehmen wollte, die Kreuzfahrer ja doch ein und diefelbe typifche Kreuzform zur Bezeichnung beibehalten hätten, ganz abgefehen davon, ob eine folche Wegmarkirung überhaupt zweckmäßig und praktifch gewefen wäre.

Nach einer andern — bei den mährifchen Steinen jedoch nicht traditionellen — Anficht follten namentlich folche Steine, welche mitten in Feldern ftehen, wie zum Beifpiel bei Telnitz, Fig. 27, Illina (Druckfehler Hora), Fig. 28, Morbes, Fig. 33, Lažan, Fig. 98 und 99, „Hagelkreuze" gewefen fein.

Im Anfchluß an diefe Verfion wäre zu erwähnen, dafs es im 15. Jahrhundert namentlich in den Bittagen üblich gewefen ift, derartige — fchon damals „alte" — Steinkreuze als Ziel der katholifchen Proceffionen zu wählen und einen Gaft beim Aufbruche, oder einen in die Ferne ziehenden Freund etc. eine Strecke Weges, bis zu einem Kreuze, zu begleiten. Zu folcher Art von „Urlaub- oder Abfchiedskreuzen" — welche, nebenbei bemerkt, zuweilen in fpäterer Zeit durch die figuralen Darftellungen des Abfchiedes Mariens von Anna (zum Beifpiel in Brünn auf der Wienergaffe, oder in Kremfier etc.) erfetzt worden find — wäre das Steinkreuz bei Topolan, Fig. 52, beizuzählen, weil es in Topolan „von altersher" üblich ift, jeden Leichenconduct bei diefem halten zu laffen und fich von den Verftorbenen zu verabfchieden, wodurch jedoch freilich, wenn auch von der eingeritzten Hacke, als aus jüngerer Zeit ftammend, abgefehen werden will, keineswegs erwiefen ift, dafs diefes Steinkreuz einft thatfächlich nur zu diefem Zwecke aufgerichtet worden fei.

Da folche Proceffions-, Urlaubs- und Abfchiedskreuze offenbar immer an Wegen und Straßen geftanden haben müßen, fo könnten diefe füglich auch als „Wegkreuze" angefehen werden, wie folche auch heute noch allerorts üblich find und in Mähren bis in das 13. Jahrhundert niemals aus hohen oder holzernen, fondern immer nur aus niedrigen und fteinernen Kreuzen beftanden haben follen. Selbftverftändlich können aber nicht alle dermalen an Wegen und Stegen ftehenden Steinkreuze und Kreuzfteine ohneweiters als Wegkreuze angefehen werden.

Ganz ähnlich verhält es fich auch mit jenen Steinkreuzen, welche im Mittelalter von einzelnen Perfonen zum eigenen Seelenheil in Vollzug eines Gelübdes errichtet worden find, da diefe, wie dies auch heute noch der Fall ift, wohl niemals im offenen Felde oder in einem Hofraum, fondern vorzüglich auch nur an öffentlichen Platzen und Wegen aufgerichtet worden find.

Manchmal, obgleich feltener werden folche Steine wie jene bei Polleitz, Fig. 56, als „Epidemiekreuze" oder als „Friedhofkreuze" bezeichnet, welcher vagen Bezeichnung aber fowie den Traditionen von „Grabkreuzen" und „Schlachtfeldkreuzen", „Zweikämpfen" etc. wohl keine befondere Bedeutung beigemeffen werden kann, wenngleich bei einzelnen derfelben, fo in Lofchitz, Fig. 55, Ohnitz, Fig. 66, Menfchenknochen vorgefunden worden find, da es ja viel wahrfcheinlicher ift, dafs die zahlreichen Opfer der Peft und der Kriege, allerdings außerhalb der Ortfchaften, in gemeinfamen Gräbern, und wenn gerade irgendwo in der Nähe ein altes Steinkreuz bereits geftanden ift, ganz natürlich bei diefem beerdigt worden fein dürften.

Auffällig und beachtenswerth ift bei diefen alten Steindenkmalen, dafs, wenn diefe nicht aufrecht ftehen, immer nur feitwärts oder, oft fogar fehr ftark, vornüber, aber niemals nach rückwärts geneigt find, welcher Umftand leicht zu der Vermuthung führen könnte, dafs diefe Steine hinter einer Grube oder einem Grabe (etwa folcher Perfonen, welchen die Beerdigung in geweihter Erde verfagt war, wie den Hexen und Vampyren des 13. Jahrhunderts, welche man auf dem Kuhanger oder an Gemeindegrenzen (sic!) eingefcharrt hat) errichtet worden find und nach der Setzung der Anfchüttung und Verwefung der Leichname fich gegen die Grube oder das Grab hin, alfo vornüber gefenkt haben. Bei genauerer Unterfuchung dürfte jedoch, ganz abgefehen davon, dafs man Leuten, denen man ein ehrliches Begräbnis verweigert, auch kein Denkmal gefetzt hat, diefe Folgerung, wenigftens bei den bekannten Steinen, kaum gerechtfertigt fein, da feitfeits fowohl das „Verfinken" der Steine in verticaler Richtung wie jene des Steines von Groß-Raafel, Fig. 57, als auch die feitliche Neigung der Steine nach links oder rechts — bei Siwitz, Fig. 15, Telnitz, Fig. 27, Salzergut, Fig. 54, Zlechau, Fig. 62 — fich leichtlich dadurch erklärt, dafs keiner diefer Steine auf einem Fundamente fteht, fondern alle nur bei der Aufftellung fozufagen einfach, und zwar wie die zutage liegenden Steine Fig. 12, 69, 70 etc. erwiefen, oft nur mit einem geringen Theile ihrer Längendimenfion in die lofe Erde hineingefteckt worden find, wobei die Unterkante der Steine nicht einmal immer winkelrecht abgearbeitet und die Erdfurche horizontal abgeftampft worden ift. Anderfeits, dafs ja das eventuelle Grab erft vor dem vielleicht fchon lang beftandenen Steine ausgehoben worden fein kann und auch andere Umftände das Vornüberneigen verurfacht haben können; denn es ftehen zum Beifpiel die Steine des Regens, Fig. 14 (auf Taf. II vom Setzer irrthümlich unter Fig. 19 Herotitz verfetzt, fowie es auf diefer Tafel auch ftatt Fig. 14 bei Regens richtig Fig. 16 bei Aufterlitz, und ftatt Fig. 16 bei Aufterlitz, Fig. 19 Herotitz heißen foll), Kutfcheran, Fig. 64, Drafow, Fig. 105, hart am Rande vom Fahrwegen und diefen zugekehrt; es dürfte fomit die Neigung diefer Steine einfach der Comprimirung des Erdreiches vor denfelben zuzufchreiben fein, während die Steine in Stepanowitz, Fig. 21, und Lažan, Fig. 100, wiederum an einem ziemlich fteil anfteigenden Terrain ftehen, wodurch fich in dem Winkel, den fie auf ihrer Rückfeite mit dem Terrain einfchließen, der Schnee feftfetzt und dadurch fchon auf den Stein einen Druck in der Richtung nach vorn hin ausübt und im Frühjahre die Schneefchmelze vor dem Steine früher eintritt als hinter demfelben, wodurch das Erdreich vor dem Steine erweicht wird und dem Steine geftattet, dem Schneedrucke

nachzugeben und fich vornüber zu neigen, und zwar fo lang, bis derfelbe nach einer Reihe von Jahren gänzlich vornüber geftürzt ift. Dafs es wirklich dem fo fei, beweist der Kreuzftein Fig. 100, weil deffen ziemlich ftark vertieft eingegrabene Infchrift im obern Theile fchon total verwittert ift, gegen unten zu aber immer zufehends beffer confervirt ift und die Buchftaben der letzten Zeilen fo vorzüglich, fcharf und rein erhalten find, als ob fie eben erft eingemeißelt worden wären, woraus zweifellos hervorgeht, dafs diefer alte marmorene Kreuzftein im Jahre 1567, in welchem die befagte Infchrift an ihm angebracht worden ift, fei es nun, dafs er fchon damals an der Lifière der Kuchinka geftanden oder erft von anderwärts hieher überfetzt worden ift, unbedingt vertical geftanden fein muß (da ja fonft die letzen Zeilen der Infchrift nicht hätten eingemeiffelt werden können) und fich erft fpäter vornüber geneigt haben kann.

Dafs übrigens die bei Uebertragungen folcher Steine aufgefundenen Gegenftände keineswegs zu entfcheidenden Schlußfolgerungen berechtigen, zeigt das Steinkreuz von Hwozdna, Fig. 58, unter welchem Glasfcherben aufgefunden worden find, welche auf einen Gränzftein fchließen laffen würden, während diefes Kreuz doch traditionell als Mordkreuz gilt.

Was die Verfion anbelangt, dafs diefe Steinkreuze und Kreuzfteine umgeftattete heidnifche „Idole" feien, fo ift bei mährifchen Steinen bis nun eine folche nur bei dem einzigen Steinkreuzrudimente von Pofleitz, Fig. 56, wenn es überhaupt ein Kreuz und nicht etwa eine Art Herme war, zu conftatiren, welcher Stein im Volksmunde „Koza" = Ziege genannt wird und welche Bezeichnung auf die Bocke der Sonn- und Regenfrau Holle-Perchta oder auf Irmin, dem Ziegenböcke geopfert wurden, oder auf die heilige Ziege Thors, oder auf die heilige Ziege Weidrun in Walhall, wenn nicht auf den bei alten heidnifchen Volkern beftandenen Sonnencult fchließen läßt, nach welchem bekanntlich die Sonnenjungfrau Syrinth die Ziegen des Riefen (Winter) fo lang in einem rauhen Felfenthale weiden müße, bis fie von Othar (dem Frühling) befreit würde. Es muß in diefer Beziehung doch auch als höchft beachtenswerth erfcheinen, dafs der in Dr. *Ernft Kraufe's* (Carus Sterne) „Tuisko-Land" auf pag. 261 abgebildete Menhir auf der Infel Man, welcher an feiner Schmalfeite alte Runen trägt und fpater durch „Einmeißelung eines Kreuzes dem neuen Glauben gewidmet" worden ift, eine fo frappante Aehnlichkeit mit den mährifchen Kreuzfteinen aufweift. Wenn auch aus diefem intereffanten Factum natürlich nicht gefolgert werden kann, dafs die Form und der Zweck oder die Bedeutung der mährifchen Kreuzfteine von dem über 1580 Km. entfernten Irland herzuleiten find, fo wäre doch eine folche Möglichkeit nicht abfolut von der Hand zu weifen, da ja bekanntlich die neue Chriftuslehre im 7. Jahrhundert ins oftfränkifchen Reiche gerade durch irifche Benedictinermönche Eingang gefunden hat.

Was die Standorte und die Verbreitung diefer, auch in Schlefien, Böhmen, Nieder-Oefterreich, Bosnien, Brandenburg, Sachfen, Bayern, Franken (sic!), der Pfalz, aber auch in der Schweiz, Irland, Schottland, alfo einem großen Theile Europas vorfindigen alten Steindenkmale in Mähren anbelangt, fo läßt fich der-

malen erfehen, dafs die Linie, welche man fich, etwas nördlich von Iglau in weftlicher Richtung zwifchen Brünn und Olmüz gezogen denken kann, fo ziemlich die beiläufige Gränze der beiden charakteriftifchen Formen der Steinkreuze und der Kreuzfteine darftellen durfte, von welcher Gränze nördlich überwiegend Steinkreuze, füdlich derfelben aber faft ausfchließlich Kreuzfteine find.

Auffallende und in die Augen fpringende Ausnahmen hievon machen das Steinkreuz bei Ungarifch-Hradifch, Fig. 62, und anderfeits die Kreuzfteine bei Mährifch-Neuftadt und Littau, Fig. 9, 10, 12 und 67, fowie die von *A. Czerny* publicirten Ober-Heinzendorfer Steine.

Die Steinkreuze bei Pratze, Fig. 7, Sokolnitz, Fig. 8, Zlin, Fig. 58, Kutfcherau, Fig. 64, fowie der Kreuzftein Hreptfchein, Fig. 67, fallen hiebei weniger ins Gewicht, da diefe Steine nahe der ideellen Gränze in einer Art neutralen Zone zu ftehen fcheinen, und der Stein bei Ohnitz, Fig. 66, der im erften Artikel erwähnten Zwifchenform von Steinkreuz und Kreuzftein anzugehören fcheint.

Beachtenswerth ift ferner bezüglich der Standorte, dafs fich folche Steine nach dem bis nun bekannten Materiale immer in der Nähe von Städten in größerer Zahl vorfinden. So ftehen von den 107 vorgeführten Steinen im Umkreife von je 10 Kilometern: um Brünn 16, um Olmüz 8, Mährifch-Neuftadt 9, Schelletau 8 (und nach *Czerny* um Mährifch-Trübau und Zwittau 16 auf mährifchem Boden), obzwar die Nähe von größeren Städten für die Confervirung folch alter unfcheinbarer Steine nicht gerade förderlich ift, und zuweilen auch in der unmittelbaren Nähe von Dörfern, wie Drasow 4, Morbes 6 folcher Steine ftehen. Eine allgemeine Schlußfolgerung irgend welcher Art ift fomit aus diefer Thatfache wenigftens dermalen keineswegs zu ziehen möglich, und zwar auch fchon deshalb nicht, weil in der Nähe von Ortfchaften folche Steine überhaupt leichter und bequemer zugänglich, unvergleichlich leichter auffindbar und erfragbar find, als dies in weniger bewohnten Landestheilen, in Wäldern und Feldern, Gränzen etc. der Fall ift, und weil Mähren in diefer Richtung noch lang nicht fo intenfiv durchforfcht ift, dafs das bis nun gefammelte und publicirte Materiale den Anfpruch auf einen noch fo geringen Grad von Vollftändigkeit erheben könnte.

Trotzdem dürfte jedoch die Thatfache, dafs aus der Umgebung von „Vorklofter" (Tifchnowitz) bis jetzt vier Kreuzfteine bekannt find, welche alle diefelbe Profilirung der fchlichten Kreuzesform und jene, Fig. 20, 21 und 107, auch die ganz gleiche Erbreiterung des unteren Kreuzbalkens erfehen laffen und jener(dermalen leider fchon verfchwundene) Stein, Fig. 23, auch unter der Erde befeffen haben dürfte und welche vier Kreuzfteine derart an Vorklofter herum ftehen und fo orientirt find, dafs ihre mit Kreuzen verfehenen Seiten, wie die Skizze auf Seite 4 zeigt, von Vorklofter abgewendet find, folgern laffen, dafs diefe vier Steine die letzten Ueberrefte der alten Gränzmarkirung oder des Bannkreifes des im Jahre 1233 von der Witwe Otakar II. Conftantia begründeten Ciftercienferinnen-Klofters „porta coeli" fein dürften, da man bekanntlich Gränzfteine, auch profanen Befitzes, umfomehr von Klöftern in alter Zeit gern mit Kreuzen zu bezeichnen und

1*

diese Zeichen immer gegen den Nachbar zu zuwenden pflegte, was eben hier ersichtlich zutrifft.

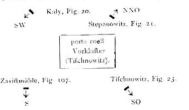

Kaly, Fig. 20.

SW   XNO

Stepanowitz, Fig. 21.

porta coeli
Vorkloster
(Tischnowitz).

Zweimühle, Fig. 107.   Tischnowitz, Fig. 23.

S   SO

Auch die Steine Fig. 90, 91 und 92 bei Schelletau dürften ihrem ganzen Habitus nach wohl nichts anderes als Gränzsteine gewesen sein.

Dagegen dürfte aber zum Beispiel das Steinkreuz von Pratze, Fig. 7, wiewohl dieses an einem alten Raine steht, und der Kreuzstein bei Martinkau, Fig. 89, wiewohl er traditionell als Gränzstein gilt und an einer Kreis- und Gemeindegränze steht, nur mit Vorbehalt als Gränzsteine angesehen werden können, da sie nur vereinzelt sind und es nicht ausgeschlossen ist, dass sie ursprünglich einem anderen Zwecke gedient und erst später als Gränzsteine benützt worden sind, wobei nicht unbemerkt gelassen werden soll, dass längs der Gränze zwischen den Gemeinden Martinkau und Schafchau, an welcher der Kreuzstein Fig. 89 steht, auch mehrere Bruchsteine verschiedener Größe liegen, in welche ja eine hufeisenförmige Figur vertieft eingemeißelt ist, deren Zweck und Bedeutung unbekannt sind.

Als *Sühn- oder Mord-Kreuze*, von deren Form und Gestalt urkundlich zumeist nur bekannt ist, dass selbe aus „einem einzigen Stück Stein“ bestehen mußten, welche Bedingung aber eben sowohl bei den Steinkreuzen als auch den Kreuzsteinen zutreffen würde, wird von den vorgeführten Steinen nur jener von Zwittau, Fig. 59, nach dem im Zwittauer Stadtbuche *B*, pag. 375 enthaltenen Documente (dessen Inhalt in der Abhandlung *Czerny's* im XXI. Bande der Mittheilungen, neben zwei anderen solchen Urteln abgedruckt ist) anzusehen sein.

Diese Zwittauer „Vergleichs-Documente“, sowie die vom Obersthofrichter Ctibor von Dirnowitz angelegte Sammlung alter landrechtlicher Urtheile aus dem 16. Jahrhundert und die Registra orphanorum nordmährischer Gemeinden aus derselben Zeit, gewähren auch interessante Einblicke über die zu erlegenden Blut-, Wehr- oder Friedensgelder und die Art und Form der Lösung des Blutbannes, sowie des Vollzuges der Sühne selbst.

Wenn nun nach dem Zwittauer Vergleichsacte vom Jahre 1585, der sich auf das Steinkreuz Fig. 59 bezieht, Jacob Weydner 200 Thaler erlegen, an neun Sonntagen mit einer Kerze in der Hand auf den Knien um den Friedhof rutschen und an des von ihm gemordeten Gilg Frepfer Grabe halten und den Hinterbliebenen, sowie dem „anderen Volke“ so dreimalen Abbitte leisten mußte, so mußte an anderen Orten der Todtschläger, wenn der Ermordete ein „Herr“ gewesen:

500 ℔ Silbergroschen, 500 ℔ Wachs, 50 Stück Tuch erlegen, 500 Messen lesen lassen und den Hinterbliebenen 1 Pferd nebst Panier darbringen.

Wenn der Ermordete ein „Ritter“ gewesen nur: 50 ℔ Silbergroschen, 50 ℔ Wachs, 15 Stück Tuch erlegen und 50 Messen lesen lassen,

und wenn es gar nur ein „Bauer“ war: 5 Silbergroschen, 5 ℔ Wachs, 1 Stück Tuch liefern und 5 Messen lesen lassen.

Außerdem mußte der Uebelthäter, wenn der von ihm Erschlagene ein „Herr“ gewesen, mit 49, wenn es ein „Ritter“ gewesen mit 19 und bei einem „Bauer“ mit 4 Bürgen geleitet in bloßem Hemde, das Mordwerkzeug auf den Händen tragend, sich zu dem Grabe des Erschlagenen begeben und sich auf dasselbe flach mit ausgebreiteten Händen niederlegen, worauf der nächste Verwandte des Todten, dem sonst das Recht der Blutrache zugestanden hätte, das Mordwerkzeug dem Thäter mit der Frage auf den Nacken legte, ob er nun dessen Lebens ebenso mächtig sei wie jener seines Opfers mächtig gewesen ist? Worauf der Büßer dies dreimal, jedesmal aber mit der Bitte, ihm „um Gottes Willen“ das Leben zu schenken, zugestand, womit die Uebelthat — bei sonstiger schwerer Pön — gesühnt, vergeben und vergessen war. So hatte, um nur noch ein drittes mährisches Beispiel anzuführen, nach *Ludwig's* Brünner Stadt-Chronik am 2. Februar 1600 der Sohn des Brünner Riemermeisters Gierg Schuebart den „beckhen Knecht“ Paul Janda vor dem Brünner Thore mit einem Brotmesser erstochen, für welche That im Wege des „Vergleiches“ der Vater Schuebart's 150 Mark sagischer Währung, 1 Mark zu 28 schlesische Grofchen, 1 Grofchen zu 12 Heller an die Verwandten Janda's und 100 Thaler ins Spital St. Steffan erlegen, der Thäter selbst aber „bis Ostern“ alle Tage in Eisen Gassen kehren, des nachts im „Gefenckhaus“ zubringen und sodann die Stadt verlassen mußten.

Jedesmal mußten die Mörder überdies Urfehde schwören und zumeist ein „steinern Kreuz“ am Thatorte, oder wo es die Sippe wünschte, aufrichten. Höchst beachtenswerth muß es jedoch erscheinen, dass derartige steinerne Schadenmale in den nordmährischen Orphanorums-Urkunden zuweilen, *Hormayr's* Taschenbuch 1848 bemerkt ganz richtig „sonderbar genug“, „Obeliscus“ genannt werden, und zwar deshalb, weil diese Bezeichnung sowohl die Form von Steinkreuzen als auch jene von Kreuzsteinen ausschließt, dagegen aber zu der Vermuthung anregen, wenn nicht berechtigen würde, dass mit dieser Bezeichnung „Obeliscus“ vielleicht solche kleine oder größere, wie es scheint in Mähren aber viel seltener als Steinkreuze und Kreuzsteine vorkommenden Steinsäulchen, etwa wie Fig. 79 bei Keckowitz oder von quadratischem Querschnitte, gemeint sein mögen, wie ein solches zum Beispiel an der Straße von Böhmisch-Branitz bei Kanitz-Eibenschütz, Fig. *a*, steht, das Kreuzeszeichen in der Nische an beiden Seiten eingemeißelt hat und traditionell als Grabstein eines gefallenen Schweden gilt, ein zweites etwas niedrigeres (1·40 M. hohes) solches Steinsäulchen an der Bezirksstraße von Müglitz nach Hohenstadt, nächst der Steigerwohnung in Quittein, Fig. *b*, steht, dessen ½ M. hohes obere Steinprisma ebenfalls an der Vorderseite wie auf der Rückseite je ein, jedoch anders ausgeführtes Kreuzzeichen eingeritzt trägt und an der dritten Seite eine stark bemooste und verwitterte unleserliche Inschrift nebst der Jahreszahl 1656 aufweist, oder ein dritter, schon höherer in den

— 5 —

Ecken gefafster Steinpfeiler an einem felfigen Fußfteige nächft dem fogenannten „Pflanzfteige“ bei Iglau, Fig. c, fteht, oder felbft das „Marterl“ am Weftende von Aufpitz an der Straße zum Nordbahnhofe auf einem kleinen Erdhügel, Fig. d, ift, welch beide letztgenannte Denkmale, Fig. c und d, in Wappleins Handwerksgeräthe oder Infignien von Bierbrauern und Winzern befitzen, die freilich wohl auch eine andere Vermuthung bezüglich des urfprünglichen Zweckes diefer Steinfäulen geftatten.

Jedenfalls dürfte es daher nothwendig und angezeigt fein, derartigen mährifchen Steindenkmalen mehr Aufmerkfamkeit zuzuwenden, als dies bis nun der Fall gewefen ift.

Einer nicht geringen Schwierigkeit dürfte es wohl unterliegen, mit apodiktifcher Gewifsheit nachzuweifen, ob die betreffenden und bekannten Urkunden und auf

Fig. a.   Fig. b.   Fig. c.   Fig. d.

welche der beftehenden Steinkreuze, Kreuzfteine und Obelisken Bezug haben, da in diefen Documenten der Aufftellungsort des Sühnzeichens nicht präcifirt ift und die Steine felbft nicht immer an der Stelle ftehen geblieben find, an welcher man fie urfprünglich aufgeftellt hat. So dürfte diefer Zufammenhang wohl bei dem Zwittauer Steinkreuze Fig. 59, wenn auch nicht ganz zweifellos beftehen, während es bei dem Kreuzfteine Fig. 100 bei Lažan wiederum von vornherein ausgefchloffen erfcheint, dafs die vorhandene Urkunde fich auf den Stein felbft und deffen urfprüngliche Beftimmung bezieht, nachdem die auf den Todtfchlag bezughabende Infchrift offenbar erft zu einer Zeit auf diefe Steine angebracht worden ift, wo der Kreuzftein felbft, wer weiß wie lange fchon vor dem Tode Jacob Dworfak's anno 1567, vielleicht fogar an einem ganz andern Orte beftanden hat; fowie auch die Infchriften auf den Steinen Fig. 74, 75, 81, 101, foweit fie noch lesbar find, die

Frage vollftändig offen laffen, ob fie die betreffenden Steine als Suhnfteine oder bloß als Kenotaphien, als Gedenkfteine bezeichnen.

Wenn man die auf den zehn Tafeln abgebildeten 107 Steine näher und aufmerkfamer betrachtet, fo laffen fich außer der ganz allgemeinen Aehnlichkeit derfelben auch — intimere Verwandtfchaftsgrade, möchte man fagen, erkennen, welche vielleicht Handhaben zu der künftigen Aufklärung über deren Zweck und Beftimmung anbahnen können.

So ftehen von diefen Steinen vier, Fig. 1 bei Auffee, Fig. 37 Klein-Kinitz, Fig. 49 Senitz und Fig. 53 Groß-Latein — welche voneinander ziemlich weit entfernt find und von welchen drei Steinkreuze und nur einer ein Kreuzftein ift, und nur zwei derfelben, und zwar ein Beil und ein Schwert als Beiwerke zeigen, — auf wie es fcheint mit Abficht künftlich aufgeworfenen oder angefchütteten Erdhügeln, die vielleicht auf Hochgerichtftätten oder einftige alte Standorte von Malbäumen hindeuten.

Man findet ferner, dafs in der äußeren Form die Steinkreuze Fig. 48 und 49 bei Klein-Senitz fo verwandt find, dafs wenigftens auf die gleichzeitige Errichtung oder die Herftellung durch ein und denfelben Steinmetz gefchloffen werden kann, dafs dagegen die Aehnlichkeit der 60 Kilometer in der Luftlinie voneinander ftehenden Steinkreuze bei Krönau, Fig. 51, und Hwodzna, Fig. 58, keinesweges auf die hiftorifchrichtige Form des Kreuzholzes Chrifti, fondern lediglich auf zufälliges Zutreffen des Abbrechens des obern Kreuzarmes beider Steine zurückzuführen und daher auch ohne alle weitere Bedeutung ift.

Dafelbe dürfte auch von den verftümmelten Steinkreuzen von Kollein, Fig. 2, und Policitz, Fig. 56, gelten.

Eine charakteriftifch eigenartig verwandte, nicht mit zufällig mehr weniger befchädigten Ecken zu verwechfelnde, ausgefprochen mitraartige Form weifen die (fünf) Steine, Fig. 9 in Dobrauwalde, Fig. 10 bei Meedl, Fig. 11 Königslofen; in Nordmähren mit jenen 13 Km. in der Luftlinie entfernten Fig. 80 von Trebitfch und Fig. 83 in Rohy auf, von welchen wiederum die zwei letztgenannten Steine noch eine intimere Verwandtfchaft in Bezug auf die Art der obern Abfchlüße und Endigungen der Kreuzformen an den Spitzen der Steine erkennen laffen.

Sonft haben die Kreuzfteine in der Regel immer eine rechteckige Form und weichen von diefer Regel bei den 107 Steinen nur zwei, der Kreuzftein von Habrůwka Fig. 78 und der Morbes Fig. 82 durch erfichtlich abfichtliche Abftumpfung der Ecken ab.

Die über 14 Km. voneinander ftehenden Steine in Habrůwka Fig. 78 und Lažan Fig. 98, Bedloh Fig. 101 zeichnen fich dagegen durch die Aehnlichkeit der maßwerkartigen Endungen ihrer unteren Kreuzarme von den anderen aus, fowie endlich die in der Luftlinie 22 Km. voneinander entfernt ftehenden Steinkreuze von Mährifch-Neuftadt, Fig. 3, und Topolan, Fig. 52, eine auffallende Congruenz in Größe, Form, Stellung und Beiwerk befitzen.

Gleich beachtenswerth fcheinen in diefer Richtung auch noch die eingangs fchon erwähnten Steine mit den romanifchen Confecrationskreuzen und die Steine mit ihren fo auffallend gleichen, vertieft ausgehöhlten,

an den Enden kreisförmig erweiterten Kreuzformen bei Moritz, Fig. 61, und 66 bei Ohnitz zu fein, welche in einer Entfernung von 30 Km. ftehen.

Die Zeichnungen, Infchriften und Jahreszahlen find auf den mährifchen Steinkreuzen und Kreuzfteinen gewöhnlich nur auf der einen Seite der Steine angebracht. Ausnahme hievon zeigen jedoch die Steine, Fig. 41 bei Brünn, welcher auf feiner Rückfeite die (in der Tabelle beim Druck ausgelaffene) Jahreszahl 1493 eingemeißelt gehabt hat, Fig. 62 Hradifch-Zlechau, Fig. 66 bei Ohnitz, Fig. 78 in Habruwka, Fig. 79 Reckowitz, Fig. 93 Markwartitz und Fig 104 Drasow, welche Ausnahmen insbefondere jener, welche das Kreuzzeichen an beiden Seiten tragen, wohl erft einer Aufklärung bedürfen, welcher jedoch der Stein bei Morbes, Fig. 81, offenbar nicht bedarf, bei welchem die Infchrift deshalb auf der andern Seite angebracht worden ift, weil auf der einen Seite für diefelbe kein Platz gewefen ift, da diefe ganz von der Figur eines nach rechts fchreitenden Winzers in Anfpruch genommen wurde.

Das Alter all diefer Steine läßt fich natürlich an und für fich fehr fchwer fchätzen und fchon deshalb um fo fchwieriger gegeneinander vergleichen, weil ja faft immer eine längere Zeit verftreicht, wo man vor dem einen und dem anderen Steine geftanden ift und die mehr oder minder ftärkere Bemoofung, der größere oder geringere Grad der Verwitterung oder Befchädigung der Steine für die Beurtheilung des Alters nur fehr vage Anhaltspunkte bieten, weil diefe zumeift von der Qualität des Materiales, der gefchutzten oder expo-nirten Lage und dem Muthwillen oder der Pietät der Paffanten abhängt. Ein vielleicht etwas verläßlicheres Kennzeichen eines gewiffen Alters dürften nur die an manchen diefer Steine vorkommenden „Wetz-furchen", „Rillen" und „Bohrlöcher" abzugeben berechtigt fein, wie folche auch an alten Kirchen zuweilen beobachtet werden können; denn die Furchen und Rillen der Steinkreuze von Strelitz, Fig. 4, Pratze, Fig. 7, Groß-Senitz, Fig. 47 und dem Kreuzfteine bei Schelletau, Fig. 92, rühren daher, dafs im frühen Mittelalter die des Weges ziehenden Reifigen ihre Schwerter in diefen Furchen „gewetzt" und dadurch, wie fie glaubten, „gefait" haben, durch welches fortwährendes Wetzen und Schleifen vielleicht auch die Kuppe des Stein-kreuzes von Klein-Senitz, Fig. 49, ab und die Erwei-terung die einen vertieften Zernoarms des Kreuz-fteines bei Kunftadt, Fig. 103, weggewetzt worden find und auf welchen Brauch vielleicht auch die Ausführung von hausaus vertiefter Kreuzformen wie Fig. 9, 16, 18, 30, 51, 66, 73, 92 und 103 zurückzuführen fein wird.

Die auf den Steinen Fig. 3, 34, 62 und 103 fichtbaren Bohrlöcher von 2 bis 3 Cm. Durchmeffer find aber auf den Brauch unferer Altvordern zurückzu-führen, das aus diefen Bohrlöchern gewonnene Pulver als prophylaktifches Mittel gegen Krankheiten aller Art einzunehmen oder in diefe Bohrlöcher Haupthaare Schwerkranker einzulegen, um deren Leiden zu lindern, oder endlich diefelben, und hiezu dürfte das Grübchen auf dem Steinkreuze Fig. 49, ganz befonders geeignet gewefen fein, mit Fett auszufüllen, um es zu feiner Zeit als Heilmittel für Schwertwunden zu verwenden.

Da nun das bekannte Stadtwahrzeichen, das nächft dem Hauptportale der im 13. Jahrhunderte erbauten Marienkirche auf dem neuen Markte in Berlin ftehende fteinerne Sühnkreuz, welches die Bürger Alt-Berlin-Cölns nach der 1343 erfolgten Aufhebung der über fie von Johann III. verhängten Acht nebft einer „ewigen Lampe" auf der Todesftätte und Erlag des Blutgeldes zur Sühne für die Ermordung des Propftes Nicolaus Cyriacus von Bernau, im Jahre 1355 aufrichten mußten, auch fünf derartige Bohrlöcher aufweift, fo kann wohl gefolgert werden, dafs jene mährifchen Steine, auf welchen derartige Bohrlöcher, Rillen und Wetzfurchen vorkommen, auch beiläufig 500 Jahre und darüber alt fein dürften.

Auf den urfprünglichen Zweck diefer Steine kann aus diefen Rillen und Löchern natürlich keine Fol-gerung gemacht werden, da diefe Steine offenbar fchon, und vielleicht fchon lang, beftanden haben müßen, bevor diefe Rillen in diefelben gewetzt und die Löcher gebohrt worden find, für welche fich der Aberglaube in gleicher Weife geltend gemacht hat, welcher fich heute noch an das Blut oder Fett oder den Strick oder Kleiderfetzen etc. Juftificirter, oder der Wunder-glaube an altehrwürdige und geheiligte Stätten knüpft.

Was das „Beiwerk" all diefer Steine anbelangt, fo ift dasfelbe in den meiften Fällen nur in Contouren eingeritzt oder eingemeißelt, welcher Umftand ver-muthen läßt, dafs diefes fo ausgeführte Beiwerk aus ganz anderen Gründen und Urfachen an die fchon beftandenen Steinen angebracht worden ift, wie jene der Aufrichtung der Steine felbft gewefen find.

Nur die Beiwerke der Steine von Aufterlitz, Fig. 16 (auf Taf. II verdruckt, als Fig. 14 bei Regens gefetzt), Morbes, Fig. 33, Löfch, Fig. 36 und Brünn, Fig. 39 und 40, dürften wohl gleichzeitig ausgeführt worden fein, da die Art ihrer Ausführung mit jener der Kreuzformen identifch ift; dasfelbe wäre bei den Kreuzfteinen mit vertieften Kreuzzeichen bei Herotitz, Fig. 19 (auf Taf. II irrigerweife als Fig. 16, Aufterlitz gefetzt) und bei Hofettitz, Fig. 73, anzunehmen.

Als fraglos und unzweifelhaft gleichzeitig mit der Kreuzform und fomit diefen Steine felbft ausgeführte Beiwerke können aber nur die erhaben gearbeiteten Beiwerke der Steine bei Iglau, Fig. 12, Cebin, Fig. 24, Mährifch-Budwitz, Fig. 25, Eibenfchütz, Fig. 29, Klein-Kinitz, Fig. 37, Schnobotin, Fig. 44, Wellehrad, Fig. 68, Trebitfch, Fig. 80, Chlupitz, Fig. 86, Schelletau, Fig. 88, Martinkau, Fig. 89, Lažan, Fig. 100, Brdloh, Fig. 101, und Zernownik, Fig. 102, angefehen und anerkannt werden.

Wo auf ein und demfelben Steine erhaben und vertiefte Beiwerke vorkommen, wie Fig. 24, Cebin, Fig. 29, Eibenfchütz, Fig. 80, Trebitfch, ift wohl mit apodiktifcher Gewifsheit anzunehmen, dafs die letzteren fpätere Zuthaten find, die auf den Stein felbft keinen Bezug haben. Jedoch felbft diefe Regel hat ihre, wenn auch nur fehr feltenen Ausnahmen, wie dies der Kreuz-ftein von Brdloh, Fig. 101, fehr deutlich nachweift, da auf diefem Kreuz Nagel und Armbruftbolzen, welche erhaben gearbeitet find, doch fichtlich gleichzeitig mit der ftark vertieften Schrift und den gravirten Tuch-fcheere und Weberkarde in die erhabenen Wäppleins ausgeführt worden find.

Aehnliches gilt von den Infchriften und von den Jahreszahlen, von welchen nur die Infchriften dreier Steine von 107, Fig. 38 bei Brünn, Fig. 81, Morbes,

Fig. 101, Brdloh, zuverläßig und offenbar in directem Bezug auf die Steine und ihren Zweck ftehen, während diefe Wechfelbeziehung bei vier Steinkreuzen, Schwarzbach, Fig. 6, Hlina (Druckfehler Hora), Fig. 28, Brünn, Fig. 40, Aufterlitz, Fig. 76, lediglich nur angenommen werden kann.

Augenfcheinlich fpäter hinzugekommene Infchriften und Jahreszahlen weifen die Steine bei Čebin, Fig. 24, Tfchechen, Fig. 74, Lažan, Fig. 100, auf. Am unwiderleglichften weift jedoch die Thatfache, dafs Infchriften und Jahreszahlen fpäter an fchon beftandenen Steinen angebracht worden find, der Kreuzftein Fig. 73 zwifchen Tfchechen und Neu-Raußnitz nach, da deffen Infchrift fogar offenbar erft zu einer Zeit eingemeißelt worden ift, wo bereits der untere Theil des erhabenen Kreuzes vollftändig verwittert gewefen war.

Was die durch die Beiwerke dargeftellten Gegenftände anbelangt, fo ftellen fich diefe auf den 107 Steinen folgendermaßen:

a) Ausgefprochene Waffen oder Mordwerkzeuge: 13 Schwerter, 3 Lanzen, 2 Dolche, 6 Pfeile oder Armbruftbolzen, 2 Holzknüppel (?) und 2 Würgefchlingen (?), zufammen alfo 28.

Hiezu kommen noch Beile und Aexte an fechs Steinen, welche aber nur bedingungsweife als Mordwerkzeuge angefehen werden können, weil fie ja auch eventuell nur Handwerkszeuge oder Attribute bedeuten können, fo dafs alfo 28 bis 34 Steine mit Mordwerkzeugen und Waffen zu rechnen find.

b) Ausgefprochene Handwerksgeräthe oder Attribute: 1 Pflugfchar, 1 Maurerkelle, 1 Spaten, 2 Winzergeräthe, 3 Hämmer, 1 Stemmeifen (?), 1 Hufeifen,

1 Schelle (?), 1 Fafs, 1 Schuhleiften, 2 Tuchmachergeräthe, zufammen alfo 15 und mit eventueller Hinzurechnung obiger Beile und Aexte, fomit 15 bis 21 Steine mit Handwerksgeräthen gezählt werden können, woraus zu erfehen ift, dafs Gewaffen rund gerechnet faft doppelt fo oft dargeftellt erfcheinen als Geräthe und Attribute.

Diefe Beiwerke kommen nicht immer einzeln, fondern in vier Fällen doppelt vor, oder es kommen auch, und zwar in fünf Fällen, verfchiedene Gewaffen auf ein und demfelben Steine vor, fo wie auch in circa fieben Fällen Mordgeräthe mit anderen Gerathen zur Darftellung gelangen.

Aus obigen Zeilen und den bis nun in den „Mittheilungen", und zwar Band XVI (1890) Beilage 3, XIX (1893), pag. 78, Beilage 1, XX (1894), pag. 176, Beilage 1, XXI (1895), I. Taf., 6 und Band XIX (1893) auf vier und den beigefchloffenen fechs, zufammen zehn Tafeln 107, alfo im Ganzen 118 in Abbildungen gebrachten mährifchen Steinkreuzen und Kreuzfteinen ift zu erfehen, dafs fich zwar das Dunkel, in welches der urfprünglichen oder die Bedeutung, fowie das Alter all diefer Steine gehüllt find, etwas, aber nur fehr wenig zu lichten fcheint, dafs aber das bekannte und bis nun gefammelte Materiale noch keineswegs ausreicht, um auf Grund desfelben jetzt fchon ein ficheres und umfaffendes Urtheil über diefe unfcheinbaren Wahrzeichen längft vergangener Zeiten fällen zu können, weil bei ihnen das „saxa loquuntur" nur fehr leife vernehmlich ift, und dafs es demnach noch weiterhin eines aufmerkfamen Sammelns und Cataltrirens folcher Steine und eingehender archivalifcher Forfchungen bedürfen wird, um vollkommen Klarheit über deren Zweck und Alter zu gewinnen.

Figur	Jetziger Standort	Dimenfionen in Metern	Ge- wendet gegen	Tradition	Infchrift	Anmerkung
44	*Schusbolin* bei *Olmütz*, feit 1881 aufgeftellt.	hoch 1·10 breit 0·42 p. dick 0·17	Be- lang- los.	Die Landes-Apoftel follen fich an diefer Stelle bei ihrer Wanderung nach Olmütz ausgeruht haben.		Diente eine Zeitlang in der Nähe feines jetzigen Standortes als Grabenbrücke
45	An der Fahrftraße zwifchen *Nedvedic* und *Schusbolin*.	hoch 0·95 breit 0·55 dick 0·19	Jetzt NO.	1. Schwedenkreuz 2. Kreuzfahrerkreuz	Vorhanden, jedoch nicht zu entziffern.	Stark bemooft; foll ebenfalls eine Zeit lang als Brücke über den Straßengraben gelegen fein.
46	Unweit der Kirche von *Williman* bei *Namjeft* (Olmütz).	hoch 0·88 breit 0·75 dick 0·20	W.		Bußkreuz.	Stark bemooft
47	Steht jetzt in einer Lehmgrube in *Groß-Senitz* bei *Olmütz* vor einer Statue des heil. Thomas; foll früher ober diefer Grube geftanden fein.	p. hoch 0·95 p. breit 0·50 p. dick 0·30	Be- lang- los.			

Figur	Jetziger Standort	Dimensionen in Metern	Gewendet gegen	Tradition	Infchrift	Anmerkung
48	Stand früher bei der Johannes-Statue vor *Klein-Senitz* und befindet fich jetzt in den Sammlungen des Olmüzer Mufeums-Vereines.	hoch 0·60 breit 0·40 dick 0·20	·	Erinnerungskreuz an die Chriftianifirung der Bewohner von Klein-Senitz.		Soll urfprünglich ein Zwillingskreuz gewefen fein, von dem jedoch das eine vor 40 Jahren abgebrochen und befeitigt worden fein foll.
49	Steht am Wege von *Groß-Senitz* nach *Klein-Senitz* auf einem Erdhügel bei einer Johannes-Statue zwifchen Lindenbäumen.	hoch 0·70 breit 0·40 dick { 0·19 0·30	O.	Wahrzeichen der Chriftianifirung von Groß-Senitz.		
50	Liegt in der Capelle von *Pitkas* (bei *Nakl*). Soll früher bei der Marterfäule an der Straßengabelung nach Tiefchetitz und Groß-Senitz geftanden fein.	hoch 1·00 breit 0·52 dick 0·18		Cyrillkreuz.		
51	In *Krönau* bei *Olmütz* in einer Mauer eingefügt.	p. hoch 0·58 breit 0·70	Bezüglos.	Eidkreuz.		
52	An der Oftfeite von *Topolan* bei *Olmütz*.	hoch 0·80 breit 0·58 dick 0·25	NW.	1. Cyrillkreuz. 2. Abfchiedskreuz.		Es befteht in Topolan von „ühersher“ der Brauch, dafs jeder Leichenconduct bei diefem Kreuze anhält.
53	Auf einem circa 6 M. hohen Erdhügel bei *Groß-Latein* bei *Olmütz*.	hoch 0·52 jetzt breit 0·46 dick 0·20	O.	Cyrill- und Method-kreuz.		
54	Am Exercirplatz, von *Olmütz* gegen *Salzergut*, 290 Schritte von der Eifenbahn entfernt.	hoch 0·50 breit 0·50 dick 0·18	N.	1. Grabftein eines fchwedifchen Officiers. 2. Kenotaph eines Fleifchhauers. 3. Sühnkreuz eines Knechtes, der von feinem Bauer erfchlagen worden ift. 4. Grabftein eines unglücklichen Liebespaares.		
55	An der Wegtheilung der neuen Bezirksftraße zwifchen *Lofchitz* und *Dankowitz* und der alten Straße nach *Peitzin* (bei *Müglitz*). Dürfte früher näher an *Lofchitz* geftanden fein.	hoch 0·95 breit 0·68 dick 0·25	Jetzt N.	Die obere Jahreszahl foll fich auf die Errichtung, die untere auf die Renovirung des Steinkreuzes beziehen.	1171 1773	Mofeleiner Sandftein bei dem Bau der neuen Bezirksftraße wurden nächft diefem Kreuze viele Knochen gefunden.
56	In der Friedhofmauer von *Pöllitz* bei *Mährifch-Auftee* eingemauert.	hoch 1·00 breit 0·45	Bezüglos.	1. Epidemiekreuz. 2. heidnifches Idol, „Koza“ genannt.		Soll früher circa 2 M. vor der Friedhofsmauer geftanden und bei der Erweiterung des Friedhofes in die Mauer eingefügt worden fein.
57	Steht jetzt circa 200 M. öftlich von *Groß-Krafel* an der Straße nach *Hohenftadt*. Früher ftand es in einem Felde bis an den horizontalen Kreuzesbalken in die Erde gefunken, bevor es gehoben und an die Straßenbankett geftellt worden ift.	hoch 1·45 breit { 0·20 0·40 dick { 0·54 0·21 { 0·30	Jetzt S. Bezüglos.			Mofeleiner Sandftein.

Fig. 44 Schnobolin

Fig. 45 Nedweis-Schnobolin.

Fig. 46 Willimau bei Olmüz

Fig. 47 Groß Senitz.

Fig. 48 Klein-Senitz.

Fig. 49 Klein-Senitz   Groß-Senitz

Fig. 50 Pükas.

Fig. 51 Krönau bei Olmüz

Fig. 52 Topolan bei Olmüz.

Fig. 53 Groß-Latein (Olmüz).

Fig. 54. Olmüz (Salzergut).

Maßſtab: 1/20 Naturgröße.

16

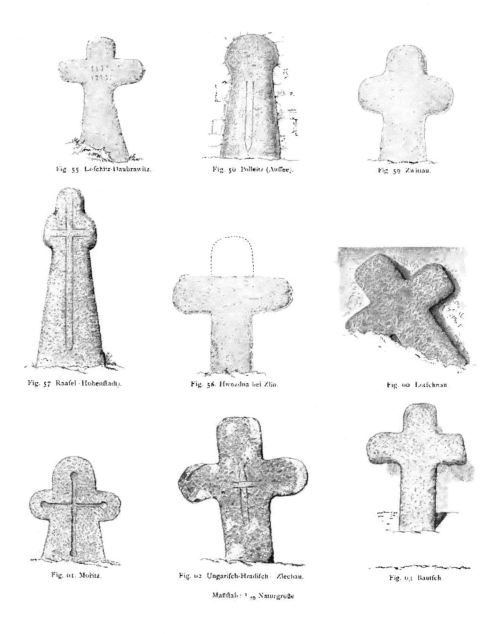

Fig. 55. Löschitz-Daubrawitz.

Fig. 56. Polleitz (Aussee).

Fig. 59. Zwittau.

Fig. 57. Raasel-Hohenstadt.

Fig. 58. Hwozdna bei Zlin.

Fig. 60. Lottchnau.

Fig. 61. Moritz.

Fig. 62. Ungarisch-Hradisch - Zlechau.

Fig. 63. Bautsch.

Maßstab: ¹⁄₂₀ Naturgröße.

Fig. 64. Kutscherau-Bochdalitz.

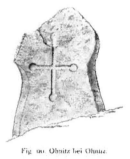

Fig. 65. Sloup-Petrowitz.

Fig. 68. Welehrad.

Fig. 66. Ohnitz bei Ohnuz.

Fig. 70. Obřan.

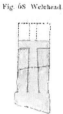

Fig. 69. Přibram.

Fig. 67. Hřeptschin-Olmütz.

Fig. 71. Ober-Gerspitz.

Fig. 72. Iglau.

Fig. 73. Hotebitz.

Maßstab: 1/50 Naturgröße.

Fig. 74 Tschechen

Fig. 75 Tschechen – Neu-Rausnitz.

Fig. 76 Austerlitz Hodejitz.

Fig. 78 Habruvka

Fig. 77 Wischau (Bahnhof.)

Fig. 79 Reckowitz Sobiefchitz.

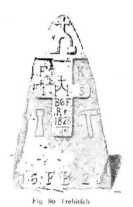

Fig. 80 Trebitsch

Fig. 81 Morbes-Nepowied.

Fig. 82 Morbes-Nepowied.

Maßstab: $\frac{1}{20}$ Naturgröße.

22

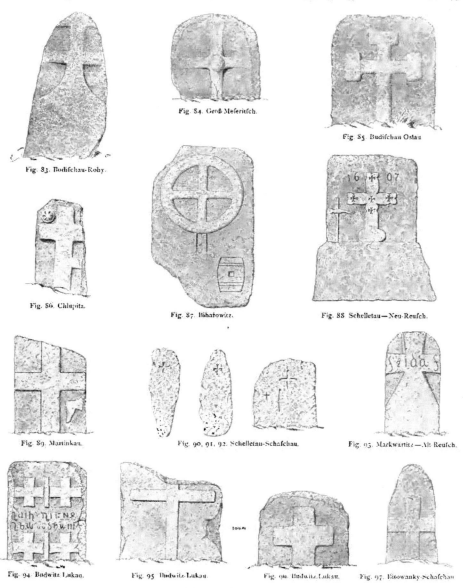

Fig. 83. Budischau-Roby.

Fig. 84. Groß Meseritsch.

Fig. 85. Budischau Ostau.

Fig. 86. Chlupitz.

Fig. 87. Biharowitz.

Fig. 88. Schelletau—Neu-Reusch.

Fig. 89. Martinkau.

Fig. 90, 91, 92. Schelletau-Schafchau.

Fig. 93. Markwartitz—Alt Reusch.

Fig. 94. Budwitz-Lukau.

Fig. 95. Budwitz-Lukau.

Fig. 96. Budwitz-Lukau.

Fig. 97. Bitowanky-Schafchau.

Maßstab: 1/20 Naturgröße.

24

Fig. 98 Lazan.

Fig. 99 Lazan.

Fig. 100 Lazan-Ujezd.

Fig. 103. Kunftadt-Makow.

Fig. 102 Zernovnik.

Fig. 104 Drasow Brücke.

Fig. 101 Brdloh bei Lazan-Millonitz.

Fig. 107 Zaviftmühle Tifchnowitz

Fig. 105 Drasow Mühle.

Fig. 106 Drasow Haus Nr. 07).

Maßftab: 1/30 Naturgröße

26

Figur	Jetziger Standort	Dimenfionen in Metern	Gewendet gegen	Tradition	Infchrift	Anmerkung
58	Steht jetzt im Hofe des Wirths-haufes in *Hroznu* bei Zlin.	hoch 0·80 breit 0·95 dick 0·20	Be-lang-los	An dieser Stelle foll ein Geiftlicher gelegentlich eines Verfehganges er-fchoffen worden fein		Stark bemoost. Als dieses Steinkreuz beim Bau des Wirthshaufes über fetzt worden ift, follen unter dem-felben Glasfcherben gefunden worden fein
59	Südöftlich von *Zwittau* am Feld-wege nach *Hermersdorf* am Rande eines tiefen Steinbruches.	hoch 0·90 breit 0·75 dick 0·30	NNW	Sühnkreuz des Gilg Frepfer, den Jakob Weydler erfchlagen hat		Das Sühn-Document im Zwittauer Stadt-buch B, pag. 375, den Wortlaut vide Mittheilungen 1895, pag. 74
60	Liegt (feit 1894) vorübergeftürzt im Graben der Straße von *Zwittau* nach *Landskron* vor *Mährifch-Lotfchnau*, nahe der Landes-gränze.	hoch 1·10 breit 0·88 dick 0·30	War W			
61	Steht vor dem Friedhofe von *Mohtz*.	hoch 0·85 breit {1·70 / 1·50} dick 0·39	NO			
62	Nächft der Straße von *Ungarifch-Hradifch* nach *Ziechau*, circa (Wegftunde von der Nordbahn-überfetzung, fünf Schritte vom Straßengraben an einem (neuen) Feldrain.	hoch 1·17 breit {1·00 / 0·30} dick 0·28	NNW		Auf der andern Seite des Steines, gegen die Straße, ift ein Pfeil eingeritzt.	Stark verwittert und bemoost. Steht nicht fenkrecht und nicht parallel zur Straße, dürfte somit noch nie verrückt worden fein
63	An der füdlichen Läng-wand der Kirche in *Bautfch*.	hoch 1·00 breit {0·78 / 0·20} dick {0·30 / 0·34}	S	Fußkreuz.		
64	Hinter der Kirche von *Kutfcherau*, an einem Feldwege nach *Boch-dalitz*.	hoch 0·70 breit 0·00 dick 0·10	SSW	Cyrillkreuz.		Etwas vorgeneigt
65	Liegt zertrümmert an der Bezirks-ftraße zwifchen *Sloup* und *Petro-witz* zu Füßen eines gußeifernen Wegkreuzes aus dem Jahre 1817	hoch 1·40 breit 0·40				
66	Steht jetzt am äußerften Ende von *Ohnitz* am Wege nach *Olmitz*.	hoch 0·92 breit {0·05 / 0·07} dick 0·15	Be-lang-los	1. Schwedenkreuz. 2. Cyrillkreuz. 3. Preußengrab	An der Rückfeite Spuren eines Kreuzes eingeritzt	Soll im Jahre 1830 mit vielen Menfchen-knochen ausgegraben worden und in der Nähe einer Marter aufgeftellt und fpäter auf den jetzigen Platz übertragen worden fein
67	Steht unweit einer Marter, füd-lich von *Hrcptfchein* bei *Olmüz*.	hoch 0·70 breit 0·54 dick 0·20	O.	An diefer Stelle foll in alter Zeit ein Fried-hof beftanden haben, und der Kreuzftein der letzte übrig-gebliebene Grabftein desfelben fein		

Figur	Jetziger Standort	Dimensionen in Metern	Gewendet gegen	Tradition	Inschrift	Anmerkung
68	In der Einfriedungsmauer nächst der „Cyrillka" genannten Capelle in Wellehrad eingemauert	hoch 1·34 breit 0·41	Belang los.			Sandstein. Dürfte eine Grabplatte sein.
69	Liegt zerbrochen in dem Glockenhäuschen von Příbram bei Segen Gottes.	jetzt hoch 0·41 breit 0·25 dick 0·06		Eiskreuz		1893 bei der Planirung des Ortsplatzes ausgegraben. Das dritte Stück wurde nicht aufgefunden.
70	Lag bei dem Friedhofe von Oblau neben einem neuen eisernen Wegkreuze und ist nun aufgestellt.	vergl. hoch 1·20 breit 0·60 dick 0·23	Belang los			Die Zeichnung kaum mehr sichtbar.
71	Steht westlich von der Staatsbahnstation Obergespitz in einem Felde nächst dem Feldwege zur Brunner Wienergasse.	vergl. hoch 1·10 breit 0·71 dick 0·20	W.			Feinkörniger uralter, aber noch fester Granit. Die Beschädigungen lassen schließen, daß dieser Kreuzstein eine Zeit lang als Sockel eines eisernen Kreuzes gedient hat.
72	Steht an einem felsigen Einschnitte der Wienerstraße bei Iglau, in der Nähe des Wirthshauses „Trübwasser".	hoch 0·85 breit 0·07 dick 0·25	W.	Kenotaph eines Fleischhauers.		
73	Auf einer Böschung der Lehmgrube in Hoschtitz.	hoch 1·05 breit 0·70 dick 0·20	SW			
74	Liegt im Schulgarten von Tscheechen.	hoch 0·91 breit 0·70 dick 0·07			........Z. K. bez w sseljake przieczini od wlastnich Kmotruw sweich todiz pawla sina wacclawoweho a jana polaka panbóh racz dussi geho milostiw begti.	Sandstein. Wurde 1893 von dem Deputatgarten des Oberlehrers, wo er früher gelegen, in die Schule übertragen.
75	Steht zwischen Tscheechen und Neu-Raußnitz, hart am linken Ufer des Raußnitz-Baches an einem Feldwege	hoch 0·48 breit 0·60 dick 0·10	SSO		tlenjha panie.. utieri⁾ swiatelen .... popudledni zanordowana 'zde na tolmim miste od zlich lidi .. rzik seranek rzemis.	Sandstein.
76	Steht am linken Ufer der Littawa, zwischen Angeezlitz und Hodejitz, circa 100 Schritte von dem Niemtschaner Wehr.	hoch 0·92 breit 0·48 dick 0·09 Kreuz steht 3 Cm vor	S		Leta 100 . W soluqu przo ide ducem swatu alzhieni lezie slowainy waczlaw po zanasky mänarz Krziczano'vsky klery nocznie od zlych lidy zpadule zabit panbuh racz dussi geho milostiw beati Amen.	Sandstein, stand früher gegen Süden gewendet, 4 M. vom Uferweg mitten im Felde. Bei der Überetzung wurden keine Gebeine vorgefunden.

Figur	Jetziger Standort	Dimensionen in Metern	Ge- wendet gegen	Tradition	Inschrift	Anmerkung
77	Steht östlich vom Bahnhofe in *Wischau* auf der Böschung der Kreuzung des Fahrweges von Wischau nach *Drnowitz* und des Schleppgeleises zur Zuckerfabrik	c. hoch 0·27 breit 0·54 dick 0·25	N			Stark verwitterter Granit
78	In die Einfriedung des Vor- gartens von Nr. 18 in *Habruwka* bei *Kiritein* einbezogen.	hoch { 1·05 { 1·31 breit { 0·55 { 0·77 dick 0·15	W	Eidkreuz (?)		An der Rückseite ein bläuliches Kreuz wie vorn eingeritzt
79	Steht am Waldessaume nächst dem Feldwege, welcher von *Reckowitz* gegen *Schieschitz* führt.	Die vorderen zwei Seiten lang 0·29, 0·35, die rück- wärtigen lang 0·30, 0·10, hoch 0·55.	Kante O.	.		Stark verwitterter Granit. Die Rück- seiten sind leer.
80	Steht unmittelbar bei *Trebitsch* an der Straße nach *Jarmeritz*.	hoch 1·40 unten breit 0·70 dick: Krone 0·18 90 Cm. unterhalb beim rückwärtigen Abfatz 0·25 unten 0·45	W	1. Ein athletischer Schmied hat einst gewettet, diesen Stein von der nordwestlich von Trebitsch stehenden Kneipe „Kocanda" (ver- ballhornt aus „Gott fei Dank") bis nach Stiftez zu tragen, ftürzte jedoch hinter Trebitsch todt nieder. Derfelbe Stein fei dann an diefer Stelle aufgeftellt und mit dem Handwerks- zeichen des Schmiedes, dem Hufeifen, bezeichnet worden. 2. Gränzftein des Halsgerichtsrayons von Trebitfch.	F. K. J S B: 6 F R p 1828 T V W 10 F B 23 aus fpäterer Zeit	
81	Steht in einem neuen Feldraine, 15 Schritte von dem Fahrwege von *Marбes* nach *Nepowied*	hoch 0·80 breit 0·50 dick 0·25	Bild O Schrift W.	14. . . . . (Tmg var Mitfas t) (ift geftuarbe de r) feither Gregor H . . alder . vo des . . shweer Hant gi)ieuh, hinter W . . inunit des Weges?) och (?) Gott o hen ift . . Anden. de . g . g .		Auf der andern Seite das Bild eines Winzers. An beiden Schmalfeiten je ein Kreuz ein- geritzt. Kann ein Kenotaph, aber auch ein Sühnftein fein.
82	Steht circa 0·5 Kilometer von 81 entfernt an der Abzweigung des Hohlweges von demfelben Fahr- wege nach *Waftopowitz*	hoch 1·03 breit 0·59 dick 0·10	O			Zwifchen diefen Steinen, Fig. 81 und 82, circa 1·5 Km. in der Luftlinie ent- fernte Kreuzftein, Fig. 33, liegt an einem begrasten Raine eine Stein- platte, die ebenfalls ein Kreuzftein fein dürfte.
83	Steht 25 Schritte entfernt von dem felfigen Fußwege zwifchen *Budifchau* nach *Rohy*, an einem Feldrain.	hoch 1·22 p. breit 0·45 p. dick 0·25	O.			Stark bemoofter heimifcher Granit von △ Querfchnitt. Nur die Vorderfeite ift bearbeitet, die andere roh

2 *

Figur	Jetziger Standort	Dimensionen in Metern	Gewendet gegen	Tradition	Inschrift	Anmerkung
84	Steht westlich von *Groß-Meseritsch* am linken Ufer des Balliner Baches nächst der Iglauer Reichsstraße. 80 Schritte vom Wehr.	hoch 0·09 breit 0·09 dick 0·20	NNW.			
85	Steht an dem Waldfahrweg zwischen *Budischau* und *Oslau* am „Pfaffenberge“ bei einem rothen Holzkreuze und Feldraine.	hoch 0·90 breit 0·84 dick 0·20				
86	Unmittelbar hinter *Chlupitz* bei *Hosterlitz*, neben der Straße nach *Wischenau*.	hoch 0·73 breit 0·34 dick 0·19	SO	Granzstein		
87	Liegt nördlich von *Biharowitz* an der Bezirksstraße nach *Debrowitz* bei einem Brünnlein.	hoch 1·30 breit 0·80 dick 0·15	.			
88	Liegt an der Straßengrabenböschung der Bezirksstraße von *Schelletau* nach *Neu-Reusch*.	hoch { 0·70 { 1·17 breit 0·70 dick 0·20	S.		1007 noch lesbar, von der übrigen Inschrift nur noch Spuren vorhanden.	
89	Steht an der alten Kreisgränze Znaim-Iglau, zugleich der Gemeindegränze von *Martinkau* und *Schafchau Sasowitz* im Riede „Hora“, Parcelle 451 von Martinkau.	hoch { 0·80 { 0·80 breit 0·55 dick 0·10	NW	Granzstein	Längs dieser Granze liegen in verschiedenen Entfernungen Bruchsteine diverser Größe, in welche ein Hufeisen eingemeißelt ist.
90	Liegt im Graben des Verbindungsweges zwischen *Schelletau* und *Schafchau*.	hoch 0·70 breit 0·20				Rohbruch.
91	Liegt in demselben Graben und von Fig. 90 180 Schritte gegen *Schafchau*.	hoch 0·70 breit 0·24				Rohbruch
92	Steht 94 Schritte von Fig. 91 entfernt an demselben Wege gegen *Schafchau*.	hoch 0·50 breit 0·50 Rohbruch				Stark verwittertes Urgestein wie die vorigen.
93	Steht an der Bezirksstraße von *Markwartitz* nach *Alt-Reusch*, 150 Schritte vom letzten Hause, in der Nähe eines Baumes.	hoch 0·82 breit 0·42 dick 0·15	N	Es sei ein Kindermädchen mit einem Säugling in den nahen Brunnen gestürzt.	Gegen Süden: 1550 gegen Norden: Frida?? oder Feida-Quista ?	Die Kreuzform ist an beiden Seiten angebracht.
94	Steht am Communicationswege von *Mährisch-Budwitz* nach *Lukau* u. der Bezirksstraße Budwitz-Jarmeritz Km 18, Mk 5.	hoch 0·79 breit 0·61 dick 0·10	O	An dieser Stelle seien im Jahre 1717 14 Schulkinder aus Lukau am Wege zur Schule in Badwitz im Schneesturme umgekommen	Vorhanden, doch so, daß sie nicht mehr entzifferbar ist. Sie dürfte gleich der Tradition einer jüngern Zeit angehören.	Granit
95	An der Bezirksstraße von *Mähr-Budwitz* nach *Lukau*.	hoch 0·75 breit 0·80 dick 0·13	O.	Keine		Granit

Figur	Jetziger Standort	Dimensionen in Metern	Gewendet gegen	Tradition	Inschrift	Anmerkung
96	An derselben Straße, von Fig. 95 100 M entfernt.	hoch 0·60 breit 0·70 dick 0·14	O.			Grobkörniger Granit
97	Steht an dem ehemaligen Communicationswege „na silničkách" zwischen *Bitzwanky-Schafchau*	hoch 0·80 breit 0·42 dick 0·12	N	Es sei hier einst ein Fuhrmann überfahren worden.		Grobkörniger Granit.
98	Steht unweit der Prager Reichsstraße auf der alten Hutweide bei *Lažan*	hoch 0·82 breit 0·41 dick 0·14	W	1. Die Standorte zweier Brüder, die im Zweikampfe um ein Edelfräulein gleichzeitig gefallen find. Das Fräulein, das dem Kampfe zugesehen, habe sich von dem nahen Felsen zu Tode gestürzt, worauf man ihren Leichnam in zwei gleiche Theile theile und je eine Hälfte mit einem der Brüder beerdigte. 2. Diefe Steine seien die übriggebliebenen Gränzsteine des *trium continium* der Herrschaften Černahora, Gurein und Kreuzhof. 3. Die Steine seien Wegkreuze, da einst zwischen ihnen ein Weg hindurch gegangen ist.		Etwas weniges vornüber geneigt. Sandstein
99	Steht inmitten eines Feldes bei *Lažan*, circa 250 Schritte vom Steine Fig 98 entfernt.		O.			Sandstein
100	Steht an der Lisière des Waldes „Kuchinka" am Wege von *Lažan* nach *Ujezd*.	hoch 0·84 breit 0·70 dick 0·10	O	. . . na maste t oto gest zabit ja kub z augezda sy . . . wac lawa Dworaka z milonica Deu swate sstiepana gehorto Dussi pan buh rac milostiw.		Marmor, stark, bei 45° vornübergeneigt Bezüglich der aus später Zeit herrührenden Inschrift besitzt Herr Oberlehrer Sänka ein Original-Document nach welchem der Todtfchlag nach einem Herbergsftreite 1507 begangen wurde
101	Steht auf einer bewaldeten Bergkuppe, „Badloh" genannt, zwischen *Lažan-Milonitz* und *Ujezd*	hoch 1·40 breit 0·79 dick 0·17	W	In der erften Hälfte des 17 Jahrhunderts hat in der Umgebung von Černahora ein Räuber, der „blutige Barefch" gehaust und bei dem Befitzer des verfallenen Wirthshaufes zur „Maufefalle" im Dorfe Zaviff Unterschlupf gehabt Diefer Barefch foll auch den „Michel Kaifer" erfchoffen haben	bic interciut us . . . gst mychel Kaiccer dik ras	Enkrinitenkalkftein, alfo wahrfcheinlich in Brünn angefertigt badloh = Hügel, brdloh = Maufefße, bar-loh = unterirdifche Kammer

Figur	Jetziger Standort	Dimenfionen in Metern	Gewendet gegen	Tradition	Infchrift	Anmerkung
102	Ift jetzt in der Terraffenmauer bei Grund Nr. 9 in *Zernownik* bei *Czernahora* eingefügt. Früher ift er innerhalb diefer Mauer in mitten des Hausgartens geftanden.	hoch 1·15 breit 0·45 dick 0·21	O. foll früher auch O. geftanden fein.	Keine.		Sandftein. Bei deffen Ueberfetzung wurden keine Sachen gefunden.
103	Steht an der Straße von *Kunftadt* nach *Mokow* bei einer Brücke im Thiergarten-Walde	hoch 0·63 breit 0·63 dick 0·20	NO	Ein Fleifchhauer foll hier erfchlagen worden fein.	1637	Stark bemooster Granit. Tradition und Jahreszahl dürften fich decken und aus jüngerer Zeit herrühren.
104	Steht an der Nordfeite von *Drafow*, am linken Ufer des Lubina-Baches, einige Schritte von der Brücke, am Fahrwege nach *Maloßowitz*.	hoch 0·52 breit 0·55 dick 0·11	O	Soll aus Kriegszeiten herrühren.	NB. Außer diefen drei Kreuzfteinen bei Drafow ift noch ein vierter ähnlicher Stein in der Nähe von Drafow im freien Felde geftanden und wurde, da er das Ackern angemein behindert hat, vor mehreren Jahren in feierlicher Weife an Ort und Stelle in die Erde vergraben.	Röthlicher Granit. Durch die anfahrenden Wagen fchon fehr ftark befchädigt. Das Kreuz ift auf beiden Seiten, auf der einen vertical, auf der andern etwas fchief ausgemeißelt.
105	Steht hinter den Häufern an der Oftfeite von *Drafow* in der Nähe der Mühle.	hoch 1·00 breit 0·30 dick 0·15	O	Soll ebenfalls aus Kriegszeiten herrühren.		Röthlicher Granit wie 104, was die gleichzeitige Aufftellung oder denfelben Bezugsort vermuthen läßt. Etwas vornübergeneigt.
106	Steht in der Ecke des kleinen Hofraumes des Haufes Nr. 67 an der Weftfeite des Ortes) in *Drafow* und ift vom Düngerhaufen faft verdeckt.	hoch 1·31 breit 0·49 dick 0·12	NW.			Blaugrauer Granit, fehr gut erhalten. Der Stein ift nicht in eine Mauer eingefügt, fondern fteht nur in der Ecke, woraus gefolgert werden kann, daß er an feiner urfprünglichen Stelle ftehen dürfte.
107	Steht an der Böfchung des Weges von *Tifchnowitz* nach *Deblin* via *Czernufka*, unweit der fogenannten „Zaviftmühle"	hoch 1·00 breit 0·60 dick ⎰ 0·30 ⎱ 0·10	S.			Granit.

Ueber einige Kirchen in Krain.

Vom Confervator Konrad Crnologar.

erftern Kirche bis zur zweiten ftehen einige Schritte voneinander entfernt dreizehn aufgemauerte Kreuzwegftationen, die vierzehnte Station ift das heil. Grab. Außer diefen ftehen noch auf dem etwa 25 Minuten langen Wege von der Pfarrkirche bis hieher fünf gemauerte Bildftöcke, die an drei Seiten mit die Geheimniffe des heil. Rofenkranzes darftellenden Fresco-Gemälden verfehen find. Da diefe Bildftöcke fchon lang vernachläffigt wurden, find fie meiftens fchon halb verfallen. Vor 20 Jahren waren die Bildftöcke in einem noch ziemlich guten Zuftande. Damals fah ich noch auf einem Gemälde die Jahreszahl 1713, es ift daher anzunehmen, dafs diefelben, wie auch die Heiligengrabcapelle damals errichtet worden find.

I. Die *Marienkirche* war früher ein fehr befuchter Wallfahrtsort und gegenwärtig noch wird diefe Kirche befonders zur Faftenzeit und an Marienfeften ftark befucht. Sie hat ein flachdeckiges Schiff, einen mit drei Achtecksfeiten gefchloffenen Chor, einen an der Nordfeite desfelben aufgeführten viereckigen Glockenthurm mit einer kleinen Sacriftei zu ebener Erde und vor dem Eingange an der Weftfeite eine aus fünf ungleichen Seiten des Achteckes conftruirte Vorhalle mit auf gemauerten Pfeilern ruhenden Rundbögen, die eine flache Holzdecke tragen, umfchloffen. Um die ganze Kirche zieht fich ein ftarker, mit einer Schrage bedeckter Sockel. Das moderne Stein-Portal hat die Jahreszahl 1703, damals dürfte das Schiff modernifirt worden fein und die Vorhalle erhalten haben. Der Chor hatte bis zum Jahre 1870 noch fein gothifches Rippengewölbe und drei gothifche Fenfter im Chorfchluße. Um einen neuen höhern Altaraufbau auftellen zu können, rifs man das gothifche Gewölbe nieder und fetzte an feine Stelle ein ftyllofes, nicht einmal handwerksmäßiges. Die gothifchen Fenfter hat man zugemauert. Vom Gewölbe blieben nur zwei figurale Confolen erhalten (Mutter Gottes mit Jefukind und ein männlicher Kopf). Damals hat man auch einen gemauerten Sängerchor an die Stelle eines holzernen gefchnitzten und bemalten gefetzt.

Den Thurm zieren eingeritzte und früher bemalte Eckquadern und jederfeits zwei gekuppelte rundbogige Schallfenfter, früher ein fchiefergedecktes Zwiebelhelm, feit einigen Jahren aber ein blechernes Pyramidaldach von denkbar ftyllofefter Form.

Unter anderem hängt im Thurme eine kleine Glocke mit drei Rittergeftalten und einer gothifchen Auffchrift in Minuskeln: o + rex + glorie + erexui +, jedenfalls 1586.

Der alte reichgefchnitzte barocke Hochaltar führte die Jahreszahl 1664. Demfelben find zwei Statuen, heil. Anna und heil. Elifabeth für den neuen Altaraufbau entnommen worden. Auch die jedenfalls noch ältere Pietà ift von daher. Ein Antiquitätenfreund foll diefe Statuen haben kaufen und hiefür noch neue unentgeltlich beiftellen wollen, wodurch man auf fie aufmerkfam geworden ift und diefem Umftande hat man ihre Erhaltung zu verdanken. Das alte fehr beachtenswerthe Altarblatt, welches jedoch ftark befchädigt ift. hängt an der Wand im Schiffe. 1871 malte Profeffor *Johann Franke* ein neues, die fchmerzhafte Muttergottes darftellendes Altarblatt. Zwei Jahre fpäter wurde die fchön gefchnitzte barocke, mit auf Holz gemalten vier lateinifchen Kirchenvätern gefchmückte Kanzel entfernt

und durch eine neue Tifchlerarbeit erfetzt. Die beiden Seitenaltäre find auch fpäter durch neue ebenfalls von zweifelhaftem Werthe erfetzt worden.[1]

II Die *Heiligengeift Kirche* blieb beffer erhalten, obwohl man im Jahre 1827 das baufällige Schiff, (welches nach Grundmauern zu urtheilen, etwas breiter als der Chor und 10 M. lang war) abgetragen hatte. Das Presbyterium wurde als eine Vorhalle zum heil. Grabe belaffen (Fig. 1). Dasfelbe ift im Lichten 5·14 M. lang. 5·12 M. breit und ca. 4·5 M. hoch, mit drei 2·40 M. breiten Achteckfeiten gefchloffen. Draußen ift ein hoher kräftiger, mit einer Schräge bedeckter Sockel. Strebepfeiler fehlen. Die außere Breite des Chores ift 7 M. Als Gefims ift eine Viertelkehle. Der nun zugebaute Triumphbogen ift 4·60 M. breit und 4 M. hoch, beiderfeits abgefchrägt. Das Fenfter in der Sudwand ift viereckig erweitert. In den drei Abfchlußwänden befindet fich je ein ftark gefchrägtes fpitzbogiges Fenfter, eines hat noch ein fchönes fpät-gothifches Maßwerk. Diefe Fenfter find jetzt von außen bis zur Mauermitte zugebaut. Die Rippen ruhen auf hübfch profilirten Confolen und kreuzen fich in vier runden mit Reliefs gefchmückten Schlußfteinen. Der Hauptfchlußftein ift

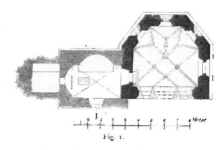

Fig. 1.

etwas größer und hat einen achtftrahligen Stern, der zweite einen Balken (Bindenfchild), der dritte einen linken Schrägbalken mit drei Kugeln und der vierte ein Steinmetzzeichen Y

Das erwähnte Maßwerk bildet ein Vierblatt und jederfeits ein fphärifches Dreieck, nach unten mit einem fegmentförmigen viertheilig-zackigen Bogen.

Sonft findet fich in der Südoftmauer nur noch eine viereckige gothifche Nifche und an der Nordfeite neben dem Triumphbogen eine viereckige Renaiffancethür mit Steinrahmung und profilirtem Sturz, in die Vorhalle des heil. Grabes über einige Steinftufen führend. Das Dach hat ein fehr fchwere viereckige Ziegel. Vor 25 Jahren ftand über dem Triumphbogen ein viereckiger, mit einem Zwiebeldache verfehener Dachreiter, der, da er baufällig geworden, abgetragen werden mußte.

Das Innere war mit Fresken verfehen, die theilweife fchon früher übertüncht worden find, vollftändig aber vor etwa 17 Jahren. So viel ich mich noch er-

[1] Damals wußte man nicht einmal, ob eine k. k. Central Commiffion exiftirt. Man fchaltete mit den Kirchen und ihrer Einrichtung nach Belieben. Es kam mir fchon in diefem Jahre zweimal vor, dafs ich gefragt wurde, man denn die Central-Commiffion errichtet wurde. Sie wußten nichts von einer folchen Behörde.

innern kann, hatten die Kappen und die innere Fläche des Scheidebogens gothisches Rankenwerk, die Rippen waren quergetreift, in beiden Leibungen des hinteren Fensters je eine Heiligengestalt in halber Naturgröße. Unter der Tünche müßen die Gemälde noch gut erhalten sein.

Den alten barocken Altaraufbau mit dem Altarblatte (die Himmelfahrt Mariä darstellend) hat man verworfen.

III. Die *Heiligengrab-Capelle* ist an die nordseitige Mauer des Presbyteriums angebaut und mit selbem durch die früher erwähnte Thür verbunden. Sie besteht aus einer im Lichten 3·80 M. langen und 2·80 M. breiten gewölbten Vorhalle und der 2·50 M. langen und 2·20 M. breiten niedrigen Grabkammer, die erstere ist gegen Süden, die zweite gegen Norden gebaut. Die Vorhalle hat in der Mauerdicke gegen Osten eine seichte halbrunde apsidenähnliche Nische mit einer gemauerten Mensa, ihr gegenüber findet sich in der Westmauer ein viereckiger Eingang, in der Nordmauer, welche ebenfalls nischenartig ist, ein sehr enger und niedriger Eingang in die Grabkammer. Vor diesem liegt auf dem Boden ein viereckiger Stein, welcher denselben Stein darstellen soll, mit dem Christi Grab zugemacht worden war. In der Grabkammer ist an der Ostwand eine auf einer Gurte errichtete Mensa, unter welcher das aus Holz geschnitzte Bild Christi im Grabe liegt.

Von außen ist die Vorhalle viereckig, der Theil mit der Grabkammer hat die Form eines halben Zwölfeckes (sieben Seiten desselben). Unten ist ein Sockel, oben eine Kehle, die Ecken sind durch viereckige Pfeilerchen mit profilirten Capitäen markirt und miteinander durch überhöhte Rundbogen verbunden.

Die Kreuzweg-Stationen waren schon in einem recht schlechten Zustande, sie wurden im Jahre 1896 wiederhergestellt, mit Zinkblech gedeckt, mit Cementmörtel verputzt und die Nischen mit Stationsbildern nach *Führich* fresco gemalt, wofür eine Wohlthäterin 2000 fl. gespendet hat.

Die früher erwähnten fünf Bildstöcke auf dem Wege von der Pfarrkirche nach Dedni dol können nicht mehr erhalten werden; wohl würde sich aber empfehlen, die Heiligengeist-Kirche wiederherzustellen, leider ist das Kirchlein vermögenlos.

II.

Die Pfarrkirche des Marktes Ratschach (Radeče)

etwa eine Viertelstunde östlich von der Bahnstation Steinbrück, liegt am krainischen Save-Ufer unter hohem felsigen Berge. Ueber dem Markte stehen noch spärliche Ruinen des gegen das Ende des 17. Jahrhunderts aufgelassenen Schlosses Ratschach, gleich unter dem Berge an der Straße die spät-gothische wiederholt erweiterte und von außen stark modernisirte, dem heil. Petrus geweihte Pfarrkirche, von einem aufgelassenen Friedhofe und Häusern umgeben.

Das Gebiet der gegenwärtigen Pfarre gehörte früher zur Pfarre Tuffer in Steiermark, die jetzige Pfarrkirche war bis zum Jahre 1429, als hier ein Vicariat errichtet wurde, eine Filialkirche der erwähnten Pfarre,[1] und im Jahre 1385 errichtete ein Herr von Scheiern bei

[2] Catalogus Cleri Dioc. Labac.

dieser Filiale eine Stiftung.[1] Noch im Jahre 1689 hatte diese Pfarre drei Filial-Kirchen jenseits der Save in der Steiermark.[2]

Ueber den Bau der Kirche haben wir keine schriftlichen Nachrichten, auch sind auf dem Baue selbst keine Aufschriften und Jahreszahlen vorhanden. Nach der Abbildung bei *Valvasor*[3] hatte sie damals schon das gothische Presbyterium, der gegenwärtige Thurm vor der Westfaçade fehlte damals noch, dagegen stand über der Kirche zwischen dem Chore und dem Schiffe ein sehr breiter, aber niedriger, einem Satteldache mit geschener Thurm. Die Strebepfeiler am Chorschluße sind deutlich sichtbar, nur erscheint eine Strebe nicht an richtiger Stelle, an der südlichen Wand sind zwei viereckige Fenster, thatsächlich jetzt nur eins. Die Chorschlußfenster fehlen, vielleicht sind sie damals schon vermauert gewesen.

Die Kirche ist orientirt. Sie steht fünf Stufen tiefer unter dem Niveau und ist der Fußboden des Schiffes um fast 2 M. niedriger als die vorbeiführende Straße.

Die Kirche besteht aus fünf Theilen. Der älteste Theil ist das Schiff mit der rippenlosen Partie vor dem Triumphbogen (wahrscheinlich die älteste Kirche und der Raum unter dem Thurme das älteste Presbyterium). Das Schiff ist 16·60 M. lang und 7·75 M. breit, etwa 7 M. hoch. In der westlichen Abschlußmauer eine spitzbogiger einfach profilirter Eingang; seine Schwelle liegt fünf Stufen höher als der Fußboden des Schiffes. Bei diesem erhebt sich ein auf zwei Rundsäulen ruhender spät errichteter Sänger-Chor, in der Südmauer des Schiffes vier viereckige Fenster, die Nordwand ist fensterlos, hat jedoch zwei spitzbogige zu 2·20 M. breite, später ausgebrochene Oeffnungen in die angebaute St. Floriani-Capelle und nahe dem Scheidebogen eine moderne Thür in die Sacristei. Das Schiff hat bis auf 11 M. Länge von Westen ein spät-gothisches Rhombengewölbe, drei Gewölbejoche bildend. Die gleichstarken Rippen von einfachem Profile ruhen auf Consolen, die mit Wappenschildern belegt sind. Sie versinken sich in drei Haupt- und zehn Neben-Schlußsteinen, die meist mit Tartschenschildern, verschiedene Zeichnungen habend, belegt sind. Vor dem Triumphbogen ist ein 5·60 M. langer Theil ohne Rippen. Da das östliche Paar der Consolen durch keine Querrippe verbunden ist, steht es außer Zweifel, daß hier früher eine den Thurm stützende Gurte schon angebracht war, zumal das Schiff gewölbt wurde. Als man den Thurm abbrach, durfte man auch diese störende Gurte abgetragen haben.

Der Triumphbogen ist rundbogig, ungegliedert und 4·50 M. breit. Dieser und der oben erwähnte nun abgetragene Bogen[4] mußten den Thurm tragen.

Der um eine Stufe erhöhte Chor ist 6·75 M. breit, 8·70 M. lang, mit drei zu 2·65 M. breiten Octogonseiten geschlossen. Auf jeder Seite hat er ein viereckiges Fenster, die drei spitzbogigen Fenster im Chorschluße sind zugemauert. An diesen finden sich vier einmal abgetreppte Strebepfeiler.[5] Der Chor hat einen kräftigen, mit einer Schräge bedeckten Sockel, das Schiff dagegen keinen. In der nordöstlichen Schlußwand eine Thür. Das Netzgewölbe des Chores hat einfach profilirte

[1] Schmid: Archiv f. H. G., p. 113
[2] Valvasor: Ehre d. Hgth. Crain, VIII., p. 775.
[3] Valvasor: l. c. XI., p. 464
[4] Im Grundrisse punktirt angegeben.
[5] Der einfache Strebepfeiler an der Südseite des Triumphbogens scheint erst später aufgeführt zu sein.

Rippen, welche sich in zehn meist mit Schildern belegten Schlußsteinen vereinigen und an den Wänden ohne Vermittlung bis zum Boden reichen, wo sie einfache Basen haben; der Chor hat daher capitällose Wanddienste. An der Nordseite des Schiffes ist ein später aufgeführtes Nebenschiff, mit dem Hauptschiffe durch zwei oben schon erwähnte spitzbogige Oeffnungen correspondirend. Dieses ist nur 2·80 M. breit und um ein Drittel kürzer als das eigentliche Schiff. Es hat in der Nordwand zwei viereckige Fenster und einen gleichen Eingang. Das Gewölbe ist hier eine ungegliederte runde Tonne. Da in diesem Seitenschiffe, welches eigentlich nur eine Capelle ist, ein dem heil. Florian geweihter Altar steht, dürfte dieselbe nach einer großen Feuersbrunst ex voto errichtet worden sein. Am westlichen Ende derselben führen einige Stufen auf den Sänger-Chor (Fig. 2).

Der viereckige, später erbaute Glockenthurm vor dem Haupteingange hat halbrunde Schallfenster und ein barockes Blechdach. Unten hat er nur seitwärts je einen Rundbogen, gegen die Straße aber eine volle Mauer, da die erstere viel höher liegt.

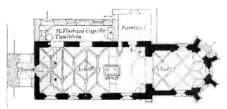

Fig. 2.

Von der Kircheneinrichtung ist nicht viel zu erwähnen. Die vier barocken Altäre scheinen eine Arbeit des vorigen Jahrhundertes zu sein, ebenso die Kanzel; alles aus Holz. Interessant ist seiner Einfachheit wegen das steinerne Becken des am Westende des Seitenschiffes stehenden Taufsteines. Gleich daneben ist in der Schiffsmauer eine kleine rundbogige Nische mit Steinumrahmung und eiserner geschmiedeter Thür. Im Thurme hängen vier Glocken, drei hat *Anton Samassa* in Laibach im Jahre 1859, die mittlere *Balthasar Schneider* in Cilli im Jahre 1752 gegossen.

III.

Die Heiligengeist-Kirche zu Gumnišče

ist eine Filiale der Pfarre St. Marein unter Laibach, am Ostende des Laibacher Mooses auf einer kleinen Anhöhe gelegen, von einer niedrigen Mauer umfriedigt.[1] Wann und von wem diese Kirche erbaut worden war, ist nicht bekannt. *Valvasor* führt sie unter den Filialen der Pfarre St. Marein auf.[2] Die noch gebliebenen gothischen Formen lassen schließen, daß sie am Ende des 15. oder am Beginne des 16. Jahrhunderts aufgeführt

[1] Die Stelle, wo, wie es heißt, ein Schloß gestanden haben soll, nennt das Volk „Podkraj"; von dem Schlosse ist keine Spur mehr vorhanden.
[2] Ehre d. Herzogthum Krain, VIII. Buch.

worden sein dürfte, sonst lassen die Jahreszahlen 1685 auf dem schönen, mit römischem Zahnschnitt geschmückten Renaissance-Portale an der Südseite und 1769 auf dem einfachen Hauptportale auf zwei Umbauten schließen. Die letzte Uniformung geschah vor 40 Jahren, als man das Schiff mit Streumörtel wölbte und eine gemauerte Sängerbühne aufführte. Einst hatte die Kirche nur einen Giebelreiter, der gegenwärtige hohe Thurm dürfte wohl erst im Jahre 1769 gebaut worden sein.

Die Kirche ist orientirt, im Lichten 15·70 M. lang, im Schiffe 7·85 M., im Presbyterium 6· 58 M. breit und ca. 7 M. hoch. Das Schiff ist 9·70 M. lang, hatte früher eine flache Holzdecke, welche wegen Schadhaftigkeit entfernt werden mußte. Jederseits sind zwei viereckige, und über diesen noch je ein Halbmondfenster angebracht. Der Triumphbogen ist halbrund geformt. Der Chor ist 5·30 M. lang, zählt zwei Travéen und ist mit drei Achteckseiten geschlossen. Nach den vorhandenen Graten zu urtheilen, bestand ein regelmäßiges Netzgewölbe, die Rippen ruhten auf Consolen. Dieselben sind entweder im Jahre 1685 oder 1769 weggeschlagen worden. Damals hat man die gothischen Fenster zugemauert oder rechteckig umgestaltet, bloß das Fenster in der mittleren Schlußwand ist im Innern intact geblieben und nur von außen zugemauert. Dieses ist von seltener Form, einem großen Schlüsselloche ähnlich. Nach beiden Seiten ist das Fenster stark abgeschrägt. Man findet Spuren von ornamentaler Färbelung. Die Stichkappen waren gelb mit rothem Saum, die Wände grau mit weißen Strichen, Quadern nachahmend, die Fenster roth und gelb umsäumt. Ueber dem Haupteingange ist in der Thurmhalle, ursprünglich als ein Portalvorbau angebracht, ein aus zwei sich kreuzenden Rippen bestehendes kleines gothisches Gewölbe mit einem runden, das Osterlamm als Relief enthaltenden Schlußsteine noch wohlerhalten.

Die beiden vor dem Triumphbogen stehenden Seitenaltäre und die Kanzel sind nichts mehr als eine schlichte Tischlerarbeit aus den letzten Jahren; eine sehr gelungene Arbeit ist dagegen aus der zweiten Hälfte des 17. Jahrhunderts stammende reich und geschmackvoll geschnitzte Hochaltar. Der mittlere Theil ist selbständig gehalten. Auf einem Unterbaue stehen zwei reichgeschnitzte korinthisirende Säulen, deren Schäfte mit Ranken und Engelsköpfchen reich geschmückt sind. Diese tragen ein reiches römisches Gebälke, worauf ein geschmackvoll geschnitzter Rundbogen ruht. Im Schreine ist die Himmelfahrt Mariä dargestellt, jener des Hochaltares zu Muljava sehr ähnlich. Auf silbernen Wolken schwebt Maria, oben sind Gott Vater und Sohn, welche sie krönen, über diesen schwebt der heil. Geist. Seitwärts oben flattern zwei Engel und rundum zahlreiche Engelsköpfchen. Am Boden des Schreines knien die heil. Valentin und der heil. Franz Xaver, entschieden eine spätere Zuthat. Rechts und links vom Schreine findet sich ein für sich gehaltener Zubau, dessen Säulchen und Gesimse dem Haupttheile gleichgehalten, doch in geringeren Dimensionen ausgeführt sind. In seichten Nischen mit muschelförmigem Schluß gute Statuen des heil. Petrus und heil. Paulus. Ueber dem Bogen des Haupttheiles halten zwei Engel einen Schild mit Monogramm Mariä im Strahlenkranze, ein wenig passender späterer Zusatz. Der Hochaltar ist werth, erhalten zu bleiben.

3

36

Die Dreifaltigkeits-Säule in Töplitz. •

IESES anerkannt fchönfte und gediegenfte Kunftdenkmal der altehrwürdigen Thermen-ftadt am Schloßplatze fteht nach jahrelangen Renovirungsarbeiten wie neuhergeftellt und frei von jeder Umhüllung da. Am 3. Juni 1898 wurde diefe prachtvolle Säule in feierlichfter Weife eingeweiht und der Stadt übergeben. Wann wurde fie aufgebaut? Aus welchem Anlaffe? Und wer waren die Erbauer? So ftellt Hofrath Dr. *Hallwich* die Frage in einem Artikel, deren Beantwortung in der Nummer 77 des „Töplitz-Schönauer Anzeiger" auch derfelbe gleichzeitig bringt.

Am 4. April 1700 hatte *Graf Johann Georg Marcus von Clary und Aldringen* das Zeitliche gefegnet. Sein ftattliches Erbe ging zu ungetheilter Hand an die vier Söhne Johann Georg, Franz Karl, Johann Georg Raphael und Johann Philipp über. Auffallender Weife erfcheint alsbald nach des Vaters Tode nicht der erftgeborene, fondern *Franz Karl*, der zweitältefte, als der eigentliche Herr und Gebieter der Stadt und Herrfchaft Töplitz. Er war es, der in feinem und der Seinen Namen die „Huldigung" feiner „unterthänigen" Bürger- und Bauernfchaft entgegennahm; er allein vollzog am 5. November 1700 die feierliche Grundfteinlegung zum völligen Neubau der Stadtkirche, die feither ihr Ausfehen wenig mehr verändert hat.[1]

Da ftarb zu Beginn des Jahres 1702 (9. Januar) Graf Johann Georg, jedoch nicht kinderlos, fondern mit Hinterlaffung eines Söhnchens Anton Jofeph. Das Kind trat niemals ganz in die Rechte feines Vaters. Oheim Franz Karl verftand es, die einmal mit ftarker Hand erfaßten Zügel der Herrfchaft nicht loszulaffen, auch dann nicht, als feine bisher minderjährigen Brüder mitfammt dem eben genannten Neffen die Großjährigkeit erlangt hatten.

Graf Franz Karl war wie zum großen Herrn geboren. Der Grundzug feines Charakters war eine unbändige Kaufluft. Sein fparfamer Vater hatte dafür geforgt, dafs er nicht nur über liegenden Grund und Boden, fondern auch über anfehnliches Bargeld verfügen konnte. Er war mit Leib und Seele dabei, diefes Geld wieder unter die Leute zu bringen. Kein Haus war feil in Stadt und Dorf, das er nicht überlegte, an fich zu bringen. Ebenfo aber auch kein Landgut, ja keine größere Herrfchaft in der Nähe und Ferne; er gab nicht Ruhe, bis er hatte, was er zu haben beftrebte. Im Geifte feiner Zeit ein ftreng religiöfer gottesfürchtiger Mann, gab er große Summen zum Bau neuer Kirchen im ganzen Umfange des Dominiums. Die meiften diefer Gotteshäufer trugen allerdings noch von dem unfeligen dreißigjährigen Kriege her die traurigften Spuren an fich oder lagen vollftändig in Trümmern.

Ein fchöpferifcher Zug ging durch des Grafen ganzes Wefen. Die Vergrößerung und Befeftigung der Macht und des Anfehens feiner Familie war das Ziel.

Im März des Jahres 1702 verfügte er die erfte grundliche Faffung der ihm gehörigen Quellen, die

fogenannten Schwefelbäder in Schönau, und führte über denfelben ebenfo den erften nachweisbaren Bau auf. Er muß daher als der thatfächliche Gründer des fpäteren „Neubaues" betrachtet werden. Im felben Jahre 1702 vollzog er zum erftenmal die Verpachtung der herrfchaftlichen Bäder in der Stadt.

Im September begann Graf Franz Karl die Anlegung eines großen Thiergartens beim Dorfe Tifchau, des heutigen Topelburg, deffen bekanntes, nachmals vielbefuchtes „Luftfchloß" feine erfte Anlage (1703) ebenfo ihm zu danken hat. Eine Art Gegenftück hiezu, die „Jagdcapelle" St. Euftachius in Tifchau, führte Franz Karl wenige Jahre fpäter auf (1707), deren Zierde, ein Bild des genannten Heiligen, der Erbauer keinem Geringeren als dem größten böhmifchen Maler feiner Zeit *Peter Brandel* anvertraute — demfelben, der eben damals die Stadtpfarrkirche mit dem Altarblatte der „Vierzehn Nothhelfer" fchmückte.

Das Jahr 1713 war aber für den größten Theil des nördlichen Böhmen ein Jahr des Unheils und der Trauer. Gleichwie in dem berüchtigten Peftjahre 1680, graffirte eine furchtbare peftartige Krankheit, an welcher rings um Töplitz Taufende dahinftarben. Stadt und Herrfchaft Töplitz felbft blieben merkwürdigerweife, wie in dem Jahre 1680, gänzlich verfchont.

Die Bevölkerung von Böhmen war im Jahre 1713 infolgedeffen unglaublich dünn gefäet; die entfetzlichen Lücken, die der große deutfche Krieg in fie geriffen, waren beiweitem noch nicht wieder ausgefüllt. Töplitz, die Stadt, hatte damals in 196 Häufern nicht mehr als 1131 Bewohner aufzuweifen. Aus diefem Anlaffe gelobte Graf Franz Karl den Neubau der Kirche von Borislau. Aber auch feine Stadt Töplitz follte ein dauerndes Denkmal ihrer Errettung aus augenfcheinlicher Todesgefahr erhalten. Aber auch der Ernft der Zeit hatte die verbitterten Gemüther in der gräflichen Familie mehr und mehr beruhigt und befänftigt. Die Brüder Johann G. Raphael und Johann Philipp, fowie der Neffe Anton Jofeph erklärten fich bereit zu einem Vergleiche mit Franz Karl, der auch nicht unverföhnlich war und mit beiden Händen zugriff. Garantirte ihm doch diefer Vergleich, was er wollte, den Alleinbefitz der Herrfchaft Töplitz und feiner fonftigen Erwerbungen. Nach vorliegenden Rechnungen lieferte jene in den Jahren 1702 bis 1716 durchfchnittlich ein reines Jahreseinkommen von 22.519 fl. Zum Gedächtniffe des glücklichen Doppelereigniffes, der Befreiung feines Dominiums von drohender Peftgefahr und der Verftändigung und Verföhnung mit den Seinen, befchloß Franz Karl ein fichtbares Zeichen aufzurichten für alle Zukunft: der heil. Dreifaltigkeit zu Ehren.

Das Werk follte ein Kunftwerk erften Ranges werden; feine Ausführung wurde darum einer Künftlerhand übergeben, die ihres Gleichen im Lande nicht hatte. In folcher Meifter war der kaiferliche Hofbildhauer *Matthias Braun von Braun*, die damals größte Berühmtheit auf dem Gebiete plaftifcher Kunft in Böhmen und weit darüber hinaus.

[1] Auszug aus einem fehr lefenswerthen Artikel von Dr. *Hallwich* in der Extrabeilage Nr. 77 des „Töplitz-Schonauer Anzeigers".

Matthias Braun wurde im Jahre 1684 zu Innsbruck geboren. Sein Großvater, Joseph Braun, ein Kriegsmann, hatte fich in den Türkenkriegen in Ungarn, befonders aber vor der Feftung Lippa durch Muth und Tapferkeit hervorgethan und deshalb von König Ferdinand I. die Auszeichnung erfahren, in den Adelsftand erhoben zu werden (1553). Die zahlreiche Familie Braun von Braun war aber nicht mit irdifchen Glücksgütern gefegnet. Matthias mußte fich einem Berufe widmen, der nicht zu den „adeligen“ gezählt zu werden pflegt. Er ging nach Italien, um Bildhauer zu werden.

Es ift eines der vielen großen Verdienfte des als Mäcen mit Recht gerühmten Grafen *Franz Anton Sporck*, das Genie Braun's gleichfam entdeckt zu haben. Er fah deffen Entwürfe und fertige Arbeiten und lud ihn ein, mit ihm auf feine böhmifchen Güter — Gradlitz und Liffa — zu kommen (1704). Hier fchuf Matthias Braun feine erften größeren Werke. Ihre Zahl war mit Rückficht auf die Kürze der Zeit, in der fie entftanden, eine geradezu erftaunliche. Man beziffert fie mit weit über hundert Bildfäulen und ganzen mehrgliedrigen Gruppen, zum Theil in übernatürlichen Dimenfionen. Man rühmt unter ihnen vorzüglich eine Statue des heil. Eremiten Antonius, einen Brunnen mit Chriftus und der Samaritanerin, Paul den Einfiedler, die Geburt und Aufopferung Chrifti, die Anbetung der Hirten und die Ankunft der heil. drei Könige, Magdalenens die Bußerin, des Einfiedlers Onuphrius und Johann den Täufer — die drei letzteren in Riefengröße aus Sandftein ausgeführt. Sie kamen fämmtlich in fogenannten Neuwalde bei Gradlitz zur Aufftellung.

Er fchlug feinen Wohnfitz in Prag auf. Dort erwarb er das Bürgerrecht und erkaufte die Summen, die ihm die Freigebigkeit des Grafen Sporck gewährt hatte, ein Haus am Ende der Breiten Gaffe und das bekannte „Wenzelsbad“, die er nach feinen eigenen Riffen gefchmackvoll gründlich umbauen ließ. In der Stephansgaffe der Neuftadt Prag errichtete frommer Bürgerfinn durch Braun eine Dreifaltigkeitsfäule, die durch ihre reiche figurale Zufammenfetzung die allgemeine Bewunderung erregte.

Es ift damit erklärlich, dafs Graf Franz Karl von Clary bei Ausführung feines Gelübdes füglich kaum eine andere Wahl hatte. Am 12. April 1718 wurde ein Contract abgefchloffen, in welchem fich Meifter Braun verpflichtete, auf dem Schloßplatze zu Töplitz, dreißig bis zweiunddreißig Ellen hoch, aus feftem Sandftein eine kunftvolle Dreifaltigkeitsfäule zu errichten, fo zwar, dafs diefe Säule, das Nützliche mit dem Angenehmen verbindend, drei große Becken enthalte, welche mit fließendem Waffer gefpeift werden follen. Als Koftenpreis wurde, alles in allem, der Betrag von 2300 fl. (zweitaufenddreihundert Gulden?) vereinbart. Die Steinmetzarbeiten übernahm *Matthes Bäuml*, Bürger und Steinmetzmeifter in Töplitz.

Matthias Braun ging mit gewohntem Feuereifer ans Werk. Der Entwurf war bald zu Papier gebracht. Das künftige Stadtwahrzeichen recht anfchaulich vor Augen zu führen, entfchloß fich Braun, die fertige Skizze in Kupfer ftechen zu laffen und diefes Kunftblatt feinem neuen Gönner zu dediciren. So entftand der Kupferftich, von welchem Herr *Albert Dafch* in Töplitz in feiner reichen Kunftfammlung einen Abdruck verwahrt, das vielleicht einzige noch vorhandene Exemplar, welches die folgende authentifche Widmung aufweift:

„Wahrer Abriss der zu Töplitz im Königreiche Böheimb fich befindlichen Saeule, welche der H. H. Dreyfaltigkeit zu größerer Ehr und zugleich fchuldigfter Dankfagung von S. Hochgräfl. Excell. dem Hoch- und Wohlgeborenen Herrn Herrn Frantz Carl des Heil. Röm. Reiches Graffen von Clari und Altringen, Ihro Röm. Kaiss. und königl. Cathol. May. Wircklich geheimben Rath, Cammerern und Obriften Jägermeifter im Königreich Böheimb etc. etc. Wegen der in a. 1713 in gleich ernennten Königreich graffirt, von derofelben Herrfchafft und Statt Töplitz aber gnadig abgewendeten Peft: wie nicht minder wegen (der) zwifchen hochbefagter Sr. Excellenz und dero dreyen Herren Gebrüdern darauf erfolgt- höchft erwünfchten Vereinigung in oberwehnter Stadt Töplitz auf dero eigene unkoften von puren Steyn 30 Ehlen hoch aufgerichtet, von mir Endesbenannten inventiert verfertiget und in gegenwertigem Kupffer Hochgedacht S. Hochgraffl. Excell. in fchuldigfter Devotion deduciret worden. Mathias Braun, Bildhauer und Bürger in Prag.“

Mit gerechter Verwunderung wird man vernehmen, dafs das Koloffalwerk bereits im nächftfolgenden Jahre gänzlich vollendet wurde. In feiner hochften Hohe von 20 M. las man noch in den Tagen Dr. Ludwig Alois John's die eingemeißelte Infchrift: „Ml. Braun fec. Pragæ ao. 1719.“ Sein letztes Werk war eine Statue Kaifer Karl's VI., in weißem Marmor ausgeführt. Kaum war diefes Meifterftück vollendet, als er erkrankte und nach kurzer Krankheit am 15. Februar 1738 verftarb, noch nicht vierundfünfzig Jahre alt.

Bald nach 1813 zeigte fich die Unerlafslichkeit einer erften Renovirung der Säule. Sie wurde vorgenommen, aber herzlich fchlecht und pietätlos durchgeführt, ja beftand haupfächlich darin, dafs ganze Theile, die allzufrei ftanden, und fo dem Einfluße der Witterung und mehr noch dem Vandalismus der Menfchen ausgefetzt waren, einfach entfernt wurden. Kein Wunder, wenn fich von Zeit zu Zeit immer wieder die Nothwendigkeit verfchiedener Reparaturen herausftellte. So blieben durch abermals mehr als fünfzig Jahre bloßes Flickwerk.

So konnte es nicht fehlen, dafs man fich der Sache endlich von einer Seite annahm, deren Aufgabe es ift, für die Erhaltung hiftorifcher Kunft- und Bau-Denkmale in Oefterreich zu forgen. In einer Zufchrift vom 6. Februar 1894 wandte fich die berufene k. k. Central-Commiffion an ihren damaligen Correfpondenten, den nunmehrigen Confervator *Franz Laube*, k. k. Fachfchuldirector in Töplitz. Man fei berichtet, hieß es in diefer Zufchrift, dafs fich die ebenfo fchöne wie werthvolle Dreifaltigkeitsfäule am Schloßplatze zu Töplitz in fehr defolatem Zuftande befinde. Director Laube wurde erfucht, das Kunftobjeft zu befichtigen und der Commiffion zu berichten, ob die vorftehenden Mittheilungen auf Wahrheit beruhen, zugleich aber feine Wohlmeinung darüber bekannt zu geben, in welcher Weife die Renovirung des Werkes in Angriff genommen werden könnte. Die k. k. Central-Commiffion hatte zur rechten Zeit den rechten Mann gefunden, um Wandel zu fchaffen.

Bereits am 22. Februar 1894 erftattete Director Laube der Central-Commiffion einen ausführlichen und

eingehenden Bericht über den angeregten Gegenstand. Er konnte die Richtigkeit des schadhaften Zustandes leider nur vollinhaltlich bestätigen. Mit Befriedigung muß constatirt werden, daß die Nachricht von der Möglichkeit, ja Wahrscheinlichkeit eines bevorstehenden Restaurirungswerkes in der gesammten Bürgerschaft mit ungetheilter Befriedigung aufgenommen und sofort vielseitig die Bereitwilligkeit ausgesprochen wurde, die Kosten dieses Werkes im Wege einer öffentlichen Subscription zu decken. Ueber alle einschlägigen Vorgänge berichtete Director Laube getreulich der Central-Commission, die ihrerseits mit Dank, Anerkennung und Aufmunterung nicht sparte. Am 21. Juni 1894 starb Fürst Edmund Moritz von Clary-Aldringen, der edle Förderer alles Schönen und Guten. Auch erklärte er, daß seinerseits zur Renovirung der Dreifaltigkeits-Säule ein im Verhältnisse zum vorzulegenden Kostenvoranschlage stehender, freiwillig zu leistender Beitrag in Aussicht gestellt sei. Mit großer Genugthuung empfing die Central-Commission den Bericht ihres Correspondenten vom 13. September, indem sie als obersten Leiter der nunmehr in Angriff zu nehmenden Renovirung den Professor an der k. k. Kunstgewerbeschule in Prag *Friedrich Ohmann* nominirte, mit dem sich Director Laube alsbald in Correspondenz setzte.

Zu Ostern 1895 war die Einrüstung der Säule durch den Zimmermeister *Joseph Rittig* und die Errichtung der Bauhütte vollendet. Am 5. September darauf faßte die Bausection des Stadtrathes unter Vorsitz des Bürgermeisters *Stöhr* und in Anwesenheit des *Fürsten Alois Clary-Aldringen* die endgiltigen Beschlüße zur Finalisirung des Werkes.

Die Gesammtkosten wurden mit 30.000 fl. veranschlagt; sie sollten zu gleichen Theilen von der Stadtgemeinde und dem Fürsten getragen werden. Die Oberleitung blieb in den Händen Professor Ohmann's. Die Bildhauerarbeiten wurden dem Bildhauer *Karl Wilfert* in Eger, sowie den Lehrern der k. k. Fachschule in Töplitz *Wilhelm Gerstner* und *Friedrich Eichmann*, endlich die Steinmetzarbeiten dem Töplitzer Steinmetzmeister *Hermann Kühne* übertragen. Zur Herstellung des Ganzen nahm man einen Zeitraum von zwei Jahren in Aussicht. Dieser Termin ist abgelaufen und — das gegebene Versprechen erfüllt.

Bevor wir schließen, sei es gestattet, die Hülle zu lüften, die heute noch den Anblick, der uns erwartet, neidisch verbirgt. Wir folgen der Aufzeichnung eines der Berufensten, Bildhauer Wilhelm Gerstner's.

In symbolischer Bedeutung des Ideales, das hier dem Künstler vorgeschwebt, ist als Grundriß die Form des Dreieckes gewählt. Die abgestumpften Ecken und sanft nach innen geschweiften Seiten entsprechen dem Style, der da eingehalten werden sollte. Das schöne Ganze baut sich aus drei verschiedenen und doch harmonischen Hauptbestandtheilen auf: einem Postament, einem Obelisk und seiner Krönung durch die Gruppe der heil. Dreifaltigkeit.

Der Sockel erhebt sich auf einer von Stufen umsäumten Plattform und bildet somit den eigentlichen Brunnentheil, der in seinen drei Baßins und der über

ihnen frei herausragenden Console mit den Wasserläufen kräftig hervorspringt und dadurch die anmuthig geschweifte Form des obern Sockeltheiles erst so recht deutlich zur Geltung kommen läßt. Auf diesem Postamente steht der schlanke, wiederum dreiseitige Obelisk mit seinen ebenfalls nach Innen sanft gebogenen Flächen. Er läuft in eine Art Capital aus, auf dem die mächtige Weltkugel mit der decorativ geradezu wunderbar gearbeiteten Dreifaltigkeitsgruppe ruht.

Die großen Reliefs der drei Baßins bieten folgende Darstellungen: Rebekka am Brunnen, Christus am Brunnen und die Versinnlichung des biblischen Wortes: „Wie der Hirsch nach der Quelle, so sehnt sich die Seele zu Gott." Die sechs Reliefs der Seitenwände zeigen die Halbfiguren von Moses, Isaias und den vier Evangelisten, während die correspondirenden Eckstücke durch muschelartig verzierte Vasen einen reichen Schmuck erhalten. Zwischen den Baßins stehen, den inneren Hauptflächen wohlangepaßt, drei Postamente, die an den Seiten in Voluten endigen. Sie tragen je eine zwei Meter hohe Figur: den heil. Sebastian, St. Rochus und Karl Borromäus — die Pestpatrone — höchst wirkungsvolle Gestalten.

Auf dem so vielgegliederten, durch die wohlthuende Abwechslung von Figur und Architektur überaus malerisch wirkenden untern Postament steht der schlanke, durch sein edles Ebenmaß imponirende obere Theil des Sockels. Breite Reliefs, die oben von mächtigen Festons bekränzt sind, und schön geformte Cartouchen, deren eine auf der Vorderseite das Wappen der Familie Clary-Aldringen zeigt, geben diesem Theil ein, man möchte sagen feierliches Gepräge. Die drei Reliefs veranschaulichen Abrahams Gastfreundschaft, Jakobs Wiedersehen mit seinem Sohne Joseph und eine Allegorie „die Kirche als Heilanstalt". Von den Ecken der Kranzgesimse schauen reizende Kinderfiguren nieder.

Aus diesem überreichen obern Postament erhebt sich nun der Obelisk. Von seinem untersten Theile bis zur Spitze windet sich in malerischer Anordnung ein Zug geballter Wolken, die den Beschauer durch ihre geschickte Behandlung das harte Material, aus dem sie bestehen, gänzlich vergessen lassen und das leichte luftige Aufwärtsstreben der Säule so recht zum Ausdrucke bringen. Aus den Wolkenmassen schauen zahlreiche geflügelte Engelsköpfe oder ganze Engelsfiguren in verschiedenen Größen, völlig frei oder in Hautrelief heraus. An der Basis des Obelisken knien drei große aufwärts zeigende Genien, von künstlerischen Standpunkte wohl die werthvollsten Theile des ganzen Monumentes. Dasselbe culminirt, wie schon erwähnt, in einer riesigen Erdkugel, auf der, stark auf Wirkung berechnet überlebensgroßen Gestalten von Gott Vater und Gott Sohn thronen, zwischen denen ein schmiedeeisernes Kreuz mit reichem Glorienschein in seiner Mitte den heil. Geist in Gestalt der Taube erblicken läßt. Die Rückseite dieser Gruppe deckt in anmuthiger Stellung ein spielendes Engelspaar, das die schöne Linie auch im Profil vervollständigt. Die Säule hat, wie gesagt, eine Höhe von 20 M. und ist durchaus in gutem festen Sandstein gearbeitet.

Ueber einige Kunſtdenkmale im Norden von Böhmen.

Fortſetzung des Berichtes aus Band XXIV.

Von Conſervator *Rudolph Müller*.

II.

Reichſtadt.

Die Kirche und das Schloß der erſten Culturperiode Reichſtadts zerſtörten die Huſiten. Erſtere wurde 1460 von Jaroslav Berka von Dauba nothdürftig wiederhergeſtellt; das Schloß fand in ſeinem Sohne Zdislaw den Wiedererbauer, indes erſt deſſen Vetter und Beerber Zbynek Berka von Dauba und Reichſtadt 1560 die Kirche vollſtändig umbaute. Als weſentlicher Theil dieſes Umbaues iſt der beſtehende 8·50 M. tiefe und gleich breite ſternförmig gewölbte Chor zu betrachten; der Gewölbſchlußſtein trägt auch das Berka-Wappen. Zugleich mit dem Baue wurde eine Familiengruft angelegt, auf welche die an der Chorrückſeite angebrachten Grabſteine hinweiſen.

Ueber die Ausgeſtaltung des im Ausmaße von 18·25 M. quadratiſch fundirten Schiffes iſt nicht recht klar zu werden; denn Ende des 17. Jahrhunderts ließ die dermalige Herrſchafts-Beſitzerin Anna Maria Franciska Herzogin zu Sachſen Veränderungen vornehmen, die keine dem Styl des Chores angemeſſenen

ſein konnten, weil bei der über Anordnung Kaiſer Ferdinand „des Gütigen“ 1864 durchgeführten Reſtaurirung der Bruſtung, der Orgel-Empore, des Oratoriums und anderer Mauertheilen durch Bemahlung gothiſirender Charakter beigebracht werden mußte. Aehnlicher Weiſe wurde dem der nördlichen Langsſeite angeſchloſſenen Thurme mittels Zuthum von Fialen, Krabben etc. Gothik verliehen. Formell iſt dadurch der Abſicht wohl Genüge gethan: die Ueberkleidung iſt eine wirkſame, ohne aber über den Mangel an organiſcher Entwicklung täuſchen zu können.

Das „Gothiſch“-Bauen durfte überhaupt als ein dem neuzeitigen Empfinden fremdes, den Ausdruck des Erzwungenen zur Schau tragen, wenn anders nicht ein für dieſe Stylart leidenſchaftlich begeiſterter, in alle ihre Geheimniſſe eingedrungener Baumeiſter gefunden wird.[32]

Die geſchichtlich werthvollſten Erbſtücke der Kirche ſind die Grabſteine und Glocken. Erſtens zu Seiten des Hochaltares, zeigt die vorderſte Platte an der Evangelienſeite die lebensgroße geruſtete Geſtalt des Erbauers mit der Inſchrift:

„ANNO DOMINI MDLXXVIII DIE VI MARTII OBIIT GENEROSVS DOMINVS DOÑVS ZBINKO BERKA A DVBA ET LIPA IN REICHSTADT. SVPREMVS MAGISTER CAMERAE REGNI BOHEMIAE.“[33]

Die Platte nebenan mit einer Frauengeſtalt hat als Randſchrift:

„ANNO DOMINI MDLXXII DIE XXX. DEC. OBIIT GENEROSA BARONISSA DOM. VERONICA A LOBKOWITZ GENEROSI ET MAG· BARONIS DÑI. ZBINKONIS BERKÆ A DVBÆ IN REICHSTADT SVPRRMI CAMERÆ MAGISTRI REGNI BOHEMIAE CONIVNX CVIVS ANIMA REQIESCAT IN PACE.“[34]

Auf einer dritten Platte iſt zu leſen:

„FRATRES BERKONES FILII MAGNIFICI DOMINI DOMINI ZBYNKONIS BERKAE BARONIS A DVBAA ET GENEROSÆ DOMINAE DÑAE VERONICAE D. LOBKOWICZ HIC SEPVLTI MDLXV —

ZDISLAVS AETATIS SVAE DECEM MENSIVM OBIIT   ALBERTVS AETATIS SVAE QVATVOR MENSIVM
REICHSTADY [18] DIE NOVEMB. ANNO MDLXIII.   OBIIT MIELNICII VI. DIE IVLII ANNO MDLXIIII.“[35]

Eine kleinere Platte beſagt:

„ANNO MDLXVI DIE OCTAVA MARTY OBIIT ZDENKO BERCA TERTIVS FRATER GERMANVS Æ. Æ. SVÆ. SEPTEM MENSIVM.“[36]

An der Südſeite des Schiffs, nächſt dem Taufkeſſel, iſt noch ein Grabſtein mit der Relief-Geſtalt einer Matrone zu finden, deſſen Randſchrift lautet:

„Leta MDLXXVIII ten patek po Božym vstupeny umrela geſt urozena pany pany Anna Chwaloroska z Duby... (ausgebrochen) tuto geſt pocho-

wana a ocziekawa budauciho wzkfiſſeni w kristu panu.[37]

Die beiden älteren Glocken tragen folgende Schriften:

Die erſte:

ℭ𝔞𝔫𝔫𝔬𝔯𝔬𝔬𝔪𝔦𝔫𝔦𝔵 𝔪𝔦𝔩𝔩𝔢𝔠𝔦𝔪𝔬𝔞𝔣𝔠𝔠𝔠𝔯𝔬𝔠𝔦𝔞𝔲𝔬𝔷𝔢𝔫 𝔞𝔣𝔬𝔬𝔰 𝔯𝔞𝔪𝔦𝔭𝔞𝔬𝔞 𝔰 𝔫𝔲𝔫𝔮𝔲𝔬𝔞𝔪 𝔰 𝔭𝔣𝔬𝔫𝔲𝔫𝔣𝔯𝔩𝔬𝔰𝔭𝔞𝔫𝔞 𝔰 𝔦𝔮𝔫𝔢𝔪 𝔰

Die untere Zeile ſchwer lesbar.

---

[32] Ein ſolch gänzliches der Gothik Entfremdetſein zeigt insbeſondere der jüngſt entſtandene „früh-gothiſche“ Bau der Urſulinerinnen-Kirche zu Reichenberg.

[33] Im Jahre 1578 am 6. März ſtarb der edle Herr Herr Zbinko Berka von Dauba und Leipa auf Reichſtadt, oberſter Kammermeiſter des Königreichs Böhmen.

[34] Im Jahre des Herrn 1572 am 30. December ſtarb die edle Baronin Frau Veronika von Lobkowitz, Gemahlin des edlen und ruhmreichen Barons Zbinko Berka von Dauba und Leipa auf Reichſtadt, oberſten Kammermeiſters des Königreichs Böhmen, deren Seele in Frieden ruhen möge.

[35] Die Brüder Berka, Söhne des erlauchten Herrn Herrn Zbicke Berka Barons von Dauba und der edlen Herrin Herrin Veronika von Lobkowitz und hier beſtattet im Jahre 1565.

Zdislaus ſtarb im Alter von 10 Monaten in Reichſtadt am 18. November 1563.

Albert ſtarb im Alter von 4 Monaten in Melnik am 6. Juli 1564.

[36] Im Jahre 1566 am 8. März ſtarb Zdenko Berka, der dritte leibliche Bruder im Alter von 7 Monaten.

[37] Im Jahre 1578, Freitag nach Chriſti Himmelfahrt, verſchied die hochgeborne Frau Anna Chwaloraska ... werde hier begraben und erwartet in Chriſto eine künftige Auferſtehung.

Die zweite:

**EDARZVIK=EMOU A
MODCZV= KIFTE=YAE = PANE = DOZE = ZA (?&**

am cn=

24

Die Schrift der dritten lautet:

.MDLXII·OMNIA·IN·POTESTATE·DEI·ZBYNCO·
BERKA·BARO·A·DVBA   CASPER·NEVMANN·
VON·HIRSCHPERG·GOS·MICH·⁻

Niemes.

Das dortige Gotteshaus, auf Petri und Pauli geweiht, gewinnt durch seine die Stadt überragende
Stellung, vornehmlich durch den mächtigen fünf-
geschoßigen Thurm besonderes Ansehen.

Ueber den erften Bau aus Ende des 14. Jahrhunderts befteht keine Aufzeichnung; eine fpätere
befagt, dafs im Jahre 1660 die alte kleine Kirche abgebrochen und an deren Stelle die neue fammt Thurm
errichtet worden fei. und zwar durch die Grundherren
Franz Edmund und Ignaz Dominik Freiherren Putz
von Adlerthurn, nebft deren Mutter Juliana Barbara,
geborne Rinkart von Miltenau.

Baumeifter war *Santino Bossi.*[39] Vollendet wurde
die Kirche im Jahre 1663, der Thurm 1667.

Näheres über den Bau deren Periode ift der
lateinifchen Infchrift über dem Haupthore und der hinter
dem Hochaltare zu entnehmen. Erftere berichtet:
„Gott dem hochft Gütigen und Allmachtigen, der ge-
benedeiten Himmelskönigin und jungfräulichen Gottes-
gebärerin Maria, den erhabenften Kirchenfürften und
Apofteln Petrus und Paulus, den heil. Diaconen und
Märtyrern Georgius und Agapitus zu Ehren, befchloß
der hochedle Herr Johann Putz von Adlerthurn, Herr
auf Niemes und Podfetiz, Sr. apoftolifchen Majeftät
Cämmerer, etc. diefe Kirche infolge eines Gelübdes zu
erbauen; als er aber dem Tode nahe war, empfahl er
den Bau den Erben. Um dann diefen frommen Wunfch
zu erfüllen, ließ der hochedle Herr Johann Franz
Edmund Putz von Adlerthurn, der ältere Sohn, Herr
auf Niemes, Mitglied der böhmifchen Ständekammer
etc., unter Mitwirkung der hochedlen Herrin, Witwe
und Mutter, Frau Juliana Barbara, geborne Rink-
hartin von Miltenau und des jüngeren Sohnes, Johann
Ignaz Dominik Putz von Adlerthurn, Herrn auf Podfetiz, diefe Kirche mit Hilfe von Gemeindebeiträgen
wie eigener Mühewaltung über diefem Felfen errichten
im Jahre 1663."

Ergänzend berichtet hiezu die hinter dem Hoch-
altare befindliche Schrift:
„Als diefer Thurmbau vollendet war, begann
Johann Francifcus Putz von Adlerthurn, Sr. apoftolifchen
Majeftät Cämmerer und Geheimrath, Herr der Herr-
fchaft Niemes, die Kirche mit einer Mauer und mit

" Unerkfarkar.
" K wird   nach *Pthw!* — im Rathsprotokolle der „kleinen
Rei der Ba   Prag bei den Jahren ... als ein berühmter aus Italien
gebürtige   ... bezeichnet.

Capellen zu umgeben; da er indes am 7. Juni 1667 in
Wien vom Tode ereilt worden war, führte das Unter-
nehmen fein leiblicher Bruder, Johann Ignaz Dominik
Herr auf Niemes, etc. etc. zu Ende und fügte eine von
Grund aus neue Pfarre bei, vollbrachte fo das ganze
Werk im Jahre 1678."

Nach der 1663 erfolgten Benedicirung durch den
Friedländer Dechant und Kreisvicär Chriftian Auguftin
Pfalz, wurde die Kirche am 24. Juli 1689 vom Prager
Weihbifchof Johann Ignaz Dlouhowesky de Longa
Villa confecrirt.

Im Memorabil ift des weiteren verzeichnet, dafs
am 11. Juni 1806 fammt dem größten Theile der Stadt
die Kirche bis auf die nackten Mauern abbrannte.
Zumeift auf Koften der Gräfin-Witwe Frau Eleonora
von Hartig, Herrin auf Niemes, wurde felben Jahres
mit dem Wiederaufbaue begonnen, durch das Ein-
fchieben eines neuen Presbyteriums aber der bis dahin
ifolirte Thurm mit der Kirche verbunden, diefe fonach
um ein Bedeutendes erweitert.

Bei diefer fichtlich fehr eilfertigen Neugeftaltung
blieb freilich das Zurückgreifen auf die edleren Stylformen des frühern Baues außer Acht. Am empfind-
lichften wird es im Anblicke des unförmlichen Voluten-
giebels der an fich fchon architekturlofen Stirnfeite,
deren Hauptzier in zwei großen Steintafeln befteht mit
der oben mitgetheilten Denkfchrift. Kaum weniger
nachläßig wie am Aeußeren, wurde bei der Ausgeftaltung des Inneren vorgegangen. Das kreuz-
gewölbige Presbyterium mit dem tempelförmigen
Sanctuarium des Hochaltars — der Haupttheil, das
Titelbild mit St. Peter und Paul hängt an der Rückwand — ift an faft lichtlofer Raum; das Schiff ift
verengt und verdüftert durch gemauerte, breit vortretende Emporen, deren Zwifchenpfeiler mit Bildern
aus dem Leben Chrifti behangen find. Die Mehrzahl,
fowie das Hochaltargemälde find Werke des in Niemes
geborenen *Jofeph Schmid*, einem Schüler des erften
Prager Akademie-Directors Jofeph Bergler, fie tragen
auch vollftändig die Signatur der eklektifchen
Schulung Bergler's, nebftbei aber auch den Anflug von
Genialität.

Haupttheil des Gotteshaufes bleibt vorläufig noch
der impofante fchön gegliederte Thurm, bei deffen Anblick und in Rücklicht auf feine ehemalige freie
Stellung es dann doch fragbar wird, ob er nicht aller-
erft die Beftimmung eines Wartthurmes hatte. Sein
gewaltiges Mauerwerk, die gemauerten Laufgänge im
mittleren und oberen Gefchoß weifen faft unwider-
fprechlich darauf hin und laffen folgern, dafs der in der
Mauer-Infchrift erwähnte „Thurmbau" bloß die Adaptirung war zum Glockenthurm.

Die alten Glocken fchmolzen im Brande. Behufs
erweiterter Glockenkunde fei demnach die Charakteriftik der nachgefchafften hier gegeben. Die „Peter-
Paul-Glocke" trägt die Infchrift:

„CAMPANA HÆC ANNO MDCCCXXXVII PRAGAE A
CAROLO BELLMANN EX METALLIS ANTIQVAE
TRANSFVSA EST IN HONOREM S. S. APOSTOL·
PETRI ET PAVLI ET S. S. GEORGII ET AGAPITII —
HOC TEMPORE CVRATIÆ MIMONENSI PRÆERAT
REVEREND. D. D. ADALBERTVS WVRFEL, PAROCIIVS
ET VIS. FOR · DISTR · GABLONENSIS, PRAEPOSITVS

DOMENII MIMONENSIS ERAT D. D. IOSEPHVS PAL-
SAM. ET COMPVTVM ECCLESIAE MIMONENSIS RA-
TIONARIVS D. IOS. KLEIN.[10]

Auf der Glocke „Florian" ſteht:

„Mein Dafein ſchuf die große Feuersbrunft,
Die Niemes faft ganz in Flammen brachte,
Und taufend Menfchen von Gewerb und Kunft
Zu jammervollen Bettlern machte —
was den 11. Juni 1806 geſchah. Ignaz Ludwig, derzeit
Bürgermeifter in Niemes als Stifter, i. J. 1806 gegoffen
bei Kühner in Prag."

Die dritte Glocke trägt die Schrift:

„CAMPANA HAEC ME CAROLO BELLMANN PRAGAE
ANNO 1837 FVSA EST IN HONOREM ST. IOSEPHI.-"[11]

Die der vierten lautet:

„VALIDISSIMA VRBIS FLAMMA PERII 1806, HARTI-
GIANA PIETATE RECIDI 1808. FRANCISCVS IOSEPHVS
KÜHNER ME FVDIT PRAGAE MINORE VRBE 1808.-[12]

Sterbeglocke:

„Sterbeftunde, Menfchenleid — frohe Eil zur Ewigkeit!
Gewidmet: Anton Pitfch aus Hüflitz 1807."

Ein Befonderes befitzt Niemes in dem am Friedhofe beftehenden heiligen Grabe, erbaut von 1665 bis 1667 durch den Freiherrn Johann Franz Edmund Putz von Adlerthurn, angeblich nach einem aus Jerufalem erhaltenen Grundriffe. Die Grab-Capelle umgibt eine Art Kreuzgang mit den Stationsbildern und einer Menge von Votivgemälden. Volkliches Interefle für die ganze Gegend gewann diefes heilige Grab durch die von einem längft beftehenden „heil. Grab-Vereine" alljährlich am Charfamftage als „lebendes Bild" vorgeführte Auferftehung Chrifti.

Hühnerwaffer.

Diefes durch viele alte formfchone Blockwand- und Bindwerkhäufer intereffante Städtchen — mit dem unter einer Linde ruhenden Bären im Wappen — erübrigt aus feiner Urzeit kaum nennenswerthe Refte. Spurlos verfchwand die der Sage nach aus dem 13. Jahrhundert datirte „große Kirche"; fie dürfte in der, mitten in ausgedehnter Waldung durch Kohlenbrenner und Pechfieder entftandenen Anfiedlung eine richtige Holzkirche gewefen fein, für die erft um Ende des 14. Jahrhunderts, unter Heinrich von Duba, ein Steinbau errichtet wurde. Denn laut des Lib. confirm übte die Witwe Heinrich des Aelteren, Adelheid, am 22. September 1404 in Hühnerwaffer das Patronatsrecht aus.[13] Daß auch diefe bis auf Mauerrefte verfchwanden, wird leicht erklärbar im Hinblicke auf die von den Hufiten gerade in diefer Gegend verübte teuflifche Verwüftung.

[10] Diefe Glocke wurde im Jahre 1837 in Prag von Karl Bellmann aus dem Metall der alten Glocke gegoffen zu Ehren der heil. Apoftel Petrus und Paulus und der Heiligen Georgius und Agapitus. Um diefe Zeit führte die Seelforge in Niemes der hochwürdige Herr Adalbert Wurfel, Pfarrer und Bezirksvicar von Gabel, Gemeindevorfteher war Herr Jofeph Palfam und Kirchenrechnungsführer Herr Jofeph Klein.
[11] Diefe Glocke wurde von mir, Karl Bellmann in Prag 1837 zu Ehren des heil. Jofeph gegoffen.
[12] Infolge eines überaus furchtbaren Brandes der Stadt ging ich zugrunde im Jahre 1806, durch die Hochherzigkeit des gräflichen Haufes Hartig kehrte ich wieder im Jahre 1808. — Franz Jofeph Kühner goß mich in Prag auf der Kleinfeite.
[13] Vergl. „Die Berka von Duba etc." von W. Hieke. — Mitteilungen des Vereines für Gefchichte der Deutfchen in Böhmen. 25. Jahrgang, S. 33.

Augenfcheinlich wurde dann der in feiner feften Wolbung nicht leicht zerftorbare Chor mit einem Theile der alten Grundmauern zu dem jetzt beftehenden dürftigen Aufbau benützt. Der dürftigfte, faft roh zu nennende Bautheil ift der nördlichen Längsfeite angefchloffene Thurm, welcher, wie verlautet, demnächft einen Umbau erfahren foll. Die Glocken find werthlos.

Zeitlang von den Lutheranern befetzt, erfuhr der Innenraum durch fie neuerliche Aenderungen. Ihnen dürfte auch die Beifchaffung der Kanzel zuzufchreiben fein, die im Charakter deutfcher Renaiffance gehalten, in den Füllungen des Körpers die gut gemalten Geftalten der Evangeliften, an der Kanzelwange die zwölf Apoftel mit Chriftus in ihrer Mitte, in fchöner Anordnung zeigt. Der Hochaltar ift aus der Nachzeit mit St. Gallus als Kirchen-Patron.

Der merkwürdigfte Gegenftand und unzweifelhafte Ueberreft aus der erften Steinkirche ift das fteinerne, originell geformte Taufbecken. Der klotzartige fechzehneckig abgefafste Körper ruht ohne alle Gliederung auf drei die Axe umfchlingenden aftähnlichen Wulften, als Unterfatz. Den oberen Rand umziehen fich überfchneidende Kreisbögen, deren Abläufe in die Lilienform übergehen.

Zog fchon im Vorbeifahren das am Ende der Ortfchaft frei in der Ebene ftehende Schloß die Aufmerkfamkeit auf fich, fo wirkte felbes defto feffelnder bei der Annäherung, vor allem durch das tektonifch feine Gefüge der Hauptfront und des in prächtiger Renaiffance fandfteinumrahmten Eingangsthores, deffen verticalen Abfchluß bildende zwei geriffelte korinthifche Säulen das reich verkröpfte Gebälke mit dem Ziergiebel tragen. Die beiden der Giebel einverleibten Wappen laffen auf Adam Berka als Bauherrn fchließen, † 1607. Der in der Axe der Hauptfront beftandene Thurm wurde vor kurzem wegen anfcheinender Senkung abgebrochen, an feiner Stelle errichtete man eine dem erften Gefchoß gleiche mit Brüftung umzogene Plattform. Ein Abfonderliches wird noch an der füdlichen Langfeite wahrnehmbar, nämlich die ungleiche Fenfterftellung. Während die feitlichen in gleicher Linie ftehen, find die mittleren einen halben Meter höher gerückt; Urfache deffen ift die Verlegung des Treppenaufganges in die Mitte diefes Bautheiles.

Bohuchwal Berka als letzter des Gefchlechtes im Befitze von Hühnerwaffer und Weißwaffer, verlor wegen Betheiligung am Aufftande der böhmifchen Stände gegen Kaifer Ferdinand II. diefen Befitz 1622 an den Fiscus; hienach an Albrecht von Waldftein gelangt, nach deffen Ermordung an den k. k. Feldmarfchallieutenant Otto Heinrich Grafen von Millefimo-Caretto übergegangen, 1668 aber erkauft von heil. Jofeph Grafen von Waldftein, blieben von da ab die genannten Güter im dauernden Befitze der Familie Waldftein. Der befprochene Bau dient als Jagdfchloß und ift für den zeitweiligen Aufenthalt von Jagdgäften vornehm eingerichtet. Zwei Räume enthalten befonders fchöngeformte Rococo-Kachelofen.

Die vertiefte Umgebung des Schlofes mit einem Waffergraben und der über einen Damm führende Zugang beftatigen die Sage vom vertheidigungsfähigen Zuftande durch Wallgraben, Zugbrücke und den (abgetragenen) Wartthurm.

Sandau (bei Böhmiſch-Leipa).

Der Befuch diefer Ortfchaft war eine Enttäufchung, gelegen im Widerfpruche des Vorgefundenen mit der Gefchichte, welche befagt, dafs „Ziandau" 850 gegründet, 1278 eine bedeutende, durch eine Vefte gefchützte Ortfchaft war und eine fchöne aus vorhufftifcher Zeit datirende Kirche befitze. Diefer idealen Vorausfetzung widerfprach nun der Augenfchein vollftandig, insbefonders mit Bezug auf das Gotteshaus. Nach dem Auffteig über den eine fchiefe Ebene bildenden umfangreichen Marktplatz — befetzt mit ftattlichen alten Blockwandgebäuden, theils neuzeitigen Steinhäufern — in das rechtsfeitige enge Gäfchen einbiegend, ftand ich vor einem äußerft dürftig geftalteten, jeder Spur von alterthümlicher Architektur entbehrenden, die Kirche bedeutenden Mauerwerke. In voller Uebereinftimmung mit diefem Aeußeren fand ich das Innere in allen Theilen. Dem Gedenkbuche war zu entnehmen, dafs 1682 der Sandauer Erbherr Cafpar Proy, „die Kirche zu Ehren St. Bartholomäi erneuern und vergrößern ließ." Die Vergrößerung gefchah in der Richtung auf den ifolirt geftandenen Thurm, der fonach mit der weftlichen Schmalfeite der Kirche in Verbindung gebracht wurde, doch ohne zu einer Portalbildung benützt zu werden. Diefer quadratifch angelegte zweigefchoßige Thurm ift, abgefehen von der barocken Behelmung, jedenfalls ein Theil des alten Baues. Die Bewahrheitung deffen ift zu finden im Erdgefchoße, als kreuzbogig gewölbte Capelle, mit dem frühgothifchen gedrückt fpitzbogigen Eingange. Sie dürfte ehemals Todten-Capelle gewefen fein.

Die Innenausftattung der Kirche entfpricht der Aermlichkeit des Aeußeren; bloß ein an der Epiftelfeite des Presbyteriums hängendes Gemälde, St. Fabian und Sebaftian darftellend, gewidmet vom Archidiacon Jof. Chrift. Melzer im Jahre 1752, hebt fich als beachtenswerth ab. Die Kirche, durch ein in ihr zwifchen dem genannten Erbherrn Cafp. Proy und Benedict von Präfchenfeld ausgefochtenes Duell entweiht, blieb zeitlang gefperrt, verlor auch den Pfarrfitz und wurde in weiterer Folge Expofitur von Politz.

Georgenthal.

Wie fchon angedeutet wurde, reiht die Georgenthaler Kirche unter jene Mifchbauwerke, die im gothifchen Charakter angelegt, in dem der Renaiffance Erweiterung erhielten. Unter Georg von Schleinitz Herren auf Tollenftein 1587 im Baue begonnen, unter Cafpar Mehl von Strölitz fortgefetzt, nach deffen 1592 erfolgtem Ableben im Stillftande, kam es erft nach dem Uebergange der Herrfchaft an Ladislaus Chinitz von Tettau, 1609 zur Fortfetzung und 1611 zum Abfchluß. Im Jahre 1612 nach lutherifchem Ritus eingeweiht, überging die Kirche nicht 1644 an die Katholiken. Grundherr war zur Zeit Hans Chriftian Freiherr von Grünberg.

Dem gefchichtlichen Gange entfprechend, hat der erfte Bautheil, das jetzige Presbyterium, in der fternförmigen Wölbung auch das Gepräge feiner Bauzeit und der in diefen Vorbau eingefprengte halbkreifige Scheidebogen leitet richtig über auf die ausgothik nachfolgende Gefchmacksrichtung, ausge-

sprochen in der Pilafterordnung im Längshaufe. Seltfam ift aber anftatt der Tonnenwölbung eine ebene Decke gezogen und ftatt der Jochtheilung eine dreitheilige Stucco-Felderung angewendet; in diefe find, allerdings neuzeitig, figurale Darftellungen verlegt, die als Englein und Cherubime auch den Gewölbekappen des Chores angethan find. Das Längshaus ift unangenehm beengt durch die an beiden Seiten angebrachten zweigefchoßigen Emporen, die als Einrichtung aus der Zeit der „Evangelifchen" zu betrachten find; gleich unangenehm wirkt die grau in grau Felderung der Orgel-Empore-Brüftung. Außer dem barocken Hochaltare mit dem Dreifaltigkeits-Gemälde beftehen vier Nebenaltäre gleicher Stylart, überdies eine Ueberzahl in Bildern und Statuetten in lofer Anordnung längs der Wände, von denen nur einer gefchnitzten Mater dolorosa und einem St. Sebaftian-Bilde italienifchen Herkommens höherer Kunftwerth beizumeffen ift.

Die Außenfeiten des polygonen Chores find mit abgetreppten Streben befetzt, die auch entlang der Schiffslängsfeiten fortfetzen. Den der Nordfeite des Chores beigeftellten dreigefchoßigen Thurm mit runder italienifcher Kappe ziert eine fchön profilirte Laterna.

Kreibitz.

Die St. Georg geweihte Kirche, gelegen an der nördlichen Lehne der im Kreibitz-Thale weit ausgedehnten Ortfchaft, ift nicht die urfprüngliche; ihr voraus beftand ein Holzbau, wie — wie einer alten Aufzeichnung zu entnehmen ift — am Fuße des Altares ein Stein mit der Jahrzahl 1114 gefunden wurde. Ein anderer Bericht befagt, es fei Anfang des 16. Jahrhunderts die „alte Holzkirche" abgetragen, 1596 aber die „neuerbaute erweitert" worden. Diefes gefchah erkennbar in der üblichen Weife, dafs man dem erften gothifch conftruirten Steinbau ein Langhaus anfchloß und den vorher abgefondert geftandenen Glockenthurm mit der weftlichen Schmalfeite verband, doch ohne ihn für den Haupteingang zu benützen. Diefer wurde in den Vorfprung (Rifalit) im Mittel der füdlichen der Stadt zugekehrten Schiffs-Längsfeite verlegt. Ueber diefem mit Fialen gezierten Portalbau ift das Wartenberg-Wappen als das Bauherrn angebracht.[1] Der Chor, als folcher durch den Schiffszubau aus dem alten Kirchlein entftanden, unterfcheidet fich auch vermöge des ftrengern gothifchen Gefüges in der Gewölbung, der Fenfterprofilirung und im Maßwerke fcharf von den gothifchen Formen im Schiffe. Behufs formeller Uebereinftimmung erhielt diefer wohl ein Netzgewölbe und fpitzbogig einpfoftige Fenfter, beides aber in fchon abgefchwächter Structur.

Von erheblichem Werthe find mehrere der füdlichen Außenfeite einverleibte Grabdenkmale. Daſältefte ftark verwitterte läfst die Jahrzahl 1558 erkennen. Der Schrift ift zu entnehmen, dafs es der Grabftein des Glashüttenmeifters Amon Friedrich, durch deffen Opferwilligkeit die Kirchenerweiterung zuftande kam, gewidmet ift. Das anfehnliche Epitaph nachftau, in einem Runde ausgeführte lebensgroße Mannesgeftalt in der Patriziergewandung aus Anfang des 17. Jahrhunderts, mit offenem langen Mantel, mit Litzen befetztem Rock,

[1] Grundherren von Kreibitz waren zur Zeit des Baues Heinrich und Abraham von Wartenberg.

mit Kniehofe, Strümpfen und Stöckelfchuhen, breitem gefpaltenen Halslatz, das Antlitz unrahmt von langem Haar, mit fchmalem Lippen- und Kinnbart; die über der Bruft gekreuzten Hände halten Gebetbuch und Rofenkranz. Sofort wird aber auch das Auge auf die ungewöhnlich ausgedehnte doppelzeilige Randfchrift der Hintergrundplatte gelenkt, die in ganz origineller Faffung Auskunft gibt über den Mann:

„Alhir ruhet in Gott der Edle, Befte und mannhaffte Georg Lumpe, Burger u. Fleifchhauer, auch gewefener Burgermeifter, hernach in Ihrer Keysl. Majeftat Dienften als Einnehmer 22 Jahr; ift geboren 1612, verehelichte fich 1637 mit jungfer Ludmillen Tit. Bürgermeifter Salomon Hübners ehelichtichen Tochter, zeugte in 30 Jahren ihrer Ehe 15 Kinder, 12 Söhne, 3 Töchter, wovon 6 Söhne zur Zeit feines Abfcheidens noch am Leben waren, als 3 Geiftliche und 3 Weltliche, die anderen 9 find ihme vorangegangen. Verfchied fanft u. feelig mit den H. H. Sacramenten wohlverfehen: als Comunion, als letzte Oelung, den 15. Marty 1688, als er fein Alter gebracht auff 75 Jahr, 4 Monat — deffen Seele Gott mit dem ewigen Freudenleben begnaden wolle Amen."

Engelsköpfe zieren die oberen Ecken der Platte, dem in der Gefimfung breit vortretenden Unterfatze entfpricht der nach oben abfchließende ornirte Giebel des mit anzuerkennender Kunftfertigkeit durchgeführten Denkmals.

An der Chor-Seitenwand finden wir noch eine kleinere Platte mit der Relief-Geftalt eines Jünglings, ähnlich gekleidet wie der vorbefchriebene Mann; das intelligente Antlitz umgeben wallende Locken, den Mund ein dichter Lippen- und Zwickelbart, die über die Bruft erhobenen Hände halten ein Buch. Von der Randfchrift ift bloß die Jahrzahl 1646 und das Alter, 16 Jahre, zu lefen. Deutlich dafür blieb der auf der Plattenfläche angebrachte Pfalmfpruch:

„DAS LOS IST MIR GEFALLEN AVFS LIEBLICHSTE, MIR IST EIN SCHÖN ERBTHEIL WORDEN."

Eine Koftbarkeit des Thurmes ift die fchön ornirte „Ave MARIA"-Glocke mit der Jahrzahl 1460, die dem alten hölzernen Glockenthurme entnommen wurde; die Mefsglocke kam mit dem Erweiterungsbaue hinzu, fie trägt in flavifcher Schrift nebft dem erften Verfe des fünften Capitels aus der Epiftel Paulus an die Römer (Nun wir gerecht geworden durch den Glauben) folgende Auskunft über den Glockengießer:

„SLOWVTNY BRYKCY ZWONARZ Z CYNPERKV WNOWE MIESTIE PRASSKEM TENTO ZWON VDIELAL LETA PANIE 1598.—[15]

Böhmifch-Kamnitz.

Die an mich gelangte Anzeige, dafs in Böhmifch-Kamnitz in einem Bürgerhaufe ein altes Gußeifen-Relief gefunden worden fei, veranlafste mich auf der Fahrt nach Rumburg dort Aufenthalt zu nehmen. Richtig fand ich eine 84 Cm. hohe Gußeifenplatte aus der

Zeit der Wartenberge vor, und zwar das äußerft fchön hochrelief modelirte Wappen diefer Familie mit dem den Schild umfchlingenden Lindwurm und der als Helmzier kahnrudernden Jungfrau, wie es wiederholt an der Emporenbrüftung in der Stadtkirche, ebendort am Epitaph des Chriftoph von Wartenberg[16] zu finden ift. Fraglich blieb nur die Verwendung, wie das Herkommen. Für letzteres ift ein Hinweis gegeben auf den ehemaligen Beftand eines Eifenwerkes in Windifch-Kamnitz; aus der Fundftelle ift dagegen kein Schluß auf die Verwendung zu ziehen.

Bislang vergeblich auf der Suche nach der Zuftändigkeit der räthfelhaften beim Abtragen der baufälligen Leipaer Kreuzkirch-Sacriftei aufgefundenen Wappens mit dem von einem Pfeil durchbohrten Bundfchuh ward mir nun bei der Befichtigung der an der Kirchen-Oftfeite befindlichen Grabfteine die erwunfchene Auskunft. Auf einer zierlich umrahmten meterhohen Steintafel fteht über dem gleichen Wappen folgende Schrift:

„ANNO 1607 DEN 14. APRILIS IST DER ERBARE VND WOLWEISE HERR HANS HECKEL IM HERREN CHRISTI SELIGLICH ENTSCHLAFFEN SEINES ALTERS IM 47. IAHR. DEM GOT GNEDIG SEY. CHRISTVS IST MEIN LEBEN STERBEN MEIN GEWINN."

Es gehört fonach das Wappen der auch nach Leipa ausgezweigten Kamnitzer Patrizierfamilie Heckel. Der durchfchoffene Bundfchuh findet feine Erklärung in einem alten Armbruftfchützenbrauche.

Zu Anfang des Jahres verftändigt vom Auffinden eines alten Gußeifen-Reliefs in Höflitz bei Benfen, lenkte ich, vom Kamnitzer angeregt, nun dorthin und fand — dermal fchon im Befitze des Leiters der Spinnerei zu Elifenthal (nächft Höflitz) Herrn Jofeph Schellmann — ein überrafchend fchönes Gußwerk der Barockzeit. Die wohlerhaltene 1·5 M. hohe 80 Cm. breite 132 Kg. fchwere Platte wurde in einem Bauernhaufe zu Höflitz, unter dem Ofen eingemauert vorgefunden. Dargeftellt find auf ihr, ziemlich halberhaben, zwei romifch bekleidete Ritter, begriffen im Schwertkampfe, augenfcheinlich zur Entfcheidung nach vorausgegangenem durch am Boden liegende Lanzenfplitter angedeuteten Lanzenkampfe. Von fymbolifcher Bedeutung ift jedenfalls auch die Helmzier der Kämpfenden: die flatternden Straußenfedern des uns von vorn zugewendeten, find von einer Agraffe in Cherubsform gehalten; mit gleicher Zier ift die Helmfpange befetzt. Die Schildfläche zeigt an dem Kopf eines brüllenden Löwen. Die Helmzier des anderen von rückwärts ift der Rofsfchweif. Bei Abgang jedweden Schriftzeichens bleibt es fraglich, ob das Bild als Symbolik des Auskampfes zwifchen Heiden- und Chriftenthum oder als das confeffionelle Ringen der Reformationszeit zu deuten fei. Räthfelhaft ift zudem die am untern Rande der Platte wahrnehmbare Gruppirung von kleinen Ringen in Abftänden zu fünf, zwei und vieren. Das Herauslefen der Jahreszahl „1324", wie es bereits gefchah, erfcheint denn doch allzu gewagt, näher liegt wohl die Deutung auf ein Unterfcheidungszeichen der Gußftätte.

---

[15] *Diabacz* nennt „Brykceus von Zynberk" einen berühmten, von 1541 bis 1596 in Prag lebenden Glockengießer. Die Kreibitzer Glocke fehlt im bei gegebenen Verzeichnifse feiner zahlreichen Gußwerke.

[16] Vergl. Mittheilungen, 21. Band, Abbildung zu S. 92.

XXV. N. F.

4

Für das Herkommen diefes Reliefs dürfte an das in Königswald bei Tetfchen beftandene Eifenwerk zu denken fein. Vielleicht auch anbetracht jenes im Befitze des Leipaer „Nordböhmifchen Excurfions-Clubs" mit der zwifchen ziervollen von Rundbögen überwölbten Hallen verlegten Darftellung der Hochzeit zu Kana. Diefer geht in der unterhalb angebrachten prächtigen Cartouche die wilikommene Bezeichnung: „ANNO DOMINI 1594" bei. Gefunden wurde die Platte in Nedam bei Dauba, hinter dem Ofen einer Bauernftube. In Kenntnis gefetzt wurde ich noch von einer vierten ebenfalls unter einem Bauernofen zu

Niedergruppai aufgefundenen Platte, mit Darftellung der Entleibung Abfalons durch Joab, doch ohne Jahrzahl. Aus der Schriftpräge des beftehenden Textes und der Darftellungsform dürfte aber auf Gleichzeitigkeit mit der Leipaer zu fchließen fein. Die Schrift lautet:

„DER GOTTLOS APSOLON DVRCH BÖS BEGIRT VERHETZT, SEINEN VATER ALT DES KÖNIGREICHS ENTSETZT· AN EINER EICH HOCH MIT DEN HARN HANCEN BLEIBT. MIT DREI SPIESZEN IOAB IHN DVRCHSTICHT VND ENTLEIBT.·

Die Kirche zu St. Ruprecht in Wien.

Befprochen und illuftrirt vom Architekten *Anton Weber*.

(Mit 1 Tafel als Beilage und 14 Text-Illuftrationen.)

GELEGENTLICH der 1896 erfolgten Aufnahme einiger romanifcher Details der Kirche zu St. Ruprecht in Wien für die vom Alterthumsvereine herauszugebende „Gefchichte der Stadt Wien", trat ich diefem kleinen faft vergeffenen Kirchlein etwas näher und war überrafcht von dem Zauber, welchen diefes dem großftädtifchen Verkehre entrückte, und doch im Herzen der Großftadt befindliche Bauwerk aus den früheften Tagen Wiens heute noch auf den Befchauer übt.

Mein öfteres Kommen follte nicht unbelohnt bleiben und eine Anzahl intereffanter Details aus der früheften Bauzeit diefes Kirchleins wurden von mir in Betracht und Würdigung gezogen. Es wurde zu diefem Zwecke die vor allem andern nothwendige Aufnahme des Grundriffes (Fig. 1) vorgenommen, aus deffen Betrachtung allein fchon fich die drei Haupt-Epochen erkennen laffen, denen die St. Ruprechts-Kirche ihre jetzige Geftalt verdankt.

Erftens jene Epoche, in der die alte einfchiffige Kirche entftand, mit ihrer Apfis und dem der Weftfront vorgelegtem Thurme; zweitens die Zeit, in welcher der Anbau des rechten Seitenfchiffes entftand, mit feinen vier quadratifchen Kreuzgewölben und dem hubfchen polygonalen Abfchluße, beftehend aus drei Seiten des Achteckes als Nebenchorabfchluß und drittens jene An- und Umbauten an der Weftfaçade aus dem Anfange diefes Jahrhunderts, welche die Weftfaçade ganz und den Thurm zum Theile einfchloffen und welche künftlerifch gar keinen und conftruktiv nur geringen Werth haben.

Der Bau der erften Epoche muß wohl wieder in zwei Theile nach verfchiedenen Bauzeiten getrennt werden, und zwar in die Zeit des Baues des Langhaufes, welches eine Länge von 14 M. und eine Breite von 7 M. mifst, in dem vorgelegten Thurme, der eine Breite von 4·50 M. und eine Tiefe von 4 M. mifst, und in die Zeit des Chorbaues, der einen älteren Chorfchluß verdrängt haben dürfte und fich der Bauzeit des rechten Seitenfchiffes bedeutend nähert.

Unfer Chor, von einer Tiefe und Breite von 7 M. ift auffallend flach und hat das Polygon die ungleichen Winkel von 120° und 150°. Den Schmuck des Chores bilden die fechs fchönen aus Halbrundfäulchen gebil-

deten, die Rippen tragenden Confolen mit ihren verfchiedenen Capitälen, die trotz ihrer Uebertünchung und barbarifchen Bemalung recht fchöne Details erkennen laffen. Nach unten zu endigen die Halbfäulchen mit einer Spitze, die auch verfchiedenartig decorirt ift und recht hübfche Motive zeigt, und nur die beiden dem Triumphbogen anliegenden Halbrundfäulchen haben ihre untere Endigung opfern müffen, um zwei Bänken Platz zu machen (Fig. 3 bis 8). Die Bildung diefer Halbfäulchen erfcheint faft ebenfo in der Dominicaner-Kirche zu Friefach. Die Rippen find einfach profilirt und werden in der Mitte von einem Schlußfteine aufgenommen.

Die vier Fenfter hier und die Thür in die jetzige Sacriftei find aus fpäterer Zeit, und nur das Fenfter im Chorfchluße hat feine alte Rundform bewahrt. Vor dem Hochaltar ift der Zugang zur Gruft durch eine Steinplatte gefchloffen, welche im Jahre 1837 erneuert wurde.

Das Langhaus wird vom Chor durch den Triumphbogen getrennt, welcher rundbogig und unprofilirt, nur mit abgefafsten Ecken verfehen und von einer Dicke von 80 Cm. ift. Seinen alten Charakter hat das Langhaus gänzlich verloren und gegenwärtig mit einer Tonne überwölbt ift, in die ganz unregelmäßig von beiden Seiten aus fechs verfchieden große Stichkappen einfchneiden. Auf der dem Triumphbogen zunächft liegenden Fläche des Gewölbfpiegels befindet fich ein jetzt übertünchter gemalter Adler, der mit dem Gewölbe vielleicht aus dem vorigen Jahrhundert ftammen dürfte. Wie das Langhaus früher gedeckt war und was es urfprünglich für einen Chorfchluß hatte, konnte ich nicht feftftellen.

Von den drei Fenftern der Nordwand des Langhaufes find zwei im gothifchen Charakter, die Fenfterpfoften und die innerften Profile jedoch herausgefchlagen. Das dritte Fenfter ift aus derfelben Zeit wie die Fenfter im Chore.

Die Orgel-Empore wird von einem Segmentbogen getragen, auf dem fich eine hübfche gothifche Maßwerksbrüftung aus Stein befindet. Von der Orgel-Empore ift ein Zugang zum erften und fenfterlofen Thurmgefchoß, welches niedrig überwölbt ift und zum Orgelchore gehört. Diefer ift mit einem Ziegelpflafter verfehen und fanden fich in demfelben acht Stück alte

Ziegel mit verfchiedenen eingedrückten kreisförmigen
Rofetten aus der romanifchen Epoche (f. die beigegebene Tafel).

In die anderen Thurmgefchoffe gelangt man über
den Dachboden der Kirche, in den die obere Endigung der alten Südmauer hineinragt, wo fich noch ein
gut erhaltenes Rundbogenfenfter aus fchönen Quadern
conftruirt vorfindet, das der alten Südfaçade angehörte
(Fig. 2). Auch die gegen den Dachraum gekehrte Oftfeite des Thurmes ift aus fchönen Quadern gebildet,
befonders die 8 Cm. vorfpringende Südoftecke desfelben,
während die Nordoftecke nicht fichtbar ift. Hier befindet
fich der Eingang in das zweite Thurmgefchoß, welches
nur durch zwei kleine Fenfterfchlitze beleuchtet worden
ift und die jetzt durch die äußeren Anbauten gefchloffen
erfcheinen. Durch eine eingebaute Holzftiege gelangt
man nun in die weiteren drei Thurmgefchoffe, von
denen das dritte und vierte trotz ihrer jetzt vermauerten
Rundbogenfenfter befonders intereffant find.

Im dritten Thurmgefchoffe befinden fich zwei von
Säulen getheilte Rundfenfter, von denen das füdliche
Fenfterfäulchen ein ganz gut erhaltenes Capital zeigt;
der Kämpferftein ift zum Theile zerftört, die beiden
Bogenöffnungen find in der halben Mauerftärke vermauert (Fig. 9). Das nördliche Fenfterfäulchen ift ganz
eingemauert, fo dafs nur der gut erhaltene Kämpferftein
aus der Mauer herausfieht und in beiden Fenftern
Bögen und Leibungen, aus behauenen Quadern conftruirt, gut erhalten find (Fig. 10), während das übrige
Thurmmauerwerk aus rundlichen fehr dunkeln Bruchfteinen ohne Verputz ausgeführt ift.

Ueberrafchend ift das vierte Gefchoß (Fig. 11) mit
feinen vier Doppel-Rundfenftern, deren Theilfäulchen
fchöne gut erhaltene Würfel-Capitäle von verfchiedenartigfter Zeichnung und fchöne Bafen mit Eckknorren
(Fig. 12) zeigen und gut erhaltene Kämpferftücke, Bögen
und Leibungen befitzen. Merkwürdig an diefen Capitälen
im dritten und vierten Thurmgefchoß ift ihre Verzierung,
die kerbfchnittartig in die Flächen vertieft ift. Im obern
Theil des Würfels einfache laufende Bänder (Fig. 13), in
der untern größern Fläche aber auf- und abwärts gekehrte Palmetten (Fig. 14), eine Art fiebenarmigen
Leuchters (Fig. 15), eine maskenartige Zeichnung,
weehfeln in der mannigfaltigften Weife an den vier
Seiten des Capitäls ab, alles fcharf und erfichtlich.
Nur wenige Theile der Säulchen find fehr fchadhaft, und
es überrafcht, wie diefe aus der erften Zeit des 13. Jahrhunderts ftammen, wenn nicht vielleicht noch von
früher her datirenden Bautheile gut erhalten find. Das
fünfte Thurmgefchoß ift wieder aus einer viel fpäteren
Zeit, hat vier mit ftumpfen Spitzbogen verfehene
Fenfter, von denen das nach Süd gekehrte etwas größer
und reicher ausgeftaltet ift und jetzt die Thurmuhr trägt.
Hauptgefims, Thurmhelm und Endigung, Kugel mit
doppeltem Kreuz fcheinen aus dem 18. Jahrhundert zu
ftammen. Diefer Thurm ift eine Merkwürdigkeit und ift
wohl zu beachten, dafs feine Hauptpartie alfo bis ins
13. Jahrhundert zurückreicht, fo dafs man fagen kann,
der alte Thurm exiftirt heute noch.

Was die zweite Haupt-Epoche mit dem vermuthlich
aus dem Ende des 13. Jahrhunderts, vielleicht fchon
dem Anfange des 14. Jahrhunderts angehörigen Seitenfchiffe betrifft, fo ift hier vor allem auffallend, wie
willkürlich die Verbindung zwifchen Haupt- und Seiten-

fchiff hergeftellt wurde und bei der Durchbrechung der
alten Südmauer weder auf gleich große Bogenöffnungen,
noch auf gleich große Pfeiler Rückficht genommen
wurde. Die vier quadratifchen Gewölbfelder und der
polygonale Abfchluß haben jedoch fchöne Verhältniße,
die Rippen find reich profilirt, doch ift ihr Anfauf in
keiner Weife mit der Mauer vermittelt. Der polygonale
Abfchluß des Seitenfchiffes ift heute durch eine in der
Richtung des Triumphbogens gezogene Quermauer
vom Seitenfchiff getrennt, was im Anfange diefes Jahr-

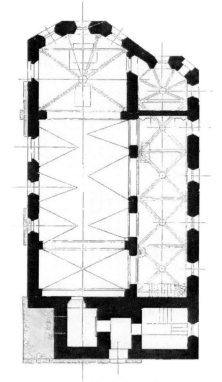

Fig. 1. (Wien, St. Ruprecht.)

hunderts gefchah, um eine neue Sacriftei zu gewinnen.
Der früher in der Apfis des Seitenfchiffes befindliche
Altar wurde alsdann vor diefe Mauer geftellt, und
wurden in die Sacriftei fowohl vom Presbyterium als
auch vom Kirchenplatz Eingänge durchgebrochen, von
denen letzterer mit einer fchmiedeifernen Thür verfehen
wurde, die wahrfcheinlich von der 1837 vermauerten
Thurmthür der Weft-Façade ftammt. Ueber der Sacrifteithür und letzten Seitenfchiff-Fenfter find noch
Fragmente von Glasmalerei aus dem 13. Jahrhundert
erhalten, erfteres Maria mit dem Kind, letzteres Chriftus

4*

46

am Kreuz darstellend.[1] Ein drittes Stück alter Glasmalerei soll von einem Kirchendirector zum Ausbessern gegeben worden sein und war bisher nicht wieder zu erlangen, obschon der Name dessen, der die Tafel übernommen hat, bekannt ist.

Hier im Seitenschiff befindet sich der alte Taufstein. An einem andern Pfeiler befindet sich ein in Holz geschnittener und bemalter St. Ruprecht, der von einem alten Flügelaltar stammen dürfte und dem Anfang des 16. Jahrhunderts angehört.

Der Fußboden des Seitenschiffes enthält eine Grabplatte von rothem Marmor aus dem Jahr 1521 mit dem Wappen von Ulrich Schwaiger, obersten Stadtkämmerer. Die Fenster sind ähnlich den zwei Fenstern des Langhauses gothisch gewesen, und auch hier hat man die Fensterpfosten und den innersten Theil des Maßwerkes herausgeschlagen.

Zur jüngsten und unglücklichsten Bauepoche der St. Ruprechts-Kirche fand ich eine Menge Daten im Vormerkbuch von St. Ruprecht aus dem Jahre 1813,

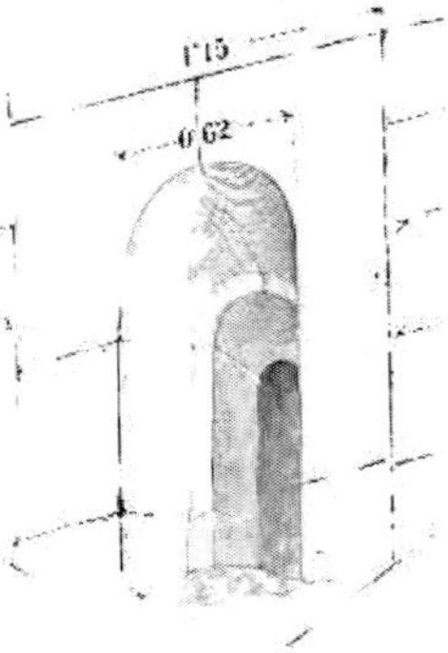

Fig. 2 (Wien, St. Ruprecht.)

welches über die verschiedenen Veränderungen an der West-Façade berichtet und auch von einer Baufälligkeit des Thurmes spricht. Einige Nachrichten über Umbauten wiederholen sich in diesem Vormerkbuch, die Art dieser Umbauten wird aber nicht genauer angegeben, so dass zum Beispiel der Ort der alten Sacristei nicht festzustellen war. Im Jahr 1820 soll, nachdem der Seitenstetten-Hof abgebrochen war, der Plan gewesen sein, die Kirche abzubrechen, was aber durch Gönner der Kirche verhindert worden sein soll.

Aus dem Jahre 1824 stammen die beiden Glasmalereien im Presbyterium; vom Jahr 1829 aber wird berichtet, dass das Presbyterium „vom Grund aus" neu erbaut worden sei, was mir durchaus zweifelhaft erscheint.

Im Jahre 1833 wird der Thurm für baufällig erklärt und ein Statthalterei-Ingenieur mit der Vornahme der Sicherungsarbeiten betraut, was auf Kosten des Landesfürsten als des Kirchenpatrons geschah. Im Jahre 1837 wurde erst die Paramentenkammer, als Anbau an die West-Façade, dem Seitenschiffe vorgesetzt, vom Läuthaus, dem ebenerdigen Thurmgeschoß, die Thurmmauer durchbrochen und mit einer eisenbeschlagenen Thür versehen, gerade gegenüber der alten jetzt vermauerten Thurmthür. Im selben Jahre wurde die neue Gruftplatte im Langhause versetzt und die Einweihung der St. Ruprechts-Statue in der West-Façade vorgenommen.

So konnte 1840 am 27. September das eilftägige Kirchenfest zum eilfhundertjährigen Jubiläum der Kirche feierlich begangen werden, über welches sich das Vormerkbuch auch ausführlichst äußert. Es hat den Anschein, als ob alle diese im Anfang dieses Jahrhunderts vorgenommenen Arbeiten an der Ruprechts-Kirche mehr den Zweck gehabt haben, der Kirche, nach den Begriffen der damaligen Zeit, für das Jubiläum ein schöneres Gewand zu geben, als sie wegen Baufälligkeit vielleicht zu sichern. Es scheint mir sehr für den guten Bauzustand der Kirche und des Thurmes zu sprechen, wenn letzterer zum Beispiel in seiner 1·12 M. starken Südmauer eine 1 M. breite und 2 M. hohe Durchbrechung noch gestattet hat. Das der Westseite des Thurmes vorgelegte Mäuerchen von 30 Cm. Stärke kann gewiss keine Festigung des Thurmes bedeuten, ebensowenig das Vermauern der Fenster im vierten Thurmgeschoße, nur bis zum Kämpfer des Rundfensters, ohne den Bogen selbst auszumauern, in einer Stärke von 25 Cm. hinter dem Fenstersäulchen. Von den zwei Fenstern des dritten Thurmgeschoßes ist nur das südliche in halber Thurmmauerstärke voll vermauert, während das nördliche nur die Fenstersäule vermauert hat und theils als Fenster theils als Thüre auf eine Terrasse führt. Eine ebensolche Terrasse befindet sich auf der Südseite des Thurmes und ist vom Dachstuhl aus zugänglich. Diese beiden Terrassen befinden sich auf jenen Theilen der West-Façade, welche dem Thurme im Norden und Süden seitlich angebaut worden sind, und dem Thurm allerdings nach diesen beiden Seiten hin eine bedeutende Stütze bieten können. Auf der nördlichen Terrasse ist die Entwässerung eine sehr primitive, da infolge des Mangels einer Brüstung das abfallende Wasser von der Ostmauer frei herunterrinnt.

Die West-Façade entspricht dem Innern der Kirche gar nicht, hat Blindfenster und Blindthür, ist mit gothisirendem geputzten Hauptgesims versehen, welches sich an den Ecken verkröpft, und darüber die horizontale glatte Brüstung, welche die beiden Terrassen an zwei Seiten umschließt und durch ihre Höhe den Thurm leider sehr stark deckt, so dass dieser nur in seinem obersten Theile gut sichtbar wird. Die Paramentenkammer ist an der Westfront glatt und fensterlos, während sie an der Südseite durch ein großes gothisirendes Fenster beleuchtet wird.

Aus derselben Zeit stammt hier an der Süd-Façade das gothische Haupteingangsthor, das gleich den beiden Thoren an der Westfront aus stark profilirten Steingewänden im Steinbogen besteht, welches sich ohne Abschluß an einer Art Sockel todtläuft.

Wo das ursprüngliche Hauptthor stand, läßt sich heute kaum nachweisen; an der alten Südfront war jedenfalls Platz für ein solches, ehe das Seitenschiff angebaut wurde, für das Seitenschiff aber nach seiner Vollendung an der Westfront, wo sich die Paramentenkammer jetzt befindet.

[1] Letzteres in der neuesten Zeit verschollen. Anm. der Red.

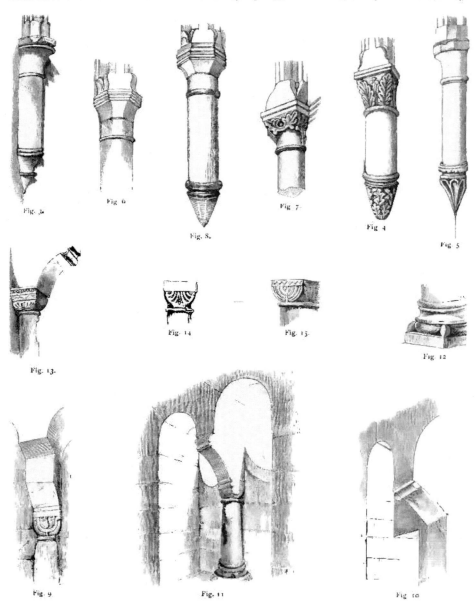

Fig. 3.

Fig. 6

Fig. 8.

Fig. 7

Fig 4

Fig 5

Fig. 13.

Fig. 14

Fig. 15.

Fig. 12

Fig. 9

Fig. 11

Fig 10

48

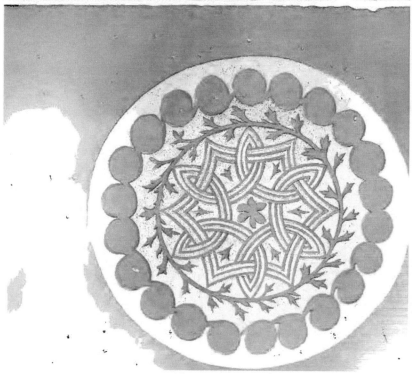

An der Nordseite finden wir Fragmente von alten Mauern, die den Charakter der ältesten Epoche tragen, und hat eines eine solche Breite und Höhe, daß hier die Annahme eines jetzt vermauerten Nord-Portales gestattet wäre.

Aus diesen Betrachtungen ergibt sich, daß der Thurm der St. Ruprechts-Kirche in Wien fast ganz unter dem Bewurfe steckt und zum größten Theile wieder in seine ursprüngliche Gestalt zurückgeführt werden könnte und daß die ganze Westfront vielleicht

einmal einer gründlichen Correctur unterzogen werden sollte, was um so wünschenswerther wird, wenn durch die Regulirung der Inneren Stadt die Judengasse eine größere Breite haben wird, wie solche im bauamtlichen Plan der Inneren Stadt bereits fixirt ist und welche dann vom Hohen Markt aus bereits den Blick auf das Thürmchen von St. Ruprecht gestatten würde, gewiß ein Gewinn für das Stadtbild Wiens, nachdem wir viele schöne Parthien Alt-Wiens haben verschwinden sehen müssen.

Notizen.

1. Von Seite der k. k. Statthalterei in Graz wurde die Central-Commission in Kenntnis gesetzt, daß in *Loibenberg-Videm*, Bezirkshauptmannschaft Rann, in einem Weingarten ein Grab gefunden wurde, welches eine bronzene Urne, einen solchen Helm, zwei Fingerringe, vier eiserne Lanzen, eine Thonschüssel und Scherben von Thongefäßen barg. Der Fund wird im Berichte als kurzweg keltisch bezeichnet und ergab sich am 25. April 1898.

2. *Bartholomäus Pečnik* hat im Mai d. J. an die Central-Commission berichtet, daß er beim Baue eines neuen Schulgebäudes zu *St. Martin* bei Krainburg gelegentlich der Grundgrabung auf einem Acker in einer Tiefe von 60 Cm. dreizehn Brandgräber gefunden habe. Man fand Brandasche, dabei zerdrückte schwarze Thongefäße, ein Bronze-Armband, zwei Fibeln, eine gebrochene Haarnadel, zerglühtes Eisen. Der Berichterstatter vermuthet dort ein größeres Flachgrabfeld.

Derselbe hat weiters im Juli 1898 über eine große Anzahl von Funden berichtet, die er in neuester Zeit zu machen so glücklich war; insbesondere war er mit der Fortsetzung seiner Grabungen bei *Töplitz* (Mönchdorf, Sela) sehr zufrieden. Eine Erhöhung mit Plattform, unzweifelhaft eine größere prähistorische Ansiedlung mit Steinumwallung. Man fand in einem großen Grabhügel zwei Thongefäße, eine Bronze-Situla, einen Bronzehelm mit Kamm, zwei Lanzen, einen Kelt, ein Messer, zwei Certosa-Fibeln, ein Gürtelblech, das jedoch zerfallen war. In einem andern Grabe war Mann und Weib bestattet, beim letztern fanden sich Bernsteinperlen, Ohrgehänge, eine Fibula, hohle Armbänder; beim Manne einige Eisenringe, ein Bronzehelm mit Kamm, zwei Lanzen, ein Kelt, ein kleinerer Ring und ein 75 Cm. langer vierkantiger Eisenstab; meistens Gegenstände der Hallstätter Periode, auch ein ungewöhnlich gestaltetes Thongefäß von Art einer großen Schüssel auf einen Fuß gestellt, mit hohem Rande, woselbst drei Töpfchen stehen, leider alles gebrochen. Alle Gegenstände gelangten an das Wiener Hof-Museum.

Derselbe hat unterm 16. Juni d. J. an die Central-Commission weiters über die prähistorische Ansiedlung bei *Mönchsdorf* und *Sela* nächst Töplitz in Krain berichtet. Nach den Fundangaben scheint damit neuerlich wieder eine große und reiche Fundstätte erschlossen worden zu sein. Außer einem Thongefäße von eigenartiger Form, gehoben aus einem der zwölf zerstreuten

Gräber, eröffnete er in einem großen 16 M. langen und breiten Hügel 38 Gräber, welche bestattete Leichen mit beigegebenen Armbändern, Perlen aus Glas und Feuerstein, Fibeln, dann einen schönen Bronzegurtel, zwei Bronzefibeln mit figuralen Darstellungen und, was sehr beachtenswerth wäre, wenn sich die Deutung bewährt, einen Sporn aus Bronze enthielten.

3. Conservator *L. Schneider* berichtete unterm 17. Februar und 27. April d. J. an die Central-Commission, daß im Herbste vorigen Jahres anläßlich der Erweiterung eines Bahneinschnittes zwischen *Trotina* und *Lochenice*, welcher in seiner ganzen Länge von ca. 800 M. Reste einer neolithischen Ansiedlung aufweist, eine massive silberne Fibel (30 Gr. schwer) von provincial-römischer Form und aus derselben Zeit stammende Scherben gefunden wurden. Die Fibel wurde von dem Museum in Königgrätz erworben, die Scherben wurden größtentheils verworfen, davon die Scherben gefunden wurden, entspricht den Gefäßen aus den Urnenfeldern von Trebická und Pichora

Fig. 1.

bei Dobřichov und bildet der Fund ein neues Glied in der Kette der Funde von Prag-Podbaba angefangen über die Gegend von Böhmisch-Brod und Kolin bis in die Gegend unterhalb des Passes von Nachod. Anbelangend die Fibel selbst, so ist zu bemerken, daß die Federrolle um einen dicken Federstift gewickelt ist und daß die sehr verbreitete Kugel die ganze Rolle wie im Mantel bedeckt (Fig. 1). Unter den Scherben fand sich nachträglich ein Stück, womit sich herausstellt, daß der Mäander an der bisher fehlenden Stelle ein Hackenkreuz bildete, die Verzierung also jener auf der Fibel Prachturne Nr. 2 des Urnenfeldes von Trebická ganz ähnlich ist. Eine zweite silberne Fibel wurde im Dorfe Rosnice gefunden und kam ebenfalls ins Königgrätzer Museum. Die Fundstätte ist ein Feld, welches seit längerer Zeit Fundstätte von Gegenständen entschieden hohen Alters ist.

4. Die Stadtgemeinde *Cilli* hat den von ihr erworbenen Baugrund nächft des Hallner'fchen Gartens unterfuchen laffen, da bereits wiederholt dortfelbft fich Funde ergaben. Man verwendet dabei einen Erdbohrer, welcher fich für geringe Tiefen vorzüglich eignet, indem er als cylindrifcher Körper das vorfindliche Materiale aushebt. Bisher (2. Juli 1898) wurde eine hier gewöhnlich gefchwärzte Erde, gemifcht mit Ziegeltrümmern, Mörtel und bemaltem Bewurf im Grunde bei 70—80 Cm. Tiefe vorgefunden; es fcheint das Terrain zum größten Theil überhaut gewefen zu fein und findet man Refte aus Gebäuderäumen mit Hippocauften. Während man bei Badeanlagen befonders auf die Feuerungsräume, refpective deren Gewölbe deckenden Beton eine horizontal gebettete forgfältig hergeftellte Lage von im Querfchnitte halbkreisförmigen Hohlziegeln, welche die Verbrennungsprodukte und die erwärmte Luft der in den Stockwerken vertical eingebauten röhrenförmigen Hohlziegel zuzuführen beftimmt war, vorfindet, fehlt hier die Zone der horizontalen Hohlziegelcanale. Der Beton reicht unmittelbar und ununterbrochen bis zum Eftrich, zum Mofaikboden herab, die erhitzte Luft ftieg von Heizkammern unmittelbar zu den verticalen Kanälen auf, die Stützpfeiler befitzen 20 und 35 Cm. im Querfchnitt und find oben und unten mit einem kleinen Vorfprung verfehen, ftehen 60 Cm. voneinander ab, die Hohe dürfte 79 Cm. erreichen; der Boden der Wohnräume liegt 120 Cm. über dem Eftrich der Heizung. Zur Mauerung find gewöhnliche Flachziegel verwendet und zum Gewölbefchluß gefchlemmte Dachziegel in ftarker Mörtellage.

Der geringe Mofaikbodenreft ift aus fchwarzen, weißen und blauen Steinchen zufammengefetzt.

Im Schutte wurde das Bruchftück eines Marmorreliefs, eine weibliche Geftalt im faltigen Gewande, in der linken Hand das Fragment eines Füllhorns gefunden, vielleicht eine Glücksgöttin, der Torfo reicht vom Hals bis zur Kniegegend. *Riedl.*

5. *(Mittheilungen über Ausgrabungen von Poctovium im Jahre 1897.)*

Der Gefertigte erlaubt fich in folgendem einige Mittheilungen über Ausgrabungen am *Rann* und am *Haidinerfelde* bei *Pettau* zu machen. So weit es ihm möglich war, fich über Grundrifsanlagen von Gebäuden Skizzen zu machen, gefchah es.

Im Jahre 1897 wurden im ganzen 197 Brandgräber und 44 Skeletgräber aufgedeckt.

Ein römifcher Infchriftftein, welcher auch aufgefunden war, wurde am 4. Februar 1897 an das Mufeum in Graz eingefendet, desgleichen nebft vielen Münzen auch noch eine Reihe von Thon- und Glasgefäßen, Metallfpiegeln, Bronze-Gegenftänden und Theile derfelben, Fibeln, Glöckchen etc.

Jedenfalls fehr intereffant waren die Auffchließungen von Mauerreften römifcher Bauten, die theilweife auf Häuferbauten als Villen, Badeeinrichtungen, wie auf Canalifationsbauten fchließen laffen.

Eine größere Fundamentsanlage aus Ziegel- und Bruchfteinmauerwerk, theilweife auch Rollfteinmauerwerk wurde am 8. Februar aufgenommen. Beigefchloffene Skizze Fig. 2 zeigt die Anlage des Fundaments. Die Aufgrabung erftreckt fich auf eine Tiefe von 1½ M. am Acker der Frau Marie Leskofchegg am *Rann*.

Der Mörtelverputz war bemalt und zwar mit fatten Farben in roth, zinnobergrün, gelb, welche äußerft gut erhaltene Farbenharmonie heute noch das Intereffe feffelt. Auch viele Marmorftücke, von Tifchplatten, Säulenfchäften herrührend, wurden dafelbft aufgefunden.

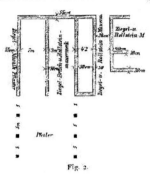

Fig. 2.

Auf demfelben Ackerfelde wurde auch eine Canalheizungsanlage aufgedeckt (f. Fig. 3 der Grundrifs davon). Man erficht im Grundriffe vier Säulenreihen, beftehend aus Ziegelfcheiben mit quadratifchen Unterlagsplatten. Zwifchen diefen Säulchen ziehen fich die Canäle hin. Das Ganze ift mit einer Mauer von 65 bis 70 Cm. Stärke

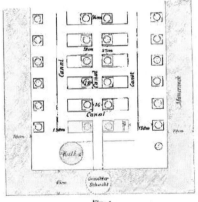

Fig. 3.

umrahmt. Anfchließend an die öftliche Gartenmauer der Befitzung des Herrn Pouch wurde am 30. April v. J. ein in Bruchfteinmauerwerk in Schichten aufgeführter Canal aufgefchloffen, welcher die Richtung Weft-Oft verfolgt. Die Strecke, welche blosgelegt wurde, beträgt etwa 3 M. Fig. 4 zeigt deffen Profil.

Im Canal wurde eine Münze aus Silber von Cäfar Aug. Domit. Cos Princ. Juventut. gefunden, welche recht gut erhalten ift. Später, das ift im November

wurde diefer Canal weftwärts in den Garten des Befitzers verfolgt, aber dort abgemauert gefunden. Durch den genannten Garten fuhrt auch ein Theil der ehemaligen Römerftraße. Am Rande derfelben fand fich ein Skeletgrab, das Skelet trug einen Armreifen aus Bronze, ein blaues Thränenfläfchchen lag daneben. In der Nähe wurden auch fechs Münzen von Conft. Valens gefunden.

Am Ackergrunde der Frau Ribitfch am Rann wurde ein Gußmauerwerk von beigezeichneter Form (Fig. 5) erfchloffen. Auch fanden fich dortfelbft viele Marmorftücke vor. Intereffant ift es, daß bei *a* und *b* fich zwei Skelette vorfanden, welche mit den Köpfen gegeneinanderlagen. Eine Münze und ein Salbfläfchchen fand fich am Orte. Ob fich nicht über dem quadratifchen Fundament ein Grabmal erhob?

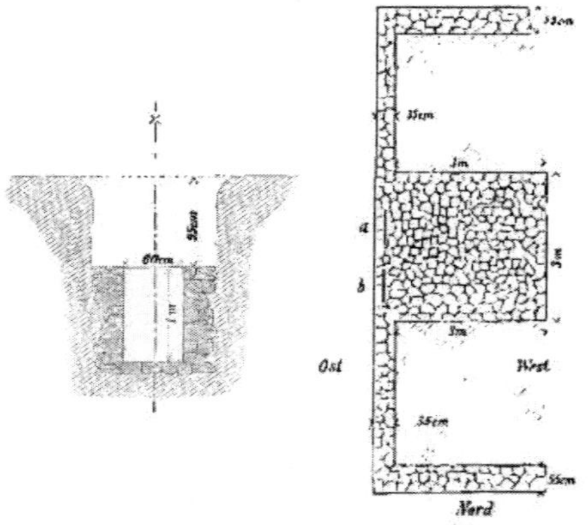

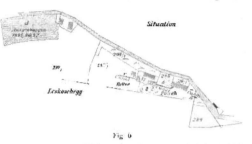

Situation

Fig 6

eine Canalifations-Anlage angefchloffen. Die Widerlager find aus Bruchfteinmauerwerk in Mörtel ausgefuhrt.

während die Sohle aus Ziegelplatten befteht. Die Widerlager find mit Ziegelplatten abgedeckt. Die ganze Anlage erhält noch mehr Intereffe, da fie fich durch die

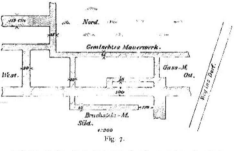

Fig. 7.

anftoßende Realität, Parz. 85, fortfetzt und an der Ackerparcelle 289 wieder blosgelegt wurde. Die Ziegelplatten, welche fammtliche gut erhalten find, tragen den Stempel S. O. E. und C. O. S. (Fig. 6.)

In diefem Canale fand fich auch eine Münze von „Gallus" vor. Die Mauerrefte weifen farbigen Mörtelverputz auf. Marmorrefte, Thonfcherben von verfchiedenen Gefäßformen herrührend, Säulchenftückchen in Menge und ein Glöckchen wurden gefunden.

Wenn man die bisher angeführten Auffchließungen von Grundmauerreften und der Canalifationsftrecken überblickt, fo findet man in ihren Situationsanlagen einen gewiffen Zufammenhang, welchen ich in der Situationsfkizze Fig. 7 verfinnliche.

Verlaffen wir nun das Grabungsgebiet am Rann und kehren wir nach dem Orte *Haidin*, dort, wo einft das römifche Zollhaus geftanden ift, zurück. In deffen Nähe wurde im Gartengrunde des Kracher eine Grundmaueranlage blosgelegt. Die aufgedeckte Länge des Gebäudes, welches ich am 28. December v. J. befah, war circa 19 M. Man fand auch eine Bronzemünze von NERVA.

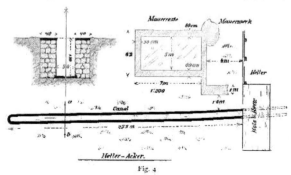

Fig. 5.

Im Monate Mai wurde beim Rigolen auf der Adelsberger Realität eine römifche Gußmauer von 60 Cm. Stärke aufgedeckt.

Fig. 4

Im November vorigen Jahres wurde im vorerwähnten Garten des Herrn Pouch, P. 285, am Rann

Ein aufgefundenes Quaderftück aus Sandftein mit Ueberreften einer fchonen Akanthus-Verzierung läßt auch auf ein bedeutenderes monumentales Bauwerk fchließen.

Noch erübrigt es mir, eines Fundes Erwähnung zu machen, welcher diesmal in der *Waidfchach*, alfo am linken Drauufer am Acker des Herrn Profeffors

Fig. 8. (Heidin.)

M. Cilenšek gemacht wurde. Beim Rigolen des Erdreiches fließ man auf einen Steinfarg aus wahrfcheinlich St. Barbara-Sandftein, in welchem eine Urne mit Leichenbrand fich vorfand. Zwei kleine Thongefäße und noch viele Scherbenrefte waren ebenfalls im Sarge. Außer diefem fand man auch einen kleinen Bleifarg nebft einigen Plattenziegeln (Fig. 8). *V. Kohaut.*

6. Zu *Alt-Muggia* fand man infolge der Erdbewegungen zwifchen der alten Kirche Madonna delle Grazie (Jahreszahl an der Stufe des Hochaltares MDCXLXXIVIII) und dem Fuße des Berges von S. Michele, wo die Steinkiftengräber aufgedeckt wurden, eine Bronzemünze des Kaifers Vefpafian, gut erhalten und fchön patinirt, die Reversfeite zeigt die Roma mit Lanze und Nike; eine Bronzemünze des Kaifers Maximinianus, auf der Rückfeite: genio populi romani.z.e und der ftehende Genius; eine verfilberte venetianifche Kupfermünze mit Sanctus Marcus Venetus und dem Löwen und Aloy Mocenigo dux venet. mit dem Kreuze, umgeben von Sternen (Dogenzeit). Die Funde wurden aber nicht in den Steinkiftengräbern gemacht.

7. *(Römifche Grabinfchrift von Janjina.)*

Auf einem Bergabhange unweit vom Dorfe Popova Luka, Gemeinde Janjina, politifcher Bezirk Curzola in Dalmatien fand ich in der Gränzmauer eines Weingartens einen 55 Cm. langen, 28 Cm. breiten und etwa 15 Cm. dicken behauenen Stein mit einer lateinifchen Infchrift. Während auf der rechten Seite des Steines der Text plötzlich aufzuhören fchien und im erften Momente die Vermuthung auffteigen ließ, dafs der Text abbreche, waren alle übrigen drei Seiten, das heißt die linke, obere und untere mit einem 6—8 Cm. breiten Rande umgeben. Die eigentliche Schriftfläche war 39 Cm. lang und 27·5 Cm. breit. An der linken und obern Seite beftand ein Reliefrand von 1·5 Cm. Breite, an der obern Seite fchloffen fich noch außerdem an ihn zwei andere 3·5 und 5 Cm. breite Randleiften an.

Im untern Drittel war der Stein zerbrochen, und während die Bruchftelle in einer fchiefen Linie von links unten nach rechts oben ging, war an der rechten Seite ein Stück abgebrochen und fehlte. Die einzelnen Buchftaben in großer Antiquafchrift hatten die Größe von 2 bis 3·5 Cm., und zwar nahm die Größe der Buchftaben von der obern Zeile zur untern fucceffive ab. Die Infchrift foll lauten:

D eis Manibus Sacrum
ANN A EO QVIN
TO FILIO ANNA E
VS PVDE VS PATER
MISER QV I FILI
VM PE RDEDI AN
NORVM xxxx

Den Göttern der Unterwelt geheiligt! Seinem Sohne Annaeus Quintus (hat dies aufgeftellt) der unglückliche Vater Annaeus Pudeus, der ich den Sohn verlor in feinem vierzigften Lebensjahre.

Der Stein ift Eigenthum des Ante Pleho, Weinbauer in Janjina. Sein Großvater fand den Stein vor etwa vierzig Jahren unweit der jetzigen Stelle beim Anlegen eines Weingartens unter dickem Geftrüppe bewachfen. Bei dem Steine lag auch eine Steinkugel, welche mit kleinen eingemeifselten Buchftaben „wie befäet" gewefen fein foll; diefelbe ging mit der Zeit verloren und ift heute unauffindbar. Aus Curiofität nahm der Großvater beide Steine nach Janjina, wo fie fich lange Zeit in feinem Haufe herumwälzten. Aus Furcht, dafs der Stein dem Haufe Unglück bringe, trug ihn der jetzige Eigenthümer wieder auf die Fundftelle und fügte ihn in eine Gränzmauer unweit davon horizontal ein. Der ziemlich intelligente Mann nahm damals eine Copie der Steininfchrift ab, welche mit der jetzigen übereinftimmt und die heutige theilweife zerftörte fünfte und fechfte Zeile ergänzt.

Der Bruch des Steines entftand dadurch, indem man denfelben in der Meinung, die Infchrift fei eine griechifche, auf ein im Hafen von Trftenik verankertes griechifches Schiff trug, um es von den Griechen enträthfeln zu laffen. Als es die Griechen nicht vermochten, trug man den Stein wieder zurück, wobei er jedoch während des Transportes auf den Boden fiel und zerbrach.

Nach Angabe des Pleho wurden an der urfprünglichen Fundftelle keine Spuren eines Grabes gefunden, allerdings hat auch bisher keine fachmännifche Nachgrabung an jener Stelle ftattgefunden. Der Stein wurde nach feiner Auffindung vom Eigenthümer in das Pfarrgebäude von Janjina übertragen, wo er fich bis heute befindet.   Dr. *Oskar Hovorka Edler v. Zderas.*

8. Die Stiftskirche des anno 1142 durch Bifchof Hartmann aus Paffau gegründeten Auguftiner-Chorherrnftiftes *Neuftift* bei Brixen a. d. Eifack war ehemals ein romanifcher Bau, von welchem derzeit noch ein mächtiger Glockenthurm quadratifcher Anlage mit romanifchen Schallfenftern und niedrigem Pyramidenhelm erhalten ift. Diefer Thurm war muthmaßlich urfprünglich freiftehend und in geringer Entfernung von demfelben der bafilikenartige alte Kirchenbau errichtet.

Gegenwärtig fteht die in der erften Hälfte des 18. Jahrhunderts zum Theile auf den Grundmauern der alten Kirche erbaute Stiftskirche mit der weftlichen Giebelfront mit dem alten Thurme in Verbindung und an der Oftfeite mit dem unter Propft Leonhard Pacher anno 1468 in gothifchen Style erbauten Presbyterium.

Gelegentlich der von 1895 bis 1898 an diefer Kirche durchgeführten Reftaurirung, über welche in folgendem berichtet werden foll, wurde durch Ent-

fernung einer Holzverkleidung an der nördlichen Wand der Thurmhalle ein durch diefe Maskirung lang fchon in Vergeffenheit gerathenes Denkmal blosgelegt, das in Form eines Epitaphiums aus der Wand vorkragt. Diefes Denkmal, welches fich auf die Erbauung der gegenwärtigen Stiftskirche bezieht, ift aus grauem Marmor errichtet und zeigt in dem von einer Pilafterarchitektur umrahmten Mittelfelde en relief das lebensgroße Bruftbild des Stiftspropftes und infulirten Abtes Anton Steigenberger, des Erbauers der Kirche. Unter dem Relief befindet fich folgende Infchrift:

„REVERENDISSIMVS DOMINVS ANTONIVS STEIGENBERGER . STERZINGAE NATVS IN ECCLESIA F. F. CAPVZINORVM VIII. FEBRVAR. MDCLXXXIV. PROFESSVS MDCCII. NEOMISTA MDCCVII. PREPOSITVS ELECTVS MDCCXXXVII. RVINOSAM SVLFVSIT HANC DOMVM ET IN DIEBVS SVIS RENOVAVIT HOC TEMPLVM. TEMPLI ETIAM ALTITVDO AB IPSO RECVRATA EST. DVPLEX EDIFICATIO ET ORNATI PARIETAS VIII. APRILIS MDCCLXXXVII. VIVERE DESIIT CVM NIHIL PRAETER IMMORTALITATEM DEFVIT."

Darunter ift links das Familienwappen des Propftes (mit der Figur eines Bergknappen als Emblem)[1] und rechts das Wappen des Stiftes Neuftift (Krückenftock) en relief dargeftellt.

Das ebenerdige Thurmgefchoß bildet die Vorhalle der Kirche, welche man von hier aus unter der weit vorladenden, über die ganze Breite des Langhaufes ausgedehnten Empore und Orgelbühne betritt. Die Kirche ift dreifchiffig, 63 M. lang und 23 M. breit. Die Breite des Presbyteriums entfpricht jener des Hauptfchiffes. Das weftliche Ende des linken Seitenfchiffes fteht mit einer in nördlicher Richtung ausgebauten Capelle von annähernd quadratifcher Grundform in Verbindung. Diefe Capelle, zu Unferer lieben Frau in gratias geweiht, wurde um 1464 erbaut und im Jahre 1695 zu ihrer jetzigen Geftalt erneuert. Die gegenwärtige decorative Ausfchmückung ihres Innenraumes entfpricht annähernd dem Reichthum derjenigen, welche das Langhaus und Presbyterium aufweifen, wengleich letztere in künftlerifcher Hinficht voranzuftellen wäre.

Die Wirkung des Innenraumes der Stiftskirche ift eine durchweg harmonifche. Ohne drückende Ueberladung ift die Decoration der Wände und Gewölbe in reichen und prächtigen Detailformen des Barockftyles durchgeführt. Farbige Felder aus Stucco luftro zieren die Wände, Puttifiguren, Vafen und Stuck-Ornamente die architektonifchen Gliederungen und die Umrahmungen der mit Fresken in genialer Zeichnung und lebhaftem Colorit gefchmückten Gewölbe. An einem Gewölbfelde hat der Maler diefer Fresken feinen Namen gezeichnet: „J. Matth. Gündter iuv. pinxit 1736."

Die Gemäldedarftellungen beziehen fich auf die Gefchichte der Chorherrnftiftes Neuftift und fpeciell das Deckengemälde in der Vorhalle auf die Erbauung der Kirche und des Klofters.

Die Fresken in der Capelle zu Unferer lieben Frau ftammen laut Infchrift des Künftlers von Caffar Waldmann.

Entfprechend der vornehmen Pracht des Wandund Gewölbefchmuckes ift der architektonifche Aufbau der Altäre und die Ausführung der zumeift von namhaften Tyroler Meiftern des vorigen Jahrhunderts herrührenden Altargemälde. Die drei Altäre im Presbyterium find aus Marmor errichtet und der Aufbau der fünf Altäre im Langhaufe mit mehrfarbigem Stucco luftro verkleidet.

Das Hochaltarblatt von *Bartholomäus Fink* ftellt die Himmelfahrt Mariens dar und die von *Chriftoph Unterberger* ftammen den Gemälde an den Seitenaltären des Presbyteriums den heil. Auguftin und den fel. Hartmann. An den Seitenaltären im Langhaufe befinden fich bemerkenswerthe Gemälde von Franz Unterberger (Johannes von Nepomuk) und von *Johann Grafsmeyer* (St. Rochus und St. Sebaftian).

Den Anlaß zur neueftens vorgenommenen Reftaurirung der Stiftskirche boten vielfache Zerftörungen der Innen-Decoration, welche einerfeits durch auffteigende Bodenfeuchtigkeit an den Wänden der Capelle und der Seitenfchiffe entftanden, und anderfeits durch Eindringen von Feuchtigkeit an den Gewölben infolge der fchadhaft gewordenen Kirchenbedachung.

Diefem Uebelftande wurde zunächft durch entfprechende Ableitung des Regenwaffers von den Außenwänden des Gebäudes und durch eine folide Ausbefferung der Kirchenbedachung begegnet. Die feuchten Wandpartien der Capelle und der Seitenfchiffe wurden außen und innen zum Zwecke der Anbringung eines Mörtelputzes refpective Stucküberzuges entkleidet, desgleichen die infolge eindringender Feuchtigkeit an den Gewölben und den oberen Wandpartien fchadhaft gewordenen Stellen bloßgelegt.

Nach gehöriger Austrocknung erfolgte die Herftellung des neuen Wandverputzes und die Ergänzung der Stucco luftro fowie die Stuck-Ornamente in fehr befriedigender Weife durch den Stuckateur *Wolf* aus Tannheim.

Die vielfach fchadhaft gewordenen Deckengemälde reftaurirte der akademifche Maler *Thomas Rauter*, welcher hiebei in einzelnen kleinen Partien durch den akademifchen Maler *Franz Burger* unterftutzt wurde, fonft aber keinen Gehilfen hiebei anlegen ließ. Diefe fchwierige Arbeit ift mit großer Gewiffenhaftigkeit in vortrefflichfter Weife ausgeführt worden.

Im Ganzen muß die in allen Theilen wohlgelungene Reftaurirung der Stiftskirche zu Neuftift als ein fehr verdienftliches Werk bezeichnet werden, das angeregt und gefördert von dem kunftfinnigen Herrn Stiftspropft *Remigius Weisfteiner* diefem zur hohen Ehre gereicht. *Johann Deininger.*

9. (Die Katharinen-Kirche zu Cogolo.)

Regierungsrath Direftor *Deininger*, der von der Central-Commiffion erfucht worden war, die Kirche zu Cogolo in Süd-Tyrol zu befuchen und über fie zu

[1] Vermuthlich ftammte die Familie Steigenberger aus dem Ridnaun Thale bei Sterzing, wo Bergbau betrieben wird.

XXV. N. F.

[1] Die genannten jungen Künftler erhielten ihre erfte Schulung an der Staats-Gewerbefchule zu Innsbruck und ihre weitere Ausbildung an der königl. Kunft-Akademie in München.

5

berichten, hat unterm 6. Juni d. J. den diesfälligen Bericht erſtattet, dem wir nachſtehendes entnehmen.

Wie die nebenſtehende Grundriſs-Skizze (Fig. 9) veranſchaulicht, iſt befagte Kirche ein kleiner Bau einſchiffiger Anlage mit polygonem Chor gegen Süden gerichtet, 20·5 M. lang und 10·8 M. breit, erbaut in der erſten Hälfte des 14. Jahrhunderts und theilweiſe verändert im 16. und 18. Jahrhunderte. Entſprechend dem Typus, welchen die älteren kirchlichen Bauten in Val di Sole aufweiſen, iſt auch bei dieſem Bauwerke der quadratiſch angelegte Thurm als freiſtehender Campanile mit gemauertem vierſeitigen Pyramidenhelm links der Kirche geſtellt, 3·20 M. im Gevierte. Die Gewölbe des Innenraumes werden durch einen auf Conſolen vorkragenden Gurtbogen in nahezu gleiche Hälften getheilt. Der eine Theil gegen Norden beſitzt ein Netzgewölbe mit flach birnſtabförmig profilirten Rippen an den Durchſchneidungspunkten mit ſcheibenförmigen Schlußſteinen oder Wappenſchilden belegt. Auf einem erkennt man ganz deutlich: SIAPH 1588, was ſich wahrſcheinlich auf die Entſtehungszeit des Gewölbes beziehen dürfte. In dieſem Raume ſteht an der linken Wand die Kanzel, woſelbſt mittelalterliche Fresken bloßgelegt

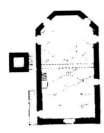

Fig. 3.

wurden Dieſelben ſind in vier durch einfache Farbenſtreifen von einander getrennten Feldern ſichtbar und ſtellen Scenen aus dem Leben der heil. Katharina, der Kirchenpatronin dar und dürften unmittelbar nach der Erbauung der Kirche (1332) entſtanden ſein. Der ſüdliche Theil des Langhauſes mit dem Presbyterium hat bei der Renovation im Jahre 1760 eine durchgreifende Veränderung erfahren, indem man das Sterngewölbe in ein Tonnengewölbe mit Stichkappen verwandelte. Im Mittelfelde des Gewölbes ein mittelmäßiges Tempera-Gemälde: Krönung Mariens aus jener Zeit.

In einer Ausdehnung von ca. 8. M. Länge und ca. 3 M. Höhe iſt die oſtſeitige Außenwand dieſer Kirche zwiſchen dem Thurm und den Giebelmauern und dem Portal der Freitreppe, die vom Erdboden zur Orgelbühne führt, bis zum Dachſaume mit Freskencyclen geziert. Die Bilder befinden ſich in rechteckigen Feldern, durch gemalte Streifen begränzt, drei in der obern und fünf in der untern Reihe, zeigen den Charakter italieniſcher Wandmalerei aus dem 16. Jahrhundert, ſoweit dieſelben, nicht, wie deutlich erkennbar, 1760 al tempera übertüncht wurden. Die Compoſition des heil. Abendmahles erinnert an jene des berühmten Leonardo da Vinci. Oben: Chriſtus am

Kreuze mit Johannes und Maria, heil. Abendmahl, Geißelung Chriſti; darunter eine unbeſtimmbare Figur, ein Engel, die Auferſtehung Chriſti, Chriſtus das Kreuz tragend, die heil. Katharina und eine Nonne, dann St. Barbara. Man kann annehmen, dafs dieſe Malereien zur ſelben Zeit entſtanden ſind wie das Netzgewölbe des Langhauſes (1588). Unterhalb der Freske (Auferſtehungsbild) befindet ſich an der Kirchenwand ein rund bogigabgeſchloſſenes, von Pilaſtern umrahmtes Epitaphium aus rothem Marmor im Style der italieniſchen Renaiſſance,[1] deſſen Bogen-Lunette eine Freske, Pietà, enthält. Eine Inſchriftafel ſagt, ſoweit als noch lesbar, dafs die Kirche zu Cogolo den Heiligen Philippus, Jacobus und Katharina 1332 geweiht wurde. An der Oſtwand des Campanile über dem Sockel die Rieſenfigur des heil. Chriſtoph; doch iſt von der Malerei nur mehr die obere Parthie erhalten, im Charakter ähnlich den Fresken an der linken Außenwand.

Ein hochwichtiges Object iſt der Hochaltar daſelbſt. Hinter einem ganz neueren Marmoraltar aus neuerer Zeit ſteht der Obertheil eines alten Holz-Altares, zuſammengeſetzt aus fragmentirten Beſtandtheilen eines ſpät-gothiſchen Flügelaltares deutſcher Arbeit und eines Altaraufbaues in italieniſcher Hoch-Renaiſſance. Das urſprüngliche Altarbild iſt nicht mehr vorhanden und an deſſen Stelle ein Madonnenbild jüngerer Zeit und von größerer Dimenſion in der Art vor den Mitteltheil geſtellt, dafs die Architektur des Altares ſammt den Holz-Sculpturen theilweiſe verdeckt iſt. Die ſchmale Rahmen des Bildes iſt durch Bruchſtücke geſchnitzter und vergoldeter Säulenſchäfte, welche dem alten Renaiſſance-Altar angehörten, geſtützt. Die eigenartige Conception dieſes Altares läßt mit verkennen, dafs bei Herſtellung deſſelben ſpeciell die Wiederverwendung der offenbar von einem gothiſchen Flügelaltar ſtammenden Relieffiguren angeſtrebt wurde. Dieſe Relieffiguren ſind ſchöne Schnitzwerke aus dem Ende des 15. Jahrhunderts und durch Bemalung und Vergoldung belebt. Sie ſtellen vor St. Katharina und Auguſtin, St. Rochus und Vigilius. Intereſſant erſcheint hiebei der Verſuch, die architektoniſche Umrahmung dieſer Sculpturen dem Style derſelben anzupaſſen, was eben nicht ſonderlich gelungen iſt. Die Säulen und verkröpften Geſimſe des ganzen Altaraufbaues zeigen ſchöne Verhältniſſe, reiche Gliederungen und in den Details techniſch vortreffliche Ausführungen. Die geſchnitzten Engelsfiguren, welche zu beiden Seiten auf den Segmentgiebeln des oberen Altarabſchluſſes ruhen, ſind nicht ganz plaſtiſch, ſondern in der Art eines Reliefs behandelt, theilweiſe bemalt und vergoldet. Ihre künſtleriſche Ausführung minderwerthig. Der Giebel-Aufſatz iſt leer. Der Aufbau des Altares iſt dermalen auf einen roh gezimmerten Tiſch geſtellt, die Menſa fehlt. Die Wiederherſtellung im urſprünglichen Charakter ſcheint, wenn auch die ornamentalen und architektoniſchen Theile des Aufbaues leicht ergänzt werden können, ſchwer möglich. Der Altar verdient aber ſeine volle Würdigung und Erhaltung, und wäre bei dem Umſtande, als in der Kirche kein Platz für einen zweiten Altar iſt, in ein Muſeum zu verweiſen.

10. Correſpondent Cuſtos *Ritſchel* hatte in allerneueſter Zeit Gelegenheit, die herrliche Kirche zu

[1] Siehe Mitth. der Centr.-Comm.

Gampern bei *Timmelkam* zu befuchen und über diefelbe an die Central-Commiffion berichtet. Die Kirche gehört zwei Bauzeiten an, die jedoch von einander nicht weit abstehen. Der ältere Theil ist das mit Strebepfeilern gekräftigte zweifchiffige Langhaus; der jüngere, aber weit zierlichere das Presbyterium. Der Thurm gehört dem Beginne des 16. Jahrhunderts an, der übrigens unfertig ist. Zu den Zierden der Kirche gehört das gothifche Sacramentshäuschen und der gothifche Altar, abgefehen von dem gothifchen Tauffteine und den Grabdenkmalen. Der Eindruck, den die fchöne Kirche macht, ist geradezu überwältigend. Der Bau ist großartig, die Verzierungen und Fialen reichen bis zur Decke der Kirche hinan. Die gefchnitzten Figuren find fo lebendig, als ob wirkliche Geftalten dafelbft ftänden. Der Ausdruck der gut polychromirten Gefichter ist edel und zeigt nicht das fonft bei altdeutfchen Werken oft vorkommende ftarre und fteife. Die Bilder (Tempera) find nicht alle von einer Hand gemalt, mehr Schülerarbeiten und haben durch die Feuchtigkeit einigermaßen gelitten. Ob fie von *Wohlgemuth* ftammen, ist recht fchwer zu behaupten. Wohl kommt auf einem der Bilder ein Kopf vor, der porträtartig aufgefafst ist und fehr viel Aehnlichkeit mit dem Porträt Wohlgemuth's hat. Bei einer im Jahre 1894 durchgeführten Reftaurirung fand man die Jahreszahl 1515. Sicher ist, dafs die plaftifchen Figuren alle von einer, und zwar einer Meifterhand herrühren. Die Figuren follen feinerzeit fehr überputzt gewefen fein und wurden gewiffenhaft von einem gefchickten Bildhauer gereinigt und in der Art, wie fie ehemals waren, wieder polychromirt, die Gewänder vergoldet, da die alte Vergoldung fehr fchadhaft geworden war. Befonders gelitten haben die Bilder auf der Rückfeite des Altars, der Firnifs ist zerfetzt, hie und da ist die Farbe aufgeftanden. Es muß wohl hervorgehoben werden, dafs fowohl der hochwürdige Herr Pfarrer wie die Gemeinde wohl wiffen, was für ein koftbares Kleinod fie in ihrer kunftreichen Kirche und deren Einrichtung befitzen, daher dafelbe würdigen, fchätzen und fchutzen.

11. Ich erlaube mir in Kürze über die Vorftadt-pfarrkirche zu *Waafen* in *Leoben*, die ich am 27. d. M. befuchte und auf ihr Reftaurationsbedürfnis unterfucht habe, zu berichten.

Diefe Kirche befteht aus einem Schiffe, dem mit diefem faft gleich breiten polygon endenden Chorbaue und einer kleinen nordfeitig diefem Chore anliegenden kurzen, ebenfalls polygon abgefchloffenen Capelle, alles im Style der Gothik erfcheinend. Beim genaueren Zufehen ftellt fich das 19·25 M. im Lichten lange Schiff als urfprünglich vor-gothifche Anlage heraus, die einft weit niedriger als jetzt (11·40 M. Scheitelhöhe) gehalten, in der Spät-Gothik erhöht, mit Außenftreben verfehen und eingewölbt (wahrfcheinlich 1881 = 1487) in der Zeit der Hoch-Gothik des 15. Jahrhunderts durch den Zubau des ca. 16 M. im Lichten langen, 8·60 M. weiten Chores erweitert worden ist. Der Chor, mit einfachen Kreuzrippengewölben in einer Höhe von 14·20 M. gedeckt, ist alfo eine vom gothifchen Syftem des Schiffes verfchiedene Stylphafe, da letzteres einfache Holzrippenwölbungen befitzt. Ueber dem Gewölbe und unter dem Dache des Schiffes fieht man noch deutlich deffen alte fteile, aber auf einen tieferen Verlauf der

Seitenmauern hinweifende Giebel, jetzt wegen der fpätern Erhöhung diefer Seitenmauern durch Uebermauerungen nacherhöht. Der Thurm aus Holz und ftuckirt, dem Dachftuhl daraufgeftellt, ist neuere Zuthat. Der Bauzuftand des Gebäudes ist kein gefahrdrohender; doch bedarf die Kirche einer Außen-Reftauration und diefe follte aus zwei Gründen wenigftens nicht gar fo nothdürftig ausfallen. Denn diefes Object fteht in der bedeutendften Stadt Ober-Steyers, dem Centrum der Eifeninduftrie, wo man auch bei Profangebänden beftrebt ist, dem Landeshauptftadt durch gute Hauferform thunlichft nachzukommen. Dann enthält diefe Kirche einen nun fchon fehr rar gewordenen Schatz, nämlich in zwei Langfenftern Glasmalereien des 14. Jahrhundertes am Chorfchluße, und follte fchon um diefes koftbaren Inhaltes willen auch im Baue nicht vernachläßigt werden. *Johann Graufs*, Confervator.

12. Die Pfarrkirche von *St. Georgen* bei *Tollet* ist ein intereffanter fpät-gothifcher Bau aus der Mitte des 14. Jahrhunderts, erbaut von der Familie Jörger, ein Ziegelbau mit fchonen regelmäßigen Wölbungen im Chor und Schiff, das 10·30 M. hoch, 9·40 M. breit und 17·45 M. lang ist. Das Presbyterium etwas fchmäler und gerade fchließend, dahinter noch eine kleine niedere Capelle, wahrfcheinlich älter als die Kirche, vielleicht auch ehemals damit in Verbindung, d. i. ohne die jetzige Zwifchenmauer. Die Kirche einfchiffig, aus drei Jochen beftehend, das Presbyterium ein Joch bildend. Das Schiff zählt fünf Fenfter (drei weftlich, zwei öftlich), ehemals fpitzbogig, jetzt ohne Maßwerk und im Halbkreis gefchloffen, ähnlich wurden die Fenfter in der Capelle behandelt. Außen beiderfeits dreimal abgefetzte Strebepfeiler. Dem Schiffe ist der viereckige Thurm vorgebaut, der in vier Stockwerken auffteigt und mit einem hohen Spitzdache fchließt, im vierten Stockwerke kleine Schallfenfter; durch das Erdgefchoß führt der fpitzbogige Eingang in die Kirche. Unter der Schluß-Capelle die Gruft mit Eingang von außen. Ein zweiter Kircheneingang findet fich an der Südfeite mit fteinernem Spitzbogen-Portal. Das Innere der Kirche ist einfach und enthält nichts befonderes. Bemerkenswerth find zwei große Grabmale von Mitgliedern der Familie Jörger (1501 und 1605). Viele Grabplatten der Jörger und Gäuman im Fußboden als Pflafter und zum Theil befchädigt. Die Einrichtung werthlos.

13. Der Central-Commiffion ist die Nachricht zugekommen, dafs die Pfarrkirche zu *Rumburg* reftaurirt wurde. Die Decke und Wände erhielten eine klägliche Bemalung und dem Hochaltar mit dem werthvollen St. Bartholomäus-Bilde von *Schoorjous* wurde Gewalt angethan, indem der alte, dem Gemälde wohl angepafste Altar durch neuere Form unfchön erfetzt und das Gemälde in einen neuen, feiner Form nicht angemeffenen Rahmen eingeprefst wurde, fo dafs es im oberen Theile eine Verkürzung erfuhr.

14. Der Gemeindeausfchuß von *Korneuburg* hat am 20. Mai 1897 befchloffen, anläßlich des funfzigjährigen Jubiläums der Regierung S. M. Kaifer Franz Jofeph I. und der fechshundertjährigen Wiederkehr jenes Tages, da Kaifer Albrecht I. der erfte Landesherr aus dem Haufe Habsburg der Stadt Korneuburg ein eigenes

5*

Stadtrecht verliehen, refpective diefe von der Stadt Klofterneuburg getrennt hat, unter anderen Stiftungen u. f. w. dem unfertigen Thurm der Auguftiner-Kirche einen abfchließenden Kupferhelm auffetzen zu laffen. Die Central-Commiffion hat Gelegenheit genommen, fich über das bezügliche Projeĉt auszufprechen und die Ausführung mit ganz kleinen Aenderungen empfohlen. Auch die Façade foll den erforderlichen Ausbefferungen unterzogen werden und follen auch noch einige zweckmäßige Umgeftaltungen im Oratorium und in der Sacriftei platzgreifen. Die Sache ift bereits beftens durchgeführt.

15. Die Central-Commiffion wurde von ihrem berufenen Confervator in Kenntnis gefetzt, dafs die alte Kirche in *Sedeĉ* bei *Selĉau*, ohne dafs eine Einvernahme mit der Central-Commiffion oder ihren Organen vorausgegangen wäre, bis auf den Thurm demolirt wurde. Es ift dies fehr zu bedauern, da die Erbauung in das 14. Jahrhundert zurückreicht. Die Central-Commiffion hat nicht unterlaffen, diefen unangenehmen Vorfall zur Kenntnis der böhmifchen Landesftelle zu bringen.

16. An die Central-Commiffion wurde über die Reftaurirung des Innern der Kirche zu *Sonnegg* (Krain) nicht günftig berichtet. Das dem heil. Georg geweihte Kirchlein ift im Innern mit Ausnahme der rechten Längsfeite theils noch alt übertüncht, theils neu übermalt. Unter der Tünche findet fich alte Wandmalerei. Die Malerei auf der rechten Wandfläche könnte dem 15. Jahrhundert entflammen. Eine eingekratzte alte Auffchrift trägt die Jahreszahl 1490. Die Wand ift in acht Bildfelder eingetheilt, aber leider durch ein neu durchbrochenes Fenfter in der Bemalung fchwer gefchädigt. Wir erkennen meift Darftellungen aus der St. Georgs-Legende: St. Georg mit einem fchwarzen Mönch betend, St. Georg im Ritter-Ordenskleide (rothes Kreuz auf weiß) gefeffelt vor einem Richter ftehend, Schergen, St. Georg am Kreuze, darunter betende Perfonen, Adam und Eva vertrieben aus dem Paradiefe, St. Georg tödtet den Drachen, dabei eine kniende Jungfrau, St. Georg mit der geretteten Jungfrau, St. Georg umgeben von Kriegern, St. Georg huldigt fammt feinem Gefolge einem Gekrönten.

Es ift kein Zweifel, dafs auch die Rückwand der Kirche in ähnlicher Weife bemalt war, ebenfo der Scheidebogen. Das kleine Presbyterium fowie die wohlerhaltenen Gewölbe fcheinen nur in ornamentaler Weife bemalt gewefen zu fein. Der damalige Maler muß, den Köpfen nach zu fchließen, ein tuchtiger Kunftler gewefen fein.

17. *(Das gothifche Kirchlein in Kurtinig.)* Sieben Stunden fudlich von Bozen, zwifchen Neumarkt und Salurn, aber am rechten Ufer der Etfch liegt der kleine Ort Kurtinig. Wie früh auch diefer Fleck Erde fchon bebaut war, dürfte unter anderem nach der Ferdinandeums-Zeitfchrift vom Jahre 1878 der Fund eines römifchen Gold-Denars der Familie Hirtia bezeugen. Nach dem Codex Wangianus p. 494 erfcheint 1212 ein gewiffer Martinus de Verdera de Curtina als Zeuge eines Vertrages. Ob man von dem Taufnamen diefes Mannes auch fchon auf den damaligen Beftand eines Kirchleins in Kurtinig zu Ehren

des heil. Martinus, dem es fpäter bis heute geweiht erfcheint, fchließen darf, muß einftweilen dahin geftellt bleiben; fehr alt find in der Regel alle St. Martins-Kirchlein in Tyrol. Für diefen Fall wäre das fchmucklofe Schiff ohne Sockel im Jahre 1474 nicht aufgeführt, fondern nur eingewölbt worden, weil auch diefe Zahl am Gewölbe des Schlußfteines mit dem Bilde des Patrones und nicht am Triumphbogen angebracht ift. Zugleich hätte man wie gewöhnlich an der Stelle der alten halbkreisformigen Apfis den heute noch ftehenden dreifeitig abfchließenden Chor erbaut. Sehen wir uns den heutigen Bau näher an, fo fällt gleich eine Verftümmelung desfelben am Portal und der Fenfterrofe darüber in bedeutungslofen neueren Formen auf.

Das Innere befriedigt durch feine gefälligen Verhältniffe und die Anlage des Netzgewölbes, deffen Rippen aus grauem Sandftein find und auf kräftigen Dienften mit dem Birnftab ruhen. Capitäle finden fich keine vor, fondern es löfen fich die Dienfte im Style der fpätern Gothik gleich einem Baumftamme in mehrere Aefte auf. Auf dem erften Gewölbefchlußftein zunächft dem Eingange finden wir das Bruftbild einer reichbekleideten und gekrönten Frauengeftalt im fchwachen Aefte auf, womit wohl die Himmelskönigin dargeftellt ift, wofür auch das erfte Wort „Maria" in der fchwer leferlichen Umfchrift deutlicher fpricht. Die daneben eingefetzten runden Steinfchilder zeigen den tyroler Adler und das Wappen des zwei Stunden weiter füdlich gelegenen Auguftiner-Stiftes St. Michael an der Etfch (Walfch-Michael), getheilt in zwei Hälften und gefchmückt mit dem Mondfichel und der Hälfte eines achtftrahligen Sternes. Diefem Stifte wurden im 14. Jahrhundert die beiden Pfarreien Salurn und St. Florian, zu welch letzterer Kurtinig gehörte, gänzlich einverleibt. Daher läßt fich das Erfcheinen des Stiftswappens am Ende des 15. Jahrhunderts leicht erklaren. Ein fchwungvoller dreifeitig profilirter Triumphbogen führt in den Chor, deffen Gewölbe nicht fo zierlich angelegt ift, wie im Schiffe; die Rippen ruhen auf fchmucklofen Confolen. Die Fenfter entbehren des Maßwerkes wie im Schiffe. Praktifch wie gefällig angelegt war das alte Glockenthürmchen, nämlich eine Art Dachreiter auf der füdöftlichen Ecke des Schiffes, ähnlich wie zu St. Cyprian in Sarntein (vgl. Mitth. der Centr.-Comm. N. F. vom Jahre 1889, S. 46). Spuren feiner Anlage merkt man noch innen an und oberhalb des Schiffes, wie oberhalb desfelben in neuerem Thurme. Diefen im Verhältniffe zum alten Kirchlein maffenhaften Bau führte man erft im Jahre 1707 auf, wie an ihm angefchrieben fteht. Er zeigt noch einen kräftigen Sockel wie feine gothifchen Kameraden abfchließend, mit breiter Schräge. Einige wenige Meter darüber begegnen wir wiederum einer Art Abfatz, wie folche eben die Renaiffance an Palaftbauten liebte, und darüber hinaus verjüngt fich der Oberbau zwar unbedeutend, aber doch merklich, was jedoch keine gute Wirkung macht. Bis zu den Schallfenftern erfcheinen zwei fchlanke Stockwerke und die Schallocher find merkwürdigerweife noch in reinem Spitzbogen gewölbt, fowie ihre Gewände fogar abgefaßt. Eine vierfeitige Pyramide fchließt den Bau ab, der, wie bemerkt, noch feltfame Nachklänge der Spät-Gothik in fich fchließt.

Schließlich ift noch der Reft des einftigen fchönen Sacraments-Häuschens auf der Evangelienfeite des

Chores hervorzuheben. Es war aus drei Seiten des Achteckes gebaut und in die Mauerwand eingefetzt; den eigentlichen Tabernakel fchlug man indes der Wand eines Chorftuhles zuliebe beinahe ganz weg, erhalten blieb allein der an Fialen und Krabben reiche Helm, der trotz feiner wiederholten Uebertünchung noch wunderfchön an der Wand emporfteigt. Auch der alte Taufftein links vom Eingang verdient eine Erwähnung. Er befteht aus rothem Marmor und hat die feltenere Form eines achtfeitigen Kelches wie jener in Terlan; er trägt die Jahreszahl 1539 und beweift ebenfalls wie der Thurm, dafs die gothifchen Formen, und felbft wie hier edlere, lang in Uebung blieben. *Atz.*

18. Mit den auf Koften des griechifch-orthodoxen Religionsfondes erfolgenden Reftaurirungsarbeiten der alten um 1400 errichteten griechifch-orthodoxen Metropolitan-, genannt *Mirontz-Kirche* in *Suczawa,* welche um 1513 durch ein unbekanntes Ereignis zerftört worden fein foll, wurde am 11. d. M. begonnen. Bei Unterfuchung der Fundamente der den Naos vom Pronaos trennenden Säulen fand fich, und zwar im Naos unter der nördlichen Säule in einer Tiefe von 1·1 M. ein in Ziegeln ausgemauertes Kindergrab. Die Wände desfelben find bloß einen halben Ziegel ftark, die lichte Länge des Grabes beträgt 1·40, die Breite 65, die Höhe ebenfalls 65 Cm. Die Ueberdeckung befteht aus einer rauhen Bruchfteinplatte, welche auf vorkragenden Ziegeln lagert; die Ziegelgröße ift 23 × 11 × 7 Cm. Das Grab enthielt außer einem kiftenartigen vermorfchten Sarge aus 4½ Cm. dicken Eichenpfoften lediglich Refte einer geftickten Brocatgewandung, ein Stückchen Seidenzeug und ein Paar aufgetrennte gut erhaltene in den Schäften bemalte Stiefelchen; am nächften Tage fand ich noch Refte von blondem Kinderhaar an einer Stelle, welche darauf fchließen läßt, dafs der Leichnam mit dem Gefichte gegen den Altar, das ift gegen Often gerichtet, im Grabe lag. Trotz forgfamfter Durchfuchung waren Knochen, Zähne oder Beigaben zur Leiche nicht zu entdecken.

Da das Grab in einer griechifch-orthodoxen Kirche, zudem fogar im Naos fich befindet, gehörte es unzweifelhaft einem fürftlichen Kinde, und zwar etwa drei bis vier Jahre alten, an. Nachdem die Kirche nicht mehr ihrem Zwecke diente, mag das Grab geöffnet und das Gerippe anderswo wieder beftattet worden fein. Es fcheint, dafs man die Stiefelchen, um das Gerippe leicht herauszubringen, bei diefer Gelegenheit in den Nähten auseinander rifs.

Ich ordnete die Wiedereinbringung des Sargreftes und Grabfchuttes in das Grab, die Verlegung des letztern mit dem Steine und Wiederverfchüttung an. Die Haar- und Kleiderrefte werden im Landes-Mufeum zu Czernowitz deponirt werden. *C. A. Romftorfer.*

19. Aus *Hainburg* kam an die k. k. Central-Commiffion die befriedigende Nachricht, dafs die Stadtgemeinde den Karner vom Stadtpfarramte um den Kaufpreis von 715 fl. ins Eigenthum erworben hat. Obwohl die Abficht befteht, den Karner künftig als Raum für ein ftädtifches Mufeum zu verwenden, fo ift deshalb noch mit unbedeutenden Koften wegen noch kein endgiltiger Befchluß gefaßt worden. Die endliche Beftimmung des Schickfals des Karners, durch welche die Forterhaltung desfelben noch am beften gefichert erfcheint, kann wohl-zur befriedigenden Kenntnis genommen werden. Die Abficht, den Karner zur Aufbewahrung denkwürdiger und kunftreicher Refte localer Vergangenheit zu benützen, kann wohl gebilligt werden. Zunächft wäre wohl daran zu gehen, die zahlreichen baulichen Refte, Steinfragmente der Vergangenheit Hainburgs dort zu fammeln und eine feinerzeitige correcte Auffteilung derfelben vorzubereiten. Material ift hinreichend vorhanden.

20. Correfpondent Cuftos *Ritfchel* hatte Gelegenheit, die Bilderfammlung im bifchöflichen Palais zu *Linz* eingehend zu befichtigen und über feine Wahrnehmungen an die Central-Commiffion in Kürze zu berichten. Die Gemälde find in der Capelle und in den Wohnräumen vertheilt und man findet darunter viel gutes, wenn auch nicht gerade hervorragendes. Das intereffantefte ift ein Cyclus von vier Bildern, etwa 45 Cm. hoch und 35 Cm. breit, religiöfe Darftellungen, in der bifchöflichen Haus-Capelle. Sie find fignirt: Mekenen 1456. Wahrfcheinlich Arbeiten des Pfeudo *Israel Mekeuen,* der 1463 bis 1488 als Maler blühte. Sein wahrer Name ift nicht bekannt, er gehört der Kölner Schule an und wird auch als der Meifter der Lyversberg'fchen Paffion genannt. In der Capelle befindet fich ein altdeutfches Bild (Kölner Meifter), Krönung Mariens, fehr gute Arbeit.

Von weiteren Bildern zu nennen ein gutes Sebaftiansbild der bolognefifchen Schule, dann ein zweiter St. Sebaftian, ein gutes Bild von einem fpäten alten Italiener. Beachtenswerth ift ein altdeutfches Bild: Chriftus erhält einen Trunk Waffer von einem famaritifchen Mädchen, was die Apoftel zu misbilligen fcheinen. Ein Judithbild darf als eine gute alte Copie nach einem italienifchen Meifter bezeichnet werden. Ein Architekturbild von *Van der Meer* ift recht gut.

21. Anläfslich der Neubedachung der an der Südfeite der *Kirche in Aflens* gelegenen Sacriftei wurde an der Wand ein coloffales Wandgemälde, etwa 3 M. breit und 8 M. hoch gefunden, wahrfcheinlich den Erzengel Michael vorftellend, eine große Partie des Bildes ift mit Mörtel bedeckt.

22. Confervator Director *Rosmaël* hat die Central-Commiffion aufmerkfam gemacht, dafs fich in der Kirche zu *Orlau* (öftliches Schlefien) ein auf Holz gemaltes Bild von *Martin Schongauer* befindet, das derzeit als Altarbild verwendet ift. Vor wenigen Jahren wurde in diefer Kirche ein neuer Flügelaltar zur Aufnahme des vorhandenen Bildes angefertigt. Das Original ift, foweit man es unterfuchen kann, nicht mit dem Signum des Meifters verfehen, wird jedoch von Bilderkennern als unzweifellofe Arbeit diefes Meifters erkannt. Es ftellt Jefu, Maria und Johannes auf Goldgrund gemalt dar. Das Bild foll feit dem Beftande der Kirche dafelbft verwendet fein.

23. *(Das alte landesfürftliche Amtshaus in Bozen.)* Die Stadt Bozen hat heute nur wenige alte Gebäude aufzuweifen; umfomehr dürfte es angezeigt fein, auf diefe letzten noch erhaltenen aufmerkfam zu

machen. Hieher gehört unter anderem jenes Gebäude, wo früher das fogenannte Rentamt, fpäter das Poftamt und bis heuer noch das Bezirksgericht untergebracht war. In wenigen Monaten foll es zu anderen Zwecken verwendet werden. Gerade zur Zeit einer neuen Beftimmung foll man es näher ins Auge faffen, damit diefes hiftorifche, in fo mancher Beziehung auch architektonifch merkwürdige Baudenkmal auch fernerhin feiner Bedeutung gemäß gefchützt und in feiner Form erhalten werde. Ja es wäre zu wünfchen, dafs einzelne unpaffende Neuerungen befeitigt würden und das fchöne Ganze in feinem urfprünglichen Zuftande wieder daftehen könnte.

Diefes alte Bauwerk liegt im nördlichen Theile der Stadt; wenn man die Bindergaffe vom Süden nach Norden durchzieht, rechts an deren oberften Ecke, wo diefe in die Zollgaffe einmündet. Hart daran führte die Reichsftraße, von der Hintergaffe herführend, ftets vorbei. Zwei Seiten alfo diefes alten Amtshaufes find ganz frei und die dritte ebenfalls, da ihr gegenüber der große Innenhof der fogenannten Dogana oder Warenniederlage von Bozen fich ausbreitet, aus den Zeiten, wo in diefer füd-tyrolifchen Stadt noch großer Zwifchenhandel blühte.

Wir haben es mit einem hohen ftattlichen Bau zu thun, deffen ungemein hohes nach drei Seiten abgewalmtes Ziegeldach alle übrigen Profangebäude der Stadt weit überragt. Er bildet nahezu ein regelmäßiges großes Quadrat, aber ohne offenen Innenraum. Die drei freien Seiten find mit nicht weniger als fünf hohen Erkern belebt und gefchmückt, je einem Erker ift jede freie Ecke gegen die Gaffen befetzt und die Mitte der drei freien Seiten nimmt ebenfalls ein Erker ein. Erftere find maffiver, in Vierecksform angelegt; letztere zeigen drei Seiten eines Polygons und find zarter gebaut. Bis auf den Boden herab reicht keiner, wohl wegen leichtern Verkehrs, und beftehen nach dem mittelalterlichen Vorkragefyftem (Mitth. der Centr.-Comm. vom Jahre 1861, Nr. 4 ff.) angelegt auch zierlicher aus. Jeden Erker theilen kräftigft unterfchnittene Gefimfe im Stockwerke ab. Von den hohen Fenftern fallen jene des erften Stockwerkes vorzugsweife in die Augen; denn daran tritt die Fenfterbank nach außen ftark vor, durch eine Hohlkehle unterfchnitten. Leider find mehrere folcher Fenftervorfprünge theilweife oder ganz abgefchlagen worden. Auch eine mehrfach profilirte Einfaffung aus grauem Sandftein ift um jedes Fenfter angebracht. Leider wurde aber der Kreuzespfoften ausgefchlagen, der wahrfcheinlich an keinem Fenfter gefehlt und ähnlich ausgeführt war, wie er fich noch an einem Fenfter in der Höhe auf der Seite gegen den Doganahof hin gut erhalten hat.

Die Fenfter des zweiten Stockwerkes erfcheinen ringsum einfach und heute ohne Spuren einftigen Schmuckes im Vergleiche zu denen im unteren Stockwerke, fo dafs man annehmen möchte, es wäre das Gebäude fpäter erhöht und einfacher gebaut worden.

Treten wir in das Innere, fo begegnet uns gleich zu ebener Erde eine fchön gewölbte Halle mit fpätgothifchem Gratgewölbe, das fich auf Rundpfeiler ftützt. Diefes ganze Untergefchoß muß urfprünglich einen großartigen Eindruck für den Eintretenden gemacht haben, wo eben alles frei war und die kleinlichen Räume wie heute nicht gebildet waren. Statt-

liche Räume follen auch bis in neuefter Zeit die Keller geboten haben, mit ihren feften Gewölben auf vielen Rundpfeilern, die aber, weil nicht verwendbar, alle mit Schotter ausgefüllt worden find! Hohe luftige Wohnräume wies einft das erfte Stockwerk auf. Aber was gefchah? Nachdem die alten Wandgetäfel entfernt waren, fürchtete man, es könnten folch hohe Zimmer im Winter nur fchwer erwärmt werden — —, daher machte man fie niedriger und fetzte eine Gypsdecke ein. Bei nachträglichen Reparaturen an folcher bemerkte Baumeifter *Altmann*, dafs über diefen modernen Oberdecken die herrlichften flachen gefchnitzten alten Holzdecken noch vorhanden wären! Außen auf der Nordfeite bemerkte man noch vor ungefähr 20 Jahren, wenn diefe Fläche durch einen Gewitterregen feucht wurde, fchmucke Geftalten von alten Helden durch die Tünche durchleuchten. Diefe Malereien find wahrfcheinlich ein Werk des Malers „Friedrich Lebnpacher, Maler zu Brauneggen und des Hofmalers Jörg Kölderer", welche nach einer Stelle des Memorienbuches des kunftfinnigen Landesfürften Maximilian „das Slos Runkelftain mit dem gemel vernewten von wegen der guten alten Iftary" (1504—1508).

Von Maximilian foll auch das ganze Gebäude erft gefchaffen worden fein, obgleich fchon Margaretha Maultafch die Abdications-Urkunde an Oefterreich (27. Jänner 1363) darin unterfchrieben haben foll. Wie viel von dem älteren Bau etwa noch ftehen geblieben ift, läßt fich heute kaum mehr vorftellen, alle Einzeltheile wie die hohe Anlage fprechen für den Schluß des 15. und den Beginn des 16. Jahrhunderts. In den „Urkunden und Regeften über die Kunftbeftrebungen der tyrolifchen Landesfürften" findet fich darauf eine bezügliche Stelle, welche folgenden Inhalts ift: „Am 28. April des Jahres 1500 befiehlt der Landesfürft feinem Amtmann zu Bozen, feinen Fleiß anzuwenden, damit auf das von ihm neugebaute Amtshaus in Bozen ein gutes Fachwerk und zwar fo fchnell als möglich gefetzt und das Haus gedeckt werde." Infolge wiederholter Uebertünchung fchlagen die Spuren alter Bemalung felbft nach Befeuchtung der Flächen nicht mehr durch; auch die fchärferen Contouren an den Steinmetzarbeiten find verfchwunden, da fie eine faft fingerdicke Krufte durch wiederholten Auftrich bedeckt. Indes trotz aller misverftandenen Behandlung bietet das Ganze fehr intereffant, und es wäre fehr zu wünfchen, dafs es doch nicht weiter bei der nächften neuen Beftimmung verunftaltet werde. *Atz.*

24. **Die Burg** *Busau*, um die Mitte des 14. Jahrhunderts erbaut, befteht aus zwei Haupttheilen, der Vorburg und der eigentlichen Haupt- oder Hochburg. Von letzterer fällt das bewaldete Terrain fteil und felfig in die Tiefe eines Engthälchens herab, in deffen Grunde der Sprangbach raufcht und fein klares Waffer der nahe vorbeieilenden Triebe zuführt.

Die Vorburg, mit den Wappenfteinen der Hoch- und Deutfchmeifter oder den thurmbekrönten Eingangsthore, ift vollftändig erhalten und enthielt wie die gegen Süden gelegene Tract der Hochburg bis in die letzte Zeit die Wohnungen der herrfchaftlichen Beamten und im obern Stockwerke die Appartements für den hohen Befitzer. Die Hochburg aber, auf dem Gipfel des Schloßberges, liegt in einigen Theilen feit

langer Zeit als Ruine. Von hier aus genofs der Befucher von den eingebauten hölzernen Galerien eine herrliche weitreichende Fernficht.

Se. kaif. Hoheit Erzherzog *Eugen*, Hoch- und Deutfchmeifter, fafste bei feinem Antritte der Ordensgüter den Plan, die Burg Busau aus den Trümmern in ihrer alten Pracht und Herrlichkeit wieder erftehen zu laffen.

Da die nach Nord und Weft gerichteten Theile der Hochburg, welche in fpäterer Zeit durch Renovirungen, nach den Steinwappen zu fchließen, unwefentliche Detailveränderungen erfahren hatten, bereits in Ruine lagen, fo kann wohl von einer Renovirung diefer Ruinentheile nicht gefprochen werden, fondern muß das Werk als ein Neubau bezeichnet werden.

Die Ausführung diefes Werkes wurde dem königl. bayerifchen Profeffor und Architekten in München *Georg Hauberriffer* übertragen. Der Grundrifs der alten Burg ift vollftändig beibehalten.

Die Burg dürfte öfter durch Feuersbrünfte gelitten und allerdings auch mannigfache Umwandlungen im Laufe der Zeit erfahren haben. Nach folchen Epochen wurde wohl meift ein weiteres Zerftörungswerk eingeleitet. Steinmetzarbeiten, wie Wappenfteine, Fenfter- und Thürgewändeftücke, Gewölberippen, die hiebei zu Schaden kamen, hat man bei der übereilten Herftellung der zerftörten Theile verkehrt in die Mauern eingelaffen. Alle diefe Theile wurden forgfältig unterfucht, gereinigt und das alte wiederverwendet oder bei der Neuherftellung diefer Theile als Mufter verwendet, fo dafs jeder hiftorifch merkwürdige Stein fo wie alle Profilirungen naturgetreu wiedergegeben erfcheinen.

Die Außenfeite des Mauerwerkes ift, wie bei der alten Burg, aus Bruchfteinen (Grauwacke, dem Hauptgeftein der Umgebung), die in Cement gelegt find, hergeftellt, während die Innenfeiten der Gemächer mit Ziegeln verkleidet wurden. Fertig ift ungefähr die Hälfte, nämlich der Nord- und Oft-Tract und ein Theil des Weft-Tractes, während noch der ganze Süd-Tract auszubauen ift, was noch gewifs einen Zeitraum von etwa zwei bis drei Jahren in Anfpruch nehmen dürfte. Der Bergfried, von 12·5 M. Durchmeffer, ift ebenfalls noch nicht fertiggeftellt; er foll noch 26 M. hoch aufgemauert werden. Seine Mauer hat eine Stärke von 4 M., in ihr ift eine Wendeltreppe eingebaut, welche den Zutritt zu den Innenräumen geftattet. Die innere Eintheilung und Anlage desfelben erinnert lebhaft an jenen der Wartburg.

In der Burg-Capelle gelangen Grabplatten von Ordensrittern, welche Se. kaif. Hoheit erwerben ließ, zur Aufftellung. Diefelben, noch wohl verpackt, ftammen aus einer Ordens-Commende Württembergs; eine Platte gehört dem 13., zwei dem 14., eine dem 15. und drei dem 16. Jahrhunderte an.

Die Vorburg, wohl auch einigemal renovirt, wird ebenfalls in ihrer urfprünglichen Reinheit hergeftellt und durch eine Brücke (Zugbrücke), wie es ehedem war, mit der Hochburg verbunden werden.

Alle vorgefundenen Wappenfteine, als der Wildenberge?, Poftubitze, Oppersdorfer etc., wie fie noch vor Jahren gefehen, bleiben erhalten.

In der neuerftandenen Burg, welche mit ihrem rothen Ziegeldache, wie ein nach jahrhundertelangem Schlummer wachgeküfstes Dornroschen, lieblich in die Berg- und Thallandfchaft hineingrüßt, werden zur geeigneten Zeit die Privatfammlungen Se. kaif. Hoheit aufgeftellt. Diefes mährifche „Ambras" wird dann als ein möglichft glanzvolles und einheitlich ftylgerechtes Gefammtbild gewifs keinen geringen kunfthiftorifchen Werth befitzen. *Alois Czerny*.

25. Schon im Jahre 1894 hatte Confervator Director *Berger* an die Central-Commiffion berichtet, dafs das hochintereffante, leider ruinenhafte mittelalterliche Schloß *Mauterndorf* im *Lungau* von dem Med. Dr. *Hermann Epenftein* in Berlin angekauft wurde und in bewohnbaren Stand gefetzt werden foll. Die Central-Commiffion nahm diefe Nachricht umfo mehr mit lebhafter Befriedigung auf, weil die Reftaurirung in die Hände des obgenannten Confervators, alfo eines inländifchen Künftlers, gelegt wurde, was die größte Garantie für ein pietätvolles Vorgehen und möglichfte Confervirung des Alten bietet. Die Aufgabe war fchwierig, weil in manchen verfallenen Theilen des Bauwerkes manche recht umfangreiche Sicherungsarbeiten zunächft nothwendig wurden. Es ift außerordentlich erfreulich, dafs der Bauherr und der reftaurirende Fachmann in voller Uebereinftimmung beftrebt find, die frühern alten Beftand wiederherzuftellen und nichts neues hinzuzufügen, wodurch der alte Beftandcharakter und der Charakter des Schloßes beeinträchtigt werden könnte. Für die Reftaurirung des Aeußeren des Schloßbaues, namentlich für die Wiederherftellung der gänzlich verfallenen hölzernen Wehrgänge im Norden und Often fowie des nicht mehr beftehenden Capellen-Glockenthürmchens bot eine aus dem vorigen Jahrhundert ftammende Abbildung des Schloßes genügende Anhaltspunkte. Im Norden waren große Strecken der Ringmauern gänzlich eingeftürzt, ebenfo ftellenweife ein nördlicher Tract. Die Dachungen waren fchlecht, auch die Balkendecke durchnäßt, theilweife eingeftürzt. Alle Fenfter fehlten, auch die Rahmen waren herausgeriffen, desgleichen die fteinernen Gewände. Die Communicationen zwifchen den einzelnen Stockwerken waren gänzlich, ebenfo die hölzernen Wehrgänge. Selbft der fteinerne Verbindungsgang in einem Schloßhofe, der den Verkehr zwifchen Palas und Capellentract vermittelte, war abgebrochen. Der Zugang zum hohen und mächtigen Bergfried fehlte. Nur die Capelle und das Thorwarthaus waren halbwegs im Stande. So fand man mit dem Schloße im Jahre 1894, das bereits 1832 amtlich zur Ruine erklärt wurde.

Die erfte Reftaurirungsarbeit war daher die Befeftigung der fchwankenden Mauern, die Inftandfetzung der Dächer, die Befeitigung der drohenden Gebäudeftellen und deren Erfatz.

Außerdem follte das Schloß doch auch in einen Stand gefetzt werden, dafs es nach den heutigen Begriffen bewohnbar wird; dem allen wurde im Reftaurirungsprojecte auch Rechnung getragen, ohne dafs das Aeußere diefe Aenderungen zeigen würde. Im Südthurme follen die prächtig gelegenen Wohnräume mit ordentlichen Fenftern verfehen werden.

Die Central-Commiffion hat den Reftaurirungsbericht des Confervators und Directors *I. Berger* fehr

beifällig aufgenommen und fich über das Project fehr günftig ausgefprochen.

26. Confervator Beneficiat *Karl Atz* hat auf die Wandmalereien aufmerkfam gemacht, die fich in einem kleinen, jetzt als Scheuer dienenden Nebengebäude unterhalb des in Ruine liegenden Hochfchloßes zu *Avio* und dazu gehörig erhalten haben, die aber von den dem Einfturze nahen thurmhohen Mauern der Burg, aber auch durch bauliche Eingriffe im Beftande felbft äußerft bedroht find. Ein Theil des Hochfchloßes, nämlich die Schloß-Capelle, ift bereits unmittelbar neben diefem Nebengebäude in die Tiefe geftürzt. Eben diefe ift an den vier Wänden mit Malereien geziert. In je zwei Reihen übereinander gruppiren fich Krieger. Auf einem Bilde erfcheint auch das Schloß dargeftellt, die Figuren find beinahe lebensgroß. Ihre Bewaffnungen und Rüftungen, die einfachen Formen der Schilde, darauf einfache Heroldsbilder, weifen ihnen hohes Alter zu, die fichere Ausführung, das vollendete Stylgefühl einen bedeutenden Meifter feiner Zeit.

Was dargeftellt ift, ob die Bilder fich auf hiftorifche Thatfachen beziehen oder auf Sagen, oder eine Erzählung etc., läßt fich bis nun nicht feftftellen. Von den vielen Wappenfchildern gehört nur jenes der Caftel-Barco einem tyrolifchen Gefchlechte an; alle übrigen fcheinen fich auf italienifche Gefchlechter zu beziehen.

Es läßt fich vielleicht annehmen, dafs diefe Wandmalereien im Auftrage Wilhelm's von Caftel-Barco angefertigt wurden und dafs in denfelben Kämpfe dargeftellt find, welche zum Beginn des 14. Jahrhunderts zwifchen den Grafen von Tyrol einerfeits, den Trientinern, Veronefern, Caftel-Barco und Mantuanern anderfeits ftattfanden. Die Malereien mögen kurze Zeit darnach entftanden fein. Maler *Alphons Siber* ift laut feines Berichtes an die Central-Commiffion von der Seltenheit der Malereien geradezu überrafcht. Die Bilder find nicht eigentliche Fresken, wenigftens ficher mit trockenen Farben übermalt und daher weniger haltbar als Fresken. Leider foll diefes Häuschen umgebaut werden, doch will man die Bilder fchonen.

27. In der von *Hohenftadt* nach *Müglitz* führenden Bezirksftraße, etwa 200 Schritte vor dem Dorfe *Groß-Rafel*, fteht an der linken Seite der Straße ein altes gegen Weften gewendetes Steinkreuz.

Das aus grobkörnigem Sandftein ziemlich roh ausgehauene Kreuz hat eine Höhe von 1·4 M., die Breite am Stammende beträgt 0·52 M. und die Dicke 0·35 M., während diefelbe an den Armen bloß 20 Cm. mifst. Die fehr verkürzten und arg befchädigten Kreuzarme von 0·4 M. Länge haben 0·26 M. größte Höhe. Auf der der Straße zugekehrten Seite ift ein langes gerades Schwert mit gerader Parierftange eingemeißelt; die zugefpitzte Klinge hat eine Länge von 0·97 M. Diefelbe Fläche ift ober und über mit rundlichen Grübchen und länglichen Furchen (Wetzmarken) befät und die äußere nach Norden gerichtete Stammkante ftark ausgebrochen. Das Kreuz ftak tief in der Erde und wurde erft im Jahre 1894 bloßgelegt und aufgeftellt. Der Volksmund erzählt von einer an Ort und Stelle in der Vorzeit ftattgefundenen Turkenfchlacht, wonach die Gefallenen in einem Schachtgrabe beerdigt wurden. Andere meinen, es wären dafelbft in einem Treffen getödtete Schweden

begraben worden, oder Cyrill und Methud hätten hier das Wort Gottes verkündet. Gefchichtlich nachweisbar fand zwifchen Hohenftadt und Schmole in der Nacht vom 1. auf den 2. October des Jahres 1468 zwifchen Zdeněk Koftka von Poftupitz, einem Anhänger König Georgs von Poběbrad, und den corvinifchen Truppen, an deren Spitze Franz von Hagen ftand, ein Treffen bei der Georgs-Säule ftatt, wobei Zdeněk tödlich verwundet wurde und des andern Tages zu Hohenftadt bei Georg Tunkel verfchied.

Am Feldraine einer ziemlich fteilen Lehne, rechts von der Bezirksftraße, die von *Koloredov* nach Wolledorf führt, fteht bei erfterem Orte nahe an einer im oberen Theile bewaldeten Schlucht, welche in ihrem Verlaufe die befagte Straße zieht, ein gegen Oft gewendetes Steinkreuz deffen Arme jedoch abgebrochen find. Der Stamm hat eine Höhe von 0·82 M., eine Breite von 0·39 M. und eine Dicke von 0·25 M. Die Ausbruchftellen der Arme find deutlich erkennbar, ebenfo eine auf der Vorderfeite eingemeißelte Schwertklinge. Die Tradition will wiffen, dafs dafelbft ein Kampf zwifchen drei Herrfchern ausgetragen wurde.

Am Verbindungswege der von der Gemeinde Schmole durch den Ort Lukawetz nach Libein führt, fteht in *Lukawetz* bei dem Haufe Nr. 32 ein plumpes aus Sandftein gefertigtes Steinkreuz. Das gegen Südweft gewendete Kreuz von durchaus 0·34 M. Dicke hat eine Höhe von 1·22 M. Die Breite am Stammende mifst 0·64 M., am Beginn der Arme jedoch 0·29 M., während die Balkenlänge 0·70 M. beträgt. Das Haupt erbreitert fich etwas nach oben, was an den Armen nicht wahrzunehmen ift, da die Ecken ftark befchädigt find und vom linken Arme die vordere Hälfte abgefallen ift. Am Stamme ift die Spur einer Einmeißelung, die möglicherweife ein Schwert vorftellen konnte, wahrzunehmen. Eine Ueberlieferung, außer an Cyrill und Methud, hat fich nicht erfragen laffen.

In der Gemeinde *Morawitfchau*, füdlich von Müglitz, fteht neben der Straße und in unmittelbarer Nähe einer kleinen dem heil. Florian geweihten Capelle ein altes aus Sandftein gefertigtes Kreuz, hinter welchem ein Dorfweg fteil abfällt. Dies roh gearbeitete und gegen Weften gewendete Kreuz ohne jeglicher Zeichnung mifst in der Höhe 1·04 M., in der Breite 0·34 M. und in der Dicke 0·38 M. Der Querbalken hat eine Länge von 0·76 M. bei 0·26 M. Höhe. Die Leute erzählen, es hätten hier die heiligen Glaubensboten der Slaven das Gotteswort gepredigt.

Die hier befchriebenen Steinkreuze bilden nach einer Richtung hin das Bindeglied zwifchen jenen zwei Abhandlungen, welche in den „Mittheilungen der k. k. Central-Commiffion zur Erforfchung und Erhaltung der Kunft- und hiftorifchen Denkmale", Band XIX, 1893, Seite 106 bis 113 und Band XXI, 1895, Seite 74 bis 80, das gleiche Thema befprechen.

Nicht unerwähnt foll bleiben, dafs folche Denkmale nicht nur in Mähren und Böhmen[1] anzutreffen find, fondern dafs auch ähnliche Steinkreuze in außeröfterreichifchen Ländern[2] die Aufmerkfamkeit der Forfcher

---

[1] *A. Paudler*, Ein deutfches Buch aus Böhmen. 3 Bände. Leipa 1894 bis 1895. Einige alte Steinkreuze Nordböhmens werden in diefer Schrift befprochen.
[2] Mittheilungen des Altertumsvereines in Plauen i. V. 8. Jahresfchrift auf die Jahre 1890 und 1891. „Die Kreuzfteine des fächfifchen Vogtlandes," Seite 57 bis 78 „Unfer Vogtland"; Monatsfchrift für Landskunde etc. I Band, 1894. „Was bedeuten die fogenannten Schwedenfteine?" Seite 268 bis 277.

erregt und zur Publication veranlafst haben. Eine weitere eingehende Forfchung dürfte den mehr als taufendjährigen Nimbus, welchen ihnen viele gern zufchreiben, verwifchen. *Alois Czerny*, Confervator.

28. Im *Wopparner Thale* (Bezirk Leitmeritz) unweit der fogenannten Kaifermühle (Wokurken-Mühle) fteht, wie Herr *Heinrich Ankert* unterm 18. Mai 1898 berichtet, an einem Fußwege nächft dem Feldrande ein „Peftftein". Auf einer fchiefen (pultähnlichen) aus Bruchfteinen aufgemauerten Unterlage liegt eine Sandfteinplatte mit einem roh eben gemeiffelten Doppelkreuze und der beiderfeits des Kreuzfußes vertheilten Infchrift: „Denen A. 1680 in der Peft geftorbenen und hier begrabenen wolle Gott gnadig fein. Amen. renofirt 1832."

Bis vor circa zehn Jahren ftand der Stein in unmittelbarer Nähe mitten in einer Wiefe — dem alten Peftfriedhofe — an einem niedern Mäuerchen, welches beim Aufackern der Wiefe abgetragen wurde. Im Lobofitzer pfarrämtlichen Standbilderverzeichnis heißt es bezüglich diefes Steines sub Nr. 32: Vom Müllermeifter Jofeph Stanpip an die Stelle des früheren zerfprungenen herbeigefchafft (nach der Infchrift gefchah dies wahrfcheinlich 1832). Bruchftucke des früheren ganz gleichen Steines find rückwärts in der Unterlage eingemauert.

Leider ift die Unterlage des Gedenkfteines ftark ausgehöhlt; zudem ift die Platte durch muthwillige Hände abgehoben und verrückt worden, fo dafs die Gefahr vorhanden ift, dafs die Platte in Kurze in den Fahrweg hinabftürzt.

Wenn man auch diefem Denkmal jeden Kunftwerth abfprechen mufs, fo hat es doch für die hiefige Gegend einen hiftorifchen und überhaupt einen culturhiftorifchen Werth, und es wäre zu bedauern, wenn diefer Stein, der letzte Ueberreft aus dem Jahre 1680, in welchem die furchtbare Peft in fchrecklicher Weife hier auftrat, verfchwinden würde.

29. (Denkfaulen in Südoft-Böhmen.)

Im Anfchluß an die hier zu wiederholtenmalen befprochenen Denkfaulen[1] fei es erlaubt, auch die in Südoft-Böhmen befindlichen zu erwähnen. Die meiften diefer Denkfaulen ftammen zwar aus der Zeit der Spät-Renaiffance, aus dem 17. Jahrhundert, aber nicht felten find man auch einzelne Beifpiele, welche die Uebergangsperiode um das Jahr 1500 vertreten. Bei diefer Gelegenheit verdient es hervorgehoben zu werden, dafs fich der jeweilige Styl an diefen Arbeiten immer ziemlich lange rein erhalten hat und dafs man befonders gothifche Reminiscenzen daran tief in das 16. Jahrhundert hinein verfolgen kann, ein Umftand, der gewifs für bekannt confervative Traditionen des damaligen Kunfthandwerkes in diefer Hinficht fpricht.

Die meiften diefer Denkfaulen ftehen im Gränzgebiete zwifchen Neuhaus, Neu-Biftritz und Počatek, was auch mit der Befchaffenheit des dortigen Granitbodens zufammenhängen fcheint; die merkwürdigfte von ihnen fteht an der Gränze zwifchen *Neuhaus* und *Diebling*: über einem ziemlich breiten Steinblock erhebt fich ein achtfeitiger Sockel, welcher den ebenfalls achtfeitigen Schaft trägt, worauf alfenartig hervor-

tretend das Capital mit einem tabernakelformigen Auffatze ruht; das Ganze wird durch eine ziemlich hohe Pyramide mit einem fpäter hinzugefugten Kreuze aus Eifen abgefchloffen; die kleinen Blenden des Auffatzes find mit gefchweiften Spitzbogen übergiebelt, worüber fich je ein Engelskopf befindet; an den Ecken der Capelle ftehen kleine mit einer Kugel abgefchloffene Halbfäulen und auf der Seite gegen Weften ift ein Wappenfchild mit der fünfblättrigen Rofe der Herren von Neuhaus eingemeißelt. Die ganze Anordnung läßt viel Kunftfinn und zugleich eine fichere Hand und entwickelte Technik erkennen; allem Anfcheine nach wurde diefe Denkfäule circa 1500 errichtet und fpäter, im 17. Jahrhunderts reftauriert.

Eine andere nicht minder intereffante Marterfaule fteht in der Nähe des großen *Neuhaufer Weihers* gegen Süden links feitwarts von der Straße nach Neu-Biftritz; fie mag noch der Mitte des 16. Jahrhunderts angehören. In der ganzen Erfcheinung etwa dem Backerkreuze in Wien[1] ähnlich, weift fie noch zahlreiche gothifche Reminiscenzen auf, was befonders von der Art der Verbindung des an den Kanten abgeplatteten Schaftes mit dem Sockel und dem Capital gilt. Der würfelförmige Auffatz mit rundbogigen Fenflerchen wird durch eine niedrige abgefchnittene Pyramide abgefchloffen. Gegen Weften ein Wappenfchild mit einem Steinmetzzeichen.

Von den übrigen zahlreich vorkommenden Denkfaulen aus dem 17. Jahrhunderte verdienen noch zwei um das Jahr 1600 errichtete erwähnt zu werden.

Die erfte befindet fich am Scheidewege vor dem Dorfe *Heinrichfchlag* und fcheint noch aus dem Ende des 16. Jahrhunderts zu ftammen. Über einer ziemlich breiten und hohen vierfeitigen Sockel erhebt fich der nach oben fich verjungende, ebenfalls vierfeitige, an den Kanten mäßig abgeplattete Schaft, welcher einen würfelförmigen Auffatz mit niedriger Pyramide trägt. Auch hier kommen noch leife Anklänge an die anderswo fchon gänzlich überwundene Gothik vor.

Die andere, welche vor dem *Radeinles* aufgeftellt ift, trägt die Jahreszahl 1601. In der ganzen Anordnung ftimmt fie mit der erftern überein. Oben auf dem Schafte gegen Südweften die Infchrift MARCUS RAUS, vermuthlich der Name des Stifters Raufch?

Aus dem 18. Jahrhundert ift befonders die barocke Säule hervorzuheben, welche nahe an der zweiten hier befchriebenen fteht. Diefelbe ift 1714 datirt (in den Ecken des Sockels) und befteht aus einer korinthifchen Säule mit figuralem Auffatze, die heil. Dreifaltigkeit plaftifch darftellend. Die Höhe der Säulen beträgt durchfchnittlich ca. 3 M.

Die Frage bezüglich der Motive der Errichtung von Denkfäulen wurde öfters auf verfchiedene Weife beantwortet; auch die Thatfache wurde conftatirt, dafs diefelben meift an Scheidewegen und auf etwas erhöhten Hügeln ftehen. Diefe Anficht hat fich in fehr vielen Fallen als richtig erwiefen; aber trotzdem gibt es zahlreiche Denkfäulen an folchen Stellen, wo fich keine Wege kreuzen, ja fie ftehen manchmal ziemlich weit von allen Wegen mitten im Walde. Was den Zweck der Denkfaulen betrifft, fo wollen einige darin Grab-

---

[1] Vergl. II., pag. 300, XIV., pag 12, XVI., pag. 13. XVII, pag. 63.

XXV. N. 2.

[1] Vergl. Mittheilungen der k. k. Central-Commiffion, XIV, pag. 16.

6

mäler alter Begräbnisftätten erblicken, wogegen andere fie wieder für bloße Gränzmarken halten. Diefe und ähnliche Anfichten find zwar fammtlich, jedoch nur theilweife gerechtfertigt, da es nicht haltbar erfcheint, alle Fälle aus denfelben Beweggründen und aus einem einzigen Prinzipe herzuleiten; im Gegentheil kann man wohl für alle Beweife anführen, ja fogar die am meiften angefochtene Anficht, welche in den Denkfäulen Grabmäler erblickt, ermangelt nicht der Begründung; fo theilt zum Beifpiel Profeffor Dr. *Woldřich* mit, dafs unter einer Denkfäule zwifchen Cechtitz und Blanitz (Prachiner Kreis) zwei Skelette gefunden wurden.[1] Einen directen Beweis dafür kann man auch zwifchen Neuhaus und Kardafch-Řečitz finden; in einem Walde, abfeits vom Wege ftcht dort nämlich eine Denkfäule im Style der Spät-Renaiffance mit folgender Infchrift auf dem Sockel: „Alda Ruhet in difer Erdt der Stadt Prag Bürger und Kupferfchmid Matheus Stokherdt, geftorben 1680 25. Juni." Auch bei Reftaurirung der Zderad-Säule bei Brünn aus dem 14. Jahrhundert im Jahre 1863 wurden menfchliche Knochen gefunden.[2] Bei diefer Gelegenheit bietet jedoch *Trapp* in Bezug auf diefe letztgenannte Säule eine andere intereffante und ziemlich annehmbare Erklärung aus dem alten Stapelrechte als Stapelgerechtigkeitsfäule.[3]

Es gab aber gewifs noch andere zahlreiche und verfchiedene Beweggründe; fo könnte man die Denkfäulen wohl auch hic und da mit Sicherheit aus dem alten Gränzrechte erklären, wofür auch der Umftand zu fprechen fcheint, dafs diefelben in Bayern Marktfteine genannt werden. Seit dem Mittelalter erhielt fich nämlich lange die Gewohnheit, dafs die Ortfchaften die Gränze ihres Gebietes mit Kreuzen oder, Capellen bezeichneten; erft für den Geift der Renaiffance in Italien ift es charakteriftifch, dafs zum Beifpiel die Bolognefer anftatt deffen eine Pyramide im Jahre 1471 an ihre Gränze fetzten.[4] In anderen Fällen kommt es auch vor, dafs verfchiedene vom Strafgerichte verurtheilte Perfonen Denkfäulen zur Sühne errichten mußten; fo lefen wir eine Notiz am Jahre 1665: Von den obgenannten Perfoner foll dann eine jede eine Denkfäule (Marterfäule) nahe am Dorfe errichten.[5]

Schließlich ift es aber auch gar nicht zu bezweifeln, dafs die Beweggründe zur Errichtung von Denkfäulen hauptfachlich in jener frommen Sitte lagen, die es erheifchte, folche Stellen mit einem Denkmale zu bezeichnen, wo etwas merkwürdiges gefchah oder wo wichtige Ereigniffe vor fich gingen.

Dr. *Franz Xaver Jiřik.*

30. Seit dem Jahre 1823 entbehrte das hochintereffante Rathhaus der Stadt *Olmüz* eine feiner älteften und hochwichtigen Zierden, die in Stand gefetzten Kunftuhr. Die Nifche, wo fie früher ftand, war wohl noch vorhanden. Einiges der alten Wandbemalung war noch jetzt zu erkennen, einzelne Refte des ganzen Aufbaues klebten noch an der Mauer, allein die Kunftuhr, die in ihrem Beftande bis 1422 zurückreicht, war im Ganzen und Einzelnen fo ziemlich ganz verfchwunden.

[1] Mittheilungen der antropologifchen Gefellfchaft in Wien. XIV.
[2] *Trapp,* die Zderad Säule bei Brünn.
[3] Ibidem.
[4] Bruzellius am Bonon. Hr. Morat XXIII col 825.
[5] Gen. Gefchlecht de Herrfchaft Gr. Meferatfch in Mähren. Zeitfchrift des Olmüzer Mufeums. III.

Olmüz gehörte in jenen kleinen Kreis alter Städte, die eine öffentliche Stadtuhr befaßen, und zwar eine folche, welche nicht bloß den einfachen Stundenverlauf angab, fondern fo manches andere zeigte und leiftete, um die Schaulaft der Bevölkerung zu erfreuen. Straßburg, Prag, Danzig, Osnabrück u. a. befaßen und befitzen noch folche Uhren, denen man einerfeits allerlei fich bewegende mehr oder minder mit der Aufgabe der öffentlichen Uhren in Beziehung bringbare Figürchen beigab, und an denen man anderfeits gewiffe Mechanismen anbrachte, durch welche die Bewegungen der Sonne, des Mondes, der Geftirne, der Erde im Weltall etc. etc. dargeftellt wurde. Auch wurde Gelegenheit gewonnen, Scenen aus dem Leben Chrifti etc. dafelbft zur Darftellung zu bringen.

Die erfte Uhr in Olmüz foll 1422 Meifter Anton Pohl, ein reifender Uhrmacher aus Sachfen, angefertigt haben; fie fcheint aber von nicht langer Dauer gewefen zu fein, und erft 1572 brachte man die Uhr wieder in Gang. Hans Pohl, Uhrmacher aus Görlitz, ein Urenkel des erftgenannten Meifters Anton, † 1584, beforgte dies. Als die Schweden in Olmüz haufften (1642 und 1650), wurde die Uhr zerftört und blieb alsdann durch lange Zeit gebrochen.

1661 ftellte fie der Olmüzer Bürger Franz Jahn wieder her. 1741 wahrend der Befetzung durch die Preußen wurde die Uhr durch längere Zeit ftehen gelaffen, doch fünf Jahre danach wieder in Gang gebracht. Damals war es, als der Maler Handtke die Umrahmung der Uhr und die Nifche mit fchönen Fresken fchmückte. Als die Truppen Friedrich II. von Preußen Olmüz belagerten, da kam die Uhr gründlich in Verfall und das fchöne Werk ging fo arg zu Grunde, dafs eigentlich alles bewegliche verfchwand. Wohl kam es 1811 zu einer Wiederherftellung, doch war fie fehr mangelhaft, dann 1823 trat wieder eine Paufe ein und diesmal bis auf unfere Tage.

Erft die allerneuefte Zeit wendete ihre Aufmerkfamkeit diefem Denkmale zu. Man ftudirte die Nachrichten über das alte Uhrwerk und befchäftigte fich mit der Frage der Wiederherftellung der Uhr. Die Sache bekam allmählich immer mehr greifbare Formen und fchließlich kam es zur thatfächlichen Wiederherftellung die am 22. Mai 1898 beendet war. Ein Kunftuhrverein forgte für die Befchaffung der nothwendigen Geldmittel, ein Comité berieth über das Princip und Programm und über die Firma, der diefe Aufgabe übertragen werden follte.

In das Programm nahm man auf, dafs die alte Ueberlieferung der Uhr gewahrt bleibe und die Aenderung des alten Programmes möglichft vermieden werden möge. Die mechanifche Ausführung wurde der Firma *Korshage & Sohn* in Osnabrück übertragen, Architect Rob. Dammer(?) machte den Entwurf für die Aufftellung in der Nifche und deren Decorirung. Die Gefammtauslagen beziffcrten fich mit 24.000 fl. Wir finden angebracht und eingerichtet eine detaillirte Zeitbeftimmung und verfchiedene aftronomifche Darftellungen, ein kleines Kalendarium, die Mondesphafen, Monats- und Tagesnamen, das Datum, eine Zwölfftunden- und eine Vierundzwanzigftunden-Uhr, eine Minutenuhrfcheibe, eine Sternbildfcheibe, eine Scheibe mit den Thierkreisbildern und mit Angabe der Jahreszeiten, ferner die Darftellung der Mercur-, der

Venus-, der Erde-, der Mars-, Jupiter- und Saturn-bahnen um die Sonne, in welchem Sternbilde die Planeten stehen und durch die Bewegungen des Mondes die Finsternisse entstehen. Alle Tafeln find aus Kupferblechen hergestellt, theilweise bemalt oder auf der Grundfläche versilbert und blau eingerändert, die Eintheilungen und schriftlichen Angaben in schwarz ausgeführt. Im Mittel sehen wir eine größere Gruppe plastischer Figuren, theils feststehend, theils auf mechanischem Wege beweglich, zuoberst eine Bekrönung, umgeben von bildlichen Darstellungen. Eine Votivtafel erzählt uns, dass die Kunstuhr 1898 unter dem verdienstvollen Bürgermeister *Jos. von Engel* wieder hergestellt worden ist. Unter den Bildern finden wir dargestellt, wie Anton Pohl an der Kunstuhr baut und wie derselbe geblendet die Folterkammer verläßt; dann 16 in Holz geschnitzte Engel tragen je eine Schlagglocke und ein Hämmerchen zum Glockenspiel, das Mittags ertönt. Während des Glockenspieles öffnen sich viele Thürchen und die im Halbkreife sich bewegenden Figürchen erscheinen im Vordergrunde. Wir sehen Rudolph von Habsburg mit dem Pferde von einer Seite und gegenüber den dem Kranken heilbringenden Priester, St. Georg im Kampfe mit dem Drachen, Adam und Eva, dem ersteren den Apfel reichend.

Man sieht ferner die heil. drei Könige mit Gaben tragenden Körben um die thronende Maria, in einer Mittelgruppe sich bewegend, dann die Flucht nach Aegypten; in den Seitenfeldern die verschiedenen Lebensalter des Menschen und den Hahn, bewegliche Figuren, die die Stunde bezeichnen und verkünden. Im Zwischenfelde das Porträt der Kaiserin Maria Theresia.

Von den Seitenwänden der Nische blicken auf Holz gemalte Gruppen von Menschen über eine gothische Brüstung auf die Zuschauer, dann sieht man Luna und die wechselnde Form der Mondscheibe und Strabo und Ptolomaeus. Der außerordentlich decorative Hintergrund ist mit einem kleinen Frescobilde geziert. Die Malerei stammt vom akademischen Maler *Richard Bitterlich.*

Die Stadt Olmüz hat sich mit der Wiederherstellung ihrer alten Denkmale sehr verdient gemacht und gebührt ihr hiefür Dank und volle Anerkennung; vor allem aber dem langjährigen Bürgermeister von Engel, der mit der Herstellung dieser schönen Stadtzierde seine öffentliche Thätigkeit schloß.

L.

31. Der Central-Commission ist vor kurzem die Nachricht zugekommen, dass ein in kunsthistorischer Beziehung sehr beachtenswerther Meßkelch, der sich in der Kirche zu *Piemonte* in Istrien befand, nach Paris in eine hervorragende Sammlung eines nichtchristlichen Privaten durch Verkauf gewandert ist. Soweit die gepflogenen Recherchen Licht in die Sache brachten, dürfte der Verkauf vor circa zehn Jahren unter dem bereits verstorbenen Pfarrer Mrash vor sich gegangen sein. Die damaligen Caffajournale berichten über die Versteigerung von zwei alten Kelchen um 68 fl. Der Kelch, im Gewicht von 18 Loth, war mit getriebenen Arbeiten und einer gravirten Geschichte am Fuße versehen. Diese lautet: J Zuane funtz 1476. Das Kirchen-

Inventar aus dem Jahre 1840 bezeichnet ihn als mit antiken Ornamenten ausgestattet. Er ist aus Silber und ganz vergoldet. Er gehörte der Bruderschaft St. Fabian und Sebastian und ging nach ihrer Aufhebung sammt dem ganzen Inventar in den Besitz der Mutterkirche über.

Die Central-Commission erkennt in diesem Fall, wenngleich er sich auch vor längerer Zeit ergeben hat,

Fig. 10 (Partschendorf.

einen neuerlichen Beweis, wie dringend nothwendig es ist, dass von Zeit zu Zeit seitens der kirchlichen Oberbehörden den unterstehenden Pfarrämtern, Seelsorgen und Klöstern die bestehenden Vorschriften über die sorgfältige Inventarisirung des kirchlichen Eigenthums mit dem Beifügen in Erinnerung gebracht werden, dass die Verfügung der letzteren über kirchliche Objecte nur mit Einwilligung der kirchlichen Vorgesetzten gestattet ist. Finden sich doch fast in jedem größeren

9*

Antiquitätengeschäfte Koftbarkeiten kirchlicher Beftimmung als verkäufliche Waare.

32. (Epitaphium an der Aufsenwand der Pfarr-kirche zu Partschendorf.)

An der nördlichen Wand der jetzigen Sacriftei in
der Kirche zu Partschendorf ift ein Stein eingemauert,
welcher im Bildfelde einen geharnifchten Ritter darftellt, der in feiner Linken einen an einem Tragriemen
befeftigten Tartfchenfchild mit einem Halbmond als
Wappenfigur hält, während er fich mit der Rechten auf
ein Schwert mit langem Kreuzgriff ftützt. Die Randumfchrift, in gothifchen Lettern ausgemeißelt, erzählt:

„Letha Bojho 1504 dokonal swug wiek urozeny
wladik a Pan Bedřich z Krumsina a z Spitzek tu nedieli
po swatem petra a pawla."[1]

Die Figur ift übrigens intereffant, die Rüftung
zeigt in ihrer Verzierung gothifche Motive, der fchalen-
formige Helm läßt infolge des hinaufgefchlagenen
Vifiers das unbebartete Geficht frei, das einen ziemlich
trotzigen Ausdruck hat. Auffallend find die großen
gerüfteten Füße mit deutlich erkennbaren Zehen, der
rechte Fuß ift vom Knie abwärts fchrecklich verzeichnet.[2] *Fr. Rosmaël.*

33. Die k. k. Central-Commiffion erhielt durch
Herrn *Rudolf Kottanig* in *Fifchau*, Nieder-Oefterreich,
die Nachricht, dafs fich dortfelbft im Pfarrhaufe ein
fehr alter Grabftein befindet, und zwar in horizontaler
Lage auf einem Abfatze der Kellerftiege eingelaffen;
eine viereckige Sandfteinplatte, 2·12 M. hoch und 0·95 M.
breit, ohne Infchrift und nur mit einem nur in Contouren
ausgeführten Kreuze fpät-römifchen Charakters geziert,
das fich über die ganze Platte verbreitet. Das Kreuz
fteht auf einem kleinen Halbbogen und diefer wieder
auf einem folchen, aber größeren. Die Kreuzesränder
verbreitern fich ein wenig und laufen in Spitzen aus.
Steine aus dem 13. Jahrhundert, wenn auch ohne Infchrift, find felten und wichtig, fie verdienen erhalten
zu bleiben, daher es vor allem wünfchenswerth erfcheint,
wenn die befagte Platte an einer paffenden Stelle im
Kirchengebäude aufgeftellt, beziehungsweife eingemauert würde (f. Fig. 11).

34. In der Pfarrkirche zu *Totzenbach* (Station
Kirchftetten a. d. Weftbahn) blieb, wie Confervator
Fahrngruber berichtet, ein Epitaphium aus rothem
Marmor (2·14 × 1) mit vorzüglich gemeißelter Schrift
erhalten: Anno. dm̄. m. cccc. lxxviij. an. hand. Pilgrin (Pilgrim
— Peregrin) raij. ift. geftorben. der. tiller. her. Jorig. von.
fumphfperg. marfchalich † hie. begraben. d. g.g. (Wappen mit
liegendem Sparren).

Ueber den genannten G. Stumsperg eine Urkunde
in Duelli Excerp. geneal. p. 104 — J. 1467.

35. (Die alte deutsche Studentenkirche S. Fridiano in Bologna.)

In dem XV. Bande der Mittheilungen, Jahrgang
1889, findet fich ein intereffanter Auffatz des Herrn

Dr. *Lufchin von Ebengreuth* über die Grabftätten
deutfcher Studenten in Bologna, wobei auch der alten
Kirche S. Fridiano der dortigen deutfchen Studenten-
verbindung Erwähnung gefchieht.

Diefe kleine Kirche, auch al Sacco oder *Ecclesia
Teutonicorum* genannt, lag im freien Felde vor dem
Thore S. Mamolo, jetzt Porta d'Azeglio an der Kreuzung der nach Süden führenden Hauptftraße mit der
Via Mezzarata. Sie war bis in die Mitte des 16. Jahrhunderts der Ort kirchlicher Feier und fröhlicher Zu-
fammenkunft der Scolaren, welche mit wenigen Ausnahmen dem geiftlichen Stande angehörten. Noch im
Jahre 1530 erfuhr die Kirche eine Wiederherftellung;
feit dem Jahre 1781 dient fie nicht mehr gottesdienft-
lichen Zwecken und ift dermalen in dem Privatbefitze
des Doctors Ignatio Gozzi.

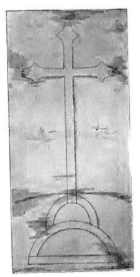

Fig. 11 (Fifchau.)

Die Erinnerung an die vorerwähnten Notizen veranlafste mich, während meines kurzen Aufenthaltes zu
Bologna im Juni des heurigen Jahres 1898 diefe kleine
profanirte Kirche aufzufuchen. Die Auffindung war mit
einigen Schwierigkeiten verbunden; denn niemand aus
der nächften Nachbarfchaft kannte eine Kirche
S. Fridiano und nur der Name des Dr. Gozzi war der
Leuten, welcher mich endlich an das erwünfchte Ziel
brachte.

Durch ein Gitterthor betrat ich einen wohl-
gepflegten Hofraum, in welchem ich den Herrn Doctor,
einen alten Herrn von mehr als 80 Jahren antraf, der
mich fehr freundlich aufnahm und mir gern die Befichtigung der Kirche geftattete. Die kleine in alter
Zeit frei liegende Kirche ift im Ganzen noch wohl erhalten, jedoch derzeit zwifchen zwei neue unmittelbar

---

angebaute mehrere Stockwerke hohe Häuser eingeengt. Die fchmale fauber getünchte Façade mit der einfachen rechteckigen Thüre und dem niedern dreieckigen Giebel zeigt keinerlei Ornamente oder Spuren von Malerei. Das Gebäude felbft ift im Verhältniffe zu feiner mäßigen Breite ziemlich lang und im Innern durch eine Quermauer in zwei Theile gefchieden. Der vordere längere rechteckige Raum, welcher offenbar zur Abhaltung des Gottesdienftes beftimmt war, ift mit zwei Jochen eines Kreuzgewölbes überdeckt, weiß getüncht, vollkommen fchmucklos und dient gegenwärtig als Holzmagazin. Die wahrfcheinlich früher an beiden Langfeiten angebrachten Fenfter find infolge der anftoßenden Häuferbauten vermauert worden. In der Mitte der Quermauer ragt aus den aufgefchichteten Reifigbündeln das obere Stück eines breiten halbrunden grauen Stucco-Rahmens hervor, worin fich vermuthlich das Altarbild befunden haben dürfte. Ob noch eine Menfa des Altares vorhanden ift, konnte ich nicht erfahren.

Der rückwärtige etwas kleinere Raum, zu welchem man über einige Stufen nach abwärts von dem hinter den Wohnhäufern liegenden Gemüfe- und Baumgärten her gelangt und welcher allem Anfcheine nach das Verfammlungs-Local der Scolaren gewefen ift, dient derzeit als Hühnerftall und Aufbewahrungsort für Gartengeräthe. Diefes Gemach, welches für höchftens 20 Perfonen Platz bot, ift nicht gewölbt, fondern mit einer flachen Balkendecke verfehen. Die Füllbretter find in einem grauvioletten Tone bemalt, und zwar mit Groteskmasken, von welchen fich nach beiden Seiten langgeftreckte Arabesken ausdehnen. Unterhalb der Decke finden fich Refte volifarbiger Fresken in Form eines um die Wände laufenden Friefes. Leider find bereits die Farben und die Zeichnung derart verwifcht, daß es unmöglich ift, die dargeftellten Gegenftände, ob mythologifche oder chriftlich-religiöfe, noch zu erkennen.

Auch auf diefer Seite der Querwand ift in der Mitte derfelben ein von einer breiten grauen Bordure eingefafster leerer Stucco-Rahmen erfichtlich. Daneben zeigt fich eine vermauerte Thür, durch welche man in den vordern Kirchenraum gelangen konnte. Diefe wenigen Refte ehemaliger Ausftattung, welche den Charakter der Renaiffancezeit an fich tragen, dürften der Reftaurirung vom Jahre 1530 entfprechen.

Infchriften oder eine Jahreszahl waren nicht zu entdecken, doch wurde mir von der begleitenden Dienftmagd in der Küche des Wohnhaufes ein ftark in Vermoderung begriffener Kopf eines Heiligen gezeigt, welcher angeblich der Holzftatue des heiligen Fridianus angehört haben foll. S. Fridianus, auch Frigianus, Frigdianus, Fridianus, ein Irländer. ift nach Ughelli's Italia sacra tom. I Bifchof von Lucca gewefen und im Jahre 578 dort geftorben. Sein Gedächtnistag fällt auf den 18. November. Dr. Alois Wöfl.

36. Der Münzfund, gemacht beim Baue der Eifenbahnftrecke Hadyńkowce—Czortków befteht aus ca. 400 Kupfermünzen, fammtlich aus der Regierungszeit Johann Cafimir's aus dem Haufe Wafa ftammend. Ich habe aus der ganzen Maffe 84 Stück mit ganz deutlicher Prägung ausgefchieden. nachdem ich mich, foweit noch eine folche Feftftellung ermöglicht ift, uberzeugt habe,

daß die anderen keinen andern Typus aufweifen. Sammtliche Münzen find folidi, fogenannte Halbgrofchen und zerfallen in zwei Hauptgruppen: a) Krongrofchen, b) lithauifche Grofchen.

a) Die Krongrofchen find die beiweitem zahlreicheren. Sie tragen auf der Vorderfeite das Bild des Königs, links IOAN, rechts CAS. REX. Auf der Ruckfeite haben fie den polnifchen Adler, im Schilde der Wafa'fche „Garten"(Snop). Rechts die Infchrift SOLID. REG., links POLON und die Jahreszahlen 1660, 1661, 1662, 1663, 1664, 1665; die Jahreszahl 1666 ift nicht belegt.

b) Viel intereffanter, wenn auch weniger zahlreich, find die litthauifchen Grofchen. Die Vorderfeite ift mit der Krongrofchen identifch. Die Rückfeite dagegen bringt das litthauifche Wappen, den nach links galoppirenden Reiter (pogoń) und die rechts oben beginnende Auffchrift SOLID.MAG.DVC.LIT. und die Jahreszahlen 1660, 1661, 1663 bis 1666; die Jahreszahl 1662 ift nicht belegt.

Die weit überwiegende Anzahl bringt unterhalb der „pogóna" das Monogramm des Kronfchatzmeiflers K—L, wahrfcheinlich einem aus der Familie Pac, aber es kommen noch ftatt diefem Monogramme in vereinzelten Fällen Wappen verfchiedener anderer Kronfchatzmeifter vor: Zwei Stück aus dem Jahre 1663 mit dem Wappen „Roch"; ein Stück aus dem Jahre 1660 mit dem Wappen Pilawa ✠ (Potocki); ein Stück aus dem Jahre 1661 mit dem ✝ Wappen Slepowsow (ein Rabe mit einem Ringe im Schnabel); zwei Stück aus dem Jahre 1661 mit dem Wappen Brochwig (Hirfchgeweih) und ein Stück aus dem Jahre 1666 mit dem Wappen Brochwig (Hirfchgeweih).

Dr. Johann von Bolog-Antoniewicz.

37. (Friefacher Pfennige.)

Bei Aushebung der Fundamente für das Haus Nr. 5 der Bahnhofgaffe in Cilli fand fich bis 170 Cm tief graue fumpfige mit allerlei Abfällen verunreinigte

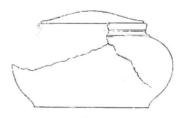

Fig 12

Dammerde, auf weitere 20 Cm. Trümmer römifcher Ziegel, vornehmlich jener aus gefchlemmutem Thon forgfältig hergeftellter Dachziegel, Brandrefte und Mörtelfchutt, darunter 60 Cm. fchwarze, das heißt durch Holzkohle fehr dunkelgefärbte Erde, weiter ca. 120 Cm. lichtere braungraue Dammerde, endlich Refte der Flußfchotter, wie folchen unfer Grundwaffer führt, vor.

In der erftgenannten tiefgrauen fehr feuchten Dammerde ftieß ein Hilfsarbeiter bei ca. 130 Cm. unter-

tags auf die in Fig. 12 skizzirte aus Schwarzhafner-thon hergestellte Urne von geringer Wandftärke mit flachem Deckel. In dem Momente, wo die den Inhalt des Gefäßes bildenden Silbermünzen fichtbar wurden, warfen fich auch fchon die benachbarten ftärkeren Arbeiter derart über den kleinen Schatz, dafs der Finder felbft nahezu leer ausging, die Munzen fofort in verfchiedene Hände gerithen.

Soweit meine Erhebungen feftzuftellen vermochten, dürften deren im Ganzen 300 bis 350 Stück gewefen fein, wovon ich 170 Stücke und 18 Halblinge nebft zwei Bruchftücken erwarb und Herrn k. k. Profeffor Dr. A. Lufchin von Ebengreuth einfandte, welcher in opferwilliger, dem hiefigen Mufealvereine zu beftem Danke verpflichtender Weife felbe reinigte und beftimmte wie folgt:

Stück	Alters- und fonftige Beftimmung		Anmerkung
48	Patriarch Berthold von Aquileja, † 1251	Wetzl II/1 9879	Nebftdem 2 Bruchftücke
25	Unbeftimmt	Wetzl II 1 9878	1 Halbling
17		Fehlt bei Wetzl	3 „
29	Wohl Patriarch Berthold von Aquileja, † 1251	Wetzl II/1 9887	4 „
3	„ „ „ „ † 1251	Wetzl II/1 9809	
3	„ „ „ „ † 1251	Wetzl II t 9880	
6	Wahrfcheinlich E. R. Eberhard II. von Salzburg, † 1246	Wetzl II, 1 9776	4 Halblinge
8	R wie Wetzl 9879. W. Geharnifchter Ritter mit Schwert und Schild		
3	„ „ 9879. „	Fehlt bei Wetzl	„
4	Zweite Hälfte des 13. Jahrhunderts	Friefacher	„
6	„ „ „ 13. „	Fehlt bei Wetzl	1 Halbling
4	Bernhard (Herzog), † 1250	Wetzl 9768	„
	Unbeftimmt	Friefacher	3 Halblinge
11	Kärnten, Herzog Bernhard, † 1256	Wetzl 9789	2 „
1	„ Herzoge, 13. Jahrhundert	Wetzl 9725	
2	Laibach, Herzog Bernhard von Kärnten, † 1256		

170 Stück nebft 18 Halblingen und 2 Bruchftücken.

Mithin dem 13. Jahrhundert angehörend, wiegen 40 diefer Pfennige 35 Gr.; das einzelne Stück daher durchfchnittlich 0·87 Gr. Die Deutlichkeit, Schärfe der Prägung ift fehr verfchieden, der Erhaltungszuftand durchwegs ein guter; die Legirung fcheint überhaupt eine beffere, höherwertige als jene der Pfennige des St. Kunigunden-Fundes zu fein.

Zu bedauern ift, dafs trotz ganz abnormen Preis-anerbietens es nicht gelang, diefen Fund thunlichft ganz zu erwerben. Confervator Bergrath Riedl.

38. (Zur Richtigftellung der Notiz 19 im XXIV. Bande.)

Ueber die im Jahre 1879 gemachten Münzfunde in der Teplitzer Quellenfpalte theilt uns Herr Albert Dafch in Teplitz auf Grund feiner eigenen genauen Aufzeichnungen mit: fie ergaben einen Kupfermünze keltifchen Urfprunges, je eine römifchen Urfprunges von Vefpafian, Trajan, L. Verus, M. Antonius, Fauftina fenior, Pertinax Sept., Severus, Heliogabal, Diocletian, je zwei von M. Aurel, Commodus und Fauftina junior.

Nachher fanden fich noch im Sande der Urquelle nebft einem Fragmente einer römifchen Fibel zwei Bruchftücke von Kupfer, ein Fibelfragment aus Bronze, diverfe Eifennägel mit großen buckelförmigen Knöpfen und einige bandartige Befchläge aus Eifen verzinnt, dann Munzen, römifche Kupfermünzen, zwei von Hadrian, je eine vom I. Triumvirat, Germanicus, Antonius Pius, Lucius Verus, Sept. Severus, Gallienus Publius Licin., Maximianus Gaterius, dann acht andere unbeftimmbare Münzen, ein Prager Grofchen, Johann von Luxem-burg, ein Görlitzer Pfennig ca. 1437, einer von Ludwig I. König von Böhmen, ca. 1525, einer der Stadt Znaim, eine kleine Silbermünze von Markgraf Friedrich zu Brandenburg-Bayreuth 1740 und vier neuere Kupfermünzen etc.

39. Das St. Sebaftian-Kirchlein bei Landeck wurde durch die anerkennenswerthe Fürforge eines Comité von Landecker Bürgern, das fich zum Zwecke der fucceffiven Reftaurirung diefes Baudenkmales im Jahre 1888 gebildet hat, vor dem Verfalle bewahrt.

Diefes Kirchlein am fogenannten Purfchl bei Landeck (f. Fig. 13. Grundrifsanlage), wurde in der Mitte des 17. Jahrhunderts infolge eines Gelöbniffes anläßlich der damals in diefer Gegend ftark herr-fchenden Peftfeuche erbaut. Das kleine zu den heil. Peftpatronen Sebaftian, Rochus und Pirminius anno 1656 geweihte Bauwerk fteht auf einem gegen das Stanfer-Thal vorgefchobenen Hügel, an deffen Fuße fich die Sana in den Inn ergießt. Das Langhaus mifst 9·5 M. Breite bei 15 M. Länge und das Presbyterium 8:9 M. Das Aeußere des Baues ift bis auf die profilirten Spitz-bogen der Eingangsthüre ganz fchmucklos gehalten und der quadratifch angelegte niedrige Thurm mit zwiebelförmigem Holzhelm abgefchloffen.

Der Innenraum zeigt hingegen eine fchön und reich gegliederte flache Holzdecke im Langhaufe, deren achtfeitige und rechteckige Felder mit gefchnitzten und vergoldeten Rofetten geziert find. Das Netzgewölbe des Presbyteriums ift mit reichverzweigten dreieckig profilirten Gratrippen belebt.

Der Frohnbogen und die Fenfter des Presby-teriums und Langhaufes find fpitzbogig und von guten

Verhältniffen. Sehr bemerkenswerth find die Altäre diefes Kirchleins, wovon der Hochaltar der in neuerer Zeit gefchickt reftaurirt wurde, in den Formen der Spät-Renaiffance gehalten ift und im Mittelfelde die Statuen der Patrone des Kirchleins trägt. Diefer Altar ift gefafst und vergoldet und flammt aus dem Jahre 1651.

Von befonders kunftvoller Durchbildung ift jedoch der an der rechten Seite des Frohnbogens aufgeftellte Altar *A*. Er ift ohne Faffung und Vergoldung in Naturholz (Zirbel) belaffen worden, was wohl mit Rückficht auf feine minutiös und reich gefchnitzten Details gefchah, da diefe durch einen Farben- oder Golduberzug gefchädigt worden wären.

Das fehr beachtenswerthe Schnitzwerk des Altaraufbaues ift bis auf kleinere Befchädigungen, welche leicht behoben werden können, gut erhalten und ftammt offenbar aus der erften Hälfte des 17. Jahrhunderts. Abgefehen davon, dafs das Sebaftian-Kirchlein erft im Jahre 1656 vollendet wurde und in der Weihurkunde die Notiz enthalten ift, dafs der damalige Hochaltar 1648 eingeweiht wurde, fpricht auch der Umftand dafur,

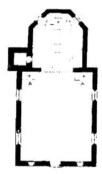

Fig. 13. (Landeck.)

dafs diefer Altar vordem nicht als Seitenaltar verwendet wurde und dafs die gemauerte Menfa des Seitenaltares merklich kürzer ift als der Altarauffatz. Vermuthlich wurde letzterer aus einer andern Kirche hieher übertragen und diente vordem als Hochaltar.

Aehnlich verhalt es fich mit dem Altaraufbau an der linken Seite des Frohnbogens, deffen die Umrahmung des Altarbildes beiderfeits flankirende Theile die gefchnitzten Bruftbilder der vierzehn Nothhelfer zeigen *B*. Der obere und untere Abfchluß diefer eigenartigen Umrahmung, welche zweifellos früher einem andern Altare angehörte, ift leider nicht mehr erhalten. Dem Stylcharakter der fchön gefchnitzten Hochrelief-Büften und deren Begränzung mit einem Blätterwulft zufolge, dürfte diefes intereffante Fragment in der zweiten Hälfte des 16. Jahrhunderts entftanden fein.

Außer diefen Altären befindet fich in dem Kirchlein noch eine hölzerne Kanzel, welche nur mehr hin fichtlich der fchönen mit Pilaftern und aufgelegtem Laubfäge-Ornament im Style deutfcher Renaiffance gezierten Bruftung erhalten geblieben ift, und fich fty-

liftifch vollkommen verwandt zeigt mit einem Betftuhle im Presbyterium, welcher die Infchrift „Jofeph Weinzierl 1648" trägt. Die im Langhaufe aufgeftellten Betftuhle flammen aus neuefter Zeit.

Vor der kürzlich durch aufgebrachte Geldfammlungen ermöglichten baulichen Reftaurirung des St. Sebaftian-Kirchleins war das Dach desfelben fehr fchadhaft, die Mauern waren theilweife zerklüftet, die Holzdecke im Langhaufe zerbrochen und das Fußbodenpflafter fehlte ganzlich.

Das Dach wurde wieder entfprechend hergeftellt, das Mauerwerk ausgebeffert, die Holzdecke ftylgemaß reftaurirt, der Fußboden mit Cementplatten gepflaftert, die Fenfter mit Butzenfcheiben verglaft und an Stelle der morfch gewordenen Betftühle im Langhaufe neue Betftühle aufgeftellt. Ferner wurde die Bemalung der Wände und des Gewölbes im Presbyterium mit moglichfter Beibehaltung des urfprünglichen Charakters erneuert, desgleichen die Faffung und Vergoldung am Hochaltare.

Es erfchien der k. k. Central-Commiffion auffallend, dafs diefe eigentlich noch im gothifchen Style erbaute Kirche dem 17. Jahrhunderte angehoren foll. Ueber Anfrage beim Confervator bemerkte derfelbe, dafs die Anwendung des gothifchen Styles, namentlich am Aeußern von Kirchen im 17. Jahrhundert noch vielfach conftatirt werden kann, während die Innen-Decoration fich als Renaiffance charakterifirt, wie dies auch bei der Flachholzdecke in Purfehl der Fall ift.

Johann Deininger.

40. In dem Kirchlein *St. Martha* bei *Knittelfeld* fteht einer der intereffanteften alten Flügelaltäre Steiermarks, angefchafft von Abte Gregor Schardinger von Sekkau 1524 mit der Bezeichnung „Criftiannus Spuel-", der nach dem umftehenden Schilde und Zeichen zu fchließen, wohl etwa der Meifter des Werkes gewefen fein möchte. Der Altar hat eine Gefammthöhe von 6 M. fammt den Flügeln eine Vollbreite von 3·25 M. Die Predella, die Flügel an beiden Seiten und kleine Seitenftücke, welche nur bei gefchloffenen Flügeln fichtbar werden, find gemalt; der Schrein enthält drei Statuetten und eine kleinere hat fich in der Krönung erhalten. Der kunfthiftorifche Werth des Altares fteht außer Zweifel und feine Sicherung, die geringe Anzahl heimifcher mittelalterlicher Altäre (ca. 26) berückfichtigt, ift hochft wünfchenswerth zu nennen. Er bedarf einer forgfamen Reftauration; denn viele von den Kreuzrippen und Auslaufern der Kronungs-Ornamente find gebrochen oder fchon abgefallen (zum Theile liegen fie auf dem Altare). Das Holzwerk hat feinen Schutz, welchen die Faffung und Vergoldungen abgab, verloren, ift morfch und „falpetrig" geworden; insbefondere die Maltlächen der fieben Gemalde fchälen fich los bei jeder Berührung und find zum Theile fchon abgefallen. Der Entfchluß des Schloßherrn von Prankh, den Altar herftellen zu laffen, kann daher nur mit großer Freude begrüßt werden.

Johann Graus.

41. (*Griechifch-orientalifche St. Georgs-Kirche in Suezawa.*)

Die alten griechifch-orientalifchen Kirchen in der Bukowina erfcheinen durchwegs nach einem einheitlichen fich über diefes Land, fowie uber den nördlichen

Theil Rumäniens erstreckenden besonderen Typus, im sogenannten „moldauisch-byzantinischen" Baustyle errichtet. Ein interessanter Repräsentant dieses Styles ist die St. Georgs-Kirche in Suczawa. Dieses Gotteshaus ist zugleich das größte dieser Kategorie in der Bukowina, indem es bei rund 43 M. Länge nahezu 12 M. Breite besitzt und für dieses Land von besonderer Bedeutung, da es in einem silbernen mit reichen figuralen Scenen geschmückten Schreine den Leichnam des Landespatrons, des heiligen Johannes Novi enthält, zu dem jährlich Tausende frommer Gläubiger aus der Bukowina, Galizien und Rumänien pilgern. Der moldauische Fürst Alexander der Gute kaufte, wie der Schematismus der Bukowiner griechisch-orientalischen Archiepiscopal-Diöcese berichtet, die Reliquien des Heiligen im Jahre 1402 von Kaufleuten aus Trapezunt und ließ sie in der — angeblich vom Fürsten Juga im Jahre 1399 errichteten — alten Metropolitan-Kirche — der jetzt in Restaurirung befindlichen sogenannten Miroutzkirche — beisetzen. Nach der durch ein noch unbekanntes Ereignis, circa 1513, erfolgten Devastirung dieser Metropolie kamen die Reliquien in die noch heute neben der St. Georgs-Kirche befindliche Capelle, und nach Vollendung der letztgenannten als neue Metropolie erbauten Kirche, in diese. Mit der Verlegung des Bischofssitzes 1630 von Suczawa nach Jaffy wurden dieselben dorthin übertragen. Während der Türkenkriege, 1686, nahm sie im Einverständnisse mit dem moldauischen Fürsten Constantin Cantemir der pohlische König Johann Sobieski in Verwahrung und brachte sie in die von diesem erbaute Basilianer-Kirche in Żółkiew. Ueber Reclamation des Radautzer Bischofs Dositheu und der Gemeinde Suczawa ließ sie Kaiser Joseph II. im Jahre 1783 von Żółkiew wieder nach Suczawa in die St. Georgs-Kirche zurückbringen.

Das in Rede stehende Gotteshaus wurde, wie bereits erwähnt, als neue Metropolitan-Kirche errichtet, und zwar vom moldauischen Fürsten Bogdan, im Jahre 1514. Er vollendete indefs den Bau nicht, sondern erst dessen Sohn Stephan im Jahre 1522. Die über der an der Nordseite gelegenen Eingangsthüre befindliche Inschrifttafel, welche kirchenslavifch abgefafst ist, lautet in Ueberfetzung:

„Mit dem Willen Gottes des Vaters, der Mitwirkung des Sohnes und der Vollendung des heiligen Geistes beschloß der rechtgläubige und Christus liebende Jo Bogdan Wojewod, von Gottes Gnaden Herr des Landes Moldau, die Metropolitan-Kirche von Suczawa zu erbauen unter dem Patronate des heiligen Großmärtyrers und siegreichen Georg, indem er im Jahre 7022 (1514) zu bauen begann. Er erlebte die Vollendung nicht, aber fein Sohn Jo Stephan Wojewod, von Gottes Gnaden Herr des Landes Moldau, baute dieselbe mit Gottes Hilfe von den Fenstern weiter bis hinauf und vollendete fie im Jahre 7030 (1522), am 6. des Monats November, im siebenten laufenden Jahre seiner Regierung. Dieselbe wurde durch die Hand seiner Heiligkeit des Metropoliten Theoktift ausgeweiht."

Nach dem Schematismus soll der Pronaos im Jahre 1579 vom Metropoliten der Moldau Theofan zugebaut worden sein. Zehn Jahre darauf ließ der moldauifche Fürst Peter die Kirche restauriren und neu eindecken und den Glockenthurm aufbauen. Längere Zeit hindurch war das Gotteshaus unbenützt und ver-

fallen, bis um die Mitte des vorigen Jahrhunderts der Metropolit der Moldau, Jacob, dasfelbe wiederherstellte. Die dermalige Ikonoftafis stammt aus 1796. Metropolit Veniamin ließ 1837 vor dem nördlichen Eingang eine Vorhalle errichten, welche aber feit jüngerer Zeit nicht mehr befteht.

Gegenwärtig dient die Kirche für die beftehende Expofitur des Klofters Dragomirna. Archimandrit Dariu Tarnowiecki ließ fie vor einigen Decennien reftauriren, neu eindecken und die Hauptbilder der Ikonoftafis mit Silber-Ornat bereichern. Der Glockenthurm wurde 1855 um eine Etage gehoben und im Jahre 1895 nach Vollendung des jetzigen neuen Priorsgebaudes reftaurirt; an dem Gotteshaufe fanden in neuerer Zeit keinerlei Herftellungen ftatt.

Die Kirche befteht aus dem Naos, welcher von der ganz in typifcher Weife ausgeführten Vierungskuppel überdeckt ift und die Bilderwand oder Ikonoftafis *I,* die das Sanctuarium mit dem Altartifche *A,* der Prothefis (mit Rüfttifch und Wafferbecken), dem Diakonicon *D* (mit Kohlenbecken) und den halbkreisförmigen Sitzen für die Geiftlichkeit vom Naos abfchließt. Im letztern befinden fich das mit einem Baldachin überbaute Grabmal *G* des Heiligen, die Kanzel *K,* der Bifchofsftuhl *S,* ferner längs der Seiten-Apfiden die Stehlehnen oder Strani, endlich ein großer hübfcher Meffinglufter. Die

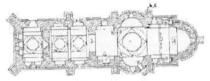

Pendentivs der Naoswölbung befitzen, behufs Verftärkung des Schalles, eingemauerte fogenannte Schalltöpfe. Vom Naos führt ein für die Mönche beftimmter Nebenausgang *N* ins Freie.

Die Verbindung des Naos mit dem Pronaos vermittelt der Bogen *B,* welch letzterer an Stelle einer feinerzeit beftandenen Thüre hergeftellt wurde; die Verbindung des Narthex mit dem Pronaos endlich die reich gegliederte gothifch gehaltene Hauptthüre.

Bemerkenswerth ift die Vergrößerung des Naos, welche vermittelft an die Vierung anfchließender mit Tonnen überwölbten Räume erzielt wurde; bemerkenswerth find ferner die hübfchen charakteriftifchen Einwölbungen des Pronaos und des Narthex. Die Decke des letztern, welche eine längliche Form befitzt, wurde durch beiderfeitige Anordnung von je zwei breiten Quergurten dann zwei fchmalen Wandgurten zu einem Quadrate verkleinert, das mittelft Pendentivs eine Trommel trägt, in welche vier diagonal geftellte Gurten als Träger der Blindkuppel erfcheinen. Noch hübfcher, conftructiv beftens durchdacht und dabei ungemein reich wirkend, ift die Einwölbung des Pronaos durchgeführt. Durch eine mittlere wulftformige Quergurte, mit welcher zwei Wandgurten correfpondiren, wurde vorerft der zu überwölbende Raum in zwei längliche Theile getheilt. Um für jeden diefer Theile wie-

der ein Quadrat für die typifche Blindkuppelwölbung zu erlangen, wurden längs der Wand auf Pfeilern ruhende gegliederte Gurten angeordnet, ferner anfchließend, doch bedeutend höher fituirt, je zwei breite, fich auf die großen Quergurten ftützende Längsgurten. Der Fuß der letzteren ift durch in Stein gemeißelte Gefimfe, auf welchen zierliche Schildchen fitzen, markirt.

Mit Ausnahme der Wölbungen und der wenigen Gefimfungen zeigt das Innere keinerlei Gliederungen, welche der typifchen fich über alle Theile erftreckenden Malerei Hinderniffe böten (Grundriß Fig. 14).

Leider ift die Malerei fchon an vielen Stellen abgefallen oder infolge leichtfertiger Reftaurirungen befchädigt; namentlich wurde durch die Herftellung des breiten Bogens B, Fig. 15, das in der Nähe der Grabftelle G befindliche fogenannte „Widmungsbild" größtentheils zerftört. Uebrigens litt und leidet die Malerei wefentlich durch den Weihrauch und den Ruß der zahllofen Kerzen, welche in der Kirche verbrennen.

Die primitiv hergeftellte Kanzel, übrigens eine neuere Einführung in griechifch-orientalifchen Kirchen, lagert auf zwei reich ornamentirten Marmorfäulen; zwei

folge in den Jahren 1868 bis 1870 von Nicolai Lukaczuk, und zwar auf Koften des Bojaren Nicolai Albu aus Piatra (Rumänien) neu hergeftellt worden war, hatte urfprünglich — wie jedenfalls auch das Dach der Laterne — eine ganz andere Form. Dies muß aus der Analogie mit alten Abbildungen zahlreicher übriger Kirchen gefchloffen werden. Direct läßt fich aber der Nachweis erbringen aus der Unterfuchung des Laternenunterbaues im Innern des Dachraumes. Es finden fich nämlich dafelbft beim fternförmigen Theile U Bildnifchen, welche noch gegenwärtig eine figurale Malerei tragen, über denen fich ein aus drei Reihen glafirter Thonfcheiben hergeftellter Fries herumzieht. Es trägt ferner auch der fternförmige Theil V eine, und zwar rautenförmige Malerei. Es mußte fich demnach im urfprünglichen Zuftande diefer Theil des Laternenfußes außerhalb der Dachfläche befunden haben, das Dach demnach anders geformt gewefen fein.

Ganz merkwürdig nun find diefe glafirten Verzierungsfcheiben, die in Fig. 16 abgebildet erfcheinen. Sie find auf der Drehfcheibe, mäßig vertieft, und mit einem Anfatz an der Rückfeite hergeftellt, mittelft deffen die Befeftigung im Mauerwerk erfolgte. Ihre Größe beträgt 18·5 Cm. im Durchmeffer, die Farben find gelb, braun, grün. Die zwifchen den Scheiben verbleibenden drei- oder vierfeitigen Feldchen find ebenfalls mit ähnlichen Kacheln verkleidet. Die Herftellung diefer letzteren erfolgte in einfacher Weife aus circa 9 Cm. im Durchmeffer großen Scheiben,

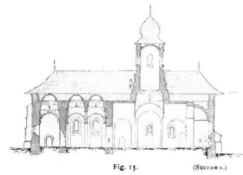

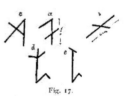

Fig. 15.   (Suczawa.)   Fig. 16.   Fig. 17.

zu diefen gehörige Dreiviertelfäulen liegen im Narthex. Diefer Umftand fpricht dafür, dafs diefe vier Säulen ehedem einem andern Zwecke gedient und vielleicht zur Ueberbauung des Reliquienfchreines des Heiligen gehört haben. Der jetzige barocke gefchmacklofe Baldachin aus Holz hat übrigens im Jahre 1897 durch Feuer einigermaßen gelitten und ift baufällig.

Die zahlreichen Dienfte der Hauptthüre find hauptfächlich an ihren unteren Stellen abgefchlagen; mehr noch befchädigt find die Steingewände und Maßwerke der Fenfter, von denen fämmtlich die Mittelpfoften fehlen. Zwei Fenfter des Narthex find dermalen vermauert.

Wie im Innern, fo war früher auch das Aeußere, das mit Ausnahme der einfachen Strebepfeiler, ferner der einfachen Blind-Arcaden in den Apfiden über der doppelten Reihe von Bildnifchen unter dem Hauptgefimfe keinerlei Gliederungen zeigt, gänzlich mit figuraler Malerei bedeckt. Leider findet fich felbe theilweife nur noch an der Südfeite, von der Südweftecke an bis zur Seiten-Apfide.

Das Kirchendach, das nun einfach fattelförmig ift, mit Schindel gedeckt erfcheint und einer Infchrift zu-

deren Ränder man mit freier Hand fo aufbog, dafs die gewünfchte Geftalt erzielt wurde. Merkwürdig ift nun ferner, dafs auf der Laterne und unter dem Hauptgefimfe der 1481 vom Wojewoden Stephan dem Alten oder Großen erbauten Kirche zu Badeutz ebenfalls derartige Kachelfriefe vorkommen. Der Umftand, dafs auf diefen Scheiben, deren Durchmeffer 16 bis 17 Cm. beträgt, ganz kleine Ornamente, ja fogar Thiergeftalten vorkommen, ferner die Thatfache, dafs an diefe Scheiben ein topfartiger Cylinder anfchließt, welcher behufs Einfügung diefer Verzierungen in eine Mauer als unpraktifch bezeichnet werden muß, läßt fchließen, dafs letztere nicht für diefen Zweck angefertigt wurden, fondern dafs es zufällig vorhandene Ofenkacheln waren, die man, des farbigen und glänzenden Effectes wegen, verwendete. Anders die an der einige Decennien darnach erbauten St. Georgs Kirche angebrachten Scheiben, welche für den befondern Zweck nun in entfprechender Form befonders erzeugt wurden. Wie bereits bei einer andern Gelegenheit berichtet, wurden ganz ähnliche kreiscylinderförmige hübfche Kachel auch am Fürftenfchloße zu Suczawa fehr zahlreich ausgegraben.

An der Laterne, die durch ein neues einfaches Renaiſſance-Geſimſe bekrönt erſcheint, befindet ſich, und zwar an der Südſeite, unmittelbar über der jetzigen Dachfläche. eine Inſchrifttafel angebracht, die jedoch aus neuerer Zeit ſtammen ſoll, jetzt aber nicht zugänglich iſt.

An einigen Stellen, die nun vom Verputz entblößt ſind, ſanden ſich die hier abgebildeten Steinmetzzeichen, und zwar *a* am Gewände der Hauptthüre von der Seite des Pronaos, *b* und *c* am Sockel des Strebepfeilers links von der nördlichen Seiten-Apſide, *d* an einem Dienſte der Hauptthüre; das Zeichen *e*, das ebenfalls an der Hauptthüre vorkommt, mag vielleicht durch unbefugte Hand nachträglich eingekratzt worden ſein (Fig. 17).   *Karl A. Romſtorfer.*

42. Im Nachhange zu meinem Berichte über einen antiken geſtickten Grablegungsteppich erlaube ich mir über ein Wandgemälde in derſelben Kirche zu *Radautz* zu berichten.

Auf einem Prachtſtuhl ſitzt der Heiland, die Linke auf das Evangelium geſtützt, erhoben die Rechte ſegnend gegen die ihm vom Alexander dem Guten dargebrachte Kirche. Unten an den Stufen ſteht Fürſt Alexander in goldblumiger, mit Goldborten verzierten, breitärmlichen bis zum Riſt herabreichenden byzantiniſchen Hoftracht, mit der fünfzackigen Krone auf dem Haupte. Mit der Linken überreicht er die Kirche, durch die Rechte die Uebergabe andeutend. Links fürſprechend der heil. Nicolaus und der Schutzengel, die Rechte auf der Kirche, mit der Linken eine in altſlaviſcher Sprache beſchriebene Rolle emporhaltend. Hinter ihm ſeine zweite Gemahlin Ringala, Schweſter Vladislaus, Königs von Polen (getraut im Jahre 1421), rechts ſeine Söhne und Nachfolger Elia 1432—1434 und Stephan 1434—1447.

Die Frescomalerei ſcheint etwa um das Jahr 1424 bis 1447 entſtanden zu ſein, weil auf dem Widmungsbilde Elia und Stephan als regierende Fürſten aufgemalt ſind.

Die Malerei iſt ſehr gut erhalten. Fürſt Alexander 1401 bis 1432, einer der beſten Fürſten Moldaus, war gerecht, tapfer, Förderer der Kunſt und Wiſſenſchaften. Die Nachwelt gab ihm den Beinamen „der Gute". Er ſtiftete auch eine Akademie der Wiſſenſchaften, gründete die Kloſter Biſtritza und Moldavia in der Moldau, ſtiftete die Biſthümer in Roman und in Radautz und die Metropolie in Suczawa. Kaiſer Joan Paläolog gab ihm dem Beinamen จึงรัช.

Unter ſeiner Regierung ſind die Armenier und die Zigeuner in die Moldau eingewandert.

Die Radautzer Kirche in byzantiniſchem Kryptaſtyl verdient wegen der Eigenthümlichkeit ihrer Bauart und als Denkmal vergangener Zeiten die vollſte Beachtung. Sie iſt nicht wie die anderen morgenländiſchen Kirchen in Kreuzform, ſondern ganz einfach, 30·40 M. lang, 11·40 M. breit, 10 M. hoch, mit einer 1·28 M. dicken Mauer. Das Innere der Kirche iſt in drei Theile getheilt; alter Männerſtand, Weiberſtand und Vorhalle. Der Altar iſt vom Männerſtande, das heißt die Ikonoſtaſis (Bilderwand) getrennt.

Im Männerſtande ſind vier viereckige Pfeiler, ſelbe tragen das über den ganzen Männerſtand geſpannte Tonnengewölbe, welches aus poröſem leichten

Bruchſtein beſteht und durch quer von Pfeiler zu Pfeiler angedeutete Flachgurten verſtärkt wird.

Im Weiberſtande ſind nur zwei viereckige Pfeiler. Die beiden Nebenſchiffe im Weiberſtande ſind gleich hoch mit dem Mittelſchiffe im Männerſtande, im Schiffe dagegen in deſſen halber Höhe. überwölbt; auch hier reichen die 1·28 M. dicken Mauern bis zum Dache hinauf und ſo entſtehen zwiſchen dieſen und den Pfeilerbogen entlang beiderſeits über der Wölbung der Nebenſchiffe je zwei mit Lichtlucken verſehene Zellen, in welche man auf eine vom Weiberſtande aus angebrachte Wendeltreppe gelangt. Dieſe Zellen und auch der Zugang zu denſelben iſt mit Staub, Schutt und Mörtel, Steinen u. ſ. w. ſehr verunreinigt; daher wurde von den Gefertigten die Anordnung getroffen, dafs ſowohl die Zellen, als auch der Zugang zu denſelben gereinigt werde, damit Beſucher ohne Anſtand hinkommen.

Im Schiffe der Kirche ſind mehrere namentlich angeführte Wojwoden Moldaus beſtattet, für welche Fürſt Stephan der Große Denkſteine errichten ließ: Bogdan 1363 bis 1370, Lazco 1370 bis 1374, Roman 1392 bis 1393, Stephan 1394 bis 1397, Bogdan 1449 bis 1452, Fürſtin Maria, Tochter des Fürſten Lazco. Faſt mitten im Raume des Kirchenſchiffes vor der Bilderwand befand ſich vor alters gewöhnlich die Ruheſtätte des Stifters der Kirche und ſeiner Familie, ſo auch hier in der Kirche von Radautz ſind die irdiſchen Ueberreſte der Fürſten beerdigt worden.

Die Vorhalle gehört nicht zur urſprünglichen Kirche, ſie wurde derſelben im Jahre 1559 auf Koſten des Fürſten Alexander Lapuſchnean zugebaut. Die ganze Kirche überdeckt ein abgewalmtes Satteldach, welches mit Schindeln ſchuppenartig gedeckt iſt und mit acht Stützpfeilern.

Der Beſitz des Bisthums Radautz beſtand im Jahre 1782 aus dem Dörflein Radautz, welches der Biſchof ſelbſt mit einem Mönche und mit den zum Biſthume gehörigen Zigeunerfamilien bewirthſchaftete, ſowie aus dem großen Gute Kotzman mit den Dörfern Kotzman, Suchovercha, Klivodin, Davideſtie, Alt- und Neu-Lafechkiva, welches ſie dortigen verpachtet wurde.

Im Jahre 1783 erloſch das Bisthum Radautz, nachdem es bei 380 Jahre beſtanden hatte. Die bisherige Bisthumskirche wurde Pfarrkirche. Die griechiſch-orientaliſche Pfarre Radautz hat kein Pfarrhaus! Auf den Ruſticalgründen des früheren Dörfchens Radautz entſtand die zweitgrößte Stadt Bukowina's, Stadt Radautz.   *Vaſile Tomink*, Erzprieſter.

43. Der Correſpondent und k. k. Reſtaurator *Ed. Ritſchel* hatte an die Central-Commiſſion berichtet, dafs er im Laufe des vergangenen Sommers die hochintereſſante Kirche zu *Spital am Pyhrn* mit Rückſicht auf die dortigen Gemälde befichtigt hat. Gemälde befinden ſich nur auf den ſechs Seitenaltären, ſind aber ſämmtlich in einem ſehr reſtaurirungsbedürftigen Zuſtande, viele haben durch die Feuchtigkeit des Gebäudes ſtarken Schaden gelitten.

Am Altare rechts vom Kirchenthor befindet ſich der Allerheiligen-Altar von *Bartholomäus Altomonte*, 368 Cm. hoch, 2 M. breit; gegenüber der Communion-Altar, ebenfalls von Altomonte, 368 Cm.; 202 Cm. Daſelbſt iſt noch ein kleines Bild aufgeſtellt, vom ſelben

Meifter, vorftellend das Herz Jefu, auf Blech gemalt. Auch auf dem Allerheiligen-Altar fteht ein kleines Bild von Altomonte: St. Jofeph mit dem Chriftkinde.

Den Domenicus-Altar ziert ein Bild vom Kremfer *Schmidt* (168 Cm. : 200 Cm.): Madonna mit dem Chriftkinde in den Wolken fchwebend, links kniet der heil. Dominik mit einer Lilie, dabei ein Engel mit einer brennenden Fackel; darüber ein kleines Bild: Traum Jacobs, vermuthlich vom Kremfer Schmidt. Gegenüber der heil. Otto Bifchof von Bamberg, die Mutter Gottes verehrend, dabei mehrere Engel, davon einer das Stiftswappen hält, im Hintergrund die Anficht des Stiftes. Signirt M. J. Schmidt.

Am fünften Altar ein Bild vom Kremfer Schmidt: Chriftus erfcheint den Apofteln (368 Cm. : 200 Cm.) gegenüber vom Kremfer Schmidt: Chriftus am Kreuze. Darüber ein kleines Bild: Abraham's Opfer von Schmidt, 1 M. : 65 Cm. Auf dem Altar fteht ein kleines Bild: Ecce homo.

Neben den Kirchenthüren hängt innen ein fehr fchadhaftes Bild vom Kremfer Schmidt, das fchönfte Bild in der Kirche, vorftellend die Geburt Chrifti (133 : 94 Cm.).

In der Schutzengel-Capelle Madonna mit dem Leichnam Chrifti von Schmidt, ein fchönes Bild von *Altomonte:* der Schutzengel (163 : 202 Cm.), die Geburt Chrifti, in der Glorie Engelgeftalten; altdeutfches Bild (fchönftes Bild), die heil. Magdalena und der heil. Petrus, fchwache Bilder.

In der Leonhards-Kirche das Martyrium der heil. Katharina, fehr fchönes und elegant componirtes Bild, 166 Cm. : 160 Cm., leider fchadhaft, einzelne Figuren vorzüglich, zum Beifpiel der Henker (Ruckenfigur), dann die Enthauptung der heil. Barbara (166 Cm. : 100 Cm.), fchöne Compofition, beide Bilder vom Kremfer *Schmidt.* Die Heilige wird an den Händen gefeffelt, kniend erwartet fie voll Ergebung den Tod, der Henker fchwingt zum Hiebe das Schwert; im Hintergrunde fieht man, wie ein Blitz das Rad zerfchlägt. Ein drittes Bild von Schmidt, St. Leonhard als Patron der Gefangenen, trägt die Jahreszahl 1774.

44. In der Kirche zu *Sand* bei Taufers befindet fich ein großer gefchnitzter Rofenkranz, gleich wie es heute noch in der Kirche zu Heiligenblut in Kärnten der Fall ift, zwifchen Presbyterium und Schiff am Triumphbogen hing. Seit längerer Zeit ift der Rofenkranz von feinem Platze entfernt und an der Seitenwand des Orgelchores höchft ungünftig untergebracht. Er ftammt aus der Spät-Gothik und ift von großartiger decorativer Wirkung: Ein Kranz von fechs Medaillons, von 3 M. im Durchmeffer, darauf gemalt Myfterien aus dem Leben der heil. Maria darftellend. Den einfaffenden Rahmen bilden Lorbeerzweige mit Rofen, dazwifchen fchöne Kettenglieder. In der Mitte eine herrliche Madonna mit dem Kinde auf ftylifirten Strahlen, die die Verbindung mit dem Rofenkranz herftellen. Oben über dem Rofenkranze Gott Vater und der heil. Geift, wodurch der Uebergang vom Kreife in die Spitzbogen hergeftellt wird. Der Kranz war von jeher frei fchwebend gedacht, da auch die Rückfeiten der Bilder mit einem einfachen Rofenornament bemalt find. Es ift das Beftreben der Central-Commiffion, diefen feltenen Kirchenfchmuck-Gegenftand an feine urfprüngliche Stelle zurückzubringen.

45. Confervator Propft *Walther* in *Innichen* hat im Auguft 1898 berichtet, dafs bei der Adaptirung eines alten Stiftshaufes dortfelbft ein altes Wandgemälde aufgedeckt wurde. Das betreffende Haus fcheint bereits öfters bauliche Aenderungen mitgemacht zu haben, und ift der mächtigen Mauern wegen die Vermuthung gerechtfertigt, dafs dasfelbe ein Ueberreft des ehemaligen Benedictiner-Kloftergebäudes fei. Das Gemälde erreicht 1 M. im Gevierte und wird oben und unten durch ein Zierband begränzt; gegen rechts und links findet fich fpäteres Mauerwerk. Man erkennt die Darftellung eines Gaftmahles, vier Theilnehmer und drei Diener. Die Hauptfigur in voller Anficht trägt eine kronenartige Haube, führt einen Becher zum Munde, männliche Züge ohne Bart. Die rechtsfitzende ebenfalls männliche Figur ift gegen die frühere redend, desgleichen eine bekränzte weibliche Figur an der linken dargeftellt. Die vierte Figur ift eine Frau in der Vorderanficht. Eine Stelle, an der fich vielleicht noch eine ftehende Figur befunden haben mag, ift durch altangefügten Gewölbeanfatz zerftört. Ein Diener mit ftarkem Barte weifet nach außen links, wohin fich überhaupt die Figur neigt. Es fcheint, dafs hier auch die Figur eines Hundes angebracht war, wie zwei Pfoten erkennen laffen. Der Charakter des Bildes erinnert an die Malerei in der Johannes-Capelle zu Brixen, die Figuren find ftark contourirt, die Töne matt, roth, gelb und grün gehalten, der Hintergrund dunkelblau. Vielleicht hat diefe Malerei einen Theil des Refectoriums gefchmückt und dann könnte der reiche Praffer dargeftellt gewefen fein, andernfalls wäre es vielleicht das Mahl König Herodes.

46. Confervator Dr. *Odilo Frankl* hat vor einiger Zeit den am *Zollfelde* bei *Klagenfurt* vor Monatsfrift aufgefundenen Mofaikboden befichtigt und über den felben einen kurzen Bericht erftattet.

Fundftelle ift der fogenannte „Tempelacker", ein ausgedehntes bebautes Feld unterhalb des Schloßes Töltfchach, auf welchem fchon der landfchaftliche Beamte Johann Dominik Prunner vor 200 Jahren Spuren eines großen Baues, einen Mofaikboden und Götzenbilder aus Metall aufgedeckt hat (Baron *Hanfer* „Ausgrabungen im Zollfelde", Klagenfurt 1881, pag. 6) und im November 1842 vier Statuen ausgegraben wurden, die fich im Befitze des kärntnerifchen Gefchichtsvereines befinden, worauf man hier 1845 die Grundmauern eines Gebäudes in Form einer Bafilica bloßlegte (l. c. pag. 13 und 14). Der Verfaffer des angeführten Schriftchens macht auf pag. 15 die Bemerkung, dafs die bisher vorgenommenen partiellen Grabungen zwar immerhin intereffante Ergebniffe, aber keine werthvollen Funde zutage förderten, welch letztere dem blinden Zufalle vorbehalten blieben, fo dafs nur eine fyftematifche Ausgrabung in größerem Maßftabe einen kurzen Erfolg verfpreche.

Ein folch glücklicher Zufall nun ift es ficherlich gewefen, welchem die archäologifche Forfchung Kärntens ein außerordentlich bedeutendes und werthvolles Fundftück zu verdanken hat. Die „Klagenfurter Zeitung" berichtet hierüber unter dem 22. April folgendes: „Beim Ackern des Feldes brach ein Ochs ein

7*

und man fand an der Stelle Bruchſtücke von Mauer-verzierungen und Wandmalereien. Bei Wegräumung dieſes Schuttes kam man ſofort auf Moſaik...."
Dieſes letztere zeigt ſich von verhältnismäßig großer Ausdehnung. Faſt 2 M. unter der gegenwärtigen Ackerbodenfläche gelegen und demnach von einer raſch gewachſenen Erdſchichte bedeckt, erſtreckt ſich das Moſaik von Weſten nach Oſten in einer Länge von 610 Cm., indes die ſüdnördlich verlaufende Breite 545 Cm. ausmacht, ſo daſs der Flächeninhalt 33·25 Q.-M. beträgt. An der nordweſtlichen Ecke iſt der Boden in der Nacht vom 29. zum 30. April infolge des Regens eingeſtürzt, weswegen die Eigenthümerin des Grundes Baronin Reinlein ein Schutzdach auf-führen ließ, welches zugleich dazu dient, die maſſen-haft herbeiſtrömenden Neugierigen vom unmittelbaren Betreten des Moſaiks zurückzuhalten. An der durch-brochenen Stelle kann man deutlich den gewöhnlichen Hohlraum unter dem Eſtrich wahrnehmen, wie er durch das römiſche Beheizungsſyſtem bedingt war, von dem auch die an der ſüdlichen Wand noch bemerkbaren Rinnen in der Mörtelſchichte Zeugnis geben, welche die hohlen Beheizungsziegel aufgenommen hatten, deren zwei ſich nach den Verſicherungen der Frau Baronin Reinlein in ihrem Privatbeſitze befinden. Das in der beigegebenen Tafel dargeſtellte Schema weist uns eine in viele Bilderfelder getheilte Fläche, deren äußerſte Bordüre weiß, 65 Cm. breit iſt; dann folgt eine Combination von ſchwarzen Mondſicheln, macedoniſche Schildchen auf weißem Grunde, 60 Cm. breit; dann ſchwarze und weiße Streifen von verſchiedener Stärke; ein weißer Streifen iſt roth umwunden, zuſammen 20 Cm. breit, weiters Mäander buntfärbig, 20 Cm. breit; ſodann ein grau und weißes Band mit rothen Querbinden, 12 Cm breit, und zwiſchen allen Bildfeldern und ſie umlaufend eine Linie aus Zopfgeflecht gold-ſchwarz, das alle Figurenbilder 11 Cm. von einander trennt.
Die Figuren ſind nicht etwa grau in grau, ſondern durchwegs polychrom, von ſehr guter Zeichnung mit jugendlichen Geſichtern, heiterem, faſt kindlichem Aus-drucke. Die Größe der verwendeten Steinchen wechſelt in der Fläche von weniger als ¼ bis 1 Q.-Cm. Von großer Wirkung iſt beſonders die Kunſt, mit welcher es der Meiſter verſtand, durch Verwendung der ver-ſchiedenſten Farbentöne die Linien plaſtiſch klar her-vorzuheben, was beſonders für die Mäander-Doppel-linie gilt, die auf den etwas entfernt ſtehenden Beſchauer einen geradezu reliefartigen Eindruck macht. Herr Conſervator Profeſſor Dr. Hann verlegt die Entſtehung dieſes Kunſtwerkes, das in ſeinen Motiven vielfache Aehnlichkeit mit Wandgemälden in Pompeji und Her-culanum zeigt, um die Wende des 1. chriſtlichen Jahr-hunderts. Was die Deutung der Figuren betrifft, ſo möchte man beim erſten Anblicke verſucht ſein, in der Darſtellung den Dionyſos mit ſeiner Begleitung zu finden. Abgeſehen jedoch davon, daſs die Römer Götterbilder an Fußböden nicht anzubringen pflegten, ſpricht gegen dieſe Deutung auch der Umſtand, daſs die Hauptfigur weder Stirnbinde noch Epheu- oder Weinranken zeigt und der einfache Stab in der linken Hand derſelben keinerlei individualiſirendes Kenn-zeichen bedeutet. Ich ſchließe mich darum der An-ſchauung an, die in der „Kärntner Zeitung" Nr. 105 von ſichtlich fachkundiger Seite ausgeſprochen worden

iſt, nach welcher es ſich nämlich hier um die Darſtel-lung des Tanzes handelt, wofür die ſchwebende Be-wegung aller Geſtalten, die Stellung der Füße und Haltung der Kleider zu ſprechen ſcheinen.
Leider iſt das Schickſal dieſer koſtbaren Antiqui-tät noch keineswegs ſichergeſtellt, da die Eigen-thümerin des Grundes einen viel zu hohen Preis an-ſtrebt, als daſs der kärntneriſche Geſchichtsverein, dem die Acquirirung dieſes Fundes ſehr am Herzen liegt und in deſſen Beſitz derſelbe gewiſs auch am beſten auf-gehoben ſein würde, denſelben augenblicklich zu er-ſchwingen in der Lage wäre.

47. Conſervator Profeſſor Hann hat unterm 30. Auguſt 1898 über die vom Kärntner Geſchichts-vereine veranſtalteten Ausgrabungen am Haſellanger Felde oberhalb Mühldorf im unteren Möllthale, denen er theilweiſe beiwohnte und welche Montag den 25. Juli begannen und bis Freitag den 19. Auguſt dauerten, an die Central-Commiſſion berichtet.
Der Flächenraum des ausgegrabenen Terrains betrug ca. 444 Q.-M., die von Erdarbeiten eingenom-mene Fläche ca. 600 Q.-M. Beiläufig 300 Q.-M. ent-fallen auf das ausgegrabene römiſche Privatbad, das übrige auf Verſuchsgräben. Die Privat-Badeanlage beſteht aus acht Räumen, von denen fünf im Unterbaue mit ihren gewölbten Heizungsanlagen völlig erhalten waren und noch im Oberbaue Mauern von ½ bis 1½ M. Höhe unverſehrt zeigten. Von den übrigen Räumen war nur das Grundmauerwerk oder der Unter-bau theilweiſe erhalten. Sehr ſchön conſervirt zeigten ſich die Hemicyclen, ſowie die Roſette, durch welche das Waſſer abfloß. Caldarium und Frigidarium waren deutlich zu erkennen. Der Boden war mit großen und ſchönen Steinplatten bedeckt, die Heizungsrohre und der Mörtelbewurf boten techniſches Intereſſe. Es fanden ſich Wandbewürfe von Stucco-luſtro und einzelne Fragmente von Wandmalereien. Nicht ſehr zahlreich waren die Fundgegenſtände. Man fand außer ſpärlichen prähiſtoriſchen Reſten eine zierliche Lampe aus der ſpätern römiſchen Zeit, ein römiſches Meſſer, Thon-ſtücke, ziemlich viele Fragmente von opaliſirendem Glaſe und Thierknochen. Die eingeſtürzten Ziegel-gewölbe bedeckten den Boden der Räume, ſo daſs ſich viel antikes Ziegelwerk vorfand.

48. (Conſervirungsmethode für Eiſengegenſtände.)
Ein vom Gefertigten durchgeführter Verſuch be-zweckte die Entſcheidung über die Frage, ob die Ent-fernung der Chloride aus den verroſteten Eiſengegen-ſtänden durch reines Waſſer vollkommen gelingt, oder ob die Methode der Auslaugung mit Sodalöſung in dieſer Beziehung den Vorzug verdient. Dies würde der Fall ſein, wenn es gelänge, aus den durch reines Waſſer ausgelaugten Eiſengegenſtänden mittelſt Sodalöſung noch erheblichere Mengen Chlor herauszulöſen.
Zur Ausführung des Verſuches wurden zwei Eiſen-gegenſtände im Gewichte von 902 Gr. mit reinem Waſſer ſo lang ausgelaugt, bis die anfangs intenſiv auftretende Chlorreaction (weißer Niederſchlag von Chlorſilber beim Verſetzen einer Probe der Auslauge-waſſers mit Salpeterſäure und Silbernitrat) nur mehr in Spuren auftrat (bläulichweiß opaliſirende Flüßigkeit). Die auf dieſe Art ausgelaugten Stücke wurden durch

14 Tage in 3 L. Sodalöfung (100 Gr. wasserfreies Natriumcarbonat im Liter) liegen gelassen und das zur Auslaugung verwendete Gefäß durch eine eingesettete Glasplatte luftdicht verschlossen, um eine Verdunstung der Flüßigkeit zu verhindern und die Concentration derselben vor und nach dem Versuche gleich zu halten. Nach beendeter Auslaugung wurde die nunmehr bräunlich gefärbte Sodalöfung abfiltrirt und genau 250 Cc. abgemessen, in welchen das vorhandene Chlor als Chlorsilber abgeschieden und zur Wägung gebracht wurde. Eine Bestimmung des Chlors unter genau denselben Bedingungen wurde auch in 250 Cc. der ursprünglichen Sodalöfung vorgenommen, um in derselben von vornherein vorhandenes Chlor in Abzug bringen zu können. Die Analyse ergab in:

250 Cc. der Auslaugeflüßigkeit 0·0087 Gr. Chlorsilber
250 „ „ Sodalöfung . . . . . . 0·0026 „ „

Aus den Eisengegenständen . . 0·0061 Gr. Chlorsilber
entsprechend 0·0015 Gr. Chlor pro 250 Cc.
oder 0·0180 „ „ 3 L.;

das heißt die Gesammtmenge des durch 14tägiges Liegen in Sodalöfung ausgelaugten Chlors betrug 18 Milligramme oder nicht ganz 0·002 Procent, ein Effect, welcher auch durch reines Wasser erzielt werden kann, ohne die Umständlichkeit einer Auslaugung mit Sodalöfung zu bieten. Abgesehen von letzterem Umstande scheint der einzige Vortheil bei Anwendung von Sodalöfung gegenüber reinem Wasser darin zu liegen, dass die in den Eisengegenständen vorhandenen organischen Substanzen (Humussauren) in Sodalöfung löslicher sind als in Wasser, ein Vortheil, der nicht so sehr in die Wagschale fällt, indem die organische Substanz anscheinend für die Rostbildung belanglos ist und zudem durch das dem Auslaugen folgende Tränken mit Paraffin größtentheils zerstört wird.

(Conservirungsmethode für Thongefäße.)

Das Verfahren beruht einerseits auf einer entsprechenden Festigung der oft sehr gebrechlichen Thonsubstanz, andererseits auf der Anwendung eines Bindemittels zum Leimen der Gegenstände, welches den Einfluße der Feuchtigkeit gut widersteht, ohne in der Anwendung besondere Schwierigkeiten zu bieten.

Die Festigung der Scherben wurde durch Hart-Paraffin erreicht, welches sich vor anderen Substanzen dadurch vortheilhaft auszeichnet, dass es in geschmolzenem Zustande gut in das Innere der Objecte eindringt und denselben vollkommen genügende Festigkeit verleiht, ohne das Ausfehen der Objecte wesentlich zu beeinträchtigen. Bei der Probe von Thonscherben (Bruchstücke von Gefäßen), welche theilweise mit Paraffin imprägnirt, theilweise im Naturzustande belassen wurden, hat sich erwiesen, dass die mit Paraffin imprägnirten Scherben wesentlich widerstandsfähiger gegen das Zerbrechen sind, als die nicht imprägnirten. Wie aus den Bruchflächen zu ersehen ist, dringt das Paraffin gut ins Innere der Objecte ein, während andere für diesen Zweck in Betracht kommende Substanzen diese Eigenschaft nicht besitzen; beispielsweise Thonscherben, die mit Dr. *Kessler's* Fluaten, welche neuerer Zeit als Hartungs- und Conservirungsmittel für Baumateriale vielfach gerühmt wurden, imprägnirt, zeigen oberflächliche Efflorescenzen und wurden durch die Einwirkung des Conservirungsmittels nicht nur nicht gehärtet, sondern sogar theilweise aufgelockert und in ihrer Gebrechlichkeit vermehrt. Die Durchführung der Festigung geschieht in der Art, dass man die Scherben in auf ca. 100° C. erhitztes Paraffin einlegt und sie daselbst einige Stunden beläßt. Sie werden dann mittelst einer Zange herausgenommen, wobei das leichtflüßige Paraffin rasch abtropft. Glatte Bruchstellen zeigen den Uebelstand, dass bei der darauffolgenden Leimung der Leim an den mit Paraffin überzogenen Bruchflächen schlecht haftet; dieser Uebelstand ist jedoch leicht zu beheben, indem man die Bruchstellen an einer Flamme anwärmt und das verflüßigte Paraffin mit einem Tuche wegwifcht, wodurch der Leim wieder adhärirt. Eine andere Art, diesen Uebelstand zu vermeiden, werde ich weiter mittheilen.

Der zur Verbindung der Thonscherben dienende Leim ist gewöhnlicher Tischlerleim, welcher durch Einwirkung von Formaldehyd gehärtet und in Wasser unlöslich gemacht wurde. Als Hauptursache der an geleimten Gefäßen mit der Zeit beobachteten Sprünge und Brüche ist wohl die Eigenschaft des Leimes anzusehen, durch Aufnahme von Wasser anzuschwellen und stets infolge wechselnden Feuchtigkeitsgehaltes sein Volumen zu verändern. Diese Uebelstände müssen daher sich um so weniger bemerkbar machen, je mehr es gelingt die Wasseraufnahmsfähigkeit des Leimes zu beschränken. Ein derartiges Mittel bieten wohl Thonerdefalze und Kaliumbichromat, welche den Leim wasserunlöslich machen, allein diese Mittel machen den Leim auch spröde. Sehr günstig wirkt hingegen Formaldehyd auf Leim ein. Versetzt man nicht zu verdünnte Leimlöfung mit Formaldehydlöfung, so scheidet sich sofort eine gallertartige Masse aus, welche, wenn eingetrocknet, selbst in kochendem Wasser nur geringes Quellungsvermögen zeigt. Diese Eigenschaft des Formaldehydes kann für die Conservirung der Thongefäße benützt werden. Eine directe Mischung des Leimes mit Formaldehydlöfung, wie ich sie anfangs beabsichtigte, ist wohl nur bei verdünnten Leimlöfungen anwendbar, welche jedoch wenig Klebekraft besitzen. Ich habe mich inzwischen überzeugt, dass es vollkommen genügt, wenn man die auf gewöhnliche Art geleimten Bruchstellen wiederholt (zwei- bis dreimal) mit Formaldehydlöfung einen und anderen überpinselt, um die Oberfläche bis zu einer gewissen Tiefe widerstandsfähig zu machen; so zeigten Tafeln von Tischlerleim, welche wiederholt mit Formaldehydlöfung überstrichen wurden, auch gegen warmes Wasser eine gute Widerstandsfähigkeit und geringe Quellung.

Um den oben erwähnten Uebelstand der schlechten Adhäsion des Leimes an den paraffinhaltigen Bruchstellen zu umgehen, kann man das Verfahren derart modificiren, dass man die Bruchstücke erst zusammenleimt und mit Formaldehyd behandelt und dann in fertigem Zustande bei einer 100° C. nicht übersteigenden Temperatur mit Paraffin imprägnirt, wodurch die Leimung an ihrer Festigkeit keine Einbuße erleidet.

Die verwendete Formaldehydlöfung ist nach der Vorschrift der deutschen Pharmakopöe bereitet und unter anderem zu beziehen durch die chemische Fabrik *E. Merk* in Darmstadt unter der Bezeichnung: „Formaldehydum solutum Ph. G. III.“ Dr. *Moriz Kitt*.

49. Der Central-Commiffion ift unterm 30. März 1898 die Nachricht zugekommen, dafs die bisnun im Haufe des Herrn *Kirchweger* in *Mauer an der Url* aufbewahrten Bronze-Gegenftände: zwei Armbänder und eine Nadel, aus einem Grabe ftammen und fich bei einem menfchlichen Skelette befanden, das aber wieder eingegraben wurde. Die Fundftücke gehören der Hallftätter Periode an; die beiden Armbänder find gegoffen und quer gerillt. Die Rillen des einen find außerdem fein

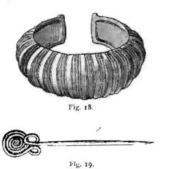

Fig. 18.

Fig. 19.

gekerbt; fie entfprechen Fundftücken des Hallftätter Grabfeldes (Fig. 18 ¹/₂ d. n. G.). Die Nadel (Fig. 19) befteht aus einem einfachen Drahte, der an dem einen Ende in eine Spiralfcheibe eingerollt ift, was den Nadelkopf bildet; fie ift fehr ähnlich einer im Hallftätter Grabfelde gefundenen, nur dafs bei diefer unterhalb der Spiralfcheibe eine einfache Schleife, bei jener aus Mauer eine 8förmige Schlinge angebracht ift (fiehe *Sacken's* Werke über das Grabfeld in Hallftatt, Taf. XV, Fig. 16 und Taf. XVI, Fig. 18).

50. *(Die römifche Straße von Emona nach Nauportus.)*

Diefe führte genau auf der jetzigen Triefter Straße bis zum Gehöfte Potokar (auf der Originalfection fälfchlich „Poldoxar" eingetragen), von wo fie in einer geraden Linie zuerft rechts (unter Tomazin), dann links von der jetzigen Reichsftraße (gegen France und Pecovnik) hinunter führte. Längs derfelben wurden römifche Sarkophage gefunden. Auf dem flachen Hügel zwifchen Potokar und Skander findet man die Ueberrefte von einer großen römifchen Ziegelei, 140 M. breit und 200 M. lang; die vorkommenden Ziegel find 40 Cm. lang, 27 Cm. breit und 9 Cm. dick.

Bei Km. 11 kann man einen alten Moraftweg gegen Moosthal zu verfolgen. Auf der felfigen Kuppe bei St. Johann ftand eine prähiftorifche Anfiedlung mit doppelter Umwallung, die fich ziemlich weit oftwärts zieht. In Log fteht gegenüber dem Haufe Verbič Nr. 19, 12·9 Km. von Laibach entfernt, anfcheinend noch an der urfprünglichen Stelle, ein abgebrochener über dem Sockel (0·3 M.) 0·8 M. hoher römifcher Meilenftein mit der Zahl VIII = 11·830 Km. (die jetzige Straße wird von der Poft aus, alfo 250 M. von der Nordoftmauer Emonas, gemeffen). Der Meilenftein

fowohl, als auch der dabei ftehende und als Waffertrog benützte Sarkophag find aus hartem Podpeǎer Kalkftein angefertigt; letzterer ift 1·85 M. lang, 55 Cm. breit, 70 Cm. tief und hat einen 13 Cm. dicken Rand.

Von Log ging die römifche Straße fchnurgerade, faft parallel mit der jetzigen Reichsftraße, gegen Stara šranga zu. Bei Kamenpotok, 13·4—13·6 Km. von Laibach, ift fie nur 20 M. von der heutigen Straße entfernt, bei der Telegraphenftange Nr. 273 aber 40 M. füdlich von ihr. Zwei Pfeiler der dortigen Harfe ftehen auf der römifchen Straße, für die zwei anderen mußte pilotirt werden. Bei der Kreuzung der Oberlaibacher Bahn mit der Reichsftraße, 14·1 Km. von Laibach und 6·8 Km. von der Abzweigung der genannten Bahn, auf Parcelle 2103, ift fie nur mehr 10 M. von der jetzigen Straße entfernt. Sie liegt 1·2 M. unter dem jetzigen Boden (ftellenweife nur 0·5 M., aber auch bis 2 M.), ift 12 M. breit und aus feinem Savegerölle, das an einzelnen Stellen 1·2 M., fogar bis 1·5 M. dick aufgetragen ift, über dem unterhalb liegenden einheimifchen Schotter „brusnik", fo dafs die Bauern fchon vor zwanzig Jahren nach Schotter zu graben angefangen haben. Auf der ganzen römifchen Strecke liegen Eichenkreuze mit Straßenkoth ausgefüllt und umgeben, ein Zeichen, dafs fich der Boden einmal gefenkt hat und dann überfchwemmt wurde.

Auf dem Hügel Hruševica (Parcelle 2666) und unter demfelben fand man viele römifche Münzen (Macrinus, Gordianus, Aurelianus, Conftantius, Valentinianus), auf Nr. 268 aber Mofaik und rothbemalte Häufer.

Nach der Tabula Peutigeriana hieß die dritte Station von Emona gegen Siscia zu „Crucium", XVI M. P. (= 23·7 Km.) vom „Praetorium Latovicorum" entfernt. *A. Müllner* Emona, S. 99, fucht diefe Station zu Razdrto-Gruble bei St. Bartholmä (Landftraß). Erftens muß conftatirt werden, dafs die römifche Militärftraße nicht durch Gruble, fondern um volle 6 Km. nördlicher davon, bei Gmajna, vorüber führte; zweitens aber deutet die angegebene Entfernung auf eine Gegend zwifchen St. Peter und Luterce selo. In der Nähe des erftern Ortes, weftlich davon bei Cote 190 (Originalfection), ftehen zwei Gomilen auf dem Acker des Herrn Pfarrers, welche *B. Pečnik* im Auguft 1894 zu graben angefangen hat. Sie enthielten Alterthümer aus der Hallftädter Periode. Oeftlich davon, bei der Cote 216, könnte eine prähiftorifche Anfiedlung geftanden haben. In der Nähe der alten Römerftraße, bei Cote 203, kamen viele römifche Gräber vor, darunter auch eine Grab-Capelle am Ende der zweiten Gomila. Pečnik hat an einem Nachmittage zwölf Gräber geöffnet. In der Nähe liegt das Schloß Altenburg (vielleicht die im Mittelalter fo oft erwähnte Valchen-, Falkenburg?) bei Cote 253, zur Herrfchaft Wördl gehörig. Darüber befindet fich eine zwar kleine, aber fehr fchöne prähiftorifche Anfiedlung. Bei Kij, nördlich von Luterce selo, fand der Burfche Jerele im September 1897, in einer Seehöhe von über 240 M., einen mit Nägeln befchlagenen Topf, der als Afchenurne gedient hatte und dem Laibacher Mufeum eingeliefert wurde.

Bei Ločna in der Nähe von Rudolfswert fand man Ende December 1896 gelegentlich der Anlegung eines Weingartens eine große fteinerne Platte und darunter

ein Brandgrab mit einer großen Urne, dann noch zwei kleinere Gefäße, es wurden aber alle drei zerstört.

Auf Kapiteljski hrib bei Rudolfswert stand eine prähistorische Ansiedlung, von welcher man noch faft die ganze Umwallung, befonders gegen Nord, gegen die alte Straße, fehen kann. Der Zugang führte von der Südseite, vom Friedhofe, her. Nördlich von der alten Straße ftanden zwei Tumuli, die B. Pečnik im Mai 1894 gegraben hat (er fand schöne Armbänder, Fibeln und reichen Kinderfchmuck). Oeftlich davon, beim Haufe Klemenčič, kommen römifche Gräber vor. Weftlich davon, auf der Kuppe 224 M., ftand eine fchlechte

Fig. 20.

Gomila, die der Präparator *Schulz* gegraben hat. Bei der Straßenumlegung 1892 fand man die römifchen Gräber gleich außerhalb des letzten Haufes gegen Berslin in die welche Schulz ausgegraben hat. In Groß-Kürbisdorf ift ein abgebrochener Meilenftein, der früher öftlicher geftanden haben foll.

51. *(Prähiftorifche und römifche Funde im Rhein-Correctionsgebiet.)*

Zu den erften Zeugen der Bronzezeit in der Hard-Fuffacher Seebucht — ein Dolch und eine Haarnadel. fiehe Jahrgang 1897. S. 34 der „Mittheilungen" — gefellen fich zwei weitere hinzu, die im Gebiete der neuen Rhein-Correction gehoben wurden. Diesmal ift über eine Lanzenfpitze und ein kurzes Schwert zu berichten, von denen erftere in der Tiefe von 1 M. gefunden, letzteres während der Baggerung zum Vorfchein gekommen.

Das Schwert gehört jener älteften Form an, welche nach ihrer Uebereinftimmung zwifchen Klingenabfchluß, Klingendurchfchnitt und ftarken Griffnägeln als verlängerter Dolch bezeichnet werden kann (Fig. 20). Diefer Typus ift bereits durch den Fund in Gamprin bei Bendern vertreten (Mittheilungen der Centr.-Comm. 1885, S. 93. Fig. 5); die Grundform ftimmt überein, nur in untergeordneten Einzelheiten machen fich Abweichungen bemerkbar, die ich der Ueberfichtlichkeit wegen gegenüberftelle:

	Gamprin	Hard-Fußbach
Länge	355 Mm.	388 Mm.
Breite an der größten Klingenausdehnung . . .	48 „	58 „
Form des Klingenabfchloßes	geradlinige Seiten mit fcharfen Ecken	fanft ausgebuchtete Linienführung mit abgerundeten Ecken
Nietköpfe	klein 10 und 11 Mm. Durchmeffer	groß 15 und 17 Mm. Durchmeffer
Nietnägel	rund 3 Mm. im Durchmeffer	viereckiger Querfchnitt von ftark 3 Mm. Seitenlänge

Die Nietnägel fitzen fo feft an ihren Köpfen, dafs fich der Querfchnitt des Griffes von felbft conftruirt und da derfelbe einfchließlich der Klinge nur 12 Mm. Stärke an feiner dickften Anfchwellung ergibt, fchließe ich auf Horn und nicht auf Holz, das als Material für den Griff in Verwendung kam.

Im Gegenfatze zur vorigen Waffe muß die *Lanzenfpitze* der jüngeren Bronzezeit zugetheilt werden; darauf deutet die längere und unverzierte Schaftröhre, die in fcharfer Verjüngung bis zur Spitze geht, und die breiteren Flügel, welche unmittelbar an den 3 Cm. vom Düllenrand entfernten Schaftlöchern anfetzend,

fofort fteil anfteigen und von ihrer größten Breite (= 40 Mm.) fodann geradlinig zur Spitze verlaufen. Mit ergänzter Spitze (es fehlen nur etwa 12 Mm) mifst die Länge 138 Mm., daher das Größenverhältnis der Schaftröhre zu den Flügeln ungefähr 1 : 3 beträgt (Fig. 21).

Die Fundverhältniffe der vier bisher bekannt gewordenen Bronze-Objecte find hoher Beachtung werth, infofern fie insgefammt 80 bis 100 Cm. unter Terrain auf ehemaligem Seegrund zwifchen der 2 M. und der Drei-Meter-Curve über den o Pegel innerhalb eines Trapezes von nur 77000 Q.-M. Fläche fallen. Damit geben fie fich nicht mehr als vereinzelte Funde ohne Zufammenhang zu erkennen, fondern als fichere Vorboten der Nähe einer Bronzeftation von langer Dauer, da die Gegenftände fowohl der altern, als der jüngern Epoche angehören. Halte ich damit die weitere Thatfache zufammen, dafs die Römerftraße bis hart an die Drei-Meter-Curve herantritt, welche den damaligen Uferrand bezeichnen muß, fo leiten fich die intereffanteften Möglichkeiten daraus ab. Es gewinnt eine große Wahrfcheinlichkeit, dafs diefe Bronzeftation bis in die römifche Zeit hineinreichte, dafs die Heerftraße Brigantium-ad Rhenum diefer Station wegen die große Krümmung bis zum Secufer befchrieb; ja noch mehr: mir erfcheint es immer glaubwürdiger, dafs in diefer ftillen Bucht, der am ganzen Oberfee keine gleichkommt, die vor Stürmen gefchützter wäre und in welche zahlreiche Bäche und Flüße (Dorfbach, Lauterach, Dornbirner und Bregenzer Ach) ausmünden und wo eine eingeborne Bevölkerung — die Bewohner oder Nachkommen jener Bronzeftation — trefflicher Eignung zum Schiffdienft mußten, jenes Confluentes zu fuchen fei, wo die in der Notitia Imperii erwähnte römifche Flottille ftationirte.

Fig. 21.

Weiter ab gelegen von der erwähnten Römerftraße wurde im Rhein-Durchfchnitte Profil 14, 80 Cm.

unter Terrain, ein *eiserner Dolch* gefunden, den ich nach seiner Form und nach Analogie mit dem einem Grabe bei Duisburg entstammenden (Bonner Jahrbücher 1872, Heft LII, S. 24, Fig. 37) als römisch erkenne; nur ist das hiesige Exemplar ungleich hübscher, indem sich die nach aufwärts gebogenen Voluten am Kopfe des Griffes auch am Stichblatt wiederholen und an beide länglich viereckige Hülsen zur Aufnahme des Holzgriffes sich anschließen. Die Voluten sind mit

römischer Alterthümer in Wien haben zahlreiche erfreuliche Resultate namentlich in topographischer Beziehung ergeben, von welchen die wichtigeren im folgenden besprochen werden.

Reste römischer *Straßen* wurden neuerdings an *vier* verschiedenen Stellen aufgegraben, überall zeigte sie dieselbe Art der Construction, welche sich an den schon früher gefundenen Resten in der Hesgasse, Herrengasse, auf dem Stock-im-Eisen-Platze und in

Fig. 22.

Rinnen, das an der Klinge sitzende Stichblatt mit undeutlichen Einkerbungen verziert.

Der Griff mißt 11 Cm. in der Länge, die Klinge 15·8, Breite am Stichblatt 2·4 Cm.; diesen Dimensionen stehen 12·5, 22·4 und 1·5 Cm. am Dolch aus Duisburg gegenüber, der also hauptsächlich durch eine längere, dabei schmälere Klinge sich unterschied; die Form selbst ist bei beiden die nämliche, die Schneiden gehen in ganz geraden Linien der Spitze zu.

Dem Waffenfunde in Bludenz aus der Zeit der Völkerwanderung, über den ich in diesem Jahre zu berichten die Gelegenheit hatte, folgte jüngst ein aus derselben Periode in *Dornbirn* (Mittelfeldgasse, Hatlerdorf). Dort wurde anläßlich einer Fundament-Aushebung in der Tiefe von 80 Cm. ein auf dem Rücken liegendes Skelet in der Lage O (Füße) zu W (Kopf) aufgefunden, zu seiner Rechten ein kleines Messer und ein Langsax aus Eisen.

Das in stark verrostetem Zustand befindliche Messer mißt vom Beginne der Klinge bis zur Spitze 84 Mm. bei 15 Mm. Breite; die Spitze befindet sich am Ende der vollkommen geraden Klinge, so daß der Rücken sich nach vorwärts biegend in die Schneide verläuft. Vom Stiel ist nur ein kleiner Theil mehr übrig. Als Waffe (sax) zu klein, hat es wohl mehr als Geräthe für mancherlei Handarbeit gedient; solche Messer erscheinen bekanntlich häufig den Scheiden von Scramafaxen und Langschwertern angeschlossen. In unserem Falle ist die begleitende Waffe allerdings nur ein *Langsax*, die Uebergangsstufe des Messers zum Schwerte, da seine Größenverhältnisse hinter dem des Scramafaxes merklich zurückstehen. Die ganze Länge beträgt nur 490 Mm., wovon 137 Mm. auf die Angel entfallen, an der sich noch Bestandtheile des Holzgriffes erhalten haben. Die Klinge verläuft zwei Drittel ihrer Länge nahezu in gleicher Breite von 36 Mm. und spitzt sich erst im letzten Drittel von beiden Seiten gleichmäßig nach dem Ende zu. Am Rücken ist sie sehr kräftig, 7 Mm. dick, beide Seiten sind concav, von Rinnen keine Spur zu entdecken. *S. Jenny.*

52. (Neueste Funde in Wien.)

Die von Herrn *Nowalski de Lilia* im Laufe des Sommers 1898 im Auftrage und mit Subvention der k. k. Central-Commission für Kunst- und historische Denkmale erforschten und besichtigten Fundstellen

Carnuntum beobachten ließ. Ein über dem gewachsenen Boden aufgelegtes Gemenge von Lehm mit Flußschotter bildete, festgestampft, eine sehr harte Betonschichte von 15 bis 30 Cm. Stärke, jenachdem die Unebenheiten des gewachsenen Untergrundes ein größeres oder geringeres Maß der Ausgleichung erheischten. Die eingerammten Randsteine wurden nur dort getroffen, wo zufällig die Gräben für die neue Gasleitung über die Ränder der antiken Straße hinausreichten.

Nächst dem *Brauhause von St. Marx* kamen *zwei* Straßen, die sich dort gabelten, zum Vorschein. Die eine, von dem Ingenieur Herrn *Fischer* im April 1898, 80 Cm. tief in der heutigen Viehmarktstraße aufgegraben, gehört zu den schon im Januar dieses Jahres in der Hauptstraße des Central-Viehhofes aufgedeckten Fragmente des Limes und bewegte sich von der Einmündung der Schlachthausgasse in die Landstraßer Hauptstraße weg in östlicher Richtung, während die andere an demselben Punkte vom Limes in südöstlicher Richtung zwischen Infanterie-Caserne (Nr. 146) und Brauhaus (Nr. 163, 165) abbog, als Seitenstrang des Limes den Rennweg herunter über das Künstlerhaus und durch die Augustinerstraße und Herrengasse weiterzuziehen und nahe der Votivkirche in den Limes einzumünden.

Dieser Seitenstrang, den wir als Municipal-Straße bezeichnen können, weil er das Municipium in der Umgebung des Aspang-Bahnhofes mit dem Standlager verband, mußte den Wienfluß übersetzen. Die Stelle der Uebersetzung ist nun durch ein anderes Fragment jenes Seitenstranges, das Ende Juli 1898 am rechten Flußufer in der *Technikerstraße* zwischen Nr. 5 bis 9 zutage kam, gesichert. Da das nächste Fragment, schon im Künstlerhaufe (aufgedeckt im Jahre 1863), schon am linken Ufer liegt, kann die Stelle der Uebersetzung nur zwischen Künstlerhaus und St. Karl sich befunden haben.

Der *dritte* Straßenzug kam im X. Bezirke an den Tag. In der von Favoriten nach Simmering führenden *Simmeringer Straße* fand man zwischen dem Wasser-Reservoir und Asyl- und Werkhaus an zwei Stellen mehrere Steinplatten, wie sie in später Zeit zu Särgen zusammengestellt wurden und zwischen ihnen eine aus Lehm und Schotter festgestampfte Straße, welche die Richtung vom Raingrubacker hinter dem Arsenale (be-

kanntlich die Stelle der bedeutenden Gräberfunde aus den Jahren 1891 und 1892 gegen das Waffer-Refervoir einhielt. Nächft dem letzten Gebäude des Frachtenbahnhofes der Staatsbahn konnte man in der Simmeringer Straße den gleich conftruirten antiken Straßenkörper auf 400 M. weit verfolgen. Seiner Richtung nach kann diefer Verkehrsweg nur die Verbindung zwifchen dem Limes in Simmering und der Heeresftraße, die über Gumpendorf und Inzersdorf nach Süden zog, zum Zwecke gehabt haben.

Ein *vierter* Straßenreft wurde endlich Mitte Juli 1898 am *Getreidemarkt* Haus Nr. 11, nahe an der Ecke der Gumpendorfer Straße, in einer Tiefe von 5 M. aufgedeckt, als hier das Erdreich für eine Telephonleitung ausgehoben wurde. Man ftieß hier auf drei aus verfchiedenen jüngeren Zeiten ftammende Erdanfchüttungen von 1·2, 2·1 und 1·7 M., deren Zweck es augenfcheinlich war, die beträchtliche Steigung für den Laftenverkehr zu verringern. Unter der letzten Anfchüttung lag eine 35 Cm. ftarke Schichte von Bruchfteinen aus fehr hartem Sandftein, die in den Boden eingerammt und oben bearbeitet waren. Diefes antike Straßen-Fragment hielt eine von Nordoft nach Südweft zielende Richtung in der Linie von der Oper zur Rahlftiege ein, war am nordöftlichen Ende, wo es fich in die heutige Fahrbahn verlor, noch 1·50 M. am füdweftlichen Ende nächft dem Trottoir noch 3·2 M. breit.

Von *Gräbern* fanden fich vereinzelte Refte beim Neubaue des Haufes Nr. 1 der *Fafangaffe* (Juni 1898), ferner aus Anlafs der Einführung der Gasröhren am Neubau, Ecke der Siebenfterngaffe vor Haus Nr. 13 der *Breitegaffe*, wo fchon in einer Tiefe von 50 bis 80 Cm. eine Schichte von Humus über dem gewachfenen Boden getroffen wurde; im Humus lagen ziemlich viele Bruchftücke von Leiftenziegeln, die nicht mit Schutt zugeführt worden fein können. Längs der Gumpendorfer Straße konnten aus den gleichen Anlaffe zwei neue Fundftellen conftatirt werden. Im Haufe Nr. 16 der *Cafernengaffe* hob man aus einer Tiefe von 1·2 M. abermals mehrere Fragmente von Leiftenziegeln nebft Theilen von Gefäßen aus fchwarzem Thone aus; dafelbe war in der *Hofmühlgaffe* an ihrer Mündung in die Gumpendorfer Straße der Fall; auch hier lagen die Ziegel in einer Humusfchichte.

Am dichteften zeigten fich analoge Erfcheinungen in der Umgebung der kaif. *Stallburg*. Vor derfelben, in der *Bräunerftraße* (Nr. 12 und 14), traf man an verfchiedenen Stellen in 1 M. Tiefe Ziegel und zahlreiche gebrochene Steinplatten, aus denen die Särge zufammengeftellt zu werden pflegten. Sie wurden auch in der *Habsburgergaffe* vor Nr. 9 an der Ecke der Stallburggaffe, dann die *Dorotheergaffe* entlang, vorzuglich zwifchen Haus Nr. 8 und 10 angetroffen; eine beträchtliche Anzahl von Leiften- und Hohlziegeln und von großen Steinplatten kam hier zutage; nur auf einer der letzteren gewahrte man Refte des Stempels der X. Legion.

Am meiften aber zog auch im Laufe des Sommers der *Neue Markt* die Aufmerkfamkeit auf fich. Der Neubau des Haufes Nr. 12 (zugleich Plankengaffe Nr. 1), der fchon manche früher befprochene Funde veranlafste, führte bei dem Fortfchreiten der Grundaushebung auf neue beachtenswerthe Vorkommniffe. Um die zahlreichen Einzelfunde zufammenzufaffen, fcheint

in älterer Zeit hier der Platz für die *Leichenfchmaufe* gewefen zu fein. Man ftieß unter den Kellern des alten nun demolirten Haufes in einer Tiefe von 7 und 9·2 M. auf drei faft in der gleichen Richtung nebeneinander liegende Gruben, die mit Gefäßtrümmern aller Art fowie mit Knochen, Schädeln und Hornern von Rindern, zahlreichem Gebein von Vogeln und anderen Abfällen, u. a. auch mit den Reften eines zierlichen dünnwandigen Bronzegefäßes und Theilen von Bronzefchmuck ausgefüllt waren. Nahebei kam man auf eine vierte Grube, ebenfalls voll von ähnlichen Abfällen. Darüber lag eine Schuttfchichte jüngerer Zeit, aus der man, nur 4 M. tief, gleichfalls aitgebrochene Thongefäße aller Art, aber auch mehr als fieben ganz erhaltene Amphoren und überdies große Steinplatten von Särgen aushob; auch bearbeitete Bauthcile aus Sandftein, vielleicht Refte eines ältern Grabdenkmales, darunter ein Capitälftück mit Eck-Volute, kamen hier zutage. Man pflegte ja in fpäter römifcher Zeit derlei zu benützen, um Steinkiften und Särge aus ihnen zufammenzuftellen.

Auf der andern Seite des Neuen Marktes gegen die Kärntnerftraße wurde anfangs Auguft 1898 bei dem Neubaue des der Stadt gehörigen Haufes an der Ecke der *Donnergaffe* ein Grab oder vielmehr die Halfte eines Grabes aufgedeckt; die andere Halfte ift vor etwa zweihundert Jahren beim Baue des alten Haufes, deffen Baulinie fchräg durch das Grab lief, zerftört worden, fo dafs man heuer nur mehr den Schädel, Gebeine des Oberleibes die Beftatteten und Thonplatten, mit denen das Grab umftellt war, vorfand. (Gefällige Mittheilung des Herrn Directors Regierungsrathes *K. Gloffy*.) Letzteres fchließt fich in allen wefentlichen Eigenfchaften jenen acht Soldatengräbern an, welche im Vorjahre längs der Häufer Nr. 6 und 7 des Neuen Marktes in einer bis nahe zur Schwangaffe reichenden Linie gefunden worden find.

Auch die Abgrabung der alten Böfchung des *Wienfluffes* von dem *Künftlerhaufe* ergab auf der einen Seite bis zur Handels-Akademie, auf der andern bis zum Mufikvereinsgebäude neuerdings eine reiche Ausbeute, welche diefe Stelle des Flußüberganges immer bedeutender hervortreten läfst. Es wurden neuerdings vier Säulen, Architekturftücke, ein Säulencapital, Reliefblöcke mit Triton und Nereide fowie mit Art gewinden, verfchiedene Baublöcke, Münzen von Kaifer Vefpafian und Alexander Severus, zahlreiche Piloten u. f. w. in einer Tiefe von durchfchnittlich 9 M. freigelegt.

Refte von *Wohngebäuden* römifcher Zeit brachte der Umbau eines Tractes des gräflich *Wilczek'fchen* Palais in der Herrengaffe Nr. 5 zum Vorfchein (Juni und Juli 1898). Die zahlreichen dort gemachten Funde bilden eine Fortfetzung jener, die beim Umbaue des anftoßenden gräflich Herberftein'fchen Palais bekannt wurden. Der ganze Untergrund jenes Seiten-Tractes zeigte fich in einer Tiefe von 4 bis 6 M. durchfetzt mit Bauziegeln aller Art, darunter mehrere mit dem Stempel einer Carnunter Ziegelei (Atiliae Firmes), dann zahlreiche Gefäße, auch folche aus Terra sigillata mit verfchiedenen Fabrikftempeln, daneben gemeine Thonwaare, wie fie zahlreich auch beim Baue des Herberftein'fchen Palastes zutage gekommen find. Es ift kein Zweifel, dafs ein auf dem Platze des letzteren geftan-

denes Wohnhaus sich auch tiefer in das Palais Wilczek hineinzog. Man grub von demselben noch drei Quermauern in 5 M. Tiefe, also unter der Sohle der alten Keller, die nur bis 3·5 M. in die Tiefe reichten, aus. Diese Mauern verliefen in der Richtung der Herrengasse, waren aus Bruchsteinen mit eingelegten Ziegeln erbaut und lassen auf Räume oder Gänge von 80 und 65 Cm. Breite schließen. Die Zwischenräume waren mit den Resten der eingestürzten Bedachung ausgefüllt, unter welchen ein Akroterium aus gebranntem Thone besonders auffiel: es zeigt vorn einen *Legionsadler* im Relief, ähnlich wie die nächst dem Praetorium unter den Tuchlauben gefundenen Stirnziegel. Instructiv ist der Durchschnitt eines gegen die Herrengasse hin aufgegrabenen Abhanges, wohl der Böschung eines Gerinnes (Ottakringer Bach?), welches in römischer Zeit sich den Weg vom Franzensplatze her durch die Herrengasse ausgewühlt haben mochte; dieser Abhang beginnt 2·5 M. unter dem heutigen Pflaster, wurde aber nur bis

Fig. 23.

3 M. Tiefe verfolgt. Die Schichtung des Bodens zeigte unter dem Pflaster Schutt mit Kohle (1·5 M.), dann eine Lage von Ziegeltrümmern (20 bis 30 Cm.), hierauf wieder Kohle (10 bis 15 Cm.), dann Humus (50 Cm.), in diesem noch große Thongefäße, endlich gewachsenen Boden. Eigenthümlich ist, daß die vorgenannten Mauern nicht bis zum gewachsenen Boden hinabreichten, sondern auf dem Humus ruhten, wohl ein Zeichen der späten Zeit der Herstellung.

Ein anderes, ebenfalls ziemlich ausgedehntes Gebäude scheint in der *Bankgasse* längs des Gebäudes des Unterrichts-Ministeriums bis zur Mündung in den Burgtheaterplatz, vornehmlich vor den Häusern Nr. 5, 6, 8 und 9 vermuthet werden zu dürfen. Man stieß dort in 1 bis 1·5 M. Tiefe auf eine ausgebreitete Schichte von Kohle und Asche gemischt mit zahlreichen Bruchstücken von Ziegeln der Bedachung; ganze Ziegel gewahrte man noch aus dem Boden hervorragen, sie wurden aber nicht weiter verfolgt. Man hat dort schon

früher den Donnerkeil einer Jupiter-Statuette und eine Löwenfigur, beide aus Bronze, erhoben. *Fr. Kenner.*

53. *(Auffindung von römischen Legionszeigeln.)*

Bei der Engelbachmühle zwischen *Strengberg* und *Ertakloster* wurden mehrere Ziegelstücke mit dem Stempel der II. italienischen Legion (Fig. 23 bis 28) aufgefunden ganz ähnlich und vom nämlichen Fundorte stammend, wie die bereits im St. Pöltener Diöcesan-Museum aufbewahrten. Eines der Bruchstücke, das den Sammlungen des Diöcesan-Museums einverleibt wurde, enthält blos „ALA; es scheint wirklich zum Worte Itala (vgl. Fig. 23) zu gehören, obgleich ich bisher die bezüglichen Ziegel blos mit der Verkürzung IT bezeichnet fand. Die Lesung: Tempore Vrsicini viri perfectissimi dürfte richtig sein; im 4. Jahrhundert war das Ober-Commando für Noricum und Ober-Pannonien in einer Hand vereint und hatte der Inhaber desselben den Rang des Perfectissinates. Fig. 23 besteht aus drei Stücken. Die Fundstelle liegt am östlichen Rande einer Bodenerhebung, welche sich am linken Ufer des Engelbaches nördlich von der Engelbachmühle erhebt, und gewährt diese Lage einen trefflichen Ueberblick über die Auen hin auf das Donauufer. Außer den Leistenziegeln, welche die oben dargestellten Stempel trugen, fand man auch Hohlziegel einer Bedachung, aber kein Object, welches auf einen aus Ziegeln zusammengestellten Sarg oder sonst auf ein Grab hinweisen würde. Vielmehr scheint die örtliche Lage auf die Fundstelle auf eine Specula zur Ueberwachung des Donauufers hinzudeuten, von deren Bedachung die Ziegel stammen mögen; ebendort hat man vor Jahren bei Schottergrabungen zwei *thurmartige* runde Mauerwerke mit Gewalt zerstört, welche wohl die letzten Reste des Römerhauses darstellen. (Mittheilung des Herrn Cooperators Karl Kramler in Strengberg an den Unterzeichneten.) *Joh. Fahrngruber*, Conservator.

Fig. 25

Fig. 24.

54. Correspondent Professor *Haindl* in Czernowitz hat an die Central-Commission unterm 20. October 1898 berichtet, daß in *Plozka*, unfern des nach Seletin führenden Weges, nahe der Wasserscheide gegen den Suczawa-Fluß nächst der Wegcapelle bereits 1897 und dann im Frühjahre 1898 ein großer Depotfund von römischen Munzen gemacht wurde. Die Gesammtzahl wird sehr verschieden angegeben. Man spricht sogar von 300 bis 400 Stücken. Ein ganz großer Theil davon wurde

84

fofort verfchleppt, fo dafs der Berichterftatter überhaupt nur vier Münzen zu Gelicht bekam, eine davon war eine Trajans-Münze mit einem fchreitenden Krieger, eine von Antoninus, die beiden anderen nicht erkennbar, darunter eine Silbermünze von Denar-Größe. Diefer Fund von römifchen Kaifermünzen aus dem 2. Jahrhundert ift infoweit intereffant, als er fich durch die Eroberung Daciens unter Kaifer Trajan erklären läfst und durch den damals gefteigerten Verkehr, der von dort an die Ofttee ging.

55. Confervator Director *V. Berger* hat die Central-Commiffion auf ein mit Metall befchlagenes

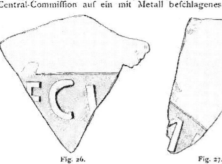

Fig. 26.　　　　　Fig. 27.

Holzkreuz aufmerkfam gemacht, das fich feinerzeit auf dem Dachboden der Kirche zu *Bifchofshofen* befunden haben foll, aber fchon feit längerer Zeit in Erkennung des bedeutenden kunft-archäologifchen Werthes fich dortfelbft in entfprechender Verwahrung befindet. Die vorgelegte photographifche Abbildung (f. die beigegebene Tafel) gibt uns im Bild diefes hoch intereffanten Altarkreuzes. Es ift aus Birnholz angefertigt, an der Vorderfläche und den fchmalen Seitenflächen mit angenageltem vergoldetem Kupferblech belegt. Die Kehrfeite zeigt das glatte unbedeckte Holz. Im wefentlichen hat das Kreuz die Form eines griechifchen, das durch Verlängerung des fenkrechten Armes nach abwärts die Form eines lateinifchen Kreuzes erhält. Der Zapfen, womit der verticale Stamm endet, deutet auf den ehemaligen Beftand eines Unterfatzes und damit auf die Beftimmung desfelben als Standkreuz. Die Ornamente der Vorderfeite find in Metall getrieben, die Metallftreifen an den Seitenflächen mit den fich wiederholenden Muftern find geprefst. Wir fehen eine romanifche Ornamentik. An mehreren Stellen ein Befatz von Pafta, jedoch an vielen Stellen ift felbe bereits verloren. Die Ornamentation ift äußerft zierlich, an einzelnen fieht man kleine Thiergeftalten (Thierunholde) eingeflochten. In dem Befchlag der Vorderfeite find flachgewölbte Emailplatten eingefügt gewefen, von denen noch einige erhalten find, die fehlenden wurden theilweife in früheren Zeiten durch die Bemalung des Holzes erfetzt. Als Farben finden wir ein zartes grün und blau und etwas roth verwendet. Das Fehlen des Crucifixus, an deffen Statt an der Kreuzungsftelle der Arme ein Email in fymbolifcher Darftellung angebracht gewefen fein dürfte, deutet auf fehr frühe Zeit. Das Kreuz ift fammt Zapfen 1·56 M. hoch und 96 Cm. breit.

56. In der Filialkirche zu *Lauifée* bei St. Marein in Krain befindet fich, wie Confervator *Crnologar* berichtet, eine fehr intereffante, etwa 80 Kg. fchwere Glocke mit gothifcher Auffchrift, aber ohne Jahreszahl und Bilder (Fig. 29). Die Glocke hängt fehr hoch und

Fig. 28.

ift fchwer erreichbar. Diefelbe wird durch eine neue erfetzt, doch wird die alte erhalten bleiben. Die ganz eigenthümliche Form der Glocke gibt ficheren Auffchluß über ihr Alter, fie gehört unzweifelhaft fpäteftens dem 15. Jahrhundert an. Die zweizeilige Minuskel-

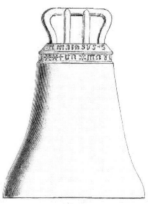

Fig. 29.

infchrift befindet fich unmittelbar unterm Helm und auf einem Bande zunächft und lautet: o . matheus . sanctus ꞏ deus † . . . . . . (nur einzelne Buchftaben) ꞏ ꞏ v † ia ꞏ maria · hilf ꞏ johannes · lvcas † marcvs. Sie ift 66 Cm. hoch und hat eine Mantelweite von 53·5 Cm. Bei dem Helmbügel ift fie nur 27·5 Cm. breit.

8*

57. Die dem Stifte Schotten incorporirte Pfarrkirche zu *Zellerndorf* in Nieder-Oesterreich wird einer durchgreifenden Restaurirung unterzogen, die vom Mitgliede der k. k. Central-Commission Professor *V. Luntz*, welcher die Kirche besichtigte und sich in Vertretung derselben an der commissionellen Berathung betheiligte, als ganz zweckmäßig und befriedigend bezeichnet wird.

Die Kirche selbst gehört zwei Bauzeiten an. Das dreischiffige Langhaus mit breitem Mittelschiffe und zwei schmäleren Seitenschiffen reicht noch in die romanische Zeit zurück und war ursprünglich flach gedeckt, gerohrte Holzdecken, deren Spuren heute noch ein paar einfach schwarz gemalte Linien geben. Die obere Zwischenwand zwischen den drei Schiffen ruht auf zwei Pfeilerpaaren, wovon das erste verstärkte Paar auch die Orgelbühne trägt. Die Zwischenwand bildet beiderseits zwei spitzbogige Arcaden, deren Rippen auf romanischen Consolen ruhen. Die Orgelbühne dehnte sich durch das erste Joch in allen drei Schiffen aus, wird aber jetzt verkleinert und auf das Mittelschiff beschränkt. Ende des vorigen Jahrhunderts entstanden die dermaligen Tonnengewölbe des Langhauses. Der Haupteingang befindet sich an der Südseite gegen das erste Joch und ist eine gothisch profilirte etwas schmale Oeffnung. Der massige sehr wahrscheinlich noch romanische Thurm steht vor dem ersten Joche an der Façade, ist aber bis auf ein Doppelfenster stark verballhornt.

Die südliche Langhausmauer mußte durch zwei Strebepfeiler verstärkt werden. Das dreischiffige Presbyterium, ein gothischer Bau, besteht in den Seitenschiffen aus je zwei quadratischen Jochen und dem fünftheiligen Seiten-Chorschlusse, im Hauptschiffe aus drei oblongen Jochen und dem großen fünftheiligen Chorschlusse, verstärkt durch vier Strebepfeiler; auf der rechten Seite ist eine kleine gothische Capelle angebaut, links beim Seitenchorschluss befindet sich die Sacristei (Fig. 30).

58. Conservator Dechant *Größer* hat unterm 19. October an die Central-Commission berichtet, dass in der *Bartholomäus-Kirche* zu *Friesach* durch die Glasmalerei-Firma *Neuhauser* in Innsbruck die alten Verglasungen der beiden Presbyterium-Seitenfenster restaurirt und ergänzt worden sind. Das eine Fenster enthält die Darstellungen der klugen und thörichten Jungfrauen. Davon waren vorhanden vier vollständige Figuren und zwei Figuren nur im Oberkörper und zwei Figuren im Unterkörper. Im Klagenfurter Museum befanden sich auch zwei Tafeln mit je einer JungfrauenDarstellung. Ueber Ansuchen des Friesacher Collegiat-Capitels bewilligte die Museumsdirection die Verwendung dieser Bilder für die Bartholomäus-Kirche, da sie zur Collection der dortigen Glasbilder gehören. Zwar haben alle diese Glasmalereien ursprünglich nicht dieser Kirche, sondern dem Chor der nach 1300 erbauten dortigen Seminarkirche angehört. Die Jungfrauen-Darstellungen füllen das Fenster auf der

Evangelienseite in der Weise aus, dass in dem untersten der zehn Doppelfenster die Figuren der klugen und thörichten Jungfrauen (links und rechts) erscheinen. Jede Figur steht auf einem Dachwerk und ist eingesäumt von einem capital-geschmückten Säulchen, die einen Kleeblattbogen tragen. Den Abschluß oben bilden sechs Felder mit Teppichmuster, dazwischen gegen oben die Brustbilder eines heil. Märtyrers und Christi mit Maria und Johannes. Im andern zweitheiligen Fenster finden sich die Bilder aus dem Leben Jesu in 14 Medaillons,

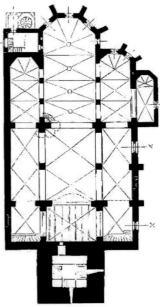

Fig. 30. (Zellerndorf.)

beginnend mit den heil. drei Königen und endend mit der Sendung des heil. Geistes, ebenfalls aus Resten der alten Verglasung geschickt zusammengesetzt und restaurirt. Die Reihenfolge der Medaillons hätte vielleicht glücklicher gewählt werden können, weil jetzt die Scenen der Himmelfahrt Christi und der Sendung des heil. Geistes vom Himmel ganz unten stehen. Solches erwartet man immer im Fenster zu oberst. Zu unterst wären besser der auferstehende Lazarus und der Judaskuss als der herbste seelische Schmerz des Heilandes angebracht.

Aus Anlass der mir von Allerhöchst Seiner Majestät verliehenen I. Classe des kaiserlichen Ordens der eisernen Krone sind mir von so vielen Seiten, ganz besonders aus dem Schoße der Central-Commission für Kunst- und historische Denkmale, ehrende und auszeichnende Beglückwünschungen zugekommen, dass es mir versagt ist, sie einzeln mit geziemendem Danke zu erwidern, und ich mich daher zu der Bitte genöthigt sehe, es wolle diese meine allgemeine wärmste und verbindlichste Danksagung freundlichst entgegengenommen werden.

Dr. *Joseph Alexander Freiherr von Helfert*.

Ueber einige Kunſtdenkmale im Norden von Böhmen.[1]

Vom Conſervator *Rudolph Müller.*

(Mit 2 Textbildern.)

III.

Kreibitz.

AUS dem eigenartigen Gemiſch von alterthümlichen und neuzeitigen Häuſergruppen auf durchaus unebenem vom Kreibitz-Bach durchſchnittenem Grund und Boden erhebt ſich an der nördlichen Lehne majeſtätiſch das formſchöne theilweiſe gothiſchen Charakter tragende Gotteshaus — geweiht auf den Titel St. Georg. Bei näherer Beſichtigung iſt freilich zu erkennen, daſs der Bau kein einheitlicher, ſondern in verſchiedener Bauzeit entſtanden iſt, wie mehrere andere von mir beſchriebene kirchliche Bauwerke Nord-Böhmens. Im Chor iſt eben wieder der erſte auf dem Grunde der urſprünglichen Holzkirche entſtandene Steinbau zu finden und iſt das Längshaus der bedürfnismäßige ſpätere Zubau. Dazu läſst ſich urkundlich feſtſtellen, daſs ſchon um die Mitte des 12. Jahrhunderts ein Kirchlein beſtand. Beglaubigung hiefür gibt auch eine Gedenkbuchaufzeichnung, laut welcher beim Umbaue dieſes Kirchleins auf der Altaruntermauerung die Jahrzahl 1144 vorgefunden wurde.

Der damit zugleich gegebene Hinweis auf das hohe Alter der Ortſchaft hat ſeine Ableitung in der Nennung von Kreibitz unter den mittelalterlichen „Geleit-burgen" an der ſogenannten „Böhmerſtraße" von Schleſien nach Nürnberg.

Eine ſpätere Aufzeichnung beſagt, es ſei Anfangs des 16. Jahrhunderts die „alte Holzkirche" abgetragen, 1596 aber die „neuerbaute" erweitert worden. Dies geſchah, wie leicht wahrnehmbar wird, durch die Verbindung des alten Steinbaues, des jetzigen Chors mit einem Längshauſe, mit gleichzeitiger Beiſtellung eines dreigeſchoſſigen Thurmes an der weſtlichen Schmalſeite, ohne Portalbildung. Guten Geſchmacks wurde dafür die ſüdliche der Stadt zugekehrte Längsſeite durch einen gothiſch ſtyliſirten Riſalit unterbrochen, in dieſen das Hauptportal und die Vorhalle verlegt. Ueber den Schutzherrn des Gotteshauſes während dieſer Bauzeit gibt das am Riſalit angebrachte Wartenberg-Wappen Auskunft. Fraglich bleibt nur, ob der Bau noch unter den Brüdern Heinrich und Abraham von Wartenberg[2] oder unter einem ihrer Nachkommen zuſtande kam.

Das Innere dieſes Erweiterungsbaues iſt ebenſo wie das Aeußere dem ſtreng gothiſch gehaltenen Chor möglichſt angepaſst; ein Netz von Zierrippen überdeckt das Kreuzgewölbe, die mäßig großen Fenſter ſind übereinſtimmend ſpitzbogig und iſt der Mittelpfoſten zur Maßwerkbildung benützt, ähnlich wie an den Chorfenſtern. Der ſtyliſtiſche Unterſchied zwiſchen den Formen des um nahe ein Jahrhundert älteren Chores und jenen des Längshauſes iſt allerdings ein merkbarer, namentlich in der Profilirung der Rippen und des Maßwerkes, er wirkt indes für den Geſammteindruck nicht ſonderlich ſtörend. Ich zähle ſonach

dieſes Kreibitzer Gotteshaus zu den beachtenswertheſten Bauwerken Nord-Böhmens.

Von alten Geräthſchaften iſt nichts vorhanden; die nachgeſchafften wie auch das „reſtaurirte" Altar-Gemälde entbehren des Kunſtwerthes. Von Intereſſe iſt dafür die aus 1460 flammende ſchön ornirte Ave-Maria-Glocke, entnommen dem früher neben der Kirche geſtandenen hölzernen Glockenthurme. Die andere größere kam mit dem Baue des Steinthurmes hinzu; ſie trägt in ſlaviſcher Schrift nebſt dem erſten Vers des fünften Capitels aus der Epiſtel Pauli an die Römer nachſtehende Auskunft über den Glockengießer[1]:

„SLOWUTNY BRYKCY ZWONARZ Z CYNPERKU WNOWEM MIESTIE PRASSKEM TENTO SWON VDIELAL LETA PANIE 1598"

Seitwärts der Schrift iſt in Relief der gekreuzigte Heiland, untenher Maria und Johannes dargeſtellt.

Beſondere Beachtung beanſpruchen noch die an den ſüdlichen Außenwänden angebrachten Grabdenkmale. Das älteſte iſt ſtark verwittert, läſst nur noch die Jahrzahl 1598 ſicher erkennen. Der Schrift meinte ich den Namen „Fridrich" entnehmen zu können und folgerte, es ſei das Grabdenkmal des 1598 verſtorbenen Kreibitzer Glashüttenmeiſters Amon Fridrich, welchem die Veranlaſſung für den Erweiterungsbau der Kirche zugeſchrieben wird.

Gut erhalten iſt dafür in allen Theilen das nächſt anſtehende große Denkmal mit der lebensgroßen faſt rund vortretenden Mannsgeſtalt in der Gewandung eines deutſchen Patriciers aus dem Anfange des 17. Jahrhunderts. Dieſe beſteht aus langem, offenem Mantel, mit Litzen beſetztem kurzem Rock, Kniehoſe, Strümpfen, Stöckelſchuhen und breithängendem geſpaltenem Halslatz. Das volle Antlitz mit einem ſchmalen Lippen- und Kinnbärtchen, umrahmt von dichtem langem Haar, hat den Anſchein eines Abbildes. Gebetbuch und Roſenkranz ruhen in den über der Bruſt gekreuzten Händen. Dem hohen breit vortretenden Unterſatze entſpricht der nach oben abſchließende ornirte Giebel. Die originelle Grabſchrift, üblicher Weiſe in die Plattenränder verlegt, iſt ſo umfangreich, daſs ſie in Doppelzeilen umläuft, lautet:

„Alhir ruhet in Gott der Edle Beſte und mannhafte Georg Lumpe Burger u. Fleiſchhauer, auch geweſener Burgermeiſter, hernach in Ihrer Kayſl. Majeſtät Dienſten als Einnehmer 22 Jahr; iſt geboren 1612, verehelichte ſich 1637 mit Jungfer Ludmilen Tit. Herrn Bürgermeiſter Salomon Hübners ehelichtichen Tochter, zeugt in ihrer Ehe 15 Kinder, 12 Söhne, 3 Töchter, wovon 6 Söhne zur Zeit ſeines Abſcheidens noch am Leben waren, als 3 Geiſtliche u. 3 Weltliche, die anderen 9 ſind ihme vorangegangen; Verſchied ſanft u. ſeelig mit der H. H. Sacramenten wohl-

---

[1] Fortſetzung von Seite 91.

[2] Ueber ihre Mitwirkung wurde Kreibitz 1570 durch Kaiſer Maximilian II. zum „Stadt" erhoben.

[1] *Dlabacz* führt „Brykcy von Cinpergk" als berühmten Glockengießer an, wohnhaft in der königl. Neuſtadt Prag.

9

versehen: als Communion, als letzte Öhlung, den 15. Marty 1688 als er sein Alter gebracht auff 75 Jahr 4 Monat — deßen Seele Gott mit dem ewigen Freudenleben begnaden wolle Amen.“

An der Chormauer ist noch eine Steinplatte zu finden mit der Reliefgestalt eines Jünglings in ähnlicher Gewandung wie am vorbeschriebenen Manne; das ausdrucksvolle Antlitz mit starkem Lippen- und Zwickelbart umfangen ebenfalls auf die Schultern niederhängende Haarlocken; die über die Brust erhobenen Hände halten ein Buch. Von der Randschrift ist blos die Jahrzahl 1646 und die Altersziffer — 19 Jahre — zu lesen. Vollständig lesbar ist nur der auf der Plattenfläche eingegrabene Psalmspruch:

„DAS LOSZ IST MIR GEFALLEN AVFS LIEBLICHSTE MIR IST EIN SCHÖN ERBTHEIL WORDEN.“

Pablowitz,

ein altes geschichtlich merkwürdiges Pfarrdorf, das schon im 14. Jahrhundert eine „Mariahimmelfahrts-Kirche“ besaß, die jedoch, mit Beibehalt des Titels, der an ihrer Stelle 1697 neu erbauten weichen mußte. Diesem einschiffigen Neubau in italienischer Barocke, mit polygonem Chorabschluße, hoch hinauf versetzten breiten rundbogigen Fenstern, sind äußerst günstige Maßverhältnisse gegeben, so dass er trotz geringer Zierformen der Würde eines Gotteshauses entspricht. Die Wirkung nach außen erhöht zudem ein mächtiger dreigeschossiger, erst 1842 der westlichen Schmalseite angeschlossener Thurm mit einer dem Haupteingange und der Thurmtiefe entsprechenden Vorhalle. Die Kirche steht auf einer die Ortschaft überragenden Lehne, umkreist von majestätischen Linden.

Vom alten Bestande erübrigte blos das steinerne Taufbecken. In einfacher Kelchform gehalten, gleichwohl originell durch die Ornirung des Fußes mittels vom Stamme nach vier Seiten der wulstigen Unterlage auslaufender Blattranken und abschließender Engelsköpfe. Den Fries ziert ein die Taufe Christi vorstellendes Relief, welchem nachfolgende Schrift beigeht:

„IM 1610 IAHR HABE ICH GEORGE BOHME VON SCHWABEN[1] DIESEN TAVFSTEIN ZVM EWIGEN GEDECHTNIS DIESER KIRCHE VEREHRET.“

Die alte Kirche stand unter dem Patronat der Berka von Dauba und dem der Herren von Smirzitz und blieb bis in die zweite Hälfte des 16. Jahrhunderts in der Katholicität erhalten; kam erst um 1578 unter Wenzel von Wartenberg an die in der ganzen Gegend zur Herrschaft gelangten Lutheraner bis zum Jahre 1624.

Von den vier Glocken, sämmtlich vordem im alten neben der Kirche stehenden Holzthurme untergebracht, erlitten gerade die älteren das Uebergießen. Die Schrift der größeren besagt: „Übergossen im Jahre des Herrn 1838 durch milde Beiträge fast Aller aus den Gemeinden Pablowitz, Schwaben und Poppeln, gesammelt durch ihren Seelsorger und seine geistlichen Mitbruder. Gegossen von Karl Wilh. Paul in Leipa.“

Die Schrift der anderen lautet: „Ursprünglich im Jahre 1678 gegossen, ward ich nach erlittenem Sprung im Jahre 1843 übergossen und aus dem abgerissenen Holzthurme auf den neuerbauten erhöht unter Tit. hochgeb. Herrn Herrn Michael Karl Grafen von Kaunitz, Erbherrn auf Neuschloß, Leipa, Hauska u. Březno, S. ap. k. k. Majestat wirklichen Kämmerer etc. u. dem Kirchenvorsteher Herrn Anton Krombholz, bischöfl. Bezirksvicar u. Stadtdechant in Leipa, Herrn Jos. Jung, Pfarrer in Pablowitz, u Herrn Jos. Urban, Amtsdirector in Neuschloß, gegossen von K. W. Paul in Leipa.“

Auch die kleine „Mittagsglocke“ besagt, sie sei „Umgegossen von G. E. Herold in Leitmeritz 1855.“

Die große Glocke, laut ihrer Kranzschrift: „Zur Ehre Gottes gegossen worden von Joh. Jos. Kittel aus Hemmehübel, Hainspacher Herrschaft 1810“, ist seither ebenfalls gesprungen und dem Uebergießen verfallen.

Dürchel.

In südlicher Richtung von Pablowitz liegt die kleine in fruchtbarer Thalmulde ausgebreitete Ortschaft Dürchel.

Trotz scheinbarer Unbedeutendheit hat sie eine bedeutende geschichtliche Vergangenheit aufzuweisen, und zwar verknüpft mit der in nächster Nähe im 13. Jahrhundert bestandenen Burg der Ritter von Dürchel, von welcher heute noch Mauerreste zu finden sind. Der Hinweis auf eine solche ist übrigens gegeben im Namen des am Fuße der Trümmerhügel gelegenen Dörfchens Radisch = Hradischt. Die zugehörige erweiterte Ansiedlung war das Kirchdorf Dürchel, wo urkundlich beglaubigt schon 1352 eine Pfarrei bestand. Selbstverständlich ist damit auch das Bestehen eines Gotteshauses documentirt. Dieses war, wie aus anderen Aufzeichnungen hervorgeht, ein Holzbau mit einem abgesondert stehenden hölzernen Glockenthurme. Geweiht war diese Andachtsstätte auf den Titel „St. Nicolaus“, der auch für den späteren Steinbau beibehalten blieb.

Diesem aus 1717 datirenden Bau ging aber — laut der Chronik — noch ein zweiter 1585 errichteter Holzbau voraus. Die Stelle blieb immer dieselbe, am berganführenden Ende der Ortschaft, an der gegen Klum führenden Bezirksstraße.

Wie leicht wahrnehmbar, läßt die Auskunft über den Bau der zweiten Holzkirche jene über das Schicksal der ersten in Frage. Eine indirecte Beantwortung dürfte wohl im anschließenden Vermerk gelegen sein, nach welchem die Kirche zu Dürchel während der Husitenzeit „verwaist“ war und wird im Dioecesanregister ihrer auch erst wieder im Jahre 1573 als einer „Filiale von Pablowitz“ erwähnt. Eines zum andern verglichen, läßt sich ungezwungen folgern: es sei, wie es allenthalben dort geschah, wohin der Husitenstrom gedrungen, die Kirche verwüstet worden und habe die Gemeinde nachher bis zum Aufbaue der neuen in kirchlicher Verwaisung zubringen müßen. In Betracht kommt dazu, dass im Zeitraume seit Errichtung dieser zweiten, von anno 1585 bis zur Gegen-Reformation, die lutherischen Prädicanten an der Seelsorge waren.

Von den ortsgeschichtlichen Daten sei noch hervorgehoben: Dürchel war im 14. Jahrhundert ein dem Besitze der Berka von Dauba zugehöriger Theil, kam 1417 an Elisabeth von Klingenstein, ging nach deren Ableben — mit ihren übrigen Gütern — als frei-

[1] Eine Pfarrs-Ortschaft.

gewordenes Lehen an die königl. Kammer über, wurde aber 1423 von König Sigismund dem Ritter Joh. Kobik von Kolowrat, für gegen die Hufiten geleiftete Kriegsdienfte, für fich und feine Erben verfchrieben. Ueber die Folgezeit fehlen Auskünfte. Erft aus 1547 wird bekannt, dafs die Ortfchaft an Wenzel von Wartenberg auf Leipa gekommen, fortan auch mit der Herrfchaft Neufchloß vereint geblieben fei.

Ueber die örtlichen Gefchehniffe während diefer Periode ift gleich wenig zu erfahren, wie über die der Rekatholifirung vorausgehenden und nachfolgenden Einrichtungen. Auch vertreten hier nicht, wie fo oftmal, die Kirchengeräthe, Glocken etc. die fehlenden Daten. Die jetzige Kirche läfst die angegebene Bauzeit errathen, da fie im Gefchmacke des Barockftyls zur Ausführung kam. Es ift ein folid einfacher Bau, dem fcheinbar die alte Anlage zugrunde liegt. Vom alten Geräthe wurde blos das fteinerne Taufbecken aufgenommen. Altäre und Kanzel find barock, doch von würdiger Form und zierlicher Ausführung. Das Taufbecken, von äußerft primitiver Kelchgeftalt, durfte noch das urfprüngliche der erften Kirche fein, es wurde fpäter renovirt und mit einem Zinnkranze belegt, auf welchem zu lefen ift:

. . . VON SEBITSCH,[1] GEORGE . . . ZV DVRCHEL. BARBARA KATHARINA BÖHMIN, HERRN DAVID FABERS EHLICHE GEMAHLIN VON POPPELN, HABEN ZV EHREN DER HL. DREYFALTIGKEIT VND ALLEN IN CHRISTO WIEDERGEBORNEN KINDLEIN DIESEN TAVFSTEIN AVFRICHTEN MAHLEN VND BEKLEIDEN LASSEN IM IAHRE NACH CHR. GEB. 1665 — M. GOTTFRIED ERNST GEISZLER VON DER GEISZEL PFARRHERR.

Die Taufschüffel trägt eine auf den genannten Pfarrer bezügliche Widmungsfchrift: „M. Goddefriedus Ernestus v. d. Geissel: S: S: Theologiae A: 1: U: Candidatus: Parochus: Pablowicensis: et Habsteinensis 1666"; folgt deffen Wappen, zwei fchräg gekreuzte Geißeln; hiernach: „George Bohme, Chriftoph Heller, beide Kirchenvätter in Dürchel 1665."

Die Glockenfchriften geleiten ebenfalls nur in diefen Zeitraum. Ob die große Glocke eine ältere Jahreszahl getragen, ift nicht mehr zu ermitteln, bekannt ift nur, dafs fie 1810 aus „einer alten" übergoffen wurde; fie trägt die Widmung: „In honorē S. nom. Jefu et S. Nicolai Patroni"; als Collator ift „Michael Carl Graf von Kaunitz, Herr auf Neufchloß, Leipa u. Hauska" verzeichnet.

Auf der mittlern ift nebft der Kranzfchrift: „In honorem S. S. Jesu Crucifixi et S. Mariae, S. Joan. et Mar. Magdalenae", die ganz merkwürdige Legende zu lefen: „Als Leopold und Alexander beide mit einander die Kirch und das römifch Reich haben wohl regiert, zugleich Alle Ketzer auch aus Böhmen wegverbannt mit Befehämen; Da ihr fürftlich Eminenz Cardinal von Harrach waren Vormund diefer Gräntz, hat mich in den Reifejahren Herr Graf Ernft von Kaunitz laffen hier in diefe Forme faffen, und Joannes Prićovey,[2] Gott zu Ehren durch Franz Snigern fingen lehren.

[1] Eingepfarrte Ortfchaft.
[2] „Johann Prićquera" bei Piebrca.

M. Godofridus Ernestus Geissler von der Geissel, Parochus.

Friedrichus Genik Sazatzky von Gembfendorf, Hauptmann.

Franciscus Onophrius von Snigern diefer Zeit Regent zu Neufchloß. Joannes Brićovey Fusor Campanarum Neo Boleslaviae.

Alexandri pontificis magni
Dürchel anno Domini 1665".

Die kleine Glocke trägt blos die Schrift: „In honorem S. Nicolai, anno Domini 1665 — George Böhme, Hans Pawel, Kirchenvätter in Dürchel. Diefe beiden Glocken wurden aus dem alten hölzernen Glockenthurme in den 1834 neu erbauten der Weftfeite des Schiffes vorgeftellten zweigefchoffigen Steinthurm übertragen.

Die ehedem in der zweiten Holzkirche beftandenen Epitaphien — angeblich der Ritter Chudy von Ujezd — verfielen beim Umbaue der Zerftörung.

Hohlen.

Der Markt Hohlen, eine der älteften Anfiedlungen im Leipaer Bezirke, deren fchon um 1200 urkundlich gedacht wird, war zu Beginn des 16. Jahrhunderts bedeutend umfangreicher und belebter als gegenwärtig. Und dafs hier auch ein kräftiger Gewerbeftand fein Fortkommen gefunden, beweifen die heute noch vorhandenen alten Gewerbefiegel, fo der Muller, Bäcker, Fleifcher, Schufter, Zimmerleute, Binder, Tifchler, Glafer, Huffchmiede, Wagner und Schloffer. Auch ein Brauhaus befand fich in der Ortfchaft, für deren Bedeutung zudem noch fpricht, dafs Hohlen fein eigenes „Blutgericht" befaß, das ungefähr taufend Schritte entfernt lag, mit feften Steinen umwallt war und immer noch als „Galgenbühel" bezeichnet wird.

Wefentlichfte Urfache des rafchen Verfalles war eine Brand-Kataftrophe, über welche wir mittels einer Thurmknopfurkunde erfahren: „Anno 1545 wüthete allhie ein fürchterlicher Brandt, welcher durch einen Schafknecht des nahegelegenen Meyerhofes „Nedam" — der Regentenhof hieß — zum Ausbruch kam. Diefer Brandt, am 20. April ausgebrochen, äfcherte binnen einer Stund die Kirch fammt Pfarre, den Meyerhof, das Spital und Brauhaus ein, dazu aber auch fämmbtliche Wohn- u. Wirtfchaftsgebäude... Diewail die Pfarr mit abbrandte" — heißt es weiter — „reichen auch die Geburts-, Trauungs- und Sterbe-Matriken nur mehr bis 1589 zurück, bis wohin es dauerte, dafs Hohlen durch theilweifen Wiederaufbau Kirchengemeinde wurde. Denn gar Viele, die alles verloren hatten, waren ausgewandert..."

Die Urkunde beklagt ferner, wie bald nach diefem Wiederaufbaue die Bewohner ihr „geiftiges Gut — den Glauben ihrer Vater - verloren", und die „evangelifche Lehre" eingedrungen fei; dafs in Nachfolge der „30jährige Krieg den Einbruch der Schweden, zur Glaubensverwüftung auch die der kaum wiedererrichteten Wohnftätten", mit fich gebracht haben. Ergänzend ift nachgefetzt: „Der größte Theil der damaligen Bewohner Hohlens, ja der größere Theil des Pfarrfprengels nahm die evangelifche Lehre an, nur wenige blieben dem alten katholifchen Glauben treu." So fei es auch gekommen, „dafs die wiedererbaute Nothkirche

9*

durch lutherifche Paftoren befetzt wurde und die katholifch gebliebenen Bewohner des Sprengels theils dem Pfarrer von Neuftadtl, theils jenem von Pablowitz zugewiefen werden mußten. Sonach kamen die von Hohlen, Rübenau, Lauben, Hofpitz, Maslowitz an die Pfarrei Neuftadtl; die von Neufchloß und Regersdorf an jene von Pablowitz."

Diefer Zuftand der Zerriffenheit im Glauben währte bis 1623, in welchem Jahre die hölzerne Nothkirche für den katholifchen Gottesdienft eingeweiht wurde.

Ueber das ganze nachfolgende Jahrhundert ift keine Auskunft gegeben. Erft aus 1753 ift verzeichnet: mit diefem Jahre begann ein befferer Abfchnitt in der Gefchichte Hohlens. In felbem kam es zunächft zum Baue des neuen geräumigen Pfarrhaufes durch den Leitmeritzer Baumeifter Johann Georg Pachmann (der auch den Thurm der St. Barbara-Kirche nächft Neufchloß renovirte); Pfarrer war zur Zeit P. Franz Katzwendel, gebürtig aus Leipa; Richter von Hohlen Elias Prinke; Schullehrer Andreas Schwarz; Grundherr Graf Adolph Kaunitz. Im Jahre 1786 wurde endlich auch mit dem Baue einer neuen Kirche begonnen und diefe 1788 zu Ehren der heil. Magdalena geweiht.

Es ift ein beachtenswerther Barockbau mit einem zweigefchoffigen auf quadratifcher Bafis der weftlichen Schmalfeite vorgeftellten Thurme, in welchen der Haupteingang verlegt ift. Der polygon abgefchloffene Chor, enger gehalten als das Schiff, ift von gleicher Höhe. Ueberrafchend wirkt die nach dem gering gezierten Aeußern kaum zu erwartende überaus reiche, ja übermäßige Ausstattung des Innern. Wir haben das Empfinden, uns in einer echten und rechten Jefuiten-Kirche im Geifte *Dinzenhofer's* zu befinden; denn es ift in diefe äußerlich fchlicht geftaltete Landkirche die ganze Fülle tektonifcher Abfonderlichkeiten eingetragen, wie fie in den auf "malerifche" Wirkung berechneten Kirchen diefes Ordens allenthalben vorgefunden. Wie übermüthig find auch hier die herkömmlich ftatifchen Regeln überfprungen, ift den willkürlichften Linienfchwingungen Spielraum gelaffen. Ein augenfällig Beifpiel deffen ift die Orgel-Empore mit ihren drei Ausbauchungen. Offenbar fchon in Vorausberechnung der Deckenmalerei durch den Frater *Jofeph Kramolin* ift auch eine fogenannte Spiegelwölbung angebracht. Die Langfeiten des Schiffes durch breite Pilafter unterbrochen und deren Sockel als Unterfätze profilirt für die überlebensgroßen Geftalten der Kirchenväter St. Ambrofius, Auguftinus, Hieronymus und Gregor des Großen.

Außer diefen ganz vorzüglich in Holz gefchnitzten und vergoldeten Statuen macht fich auch in der übrigen Ausftattung durch drei Marmoraltäre, das Laubwerk, die Stylart bemerkbar. Es find das mehr der "parlon öffene angehörige Gebilde. Die Erklärung hiefür lag in der Auskunft, dafs diefe Einrichtung vom damaligen Patronatsherrn Grafen Michael von Kaunitz aus der 1700 durch Kaifer Jofeph II. aufgehobenen Prager Sermon-Ordenskirche zu St. Michael erworben und bei von ihm erhaltten Hohlener Kirche gefchenkt worden fei. Ueber das Herkommen des Hochaltar- und Kirchentitelgemäldes von *Karl Skreta*, die in Betracht

tung kniende heil. Magdalena vorftellend, ift näheres nicht bekannt. Die Seitenaltarbilder, Mutter Gottes von *Kramolin* und St. Johann Nep. angeblich von einem Bolognefer Maler — wahrfcheinlich von *Dardani* — dürften aus der genannten Ordenskirche mit übernommen worden fein. Die gut erhaltenen wirkfam gemalten Fresken der Decke enthalten eine finnige Gegenüberftellung von Scenen aus dem alten und neuen Teftamente, infoweit erftere von vorbildlicher Bedeutung find für Darftellungen aus dem Leben Jefu in den Hauptfeldern. Ueber der Orgel-Empore und an deren Brüftung find dagegen heitere mufikalifche Aufführungen durch Gruppen von Kinderengeln zu fehen. Die Glocken find ebenfalls aus der St. Michaels-Kirche bezogen; die ältere, Ave Maria Glocke, trägt die Jahrzahl 1535; die andere größere — angeblich 30 Centner fchwer — die von 1652.

Hofpitz.

Die nach Hohlen eingepfarrte kleine Ortfchaft von 24 Häufern mit 113 Bewohnern, befitzt ein in feiner Bauart äußerft intereffantes Kirchlein, dem fchon von weitem mittelalterliches Gefüge anzufehen ift. Bei allem Mangel an fonderer äußern tektonifcher Zier weifen fchon die hohen übereinftimmenden Giebel des Schiffes und feines Vorbaues und feinen entfprechenden hohen Satteldächer, gleichwie die kleinen fpitzbogigen Fenfter, auf früh-gothifche Bauweife.

Die innere Geftaltung ift abfonderlich dadurch, dafs der gottesdienftliche Raum, des Prebyteriums entbehrend, auf das im Rechteck abgefchloffene Schiff befchränkt wurde. Der den Schiff gleichgeftaltete blos um ein geringes niedrigere und fchmälere Vorbau bildet nur die Eingangshalle, verfehen mit einer gedrückt fpitzbogigen einfachft profilirten Steinumkleidung.

Dem Schiffsinnern wurde bedauerlicherweife durch unverftändige Reftaurirung das urfprüngliche Gepräge vollftändig benommen. Der einftige Gewölbung ift dermal eine ebene Holzdecke unterzogen, einzig an der Rückwand hinter dem Hochaltar find noch an die Wandecken fchön geformte Kragfteine mit Bruchtheilen von Rippenausläufen übrig. Auch der einft beftandene gothifche Flügelaltar wurde — unbekannt wohin — der Kirche entnommen und durch ein barockes Gebilde mit einem kunftwerthlofen Gemälde der Trinität (auf welche fie geweiht ift) erfetzt. Von der urfprünglichen Ausftattung ift alles abhanden gekommen; auch das alte Glöckelein im netten hölzernen Dachreiter erfuhr 1745 das Uebergoffenwerden; es trägt die Reliefgeftalten von St. Johann Nep. und St. Florian.

Von Interesse war mir das Vorfinden eines ältern Fahnenbildes mit der nur felten vorkommenden Darftellungsform der Trinität, nämlich in einer Geftalt mit dreifachem Antlitz. Nächftan lag hinter dem Hochaltar ein riefiges Thefenblatt, ganz vorzüglich in Schabmanier ausgeführt. Der Text bezieht fich auf die "Disputation" eines gräfl Grundherrn des 18. Jahrhunderts.

Die Kirche fteht auf einen nach Often fchroff abfallenden Sandfteinfelfen, der unterhalb von breiten gruftartigen Gängen durchbrochen ift. Mit diefen ift die Sage verknüpft von der einftigen Exiftenz eines in der

Ebene unter dem Kirchlein beſtandenen Hoſpitium als urſachlich auch für die Ortsbenennung. Sicherſtellende geſchichtliche Aufzeichnung vermochte ich nicht aufzufinden.

Wieſe.

Das nahe der nördlichen Landesgränze unterhalb der Bahnſtation Tſchernhauſen gelegene Dorf Wieſe, augenfällig durch ſeine maleriſche Lage an dem Höhenzuge, der hier die breite Mulde des Wittig-Fluſſes gegen Süden abſchließt, läßt ſchon von weitem das die Ortſchaft gleichwie bekrönende Gotteshaus trotz ſeiner ſchlichten Geſtaltung als mittelalterlichen Bau erkennen. Eigenartig geſügt, wie von mir bisher nur das Dreifaltigkeits-Kirchlein in Hoſpitz gefunden wurde, mit einem dem Schiffe gleichgeſtalteten, blos um ein geringes niedrigeren Vorbaue, zeigt ſich bei näherer Betrachtung doch anders wie dort, es ſei dieſer hier der Chor, und zwar der ältere Bautheil, der urſprünglich

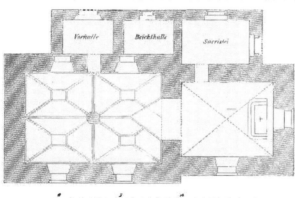

Vorhalle   Beichthalle   Sacriſtei

Fig. 1. ¡Wieſe.;

als Capelle beſtanden. Leicht erkennbar wurde ihr erſt um die Mitte des 16. Jahrhunderts das äußerlich gleichförmige Schiff angeſchloſſen. Wohl breiter und höher gehalten, wurde es doch mit ähnlich hohem Spitzgiebel und Satteldach verſehen und der Abgang eines Thurmes durch den ſtylgemäßen netten Dachreiter erſetzt.

Die geſchichtliche Auskunft über das Gotteshaus iſt beſchränkt auf die im Budiſſiner Dom-Archive vorfindliche Aufzeichnung der Seelſorge-Stationen des Meißener Biſthums aus dem Jahre 1346, laut welcher zu dieſer Zeit ſchon die Seelſorge-Station Wieſe („Weſe“) beſtand, zugehörig zum Pfarrſitze Seidenberg.[1]

Dieſer Zeit dürfte freilich wie in den meiſten Dorfſchaften Nord- und Oſt-Böhmens nur ein Holzkirchlein beſtanden haben, und an deſſen Stelle erſt um die Mitte des 15. Jahrhunderts der vorhandene Steinbau — im Umfange des 8·70 M. tiefen, 5·90 M. breiten, 5·80 M. hohen Chores — errichtet worden ſein. Dafür

ſpricht das früh-gothiſche einfache Kreuzgewölbe, insbeſondere auch das ſpitzwinkelig abgeſchloſſene auf die Giebelung mit roh geformten Kleeblättern belegte Sacramentshäuschen an der im rechten Winkel gehaltenen Rückwand. Der mächtig breite Scheide- (Triumph-) Bogen, von gedrückt gothiſcher Form, wurde offenbar ausgeſprengt aus der urſprünglichen Abſchluß- und Eingangsmauer zur Zeit des Schiffzubaues.

Das Schiff (Fig. 1, Grundriß) mit ſeiner originellen Rippenführung an der Decke gleicht nur darin der in Waltirſche, daſs die Rippen, wie dort, auf den in der Raummitte eingeſtellten Pfeiler auflaufen. Die ſeitlichen Rippenzüge ſetzen einfach an den Wänden ab. Es iſt zwar nicht ausgeſchloſſen, daſs ehedem Kämpfer beſtanden, die erſt beim ſpätern Errichten der Emporen behufs Glättung der Rückwände beſeitigt wurden. Denn es iſt auch der untere Theil der Rippenausläufe abgeſprengt. Ueberhaupt wird bemerkbar, es ſei durch eine neuzeitige Reſtaurirung dem alten Bauwerke allerlei Unbill widerfahren; ſo durch das Abrunden der urſprünglich ſpitzbogigen mit Butzenſcheiben verſehenen Fenſter, wie durch das Anbringen ſtylwidriger Seiten-Emporen und barocker Altäre. Die Kanzel, gleicher Stylart, iſt hier, wie nur ſelten, am Scheidebogen der Epiſtelſeite angebracht.

Von hohem Intereſſe iſt das unterhalb der Kanzel ſtehende — jedenfalls noch aus der Bauzeit des jetzigen Chores ſtammende — Taufbecken, ein maſſives Steingebilde in Kelchform mit achtſeitiger Cupa, deren Fries ganz originell ornirt iſt.[1] Der gleichfalls kantige Stamm erſcheint in das Kirchenpflaſter eingeſenkt, ſoll aber, wie der alte Meſsner ausſagte, einen der Cupa „ziemlich gleichförmigen“ Fuß haben.[2]

Noch ziert auch den Eingang an der Nordſeite des Schiffes — das 1·80 M. Tiefe, 7·15 M. Breite, 6·15 M. Scheitelhöhe miſst — eine beachtenswerthe ſpitzbogige Steinumkleidung, welcher die mit Eiſenbändern ſchräg überkreuzte eichene Thüre entſpricht, die beſonders an der Innenſeite ſchön gezeichnete Bänder nebſt einem großen ziervollen Schloß aufweiſt. Der Eingangsvorbau mit der anſchließenden Beichthalle datiren aus ſpäterer Zeit; älter iſt die in gleicher Linie liegende Sacriſtei.

An Sculpturen beſtehen im Innern blos das an der ſüdlichen Chorwand ſichtliche Epitaph und an der Nordſeite über der Sacriſteithüre eine Reihe von Wappen, die aber verdeckt ſind von der Rücklehne eines neuerer Zeit eingeſtellten Oratoriums. Erſteres, ſchon mit allen Auswüchſen der Barocke verſehen, zeigt im Haupttheile einen in Dreiviertel-Wendung knienden Ritter vor einem ebenfalls perſpectiviſch ſchräggeſtellten Altar mit dem Crucifix und zwei Kerzen, mit flach aneinander gehaltenen zum Gebet erhobenen

---

[1] Fried, Kirchengeſchichte Böhmens, 1. Bd., S. 102.

[1] Der Holzdeckel iſt ſpätere Zuthat.
[2] Wahrſcheinlich ſtand dieſes Becken in der ehemaligen tieſer gelegenen, zur Tauf-Capelle dienenden Vorhalle, die nachher in das Schiff einbezogen, den Fuß im erhöhten Pflaſter verſchwinden machte.

Handen zuwendet. Angethan ift er mit der flamifchen Edelmannstracht um Mitte des 17. Jahrhunderts: trägt gefcheitelt lang herabwallendes Haar, Schnurr- und Spitzbart, Lederkoller mit gefchlitzten Aermeln, Kniehofe, Stulpftiefel und kurzes Schwert mit breitem Hangeriemen. Die auf der Hintergrundsplatte zu lefende Schrift lautet:

„Hier vor diefem Epita: ruhet in Gott der hochwohl Edelgeborne u. geltrenge H. Friedrich von Uch trietz Erbherr auff Wiefe, in die 12 Jahr gewefter Hauptman der herfchaft Wiefenftein, deffen Seele Gott, die heilige Dreyfaltigkeit in dero gnedigen Schutz aofnehmen wolle — ftarb fel. Ao. 1661 den 14. Jaenr. feines Alters 63 Jahr 22 Tage“ Am Unterfatze: „Diefes alles ift verfertiget worden bey feinen Leben Ao. 1659 den 22. May.“

Der Aufbau in der Höhe von 2·75 M. ift durch flankirendes Volutenwerk mit Putten, auf 1·65 M. erbreitet, in die Bekrönung ift das Wappen — zwei fchräg gekreuzte Schlüffel — einbezogen. Die Ausführung des Ganzen erhebt fich nur gering über handwerksmäßige Gewandtheit.

Höhern Kunftwerth haben die an die füdliche Außenfeite des Chores gelehnten Grabfteine. Ehemals im Innern als Gruftdecken verwendet, wurden fie zum Schutze vor weiterer Schädigung aus dem Pflafter gehoben und Raummangels wegen nach außen verfetzt. Die Schädigung durch Abtreten war freilich eine bereits weit vorgefchrittene; denn keine von den Randfchriften ift lesbar geblieben und nur wenige von den zu Seite der Geftalten befindlichen Wappen find erkennbar. Die erfte, 2 M. hohe, 90 Cm. breite Platte mit der reckenhaften vollgerüfteten Geftalt eines bejahrten glatzköpfigen Ritters, mit vollgerundetem intelligentem Antlitz, ift weder in den Schriftzeichen noch in den Wappen beftimmbar. Ebenfo die nächft anftehende Rittergeftalt kleinern Ausmaßes. Die anfchließenden zwei Platten mit Frauengeftalten in faft gleicher enganfchließender Gewandung laffen der Randfchrift blos die Jahreszahlen des Ablebens entnehmen; auf der einen 1586, auf der anderen 1591; auf diefer letztern ift auch die Auskunft über die beigeftellten vier Wappen gegeben; fie find bezeichnet als die des Tfchernhaufen, Kotwitz, Hoberg und der Stanger von Stonsdorf, wohl fammtlich folche von Erbherren auf Wiefe.

Aus einer mir nachträglich zugekommenen Abfchrift der „Eingabe“ des Pfarr-Adminiftrators Philipp Gunzel vom 15. Juni 1829 an die Kirchenverwaltung wird erfichtlich, dafs er Augenzeuge war vom Vorhandenfein einer weit größern Anzahl von ähnlichen Grabfteinen; denn feiner Ausfage nach „befanden fich bei der Pfarrkirche in Wiefe als Leichenfteine einiger Rittergutsbefitzer theils von Wiefe, von Ebersdorf, Tfchernhaufen, Oftrichen etc. — acht an der Kirchenmauer gegen Mittag, zwei an der Kirchhofmauer, einer liegt in der Kirche, worüber jetzt eine hölzerne Decke gelegt worde — aber die Schrift ift unleferlich, wie auch an den übrigen.“ Meine hierauf erneuerte Nachfchau blieb erfolglos, die von Gunzel erwähnte Mehrzahl der Grabplatten war unauffindbar.

Es bleibt nur zu bedauern, dafs nicht rechtzeitig an geeigneter Stelle Kenntnis genommen wurde von diefen ort-gefchichtlich werthvollen Denkmalen, um

das Nöthige für ihre Erhaltung veranlaffen zu können.

Aufmerkfam zu machen gilt es darum auf eine geplante Erweiterung der Kirche, damit nicht durch bauliche Mißgriffe noch eine weitere Schädigung an ihr verübt, vielmehr darauf gedrungen werde, dafs unter einem die bereits angebrachten ftylwidrigen Anhängfel Befeitigung erfahren.

Neuefter Zeit erfolgte die Befeitigung des unfchön geftalteten barocken Hochaltars und wurde dafür ein dem Bauftyl der Kirche angemeffener gothifcher Altar eingeftellt.

Schönlinde.

Diefes Gotteshaus ift ein ftattlicher beachtenswerther Barockbau, errichtet von 1734 bis 1758, der befonderes Anfehen gewinnt durch feine Stellung auf der die Stadt überragenden nordöftlichen Berglehne. Apfidenförmig abgefchloffen find die Außenwände durch Pilafterftellungen belebt, und find auch die Kanten des der weftlichen Schmalfeite vorgeftellten quadratifch angelegten viergefchoffigen Thurmes mit Pilaftern befetzt. Stylgemäß mit der barocken „Zwiefel“ behelmt, ift ihm mittels der fchlank auftrebenden Laterne doch ein angenehmer Abfchluß gegeben. Das Untergefchoß enthält die Vorhalle mit dem rechtwinkeligen jeglicher tektonifchen Zier entbehrenden Haupteingange, bloß das patronatsherrliche (fürftlich Kinskyfche) Wappen bildet eine Art von Bekrönung.

Die innere Anlage ift die einer Hallenkirche mit Tonnengewölbe; anftatt der Altäre find in die Hallen eigenartige fegment - ausgebauchte zweigefchoffige unterwölbte Emporen verlegt; an den freiftehenden, 2·38 M. in das Schiff vortretenden Pfeilern haften jonifirende Halbfäulen. Dadurch, dafs die Pfeiler freiftehen, find unten, wie auf den Emporen Laufgänge gefchaffen. Der im Halbkreife abgefchloffene Chor ift gleich breit wie tief im Ausmaße von 9·50 M., die Deckenhöhe, gleich der des Schiffes, beträgt 15·4 M. Das Schiff hat die Länge von 36 M., die Breite von 14·25 M.

Eingehende Betrachtung verdient die Innenaustattung. Der dem Bau angemeffene fchön gegliederte Hochaltar wurde ebenfo wie die Seitenaltäre nach den Aufrißen des berühmten Bildhauers *Franz Stephan Pettrich* hergeftellt; das Altargemälde, Magdalena vor Chriftus im Haufe Simon des Ausfätzigen (Marcus, 14 C., 3. V.), ift ein Werk des tüchtigen *Dominik Kindermann.*[1] Noch hervorragendere Kunftwerke

Fig. 2. (Schönlinde.)

find die beiden Seitenaltargemälde; an der Epiftelfeite der heilige Jofeph von *Franz Kadlik*, gegenüber die „Madonna in der Grotte“ von *Jofeph Ritter v. Führich.* Erfteres, zwar noch vor der Pilgerfahrt Kadlik's[2] nach

[1] Geboren 1740 zu Schluckenau, geftorben am 9. Juni 1817 zu Schönlinde.

[2] Geboren zu Prag im Jahre 1786. Aus der „Philofophie“ in die Kreterfche Malerfchule eingetreten, überging Kadlik 1817 an die Wiener Akademie der bildenden Künfte und ftarb 1840 als Director der Prager Akademie.

Italien 1823 gemalt, trägt doch fchon zur Gänze die
Eigenart diefes von feinem Studiengange her ratio-
naliftifch angehauchten Künftlers, beftehend im Beftreben, feinen Gebilden den Anfchein des wirklich
Seienden zu geben, mithin in dem faft plaftifchen Hervortreten der Einzelgeftalten, wie es diefer St. Jofeph
zeigt. Aufgefafst als Patriarch, fitzend in einer Halle,
erhebt er die fegnende Rechte über den an ihn gelehnten, in einer Schriftrolle lefenden Jefusknaben.
Selbft energifchen Charakters, entfchieden in Wort und
That, war Kadlik vom Beginne feines Künftlerthums mit
aller Schärfe Gegner der Malweife Friedrich Heinrich
Füger's, der von 1784 bis 1818 der Wiener Malerfchule
Richtung gab. Der fiebenjährige Aufenthalt Kadlik's in
Italien bewirkte wohl einen Wandel der religiöfen Anfchauung, er wurde ftreng katholifcher Maler, doch
ohne Beeinträchtigung deffen, was feinen Werken, ob
Zeichnung, ob Gemälde, die auf unabläffiges Natur-
ftudium bafirende Formklarheit und Plaftik verlieh. So
ftand er als religiös geläuterter Realift zum innigft
befreundeten in theologifcher Idealität fchaffenden
Fuhrich, der ihn auch bewog, 1836 anftatt feiner die
Leitung der Prager Malerfchule zu übernehmen, wodurch diefe erft eine der Zeithöhe entfprechende Reform
erfuhr, um Schüler heranbilden zu können, wie fie der
Nachfolger Chriftian Ruben zur Erzielung feiner Erfolge
vorfand.

Der Sonderheit Fuhrich's entfpricht wieder vollkommen diefe „Madonna in der Grotte", als die glück-
felige, ihrer Begnadung bewufste Gottesmutter, ver-
funken in die anbetende Betrachtung des auf ihrem
Schoße ruhenden Jefuskindes. Das Gemälde datirt aus
des Meifters 61. Lebensjahre und trägt in der Formgebung wie im Colorit die ihn leicht erkennbar
machende lautere Idealität.

Noch gilt es eines in der Kirche befindlichen ab-
fonderlichen Kunftwerkes zu gedenken, gefchaffen von
Ferdinand Pettrich, dem Sohne Franz Stephan Pettrich's,
es ift das in Carrara-Marmor prächtig ausgeführte,
fchlummernd auf dem Kreuze liegende Jefukind; 1826
in Rom entftanden, wurde das in der Idee eigenartige
Gebilde dem 1818 verftorbenen Schönlindener Dechant
Jofeph Ludwig Hübner als Epitaph gewidmet und am
füdfeitigen Pfeiler des Scheidebogens angebracht.

Pettrich der Vater[1], von dem auf der Plattform
der zur Kirche führenden Treppe ein würdevoll geftalteter Chriftus am Kreuze nebft zwei zu Seiten
knienden Engeln (aus 1818), am Friedhofe eine Anzahl
finniger und formfchön ausgeführter Grabdenkmale zu
finden find, hatte wohl die fo nachhaltige Gunft durch
die Herftellung der Altäre fich erworben.

Das bedeutendfte Grabdenkmal ift jenes der Frau
Rönifch; die Idealgeftalt der Verewigten, ruhend auf
einem Sarkophag, hält mit mütterlicher Innigkeit das
Abbild ihres an diefer Stelle mitbegrabenen Töchter-
leins umfchlungen. Die übrigen Denkmale vertheilen
fich auf die Grabftätten der Marianna May, Apollonia

Michel, Tony Rößler, der Handelsmanner Zacharias
Kögler und Adalbert Wünfche. Nach den vorfindlichen
Jahreszahlen datiren fie aus der dem Befreiung-kriege
folgenden Friedenszeit, von 1815 bis 1820.

Die vier Glocken der Kirche find von befonderem
Intereffe. Die kleinfte und fcheinbar ältefte ift ohne
Schrift und Zier, hat nur in der Mitte der Mantelflache
vier kleine fymmetrifch geftellte Kreuze. Die andere
etwas größere trägt auf dem Spruchbande an der Kappe
die Schrift:

„VERBVM DOMINI MANET IN AETERNVM · Z·
GOTTES WORT BLEIBET."

Unter dem Spruche erftreckt fich ein 5 Cm. breites
Relief aus Weinblättern und Trauben. In der Mantel-
mitte befindet fich die Jahrzahl nachftehender Form:
ↃↃↃ darunter die Buchftaben I. L. Auch die Eifen-
klammern und Hafpen, womit die Glocke befeftigt ift,
tragen die Zahl 1551; am Klöppel find mehrere fechs-
eckige Sterne angebracht.

Die dritte Glocke mit der Randfchrift: „Jofeph
Pietfchmann goß mich in Hemmehübel Anno 1777"
und dem Chronogramm: Contra fVLgVra noXIos
teMpestates CVstoDIant",[1] trägt an der Kappe ein
zweites Chronogramm, lautend:
„BeneflCentI A eXIstIt ; | 2 : cent :; : graVIor sChön-
LInDensIVM".[2]

Diefe doppelte Jahrzahl (1777 und 1778), welche
aus den zweierlei Chronogrammen herauszulefen ift,
findet wohl nur darin Erklärung, dafs der erfte Guß
der Glocke nicht den richtigen Dreiklang gab, fie
darum „durch die Mildthätigkeit der Schönlinder
(beim Umguß) zwei Centner fchwerer geworden". Als
Mantelzier ift einerfeits die heil. Dreifaltigkeit, find
anderfeits zwei gerüftete Geftalten angebracht.

Ueber die vierte Glocke befteht eine Art von
Legende. Das im Pfarr-Archiv erliegende „Protokoll
der Glockentaufe" befagt nämlich: „Im Jahre 1796 den
21. April ift auf den allhiefigen Thurm die große
Glocke aufgezogen worden; fie wiegt 31$^1/_2$ Centner
öfterreichifches Gewicht ohne Rüftung. Die Zunge
67 Pfund und koftete auf der Stelle 1860 Gulden
rheinifch. Der Abt des Benedictinerklofters zu Kladrau,
Hildfild mit Namen, hat felbe 1590 in Prag gießen
laffen und bei Aufhebung des Klofters unter Kaifer
Jofeph II. ift fie fodann verkauft worden". Dem weitern
längern Berichte ift zu entnehmen, dafs 1796 der
Schmiedmeifter Jofeph Münzel fein am Ringe gelegenes
Haus für den Ankauf einer großen Glocke widmete. In
der „Prager Ober-Poftamtszeitung" bot damals Anton
Helfer eine große Glocke feil. Der Schönlinder Stadt-
richter Johann Jofeph Friedrich ließ nun diefe Glocke
durch feinen Schwiegerfohn Anton Wondrak kaufen.
In Fortfetzung heißt es:

„Den 21. April, es war an einem Donnerstage,
kam die Glocke Nachmittag um 4 Uhr in Schönlinde
an . . . . . Ueber 4000 Menfchen waren fie zu begrüßen
verfammelt. . . . . Damit aber der Tag, an dem fie aufgezogen wurde, nicht nur den Erwachfenen, fondern
auch den Kindern in Erinnerung bleibe, wurden der in

---

[1] Geboren 1770 zu Trebuitz als Sohn eines armen Tifchlers, nach
durftiger Vorfchulung in Leitmeritz und Prag, 1789 in die Akademie der
bildenden Künfte zu Dresden aufgenommen, übergetreten in das Hoffield-
hauer Dorfch geleitete Abtheilung und mitbetheiligt an den Zwinger Sculpturen,
ernannte ihn König Friedrich Auguft I. 1793 zum Hoffildhauer. Von 1801 bis
1810 an Seite Thorwaldfen's Schüler Canova's, doch zugleich zugehörig zu der
von Asmus Carften geleiteten Reformpartei, trat Pettrich nach der Heimkehr
in die Reihe der Freiheitskämpfer und wurde nach dem Friedensfchluffe, 1815
an Stelle des verftorbenen Dorfch zum Profeffor der Bildhauerfchule ernannt
und wirkte als folcher erfprießlich bis zu feinem 1817 erfolgten Ableben.

[1] Gegen Blitz und Ungewitter möge fie fchützen.
[2] Durch die Mildthätigkeit der Schönlinder ift fie 2 Centner fchwerer
geworden.

Schonlinde befindlichen Schuljugend wie jener auf den umliegenden Dörfern in der Zahl von 600, einem jeden Kinde um 1 kr. ein aus Weizenmehl gebackenes sogenanntes Hörnel zugetheilt". . .

Die Glocke sammt allen Nebenauslagen kostete 2126 Gulden. Ihre Inschrift, dem 95. Psalm entnommen, ist ebenso seltsam in der Texturing wie in der Schreibung, und lautet:

„Kompt herzu frolokhet und synget dem Herrn eures heils mit Psalmen, kompt, knyet, ffallet nyder und petet für dem Herrn, der euch gemacht hat. den Er ist Ewer Gott und Ihr das Volkh seiner Weide und Schafe seiner herde. heute, so yr seine stymme höret, so fferstokhet euer hercze nycht wie jener czeit das Volkh yn der wüsten, da ewere Väter serfuchten Gott, suleten und sahen seine Werkh."

Auf der anderen Seite des Mantels ist zu lesen:
„Dise Glokhen hat gegossen der erbar Frittcjus Glokhengysser von Czynpergkh Bürger auf der Newen Schtatt zu Prag. Gott alleine sei die Eren!"[1]

Am Rande steht: „da pacem Domini in diebus nostris, quia non est alius, qui pugnet pro nobis, nisi tu Deus noster".[2]

Ueberdies ist die Glocke mit schönen Reliefs reich verziert, so mit den durch ihre Symbole gekennzeichneten vier Evangelisten und zwei größeren Darstellungen — der Anbetung der Hirten und der Auferstehung Christi —. Der ersteren ist beigegeben die Schrift: „Das Wort ist Fleisch geworden, das geboren aus der Junkffrawen Maria"; der anderen: „Christus ist umb unser Gerechtigkeit willen von den todten auf erstanden". In der breiten Kappenzierung, dem Blatt-Ornamente eingefügt, ist noch die sechsmalige Wiederholung einer Darstellung, und zwar des Urtheils Salomos.[3]

[1] Scripturirt: werkh — Czynpergkh.
[2] S. henke Frieden : Herr in unsere Zeiten, denn es ist kein anderer, der für uns streiten kann als du unser Gott".
[3] Wie Conservator Moller berichtet, ist die Restaurirung des Kirchleinern durch die beiden Neumann ganz vorzüglich ausgefallen.

Der Kirchthurm zu Kornitz in Mähren.

Von Conservator *Alois Czerny.*

DIE Pfarrgemeinde *Kornitz*, an der von Trubau nach Boskowitz führenden Bezirksstraße gelegen, erscheint urkundlich um das Jahr 1258.[1] Die Erbauung der dem heil. Laurenz geweihten Kirche, deren ursprüngliche gothische Anlage durch Um- und Zubauten sowie durch Renovirungen zum größten Theile arg verunstaltet wurde, läßt sich jetzt nicht actenmäßig nachweisen. Aus der Baugeschichte dieses Gotteshauses sei erwähnt, dass der Thurm seit seiner ersten bekannten Erneuerung, welche im Jahre 1578 unter dem Grundherrn Johann von Boskowitz-Trubau (1546—1589) stattfand und 60 fl. kostete, oftmals ausgebessert wurde. 1610 beschädigte ein Blitzschlag den Thurm, 1730 warf der Sturmwind den Knopf sammt einem der kleinen Thürmchen herab, doch wurde bald wieder alles hergestellt.

Das Schiff der Kirche wurde 1701 gewölbt: „Anno 1731 unter dem wohlehrwürdigen Herrn Pfarrer Johann Jacob Schwatzinger, geboren in Kornitz, sind die (gothischen) Fenster der Kirchen im Presbyterio ausgebrochen und größer gemacht worden und zwar mit großer Gefahr weilen die Mauer sehr falsch und in der Mitten nur lauter Schutt gewesen."

Von kunstgeschichtlichem Interesse an dem ganzen Baue ist nur der Thurm, dessen architektonischer Gesammthabitus an die gothischen Thurmgestalten in Böhmen, Mähren u. s. w. erinnert und daher einer näheren Besprechung unterzogen werden soll. Der Thurm, dessen Erbauung in die Mitte oder das Ende des 15. Jahrhunderts fällt, ist ein aufsteigendes Prisma von quadratischer Grundform, von unten bis hinauf aus Bruchsteinen[2] aufgerichtet und nur an den Ecken von

Ortsteinen aus Quadersandstein[1] eingefaßt. Zwei schmale Sandsteinsimse theilen den nach oben an Stärke abnehmenden Feldsteinbau in zwei Stockwerke und den Helm. Der nach obenhin sich verjüngende und durch eine zweifache Quertheilung eindrucksvoll gegliederte Helm ist aus Holz aufgerichtet und ganz mit Dachschiefer eingedeckt; durch das pyramidale Zurückweichen der einzelnen Abtheilungen sind drei Etagen geschaffen worden (Fig. 1).

Das Erdgeschoß, ein sehr massiv gehaltener Unterbau, zeigt als Abschluß nach oben ein Kreuzgewölbe. Die vier schwach profilirten, von der weniger wechselvollen Rippenbildung des streng gothischen Styles stark abweichenden Gewölberippen entspringen aus einfachen schmucklosen Wand Consolen; der große Schlußstein im Gewölbe-Centrum enthält einen Vierpaß, darin im geschweiften Wappenschilde das Wappenbild der Boskowitze ohne Helm (Fig. 2). In der Süd- und Nordseite sind Mauernischen mit Sitzbrettern angebracht, wovon eine, durch Thüren verschlossen, als Verwahrungsraum für Geräthschaften dient. Von der südöstlichen Ecke aus führen Stiegen auf den Orgelchor. Der Mauerdurchbruch an dieser Stelle ist jedoch einer späteren Zeit zuzuschreiben. Die an der Westseite befindliche Eingangsthür 1750 durch eine neue dem Style nicht entsprechende ersetzt und die im Innern befindliche Gruft verschüttet. Ein breiter Durchgang, der seinem Aussehen nach in einer jüngern Zeit hergestellt wurde, verbindet das Erdgeschoß mit dem orientirten Schiffe (Fig. 3).

An der südlichen Außenseite ist ein kreisrunder Stiegenthurm aus Ziegel- und Bruchsteinen mit Lichtschlitzen angebaut. Von der obersten Stufe der eingebauten hölzernen Schneckenstiege führt ein schmaler

[1] Geographisch wenig widerstandsfähige Sandsteine der cenomanen Kreideformation, dem Alter nach den Koritschaner Schichten angehörig. Diese Steine sind in der Umgebung des nahen Ortes Putzendorf in den alten Steinbrüchen vollkommen zu beobachten.

überwölbter Eingang auf eine hölzerne Galerie, welche an drei Seiten im Innern der erften Etage verläuft.

Im erften Stockwerke befinden fich gegen Weft und Nord gerichtete überwölbte Lucken Scharten) mit nach innen ftark abgefchrägten Leibungen, nach außen ift die Oeffnung durch eine rechteckige mit einem Sehfchlitz verfehene Sandfteinplatte abgefchloffen. Das ehemalige Gewölbe der Decke (Tonnengewölbe) wurde abgebrochen und ift noch an dem Putze kenntlich. Es faß mit vollem Bogen auf und muß mit einem Netze von Rippen, die fich an der Decke in

zwei Schlußfteinen vereinigten, verfehen gewefen fein. Ueber die Zeit des Abbruches find keinerlei Aufzeichnungen vorhanden. Er foll aus dem Grunde erfolgt fein, um einem Einfturze des Thurmes vorzubeugen und in der That gewahrt man ober den Scharten klaffende Riffe; dies mag wohl einem Conftructionsfehler, nicht aber dem Gewölbedrucke zuzufchreiben fein, da letzteres mit feinem Gewichte nur einen Druck vertical nach abwärts, aber nicht nach feitwärts ausübte. Die beiden Schlußfteine mit den Wappenbildern der Boskowitze und Sternberge haben fich noch erhalten und find zu beiden Seiten eines Hofthores am Haufe Nr. 34 neben der Kirche in die Außenfeite der Mauer eingelaffen.

Um auf den Kirchenboden zu gelangen, wurde in der Oftwand des erften Stockwerkes eine Thür ausgebrochen. Hölzerne fteil angelegte Stufen führen in den oberften, unten durch einen einfachen Tramboden abgefchloffenen Raum, die Glockenftube.

Vier hohe fchwach fpitzbogige Fenfter gewähren von hier aus den Ausblick nach den Hauptweltgegenden. Das einfach profilirte Fenftergewände aus Sandftein ift im obern Theile mit einem fchon hie' und da etwas befchädigten einfachen fpät-gothifchen Maßwerk (Kleeblatt) verziert und die nach außen gerichteten Leibungen ftark abgefchrägt. Unter jedem Fenfter find Schießfcharten mit Sehfchlitz und rundem Schießfloche angebracht. An den vier Seiten diefer letzten Etage befinden fich in der Mitte über den Fenftern auf Kragfteinen herausgebaute Erker mit je drei Schießfcharten, beftehend aus Sehfchlitz und rundem Schießtoche und fehr fpitz auslaufendem im erften Drittel gebrochenem pyramidenförmigem Dache.

Der Helm beginnt mit einer kurz abgeftutzten Pyramide, aus der ein Prisma mit acht kleinen rechteckigen Gucklöchern, je zwei nach einer Weltgegend

gerichtet, emporftrebt; darüber erhebt fich abermals ein Pyramidenftutz mit der zweiten kleinern prismatifchen Etage, welche, ebenfo wie die erfte, mit Gucklöchern verfehen ift. Aus den Ecken diefes zweiten Abfatzes erheben fich vier fchlanke pyramidenförmige Thürmchen. Sammtliche Etagen und Thürmchen befitzen quadratifchen Querfchnitt.

Das Dach der letzten Abtheilung bildet abermals einen Pyramidenftutz, aus welchem die Thurmfpitze, eine hohe achtfeitige Pyramide gen Himmel ragt.

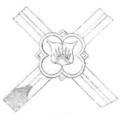

Fig. 2.

Am unteren Theile deffelben find zwei umlaufende Gefimfe und zwifchen diefen ein nach Weft gerichtetes fchmales hohes Fenfter angebracht. Der Innenraum ift mit einem Steigbaume, die kleinen Nebenthürmchen jedes mit Knopf und Fähnchen verfehen.

Es fcheint, dafs diefer Thurm einft frei ftand und den Einwohnern als Zufluchtsftätte oder Schutzort bei feindlichen Ueberfällen diente und dafs erft nachträglich durch Verlängerung des Kirchenfchiffes eine Vereinigung beider herbeigeführt wurde. Er war überdies mit einer hohen und ftarken von Zinnen bekrönten

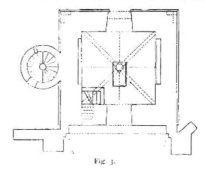

Fig. 3.

und mit Schießfcharten verfehenen Mauer umgeben, deren Ueberrefte erft 1880 zur Erweiterung des Friedhofes abgebrochen wurde; jedoch laffen fich die Grundmauern noch immer feftftellen.

Das im Rippenfchluße des Erdgefchoßes angebrachte und das aus der Decke des erften Stockwerkes ausgebrochene Wappenbild der Boskowitze — dafelbe Wappen (Fig. 2) ziert den achtfeitigen aus Sandftein gefertigten einfachen Tauffein — berechtigt zu der Annahme, dafs ein Befitzer des Ortes Kornitz aus dem

10

Haufe des reichbegüterten Gefchlechtes der Boskowitze an feinem Aufbaue betheiligt war. Der erfte bekannte Inhaber eines Theiles von Kornitz aus dem
Haufe derer von Boskowitz war Johann von Boskowitz
und auf Brandeis. Er verfchrieb feiner Gemahlin Els-
beth, einer Schwefter Herafts und Georg's von Kunftadt, 1407 das Heiratsgut pr. 400 Schock prager
Grofchen auf Kornitz und erwarb noch zu diefem Befitze 1418 von Baczek von Kunftadt 12 Lahne in Kornitz und einen halben Hof im nahen Dörfles. Nach ihm
kam der Ort an die Brüder Tobias und Benedikt von
Boskowitz und auf Czernahora.[1]

Beide Brüder, der Spindelfeite nach dem Gefchlechte der Sternberge zugehörig, liebten es auf vielen
unter ihrer Herrfchaft entftandenen Bauten das Wappen ihrer Mutter Machna von Sternberg anzubringen;
fo findet man auf dem von ihnen umgebauten Berg-
fchloße zu Nowyhrad in Mähren ebenfalls das Wappenbild der Sternberge. Da, wie bereits erwähnt, dasfelbe
auch in Kornitz auffindig ift, fo darf man wohl fchließen,
dafs diefe beiden Brüder an der Erbauung des Thurmes
betheiligt waren. Einen weiteren Beleg für ihr Wohl-
wollen gegen die Kirche und deren weiteren Ausbau
liefert uns eine für die Gemeindeangehörigen am Tage
St. Gallus 1483 auf Czernahora ausgeftellte das Heim-
fallsrecht betreffende Urkunde.[2] In ihr wird angeordnet, dafs, falls ein Inwohner ohne Erben und ohne
Teftament abftürbe, fein nachgelaffenes Vermögen ein
Vierteljahr lang in der Verwaltung des Richters und
der Gefchworenen zu verbleiben, nachher aber mit
Rath ihrer Obrigkeit der Kirche oder ihrem Spitale
zuzufallen habe. Tobias ftarb am 20. December 1493
zu Wien und fein Leichnam wurde in Brünn bei den
Minoriten, einer Stiftung der Boskowitze, beigefetzt;
hierauf verkaufte Benedikt den Ort famt Dörfles an
feinen Oheim Ladislaus von Boskowitz und auf Trübau.

Die Beantwortung der Frage, welcher Meifter
diefen Thurm erbaute oder wenigftens die nothwendigen
Pläne hiezu lieferte, ftößt auf noch größere Schwierigkeiten. Um diefer Löfung wenigftens annähernd entfprechen zu können, wird es vor allem nothwendig fein
zu erkunden, wo und von wem um jene Zeit folche
oder ähnliche Thürme erbaut wurden.

Einen ähnlichen Thurm hatte der Ort Gurdau bei
Aufpitz in Mähren. Derfelbe trug in kleinen Abfätzen
drei Reihen von je vier kleinen mit Knöpfen und Fähn-

chen verfehene Thürmchen, aus deren Mitte eine hohe
dreizehnte pyramidenförmige Spitze hervorragte. Das
Ganze war mit Schiefern künftlich gedeckt, mußte aber
1838 wegen drohenden Einfturzes bis auf den unterften
Theil abgetragen werden. Er wurde zwifchen 1511 und
1517 auf Gemeindekoften mit einem Aufwande von
13.050 fl. durch einen leider uns unbekannten Meifter
erbaut.[1]

Einen zweiten ähnlichen, nur in feinem obern
Theile weit reichern etwas abweichenden Thurm
befitzt die Stadt Znaim. Diefer 80 M. hohe und durch
neun Spitzen zierlich belebte Rathhausthurm wurde
nach den an ihm befindlichen Auffchriften[2] zwifchen
1443 und 1448 unter dem minderjährigen Könige
Ladislaus vom Steinmetzmeifter *Nicolaus von Edlfpitz*,
— einem Dorf bei Klofterbruck füdlich von Znaim —
erbaut. Des Meifters Steinmetzzeichen, zwei gekreuzte
Winkeleifen, befindet fich in einem Schildchen unter
einer der Auffchriften.

Der Thurm am grünen Thore zu Pardubitz hat
ebenfalls große Aehnlichkeit mit jenem von Znaim. Im
Pardubitzer Schloße findet fich ein Steinmetzzeichen,
welches mit dem Znaimer vollftändig übereinftimmt,
fo dafs mit aller Wahrfcheinlichkeit Meifter *Nicolaus von
Edlfpitz* als Erbauer des Schloßes und grünen Thorthurmes in Pardubitz angefehen werden kann.[3]
Da Meifter Nicolaus feine Kunft im Auftrage
mehrerer Herren ausübte, fo fteht der Annahme, als
wäre derfelbe auch im Dienfte der Boskowitze geftanden, kein nennenswerthes Hindernis entgegen. Die
große Aehnlichkeit der zum Vergleiche herangezogenen
Thürme berechtigt einigermaßen zu der Anficht, dafs
er, wenn auch nicht den Kornitzer Thurm erbaut, fo
doch wenigftens die Riffe und Koftenüberfchläge geliefert haben dürfte.

[1] Oftfeite:
Anno domini 1445 fer. II. poft Margaretham
inceptum est hoc opus per Magiftrum
Nicolaum lapicidam de Edlfpitz
Darunter das Steinmetzzeichen /\
Nordfeite: Condidit infantis praeclari tempore regis
Me, Ladislai fubdita Znoyma sibi 1448
Quem rex Albertus genuit, dux marchio dignus
Caesaris Elifabeth Filia mater erat.

Deutfch:
Im Jahre des Herrn 1445 Montag nach Margaretha wurde diefes Werk
durch den Steinmetzmeifter Nicolaus von Edlfpitz begonnen.
Es fchuf mich zur Zeit des berühmten unmündigen Königs Ladislaus
(pnachunms) das ihm untergebene Znaim 1448.
Deffen Vater war der König Albert (Albrecht V.) ein Herzog Mährens
würdig Elifabeth, die Tochter des Kaifers Sigismund) war feine Mutter.
Beide Steine find rechteckig und Schrift gothifch.
[2] Wocel, ibid. II. Bd., 2 Abth., S. 279.
[3] Bernhard Grueber, Die Kunft des Mittelalters in Böhmen, IV. Theil,
S. 88 und 195.
August Sedláček, Hrady zámky a tvrze králství Českého, 1. Theil.

[1] Wolny, Mähren, t. pogr., ftatift. und hiftor. gefchildert, V. Bd. S. 380.
[2] Smiciro, Pam. z Boskovic. Wien 1870.
[3] Th. Original durch mich befand fich im Trübauer Standarchive, Abfchrift
liegen in meinem Befitze.

Einige Befonderheiten öfterreichifcher Burgen.

Von *Otto Piper.*

EINE Einladung, über baugefchichtliche und
Wiederherftellungs-Fragen mein Gutachten abzugeben, führte mich im verfloffenen Jahre
nach dem fürftlich Pálffy'fchen Schloße *Heidenreichftein*
in Nieder Oefterreich.

Dasfelbe, eine umfängliche Wafferburg auf niedrigem Felsplateau, bietet nicht eben viel von allge-

meinerem Intereffe. Es ift zunächft nur für zwei auch
fonft zu beobachtende Erfcheinungen ein hervorragendes Beifpiel. Erftens dafür, dafs man nicht felten ausgedehnte Wohntracte über dem Erdgefchoß lediglich
in den vier Umfaffungsmauern aufführte, es fpäteren
Ausbaue und zum Theile erft dem wechfelnden Bedürfniffe kommender Gefchlechter überlaffend, wo

leichte Scheidemauern einzuziehen fein möchten.[1] Zweitens dafür, wie ftiefmütterlich man öfter felbft bei überflüffig vorhandenen Räumen die Capelle behandelte. Hier war diefelbe, noch durch Refte von gothifcher Malerei und einer herrfchaftlichen Empore gekennzeichnet, in dem faft lichtlofen engen Erdgefchoß eines runden Eckthurmes untergebracht.

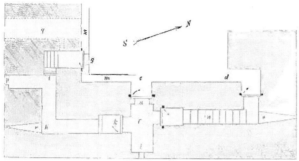

Fig. 1. (1 : 100)

Eine ganz eigenthümliche Anlage enthält jedoch der gegen 1200 erbaute Berchfrit mit einer in feiner Mauerdicke liegenden Treppe, von welcher Fig. 1 den wagrechten, Fig. 2 den fenkrechten Durchfchnitt darftellt.

Der urfprünglich wohl einzige Eingang in den Thurm, vom Dachgefchoß eines anftoßenden Wohnbaues aus zu erreichen, liegt faft 14 M. über dem Hofe. Von dem unter dem Eingangsftockwerke (A) liegenden Innenraume ift zunächft durch einen 33 Cm. breiten

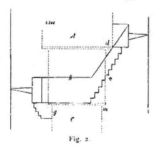

Fig. 2.

Mauerabfatz (m) noch ein 4·5 M. hohes Gefchoß (B) abgetheilt, während das übrige (C), jetzt durch Thüren nach den anftoßenden Wohntracten und Zwifchenböden mannigfach verändert, früher wohl ungetheiltes Verließ war.

Zunächft hat nun das Stockwerk A von feiner nordöftlichen Ecke (d) aus in der Mauerdicke einen zweimal rechtwinkelig fich vermindernden Zugang zu der Treppe n, welche zu dem Stockwerke (B) hinabführt

[1] Vgl. meinen Auffatz „Ueber einige Burgen in Tyrol" im 3. Hefte des Jahrgangs 1890.

und hier mittelft des die Oftwand durchfchneidenden Ganges oder Vorrannes f bei e mündet. Von f aus geht aber auch weiter ein Gang (h) erft füd-, dann weftwärts, welcher hinter der Thüre i zwei und vier rechtwinkelig zueinander geftellte Stufen hinab bei g in das Stockwerk C unmittelbar unter deffen (nicht mehr vorhandener) Decke führt.

Außer den Lichtfchlitzen o und r waren bei l und p kleine, jetzt vermauerte fenfterartige Oeffnungen. Die Treppen find ganz ungewöhnlich unbequem. So hat die größere Stufen von 45 Cm. Höhe bei nur 25 Cm. Trittbreite, und vollends der Abftieg nach C ift von i bis g nur kletternd und kriechend zu paffiren, da hier die Stufenbreite bis zu nur 10 Cm. fich vermindert und die beiden Thürgewände nur 90 und 98 Cm. hoch find. Da zumal für die Treppe n die Länge der Oftwand keinesswegs voll ausgenützt ift, fcheint das abfichtlich fo angelegt worden zu fein, um ein fchnelles Paffiren der Treppen und Gänge zu verhindern.

Damit fteht auch der Umftand im Einklange, dafs die gefammte Anlage durch nicht weniger als fechs Thüren gefperrt werden konnte, welche zum Theile noch vorhanden find.

Auch da, wo das letztere nicht der Fall ift, zeigen uns in alten Wehrbauten ja in der Regel die in der Wand für den Balkenriegel ausgefparten Canäle am ficherften, auf welcher Seite der Thür der Anlage nach das Oeffnen derfelben follte verhindert werden können. (Natürlich kann der Riegel überhaupt nur auf der Seite der Thür liegen, nach welcher hin diefelbe aufgeht.)

Da ift es nun intereffant, fich hienach thunlichft klar zu machen, zu welchem Zwecke hier diefe Thüren dienen follten.

Der Raum B hat, wie das darüberliegende Eingangsgefchoß A, in der nordweftlichen Ecke einen Kamin und ift auch durch einen Lichtfchlitz der Weftwand ziemlich ausreichend erhellt. Sehen wir nun, dafs die nach A hinaufführende Treppe n beiderfeits eine Thür hatte, die hierhin durch Balkenriegel gefperrt werden konnte, fo liegt die Annahme nahe, dafs B, als ein oberer abgefonderter Theil des Verließes, zu einem mildern Gefängnis beftimmt gewefen fein möge. Dem widerfpricht aber der Umftand, dafs die Thür n von dem Raume B aus verfperrbar war, alfo der hier etwa Gefangene fich auch beliebig gegen feine Kerkermeifter hätte abfperren können. Der Balkenriegel, welcher ja länger fein mufs, als das Thürgewände breit, konnte auch nicht etwa nach Belieben befeitigt und wieder angebracht werden. Man hätte etwa die Thür felbft ausheben können; allein der Riegel auf diefer Seite derfelben zeigt doch, dafs man bei diefer Sperrung anderen Zweck und Anlafs gehabt hatte.

Nun ift die noch vorhandene Thür k, welche auch nach h hin keinen Balkenriegel hat, nach f hin verfchließbar, und wenn dasfelbe bei i der Fall gewefen fein wird, fo ergibt fich, dafs, wer von dem Verließ C

10*

aus bei *g* eindringen wollte, auf lauter vor ihm ver-
fperrbare Thüren ftoßen mußte.

Es wird fich alfo zunächft darum gehandelt haben,
zu verhindern, dafs die im Verließ *(C)* Gefangenen oder
auch etwa hier von außen eingedrungene Feinde bis zum
Eingangsftockwerke hinaufkommen konnten. Wenn
auch das Verließ von der Thür *g* ab noch ca. 8 M. tief
war, fo dürften doch von da bis zum Fußboden hinab
eine oder mehrere Leitern angebracht gewefen fein;
denn wenn es, wie fonft, durch ein Loch in der Decke
und Hafpel mit Seil und Knebel zugänglich gewefen
wäre, fo wäre der bei *g* mündende Zugang ja überhaupt ganz zwecklos.

Ein folcher Zugang zum Verließ mittelft einer nur
bis dicht unter feine Decke hinabführenden Mauer-
treppe ift fehr eigenthümlich, aber doch nicht ohne
Beifpiel. Er findet fich, nur in Form einer kurzen
Wendeltreppe, auch im Berchfrit der Niederburg zu
Rüdesheim am Rhein. Selbft der Balkenriegel vor dem
Thürgewände der unteren Mündung fehlt da auch
nicht.

Die Verfperrbarkeit der Thür *u* von innen hätte
nun etwa auch bezwecken können, dafs fich die Belagerten vor den oben in den Thurm Eingedrungenen
hierhin zurückziehen konnten. Allein dauernde Rettung
hätten fie dadurch doch nicht finden konnen, da ihnen
von da kein Ausweg offen ftand. Die Thür *q*, wie eine
folche in der gegenüberliegenden Nordwand, ift erft in
neuerer Zeit durchgebrochen worden.

Eine eigenthümliche Anlage zeigt noch der hier
in der Nordweftecke liegende Kamin. Sein runder
Rauchmantel verengt fich fehr allmählig und mündet
dann in den Fußboden des oberen Stockwerkes, und
zwar in der Feuerftelle eines anderen hier befindlichen
Kamins. Wenn der letztere benützt werden follte,
mußte alfo vorher diefe Mündung durch eine feuerfefte
Platte gefchloffen werden. Auch das Vorhandenfein
überhaupt eines bewohnbaren Gemaches *B* unter dem
Eingangs-gefchoße ift fehr felten. Ich habe bisher nur
bei Salurn in Südtyrol ein gleiches gefunden.

Von Heidenreichftein aus befuchte ich das Graf
Czernin'fche Schloß *Neuhaus*, an der füd-böhmifchen
Sprachgränze bei der gleichnamigen Stadt gelegen.
Der großartige und mit feinen Vorhöfen fehr weit-
räumige Bau-Complex gehört im wefentlichen der Renaiffance Zeit an. Den großen viereckigen Innenhof umgeben nebft einer zweiftöckigen Säulengalerie drei
Wohn- und Saalbauten, von welchen zwei, 1773, faft
ganz ausgebrannt, nur noch als Halbruinen unter Dach
gehalten werden. Der füdöftliche derfelben ift der
ftattliche Palas der alten „Heinrichsburg", der jedoch
auf feiner hofwärtsliegenden Außenfeite gleichfalls im
Renaiffanceftyle umgeändert wurde. Dafs dies von
italienifchen Baukünften gefchah, zeigen fchon die Zier-
zinnen in einer jener Formen (Fig. 3), die, befonders
in den italienifchen Städten überaus mannigfach ge-
ftaltet, dies-feits der Alpen uns fo fremdartig anmuthen.

Dafs wir es hier mit einem Baue aus gothifcher
Zeit zu thun haben, beweifen im Innern u. a. die gemauerten Fenfterbänke. Dafs folche auch in jenem
fpäter überwölbten Räume fich finden, deffen Wände
mit Fresco-Malereien infchriftlich aus 1338, das Leben

des heil. Georg betreffend, geziert find, diefer Umftand
läßt zugleich die Streitfrage, ob es fich da um eine
vormalige Capelle handle, im verneinenden Sinne
entfcheiden. Diefe Fenfterbänke, wie nahe liegt, nur für
bewohnte Räume beftimmt, finden fich kaum irgendwo
in einer (nicht erft etwa fpäter dazu eingerichteten)
Capelle.[1] Die einzige mir bisher bekannt gewordene
Ausnahme bietet das normannifche Caftell (Wohnthurm)
von Aderno auf Sicilien. Ueberdies ift in den beiden
ausgebrannten Gebäuden noch je eine andere wohl
erhaltene Capelle vorhanden.

Von den alten, um 1200
gegründeten Wafferburg find
außerdem im wefentlichen nur
noch der fogenannte „Rothe
Thurm" und der runde Berchfrit, beide Rohziegelbauten,

Fig. 3.

erhalten. Der letztere — der „Hungerthurm" genannt,
wohl weil in ihm, 1438, der gefangene Sigmund von
Wartenberg verhungert fein foll — gehört zu den
felten Berchfriten, welche bis hinauf zu der nur von
dünner Brüftungsmauer umgebenen Wehrplatte lediglich als ein ungetheilter lichtlofer Schacht erfcheinen.

Fig 4.

Derfelbe ift hier ca. 12 M. tief und 4 M. weit und von
überall ebenfo dicken Mauern gebildet.

Der intereffantefte alte Bau ift der mit wenig
Recht fo genannte „Rothe Thurm". Er ift der Hauptfache nach eine Küche, wie folche als felbftändige
Bauten bei größeren Burgen in Oefterreich minder
felten vorkommen als anderwärts.[2] Die Anlage bietet
aber mehrfache Befonderheiten.

Anftatt dafs, wie fonft, das ganze Innere einen
ungetheilten Raum bildete, deffen fteiles (Kreuz-) Ge-

[1] Vgl. hiezu meine „Burgenkunde" (München 1895). S. 485 ff.
[2] Beifpiele find außer in Niederöfterreich, Aggftein an der Donau,
Peggau in Steiermark, Petersburg und Geyersberg in Kärnten.

wölbe fich zu einem kurzen Schornfteine verengte, ift hier beim Anfange des Gewölbes eine Zwifchenhecke eingezogen und von da aus fteigen in den vier Ecken des Gebäudes ebenfoviele Schornfteine auf, die (fiehe Fig. 4) nach außen ftrebepfeilerartig vorftehen, zum Theile aber auch erft von diefem Punkte aus vorgekragt find. Etwa 2 M. unterhalb der Decke lauft ringsherum eine auf kräftigen auf Kragfteinen gemauerte Galerie, vermuthlich angebracht, damit man bequemer zu den oben aufzuhängenden Räucherwaaren gelangen könne.

Frei in der Mitte des Erdgefchoßes fteht noch der große plumpe aufgemauerte Feuerherd. Neben der Eingangsthür ift ein weites tief herabgehendes Fenfter, außen mit breiter wagrecht vorftehender Sohlbank angebracht, wie man folches auch bei alten Stadthäufern zur Bedienung der draußen bleibenden Kunden mit einfachen Eßwaaren und dergleichen findet. So möchte das hier zur Austheilung der Speifen an die Schloßbewohnerfchaft zweckmäßig fein, doch wird die Einrichtung noch fpeciell mit dem lang geübten Brauche in Verbindung gebracht, dafs alljährlich am grünen Donnerftag an die Armen der Stadt „der füße Brei" und andere Speifen vertheilt wurden.

Das durch die Zwifchendecke von dem Küchenraume abgefchnittene Gewölbe gibt dem fo entftandenen oberen Gefchoße eine eigenthümliche zeltartige Form. Nur kurz unter dem Scheitel ift derfelbe noch mit einer Decke geringen Durchmeffers überdeckt. Diefe, wie zwei der Seitenwände (Gewölbkappen) zeigen Refte alter Fresco-Malereien, deren eine einen Landtag oder eine Gerichtsfitzung darftellt. Der Raum wird auch jetzt als früheres Gerichtslocal bezeichnet und werden damit drei geräumige Nifchen in Beziehung gebracht, welche, unten mit einer Brüftungsmauer gefchloffen, fich nebeneinander in einer dritten Wand öffnen. In einem „Führer durch Neuhaus" (daf. 1889) heißt es S. 102: „*Jičinský* meint, dafs die niedrige (wohl in dem anftoßenden Baue) liegenden Nebenzimmer, in welche aus der unteren Nifche eine Stiege führte, ein Gefängnis für Perfonen vom Stande gewefen feien. Die Gefangenen wurden nach feiner Meinung über diefe Stiege zum Verhör geführt und blieben auf der letzten Stufe ftehen, fo dafs man von dem Richterfaale aus nur deren Kopf oder höchftens auch die Bruft fah. *Sedláček* behauptet dagegen, dafs fie als Verfteck für werthvolle Kleider oder Koftbarkeiten dienten."

Eine nähere Erforfchung des eigenthümlichen Gebäudes wäre jedenfalls wünfchenswerth. Dazu fehlte mir aber als flüchtig herumgeführtem Fremden die Zeit. Ich möchte es für wahrfcheinlich halten, dafs die Theilung in zwei Stockwerke überhaupt erft fpäter — wenn freilich auch vor dem wohl aus dem 15. Jahrhundert ftammenden Wandmalereien — beliebt worden fei. Der „Richterfaal" ift nur von dem anftoßenden Saalbau aus zugänglich.

Von dem Befitzer und Wiederherfteller des alten Schloßes *Mauternudorf* in Lungau, Herrn Dr. *Epenftein*, war ich eingeladen worden, auf Grund einer Augenfcheinsnahme eine Erklärung für jene räthfelhaften Oeffnungen zu fuchen, die fpäter zugemauert, in einer Wand des Palas bei Entfernung des Verputzes wieder

zum Vorfchein gekommen waren. Fig. 5 bietet eine Anficht derfelben vom inneren Hofe aus, deffen hohe Umfaffungsmauer links in rechtem Winkel an den Palas anftößt.

An diefer Mauer entlang hat man fpäter einen (in Reften und Spuren noch vorhandenen) Verbindungsgang angelegt und aus diefem Anlafs offenfichtlich die flache Nifche, welche die Oeffnungen umfaßt, zum Theil zugemauert, fowie an Stelle derjenigen der letzteren, die mit der rechts unten befindlichen correfpondirte, eine Thür durchgebrochen.

Bei einer Wandftärke, welche durch die Nifche auf 60 Cm. verringert ift, verengt fich die zuletzt bezeichnete Oeffnung, an der Grundlinie gemeffen, von 90 Cm. außen auf 45 Cm. innen, der Höhe nach von 1·20 auf 0·51 M., während die entfprechenden Durchmeffer bei den beiden runden Oeffnungen 85 und 50 Cm. betragen.

Was nun die Erklärung derfelben betrifft, fo kommen ja zwar Schießfcharten auch in einfach kreis-

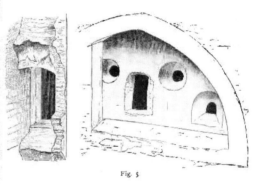

Fig. 5

runder Form, nach innen oder außen fich erweiternd, vor; allein folche hätten hier, im erften Obergefchoße des Palas und nur gegen den Innenhof gerichtet, kaum einen Zweck haben können und vollends wären die zwei (beziehungsweife drei) unteren Oeffnungen der Gruppe damit nicht zu reimen.

Wenn es fich hier fonach nur um Lichtöffnungen handeln kann, fo erfcheint es als ausgefchloffen, dafs diefelben, für einen gewöhnlichen bewohnbaren Raum beftimmt, lediglich infolge einer Laune des Bauleiters diefe eigenthümliche Geftalt und Gruppirung erhalten hätten. Es wäre das völlig ohne Beifpiel. Wohl aber finden fich ja bei Burg-Capellen derartig kleine (auch kreuzförmig geftaltete) Fenfter zur Vermehrung des Lichtes mit fehr fchräger Laibung und auch zu dreien gruppirt.

Bedenklich erfcheint mir dabei nur, dafs ich folche Capellen-Fenfterchen bisher nur mit zweckmäßiger

---

[1] Vgl. Monatsfchriften des Hiftorifchen Vereines von Oberbayern 1896. S. 35.

Weite nach innen gerichteter Erweiterung gefunden hatte, während hier doch anderfeits aus verfchiedenen Gründen auch die Möglichkeit ausgefchloffen erfchien, dafs etwa früher die jetzige Innenfeite diefer Fenfterwand die Außenfeite der Capelle gewefen fein könne. Allein nachträglich habe ich gefunden, dafs doch auch die Erweiterung nur nach außen fich ausnahmsweife findet. Die Afra-Capelle des Klofters Seligenthal in Landshut hat gleichfalls in Gruppen zu zweien und dreien rundbogige Fenfterchen, welche fich von außen nach innen der Höhe nach von 1·50 auf 1 M., der Weite nach von 83 gar auf 18 Cm. verengern. Auch diefe Lichtöffnungen, in gothifcher Zeit zugemauert, find erft unlängft wieder aufgedeckt worden.[1]

In Mauterndorf zeigt zwar der weite faalförmige Raum, in deffen einer Ecke fich diefe Fenftergruppe findet, nichts mehr, was auf eine Capelle hindeuten könnte, doch finden fich auch hier wieder die Spuren einer frühern Wand, die, mit den Ringwänden nicht in Mauerverband ftehend, vormals den Raum theilte. Dazu kommt, dafs auch die andere in der gedachten Ecke anftoßende Außenwand diefer nahe zwei etwas größere Stichbogenfenfter hat, zwifchen welchen mit der Oberkante gleichlaufend wieder ein ganz kleines, dem unten rechts der Gruppe gleichendes eingefügt ift.

Mit diefer Erklärung fteht auch endlich die äußere flache Mauernifche in beftem Einklange. Diefelbe follte wahrfcheinlich den Ort der Capelle fchon nach außen kennzeichnen. Zwei folche Nifchen nebeneinander finden fich u. a. auf der Ruine Wertheim am Main, an einem Baue, der zwar die „Capelle" heißt, aber zweifellos auch der Hauptfache nach ein Palas war.[2]

Auf Schloß Mauterndorf wurde fpäter eine ftattliche Capelle als befonderer Bau aufgefuhrt und damit findet auch die fpätere Zumauerung der nur für eine folche paffenden Fenfterchen im Palas ihre einfachfte Erklärung.

Wenn hienach die Deutung der Oeffnungen keinen Zweifel mehr übrig läßt, fo bleibt doch immerhin ihre bogenförmige Anordnung — das größere Mittelfenfter möchte ich für fpäter hinzugefügt halten — eine ganz ungewöhnliche. Vor ihr ftand fehr wahrfcheinlich der Altar.

Der ftattliche viereckige Berchfrit des Schloßes von 11 M. äußerer Seitenlänge hat noch mehrfach feine Einrichtung aus alter Zeit.

In dem recht hoch liegenden Eingangsftockwerke find in einer Ecke über dem zum Verließ hinabführenden „Angftloche" an der Decke zwei bis zum Fußboden hinabreichende Balken mit ihrem einen Ende in Haken und Ring fo aufgehängt, dafs fie im Zuftande der Ruhe die außerdem noch wohlverfchließbare Fallthür feft in ihren Falz niederpreffen, alfo ein Oeffnen derfelben von unten auch dann unmöglich machen, wenn die Thur einmal nicht verfchloffen fein follte. Solche Vorfichtsmaßregeln, welche wir in anderer Weife oben auch beim Berchfrit von Heidenreichftein getroffen fanden, mogen freilich nur dann nicht als ganz überflüffig erfcheinen, wenn etwa ausnahmsweife mittelft einer

[1] Vgl. meine Schrift „Die Burgruine Wertheim" und Dr. Wibel's F b ... fchlfs Wertheim u. f. f. S. u. ff.
[2] M. ... Verein des Hiftorifchen Vereines von Oberbayern 1896. 53.

Leiter die Fallthür vom Verließ aus zu erreichen gewefen fein follte.

Das oberfte Stockwerk des Berchfrits zeigt fich durch einen Kamin und kleine aus Balken und Brettern hergeftellte niedrige Gemacher noch für einen Wächter und nöthigenfalls die Vertheidiger eingerichtet. Eine Treppe fuhrt auf die Decke diefer Bretterräume und von da eine zweite kurze auf einen innen unter den Zinnenfenflern ringsum laufenden hölzernen Gang.

Noch umfanglicher als Mauterndorf ift das füdlich unweit von ihm gelegene *Moosham*, von Sr. Excellenz Herrn Graf Wilczek wiederhergeftellt und mit alten in der Gegend erworbenen Mobilien, Holzdecken etc. reich ausgeftattet. Der Bau ift ein bemerkenswerthes Beifpiel derjenigen Burgen, welche im Innern in der Höhe des Dachanfanges, und foweit nöthig, mittelft

Fig. 6.

hölzerner überdachten Letzen einen Gang rings um den Bau-Complex darbieten und hauptfachlich zur Vertheidigung von da aus eingerichtet waren.

Befonders eigenthümlich ift die reiche Ausftattung diefer Vertheidigungslinie mit Schieß- und Gußlochern. Zahlreiche Gruppen folcher, wie deren zwei in Fig. 6 in der Anficht von innen und fenkrechtem Durchfchnitte fkizzirt ift, ziehen fich befonders unter dem Dache des größeren Palas hin.

Zunächft über dem Fußboden find in der ftumpfwinkeligen Einbuchtung der nicht mehr viel höher auffteigenden Umfaffungs-mauer übereinander zwei Schiefcharten ausgefpart, deren untere nach außen fich ftark fenkt. Das Dach ift dann fo weit vor diefe Mauer hinausgerückt, dafs zwifchen beiden ein hinlänglich weiter Raum bleibt, um auf die Außenfeite der letzteren fenkrecht nach unten werfen oder gießen zu können. In der hinter diefem Gußloch auffteigenden

das Dach mittragenden dreifachen Balkenlage hat ferner der unterfte Balken eine rundliche nach innen ausgeweitete Schießfcharte, und endlich kann darüber ein Abfchnitt des mittlern Balkens um Zapfen nach außen aufgedreht werden, dafs fo noch zur Erweiterung diefer Scharte eine maulfchartenartige Oeffnung entfteht (Fig. 6).

Wie man bei einander benachbarten Burgen auch fonft nicht felten gleichartige Einrichtungen trifft, fo waren auch in einem Flügelbaue von Mauterndorf Refte ganz ähnlicher Schieß- und Gußloch Gruppen erhalten, die jetzt unter der verftändnisvollen Bauleitung durch Herrn k. k. Gewerbefchul-Directors *Berger* (Salzburg) durchwegs wieder hergeftellt worden find.

Aus einem Berichte ddo. 7. October 1897 des Profeffors Dr. W. Neumann an die k. k. Central-Commiffion.

III.

Der Dampfer, welcher die Reifenden von Fiume nach der Infel Luffin befördert, legt im bequemen Hafen von Luffin piccolo an. Die (neue) Kirche diefes Stadtchens enthält nichts künftlerifch bedeutendes. Der Weg zu dem nicht weit entfernten Luffin grande ift bequem und fehr fchön angelegt. Man kann auch eine Barke benützen.

In *Luffin grande* enthält die Kirche S. M. degli Angeli folgende Kunftwerke, über welche fchon Dr. *Righetti* und kaif. Rath *Gerifch* Eingaben an die hohe Central-Commiffion gemacht haben, 1866 und 1895.

1. Tafelgemälde von *Vivarini*: Madonna mit dem Jefukinde in throno, um fie gruppirt fechs Heilige, Gott Vater in der Höhe, von Engeln grande. Signirt: Opus factum Venetiis per Bartolomeum Vivarinum Demorian. 1475. (Kronprinzenwerk, Iftrien, S. 275.)

2. Ein fehr fchönes Bild vorn in der Nähe des Hochaltars: „Die trauernde Madonna“ wird hier als Tizian bezeichnet. Ich wage darüber kein Urtheil abzugeben.

3. In der Kuppel des Presbyteriums ein Leinwandgemälde, Madonna mit zwei Heiligen: angeblich von Pietro della Vacchia (vgl. Kronprinzenwerk, Iftrien, S. 282).

4. Ein heil. Francifcus, angeblich von Fra Bernardo Strozzi (il prete) Genovefa (Kronprinzenwerk, S. 281). *Gerifch* nennt es ein fehr gutes Werk.

5. Ein Gemälde in der Art des Palma Giovane: Madonna mit dem Kinde in trono zwifchen vier Heiligen. *Gerifch* hat die Reftauration diefes Werkes beantragt und die Koften auf 200 fl. beziffert.

6. Ein kleines Bild in der Art des Tiepolo, unter Glas. Faft unkenntlich.

7. Drei Gemälde von Terefa Recchini[1] aus Parenzo (1780), von F. Hayek 1808, Lattanzio Querena 1811, Cosroe Dux und Liberale Cozza beurtheilt *Gerifch* wohlwollender, als ich es geneigt bin, zu thun. Den Gherardo delle Notte (Honthorft), Geburt Chrifti auf Kupfer gemalt, erwähnt das Kronprinzenwerk S. 281.

8. Ein auffallend fchönes Werk, Marmorfculptur, Maria mit dem Kinde, ftehend, ftammt von *Francesco Bonazza*, dem Lehrer Antonio Canova's.

9. Noch erwähnt *Gerifch* ein fchönes Marmorrelief an der rechten Seitenwand des Presbyteriums: Madonna mit dem Kinde ftehend, rechts und links je zwei Heilige. Spät italienifche Arbeit.

[1] Kronprinzenwerk, S. 282.

In der alten kleinen Kirche befinden fich: ein kleines Altarwerk, venezianifche Schule, 16. Jahrhundert; drei Bilder (das mittlere durch ein gefchnitztes Crucifix erfetzt), links und rechts ein Heiliger gemalt; darunter eine Predella: mitten Maria Verkündigung gemalt, rechts (heraldifch) Scene aus der Legende des heil. Antonius, links (heraldifch) aus dem Leben des heil. Nicolaus. Oben im Giebel Gott Vater.

Am Altare befinden fich zwei Bildchen in der Art des *Tiepolo* (Kronprinzenwerk, S. 282). Drei andere von *Gerifch* erwähnte Bilder in der Kirche habe ich nicht weiter beachtet.

Pago.

Die Stadt Pago auf der gleichnamigen Infel ift nicht fehr leicht zu erreichen. Sie liegt an einem Binnenfee, der die Mitte der Infel einnimmt und durch einen breiten Canal mit dem Morlakka-Canal genannten Meeresarme, an welchem Carlopago liegt, zufammenhängt. Man meidet gern den genannten Canal, als die eigentliche Heimftätte der wildeften Bora, vor der fich hier kein Schiff zu retten vermöchte. Die Bora hat den größten Theil der Infel unfruchtbar gemacht. Wenn fie wüthet, erfcheint die Luft — felbft in Pago — mit Salzftäubchen erfüllt. Von Zara aus landet man in einer Bucht, welche Caffion heißt, an der Weftfeite der Infel, wo ein Wagen wartet, der die Gäfte über ein unfagbar trauriges felfiges Terrain nach dem Binnen- (Längs-) Thal bringt, an deffen Nordende die Stadt Pago, am Südufer des großen Seebeckens liegt. Das Binnenthal ift großentheils verfumpft. In dem Keffel defelben verdampft das Waffer in der riefigen Sonnenhitze, eine natürliche Saline. Wirklich find noch von den Zeiten der Venezianer hier große Salinen errichtet.

Viele Lefer der Mittheilungen wird es intereffiren, dafs auch in Pago fich das Bedürfnis geregt hat, die dicken Stadtmauern abzubrechen. Nur unten am Waffer fteht noch ein Thurm. Hier in Pago, wo häufig contagiöfe Krankheiten herrfchen, erregt durch die Lage des Ortes, mag man es begreiflich finden, dafs man der Luft Zugang in die engen Gaffen fchuf. Beim Abreißen des Thores kam jener venezianifche Löwe in Verftoß, der als Wappenthier den venezianifchen Befitz fymbolifirte. Es ift genau diefelbe Sache wie in Arbe. Der Löwe befindet fich jetzt vergraben in dem Keller eines Bürgers. Es ift eine fchöne Bildhauerarbeit, die an das

15. Jahrhundert erinnert. Beachtenswerth ist der Nimbus um das Haupt des Wappenthieres, der sonst in Dalmatien nicht oder nur selten ihm beigegeben erscheint. Der Podestà *Nicolo Zorović* versprach mir, den Löwen aus dem Keller an eine Stelle zu bringen, wo er als Kunstwerk sichtbar und vor der Bora gesichert wäre, etwa an den Bruckenkopf. In der Gasse, welche vom Kaffeehause hinauf zum Dome führt, befindet sich ober einem Thore, das in einen viereckigen Hof führt, jenes sehr schöne Wappen, auf das ebenfalls schon die Central-Commission durch Professor *Smirich* aufmerksam gemacht worden ist. Es ist das Wappen der Familie Georgi. Das Wappenfeld enthält einen Bindenschild, das Kleinod ist ein Arm, der den Drachen tödtet (St. Georgs Arm). St. Georg ist auch als Kirchen-Patron an der Façade des Domes abgebildet. Die Helmdecke des Wappens ist prachtvoll stylisirt, je ein Engel links und rechts. Unten im Thürsturze befindet sich ein Relief: der venezianische Löwe mit Buch, in einer Landschaft mit zwei Castellen und zwei Schiffen, dann noch zwei Wappen. Die Inschrift lautet so:

PRETORE . THOMA . GEORGIO . CIVITAS . HEC .
EQVO . IVRE . FVNCTA . EST . ATRIVMQVE . HOC .
FELICIA . POSTERIS . INCREMENTA . SVSCEPIT .
MCCCCLXVII . MAII . DIE . XXV

Es ist wohl keine Frage, dafs diese Inschrift sammt Wappen eigentlich zu einer Stadt-Loggia gehörte, ähnlich wie das prachtvolle Wappen von Traù, das allgemein bekannt ist. Die Loggia von Pago aber ist verbaut worden. Das Wappen hat nur wenig Schaden gelitten und wäre, wenn die Regierung ein wenig Unterstützung hergeben möchte, leicht zu restauriren, eventuell auf den nahen Domplatz zu bringen, wo ehemals die Loggia könnte gestanden sein. Dem Dome gegenüber steht der unvollendet gelassene bischöfliche Palast auf dem fast quadratischen Hauptplatze. Hier erinnert vieles an die schaffensfreudige Zeit des 15. Jahrhunderts.

Der Dom selbst ist eine ziemlich große dreischiffige Basilica; der Façade enthält über die Fläche verstreut einige Heiligenstatuen, darunter der Kirchen-Patron St. Georg. Ueber der Domthür im Tympanon erscheint S. Maria protectrix Pagi. Der Dom würde sehr gewinnen, wenn er von den an der Nordseite angeklebten Häuschen befreit werden könnte.

Im Dome interessirt besonders ein Werk von *Paolo Veronese* 1586, das ganz an das ähnliche Bild in Arbe erinnert. Es ist ein Rosenkranzbild, das direct die Schlacht von Lepanto 1571 (7. October) verherrlicht. Da Papst Pius V. ein Dominicaner war und der Dominicaner-Orden besonders die Rosenkranzandacht pflegte und verbreitete, so ist nicht zu wundern, dafs den Dominicanern (S. Domenico) ein Ehrenplatz auf dem Bilde eingeräumt ist. Im obern Theile des Bildes ist unter Maria in Wolken ein von Engeln getragenes Tuch sichtbar, auf dem die Bilder des Rosenkranzes gemalt sind, die untere Hälfte spielt in einer weiten Gegend, in welcher viele Heilige (St. Demetrius, St. Dominicus, und hohe Würdenträger, Papst, Doge, König, Ritter und eine Königin mit drei Frauen im Gefolge beten.

Im Längsthale der Insel, südsüdwestlich von der Stadt, liegt auf einer Anhöhe das Franciscanerkloster

Terra vecchia di Pago an der Stelle, wo das alte Pago gelegen gewesen. In der ärmlichen Kirche ist ein St. Antoniusbild, das im Hintergrunde den Dom des Heiligen in Padua aufweist; gemalt von *Balthafar d. Anna* (signirt). Auf der rechten Wand der Kirche ein gutes Bild, das von einem dalmatinischen Maler stammen dürfte (etwa Girolamo di S. Croce?). Den Hochaltar, der aus dem Jahre 1779 stammen soll, hat ein Vergolder Dalmar vor vier Jahren, etwas gar zu grell, neu vergoldet.

In Pago gibt es kein Gasthaus für die wenigen Fremden, die etwa hieher kommen. Man lobte mir nicht das Restaurant Sloga, wohl aber die Gastlichkeit des Podestà Zorović oder der Familie Palčić. Im letzteren Hause wurde ich freundlichst aufgenommen.

Novaglia.

Herr Palčić jun., Studirender der Medicin an der Wiener Universität, begleitete mich nach Novaglia, das an der Nordseite der Insel liegt und einen guten Seehafen besitzt. Wir fuhren über den Binnensee, Valle oder Vallone di Caska genannt, an ein paar Capellenruinen vorüber. 2½ Stunden dauerte die Ruderfahrt. Wir landeten an der Stelle, welche die Lage der alten Stadt Gifa bezeichnet. Plinius nennt sie Giffa, sie zugleich mit Arba, Crexi und Portunata anführend (libro III° §. 140). Mächtige Mauerreste liegen im Meere. Noch ist eine Landungs-stiege im Felsen ausgehauen aus ältester Zeit erhalten und ein damit zusammenhängender ehemals geschützter Felsengang längs des Ufers, ziemlich hoch oben. Auch auf einem kleinen Vorgebirge in der Nähe, wohin wir mit der Barke fuhren, waren Reste ältester Befestigung erkennbar, kaum von Römern errichtet, eher von den als Seeräubern gefürchteten Liburnern, die in dem Vallone di Caska einen fast unerreichbaren Zufluchtsort fanden. Es heißt, dafs ein unterirdischer Gang, den wir in Novaglia beschreiten wollen, hieher nach Caska geführt habe. Leute von Caska wollen den Endpunkt bei jenen Mauertrümmern noch gekannt haben.

Die Anpflanzungen von Caska sind wie eine herrliche Oase in der Steinwüste. Ueber einen nicht hohen Rücken, auf fürchterlich steinigem und ödem Wege, kamen wir nordwärts reitend, nach Novaglia hinab, einem Dorfe, das an vortrefflicher Bucht liegt. Auch hier ist kein Gasthaus; ein Glied der Familie Palčić, welcher auch Caska gehört, nahm uns freundlich auf. Leider konnte ich mich nur mittels Dolmetsches mit den Hausbewohnern in Rapport setzen; denn niemand als der Postmeister spricht italienisch oder gar deutsch. Uebrigens kann man im Hause der Witwe Komper eben auch Kost und Unterkommen finden. Mich interessirte die Kirchenbauangelegenheit. Auf ziemlich freiem Terrain, in der Nähe alter Befestigungsbauten, befindet sich die Kirche, ist, seit der Blitz sie zerstört, gesperrt ist; alles Möbelwerk ist herausgeschafft. Der Ingenieur, Herr *Iveković*, hat den Bewohnern des Dorfes einen Plan zu einer neuen Pfarrkirche gemacht, welcher meiner Ansicht nach den Bedürfnissen der Pfarre vollkommen entspricht. Aber die Bewohner, die darauf rechnen, dafs den Löwenantheil der Baukosten doch die Regierung tragen müsse, sind mit dem Plane (ein weiter Saalraum mit Apside) nicht zufrieden, sondern

verlangen eine dreischiffige Kirche, welche ein Querschiff nicht gerade braucht. Infofern wollen fie befcheiden fein. Der Thurm foll an der Weft-Façade ftehen, unten vier-, oben achteckig. *Iveković* machte, wenn ich recht verftanden habe, die Auftellung eines neuen Planes davon abhängig, dafs die Befitzer links und rechts von der Kirche den zur Verbreiterung der Kirche nothwendigen Grund hergeben. Ich fuchte den Bewohnern einzureden, dafs der jetzige Plan des Ingenieurs Iveković ihren Verhältniffen angemeffener fei, als ein mit hohen Koften verbundener dreifchiffiger Bau mit hohem Thurm, der den Blitz ficherer in die Kirche und auf den Ort, in dem es ziemlich leicht „einzufchlagen" fcheint, herabziehen würde.

Mit Herrn Markovina, dem Poftmeifter, Agenten der Ungaro-Croata, Kaufmann u. f. w. in einer Perfon, befuchte ich jenen merkwürdigen Felfengang, welcher unterirdifch von Novaglia nach Caska geführt haben foll, jetzt aber nicht durchaus gangbar ift. Wie forgfam er gehalten worden fei, ift aus den Luftfchächten zu erfchließen, welche hie und da Luft in den Gang bringen follten. Da diefe Schächte verftopft find, ift an ein Weiterkommen nicht zu denken. Der Gang führt füdwärts, ift etwa manneshoch (mittlerer Größe), fein in den Felfen gehauen und hat unten einen forgfam gehauenen nicht fehr tiefen und breiten Canal, der alfo die Schritte nicht beirrt. Er dürfte zum Ablaufe des Waffers dienen. Ich möchte ihn für einen Verbindungsgang halten, welcher die Bewohner des Hafens fchnell in das befeftigte Gifa verfchwinden ließ, wenn etwa feindliche Schiffe nahten. Da Herrn Paléić junior abfolut keine Sage über diefen Gang bekannt geworden war, fcheint es, dafs, als die Erbauer desfelben gänzlich ausgerottet oder ausgewandert waren, der Gang alfogleich vergeffen wurde, fo dafs eine Sagenbildung gar nicht möglich war. Erft Freiherr von Steffaneo hat ihn am Anfange unferes Jahrhunderts entdeckt.

Novaglia ift wie Pago ein Fiebereneft; könnte man das Waffer der Quelle bei S. Antonio nach Novaglia leiten, fo wie das Waffer der Quelle Mirohić leicht nach Pago zu bringen wäre, würde nur irgend etwas für Canalifirung gefchehen (in Novaglia, aber auch in manchen Häufern von Pago hat man es, bedünkt mich, noch nicht bis zur Idee von Haus-Latrinen gebracht . . .), fo wäre viel für die Affanirung der beiden Orte gefchehen. Ich meine, die Regierung follte in diefer Richtung befehlend und helfend eingreifen.

Arbe.

Ueber Arbe, wohin ich mich von Pago begab, wäre viel zu fagen. Die Infel gehört geographifch mit Pago zufammen; fchon in alter Zeit war die Infel Pago politifch in zwei Theile getrennt: der nördliche Theil gehörte zu Arbe, der füdliche zur ehemals berühmten Stadt Nona auf dem dalmatinifchen Feftlande. Die langhingedehnten Wälder von Pago gehören heute noch zu Arbe. Der Förfter Belia in Arbe hat das Verdienft, diefe Wälder befonders zu pflegen, wie er es auf Pago ebenfalls thut. Denn er denkt daran, die Stadt, die er mit fchönen Anlagen verfehen hat, zu einem Sanatorium zu machen. Und mit Recht! Wie fchrecklich auch die Bora an der Oftküfte der Infel wüthet, die Weftfeite,

an welcher Arbe fich ausdehnt, ift durch das Gebirge der Oftfeite gefchützt.

Dafs auch hier die Stadtmauer, unten am Hafen, wenigftens zum großen Theile fallen mußte, hängt mit dem Begriffe einer auffitrebenden auf eine beffere Zukunft hoffenden Stadt zufammen. Dabei kam jenes Wappenthier, der fteinerne Löwe, in Bewegung, deffen Befeitigung, wie es fcheint, jener Theil der Bevölkerung wünfcht, der es gern der Vergeffenheit anheimgeben möchte, dafs jene Theile des alten Liburniens und Illyriens nicht weniger als alles, was fie an Culturreften befitzen, den Italienern verdanken. Mögen fie, die Hypernationalen, das italienifche Wefen vollends ausrotten, die Welt wird es ihnen immer wieder fagen, was Iftrien und Dalmatien den Italienern verdankt, und wenn fie es täglich leugnen. Wenn jener Löwe ehemals etwas anderes bedeutet hat, heutzutage hat er jene politifche Bedeutung verloren und ift nur ein hiftorifches Denkmal, noch dazu ein fchönes Werk.

Aber trotz ihres „nationalen Patriotismus" fcheinen die Arbefen wirklich nicht viel Local-patriotismus zu haben; ftatt ihre Sachen an Ort und Stelle zu behalten, dulden fie es, dafs werthvolle Stein-Ornamente und andere Alterthümer nach Agram in ein Mufeum gefendet werden, wo fie zu Haufen übereinander in Glasvitrinen aufgefchichtet find (weil abfolut kein Platz zu paffender Auffitellung vorhanden ift), dafs man fchwer einen Ueberblick über diefelben bekommt. Auch gehören in eine von dem Meere fo weit entfernte Stadt, in eine Stadt, die von den Benedictinern nichts weiß, Stücke nicht, welche nur in Arbe an Ort und Stelle, dort wo ehemals die Bifchofs-Refidenz und die alte Benedictiner-Kirche geftanden find, verftanden werden können. Die Ruinen des Bifchofspalaftes fammt den noch immer Achtung erweckenden wenigen Baureften der alten Bafilica neben dem Bifchofspalafte werden vom Befitzer, dem Bifchofe von Veglia, an einen Kaufmann Rismondo vermiethet. Derfelbe hat fich darin eine Gartenanlage, Hühnerhof u. f. w. gemacht, das kann er ja mit Recht thun; aber er hat auch Architekturftücke und andere Alterthümer nach Rovigno, Trieft, Zara und Agram verfchleppen laffen, wenn nicht gar, was ich nicht glauben will, felbft verkauft. Noch findet man, wo man nur die wild übereinander liegenden Bautrümmer der Bafilica entfernt und den Boden abkehrt, Mofaiken und Grabfteine oder ähnliches. Ein ganzes Arbefer Mufeum hätte an diefen Funden genug. Hier wäre ein Confervator oder Correfpondent der Central-Commiffion fehr nothwendig, hat fchon 1882 ein ruffifcher Architekt Theodor Tfchaghuin fich über die geringe Sorge beklagt, welche man in Arbe den Denkmälern angedeihen läßt, was würde er 1897 fagen?!

Der Wohlftand der Stadt hat fich — feit *Eitelberger's* Befuch — wefentlich gehoben. Wohl find manche Gaffen anfcheinend noch nicht recht bevölkert, aber fo öde, wie *Eitelberger* die Stadt gefunden, kam fie mir nicht vor. Vielleicht war fie zu meiner Zeit mehr aufgeregt als fonft, denn der Abgeordnete Dr. Trumbić hat fich feinen Wählern vorgeftellt und den Enthufiasmus der Bewohner als Lohn für feine wirklich vernünftigen Reden davongetragen (27. Auguft).

Die ehemalige Domkirche hat eine impofante Lage. Auf dem Platze davor im Pflafter befindet fich ein alter Infchriftftein, den ich nicht entziffern konnte.

Er ist sicher nicht lateinisch, wohl slavisch. Den Dom, eine dreischiffige Basilica, hat *Eitelberger* beschrieben, auch den Ciborienaltar abgebildet,[1] sowie die Chorstühle von 1445. Während ich die durch Eitelberger bekanntgemachten Reliquiarien des Domes (Christophorushaupt mit in Silber getriebenen Darstellungen, das Marquetteriekästchen) und die rheinischen Emailplatten, die dabei verwahrt werden, besah, trat Dr. Hampel von Budapest, der in Lovrana wohnte, zum Hochaltar. Seine Gemahlin bewies Verständnis für diese mittelalterliche Kunst; sie war von Kindheit bis heute in guter Schule.

Der nahebei stehende Campanile hat dem modernen Architekten des Zaratiner Domes *Jackson* als Vorbild gedient, aber nach meinem Gefühle ist das Original doch feiner als das Abbild.

In der Kirche St. Justina[2] befindet sich ein Rosenkranzbild, das sich nur wenig von dem in Pago unterscheidet; in Arbe fehlen nur die Bildchen des Rosariums. Ein Bild des heil. Joseph haben meine Begleiter, Arbesen, dem Tizian zuschreiben wollen. Ein tüchtiges italienisches Gemälde ist es jedenfalls, aber kein Tizian.

S. Francesco ist eine romanische Kirche, welche im Baue nichts besonderes aufweist, nur ein Inschriftstein in der Wand besagt, daß diese Kirche der lateranensischen Kirche dienstpflichtig war: SACRO SANC. LATER. ECCE, darunter zwei Schlüssel und Krone. In der Klosterkirche der Benedictinerinen[3] erscheint ein Bild des *Vivarini* so neu gemalt vom Restaurator, daß man Verdacht schöpft, ob das alte Original nicht völlig verschwunden sei.

Das Benedictinerkloster, welches *Eitelberger* beschreibt, war in S. Pietro in Valle, das von der Stadt durch eine Anhöhe getrennt ist. Nächsten Morgen ging ich zu dem Franciscaner-Kloster S. Euphemia, einem Bau des 15. Jahrhunderts, der aber noch Bautheile aus der Zeit enthält, da die Benedictinerkunst hier auf der Insel blühte. Aus diesem Kloster befindet sich ein Altarwerk-Fragment: *Ant. et Bartol. Vivarini fratres 1458*, seit Jahren in Wien, wo es restauriert werden soll. Ich höre, daß die Besitzer schon ungeduldig sind, was mit dem Werke geschehe oder geschehen sei. Mir fiel in der Kirche ein Bild des St. Christophorus auf, das allerdings von Vivarini sein könnte.

Zara.

Nur dasjenige soll hier über Zara gebracht werden, was die Central-Commission interessirt. Und dazu gehört vor allem das Museum. Es ist nun eine Freude zu sehen, wie gerade die antiken Funde von Nona, die hier aufgesammelt und geordnet werden, mit einemmal dem Museum von Spalato würdig sich anreihen, ja in mancher Beziehung es schon übertreffen. Zwei Jahre erst wurde gesammelt und eine großartige Menge gut erhaltener Gläser mannigfacher Form, Trichter, auch viele Stücke von Vasa murrhina, gearbeiteter Bernstein, darunter das Prachtstück: Ring mit Amor und Psyche in ronde bosse; Elfenbein; fein gearbeitete Theile eines Kästchens mit der Darstellung einer Opferscene; Goldschmuck feinste Drahtarbeit), Ohrringe, die den heute gebräuchlichen der dalmatinischen Weiber ganz ähnlich sehen, andere Ohrgehänge aus so gebogenem Golddraht, an welchem aus Fili- gran Gefäßchen hängen, so: , Nadeln in Menge, ein Ring mit Onyx (EVTYXI) . Fibeln, Spiegel, ein silbertauschirtes Tin- tengefäß von bedeutender Größe und Feinheit der Arbeit, Wasserleitungsröhren mit Stempel; VERGILIVS EVPSYCHES, Ziegel mit den Namen einer in Dalmatien öfter vorkommenden Firma u. s. w. Es wäre angezeigt, dafs die Central-Commission Herrn Correspondenten Director *Michael Glavinić* ersuchte, er möge zu, die Katalogisirung eben noch lange Zeit in Anspruch nehmen wird, weil voraussichtlich immer neue Fund-Objecte zuwachsen, einen übersichtlichen Bericht an die Central-Commission einzusenden die Güte haben.[1]

Was jenen Bogen über die Stiege des Museums anbelangt, welchen Conservator *Smirich* entfernen will, so konnte ich mich von der Ersprießlichkeit dieser Wegnahme nicht überzeugen; vielmehr erscheint ein solches Vorgehen mir, obschon ich nur ein Laie bin, direct für den Bau gefährlich. Schließlich ist jene Bifora aus der Renaissance-Zeit, zu deren Gunsten *Smirich* diese Bauveränderung wagen will, erst von ihm selbst dahin gebracht und nicht von jenem hohen Werthe, der ein solches Wagnis rechtfertigen würde. Schließlich wohin käme man, wenn man so fortfahren wollte?!

Man sagt mir hier, im griechisch-orthodoxen Kloster Krka bei Kistanje (Bez. Scardona) befinde sich ein Bild, St. Hieronymus, das einer Restauration bedürfe. Vielleicht kennt es der kais. Rath Custos *Gerisch* schon.

Das Bild von *Carpaccio* in der Franciscaner-Kirche leidet durch die Nähe des großen Fensters sehr, es bedarf dringend einer Restauration. Allein diese müßte an Ort und Stelle geschehen, aus mehreren Gründen, die hier nicht anzuführen sind. Allein wer soll eine solche große Arbeit machen? Wer bezahlen? Ueberhaupt befinden sich auch andere den Namen Carpaccio tragende Bilder in Zara (Dom) nicht in besonders gutem Zustande. Ich höre, daß das Franciscaner-Kloster auf der Insel Uglian mit Ungeduld warte, das zur Restauration nach Wien gesendete Retabelwerk zurückzuerhalten. Es scheint, als seien noch nicht die Gelder angewiesen, die Arbeit zu machen. Die Franciscaner selber haben die Mittel nicht dazu.

Wenn manche Arbeit der k. k. Statthalterei auf sich warten läßt, ist dies durch den Mangel an Arbeitskräften erklärbar. Im Bau-Departement sind seit langer Zeit zwei Stellen unbesetzt, weil keine tauglichen Competenten sich melden; wer auch mag nach Dalmatien gehen, wo er neben feinen technischen Kenntnissen auch die Kenntnis des Kroatischen, Italienischen, wohl auch des Deutschen nothwendig hat und der Dienst große physische Anstrengungen und Unbequemlichkeiten (auf Dienstreisen) fordert? Und der dalmatinische technische Nachwuchs? Wo ist er?

Nona.[2]

Die Fahrt von Zara nach Nona auf der langweiligen und durchaus nicht gut zu nennenden Straße mit

---

[1] Eine Abbildung findet sich im Kronprinzenwerke, Dalmatien.
[2] Jackson, D. etc. 1873, V, 189
[3] etc., Ges. schriftlich Schriften, Bd. IV, S. 73.

[1] Mich Glavinić ist inzwischen am 22. August 1898 gestorben.
[2] Zu Nona vergl. Prosvjeta 1895. S. 79, 80. Eitelberger, Ges. kunsthist. Schriften IV, 160—169.

fchlechten übermüdeten Pferden in nicht bequemer Kutfche gehört nicht zu den höchften Annehmlichkeiten einer Ferienreife. Aber fie wurde belohnt durch den Anblick von (erft begonnenen) Ausgrabungen, die ich in diefer Oede nicht gefucht hätte. Nona liegt nördlich von Zara am Meere, fein Hafen ift verfumpft, ringsum die Mauern ift Sumpf, ein richtiges berüchtigtes Fieber-neft. Dafs diefes Nona einmal feiner Schönheit wegen berühmt gewefen fei, möchte der jetzige Befucher kaum ahnen. Natürlich hätten wir, *Tamino* und ich, im ganzen Orte nichts zu effen bekommen, auch nicht beim Decan, der die Stelle des ehemaligen Bifchofs von Nona wenigftens markirt. Aber wir hatten es fo eingerichtet, dafs wir bald nach Mittag wieder in Zara eintrafen. Nördlich der Pfarrkirche S. Aufelmo find Refte eines römifchen Tempels etwa 1 M. 10, bis 1 M. 20 tief bloß-gelegt worden. Andere nicht unbedeutende Refte zeigte uns der Canonico Correfpondent *Zanchi*, er legte ihnen den Titel eines „Dianatempels“ bei; dann zeigte er uns ein Haus mit den Reften eines Bades und eines Mofaikbodens. Säulencapitäle, Trommelftücke finden fich hie und da neben der Straße, auch eingemauert. Hier müßte eben fyftematifch gegraben werden, der Boden würde verborgene Kunftfchätze für den Fleiß und die Obforge dankend zurückgeben. Mich interef-firte, dafs die Kirche St. Croce vollftändig reftaurirt ift. Nur fcheint man auch in Nona keine Hausdatrinen zu kennen und benützt den Raum rings um diefe Kirche zu Depofitionen menfchlichen Düngers. Es wäre gut, dafs dem ein Ende gemacht würde. Ueber die Kirche St. Croce ift genugfam in den Mittheilungen gehandelt worden. Auch hier ift die Ruine einer Benedictiner-Kirche S. Ambrogio diacono, welche Aehnlichkeit mit S. Chryfogonu in Zara hat. Es follte einmal der Benedictiner-Orden in diefen Ländern und feine Kunft gefchildert werden. Benedictiner-Nonnenklöfter gibt es hier aus alter Zeit noch ziemlich viele: Zara, Pago, Arbe u. f. w. Ganz ähnlich ift außerhalb Nona (bei Zaton) eine St. Nicolaus-Kirche gebaut, welche ebenfalls auf Betreiben der Central-Commiffion reftaurirt worden ift. Dabei befindet fich ein viereckiger Wacht-thurm, in welchen Refte römifcher Architekturen ein-gebaut find. Beide Kirchlein, welche kreuzformigen Grundrifs haben, ftehen vollftändig leer; fie wurden nur als Architektur-Denkmale ohne allen praktifchen Zweck reftaurirt; fiehe über beide Kirchlein die Zeit-fchrift: Starohrovatska prosvjeta. Knin 1895. S. 258, namentlich über dem Infchriftftein als Thürfturz: Godeslav Juppano Ch(r)isto Domo co(nfervat), an der Kirche St. Croce.

Der Beachtung werth ift der nicht umfangreiche Schatz der Pfarrkirche von Nona, befchrieben in der Zara-chriftiana von *Bianchi* 1803. Es find hier: zwei viereckige Caffetten mit Silberblech befchlagen, wie in Arbe, Zara und Cattaro mit getriebenen Darftellungen; ein Fuß-Reliquiar von 1309; ein langes fehr fchmales Reliquiar aus dem 14. Jahrhundert; eine Büchfe für Reliquien auf drei Füßen. Dr. *Jelić* hat von den hervor-ragenden Stücken Aufnahmen gemacht. Cooperator Don *Nicolò Sirotković*, welchen Director Dr. Glavinić beftens empfohlen hat, ift in der Nähe von Nona (in Zaton) ftationirt und bemüht fich, in die Wiffenfchaft der Archäologie und der Epigraphik mit Hilfe von Büchern, die er aus Zara entlehnt, einzudringen; ich

kann ihm das Zeugnis geben, dafs er mit redlichem Fleiße gefammelt habe und auf ein Verftändnis der Funde hinausarbeite. Es ift gut, ihn nicht aus dem Auge zu verlieren. Die Bauersleute finden hie und da, befonders nach Regen, ohne zu graben, Antiken; fo wurden vor einigen Tagen (alfo circa 20. Auguft 1897) in Nona ein Würfel und zwei Schiffchenfibeln gefunden, auch ein Cylinderchen aus Thon (von einem Halsbande).

Knin.

Fünf Stunden Eifenbahnfahrt bringen den Rei-fenden von Spalato nach Knin. Anfangs durch die Prachtgegend der fieben Caftelle, dann hoch hinauf über die Ruine des alten Königsfchloßes Bihać in die bergige Steinwüfte von Berkovac, die bei Drniš zurücktritt, von wo die Bahn in eine gut bebaute Ebene eintritt, um beim Städtchen Knin zu enden. Scharen von Menfchen beleben alle Straßen, die nach Drniš führen; denn heute feiern die „Griechen“ ihr Maria-himmelfahrt und ift großer Jahrmarkt in der materifch gelegenen Stadt.

Knin ift ein ganz neu ausftaffirtes Städtchen; ich vermuthe, dafs das Materiale zu diefen Häufern nicht eben neueren Datums fei, dafs manches von der Kö-nigsburg ftamme, die oben auf dem Berge thront und dem Verfalle preisgegeben ift, wenn fie nicht richtigen Befitzern zugefprochen wird. Ueber Knin fiehe Ephe-meris Bihačensis. Jaderae 1894 (Vitaliani) p. 12 sq., Prosvjeta 1896, S. 148.

Das Mufeum von Knin, deffen Vorftand P. *Marun* ift, hat Wichtigkeit, befonders für kroatifche Kunft[1]. Zwar bin ich nicht geneigt, die rohen Erzeugniffe einer die textile Provenienz zur Schau tragenden Kunft der Ornamentirung, wie fie rings um die Adria von Pavia angefangen bis tief nach Krain, bis nach Sarajevo und weit über Cattaro hinaus, aber auch in Rom und in Umbrien) fich häufig finden, kroatifch zu nennen; man könnte fie mit demfelben, ja mit mehr Recht langobar-difch nennen, da ja die langobardifchen Baumeifter (wie heutzutage die Friauler Erdarbeiter und Maurer) unter den auftrebenden Völkern germanifchen, frankifchen und flavifchen Stammes, natürlich gegen gute Entlohnung, ihre Kirchen, Königsfchlößer, Burgen und Stadtmauern bauten, bis diefe im Stande waren, die fremden Bau-leute mit eigener Kraft zu erfetzen. Das Mufeum von Knin hat eine ganz anfehnliche Menge antiker römifcher, auch kroatifcher Infchriftfteine, einige aus dem 12. Jahr-hunderte. Es fehlen nicht „prähiftorifche“ Stücke (Eifen, Abbildungen in Prosvjeta 1897, 124), aber noch anfehn-liche Exemplare von antikem Schmucke find vorhanden: Fibeln, Ringe, Ohrringe, Zwingen für die Lederriemen, gleich der Form des Riemens anconftruirt, Schwerter, ganz befonders intereffante Sporen; Münzen com-pletiren die hiftorifchen Kenntniffe (Abbildungen in „Prosvjeta“, 1895, 1896, 1897). Auch Glas wurde ge-funden, aber noch nicht das feine Millefioriglas. Das Mufeum will einige Steine der Kirche von Gradac, welche Wichtigkeit haben, acquiriren. In der Nähe wird die Bafilica S. Maria zu Biskupija ausgegraben. Berichte darüber finden fich in dem Organ der archäologifchen

[1] Man vergleiche *Starohrvatska prosvjeta*, Knin, 1895, p. 205, wo die Abbildungen einiger „langobardifcher“ und römanifcher Steintrümmer aus dem Mufeum fich finden und Angabe der Fundorte in der Umgebung von Knin: Petraska, Kuljane. Paftica von Stupovanna, n. f. w. Was dort byzantinifch ge-nannt wird, heißt bei uns romanifch.

Gesellschaft von Knin, Starohrovatska prosvjeta, Redacteur *Frano Radić*, Knin, 1895, 1896, 1897 (vgl. auch Ephemeris Bihaćen-is, p. 131, welches Organ sehr reichhaltig ist und auch wegen der Abbildungen Beachtung verdient. Leider erscheint es nur in kroatischer Sprache. P. *Marun*, der sehr verdiente Vorstand des Museums und Leiter der Ausgrabungen von Biskupija (Abbildungen von früheren Funden aus Biskupija siehe in Pro-vjeta 1895, S. 98, eine Amazonenschlachtdarstellung S. 166 u. f.), wäre von der Central Commission zu ersuchen, einen instructiven Bericht über das sichtlich wachsende Museum, sowie einen über die Grabungen in der Nähe von Knin, endlich über den Stand der Angelegenheit der Burg von Knin einzusenden.

Ueber Spalato weiß ich hier nichts Besonderes zu sagen, ich kann nur die Sachlage andeuten, dass noch immer das Museum in mehrere weit auseinander liegende, höchst unpassende Gewölbe vertheilt ist, in denen man fast gar nicht arbeiten kann. Im Museum Nr. 1 ist die ganze Wand naß, das Wasser dringt vom Dache ein. Einzelne Inschriften sind schon verdorben, nicht zu retten. Hoffentlich wird die Musealfrage bald gelöst sein.

Der Thurmbau geht sehr langsam vorwärts. Der Bauunternehmer will selbst eine bedeutende Summe verwenden und würde die Arbeit schneller fertig machen. Das Ministerium brauchte nur in Annuitäten zurückzuzahlen. Der Ingenieur *Rosegg* von der k. k. Statthalterei ist gegen die Arbeitsweise des Bauunternehmers, dass er die Quaderstücke auch dort sein behauen lasse, wo sie aufeinanderliegen; nach seiner Ansicht eine Verschwendung an Mühe, Zeit und Geld. Auch, meint er, hätten manche Säulen, welche vom Bauunternehmer durch ganz neue ersetzt worden sind, füglich noch zur Verwendung kommen können. Ich habe in diesen Fragen kein Urtheil; allein ich bin gezwungen, die Nettigkeit der Steinarbeit lobend anzuerkennen, und glaube, dass der Bauunternehmer eben nur im Sinne richtiger alter Tradition arbeitet.

Insel Meleda.

Wir landen im Porto Palazzo, einem schönen gesicherten Hafen. Die Insel hieß bei den Römern Mehta, genau so wie die Insel Malta. Ich kann mich von dem Gedanken nicht befreien, dass die Insel, welche in der Apostelgeschichte 28, 1, erwähnt ist, ebensogut Meleda wie die Insel Malta sein kann. Wenn in Malta noch heute die Tradition existirt von einem St. Pauls-Hafen, so möge man bedenken, dass Malta von alter Zeit her bis zu unsren Tagen immer gut bewohnt war, während unsere Insel Meleda schwer zugänglich, wie sie ist, fast ganz abgeschlossen vom Verkehre war und ist, dass die Bevölkerung, welche hier ist, sicher spät erst in den Besitz der Insel kam und von der Apostelgeschichte keine Kenntnis hatte, so dass eine Sagenbildung nicht stattfinden konnte. Was mich aber dazu bewegt, ist vielleicht die Stelle im Römerbriefe 15, 19, dass Paulus von Jerusalem im ganzen Umkreis bis Illyricum das Evangelium verbreitet habe. Ganz besonders aber sind es die für uber... hen Sandkipern, da eine sogleich der Apostel ... in ... i einer hantirte. Und Meleda ist überreich an diesen Vipern, Vipera ammodytus); sogleich beim ... ... ein paar Häuser, keine Ortschaft im Hafen ... ich ... einem Mädchen, das von einer Viper gebissen worden, aber durch den Förster nach

dem Impfsystem geheilt worden sei. Zudem passen die folgenden Verse der Apostelgeschichte ganz gut: die Barbaren (also sprach man nicht griechisch, aber auch nicht semitisch, wie auf Malta noch arabisch im Brauche ist) nahmen den Paulus freundlich auf. Häuser waren wohl nicht da oder zu klein: im Freien wurde Feuer gemacht, die Schiffbrüchigen konnten ihre Sachen trocknen, die Kälte war bedeutend, lauter Dinge, welche eben auf Meleda ganz gut passen. Ueberhaupt wäre nachzusehen, ob denn die Anschauungen der Dalmatiner über die apostolische Zeit in Dalmatien wirklich so a limine abzuweisen seien, wie man es zu Gunsten Italiens gewöhnlich thut. Einiges bietet *Fr. Petter*, Dalmatien, II. Theil, Gotha 1857, S. 222. Volkssage existirt also nicht. Niemand wusste uns von der großartigen Ruine, in deren Nähe wir vor Anker lagen, etwas zu sagen. *Petter* erzählt, dass unter Kaiser Septimius Severus ein reicher gelehrter Mann aus Cilicien Agesilaus Anazarbacus hier in Verbannung gelebt habe. Von ihm soll dieser Palast stammen. Die Palastruine passt nicht in die griechische, auch nicht in die römische Bauweise, eher könnte man sie für ein mittelalterliches Erzeugnis halten. Aber immer wieder komme ich auf die Frage zurück, ob nicht dieser Anabarzacus hier einen Palast erbaut habe in der Weise seiner kilikischen Heimat, und dass wir mit den Ruinen nur deshalb nichts anzufangen wissen, weil wir kilikische Bauten aus den ersten Jahrhunderten n. Chr. eben noch nicht gesehen haben.

Es war der Tag schon vorgerückt, als wir bei den am Strande befindlichen Häusern vorbei eine mit Buschwerk besetzte Höhe erstiegen, von wo ein ziemlich breiter Weg ins Innere führt zu jenem Kloster, das wir aufsuchten. Da wir keine Führer zu benöthigen meinten, verfehlten wir den richtigen Weg und wurden erst, als wir dem an einer Anhöhe uns gegenüberliegenden Dorfe ziemlich nahe gekommen waren, von freundlich uns Auskunft gebenden Leuten auf den rechten Weg gewiesen. Die Häuser sind, was wir sehen konnten, durchaus nicht ärmlich, eine Hütten, sondern einstöckige, selbst zweistöckige Bauten. Wir hatten nicht eben viel Zeit verloren, in etwas mehr als einer halben Stunde standen wir am Ufer eines reizenden Salzwassersees. Mitten auf einer Insel lag in geradezu romantisch sich repräsentirendes Kloster in prächtiger Silhouette vor unseren entzückten Blicken; rings alle (mäßigen) Höhen schön bewaldet, mitten drin der blaue See und Kähne, wie uns zur Ueberfahrt einladend, standen am Ufer bereit. Dazu breitete die schon zum Abend sich senkende Sonne einen feinen Lichtduft über Wald und See und Kloster. Und die drei Kähne trugen lauter deutsche Namen an den Planken eingeschrieben. Die Matrosen unseres Dampfers ruderten uns zum Kloster hinüber. Aber wir waren enttäuscht. S. Marco von Blatina ist längst nicht mehr von Mönchen bewohnt; ein junger ararischer Forstverwalter, Herr Julius Kitarsky, kann mit seinem ebenfalls jungen „Uebergeher" doch nur ein paar Zimmer des weiten Baues bewohnen; er lebt hier wie im Exil, kommt mit niemand in Berührung, hat bis zum Haupte der Insel Babinopolje einen mehrstündigen beschwerlichen Weg. Heute eben hatte er Fasttag, es war wirklich nichts zu essen da als Brot. Das Kloster selbst besteht nach meiner Anschauung eigentlich, wie unser österreichisches Stift Altenburg.

aus zwei Bauten, dem ſchwer zugänglichen kellerartigen alten Kloſterbau der Benedictiner, von welchem ein kleines Relief von langobardiſcher Rohheit, Chriſtus darſtellend, erhalten iſt. Die Dominicaner haben auf der Weſtſeite Mauern vorgezogen, ihnen gehört wohl das ſpärliche, was an gothiſchen Reſten erhalten iſt. Eine dritte Bauperiode zeigt ſich am Aufbau, der wohl nach einer Zerſtörung des Kloſters etwa im 17. Jahrhunderte ſtattgefunden hat. Der Kreuzgang, wie er jetzt ſteht, gehört nicht der älteſten Zeit an. Im weſtlichen Theile befindet ſich eine ganz ausgemauerte Ciſterne, zu der wohl ein gemauerter Raum des älteſten Kloſters umgeſtaltet worden iſt. Die Kirche, zu der man, wie zum Kloſter überhaupt, über eine Stiege hinaufſteigt, da ein Fels die Inſel bildet, hat wie die Kirchen von Nona eine völlig kreuzförmige Geſtalt mit einer Hochaltar-Apſide im öſtlichen Kreuzbalken. Am Portal und an den Seitenflächen iſt der Rundbogenfries mit dem Zahnſchnitt Zeuge der romaniſchen Entſtehungszeit. Der Thurm iſt ſpäter zugebaut, unorganiſch dem Baue angeſetzt. Die Kirche und das Kloſter verdienten eine genauere Aufnahme, als es mir bei flüchtigem Beſehen möglich war. Von Meſſungen war gar keine Rede; denn der Schlüſſel zur Kirche befindet ſich in jenem Dorfe, das wir geſehen haben. Nur vom Bet-Chor aus konnten wir in das Innere der nicht großen Kirche hinabſehen, auch auf jenen Inſchriftſtein im linken (nördlichen) Kreuzbalken an deſſen öſtlicher Wand, welcher beſagt, daſs der Sohn eines Königs an dieſer Stätte begraben ſei; *Petter*, II, S. 223. Im Jahre 1445 ſoll Georg, ein Sohn des Bodius, Königs von Serbien, mit ſeiner Mutter eine Wallfahrt zum Muttergottesbilde, das hier verehrt wurde, gemacht haben. Der Sohn ſtarb auf dieſer Wallfahrt und wurde hier begraben. Kein Geiſtlicher kommt hieher, nur alljährlich einmal lieſt der Pfarrer von Babinopolje die heil. Meſſe, und zwar am Patrociniums-Tage. Die Leute leben und ſterben ohne die Segnungen der katholiſchen Kirche; die Leichen bringen ſie zur Inſel, rückwärts hinter der Kirche haben ſie einen gruftartigen gemauerten Bau, den ſie öffnen, um die Leiche hineinzulegen und dann wieder ſchließen. Der k. k. Forſtverwalter hat dagegen remonſtrirt, bisher vergebens. Der Leſer wird fragen, woher der See ſein Salzwaſſer habe. Er hängt durch einen ſehr ſchmalen, ſelbſt für einen kleinen Kahn nur ſchwer paſſirbaren Kanal mit dem Meere zuſammen. Wenn irgendwer, ſo hätte das leicht, um nicht zu ſagen leichtfertig, geſchriebene Buch von *Modrich*, La Dalmazia, ſich Verdienſte um die Bekanntmachung des Auslandes mit den intereſſanteſten Theilen des Landes erwerben können, wenn Herr Modrich ſich die Mühe

genommen hätte, ſelbſt zu arbeiten, zum Beiſpiel Meleda aus der Autopſie zu beſchreiben, ſtatt S. 163 das veraltete Buch von *Petter* ſchwach zu excerpiren. In Meleda's Geſchichte wiederſpiegelt die Geſchichte von Dalmatien, eigentlich von Raguſa; auch das Culturelement der Benedictiner, das für Dalmatien charakteriſtiſch iſt, findet ſich auf der Inſel in bis in die Gegenwart ſichtbarem Einfluß; für den gut gehaltenen Wald dürften die Anfänge bis in oder vor die Benedictinerzeiten zu verlegen ſein. Gerade Meleda muß für Verfaſſungsgeſchichte der Communen Dalmatiens ganz beſonderes Intereſſe bieten, wenn ich nur das jenige betrachte, was im Archiv für Kunde öſterreichiſcher Geſchichte 1850 (über die Volksverſammlung bis Ende des Mittelalters) ſich über Meleda findet oder was *Kentz* über Verfaſſung und Rechtszuſtand der dalmatiniſchen Küſtenſtädte und Inſeln im Mittelalter (ſchon im Jahre 1841) geſchrieben hat. Aufſchlüße über Meleda wird hoffentlich Profeſſor *Geleii*, der das Archiv von Raguſa ſo grundlich kennt, geben.

Nach dem Hauptorte der Inſel, Babinopolje, kamen wir nicht. Antike Funde ſind nicht bekannt. Der Forſtmeiſter ſprach von einigen Hügeln, die im Walde ſeien und der Ausgrabung werth ſcheinen.

Wir fuhren dann in die Bucht von Stagno, mußten aber vom Dampfer in eine Barke ſteigen, denn die langhingeſtreckte Bucht iſt zu ſeicht, ſelbſt für kleine Dampfer. Zu Fuße gingen wir nach der andern Seite der Halbinſel nach *Stagno piccolo*, das man bei uns ein Dorf nennen würde; doch iſt es von hohen Mauern umgeben und gehört zu den Befeſtigungswerken dieſer ſchmälſten Stelle der Halbinſel Sabbioncello. Hoch oben, auf ſteilen Stiegen erreichbar, thront das Kirchlein von Stagno piccolo. Die Kirche bietet als Bau nichts Beachtenswerthes, am Hochaltar ein Bild St. Lucas und St. Blaſius. Am Altar links befindet ſich das Bild, welches 1897 über Anrathen des k. Rathes Cuſtos Geriſch einem der Central-Commiſſion nicht näher bekannten Maler zur Reſtauration übergeben wurde. Es iſt ein Votivbild; ein ſehr hohes Crucifix in der Mitte. St. Sebaſtian und Rochus links im Vordergrunde. Dann der Pfarrer und einige Bewohner des Ortes. Im Hintergrunde ein Palaſtbau. Signirt 1588. Die Renovirung kann Anerkennung finden. Mir ſcheint ſie zu weit zu gehen. Ich möchte jenem Maler werthvollere Bilder nicht zur Reſtauration anvertrauen. Auf dem ſüdlichen Altar befindet ſich ein byzantiniſches Madonnenbild. Deutlich trat mir in Stagno piccolo der Orient entgegen, da ich die Weiber auf kleinen Handmühlen den Hausbedarf an Mehl bereiten ſah.

Die Pfarrkirche von Meran.

Von Conſervator *Karl Atz*.

DIESER anſehnliche ſchöne gothiſche Bau in hohen weiten Räumen ausgeführt, liegt im obern Stadttheile, hart am felſigen Fuße des Küchelberges. Er verdient mit Recht jene große Aufmerkſamkeit, welche ihm alle Reiſehandbücher und andere Schriften immer wieder ſchenken. Seitdem der

alte zu klein gewordene und die ganze Kirche umgebende Friedhof mit ſeiner hohen Mauer entfernt worden iſt, macht vor anderem die Anſicht des Schiffes, von Südweſt aus ins Auge gefaſst, einen großartigen Eindruck. Daran hat die hohe Façade den größten Antheil. Dieſe wird durch zwei übereck geſtellte hohe und

ein paarmal verjüngte Strebepfeiler flankirt, woran sich auf der Südseite ein schlankes theilweise vorspringendes Rundthürmchen mit einer Wendeltreppe geschmackvoll anschließt. Zwei andere Strebepfeiler theilen die breite Wand in drei Felder, entsprechend den drei Schiffen im Innern. Nicht genau in der Mitte, sondern für den Beschauer etwas mehr nach rechts gerückt, öffnet sich das Haupt-Portal mit einer Laibung, die durch kräftige Stäbe und tief gehende Hohlkehlen gebührend ihrer Bedeutung hervorgehoben wird. Das scharf unterschnittene Kaffgesims, das wie der einfache Sockel um die ganze Kirche herumgeführt ist, erscheint über sämmtliche Eingänge als sogenanntes „Ueberschlaggesims" rechtwinklig abgebogen, hier am Haupteingange noch überdies mit einer Zinnenbekrönung geziert. Darüber breitet sich wie eine große Sonne majestätisch eine umfangreiche Fensterrose aus, ausgefüllt mit Maßwerk von reinen geometrischen Formen edler Gothik; nur am Rande des Kreises herum erscheinen Fischblasen, den übrigen Raum beleben sechs sich durchschneidende Dreiecke mit leicht gebogenen Schenkeln und mit je drei spitzigen Vierblättern weiter geziert (Abbildung in Atz, Kunstgeschichte von Tyrol). Den Mittelpunkt nimmt ein Sechseck ein, dessen Innenwände mit Spitzbogen besetzt sind. Das Dach- oder Kranzgesims des Baues läuft dann quer durch die ganze Facade und von demselben erheben sich drei übereck gestellte, nur unbedeutend aus der Mauerflucht hervortretende Pfeiler und ragen hoch über den Dachgiebel hinaus, wo sie in ihrem ganzen Umfange auftreten und mit einer vorspringenden Zinnenkrone geziert abschließen; andere verwandte Thürmchen stehen gerade auf dem Giebelgesimse und tragen zum lebendigen Abschlusse des Façaden-Giebels wesentlich bei. Diese Façadenzier kehrt zu Imst, Hall und Schwaz an den dortigen Pfarrkirchen wieder und erweckt Erinnerungen an mehrere Backsteinbauten Norddeutschlands, sowie an die Heimat des Meisters, der den Entwurf hiezu gemacht hat und wenigstens aus Süddeutschland gewesen sein dürfte. Zur Entlastung der hohen Giebelwand dieser Hauptfaçade theilen wir wie anderwärts dieselbe in noch untergeordnete Felder durch eine weitere Querleiste eingetheilt und durch tiefere Blenden belebt.

Zur Charakterisirung des Ganzen als eines reichern gothischen Baues wirkt auch die feinere Behandlung der Südseite des Schiffes unter anderem mit, nämlich durch ihre ansehnlichen Strebepfeiler, Nebenportale und Fenster. Die sechs Streben verjüngen sich dreimal, zeichnen sich an der Stirnwand des zweiten Stockwerks durch Maßwerkblenden, am dritten durch je zwei Fialen und am geschweiften Abschlusse durch eine Fiale aus. Zwei Nebeneingänge führen in das Innere. Der eine rechts zur Rechten des Beschauers schließt mit geschweiftem Bogen ab und schmückt sich durch einen geschweiften Wimberg, den auf Säulchen ruhende Fialen flankiren. Bedeutend kräftiger und reicher belaibt ist das andere Portal zur Linken, durch breite Einkehlungen und viele Stäbe hervorgehoben; in der mittelsten und breitesten Hohlkehle ziehen sich an der Bogenkrümmung auf Consolen und unter Baldachinen acht Statuetten von Heiligen herum — es sind Apostel, von denen sich sieben noch erhalten haben. Der das ganze umrahmende geschweifte Wimberg ist nach innen zu von einem Kleeblatt in Kleeblattform ausgezackten Kamme ge-

schmückt und wird von zwei aneinander gepaarten Fialen flankirt. Auch das Feld darüber hat einen Schmuck durch Maßwerkblenden erhalten. Bis auf eine wird jede Wand zwischen den Strebepfeilern von einem Fenster mit reichem Maßwerk durchbrochen. Zu gefälligerem Eindrucke trägt auch der Wechsel mit verschiedenem Materiale das seinige bei; die feineren Gesimse und das Maßwerk bestehen aus röthlichem Sandsteine, die untere Abtheilung der Strebepfeiler aus Granit, die obere aus Porphyr.

Am Abschlusse des Schiffes lehnt sich an die erste südliche Chorwand der überaus stattliche Glockenthurm an. Er hat einen einfachen Sockel, der aus einer kräftigen Fase besteht und erhebt sich mehr als Zweidritttheil seiner Gesammthöhe ohne Verjüngung empor, durch drei Gesimse in sehr schlanke Stockwerke getheilt, von welchen die zwei unteren gegen Osten und Westen mehrere schmale Lichtschlitzen haben; das Mauerwerk ist aus kleinen in parallele Fugen gelegten Porphyr-Quadern mit größeren Werkstücken auf den Ecken aufgeführt, während das dritte Stockwerk einen Verputz erhielt, weil es wahrscheinlich aus gewöhnlichem Mauerwerk besteht und etwas jünger sein dürfte, worauf auch die etwas kurz gehaltenen Schallfenster schließen lassen, da sie auch keine strengeren Formen mehr als Vielpässen im Maßwerk aufweisen.

Dasselbe gilt von der an sich sehr schönen Galerie, bestehend aus vielen Feldern, die durch Pfosten gebildet und mit Maßwerk ausgefüllt werden. Statt der betreffenden Fialen auf den Ecken tritt nur mehr glatt behauene steinerne Spitzen. Nun tritt eine bedeutende Verjüngung des hohen Baues ein, aber nicht durch ein Achteck, sondern ein verjüngtes steinernes Viereck von fast gleicher Höhe wie Breite, und dann erst geht der zugrunde gelegte Vierecksbau in ein zweistöckiges Achteck mit zwei Reihen kleinen Fenstern über. Den Uebergang vermitteln halbe übereck gestellte Vierecke, die uns in der Spät-Gothik öfter begegnen. Jede Seite des Achteckes läuft über einem Quergesims in einen geschweiften Spitzbogen aus und weiter bildet ein entsprechend geschweiftes mit Kupferplatten eingedecktes Zwiebeldach den Abschluß des Ganzen, ähnlich wie in Maria-Stiegen zu Wien, am Dome von Frankfurt u. a. O. Die ganze Höhe dieses Thurmes soll 80 M. betragen und man hielt ihn bisher für den höchsten in Tyrol, wird aber nach neueren genaueren Messungen des ebenfalls gothischen Thurmes an der Pfarrkirche von Tramin von diesem um ein paar Meter übertroffen. Da der ganze Raum um die Pfarrkirche von Meran ringsum, besonders aber in der Nähe des Thurmes, stets beschränkt gewesen sein dürfte und dieser in seiner massenhaften Anlage weit vorsprang, so daß man bei vorgeschriebenen Processionen längs den Kirchenmauern hier einen Umweg hätte machen müssen, so verwandelte der vorsichtige Baumeister den Unterbau des Glockenthurmes in eine Durchgangshalle. Unter einem einfach abgefasten breiten Spitzbogen eintretend schauen wir unter einem hochstrebenden Kreuzgewölbe mit kräftigen Rippen, die zweimal gekehlt sind und in der Mitte einen Dreiviertelstab zeigen. Diese ruhen auf Consolen, welche reiches wie streng stylisirtes Eichenlaub der Früh-Gothik auszeichnet. In der Mitte laufen die Rippen in einen runden Schlußstein zusammen. Daran bemerkt

man den Tyroler Adler in Flach-Relief und in der frühen Form, wie er vor 1271 in dem Wappenfchilde der Grafen von Tyrol vorkommt. Nachdem man die fchöne Halle durchfchritten hat, erfcheint der vornehm behandelte Chor mit feinen fieben Seiten aus dem Zehneck; jedes Feld durchbricht ein fchlankes Fenfter mit ftreng geometrifchem Maßwerke aus Drei-, Vier- und Vielpäßen und jede Ecke hat ein Strebepfeiler befetzt. Letztere fprechen gleich auf den erften Blick für das höhere Alter des ganzen Chores. Sie bilden noch faft ein Quadrat,

Fig. 1. (Meran.)

verjüngen fich wenig und ihre Abfchlagsfchrägen fallen fteil ab. Dasfelbe gilt vom Kaffgefims, das auch weder ftark vortritt noch tief unterfchnitten ift. Der Sockel, ungefähr 80 Cm. hoch, fchließt mit Wulft und Hohlkehle ab. Bemerkenswerth ift hier, dafs in der Höhe, wo der Spitzbogen der Fenfter beginnt, ein Gefims herumlauft und von den Fenftern immer wieder unterbrochen wird. Das Kranzgefims, aus einfacher Hohlkehle gebaut, trägt ein Ziegeldach von mäßiger Höhe, die man bei Betrachtung des hochftrebenden Unterbaues nicht erwartet; vielleicht beruht diefer Umftand auf einem Neubau des Dachftuhls aus einer fpätern

Zeit. Die Fenfter zeichnen fich auch durch eine reichere Gliederung vermittels zweier Hohlkehlen aus, außen herum durch einen Stab eingefafst, der hier wie in Terlan nur bis zum Anfange des Spitzbogens reicht. Bis zur Fenfterbank ift die ganze Chorwand mit Werkftücken aus Sandftein überkleidet und alle Gefimfe, Strebepfeiler und Fenfterlaibungen find aus dem nämlichen Materiale gearbeitet, nur das Kaffgefims befteht aus weißem Marmor. Diefer Chor dürfte wohl der ältefte gothifche Bau Tyrols fein (Fig. 1).[1]

Nach den bekannten Archiv-Berichten aus Tyrol von E. von Ottenthal und O. Redlich, I. B., Wien 1889, befitzen wir auch einige gefchichtliche Anhaltspunkte über die Zeit der Erbauung unferes fchönen Chores. An deffen Stelle oder vielleicht etwas mehr weftlich, wo fich das jetzige große Langhaus ausbreitet, erhob fich bereits in der romanifchen Periode eine St. Nicolaus-Capelle, welcher 1299, 23. October Bifchof Syfrid von Chur einen Ablafs verlieh und 1302, 1. Februar geftattete, dafs deren „bergfeitiger Theil" behufs Erweiterung abgetragen werde. Da diefer Bifchof bereits 1305, 31. October einen Altar zu Ehren des heil. Kreuzes und heil. Oswald einweihte, fo dürfte auch hier die Erweiterung der alten Capelle in dem Anbaue eines Seitenfchiffes beftanden haben, wie dies in Tyrol feit frühefter Zeit fo häufig der Fall war und durch viele noch erhaltene Beifpiele bewiefen werden kann. Indefs fcheint diefe Art und Weife der Vergrößerung hier nur als ein Nothbehelf für wenige Jahre betrachtet worden zu fein, denn fonft hätte der Bifchof nicht noch in dem nämlichen Jahre fogar eine Sammlung „in der Diöcefe" bewilligt. Es war fomit bereits der Neubau des Chores, wie wir ihn heute vor uns haben, befchloffen; denn im Jahre 1312 und 1358 begegnen wir wiederholtenmalen Ablafsverleihungen „für die Förderer des Baues an der St. Nicolaus-Kirche zu Meran". Im Jahre 1367 erfahren wir endlich, dafs Bifchof Peter von Chur dem Weihbifchof Burchard (eps. Lessyensis) die Zuftimmung zur Weihe des Chores und der Altäre, fowie des Friedhofes ertheilte, welche dann am 1. Januar des folgenden Jahres auch vollzogen wurde. Die weitere Verleihung eines Ablaffes vom Jahre 1370 dürfte vermuthen laffen, dafs man fchon damals zu dem Aufbau eines dem Chore entfprechenden großartigen Langhaufes Vorbereitungen getroffen hatte; nähere Daten für das kommende Jahrhundert, wo nach den Formen des Ganzen zu urtheilen eifrigft gebaut wurde, fehlen leider gänzlich noch immer bis heute; bekannt ift nur, dafs Stephan Tobler, der Steinmetz, im Jahre 1495 die Gewölbe einfetzen konnte.

Sehen wir uns nun auch das Innere diefer großartigen gothifchen Stadtpfarrkirche näher an. Es präfentirt fich als eine orientirte dreifchiffige Halle mit drei bereits gleich hohen Schiffen, welche eine Gefammtlänge von 58 M. und eine Gefammtbreite von 35 M. im Lichten haben; der dem Hauptfchiff vorgelegte Chor

[1] Reproducirt nach einer Ph tographie von B. Johannes in Meran nach eingeholter Zuftimmung der Nachfolger des obengenannten Photographen

mißt 22 M. in der Länge. Ein genaueres Breiteverhältnis zwischen dem Hauptraume und den Nebenschiffen erscheint hier nicht, da das südliche Seitenschiff 5 M. und das nördliche 6 M. breit ist. Die sechs Gewölbejoche mit Netzgewölben ruhen auf zehn Rundpfeilern und zwei aus der westlichen Abschlußwand hervortretenden Halbpfeilern. Ihre Entfernung in der Längenaxe des Baues beträgt nahezu die Hälfte der Breite des Mittelraumes und der Durchmesser 1 M. Kreisrund erscheint auch ihr 1·30 M. hoher Sockel, abschließend mit einer der attischen Basis verwandten Form, bestehend aus einer etwas tieferen Hohlkehle zwischen zwei schwachen Stäben und Plättchen. Die Stelle eines Capitäls vertritt eine Erweiterung vermittelst zweier übereinander vortretenden Hohlkehlen, über welche etwas höher die Rippenbündel sich emporschwingen. An den Wänden entsprechen den Rundpfeilern flach gegliederte und aus der Mauer nur schwach hervortretende Dienste mit vorgelegter Halbsäule, von welcher oben unvermittelt die Rippen auslaufen. Letztere sind schwach durch zwei Hohlkehlen profilirt, jedoch ziemlich stark vortretend. Die Dienste in den Nebenschiffen sitzen 1 M. unter dem ringsherum laufenden Fensterbankgesims auf Consolen, von denen eine mit Blattwerk, eine andere mit zwei nach unten gebeugten kleinen Figürchen in der Kleidung von Steinmetzen, welche wohl hier mitgearbeitet haben, geziert ist. Die Seitenschiffe schließen nicht wie sonst gewöhnlich geradlinig, sondern in schräger Linie gegen den Chor hin ab, besonders das nördliche und breitere, so daß nur rechts eine ganz schmale Fläche für einen geradlinigen Abschluß übrig bleibt. Für eine den weiten und hohen Räumen entsprechende Beleuchtung ist auf der Nord- wie Südseite durch bedeutend hohe und kürzere Langfenster, gefüllt mit lebendigem spät-gothischem Maßwerk bestens gesorgt worden.

Der Chor schließt sich nicht in derselben Axenlinie, welche das Schiff hat, diesem an, sondern neigt sich erheblich gegen Norden, wie an den Kirchen von Terlan, Bozen (Pfarrkirche) und anderen Orten. Ob hier absichtlich dies geschah, oder die wenig berechnete Richtung des früher gebauten Chores zwang, dem Langhause eine andere Axenlinie zu geben, muß heute dahingestellt bleiben. Der beschränkte Bauplatz scheint hier hart am Fuße des felsigen Küchelberges hierin ziemlich maßgebend gewesen zu sein. Beleidigend für das Auge des Beobachters erscheint nur der Umstand, daß die Verbindung zwischen Schiff und Chor durch einen profilirten sogenannten Triumphbogen nur in der Höhe des Schiffes hergestellt ist, tiefer herab aber blos eine scharfe leere Mauerkante dafür belassen wurde. Trotzdem, daß die parallel stehenden Wände des Chores keine Fenster haben, weil um der Nordseite schon ursprünglich eine Sacristei mit schönem Kreuzgewölbe und auf der Südseite der mächtige Glockenthurm angebaut wurde, so wußte der alte Meister diesen unvermeidlichen Mißstand durch die überraschende Wirkung der sieben hohen Fenster im polygonen Abschluß so trefflich hinzuziehen und festzuhalten und die gerechte Bewunderung dieser schönen 10 M. breiten Choranlage kaum förmlich abgezwungen. Die durch schön geschwungene Birnstäbe profilirten Rippen der hochstrebenden Kreuzgewölbe sitzen hoch oben auf Consolen,

die so schwach gegliedert sind, daß man sie für ein späteres Werk halten möchte, nachdem die wahrscheinlich ziemlich herabreichenden Dienste wegen der Wände der Chorstühle oder wegen hoher Altarbauten abgeschlagen worden sind, wie dies ja keine Seltenheit in den vorigen Jahrhunderten war. An den Schlußsteinen des Gewölbes findet sich unter anderen ein Christuskopf von einem Rebgewinde umgeben und eine früh-gothische zarte Madonnengestalt mit dem Kinde in weicher Kleidung und einfachem Faltenwurf. Wozu die tiefen Nischen unter dem Gesims des Chorabschlußes, 1 M. über dem Fußboden beginnend und im Stichbogen abschließend, gedient haben mögen, ließ sich bis zur Stunde nicht ermitteln. Eine reicher mit Maßwerk gezierte auf der Epistelseite ähnlich jenen zu Marburg und Cilli dürfte vielleicht als Sedile bei Hochämtern oder zur Aufstellung des Kelches, der Opferkännchen, kurz als Credenztisch bestimmt gewesen sein. Reichen Blätterschmuck zeigen vierzehn Consolen, je zwei neben jedem Fenster auf dem Kaffgesimse, von denen einige noch gut erhalten waren, um die beschädigten und fehlenden glücklich ergänzen zu können; wahrscheinlich trugen sie einstens wie heute die Figuren von Christus, Maria und der zwölf Apostel. Von einer einstigen theilweisen Bemalung konnten an den Wänden nirgends Spuren entdeckt werden, nur an der sogenannten „Heiliggeistöffnung" mitten im Gewölbe des Hauptschiffes erhielten sich vier musicirende Engel in Lebensgröße. Ein Fenster auf der Südseite des Schiffes ist mit alter Glasmalerei geschmückt, das die Spitalkirche hieher versetzt; es erscheint Maria im blauen Mantel und weiß ornamentirten rothen Kleide, das weiß gekleidete Kindlein mit dem Apfel auf dem Arm haltend, die Mondsichel unter ihren Füßen, das von üppigem Haarschmuck umgebene Haupt mit einer reichen Krone besetzt, großem Nimbus und den ganzen Körper mit einer vielflammigen Glorie majestätisch umfließen. Dann Johannes Evangelist mit dem Kelche, die eine Hand einer knienden Gestalt (wohl der Donator) schützend auf die Schulter legend; rückwärts ein Wappen, das den Kopf und Hals eines schwarzen Vogels mit spitzem Schnabel im Felde hat. Gegenüber auf der andern Seite von der heil. Jungfrau sehen wir St. Barbara mit dem Kelche, vor der, mit dem Gesichte gegen Maria gekehrt, eine Frau mit zwei Mädchen kniet, welche von der Heiligen empfohlen zu werden scheinen, wohl die Stifterin mit ihren zwei Kindern. Darüber Reste von der Verklärung Christi; der Heiland segnend mit der Weltkugel, in derselben Glorie wie unten Maria und umgeben von stylisirten Wolken, trägt rothen Mantel und violettes grüngefuttertes Kleid. Darunter eine Figur ohne Nimbus (Stifter?), ausgeführt in besonderer künstlerischer Vollendung; in einer andern Abtheilung vier nimbirte betende Heilige und die Inschrift „Hans Grienhofer a. d. 1493." Sind die einzelnen Figuren auch etwas verzeichnet, so entbehren sie nicht eines bestimmten Charakters und Ausdrucks; die Farbengebung ist vortrefflich, tief und kräftig. Beachtenswerth ist auch die Kanzel aus rothem Sandstein nach dem Vorkragesystem der Alten auf eine schwungvolle Weise an einem südlichen Gewölbepfeiler angebaut; sie wächst heraus aus demselben herauf, ähnlich wie jene in der Spital-Kirche. Ihre Brustwehr ist wie das Stiegengeländer durchbrochen und zeigt schönes

Fifchblafenmufter. Die alten Altarbilder von *Knoller:*
Maria Himmelfahrt, die Peftpatrone von *Helfenrieder*
und die Darftellung Jefu im Tempel von *Butijager,*
fowie Maria Verkündigung von *Glantfchnig* benützte
man auf fehr praktifche Weife, nämlich die oben erwähnten fenfterlofen leeren Wände des Chores zu beleben. An die Stelle eines der erneuerten Seitenaltäre
trat ein alter Flügelaltar aus St. Medarden bei Latfch
im Vintfchgau. Außen war die Weft- und Südfeite des
Schiffes unterhalb des Kaffgefimfes bis auf den Sockel
herab ganz mit Fresken aus dem 15. und 16. Jahrhundert einftens herrlich gefchmückt, wurde aber infolge der Zeit durch Uebermalung und Einfetzen von
Gedenkfteinen bis auf wenige Refte faft ganz zerftört.
Beinahe vollftändig erhalten hat fich eine ungefähr
3 M. lange Darftellung der Kreuzziehung Chrifti, eine
figurenreiche Compofition. Wir finden Chriftus auf die
Knie gefunken, wie ihm Veronica das Schweißtuch
reicht, rückwärts folgen Maria und Frauen und Johannes, voraus werden die zwei Schächer mit verbundenen Augen geführt. Hinter Chriftus, der voll Ruhe
und Ergebung erfcheint, ftürmen feine Peiniger und
Verfolger zu Pferd und zu Fuß daher, hochft leiden-
fchaftlich aufgeregt, mit Schadenfreude, Wuth und
Blutdurft; ein paar Schergen bearbeiten den Herrn in
graufamfter Weife mit ihren Mordinftrumenten. Im
Hintergrund baut fich der Calvarienberg terraffenförmig
auf, belebt von kleinen Figuren, gehetzten Thieren und
einzelnen Vorreitern. Zu oberft erfcheint links eine
mittelalterliche theilweife im Baue begriffene Stadt,
rechts ftehen bereits die drei Kreuze für die zum Tode
Verurtheilten. In der Höhe fchweben die vier Bruftbilder von vier Propheten mit fcharf gefchnittenen Ge-
fichtszügen, umhüllt von wallenden Kleidern, in den
Händen lange verfchlungene Bänder, mit Stellen befchrieben, die fich auf das Leiden Chrifti beziehen. Die
Figuren diefer großartigen Compofition find faft in
Naturgröße, reich, ja prunkhaft mitunter in der Gewandung, die Auffaffung derb und flüchtig in der Ausführung, alle lebendig in der Bewegung, das Colorit ift
kräftig und das Charakteriftifche an den einzelnen Geftalten fcharf hervorgehoben. Welchem Meifter man
diefes Bild zufchreiben follte, darüber gehen die
Meinungen weit auseinander; ob einem Schüler Schon-

gauer's oder Schäufelein's u. f. w. Auf einer Tartfche
erfcheinen die Buchftaben: M. A. Das Fehlende wurde
jüngft vom Maler *Alphons Siber* wieder erfetzt. Derfelbe ftellte auch den großen Chriftoph auf der Sud-
feite des Langhaufes in feinen markigen Zugen und
dem warmen Colorit wieder her. Sehr intereffant ift
die Bemalung der Thurmhalle; links erfcheinen einzelne
Heilige unter reichen Baldachinen, wobei fich fehr liebliche Köpfe umgeben von rundem Goldnimbus zeigen;
untenhin ein Fries mit Medaillons und ein Wappen,
das Lilien und Eifenhütchen fchmücken. Das gegen-
überliegende Wandgemälde, berühmt wegen feines
reichen einer füdlichen Flora angehörigen und beftimmt wiedergegebenen Laubwerks, zeigt zwei ernfte
Männer ohne Nimbus, der eine in faft orientalifcher
Tracht weift auf ein leeres Kreuz hin, vor dem der
andere betend erfcheint. Jedermann kommt der Inhalt
diefes Bildes räthfelhaft vor. An der unteren Umrahmung, welche aus fchattirten Maßwerkformen befteht und fomit auf die Mitte des 15. Jahrhunderts
hinweift, lieft man in fpät-gothifchen Minuskeln: fecit..
thomas wolfer.

Von Sculpturen erhielt fich ebenfalls an der füdlichen Außenfeite des Langhaufes eine kleinerne poly-
chromirte Statue des heil. Bifchofs Lucius von Chur.
Das magere ftraff aufrecht ftehende Bild trägt eine
faltenreiche weite Cafel von rother Farbe, in der
Rechten ein Buch, in der Linken den Hirtenftab und
auf dem Haupte eine noch ziemlich niedrige Mitra. Der
Heilige fteht in einer auf Tragfteinen ruhenden
Capelle, deffen zwei Abfchluß- oder Seitenwände nach
innen abgefchrägt und außen oben mit Fialen befetzt
find, innen im Giebel durch einen Kleeblattbogen und
Vierpaß darüber verbunden werden.

Seitdem die Stadtpfarrkirche von Meran der
längft bedürftigen Reftaurirung unter dem gegenwärtigen Decan Monfignore *Seb. Glatz* durch Oberbaurath
v. Schmidt und nach deffen Tode von deffen Schüler
Architect *Anton Weber* unterzogen worden ift, hat
man ihre conftructive Bedeutung erft näher kennen
gelernt und jeder Befucher erfreut fich derfelben in
ihrem neuen Feftkleide, indem faft alle Verfuche der
Erneuerung bis auf die Einzelntheile herab geglückt
find.

Die St. Michaels-Capelle zu Neuftift bei Brixen a. d. E.

Vom Confervator *Johann Deininger.*

(Mit 2 Tafeln.)

AN der Südfeite der gemauerten Umfriedung,
welche den großen Gebäude-Complex des
Auguftiner-Chorherrenftiftes Neuftift ein-
fchließt, ift, ifolirt von den dermalen beftehenden
Hauptgebäuden des Stiftes, die St. Michaels-Capelle
fituirt.

Obgleich diefes kleine Baudenkmal mit der Engelsburg in Rom keine architektonifche Aehnlichkeit befitzt, wird es wohl wegen feines unverkennbaren forti-
ficatorifchen Charakters gemeinhin „Engelsburg" genannt. Der gegenwärtige Beftand diefer Capelle zeigt

einen kleinen Centralbau, welcher aus zwei concentrifch
aneinander gegliederten Theilen befteht. Von diefen
bildet der innere Theil von kreisförmiger Grundform
mit der darunter gelegenen Krypta die eigentliche
Capelle. Der cylindrifche Raum derfelben ift mit einem
Kuppelgewölbe abgefchloffen, welches eine Laterne
trägt, deren vierfeitiges mit Zinnen bekröntes Mauerwerk fammt Spitzhelm den oberften Abfchluß des
ganzen Baues formirt (f. die Tafel).

Der Capellenraum wird gegenwärtig durch die
Kuppel-Laterne und ein am füdweftlichen Obertheile

de- cylindrifchen Mauerwerkes ausgebrochenes Fenfter erhellt.

Die Krypta ift durch ein Kreuzgewölbe, deffen maffive Gratgurten nahe am Fußboden diefes niedrigen Raumes anlaufen, überwölbt (Fig. 1).

Das Mauerwerk der 8·5 M. im Durchmeffer meffenden Capelle überragt den in Form eines Sechzehneckes angelegten äußeren Ring, der eine Lichtweite von 2·5 M. befitzt. Diefem Vorbaue ift an der Nordoftfeite ein Runderker von 3 M. äußerem Durchmeffer angegliedert, durch deffen Thüröffnung im Parterre der Zutritt zur Krypta ermöglicht wird (Fig. 2). Von

Fig. 1

letzterer führt eine Stiege an der Südoftfeite hinauf in den mit fechzehn kleinen Kreuzgewölben überdeckten Rundgang, deffen konifches Dach an die Mauer der Capelle, die ihrerfeits ein kegelförmiges Dach befitzt, anfchließt.

Der Rundgang wird dermalen durch vierzehn gekuppelte Rundbogenfenfter (das funfzehnte ift vermauert) beleuchtet.

An der Südoftfeite fteht das Gebäude durch einen Gang mit einem alten Wohnhaufe, der fich in Richtung der Stift umfriedung ausdehnt, in Verbindung. Der Wohnbau, mit theilweife vorkragenden Giebeln und Erkern, ftand ehemals als Gerichtsgebäude in Verbindung. An der Südweftfeite fteht die

St. Michaels-Capelle mit der 3 M. hohen, an mehreren Punkten mit Thorthürmen und Schießlöchern verfehenen Umfaffungsmauer derart in Verbindung, daß ein Drittel des ganzen Rundbaues außerhalb derfelben zu liegen kommt.

Der eigenartigen Situation und Grundform entfpricht auch der Aufbau diefer Capelle, welcher mit

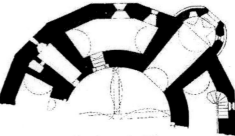

Fig. 2. (Parterre-Grundriß.)

feiner im fpät-gothifchen Stylcharakter gehaltenen Zinnenbekrönung am äußeren und inneren Mauerring an ein kleines Befeftigungswerk erinnert. Die Zinnen des äußeren Ringes find von dem runden Treppenthürmchen aus zugänglich und deren Brüftungen und Merlons nicht allein in der zu Vertheidigungszwecken

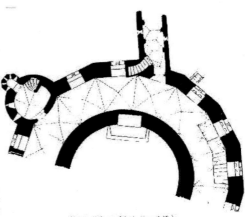

Fig. 3. (Obergefchoß-Grundriß.)

nöthigen Höhe errichtet, fondern auch mit prakticablen Schießlöchern verfehen.

Gegenüber der Eingangsthüre ift im Innern des Capellenraumes eine mit der Wand verbundene gemauerte Altarmenfa erhalten. Die weiße Marmorplatte derfelben, welche kürzer ift als die dermalige Altartifch, läßt erkennen, daß die urfprüngliche Menfa kleiner angelegt war (Fig. 3). Ueber dem Altartifche

befindet fich eine rundbogig abgefchloffene Wand-Lunette von 71 Cm. Tiefe, 172 Cm. Breite und 171 Cm. Höhe. Das Wandfeld diefer Lunette fchmückt ein intereffantes Frescogemälde (f. die beigegebene Taf. 2), welches nur geringe Befchädigungen aufweist. Seine in drei Feldern abgegränzten Darftellungen reichen nicht bis zur Menfaplatte herab und war muthmaßlich ehedem diefer nicht bemalte Theil der Lunettenwand durch eine Lichterbank aus Holz verdeckt. Die ungleichformige Abgränzung der untern Partie des Wandgemäldes, welches hier als Altarbild diente, läfst deutlich erkennen, dafs fich unter dem ca. 3 Mm. ftarken Fresco-Verputze desfelben noch ein älteres Fresco befand, von dem die noch erhaltenen über das gegenwärtige Gemälde herabreichenden Spuren einer ornamentalen Umrahmung romanifche Stylformen aufweifen.

Bemerkenswerth an dem gegenwärtigen, wohl am Ende des 15. Jahrhunderts entftandenen als fresco gemalten Triptychon ift die fchlichte kräftige Zeichnung der Madonna im Mittelfelde und der beiden Engelsköpfe über dem gemufterten Teppichbehang, welcher den Fond der Madonnenfigur bildet. Befonders kunftvoll in der Modellirung zeigt fich das Haupt des kreuztragenden Chriftus, deffen feelifcher Ausdruck von großer Wirkung ift. Das Gegenftück diefer Figur bildet jene des heil. Andreas mit dem Kreuze, am rechten Flügel.

Angefichts der mehrfachen baulichen Veränderungen, welche die St. Michaels-Capelle im Verlaufe der Zeiten erlitten hat und hinfichtlich des Umftandes, dafs der eigentliche Capellenraum feit längerer Zeit als Depot für alte Eifenbeftandtheile u. dgl. dient, ift es zu verwundern, dafs das vorerwähnte Fresco fo gut erhalten geblieben ift.

Ueber die Baugefchichte der St. Michaels-Capelle zu Neuftift muß, da urkundliche Nachrichten hierüber wenig Auffchluß geben, zumeift das Bauwerk als folches fprechen. Bei genauerer Unterfuchung bieten die heterogenen Beftandtheile diefes Gebäudes ziemlich verläfsliche Anhaltspunkte hinfichtlich ihrer Entftehungszeit, wenn fie im Zufammenhange mit der Gefchichte des Chorherrenftiftes Neuftift betrachtet werden.

Das um 1141 gegründete Chorherrenftift wurde fchon im Jahre 1190 durch Brand zerftört. Propft Conrad erbaute es in kurzer Zeit wieder und dazu eine eigene Capelle — die St. Michaels-Capelle — für das Spital, welches damals mit dem Stifte in enger Verbindung ftand, nachdem die Chorherren fich vornehmlich der Pflege fiecher und krüppelhafter Perfonen widmeten.[1] Das Emblem des Stiftswappens, welches fich ebenfowohl an den verfchiedenen Baulichkeiten des Stiftes, als auch an zahlreichen im Kreuzgange dafelbft aufgeftellten Grabmalen aus dem frühen Mittelalter bis in die neuere Zeit in übereinftimmender Art vorfindet, ftellt eine Krücke vor mit fchwach gekrümmtem Handgriff, welche am untern Stabende mit einer Eifenfpitze befchlagen ift, und erinnert folcherart an die Krankenpflege.[2]

Die vorftehende kurze Nachricht über die Entftehungszeit der St. Michaels-Capelle läfst an fich fchon

[1] Staffler, Tyrol.
[2] In Tinkhaufer's Befchreibung der Diöcefe Brixen ift die St. Michaels-Capelle nicht erwähnt. Das Emblem des Stütswappens wird dort, wohl mit Unrecht, als ein ägyptifches Kreuz bezeichnet.

vermuthen, dafs diefer Bau zunächft als Karner von kreisförmiger Grundform mit einer Gruft-Capelle (Krypta) errichtet wurde, und die Angliederung des fechzehnfeitigen Rundganges an die Capelle fpäterhin erfolgte.

In der That finden fich an der oberen Partie des cylindrifchen Mauerkörpers der Capelle, dort, wo diefer feit Erbauung des Rundganges durch deffen Bedachung verdeckt ift, an der Außenfeite noch deutliche Spuren der ehemaligen Fenfter des Capellenbaues, nämlich gegenüber der Altarnifche ein Rundfenfter von 45 Cm. Lichtweite im Durchmeffer und von 110 Cm. an der

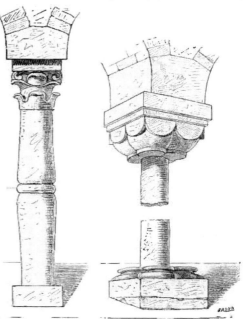

Fig. 4.   Fig. 5.

äußeren Leibungskante. Diefes Fenfter, welches nunmehr an der Innenfeite vermauert ift, war fonach über dem Capelleneingang fituirt. Ein zweites Fenfter, in gleicher Höhe vom Fußboden wie vorgenanntes, jedoch von halbkreisförmigem Abfchluß, findet fich noch in feiner äußeren Leibung von 180 Cm. Höhe und 87 Cm. Breite an der Nordfeite des Mauerringes. Die Größe und Form der Nifche, welche in fpäterer Zeit über der Altar-Lunette hergeftellt wurde, entfpricht jener des vorbenannten Fenfters und wurde vermuthlich an Stelle eines gleichartigen Fenfters mit Benützung der inneren Leibung desfelben hergeftellt. Endlich dürfte an der Südfeite, wo gegenwärtig ein großes Fenfter ausgebrochen ift, ein drittes Fenfter der vorbefchriebenen Art gewefen fein, fo dafs der ältefte Bau diefer Capelle, welcher vermuthlich nur eine Holzdecke und ein kegel-

12*

förmiges Dach befaß, von einem kleinen Rundfenſter und drei kleinen Rundbogenfenſtern erhellt war.

Aus Furcht vor den „felnöden Turkhen“ wurden in den Jahren 1470 bis 1479 die theilweiſe noch erhaltenen äußeren Ringmauern des Stiftes nebſt einigen Thorthürmen errichtet. Zur ſelben Zeit dürfte auch der offenbar fortificatoriſchen Zwecken dienliche ſechszehn-

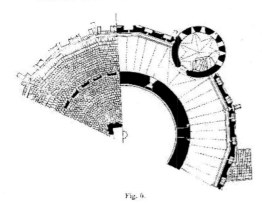

Fig. 6.

ſeitige Rundgang, jedoch ohne den erſt im 17. Jahrhundert zugefügten Treppenerker entſtanden ſein. Dadurch wurde die Capelle zu einer Art Reduit, welches mit den Vertheidigungsmauern in unmittelbarer Verbindung ſtand.

Die gegenwärtigen ſchmalen gekuppelten Bogenfenſter, welche den Rundgang erhellen, verdanken ihre eigenthümliche befremdliche Erſcheinung dem Um-

ſtande, daß man im 17. Jahrhundert, zu welcher Zeit ein weiterer Umbau vorgenommen wurde, Säulen-Capitäle früh-mittelalterlichen Styles, die offenbar noch als Reſte des älteren Stiftskreuzganges vorhanden waren, hier zur Anwendung brachte. Dieſe Capitäle, von welchen die Mehrzahl den in Fig. 4 ſkizzirten Charakter zeigen, ſind aus weißem Ratchingfter Marmor, dagegen die roh gearbeiteten Säulenſchäfte, welche in ſehr mangelhafter Art hiezu gepaſt wurden, aus Granit.

Das vereinzelt auftretende Capitäl und die Baſis in Fig. 5 waren für ein viergliedriges Säulenbündel in Verwendung und ſind hier bei einer Fenſtertheilung abſonderlicher Art durch einen Säulenſchaft verbunden.

Die dritte Bauperiode, welche ſich hier zu den bemerkten früh- und ſpat-mittelalterlichen Perioden geſellte, fällt in die zweite Halfte des 17. Jahrhunderts. In dieſer Zeit entſtanden auch der Runderker an der Nordſeite, die Einwölbung des eigentlichen Capellenraumes mit einer Kuppel und die gegenwärtige Zinnenbekrönung am inneren und äußeren Mauerring (Fig. 6).

Außer den dieſe Bauzeit verrathenden Formen der Schießlöcher an den Zinnen und den Spuren gemalter Wappen daſelbſt im Style der Spät-Renaiſſance, finden ſich in der oberſten Etage des Runderkers noch theilweiſe erhaltene Wappenmalereien ähnlicher Art, ferner die Jahreszahlen 1660 und 1688. Zwei in rother Farbe ganz flüchtig gemalte Figürchen von ca. 20 Cm. Höhe an der Innenwand des Erkers ſind im Soldatencoſtüme jener Zeit und mit Schwertern bewaffnet dargeſtellt.

Das gegenwärtige Fresco-Triptychon in der Altar-Lunette wurde vermuthlich unmittelbar nach der Erbauung des Capellenumganges (Ende des 15. Jahrhunderts) gemalt und über das vordem daſelbſt beſtandene früh-mittelalterliche Wandgemälde geſetzt, welches in der erſten Bauperiode dieſer Capelle entſtanden ſein dürfte.

Ein Votivbild der Payr von Thurn.

IN der Pfarrkirche zu *Prutz* (Ober-Innthal) in *Tyrol*, nächſte Poſtſtation oberhalb Landeck, dort wo das vom Gepatſch-Gletſcher der Oetzthaler Gruppe herabführende Kaunſer-Thal mit dem Faggenbache in das Innthal mündet,[1] befindet ſich ein intereſſantes Gemälde als Votivbild oder Grabmal, das in neueſter Zeit einer entſprechenden und gelungenen Reſtaurirung zugeführt worden iſt. In der Nähe der Kirche beſteht der Anſitz „Thurn“ (obere und untere). Er ſtammt aus dem 14. Jahrhundert. Das beſagte Gemälde hat wohl wenig Kunſtwerth, iſt dagegen von kunſthiſtoriſchem Intereſſe, daher es erhalten zu bleiben verdient.

Die 200 Cm. breite und 89 Cm. hohe Bildfläche iſt zunächſt durch einen Querbalken in zwei Zonen getheilt. Die obere ſchmälere Zone zerfällt wieder in fünf Felder mit völlig von einander getrennten bildlichen Darſtellungen. Die zwei äußerſten rechteckigen Felder rechts und links nehmen Bilder aus der Leidens-

geſchichte Chriſti ein. Links (vom Beſchauer) ſind in gebirgiger Landſchaft, in deren Hintergrund die heil. Georg, der Patron der Pfarre Prutz und des Stifters Jorg Payr, erſcheinen, Chriſtus am Kreuze und zu den Füßen deſſelben Maria, Magdalena und Johannes in der typiſchen Auffaſſung dargeſtellt. Das rechte Feld zeigt gleichfalls auf gebirgigem Hintergrunde, welcher wahrſcheinlich dem Eingange des Kaunſer Thales bei Prutz nachgebildet iſt, eine Pietà vor einem geöffneten Sarkophag. Die drei mittleren quadratiſchen Felder zeigen der Reihe nach das Wappen der Wall (eine goldene Diangularbinde im ſchwarzen Felde) und auf fliegenden Bändern die Unterſchrift „Cunigundt von Wall“ und oben die Deviſe: „Gott geb Ir gnad“, das Stammwappen der Payr (ein aufſpringendes ſchwarz auf weiß getheiltes Roß in verwechſelten Farben) mit der Unterſchrift „Georg Bair“ und der Deviſe „Gott allain die Er“, endlich das Wappen der Weinangl (ſchwarzer Hahn auf dreibühleltem grünen Berglein in goldenem Felde) mit der Unterſchrift „Eua Weinanglin“ und der

---

[1] *Staffler, die deutſche Tyrol und Vorarlberg, I. Band, S. 206 ff.*

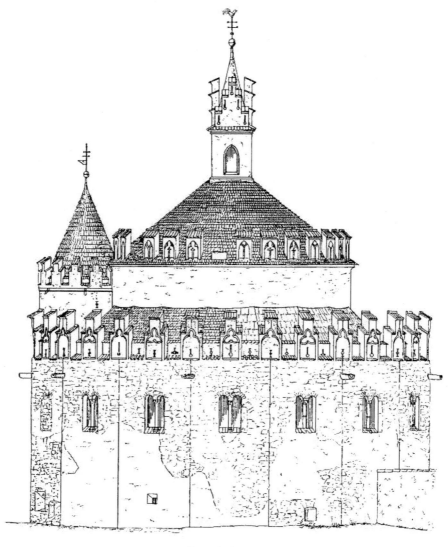

912 – 1:100.

Taf. 2

Mitth. d. k. k. Centr.-Comm. f. Kunst- u. hist. Denkm., Jahrg. 1899, S. 87.   St. Michaels-Capelle zu Kloster Neustift in Tyrol.

Devife „Zuc Gott mein Troft." Säulen mit angedeuteten korinthifchen Capitälen fchließen die einzelnen Felder von einander ab. Die Mitte der untern breitern Zone nimmt eine Tafel mit folgender Infchrift ein:

„Adi den 23 tag Manats may 1586 Jar hab ich Jörg Payr zu prutz und neben mir bede meine hauffrauen auch Kinder als die Edl Tugetfam Fraw Cunigunta von Wall Sellig mein Erfte hauffraw fo im 62 iar in got entfchlafen vnd nach folichem Irm ableben die ander Erndugetfam fraw Eua Weinanglin vnd bey Ir erzeugt elich die kinder alldiffe Hiftory vnd fyguren dem Almechtigen Gott zue lob Er vnd preiß auch mir denen Selben meinen beden Eehauffrawen vnd kinder zue Menfchlichen Gedechtnus aufrichten vnd mallen laffen Gott well den Lebentigen vnd den ab Geftorben die ewige Ruee vnd ain freliche Aufferfteung Genedigklichen Verleichen Amen."[1]

In der linken Hälfte der unteren Zone kniet der Stifter Jörg Payr mit gefalteten Händen, in denen er ein Crucifix und einen Rofenkranz hält, hinter ihm der Reihe nach immer kleiner werdend feine fieben Sohne: Adam, Jörg, Chriftian, Chriftof, Precht, Hans und der letzte, deffen Name nicht mehr zu entziffern ift, alle durch eine auffallende Familienähnlichkeit charakterifirt, die einzelnen durch die über ihren Köpfen ftehenden Namen kenntlich gemacht. Auf der andern Seite knieen des Stifters beide Frauen Kunigunde von Wall und Eva Weinangl, letztere durch einen fcharfen Zug um den Mund anfcheinend trefflich charakterifirt. Von ihren Töchtern Eva, Margarethe und Kunigunde, die merkwürdigerweife der letzteren fich gleichen, trägt Eva, vermählt mit Hans Jacob Gräffinger von Salegg, die Haube, die beiden anderen den Jungfernkranz. Rechts unten in der Ecke find zwei kleine Engelsgeftalten im Fegefeuer fichtbar: offenbar die Seelen vor der Taufe geftorbener Kinder. Den Hintergrund diefer unteren Zone bildet auf beiden Seiten ein gothiches Kreuzgewölbe, die Geftalten knieen auf niederen fcharfkantigen Schemeln.

Das Bild wurde im Auftrage der Central-Commiffion durch den Maler der k. k. Gemäldegalerie *J. Steinling* reftaurirt und im Juli d. J. an feinen urfprünglichen Auftellungsort zurückgebracht.

Die erfte und höchftwahrfcheinlich einzige Erwähnung findet das Bild in den handfchriftlich im Ferdinandeum aufbewahrten „Genealogien des tyrolifchen Adels", gefammelt durch Stephan von Mayrhofen zu Koburg und Anger, Canonicus zu Innichen und Brixen", II. Band, Nr. 13. Dort heißt es am Eingange des den „Edlen Payr von Thurn zu Prutz" gewidmeten Abfchnittes: „Prutz. Bei der rechten Seite der großen Pfarrkirch l'orte ift eine große Tafl vorhanden, auf welcher Georg Payr mit feinen beiden Haußfrauen und ihren Kindern abgemalen ftehen als:

Jörg Payr mit dem einfachen Wappen, dem Rofs
1. *Kunegund von Wall* mit Wappen: goldene Diangularbinde im fchwarzen Feld
2. *Margret Weinanglin* mit Wappen: fchwarzer Hahn im gold. Feld auf grienen Bergl ftehend

Söhne	Tochter
Adam	*Kunegund*
Jörg	*Margret*.
Chriftian	
Chriftoph	
Precht	
Hanns	

Bei einer heute nur mehr aus der localen Tradition feftzuftellenden Renovirung des Innenraumes der großen Pfarrkirche in den funfziger oder fechziger Jahren diefes Jahrhunderts wurde das Votivbild offenbar nur prov/forifch bis zur Beendigung der Arbeiten in die an die *alte* Pfarrkirche angebaute mit der Mefs-Licenz verfehene Todten-Capelle, den Begräbnisort der Familie Payr (vgl. *Tinkhaufer* Topogr.-hift.-ftatift. Befchreibung der Diöcefe Brixen, IV. Band, S. 352), übertragen und an der rechten Wand derfelben unmittelbar vor dem Eingang in die Sacriftei hart über dem Fußboden aufgehängt, wo es bis jetzt geblieben ift.

Urkundlich läßt fich über die dargeftellten Perfonen folgendes feftftellen:

Schon 1306 tritt in den Tyroler Raitbüchern Cod. 4 f. 4[1] (Reg. zur tyr. Kunftgefch. v. *Mayr-Adlwang*, Zs. d. Ferdin. 1898, S. 162) ein „Hainricus *dictus Bawarus* (= Baier, Payr), judex in Laudeck" auf, 1412 erfcheint „ulreich der payr" urkundlich in Prutz.[1] Eine im Familienbefitze befindliche Stammbaumrolle aus dem Jahre 1712 bezeichnet ihn als Gerichtsfchreiber Veits von Wähingen, Gerichtsherrn und Pflegers auf Schloß Siegmundsried. Sein Urenkel Rupprecht Payr, Richter zu Laudeck, erhielt von Kaifer Ferdinand I. Prag, 14. Juli 1544, das oben befchriebene Wappen, das fpäter, Innsbruck, 17. Februar 1605[2], von Erzherzog Maximilian dem Deutfchmeifter für die auf dem Bilde dargeftellten Söhne Jörg Payr des Aelteren einfchließlich ihrer Vettern Friedrich und Wilhelm Payr in Ried mit dem gleichfalls auf dem Bilde angebrachten Wappen ihrer Mutter Eva Weinanglin, das mit ihr als der letzten ihres Stammes erlöfchen würde, vermehrt und mit der königlichen Krone gebeffert wurde. In diefer Form wurde das Wappen auch fpäter feit 5. Juli 1631 im Adelftande geführt. 1755 kam bei der Erhebung der Brüder Franz Friedrich und Michael in den Ritterftand ein zweiter Helm mit dem Tyroler Adler zwifchen Büffelhörnern dazu.

Kunegund von Wall (häufiger Waal gefchrieben) war die letzte Sproffin des alten Rittergefchlechtes derer von Waal (*Mayrhofen*, VII. Band, Nr. 68), das 1388 fchon urkundlich in Prutz vorkommt. Mit ihr ging der „mit der Ritterfchaft verfteuernde alte Adelsfitz, der Thurn genannt", den Walter von Wall 1388 mit feiner Gattin Beatrix von Wächingen aus dem Befitze derer von Wächingen erhalten hatte, auf ihren Gatten Jörg Payr und deffen Nachkommen über, die alle von feiner zweiten Gattin Eva Weinangl aus Landeck ftammen. Von den Söhnen haben nur *Georg* und *Chriftoph* Familien begründet. Chriftoph Payr, „einer loblichen Tyrolifchen Landtfchaft Secretarius", Landfchreiber an der Etfch und Pflegsverwalter zu Altenburg", der von

[1] darnach ift abgemalter Georg Payr den 19 tag Jenuarij An 300 in Gott entfchlaffen.

Renovirt Anno 1707 *

[1] Archiv-Berichte aus Tyrol. I., S. 345.
[2] Tyroler Wappenbuch (Adels-Archiv des Minifteriums des Innern XII. Band, f. 183 180).

Erzherzog Maximilian mit dem Gnadenpfennig und von feinem Nachfolger Leopold V., dem Gemahl der Claudia von Medici „mit dem Raths Titl aus aigener bewegnus genedigift begabt" worden war, wurde mit Diplom Kaifer Ferdinands II. de dato Wien 8. Juli 1631 auf Anfuchen feines gleichnamigen Sohnes anderthalb Jahre nach feinem Tode „dieweilen die nobilitaet aus urfachen Er mein lieber Vater feelig diefelbe nit fonderbar defideriret, bei feinen Lebzeiten, nit ausgefertiget worden," in den rittermäßigen Adelftand des heil. röm. Reiches erhoben, mit der Befugnis, „fich von ihrem innehabenden altadeligen Sitz, der Thurn genannt, zu nennen und zu fchreiben". Seine beiden Sohne Franz und Jacob wurden mit ihrer Nachkommenfchaft 1678 der Tyroler Adelsmatrikel einverleibt.

Georg, mit Regina Rofchmann vermählt, hat „etlich Jahr lang zu Prutz in unferem gericht Laudeck mit berühmter angelegenheit und Eiffer das richterlich ambt getragen, fich auch in unferer Tyrolifchen Landtfchafften klainen ausfchuß bey fürgangenen Landtägen, Berathfchlagungen und fürgefallenen verrichtungen als ein von den oberen Gerichten abgeordneter, desgleichen in fürgangenen Engaduinifchen Kriegs-Läuffen, einquartierungen und durchzigen von des gemeinen

[1] Originalkoncept im Adelsarchive des Minifteriums des Innern.

weefens und des Landts woliftandes weegen mit darftröckhung leib- und guettes immerwegen embfig und fleißig gebrauchen laffen". Für diefe Verdienfte wurde er mit Diplom Erzherzog Leopolds V. de dato Innsbruck, 22. October 1631, welches von Kaifer Ferdinand II. de dato Wien, 3. October 1634 beftätigt und erweitert wurde, für fich und feine eheliche männliche Nachkommenfchaft „von der niederen obrigkheit und gemainen Pürden allerdings exempt, befreyet und privilegieret."[1]

Sein Urenkel, ein Nachkomme feiner Tochter Eva, war jener berühmte *Martin Andreas von Sterzinger zum Thurn und Siegmundsried*, Pflegsverwalter zu Laudegg, der am 1. Juli 1703 die vereinigten Schützen-Compagnien des Ober-Innthales in der Pontlatz-Schlucht unmittelbar vor Prutz zu jenem denkwürdigen Angriff auf ein das Innthal heraufziehendes bayerifch-franzöfifches Armeecorps unter General Novier führte, der für die Verdrängung des Churfürften Max Emanuel aus Tyrol entfcheidend geworden ift. Zahlreiche fromme Stiftungen in Prutz und Ried vom 16. bis ins 18. Jahrhundert, die in *Tinkhaufer's* Brixner Diocefan-Chronik verzeichnet find, haben das Andenken der Familien Payr und Sterzinger, die, durch drei Jahrhunderte aufs engfte miteinander verfchwägert, fich des größten Anfehens erfreuten, in der Gegend erhalten.   *Payr.*

Die Kirche zu Wabelsdorf in Kärnten.

Vom Confervator *Paul Gruber*.

(Mit 2 Beilagen.)

IN der von Klagenfurt nach Unter-Drauburg führenden Reichsftraße liegt, in einer Entfernung von circa zehn Minuten vom Orte Klein-Venedig, am nördlichen Gehänge das Dörflein Wabelsdorf mit der dem heil. Georg geweihten zu Tainach gehörigen Filial-Kirche, in welcher unlängft bei Anlaß einer Reparatur Wandgemälde im Chorraum aufgedeckt wurden.

Die Kirche befteht, wie aus der Grundrißdarftellung (Beilage I, Fig. 1) entnommen werden kann, aus einem mit Netzwerksgewölbe verfehenen Chor, einem Schiff aus dem Achtecke, einem Schiffe mit Holzdecke und der in jüngerer Zeit hinzugefügten Vorhalle. Letztere Zuthat ift bei vielen Landkirchen angebracht worden, um der fteigenden Anzahl der Gläubigen eine gefchützte Unterkunft während des Gottesdienftes zu bieten. Häufig wurden durch diefe Hallen die Decorationen der Kirchen-Portale verdeckt, und fo ift auch im vorliegenden Falle der obere Theil des in Stein ausgeführten gothifchen Thores durch das Gebälke und den Plafond des Vordaches dem Anblicke entzogen worden.

Das Schiff hatte bis vor kurzem eine bemalte Holzdecke, die leider wegen Vermorfchung einem gefchmacklofen ftuccatorten Oberboden platzmachen mußte, wodurch die Harmonie mit dem Chorraume wefentlich geftört wurde. Der Chorraum bildet nämlich den Glanzpunkt des kleinen Objectes und muß in feiner Urfprünglichkeit, trotz der kleinen Dimenfionen, befonders wirkungsvoll gewefen fein, da Wände, Ge-

wölbefelder und Rippen in jenen leuchtenden und doch nicht fchreienden Farben prangten, die heute noch unferem Empfinden für feierliche Ruhe fprechen. Das reiche Rippennetz des Gewölbes ift plaftifch durch die Confolen der Anlaufe und die Schilder an den Kreuzungspunkten gefchmückt. Erftere, in den Abbildungen mit *a* bis *k* bezeichnet, wiederholen fich viermal in der einfachen Form mit Pyramiden-Abfchluß und zweimal in der Geftaltung als weiblicher Kopf. Mit Spruchbändern ausgerüftet erfcheint einmal ein Engel und diefem gegenüber eine Zwerggeftalt mit unförmlichem Kopfe. Endlich find zwei Confolen mit Wappenfchildern geziert, die einmal durch einen Kopf und einmal durch einen Schildträger mit der Gefimsplatte in Vermittlung gebracht werden.

Die Rippenfchilder, und zwar die etwas größer gehaltenen I, II, III am Gewölbefcheitel, enthalten das Ofterlamm, den Pelikan und den Löwen mit Bafilisk; die kleineren mit der Bezeichnung 1 bis 13 weifen in Wiederholung zweimal Sterne und zweimal Rofetten auf, dann folgen zwei Wappenfchilder, dann Mond und Sonne und im Chorfchluße das Haupt Chrifti, umgeben mit den Symbolen der vier Evangeliften.

Von all' diefen Zieraten ift von größtem Intereffe das im Wappenfchild der Confole *k* und in dem des Rippenfchildes 8 fich wiederholende Meifterzeichen, welches dem Baukünftler angehört, der fich durch feine Thätigkeit bei der Kirche in Zeltfchach fo rühmlich

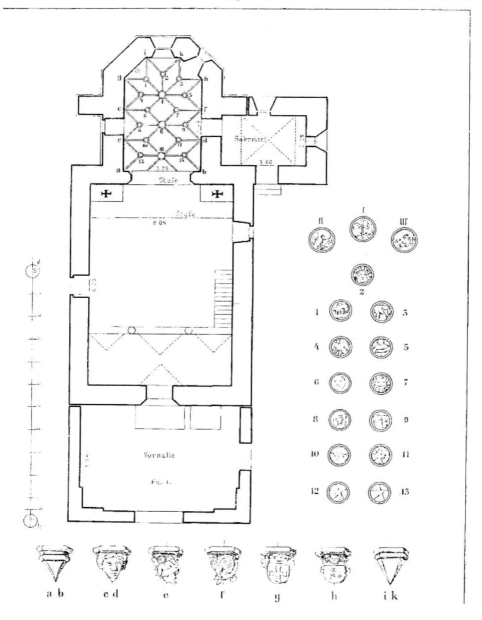

Fig. 1.

Fig. 3.

Fig. 2.

Fig. 4.

bemerkbar machte und auch hier in dem kleinen Chore fein Können zeigte.

Die nur in rohefter Weife durch Abfchaben mit der Maurerkelle blosgelegten Malerei-Fragmente laffen fchließen, daſs es fich hier um eine recht beachtenswerthe Leiſtung aus der Mitte des 16. Jahrhunderts handelt. Die dem Chorraume zugewendete Seite des Triumphbogens dürfte die Verfinnlichung des jüngſten Gerichtes enthalten. In der Mitte am Bogenfchluße iſt Chriſtus mit nacktem Oberkörper in einer Mandorla dargeſtellt. Ein um die Schultern gelegter Mantel deckt den Unterleib und die Füße. Die Stellung iſt die eines Richters. In den Bogenzwickeln iſt beiderfeits Waſſer dargeſtellt, auf welchem fich rechts in einem Schiffe eine Gruppe nackter furchtſamer Menfchen befindet, die der hölliſchen Strafe harren, da der Teufel, der darüber ſteht, bereits eine Geſtalt in feinen Krallen hält. Die nackten Einzelfiguren auf der linken Seite fcheinen mit dem Waſſer zu ringen, möglicherweife find es aber auch Auferſtehende. Die Mitteltheile zwifchen Chriſtus und den eben erwähnten Gruppen find noch vollkommen mit Tünche bedeckt, daher auch eine detaillirtere Deutung der Darftellung unmöglich iſt.

Die Seitenfelder find der Quere nach derart getheilt, daſs der obere Theil durch ein dem gothifchen Bogen entfprechendes Dreieck, der untere Theil durch ein aufrechtſtehendes Rechteck gebildet wird. Ueber die Art der Behandlung des Sockel läſst fich jetzt noch nichts entnehmen. Alle Felder find mit einer gothifchen Rankenbordure umrahmt. Von dem was bisher fichtbar iſt, wäre zu erwähnen: In dem an den Triumphbogen links anfchließenden Felde ein Ritter mit Fürſtenkrone, Nimbus und Purpurmantel, ein Spruchband haltend, vor welchem ein anderer Ritter mit entblößtem Haupte kniet. Darunter zwei bewegte Geſtalten in zeigender Stellung und eine weibliche nackte Figur, die in einem Sarge zu liegen ſcheint (Taf. II, Fig. 2).

Auf der gegenüberliegenden Wand iſt der Oberkörper einer ſtehenden Frauengeſtalt blosgelegt, die durch ein dreizeiliges Spruchband von dem bei ihr ſtehenden Manne getrennt iſt. Darunter zwei Thiere, Schweine oder dgl. (Fig. 3).

Auf allen Seiten, wo die Tunche abgeſchabt wurde, treten Figuren und Spruchbänder zutage und dürfte fich bei completer Bloslegung der Malerei namentlich ein reiches Materiale an Sprüchen und vielleicht auch etwas über die Stifter der Kirche ergeben.

Die Gewölbekappen waren mit Engelsfiguren, das Rippenwerk mit Blatt- und Blumen-Motiven gefchmuckt. Von außen iſt das Kirchlein, von der Oſtfeite gefehen, ganz reizend, wozu befonders das gemauerte Thürmchen mit feinen ſteinernen Maßwerksfenſtern und dem Steingefimfe viel beiträgt. Beigegebene Façadefkizze veranfchaulicht diefe Kirchenanficht (Fig. 4).

Die Krypta der ehemaligen Stiftskirche zu Kloſterbruck bei Znaim.

(Mit 3 Beilagen.)

I.

OSTSÜDÖSTLICH vom Znaimer Thaya-Ufer befindet fich die ehemalige Kloſterbrucker Abtei, deren Kloſtergebäude nach wiederholten Umgeſtaltungen derzeit als Caferne dient. Die Kirche iſt in ihrem Grundriſſe noch diefelbe, wie fie urfprünglich erbaut worden iſt, ein romaniſches Bauwerk. Der Aufbau aber zeigt die verfchiedenſten Metamorphofen. Man findet zum Beifpiel rechts und links im Presbyterium fchöne romanifche Details, der untere Theil der Apfide iſt romanifch, hingegen der Oberbau[1] mit fchönen gothifchen Fenſtern geziert. An der Südfeite des Schiffes findet man die Ueberreſte eines frühgothifchen Kreuzganges, und fo fetzt fich die Formveränderung bis in die neueſte Zeit fort, insbefondere aber fpielt beim Kloſtergebäude der Barockſtyl eine hervorragende Rolle.

Man ficht alfo hier, wie an allen altehrwürdigen Bauten, welche nicht einfeitig reſtaurirt worden find, klar und deutlich die Veränderung in der Formauffaffung laufender Jahrhunderte und deren Bedeutung. Die wiederholt auftretenden Gerüchte, daſs fich in Bruck eine Gruft befinde, ja die Mittheilungen älterer Leute, fie hätten während ihrer Jugend diefelbe gefehen, gab Veranlaſſung, dem Unterbaue nachzuforfchen.

Nach Einholung der Genehmigung des k. und k. Reichs-Kriegs-Miniſteriums und dank dem thätigen Entgegenkommen des k. und k. Oberſten Arthur Sprecher von Bernegg, war die gepflogene Unterfuchung der Unterräumlichkeiten der ehemaligen Kloſterbrucker Abtei von fchönem Erfolg gekrönt und die altehrwürdige Krypta aufgedeckt.

Vor Befprechung der Krypta fei im allgemeinen der alten Brucker Abtei gedacht; felbe wurde an einem der wichtigſten Haupteingänge des Znaimer Erdſtalles erbaut, einer bisher in ihrer Bedeutung und in ihrem Zwecke noch wenig aufgeklärten ungewöhnlich großen Baulichkeit.

An der Nordfeite des Kirchenfchiffes kann man durch einen im anliegenden Hofraume befindlichen Kellerraum fofort in den Erdſtall gelangen, der in Schliefgängen und Steigröhren in nördlicher Richtung weiter zieht. Südweſtlich nächſt dem Muhibache gelangt man ebenfalls in einen Laufgraben des Erdſtalles, der jedoch in einzelnen Theilen fo tief gelegen iſt, daſs man diefelben wegen des Grundwaſſers nur in trockenen Jahren zur heißen Zeit begehen kann. Der Znaimer Erdſtall — nicht zu verwechfeln mit den Waſſerleitungsgängen der fogenannten Jefuiten-Waſſerleitung — dürfte zu den größeren Erdſtallen der Umgegend zählen; nur einzelne Theile deſſelben find bekannt. So wird der Erdſtall von einem Brunnen in der oberen Allee durchfchnitten, und ebenfo gelangt man von einem in der oberen Vorſtadt (Pragerſtraße)

[1] Der aus der Mitte des 15. Jahrhunderts von Nicolaus von Edelfpitz ſtammt.

gelegenen Keller ebenfalls in eine Partie, welche in Schliefsgängen nach Süden auslauft.

Was das Alter der Abtei und hier insbefondere des Unterbaues der Kirche betrifft, fei noch folgendes bemerkt. Nach Angabe von Urkunden hatten eine Enkelin Judithas (Juditha war die Gemahlin Břetislav's von Böhmen), Maria von Wittelsbach und ihr Sohn Otto von Böhmen eine von Juditha gegründete Capelle zu einer Kirche erweitert und dazu ein Kloster erbaut, welches fie den aus dem Kloster Strahov in Prag berufenen Prämonſtratenſern übergaben (1190). Eine am 25. October 1198 ausgeftellte Urkunde Otto's von Böhmen zählt die dem Klofter geschenkten Kirchen, Capellen und Dörfer auf; von anderer Seite wird dagegen die Anschauung vertreten, dafs zuerft Geiſtliche aus dem Orden der Benedictiner berufen wurden.[1]

Die Stiftskirche foll 1200 in Gegenwart des erften Markgrafen von Mähren Wladislaw eingeweiht worden fein. Es kann fich hier jedenfalls nur um diefe erweiterte Kirche gehandelt haben.

Die von dem Architekten *Simony* über Auftrag der k. k. Central-Commiſſion angefertigten technischen Aufnahmen, welche mit größter Gewiffenhaftigkeit durchgeführt find, geben hinreichende Auffchlüße über die Art der Anlage der Klofterbrucker Krypta. Was die Verbindung mit der Kirche betrifft, fo befindet fich an der Südfeite ein Eingang, der durch ein kleines Kellergefchoß mittelft eines Ganges und eines abermaligen kleinen Vorraumes in die Krypta führt. Es dürfte diefes einer der urfprünglichen Eingänge fein. Bei einer Krypta, als einem nicht für die Allgemeinheit beftimmten Bauwerk, war der Eingang aber meift auch nach Möglichkeit geheim gehalten. Die unterhalb der Apfide befindliche Oeffnung dürfte fomit jüngerer Abkunft und öffentlicher Zugang gewefen fein.   *A. Sterz.*

II.

Zu jener Zeit, als Klofter Bruck gebaut wurde (1189—1200), war man bei Kirchenbauten von Kryptenanlagen meift abgekommen; auch hier bei Bruck findet fich keine eigentliche folche, wenigftens keine Krypta im engern Sinne, fondern es wurde hier fehr wahrfcheinlich nur eine fürftliche Grabftätte für Mitglieder der Herrfcherfamilie des Landes errichtet. Diefe Gruft war im Laufe der Zeit in Vergeffenheit gerathen und erft 1897 wurde fie wieder aufgedeckt, durch den Fachfchuldirector *Sterz* in Znaim unterfucht und fodann im Auftrage der k. k. Central-Commiſſion als ein intereffantes archäologisches Object durch den Architekten *Simony* forgfältig aufgenommen.

Die verhältnismäßig reich ausgeftattete Gruft liegt ziemlich tief und wird daher auch durch kein Fenfter erhellt; wegen diefer Tieflage war es nicht nöthig, den

[1] Die erfte Periode der Benedictiner zählte vom 6. bis inclufive 11. Jahrhundert; in der zweiten Periode, 9. bis 12. Jahrhundert, wurde die Regel des hl. Braeli allen übennüthern Mönchen vorgefchrieben; die Mönche vom u. den Orden der erſten Niederlaffung Prémontre bei Laon waren, wurde von H. v. 11. am 11. Februar 1725 die Beftätigung zutheil, zu einer Zeit, als die Bei Freie Niederlaffung u befaßen.

Kirchenchor höher zu halten, wie dies bei an anderen Kirchenbauten vorkommenden Kryptenanlagen fein mußte. Die Gruft der Brucker Klöfterkirche, zum großen Theile unter dem Presbyterium der Kirche fich ausdehnend, war nicht nur vom Kirchen-Inneren, fondern von außen her durch entfernt abliegende fchmale und finftere Gänge zugängig, die bis unter die Kirche führten. Vom Kirchen-Inneren felbft ging wohl einft ein Abftieg, und zwar vom füdlichen Schiffe her in die Gruft herab, da dort ein mit Halbfäulen und Würfel-Capitälen gefchmücktes Thürgewände vorfindlich ift. Der Gruftbau fteht mit dem Kirchenbaue in keinerlei organifchem Zufammenhange. Die Gruft ift wefentlich fchmäler als der Chorbau der Kirche (f. Taf. I, Grundrifs), denn diefer hat 10·34 M. Breite und 16·12 M. Länge, während die Fürftengruft nur 6·32 M. breit, dagegen 28 M. lang ift; fchmäler als das Presbyterium ift fie dagegen weit länger als diefes und reicht bedeutend unter das Mittelfchiff der Kirche hinein. Die Umfaffungsmauern der Gruft fallen nicht mit jenen des Chor- und Schiffbaues zufammen; die Längenmauern der Gruft find 2·30 M. ftark, während die öftliche halbrunde Abfchlußmauer nur 1·90 M. Mauerftärke hat.

Gruft und Kirche wurden daher nicht gleichzeitig und auch nicht in übereinftimmender Folge errichtet; wahrfcheinlich wurde während des Gruftbaues die Herftellung einer größern als urfprünglich beftimmten Kirche befchloffen, die Gruftanlage daher eingebaut. Weftlich hat die Gruft einen nahezu quadratifchen Vorraum, an den fich die eigentliche oftwärts halbrund gehaltene Grufthalle anfchließt; fieben (jetzt nur fechs) eingeftellte Pfeiler theilen die Halle in zwei Schiffe (f. Taf. I, Längenfchnitt); der Vorraum hat 6·80 M., die eigentliche Halle (ohne den halbkreisförmigen Chorabfchluß) 16·80 M. Länge, der Gruftbau erreicht daher eine Gefammtlänge von 28 M. bei einer Breite von 6·32 M.; die Höhe fteigt, in der Richtung von Weften nach Often, allmählig von 2·70 M. bis 4·20 M. an.

Die einfachen etwas überhöhten Bruchftein-Kreuzgewölbe werden von halbkreisförmigen Längs- und Quergurten getragen.

Wie eben erwähnt, hatte der Gruftbau ehedem fieben axialgeftellte Pfeiler; deffen letzter oftfeitig gefteller beim Umbaue des romanifchen in einen gothifchen Chor entfernt wurde; an deffen Stelle wurde ein Segmentbogen eingefetzt, um die gothifche Wölbung zu tragen.

Von großem Intereffe find die Pfeiler, refpective Säulen, welche, wie aus der trefflichen Aufnahme in Tafel II erhellt, mannigfache und höchft eigenartige und zierliche Geftaltungen an Bafis, Schaft, Capitäl und zum Theile Kämpfer zeigen. Die Höhe der gedrungen gehaltenen Säulen fchwankt zwifchen 1·23 bis 1·45 M.; die Schafthöhe geht fogar bis 48 Cm. herab. Die Capitälhöhe variirt zwifchen 10, 25 bis 48 Cm. Die zwei vorhandenen Rundfäulen haben 30 Cm., vier polygonale Pfeiler 40 bis 44 Cm. Durchmeffer, f. Tafel III (Fig. 3 bis 8).   *Prokop.*

Notizen.

Durch unſeren alten Berichterftatter *Franz Perna*, Oberlehrer a. D. in Watfch, erhielten wir den

Beleg für eine hier bisher nicht bekannt gewefene römifche Gräberftätte. Die Fundftelle liegt beim Dorfe

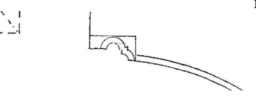

Taf. I.

Klosterbruck, Krypta.

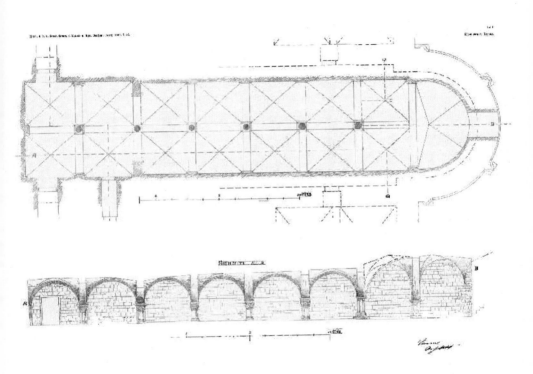

Mitth. d. k. k. Centr.-Comm. f. Kunst- u. hist. Denkm., Jahrg. 1899, S. 92.　　　Klosterbruck. Krypta.

Fig 4.   Fig. 8.   Fig 3.

Fig 7.   Fig. 5.   Fig 6.

Borje, Pfarre Mariathal, Gerichtsbezirk Littai in Krain. Die eingefendeten Funde find:

Ein As des Kaifers Hadrian; zwei wohl erhaltene eingliedrige Spiralrollenfibeln mit Sehnenhaken und einfachem Fußrahmen (fiehe Abbildung 1), Länge 11·5 Cm.; zwei ähnliche kleinere Fibeln in einzelnen Bruchftücken und ein flaches Schälchen aus rothem Thon, mit glänzender leider ftark abgefcheuerter Firnisfchichte, unverziert (Pfeudo-terra sigillata, fiehe Abbildung 2), Durchmeffer 9·2 Cm., Höhe 2·9 Cm.

J. Szombathy.

60. Im April des Jahres 1898 kam von Seite der k. k. Bezirkshauptmannfchaft zu *St. Veit* an die k. k. Central-Commiffion die Mittheilung, dafs beim Stein-

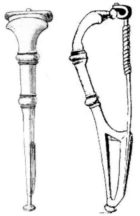

Fig. 1. (Borje.)

brechen auf einem Acker am füdlichen Abhange des Kreugerberges unterhalb des Kreuger Schloßes drei alte Grabftätten gefunden wurden; fie liegen auf einer

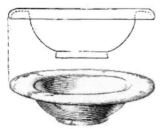

Fig. 2. (Borje.)

fteilen Berglehne und find ca. 15 Schritte von einander entfernt, mit einer Tiefe von ca. 50 Cm. Zwei der Steinkiftengräber find aus rohen faft unbearbeiteten Steinplatten zufammengefetzt. Das dritte Grab befteht

aus regelmäßig behauenen Steinplatten in Sarkophag-form mit einer einfachen minder regelmäßig behauenen Deckplatte. In allen drei Gräbern wurden Refte menfchlicher Skelette gefunden. Die gut erhaltenen Schädel haben den Typus der Dolichokephalen. Spuren von Infchriften wurden nicht conftatirt, dagegen zwei oxydirte Eifenringe.

61. Die Direction der priv. öfterr.-ung. Staats-Eifenbahngefellfchaft hat der Central-Commiffion unterm 26. October 1898 mitgetheilt, dafs bei der Ab-grabung behufs Erweiterung der Station Poričan der Eifenbahnlinie Brünn—Prag einige prähiftorifche Funde gemacht wurden; darunter erfcheinen hervorhebens-werth: ein größeres Buckelarmband (gebrochen), ein gut erhaltenes kleines Flacharmband, drei Stecknadeln mit verziertem Knopfe (gebrochen) und ein einfacher Fingerring.

62. An die Central-Commiffion gelangte ein Reife-bericht eines Lehrers, Herrn *Jofeph Vluka* in Wien, zur Kenntnisnahme. Das Ergebnis diefer in ungewöhn-lich weitem Umfange unternommenen Forfchungen auf prähiftorifchem, ethnographifchem und hiftorifchem Gebiete ift nach jeder Richtung ein äußerft dürftiges. Was die Prähiftorik betrifft, fo befteht felbe nur in der Bekanntgabe eines im Frühjahre 1898 in *Branka* bei *Troppau* gemachten bronzezeitlichen Depotfundes: drei Sicheln, zwei Palftäbe, zwei Ringe und eine Lanzenfpitze. Ein zweiter Fund beftand aus der Hälfte eines Steinhammers. Gleich fchwach find die Fund-ergebniffe nach den anderen Richtungen.

63. *Die Urnengräber von Welsberg im Pufter-thale* II (Fortfetzung von Seite 72 des XXIV. Bandes, Notiz 2).

Zuvörderft wurde an der füdweftlichen Ecke neuerdings eine alte 1 M. ftarke, aus Findlingsfteinen und Mörtel hergeftellte Grundmauer blosgelegt, in der einige Scherben einer römifchen Amphora eingebettet lagen.

Außerhalb diefer Mauer nach Südweften fand man in der Tiefe von 0·5 M. ein menfchliches Skelet in liegender Stellung, deffen Knochen, namentlich der Schädel, gut erhalten waren. Letzterer wurde behufs Unterfuchung an Hofrath Profeffor *Toldt* nach Wien gefendet.

Außer mehreren Scherben eines fehr großen Ge-fäßes fand man an der Nordweftecke am 16. April in der Tiefe von 2·30 M. eine ziemlich gut erhaltene Urne mit einem Wulft nach Art einer Schnur unter dem Halfe, größter Durchmeffer = 24 Cm., Höhe (fo weit erhalten) = 22 Cm., der Halsrand fehlt, und eine zweite (14) in zerbrochenem Zuftande (vier Tage fpäter) in der fchon im November vorigen Jahres auf-gedeckten Gräberreihe. An der Wandung der großen und bauchigen Urne waren mehrere fpitze Warzen. Im Innern fand fich ein ebenfalls zertrümmertes kleines Bei-gefäß, ungehenkelt mit engem Halfe. Von diefer 1·10 M. entfernt nach Often wurde am 20. April v. J. eine weitere Urnenreihe (15 bis 18) in meiner Anwefenheit aus-gegraben. Herr Notar *von Lachmüller* hatte nämlich die Güte, fowohl Herrn Profeffor Dr. *von Wiefer*, Vor-ftand des Ferdinandeums in Innsbruck, als mich tele-

graphifch von dem Funde neuer Urnen zu benach-
richten und fo verfügte ich mich am 20. April nach
Welsberg, wo ich Herrn Profeffor Dr. von Wiefer
bereits in voller Thätigkeit traf. Am Vormittag wurde
unter feiner bewährten Leitung und thätigen Mithilfe
die oben angeführte, jedoch ftark befchädigte Urne
(14) ausgegraben, am Nachmittag kamen die Urnen
15, 16, 17, 18 in der Tiefe von 2·10 M. zum Vorfchein.

Urne 15 war befonders fchwierig auszuheben, weil
fie fehr groß und auf einer Seite bereits eingedrückt
war. Der Breitendurchmeffer derfelben beträgt in der
ftarkften Ausbauchung 26 Cm., die Höhe der Urne
22 Cm. Unter dem Halfe waren vier flache Quer-
zapfen. Sie ftand auf einer Bodenplatte und war mit
einem flachen Deckftein zugedeckt. In der Urne und
um diefelbe war Knochenbrand. In der Entfernung von
2 M. von diefer war die Buckelurne 16 in ftark ver-
letztem Zuftande und umgeben von in Branderde befindlichen Theilchen von Kinderknochen gefunden.

In derfelben Reihe, 1·20 M. entfernt von der letzt-
erwähnten, ftand Urne 17 mit einem Durchmeffer von
ungefähr 30 Cm. Sie hatte wenig Brand und war ebenfalls fehr fchadhaft.

Die Urne 18 war ein einhenkeliges Gefäß (Höhe
= 12 Cm.) und mit Deckftein und viereckiger Bodenplatte verfehen und ebenfo wie die vorigen in Knochenbrand gebettet.

Am folgenden Tage, 21. April, wurde von Profeffor Dr. von Wiefer nach deffen gütiger Mittheilung
wieder in einer Entfernung von 1·10 M. nach Often
nochmals eine Gräberreihe aufgedeckt, wovon 19 ein
kleines ungehenkeltes Gefäß mit Schnür-Ornament und
vier querzapfenförmigen Erhöhungen, Höhe etwa
14 Cm., ganz kleine kindliche Knochen, 20 und 21 nur
Knochenbrand ohne Urnen, 22 eine zerdrückte Urne,
23 und 24 nur Boden-Fragmente von Urnen enthielten.

Knapp neben der letzten Urnenreihe kam eine
Mörtelgrundmauer zum Vorfchein.

Zu bemerken ift noch, dafs die alte Reichsftraße
ganz nahe an diefem Grundftücke gelegen war, feit
1882 wurde derfelben eine andere Richtung gegeben.
Im Ganzen find fomit auf einem etwa 450 Q.-M. großen
Felde einer zwifchen der Straße und einem Hügel-
rücken befindlichen ebenen Fläche ungefähr 24 Urnen
ausgegraben worden und es dürfte aus der Gefagten
wohl der Schluß gerechtfertigt fein, dafs wir es in
Welsberg mit vorgefchichtlichen aus Brandgräbern
herrührenden Afchenurnen zu thun haben. Nebft
Branderde enthielten fie Afche und Knochentheilchen.
Beigaben von Geräthen, Schmuck, Waffen u. a. fehlten
gänzlich.

Diefe vorgefchichtliche Anfiedlung fcheint von
einem fehr armlichen Volke beftanden zu haben, was aus
der Befchaffenheit der zumeift rohen und fchmucklofen
Thongefäße, dem Fehlen jedweder Beigaben und befonders daraus erhellt, dafs manchmal nur der Knochenbrand ohne Urne der Erde übergeben worden ift.

Auch kamen bis jetzt mit einer einzigen Ausnahme nur Hauptgefäße ohne Neben- oder Beigefäße
zum Vorfchein. Diefen Luxus fcheint fich das vorgefchichtliche Volk von Weisberg nur ausnahmsweife
geftattet zu haben. Der römifche Mühlftein und die
Fragmente der Amphora entftammen vielleicht einem

an diefer Stelle einft gelegenen römifchen Wohnhaufe,
von dem die oben angeführten Grundmauern möglicherweife ein Reft waren. Die zwei menfchlichen
Skelette find mit dem Urnenfelde fchwerlich in Zufammenhang zu bringen, fondern dürften einer viel
fpäteren Zeit, vielleicht der Neuzeit angehören.

Wenn wir abfehen von den Kämpfen des Baju-
varen Herzogs Garibald II. gegen die Wenden im
7. Jahrhunderte, die mit der Niederlage letzterer auf
dem Toblacher Felde endeten, fo haben Ende des
vorigen und anfangs diefes Jahrhunderts im Pufterthal
wiederholt Kämpfe gegen die Franzofen ftattgefunden,
und es könnten die hier Gefallenen auf diefem Felde
ihre Ruheftätte gefunden haben.   Dr. *Mazegger*.

64. Im Jahre 1894 auf 1895 hat der damalige
Canonicus, hochw. Herr U. Gollmajer, den bei der
Pfarrkirche in *Tomaj* befindlichen Tabor wegen Errichtung eines Schulgebäudes abgraben laffen, wobei
mehrere archäologifche Funde gemacht wurden. Unter
anderem Scherben von irdenen Gefäßen, eigenthümliche getüpfelte Torcheres (töpferifche Ringe), ein Parr
bronzene Armfpangen und Ohrringe, welche Gegenftände durch Director C. *Puschi* für das Antiquitäten-
Mufeum in Trieft erworben wurden. Nach der Anficht
Marchefetti's hätten diefe Ohrringe fpecififch flavifchen
Typus und wären den jetzt in Dalmatien gebräuchlichen ähnlich. Die bei diefer Gelegenheit gefundene
eiferne Pflugfchar bewahrt dagegen die archäologifche
Abtheilung des naturwiffenfchaftlichen Mufeums der
Stadt Trieft. Die Torcheres follen aus dem 5. Jahrhundert v. Chr. ftammen. Dort, wo gegraben wurde,
ftand eine verlaffene Capelle, St. Pauli; es fcheint herum
eine Begräbnisftätte gewefen zu fein, da man mehrere
Skelette mit gut erhaltenen Schädeln gefunden hat, die
als fpharoidal-dolichocephal beftimmt wurden.

Dr. *L. Karl Mofer*, Correfpondent.

65. Im Auftrage der Central-Commiffion unter-
nahmen die Gefertigten zwifchen dem 3. und 25. September v. J. eine archäologifche Bereifung des Herzog-
thums *Krain* und erftatten hiemit einen vorläufigen
Bericht über die Ergebniffe derfelben.

In Gemäßheit der Abficht der Central - Commiffion, für eine künftige Kunft-Topographie der öfterreichifchen Länder den Grund zu legen, zogen die
Gefertigten alle wie immer befchaffenen Refte aus der
römifchen Epoche Krains in den Bereich ihrer Beob-
achtung und widmeten auch den im Lande felbft befindlichen öffentlichen und privaten Sammlungen von
Antiquitäten gebürende Aufmerkfamkeit. Ueberall, wo
es thunlich fchien, fuchten fie Beziehungen mit den
localen Autoritäten anzuknüpfen oder zu erneuern und
auch auf die Landleute belehrend einzuwirken, um
dadurch die Denkmalpflege im Lande nach ihrem befcheidenen Können zu fördern.

Die Zeit vom 5. bis 15. September wurde der
Begehung der römifchen Militärftraße Emona-Neviodu-
num-Siscia, foweit fie in das Gebiet des heutigen Krain
fällt, gewidmet. Dazu wurde dem erhaltenen Auftrage
gemäß auch *Bartholomäus Pečnik* verwendet, der
theils felbftändig, theils mit Heranziehung einheimifcher
Führer bei der Ausforfchung der Straßenrefte mit

gutem Erfolge behilflich war. Die Autopfie forderte namentlich in der Gegend zwifchen Weixelburg und Großlup, welche als muthmaßliches Gränzgebiet zwifchen dem erweiterten Italien des 2. Jahrhunderts n. Chr. und Pannonien von hoher Bedeutung erfcheint, ferner in der Gegend von Treffen (Praetorium Latobicorum) und Rudolfswert, aber auch an anderen Stellen Ergebniffe zutage, durch welche die bisherigen Anfichten über den Verlauf der Straße erheblich modificirt werden dürften. Befondere Aufmerkfamkeit wurde hiebei den zum Theile noch erhaltenen, meift anepigraphen Meilenfteinen der Straße und ihren Fundorten zugewendet. Die Straße felbft war faft allenthalben, namentlich in Waldgegenden, in ihren Spuren deutlich erkennbar; ihr Bau aber war faft überall arg zerftört, da er den Einheimifchen als ergiebige Schottergrube dient.

Anläfslich der Recognoscirung der Straße wurden auch die Ruinenftätten von Drnovo bei Gurkfeld (Neviodunum) und von Groblje bei St. Bartholomä (im Bezirke Gurkfeld) befichtigt. Bei Neviodunum, wo die Gefertigten ein paar hübfche Sculpturftücke für das Laibacher Mufeum erwarben, ift das ausgedehnte Gräberfeld im Weften und Often der Stadt gelegentlich der feinerzeitigen Grabungen für das Laibacher Mufeum, da eine genaue Fundaufnahme unterblieb, bedauerlicherweife für immer zerftört worden. Ziemlich intact fcheint dagegen die eigentliche Niederlaffung mit den deutlich erkennbaren Reften größerer, wohl öffentlicher Bauten, wie auch kleinerer Wohnhäufer geblieben zu fein. In Groblje, welches an einer Vicinalftraße füdlich von der römifchen Militärftraße giegen ift und fchon aus diefem Grunde mit dem an der Hauptftraße liegenden Crucium der Tab. Peut. nicht identifch fein kann, treten die noch nicht erforfchten Ueberrefte eines bisher noch nicht zu benennenden römifchen Vicus mit bedeutenden und luxuriös ausgeftatteten Gebäuden zutage. Eine fyftematifche Ausgrabung und fachmännifche Aufnahme der Ueberrefte zu Drnovo und zu Groblje, die den Intentionen der Central-Commiffion entfprechend nicht allein darauf bedacht wäre, den Mufeen eine Reihe von Fundftücken zuzuführen, verfpräche nach allen Richtungen reichhaltige Ausbeute, namentlich die Löfung intereffanter topographifcher Fragen, und wäre dringend zu wünfchen.

Zur Ergänzung des Bildes, welches die Straße bot, wurden überall auch Berichte Pečnik's und zuverläffiger Einheimifcher über römifche Funde gefammelt, fowie durch Premerftein alle erreichbaren infchriftlichen und plaftifchen Denkmäler befichtigt. Von den meift derfelben wurden Abklatfche und Graphit-Durchreibungen genommen. Von den bereits im III. Bande des Corpus, beziehungsweife im Supplement und dem im Drucke befindlichen Auctarium dazu aufgenommenen Infchriften wurden revidirt die Steine von Gatina bei Großlupp, Žalna bei Weixelburg, Treffen, Stara Vas bei Rudolfswert, Malence, Hafelbach, Senovše, St. Lorenz bei Gurkfeld. Am letzten Orte fand fich C. III Supplement 13406, welches fich als Grabfchrift eines a barbaris, alfo wahrfcheinlich von den zur Zeit M. Aurel's nach Italien durchziehenden Markomannen getödteten Mannes herausftellte, fowie eine noch uneditte Votiv Ara an Jupiter, von einem Sclaven [The]opom-

pus für das Wohlergehen feiner Herren, Latinianus und Moderatilla, gefetzt. In den meiften Fällen konnte die Lefung des Corpus wefentlich berichtigt, zum Theile neu hergeftellt werden. Die Infchrift C. III Supplement 10790 mit numini invicti dei wurde aus der Cloake eines Haufes in Treffen hervorgezogen und vom Eigenthümer dem Laibacher Mufeum gewidmet; in der Nähe wurde ein Stück der Hauptinfchrift des Mithraeums von Praetorium Latobicorum mit [invicto Mithrae (sic) aufgefunden, wodurch die Localität diefes Heiligthums feftgeftellt erfcheint. Der Verfuch, aus der Filialkirche St. Peter bei Treffen ein mit der Schriftfläche nach einwärts eingemauertes Denkmal herauszuheben, fcheiterte trotz der eingeholten Bewilligung der competenten Kirchenbehörden an dem Widerftande der Dorfbewohner. In Mali Videm (Klein-Weiden) im Weften von Treffen fand fich ein römifches Relief, wahrfcheinlich fepulcraler Beftimmung.

Ein reiches Arbeitsfeld bot fich dem Epigraphiker in Laibach, fpeciell im Landes-Mufeum Rudolphinum dar, wo Premerftein vom 17. bis 24. September die zahlreichen bisher nur ungenügend oder gar nicht publicirten Infchriften copirte, beziehungsweife revidirte und abklatfchte. Am intereffanteften dürfte darunter eine wegen des Namens Joa[n]nes, wahrfcheinlich chriftliche Grabfchrift — die critte diefer Art aus Emona — fein, welche erft aus verfchiedenen Bruchftücken zufammengefetzt werden mußte. Von Laibach aus fanden Excurfionen ftatt nach Stein zur Befichtigung der in der benachbarten Münkendorfer Pfarrkirche eingemauerten Infchriften, fowie der namentlich an mittelalterlichen Denkmälern reichen Sammlung des k. k. Bezirksthierarztes Jofeph Sadnikar, die auch einige kleinere prähiftorifche und römifche Gegenftände umfaßt, und nach Wernek a. d. Save (gegenüber der Südbahnftation Krefnitz), von wo die durch Feuchtigkeit fchon fehr befchädigte Infchrift C. III 3897 ins Laibacher Mufeum gefchafft wurde. In Krefnitz fah Premerftein die Sammlung des Bahn-Affiftenten Seculin, die jedoch nur außerhalb Krains (namentlich in Aquileja) erworbene Münzen und einige antike Lampen derfelben Provenienz enthält.

In Laibach nahmen die Unterzeichneten gemeinfam die trefflich erhaltenen Ueberrefte der römifchen Stadtmauer von Emona am hierortigen deutfchen Grunde (Na Mirji) in Augenfchein. In ihrem älteften Theile dürfte diefe Befeftigung wegen C. III Supplement 10768 — Mittheilungen der Central-Commiffion N. F. XV, S. 272 f. n. 228 b). der wahrfcheinlichen Bauinfchrift, dem Ende der Regierung des Auguftus und den erften Jahren des Tiberius angehören. Das Mauerftück „Na Mirji" wäre, da keine modernen Gebäude im Wege ftehen, fehr leicht auszugraben, um die Details der Mauer, ihre Thürme und Thoranlagen näher kennen zu lernen.

Am 22. und 23. September hielten fich die Gefertigten in Ober-Laibach auf. Sie befichtigten den Meilenftein bei Log (zwifchen Laibach und Ober-Laibach), der die Ziffer VIII (d. h. 8 m. p. von Emona) trägt, ferner unter Führung des Landtagsabgeordneten und Burgermeifters Gabriel Žerovšk, der der archäologifchen Durchforfchung der Gegend lebhaftes Intereffe entgegenbringt und felbft eine kleine Sammlung an Ort und Stelle gefundener Münzen:

befitzt, die Mauer des Vicus Nauportus (Ober-Laibach) mit der damit in Verbindung ftehenden Citadelle auf dem fogenannten Turnovše, endlich die Ueberrefte einer wahrfcheinlich antiken Brücke im Laibach-Flufse. Im Weften von *Nauportus* befindet fich eine römifche Befeftigungsmauer von weittragender Wichtigkeit, welche fich, den Durchbruch der alten Straße Aquileja-Nauportus flankirend, hufeifenförmig auf den zumeift bewaldeten Höhen in einer Länge von etwa 11 Km. hinzieht. Diefe Mauer, welche aus Bruchfteinen befteht und in Entfernungen von je 40 bis 50 Schritten mit Thurmen verfehen war, ift hoch bedeutfam als ein Theil einer umfaffenden Gränzbefeftigung Italiens gegen Pannonien und Dalmatien, welche fowohl in der Literatur wie auf Infchriften (auf letzteren als praetentura Italiae et Alpium) genannt wird und möglicherweife fchon auf Auguftus zurückgeht, jedenfalls aber in den Markomannenkriegen unter M. Aurel und bei den Barbareneinbrüchen des 4. und 5. Jahrhunderts eine Rolle fpielte. Spuren derfelben haben fich auch anderwärts in Krain und in Iftrien vorgefunden. Eine der wichtigften Stellen diefer Befeftigung fcheint eben die „Heidenmauer" (Ajdovski zid) bei Nauportus zu markiren; der Durchbruch der großen Heeresftraße nach Italien wurde gerade hier durch ein wohldurchdachtes Syftem von befeftigten Anlagen gefichert, deffen Etapen die Feftung *Emona*, in befeftigter Brückenkopf von Nauportus, in deffen Nähe man einen größeren Vorrath von glandes (Schleuderbleien) ausgrub, Nauportus mit feiner Citadelle, der „Ajdovski zid", dann eine ähnliche Mauer bei Hrušica, das Caftell von Heidenfchaft, endlich Aquileja waren. Parallel mit der von der kaif. Akademie der Wiffenfchaften in Angriff genommenen Erforfchung des Donau-Limes follte die detaillirte Unterfuchung der italifchen Gränzbefeftigung im heutigen Krain und Iftrien, welche dem Reichslimes wenigftens zeitweilig an Bedeutung nicht viel nachgegeben hat, im größeren Zufammenhange ins Werk gefetzt werden. Hiezu wäre allerdings die Heranziehung eines militärifch-technifch gebildeten Fachmannes erfte Vorausfetzung.

Am Schluße ihres Berichtes ftehend, erlauben fich die Gefertigten nochmals ihre Vorfchläge pro futuro zu refumiren und einerfeits die topographifch vorausfichtlich fehr ergebnisreiche Durchforfchung der Ruinen von Neviodunum und der Anfiedlung zu Groblje, anderfeits die für die Gefchichte der Occupation und der Sicherung Pannoniens und Dalmatiens hochbedeutfame Unterfuchung der praetentura Italiae in Krain und Iftrien, die im Zufammenhange mit der Ausgrabung der Stadtmauern von Emona und Nauportus zu bewerkftelligen wäre, aufs angelegentlichfte und wärmfte der großmüthigen Fürforge der hohen Central-Commiffion zu empfehlen.

Prof. *Simon Rutar* und Dr. *Anton von Premerftein.*

66. Die Eröffnung der Gurkthal-Bahn im October 1896 hat auch der Forfchung nach älteren Denkmalen einen willkommenen Beitrag geliefert. Es ift diefes ein römifcher Infchriftftein, welchen ich in St. *Johann* in *Klein-Glödnitz* (Cranabat), einer Filiale von Altenmarkt, nahe bei der Endftation Klein-Glödnitz gefunden habe. Derfelbe ift in die Oberfläche der gemauerten Altar-Menfa eingelaffen, an der rechten Seite ift ein Theil ab-

gefchlagen, die Randleifte abgemeißelt. Der Stein hat eine Länge von 0·34 M. und eine Breite von 0·30 M. Die fünf Schriftzeilen geben folgendes Bild:

Mit diefem Funde wird die Straßenrichtung von Treibach *(Matucajum)* durch das Gurkthal über die Fladnitz-Alpe (1390 M. Höhe) und über Turrach nach Salzburg, welche Baron *Haufer* in feinem Werke: „Die Römerftraßen Kärntens" näher begründete, noch mehr bekräftigt. Für das obere Gurkthal fehlte bis jetzt noch ein römifcher Infchriften- oder fonftiger Fund. Dagegen find Treibach, Krumfelden, Zwifchenwäffern, Lieding und Gurk auf der Römerfundkarte bezeichnet (Carinthia Nr. 1896). *Matthäus Gröfler.*

67. (Infchriftftein aus Cilli.)

Diefer Grabftein wurde in der heutigen Hermanngaffe in Cilli unmittelbar weftlich von dem Fundorte des Denkfteines „*Fortunae stabili.* ." (Mommf. 5156a), 30 Cm. tief, gleichzeitig mit einer größeren Zahl römifcher marmorner Gefimferefte in neun Stücke zerbrochen, gefunden; der Theil links unten fehlt ganz.

Die Infchrift lautet:

D(iis) M(anibus)
Septimus . T(iti) . Var(i)
Surionis fer(vus)
v(ivus) f(ecit) fibi et
(qui)ntae conjug(i)
(pie)ntiffimae
(a)n(norum) XXXV.

Das Material ift weißer grob kryftallinifcher Kalk, Bacherer Marmor; die Dimenfionen find 80 Cm. Länge, 74 Cm. Höhe, die Breite des Rahmens 7·5 Cm. Die Bruchftücke werden, in einem Kaften genau zufammengepafst, durch Cement verbunden, in gleicher Weife wie fich diefes Vorgehen bereits beftens hier bewährt hat, im Lapidarium verwahrt werden. Die Höhe der Buchftaben nimmt von oben nach unten von 6 auf 4 Cm. ab, ihre wie die Ausführung der Blätterguirlande der Einfaffung ift eben fo forgfältig als gefällig.

Nachdem Titus Varius Clemens, geboren zu Celeja, der aus einer Reihe von Denkfteinen bekannt ift, von denen leider nur einer und diefer nur als Bruch-

ſtuck im hieſigen Lapidarium verwahrt wird, während zwei dieſer wichtigen Denkmale (ſiehe *Mommſen* Corp. inſcr. lat. 5211 u. 5212) im 18. Jahrhundert von hier nach Wien übertragen, ſich im Gebäude der Hof-Bibliothek befinden, um die Mitte des 2. Jahrhunderts n. Ch. lebte, ſo dürfte die Annahme, den in Rede ſtehenden Grabſtein dem 2. Jahrhundert n. Chr. ange-hörend zu bezeichnen, gerechtfertigt erſcheinen. Den berührten Titus Varius Clemens bezeichnen übrigens ſämmtliche bezügliche Inſchriften als einen hervor-ragenden Staatsmann, welcher als Statthalter einer Reihe römiſcher Provinzen wie im Heere hohe Ehren-ſtellen bekleidete. *Riedl.*

68. (Amphorafund in Suczawa.)

Der langgeſtreckte faſt durchwegs mit ſteilen Böſchungen verſehene, aus Lehm beſtehende Hügel, welcher die Miroutz-Kirche trägt und unter der Be-zeichnung Dialu Tereſcul, Tartarenberg, bekannt iſt, endet in der Gegend des ehemaligen Zuſammenfluße des unter dem Schloße Suczawa vorüberziehenden Kakaina-Baches mit der in früheren Zeiten ebenfalls ganz nahe herangetretenen Suczawa, des Gränzfluße zwiſchen Oeſterreich und Rumänien. An dieſer Stelle bildet der von einer Straße durchſchnittene an den

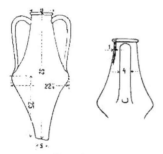

Fig. 3. (Suczawa.)

Seiten vielfach abgegrabene Hügel nahezu eine Spitze, welche ſteil gegen die ſogenannte Löffelmann'ſche Mühle abfällt. Dieſer abſchußige Theil des Hügels wird nun abgegraben. Bei dieſer Gelegenheit fand man am 13. Auguſt 1898 eine ſehr hübſch geformte Amphora (Fig. 3), welche wohl den erſten Gefäßfund dieſer Art in der Bukowina bilden dürfte. Sie iſt aus Thon, ziemlich roh, jedoch auf der Drehſcheibe hergeſtellt; die Farbe iſt gelblich-roth. Von den zwei Henkeln, welche vor dem Brande an die Gefäßwände mehr oder weniger blos angedrückt worden waren, iſt nun einer abgefallen, doch unverſehrt. An untern Ende beſitzen die Henkel je einen Fingereindruck. Die wahrſcheinlich ſchon theil-weiſe abgebrochene Spitze der Amphora, mit einer Breite von 5 Cm., iſt etwas ſchräg abgeplattet und oberflächlich ſehr glatt abgerieben, ein Beweis, daſs das Gefäß oft Verwendung gefunden hat. Die Geſammt-höhe beträgt 52 Cm., die Bauchweite 22½ Cm., die Mundöffnung im Lichten 7 Cm., die Wandſtärke 1 Cm., die Henkelſtärke 2 × 4 Cm. Nach Angabe des Finders

war die Amphora mit dunkler Erde gefüllt, die ganz trocken und aſchenähnlich war und keinerlei Beigabe hatte. Leider konnte ich die Lage des Gefäßes im Boden, welches ſich in einer Tiefe von rund 3 M. unter der ehemaligen Terrainoberfläche befand, nicht mehr genau eruiren. Nach Angabe des Finders grub er in der Nähe des Fundes einen Todtenſchädel, der aber zerbrach, und ſonſtige Knochen aus. Am 24. Auguſt ließ ich an derſelben Stelle nachgraben, und es zeigte ſich im Terrainprofil deutlich, daſs hier etwa 80 Cm. breite ziemlich tiefe Gräber waren, aus welchen zahlreiche menſchliche, ſehr ſtark vermorſchte Knochen in unregelmäßiger Lage, Theile eines Schädels mit Zähnen, dann einige dunkelgraue, ſowie zahlreiche rothe Scherben geſunden, welch' letztere und andere auf ein rohes ſehr großes Gefäß ſchließen ließen. Es fanden ſich auch dünne ſchwarze kohlenartige Blättchen zwiſchen dem Erdreiche, welche im Feuer glimmen und möglicherweiſe Ueberreſte von Bekleidungen ſind. In hiſtoriſcher Zeit gab es in Suczawa, dem Hauptſtapelplatz für den Handel aus dem Orient nach dem Norden, auch zahlreiche an-ſäſſige Kaufleute aus Griechenland. Es iſt nun ſehr wahrſcheinlich, daſs dieſe ſich Steck-Amphoren, wie ſie wohl auch noch heute in Griechenland verwendet werden, für ihren Gebrauch anfertigen ließen. Einige Meter von dieſem Grabe entfernt fanden ſich blos ½ bis 1 M. unter dem Terrain ebenfalls zerſtreut Kno-chen und Scherben. Die Amphora, ſowie die ſonſtigen Funde kommen in das Landes-Muſeum in Czernowitz. *Karl A. Romſtorfer.*

69. Conſervator *Fahrngruber* hat im Juli 1898 die Central-Commiſſion aufmerkſam gemacht, daſs ſich zu *Brunn am Felde* bei *Krems* ein Römerſtein befinde. Als der genannte Conſervator einige Wochen ſpäter den Stein einer nähern Unterſuchung wegen neuerlich beſichtigen wollte, befand ſich derſelbe nicht mehr an der Fundſtelle, ſondern war in das beiläufig eine Stunde entfernte Gobatsburg in die Privatſammlung des dortigen Pfarrers Guſtav Schacherl gebracht worden, wo er ſich nun befindet. Den Wortlaut der Inſchrift bringt die mit Zugrundelegung eines Ab-klatſches angefertigte Darſtellung in Fig. 4. Der Stein iſt auf der Inſchriftſeite vollſtändig bearbeitet, 70 Cm. lang, 35 Cm. hoch, 27 Cm. durchſchnittlich dick und bei 150 Kg. ſchwer. Das Material iſt kryſtalliniſcher Kalk. Beim zweiten E des Wortes Severus findet ſich ein etwa 3 Cm. hohes und breites Loch, ein zweites ebenſo geſtaltetes Loch iſt auf der rückwärtigen oberen Fläche angebracht. Er wurde um 1886 zu Brunn a. F. ausgegraben und diente ſeit dieſer Zeit als Schleuder-ſtein bei einem Einfahrtsthore.

Soweit der Bericht. Die Central-Commiſſion wür-digte dieſen Fund ihrer beſonderen Aufmerkſamkeit und erſuchte den Gymnaſialprofeſſor in Krems, Dr. *Aug. Haberda*, den Stein abzuklatſchen. Unſerer Dar-ſtellung liegt dieſer Abklatſch zugrunde.

Die Leſung der Inſchrift lautet folgendermaßen:
. . . . Meſſiſſa viva fecit
ſibi et . . .? Caſ|ſio Severino
. . . . leg. | x g. p. f. (obito) an(norum) XXXV
filio? et . . . ? Ir|iene coni|ugi obitae) an(norum) XXV
(oder XXXI)

Den Namen Melissa und Severinus begegnen wir in den Inschriften Innerösterreichs wiederholt, die Verwendung des Zeichens Θ ist in Noricum häufig genug.

Anbelangend das Vorkommen von kryltallinischem Kalk der Primär-Formation, so besteht laut Auskunft des Herrn *Felix Karrer* die Umgebung von Krems und des Manhartsberges der Hauptsache nach aus kryltallinischen Schiefern dieser Formation, welche eine ganze Reihe von Zügen weißen, weißlich-grünen, grauen und dunklen Kryltallkalkes enthalten. Solche Kalke finden fich in der Umgebung des Loisberges bei Hohenstein, Hartenstein, dann ganze Serien solcher langgeltreckter Kalkzüge bei Brunn an der Horner Straße, Neu-Polla, Altenburg, Morizreith, Kottes u. f. w. Es ift Thatfache, dafs Kryltallkalke verschiedener Farbe von weiß bis dunkelgrau jenseits der Donau in

Jaworowy vorgelagerten Vorgebirges zerstreuten Gehöften steht, inmitten des stillen Friedhofes, die kleine altehrwürdige Holzkirche. Sie dürfte, nach einer auf dem Thürsturzpfosten der kleinen Sacriltei eingravirten Jahreszahl anno 1563 erbaut worden fein.

Die Bauanlage der Kirche zu Gutty hat eine große Aehnlichkeit mit jener der Holzkirche zu Zamarsk bei Tefchen, obzwar diese, wie man vermuthet, 1731 erbaut, eine volle 168 Jahre jünger wäre. Auch bei der Kirche zu Gutty baut fich der Haupt-Façade ein mächtiger Thurm vor, deffen constructiver und in technifcher Richtung lehrreicher Holzverband im Erdgeschoße eine offene Halle bildet, welche zum Haupteingange führt. Ueber dem in Form eines Pyramidenftutzes auffteigenden mit Schindeln verkleideten Thurmgerüfte erhebt fich die mit Zierbrettern verfchalte Glocken-

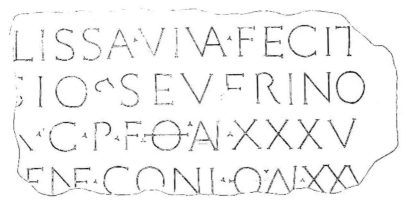

Fig. 4.

Menge vorkommen. Da es immer Gebrauch war, vorerft das nutzbare Geftein in der nächften Umgebung auszubeuten, fo fteht es außer Zweifel, dafs auch das in Rede ftehende Denkmal aus dem Material jener Gegend gemacht worden ift, wo es felbft geftanden und gefunden worden ift.

Die Privatfammlung des Herrn Pfarrers enthält übrigens noch ein Steinbeil aus Amphibolit (gefunden zu Heiligenftein), eines aus Diabas (Haizendorf) und ein solches aus Böfendürmbach, zwei Meißel in Schuhleiftenform aus Amphibolit (Straß) und einen Steinhammer aus Serpentin (Plank), Fragment eines Näpfchenfteines (Grund Gobatsburg), einen halben Steinhammer aus Amphibolit (Pfarrhofgarten), ein Steinhammer-Fragment aus Serpentin (Gobatsburg, Weingarten) und drei Thonwirtel.

70. (Die Holzkirche St. Corporis Christi in Gutty, Filiale der Pfarrkirche zu Trzyciez, Oeft.-Schlefien.)

Das Dorf Gutty (politifcher Bezirk Tefchen) liegt in einer anmuthigen, von den Gebirgszuge der Beskiden beherrfchten Gegend. Zwifchen den auf dem welligen Terrain des dem vielbefuchten Höhenpunkte

ftube, welche ein niedriger Thurmhelm bekrönt. Der letztere ift, wie es bei den Holzkirchen zumeift vorkommt, nicht mehr in feiner urfprünglichen Form erhalten, fondern weift schon die viel fpätere barocke Zwiebelgeltaltung auf. Der Thurm fteht im unmittelbaren Anfchlufse der Façadenwand des Schiffes und diefem ift das Presbyterium mit niedrigerem Dachfirfte und gerader Schlußwand angebaut. Abweichend von der Anordnung in Zamarsk, wo fich an den Außenwänden von Navis und von Presbyterium bloße sogenannte „Klebedächer" befinden, ift hier eine ringsum laufende offene Holzgalerie vorhanden, den den meiften flavifchen Holzkirchen eigenthümlichen „Umgang" bildend.

Das Schiff, im Grundriße ein oblonges Viereck, ift mit einer flachen mit Brettern verfchalten Sturzdecke, das um eine Stufe erhöhte Presbyterium hingegen mit einer das Tonnengewölbe imitirenden Bretterverfchalung, welche der winkelrecht geltellten Altarfchlußwand entfpricht, gefchloffen. Die im Schiffe eingebaute Orgel-Empore wurde auch längs der linksfeitigen Schiffswand fortgefetzt, um den Kirchenbefuchern mehr Raum zu fchaffen. Die Bruftwand

dieser Empore ist in einer der volksthümlichen Bauart der Kirche entsprechenden Weise bemalt. In den Füllungen dieser Brüstung ist ein in brauner Farbe auf grauem Fonde gehaltenes Ornament, das in seiner ein wenig unbeholfenen Linienführung an nationale Stickereimuster der Goralen erinnert. Nach einer noch deutlich lesbaren Inschrift wurde die Brüstung im Jahre 1642 hergestellt. Oberhalb der Sacristeithür und längs der Flucht der linken Abschlußwand des Presbyteriums befinden sich zwei auf grober Leinwand gemalte Bilder mit der Jahreszahl 1739. In dem einen Bilde sehen wir eine figurenreiche Darstellung der sieben heil. Sacramente; das andere stellt den Propheten Daniel als Traumausleger des babylonischen Königs dar. Die figuralen Darstellungen präsentiren sich in kräftig betonten Contouren und haben, jedweder Kenntnis der perspectivischen Verkürzung und Modellirung in der Farbe entbehrend, nur den Wert der damaligen volksthümlichen Malerei. Den Gefertigten erinnern sie an die seinerzeit in der Holzkirche zu Seitendorf, nächst Neutitschein, vorhanden gewesenen und vom Architekten Hofrath August Prokop besprochenen Malereien, welche jedoch nicht auf Leinwand, sondern direct auf den Holzwänden der Kirche angebracht und in unverstandener Beurtheilung ihres Werthes mit einer Leinwand überklebt wurden, die man dann, den Wohnzimmerwänden gleich, patronirte.

Der Hochaltar ist eine Arbeit neueren Datums. Auf demselben ein Bildnis der Mutter Gottes im Charakter der bekannten byzantinischen Madonnen: die Mutter Gottes in feierlicher Haltung, mit weitgeöffneten Augen und dem Jesukinde, bei welchem alles Kindliche abgestreift und nur das Göttliche zum Ausdrucke gebracht erscheint. Das besagte Bild dürfte in diesem Falle „das Gnadenbild der Mutter Gottes von Czenstochau" vorstellen. Hinter dem Altare ein Bild, das heil. Abendmahl darstellend, gleichfalls eine Arbeit der neueren Zeit.

Rechts vom Hochaltare hängt über einem primitiv zusammengebauten Beichtstuhle abermals ein das heil. Abendmahl darstellendes Gemälde, dessen Alter ganz zweifellos annehmen läßt, dass es den frühern aus der Kirche entfernten alten Altar schmückte. Das Bild hängt dermalen in einer so ungünstigen Beleuchtung, dass man sich über den etwaigen künstlerischen Werth desselben unmöglich ein Urtheil bilden kann. Von besonderem Interesse war für den Gefertigten folgende von der gewöhnlichen abweichende Darstellung des heil. Abendmahles: Christus sitzt in der Mitte der Längsseite des Tisches, inmitten der Apostel und hat vor sich, auf seinem Schoße, eine kindliche Gestalt. Ob hier das Kind „als Symbol der Seele, welche sich gläubig zu Gott erhebt" aufzufassen ist, oder ob man es mit einer anderen Darstellung, welche das heil. Abendmahl, das ist die Einsetzung des heil. Altarssacramentes, nach gewissen liturgischen Gesetzen symbolisirt, zu thun hat; ferner ob sich etwas Analoges etwa auf den alten die heil. Eucharistie symbolisch darstellenden Gemälden vorfindet, das scheint dem Gefertigten — wenn nicht bloß ihm unbekannt — einer weiteren Forschung werth. Noch sei erwähnt, dass sich im unteren Theile des Gemäldes auch Wappen befinden, deren Beschreibung mit Rücksicht auf die mangelnde Beleuchtung unthunlich war.

Rechts vom Triumphbogen befindet sich die werthlose Kanzel, links ein alter gut erhaltener barocker Seitenaltar mit einem guten Bilde der „Maria immaculata". Im Schiffe links ein gleichfalls alter und sehr gut gemalter „Ecce homo-Kopf"; rechts eine „Mater dolorosa" in sehr guter Auffassung, als Pendant zu dem vorigen. Dann folgen zwei weitere auf Holz gemalte Bilder von geringerem Kunstwerthe: „Die Auferstehung Christi" und „Die Kreuzerhöhung". Unter dem Orgel-Chore endlich ist ein Bild ohne Rahmen, die Enthauptung der heil. Barbara durch ihren Vater Dioscorus vorstellend, welches als alt, übermalt sein dürfte; dasselbe hängt in zu schlechter Beleuchtung, um ein Urtheil über den etwaigen Werth abgeben zu können.

Die obenbeschriebene Kirche, eine der ältesten Holzkirchen des österreichischen Schlesiens, ist, was ihre Bauart und Inneneinrichtung betrifft, für jeden Alterthumsfreund von Interesse; sie steht unter dem Patronate Sr. k. und k. Hoheit des Herrn Erzherzogs Friedrich; demnach ist eine gewisse Gewähr vorhanden, dass sie erhalten bleiben wird „als Denkmal um die in Schlesien seinerzeit in so reichem Maße geübte volksthümliche Bauweise".

Fr. Rosmaël.

71. (Das Czernoseker Kirchlein in Böhmen.)

5 Km. westlich von Leitmeritz, am rechten Ufer der Elbe liegt Groß-Czernosek, weitbekannt durch seinen Weinbau. Berühmt sind in diesem Orte die riesigen Felsenkeller, in denen der Czernoseker Wein lagert, Keller, die noch aus den Zeiten der Altzeller Mönche herrühren sollen (ca. 1400). Auf einem Hügel, vom Friedhofe umgeben, erhebt sich in einem Orte ein altes gothisches Kirchlein, welches nach dem heil. Nicolaus, dem Schutzpatron der Schiffleute, seinen Namen führt. Ursprünglich eine Pfarrkirche, ist sie derzeit eine Filiale zu dem eine Stunde elbabwärts gelegenen Libochowan.

Das meist geschlossene Hauptthor ist spitzbogig, mit Rundstäben verziert und trägt oben der Steinumkleidung die Zahlen 1757—1767 (1535—1565) eingemeißelt. Die Seitenthür ist rundbogig. Durch diese betreten wir das Innere.

Die Kirche ist einschiffig; der aus dem Achteck gezogene nach Osten gerichtete Chor ist nur durch eine Stufe, sonst aber durch keine andere architektonische Gliederung vom Schiffe getrennt. Die Kirche hat eine innere Gesammtlänge von 17 M. — auf den Chor entfallen davon 4³/₄ — eine Breite von 5¹/₂ und eine Höhe von ca. 8¹/₄ M. Das aus Bruchstein aufgeführte Mauerwerk hat im Durchschnitt eine Stärke von 90 Cm. und wird außen durch elf Strebepfeiler gestützt.

Chor und Schiff, mit Ausnahme der um 60 Cm. schmäleren Thurmhalle, die durch einen breiten Bogen vom übrigen Schiffe getrennt ist und den Musikchor und das Hauptthor enthält, ist durch ein schönes Netzgewölbe mit sich durchschneidenden abgekappten stark vortretenden Rippen überspannt. Die Hauptschlußsteine sind rund, unverziert. Am Ende einer Rippe sieht man ein Z als Steinmetzzeichen. Der Chor wird durch drei, das Schiff durch zwei Fenster an der Südseite erhellt. Dieselben sind gut ausgeführt, im Spitzbogen geschlossen, durch je zwei Stäbe in drei Felder getheilt und mit einfachem Maßwerke gekrönt, denen zu Laun sehr ähnlich.

Die an der Nordseite vortretende Sacriftei trägt im Schlußfteine der Wölbung das Wappen der Herren von Elftiborz.

Auf der Epiftelfeite des Presbyteriums befindet fich eine Steinplatte in die Wand eingelaffen; fie hat 72 × 36 Cm. Größe. Ihre Infchrift lautet:

Anno dñi. 1525. tvto. lezi. uro
zem. pan. bretislaw. zkostelcze. nad
szernym. lesij. yïvdiz nebosstik ii
pan. petr stolensky. z kopijstel u
uz düslan. pan. büh. racz. milostiw.
bÿti. amen.

(Deutfch: Im Jahre des Herrn 1525. Hier liegt begraben der edelgeborene Herr Bretislaw von Koftelecz über den fchwarzen Wäldern und auch der felige Herr Peter Stolensky von Kopift. Ihrer Seelen wolle Gott gnädig fein. Amen) Ueber diefer Infchrifttafel ift eine kleinere Wappentafel eingelaffen. Der Schild ift durch einen fenkrechten Langsbalken in zwei Felder getheilt. Darüber befindet fich ein Stechhelm mit zwei Hornern als Kleinod.

Beachtung beanfpruchen vier oberhalb der Sacrifteithür eingefügte fteinerne Gedächtniswappen mit Infchriften und Spruchbändern. Die Tafeln haben eine Höhe von 75 Cm., eine Breite von 50 Cm. und find knapp nebeneinander eingefetzt, fo dafs fie wie eine große Tafel ausfehen. Das Schild des erften Wappens ift durch eine Wagrechte getheilt, das obere Feld durch eine Senkrechte gefpalten. Darüber befindet fich ein gefchloffener Helm. Das Spruchband trägt den Namen: WILEM KAMICKIJ Z ELSTIBORZE (Wilhelm, Herr auf Kamnik und Czernosek ftarb 5./5. 1551). Das-felbe Wappen fieht man am Schlußfteine der Sacriftei. Das zweite Wappen enthält einen viergetheilten Schild; im erften und vierten Felde fieht man je einen halben Adler, im zweiten und dritten je einen gefchachten Flügel. Am Spruchbande: ANNA KAPLERZKA Z SVLEVICZ (Anna, aus dem alten Gefchlechte der Kapler war die Mutter des Wilhelm Kamicky; fie ftarb 1525 und wurde in der Czernoseker Kirche begraben). Das dritte Wappen enthält zwei gekreuzte Streitbeile. Die Ueberfchrift lautet: LVDMILA Z SED CZVCZ (Ludmilla von Sedczycz, die Gattin Wilhelm's Kamicky, ftarb 1554). Der Schild im letzten Wappen endlich ift gefpalten und trägt in jedem Felde eine Scheibe mit fieben darin fteckenden Kugeln (trieb-fcheibennahnlich). Der über dem Schilde ruhende ge-fchloffene Helm trägt als Kleinod die gleiche Scheibe nebft einem Federbufch. Am Bande ift der Name: ladislavs wostrowccz z kralowicz; diefer Ladislaus war ein Onkel des Wilhelm Kamizky und zugleich der Vor-mund der Kinder deffelben.

Im Kirchenfchiffe liegt eine Gruftplatte mit zwei Wappen und zwei längeren abgetretenen und unleferlichen Infchriften. Diefelben erinnern an die am 20. Juli 1614 entfchlafenen Wilhelm (Wfebor) Kamizky und feine Gattin Katharina, geborene Woderačka, ge-ftorben 15. Október 1617. Das eine Wappen ift das bereits befchriebene der Familie Kamizky; über dem Helm ruht hier als Kleinod ein Fifcherkahn; der Schild des zweiten Wappens ift durch einen fchiefen Balken in zwei Felder getheilt. Das linke obere Feld enthält eine heraldifche Lilie. Diefelbe heraldifche Lilie be-

findet fich nebft einem Flügel als Kleinod auf dem Turnierhelm.

Mehrere andere Grabfteine follen bei der letzten Kirchen-Renovirung unter das Kirchenpflafter gelegt worden fein

Im Glockenthurm hängen drei Glocken. Die kleinfte in der Thurmfpitze hängende wurde 1863 in Leitmeritz umgegoffen. Die größte, von 1 M. Durch-meffer, trägt an der Haube zwifchen je zwei Doppel-leiften folgende zweizeilige Legende:

LETA . PANIE . 1534 . KECTI . ÄKCWÄLE . PÄNV
BOHV. ÄKSWÄTEMV. MIKVI. ASSI. ZOZIERNOS-
SEK. TENTO. ZWON. DIELÄN. ZAVROZENEHO.
PÄNÄ WILMÄ . KAMICKEHO . ZELSTIBORZE.
OO. MIS. T.

Die Worttrennung ift durch Rauten ♦ gekenn-zeichnet. Am Mantel befindet fich an der Südfeite ein Bild des Schutzpatrons der Kirche, 13 Cm. hoch; auf der entgegengefetzten Seite das fchön ausgeführte Wappen des Stifters.

Die zweite danebenhängende Glocke von 63 Cm. Durchmeffer hat an der Haube zwifchen zwei Doppel-leiften den englifchen Gruß:

ave ⋏ mara ⋏ gratia ⋏ plena domiust ⋏ ccvm ⋏ bene ⋏
dicta ⋏ tv ⋏ in mvlieribvs ⋏ et bene ⋏

Der Mantel ift glatt. Die Glocke dürfte gleichen Alters mit der vorigen fein.

Wann die ältefte Kirche in Czernosek erbaut wurde, ift nicht feftzuftellen; 1384 beftand jedoch da-felbft ein Gotteshaus. Es gab damals neun Grofchen halbjährigen Zins an König Wenzel. Die Angaben über die Bauzeit des heutigen Kirchleins fchwanken. Doch dürften die über dem Hauptthore angebrachten Jahres-zahlen 1535—1562 die Bauzeit angeben. Grueber nimmt dies auch pag. 64, IV. Bd. feines Werkes: Die Kunft des Mittelalters in Böhmen an. Die letzten größeren Bauherftellungen fanden 1881 ftatt. Damals wurde der Thurm erhöht, leider nicht ganz ftylgerecht; die äußeren Pfeiler umgebaut, die Kirche innen polychromirt.

Heinrich Ankert.

72. (Aus Leitmeritz. I.)

Bauherftellungen, die gegenwärtig an der Sanct Adalberts-Kirche in der Leitmeritzer Vorftadt Zafada vorgenommen werden, ermöglichten es mir, das fonft unzugängliche Dachthürmchen zu befteigen. Ich fand dafelbft ein prachtvolles kleines Glöckchen, her-rührend vom ausgezeichneten Glocken- und Kanonen-gießer Briccius von Cinperk. Das Glöckchen hat 35 Cm. Durchmeffer, am oberen Rand aus Vögeln gebil-detes Band, darunter einen Blätterkranz. Auf der weft-lichen Mantelfeite befindet fich die Legende:

Nakladem wffý obce
miesta Slancho üdje
lal Brykey Zwonarz
Cynperkv Leta
1580 ☙

Auf jeder Seite diefer Infchrift ift je ein 60 Mm. hohes vorzüglich ausgeführtes Relief; und zwar links eine männliche Figur mit hohen Stiefeln, mit der einen Hand einen Drefchflegel haltend, mit der andern der:

Arm einer weiblichen Person umfassend; das andere Relief stellt zwei Musicanten vor, der eine bläst ein clarinettenartiges, der andere ein dudelsackartiges Instrument.

Die andere Mantelseite trägt in einem Kranze zwei kleine (je 45 Mm. hohe, 39 Mm. breite) Medaillons. Oberhalb und unterhalb derselben schweb: je ein Engelkopf. Das erste Medaillon trägt das Brustbild des Glockengießers mit langem spitzen Bart, breiter Halskrause. Von der Umschrift ist nur zu lesen: BRICCIVS AERIS FVNDATOR ST.... Im anderen Medaillon sieht man des Gießers Wappen, und zwar einen gespaltenen Schild, im rechten Felde eine Glocke, im linken einen aufrecht stehenden Löwen. Ueber dem Wappenhelm schwebt eine geflügelte Glocke; rechts daneben sind die beiden Buchstaben BZ, links ZC. Oben am Rande des Medaillons ist die Zahl 1574. Von der Umschrift ist nur DEVS.....ET PROTECTOR zu lesen. (Im Jahre 1574 wurde Briccius, der Prag-Neustädter Glockengießer, von Kaiser Rudolph II. mit Wappen und Prädicat „von Cinperk = z Cinperku" begnadet.)

Die *St. Adalberts Kirche*, um auch von dieser kurz zu berichten, ist ein einfacher schmuckloser Bau, im sogenannten Broggiostyl, in welchem viele Kirchen der hiesigen Gegend erbaut sind. In ihrer heutigen Gestalt stammt sie aus dem Anfange des vorigen Jahrhunderts. Die frühere an demselben Platze gestandene Kirche — der Volksmund bezeichnet sie irrigerweise als die älteste Kirche der hiesigen Gegend — wurde 1639 von den feindlichen Truppen zerstört. 1689 wurde der Plan zur neuen Kirche durch *Julius Broggio* entworfen, mit dem Baue jedoch erst 1703 unter der Aufsicht des *Octavio Broggio* begonnen. Am Kirchengiebel befindet sich eine von zwei Engeln gehaltene Tafel mit der auf den Bau bezüglichen Inschrift:

GLORIA
SANCTI ADALBERTI MARTIRIS
FIDELES LITOMERICENI
F F
1704.

Die Kircheneinrichtungsstücke stammen aus neuerer Zeit, das Hochaltarbild ruhrt vom hiesigen Maler *Gruß* her, das frühere Bild befindet sich in der Domkirche; ein altes kunstvolles Taufbecken aus dem Jahre 1521 wird im Gewerbe-Museum bewahrt.

In der nordwestlichen Ecke des die Kirche umgebenden, nunmehr aufgehobenen Friedhofes steht der 1774 erbaute Glockenthurm. Derselbe trägt drei Glocken, von denen die älteste aus dem Jahre 1405 stammt.

In der alten Kirchhofsmauer sind drei alte Grabsteine eingemauert, welche, da die Mauer niedergerissen werden soll, im hiesigen Gewerbe-Museum aufgestellt werden dürfen. Die Grabsteine sind aus weichem Sandsteine, leider schon sehr schadhaft, da sie allen Witterungseinflüßen preisgegeben sind. Der besterhaltene unweit des Thurmes befindliche ist 170 Cm. hoch 88 Cm. breit, und trägt oben die Inschrift:

LETA PANE 1561 UMR
ZEL GEST VROZEN PÁ
RZEHORZ KAMECK Z PO
KRATITZA TVTO GEST

XXV. N. F.

POCHOWAN GEHOZTO
DVSSI PAN BV LRAZ
MILOSTIW BVTI.

Unter der Inschrift ist ein großes von zwei Kindern gehaltenes Wappen, und zwar ein links springendes (weißes) Einhorn im (blauen) Felde. Auf dem Schilde ruht ein Stechhelm.

Die beiden anderen Grabsteine sind ähnlich dem beschriebenen, sie erinnern ebenfalls an die alte Ritterfamilie Kamnik; die Inschriften sind aber bereits unleserlich.   *Heinrich Ankert.*

73. (Aus Leitmeritz. II.)

Der kunstvoll gezimmerte Glockenstuhl[1] des Leitmeritzer Stadtthurmes trägt sechs Glocken. Ein besonderes Interesse beansprucht die größte und zugleich älteste auf den Namen des heil. Wenzel getaufte Glocke. Sie ist 81 Ctr. schwer und hat einen Durchmesser von 166 Cm. Am Halse befindet sich zwischen je zwei Doppelleisten folgende zweizeilig geordnete, durch ein Ornamentband von dreiblätterigen Kleeblättern getrennte Inschrift in spät-gothischen Buchstaben:

1. Zeile:

⚜ Anno salutis nře (= nostre) 1.7.1.0. Ꝟnfumi dei laude t honore dive virgis marie. omniuq ſsctoru: Olim opus (= omniumque sanctorum talim opus) Wẽceslai aurifabris reformatū est per Magistrum Andream

2. Zeile:

⚜ dictū ptaczek t thomã lithomiricẽsiú. En ego campana nunqua pronunCio vana . ignem . bellvm. vel Festvm.avt funus honestum. Cẽsiatu (conflatu) mẽse (mense) vunij (junij) : Wũs (Weneeslaus) vocor.

Zu deutsch: Im Jahre unseres Heils 1510, im Lobe des höchsten Gottes und zur Ehre der himmlischen Jungfrau Maria und aller Heiligen ist das einstige[2] Werk des Goldschmieds Wenzel wieder hergestellt worden durch Meister Andreas, genannt Ptaczek und Thomas aus Leitmeritz. Sieh! ich Glocke künde niemals nichtiges: Feuer, Krieg oder ein Fest, oder ein ehrliches Begräbnis. Gegossen im Monate Juni. Wenzel werde ich genannt.

Merkwürdig verschnörkelt ist das I in Infuui in der ersten Zeile.

Auf der Südseite des Mantels befindet sich ein 14.5 Cm. hohes Relief der Gottesmutter, mit vollem Gesichte, voller Körperform und bauschigem Gewande, das heil. Kind in den Armen tragend, zur Seite die Buchstaben W K. Auf der andern Mantelseite ist ein 11 Cm. hohes Kniebild Christi (Ecce homo); das schmerzverzogene Gesicht ist von langem Haupt- und Barthaar umwallt; der Körper nur mit einem Schamtuch bekleidet; der linke Arm erhoben; der rechte an die Brust gedrückt. Ueber dem Bilde ein ꝙ. Die Köpfe beider Figuren sind von breiten Heiligenscheinen umgeben. Zwei schmale Leisten schließen den Mantel der

[1] Der Glockenstuhl erhält sich vom Grunde des Thurmes auf frei, ohne den mindesten Zusammenhang mit den Mauern bis unter das Dach und ist aus gewaltigen Eichenstämmen kunstvoll zusammengefügt. Meister Georg von Pilsen vollbrachte dieses Werk, das bis heute unerschüttert dasteht in den Jahren 1515 bis 1517.

[2] Diese Glocke wurde ursprünglich von den Bürgern Wenzel Zisník (urífaber) und dem Sohn des Rachtalsky 1510 gegoßen. Unbekannt, aus welchen Gründe wurde die Glocke, die 1506 vom Bischof Philipp auf den Namen Wenzel geweiht wurde, 1511 durch Meister Ptaczek von Kuttenberg unter Beihilfe des hiesigen Kanonengießers Thomas umgoßen. Darauf bezieht sich obige Inschrift.

11

Glocke ab. Am Schlagring befindet fich ein Kranz von Weinblättern und Trauben. Der Klöppel trägt die Jahreszahl 1866 und ift 248 ℔ fchwer.

Seit langem fiel es mir auf, dafs diefe Glocke die gleichen Ornamente hat, wie zwei in Leitmeritz befindliche Taufbrunnen. Mit diefen hat fie auch noch andere Einzelheiten gemein. *Gruber* erwähnt in „Kunft des Mittelalters in Böhmen, IV. Bd., pag. 148" diefe beiden durch vorzügliche Ornamente ausgezeichneten zinnernen Taufbrunnen. Der größere befindet fich in der Stadtkirche und ift bereits näher befchrieben und auch abgebildet in den Mittheilungen der k. k. Central-Commiffion in Wien 1879, V. N. F., pag. LXXVI; jedoch mit der irrthümlichen Angabe, dafs fich das Taufbecken „im Dome" befindet. Die Infchrift diefes Beckens ift nicht mehr zu entziffern, da fie einestheils durch Feuer, wahrfcheinlich abfichtlich zur Zeit der Gegen-Reformation befchädigt wurde, anderntheils aber auch nebft der fchönen Ornamentirung vor Jahren durch einen Firnisanftrich faft unkenntlich gemacht wurde.

Das kleinere Taufbecken ift im hiefigen Gewerbe-Mufeum aufbewahrt und ftammt aus der Leitmeritzer Adalberti-Kirche. Das Becken ift noch gut erhalten; die mir von Herrn Profeffor *Sedlnick* in Tabor gütigft gelöfte und überfetzte Infchrift beftätigt meine Annahme, dafs das Taufbecken und die fo eben befchriebene Glocke aus derfelben Werkftatte hervorgingen.

Das Becken hat einen oberen Durchmeffer von 60 Cm.; eine Gefammthöhe von 83 Cm. Die Schale ift glockenförmig, 50 Cm. hoch, ruht auf drei Füßen, welche oben in lange bärtige Gefichter übergehen. Am äußerften oberen Rande der Schale find freiftehend drei bärtige Köpfe mit phrygifchen Mützen angebracht, wahrfcheinlich um dem Deckel einen fefteren Halt zu geben; ein vierter Kopf ift ausgebrochen. Die Köpfe wurden erft nach dem Guße des Beckens angebracht, da fie Theile der Infchrift verdecken. Am oberen Rande befindet fich weiter ein Infchriftband, darunter ein Band mit Kleeblatt-Ornamenten. Die Leibung des Gefäßes ift durch acht künftlerifch fchön ausgeführte Heiligenfiguren von je ca. 14 Cm. Höhe, die unter kleinen Baldachinen ftehen, verziert. Erkennbar ift der heil. Jofeph,[1] der Nährvater Chrifti mit einem Zimmermannsbeil, die heil. Maria, St. Paulus mit dem Schwert, St. Petrus mit dem Schlüffel, Chriftus in der Taufe, St. Thadaeus (?) mit gefchwungener Keule, ein Bifchof mit dem Hirtenftabe.[2] Die achte Figur ift zum größten Theile ausgebrannt, trägt ein Lamm im Arme (gute Hirt). Unter diefen acht Reliefs befindet fich ein zweites Infchriftband; hier find die einzelnen Buchftaben von kurzen fchraffirten Linien eingefafst. Den unteren Rand des Beckens umzieht ein Ornament von Weinblättern und Trauben; ganz zu unterft ift ein Band mit ftylifirten Blättern.

Die Infchrift diefes fchönen zinnernen Beckens lautet:

1. Zeile:
℥ I ┼ba ² boziho tysiciho piety ste o xxi° ┼ ᶜⁿᵗᵒ! kus diel an ᵒⁿ y'st ra tomasse wli ᵗᵒᵐᵐᵉ ricich za knycze yana toho ctas

[1] 24 Kanter a ch dem heil. Apoftel Matthæus erzftellen.
[2] Wahrfcheinlich der heil. Adalbert.
[3] Der Br. Ift Scine si ⋯ find nicht fichtbar da Kopfe darüber angebr ⋯
Si M.⋯ Suo⋯

---

2. Zeile:

℥ u Farar zye skrz pomocz pany barbory nauzowe we gmeno s woyticcha.

Das ift: lietha) boziho tysiciho pietisteho xxi° t(ento) kus diclan od my(st)ra tomasse w lit(omie)ricich za knyeze yana toho czasu fararzye skrz pomocz pany barbory nauzowe we gmeno s woytyecha.

Deutfch: Im Jahre n. Chr. G. 1521. Diefes Werk wurde verfertigt vom Meifter Thomas zu Leitmeritz zur Zeit des Priefters Johann, damals Pfarrer, mit Geldbeihilfe der Frau Barbara Nauze, zu Ehren des heil. Adalbert.

Heinrich Ankert.

7.4. *(Das Gotteshaus in Maffersdorf bei Reichenberg in Böhmen.)*

Urkundlichen Daten ift zu entnehmen, dafs in Maffersdorf, nach dem Beftande einer Holzkirche, in der zweiten Hälfte des 16. Jahrhunderts unter Joachim Ulrich von Rofenfeld, dem durch Friedrich von Rädern eingefetzten Verwalter („Hauptmann") der Herrfchaft Reichenberg, ein dorfmäßiges Steinkirchlein erbaut wurde. Beglaubigung hiefür ift gegeben im noch vorhandenen zinnernen Taufbecken mit der Jahreszahl 1563 und dem Rofenfeld-Wappen. Unklar ift, ob im Kirchlein fchon von vornherein oder erft fpäter evangelifcher Ritus eingeführt worden. Denn in einer im Reichenberger Schloß-Archive befindlichen Urkunde ift zu lefen: „Maffersdorff Anno 1615. In diefem Dorf ift eine Kirchen, eine Filiale zur Reichenberger Pfarre gehörend; Patrocinium S. S. Trinitatis, damalen kein wirklicher Pfarrer in loco gewefen, fondern durch einen Pradicantifchen Caplan Jeremias Tropnigern verfehen worden."

Aus anno 1653 ift wieder notirt, dafs auch dermal kein wirklicher Pfarrer dafelbft, fondern die Kirche durch den „woblerwürdigen Pater Mathäum Oellerum verfehen wird".

Mit Bezug auf das jetzt beftehende Gotteshaus heißt es, dafs unter dem Herrfchaftsbefitzer und Patronatsherrn Johann Wenzel Graf von Gallas 1700 „an der alten Stelle" der Bau der jetzigen Kirche begonnen, diefer im October 1701 vollendet worden fei. Die angegebene kurze Bauzeit, in Betracht gezogen mit dem Baue felbft, lafst fofort erkennen, dafs diefer, bei dem damaligen Baubetriebe, in folcher Frift nicht hergeftellt werden konnte und nur als ein Um-, beziehungsweife Zubau durch das Schiff, an das alte als Presbyterium fortbeftehende Kirchlein zu verftehen fei.

Darauf weift übrigens noch die ganze Geftaltung; indem das anwärtige 10 M. tiefe, 8 M. breite, 9·25 M. hohe kuppelförmig gewölbte Presbyterium fich fchon durch letztere Eigenfchaft als älterer Bau erweift, ift in dem 1645 M. langen, 12 M. breiten Schiff mit ebener Decke und äußerft dürftiger Ausgeftaltung die verfchiedene Bauzeit kennbar. Aber auch der an die weftliche Schmalfeite des Schiffes angefchloffene bis zur Bedachung 22 M. meffende quadratifch fundirte Thurm,[1] ganz rohes Gefüge, darf als befonderer nachträglich zugebauter Theil betrachtet werden, und hatten die Glocken ehedem ihr Unterkommen in einem Gerüfte oder hölzernen Gehäufe am Kirchhofe. Dafür fpricht deutlich eine Aufzeichnung, laut welcher von den vier Glocken des jetzigen Geläutes

[1] Die Behebung hat die Höhe von 11 M⋯

143

die größte — 14 Ctr. wiegend — „von der alten Kirche herrührte". Eine Glocke diefes Gewichtes bedurfte eines größeren Thurmes[1] oder feftgefügten Gerüftes. Mit dem kleinen Kirchlein war kein Thurm verbunden, folglich mußte die große Glocke ihr gefondertes Unterkommen haben. (Leider ift fie nicht mehr in alter Geftalt vorhanden; 1698 zerfprungen, wurde fie durch Hans Balthafar Cromel von Auffig umgegoffen.)

Auch den anderen drei Glocken wiederfuhr allmählig das Gleiche.

Der angedeutete Bauvorgang findet fichtliche Beftätigung darin, dafs auf dem Baugrunde, einem mäßigen Abhange, mit dem Thurme bis nahe an den tiefer gelegenen Dorfweg vorgerückt werden, und weil damit ein eigentlicher Vorplatz für den Haupteingang nicht herftellbar, auf einen folchen auch verzichtet werden mußte. Der Thurm hat infolge deffen bloß einen kleinen roh ummauerten Eingang zur Thurmtreppe. Beachtenswerth ift dabei, dafs innen, in der Stirnmauer des Schiffes, eine vermauerte Portalbildung befteht und dafs diefe den beften Beweis erbringt für den nachträglichen Anbau des Thurmes. Deffen fchroffe verticalen Linien einigermaßen zu mildern, wurden dann rechts und links Anhängfel gefchaffen, einerfeits ein Gehäufe für die Treppe zu den Emporen (deren Aufgänge früher im Innern des Schiffes angebracht waren), anderfeits eine Todtenkammer. Der Verkehr nach jenem blieb nach wie vor auf die beiden mit Vorhalle verfehenen Seiteneingänge befchränkt.

Der Sacriftei-Anbau datirt aus 1707; der Ankleideraum befand fich vordem hinter dem Hochaltare.

Das disharmonifche Aeußere wie das Innere endlich harmonifch zu geftalten, namentlich der Stirnfeite würdevolles Anfehen zu verfchaffen, ift Zweck der geplanten Reftaurirung nach den Zeichnungen des im Barockbau berühmten Architekten *Ohmann*.

Im Innern des Schiffes will durch die theilweife Umgeftaltung der Emporen, nebftdem durch ftylgemäße Wandmalerei einheitliche Wirkung erzielt werden.

Die in guter Barocke geformten Altäre und die Kanzel bedürfen nur der entfprechenden Neu-Polychromirung; erftere unter Befeitigung von fpäter beigeftellten mifsgeftalteten Heiligenfiguren und Engeln.

Ein werthvolles Geräth ift das in Kelchform fchön profilirte zinnerne Taufbecken (der Deckel ift fpätere Zuthat). Es trägt im Fries die Schrift:

„ANNO 1593 IST DIS WERCK GEMACHT. — HAVPTMANN GEWESEN I. V. V. R."

(Joachim Ulrich von Rofenfeld.) Deffen Wappen auch die Vorderfeite ziert. An der Cupa ift zu lefen:

„WER DA GLAVBT VND GETAVFT WIRD DER WIRD SELIG. MARC. 10 "

Am Fuße fteht:

„MEISTER DISES WERCKS PAVL WEISSE."

Rudolph Müller.

73. *(Die Rund-Capelle zu Teinitz an der Sázava in Böhmen.)*

Auf einem fchroffen Felfen, dicht am linken Ufer der Sázava, in dem Städtchen Teinitz erhebt fich inmitten

mehrerer bis heute bewohnten baulichen Refte einer mittelalterlichen Burg ein 17 M. hoher folid aus Granitquadern erbauter Thurm von unregelmäßigem viereckigen Grundriffe, der fchief einer älteren romanifchen Rund-Capelle vorgebaut ift (Fig. 5). Der ganze Gebäudecomplex gehört Sr. k. und k. Hoheit Herrn Erzherzog Franz Ferdinand von Oefterreich-d'Efte als Befitzer der Herrfchaft Konopift.

Die Burg ift im Jahre 1631 ein Raub der Flammen geworden, indem fie der mit den Sachfen zurückgekehrte Adam Hodějovský Freiherr von Hodějov, dem fie im Jahre 1621 confiscirt wurde, aus Rache einäfcherte; nur der Thurm und die Capelle behielten nach diefer Kataftrophe ihr damaliges Ausfehen. In fpäteren Zeiten wurde das brauchbare Mauerwerk zu Wohnzwecken adaptirt und heutzutage dienen die Gebäude als Schule, Schullehrerswohnung, Poftamt, Binderswohnung etc.; die Thore, Burgwälle und Baftlichürme find verfallen und nur ein aufmerkfamer Beob-

Fig. 5. Teinitz.)

achter erkennt in den fteilen Grashügeln Refte der urfprünglichen Baulichkeiten.

Die inwendig beinahe vollends erhaltene Rund-Capelle, fiehe deren Grundrifs (Fig. 6), gehört unftreitig zu den älteften und ehrwürdigften Bauwerken des Königreiches Böhmen. Es ift mir nicht bekannt, ob hiftorifche Daten vorliegen, aus denen man documentarifch das Alter beftimmen könnte, wahrfcheinlich nicht; denn diefer bis zur letzten Zeit weltvergeffene Erdenwinkel entging ficher der Aufmerkfamkeit der Kunft- und Gefchichtsforfcher. Es ift wohl eines jener Bauwerke, die der künftlerifchen Thätigkeit der Sázaver Benedictiner ihr Entftehen verdanken.

Außer den bekannten Rundbauten in Prag und Umgebung kenne ich in diefen Gegenden nur weniger bekannte Rundkirche in Pravonin bei Vlafim, die in ihrer ganzen Anlage diefer Rund-Capelle gleicht, vom ähnlichen Material erbaut, gleichen Alters fein dürfte und die ihr Entftehen wohl derfelben Bauhütte verdankt. In Berückfichtigung diefes Umftandes, fowie im Vergleiche mit ähnlichen Bauwerken

Böhmens, dürfte ich wohl nicht fehlgehen, wenn ich ihre Entstehung in die erste Hälfte des 12. Jahrhunderts setze.

Die Capelle diente als Burg-Capelle,[1] ursprünglich aber zum allgemeinen Gottesdienste der Landbewohner, da die etwa 300 M. entfernte Pfarrkirche (ursprünglich gothische Anlage) wohl später erbaut wurde; dass sie als Karner bestimmt war, scheint merkwürdiger Weise nicht zuzutreffen, obwohl nach Angabe alter Leute im Orte man in den zwanziger Jahren dieses Jahrhunderts beim Planiren im Gärtchen bei der Capelle auf eine Unmasse von Menschenknochen stieß, die vom Kirchhofe der ursprünglichen Pfarrkirche herrühren durften.

An das kreisrunde Schiff, von 6·20 M. Durchmesser, schließt sich gegen Osten eine Apsis von mehr als einem Halbkreise im Grundrisse, indem der 3·20 M. weiten Triumphbogenlichtung ein Kreis-Segment von 3·40 M. Höhe entspricht. Beide Theile besitzen das ursprüngliche Kuppelgewölbe. Drei im Grundrisse an-

von 19 Stufen, die 75 Cm. breit, in der 1·70 M. starken Mauer eingebaut ist. In das zweite Stockwerk gelangt man mittels einer Leiter durch eine 70 Cm. im Quadrat messende Gewölbeöffnung. Aus dem zweiten Stockwerke führt eine Thür auf den hohen Bodenraum der Capelle. Man hat nämlich, wahrscheinlich gleichzeitig bei dem Baue des Thurmes, die Mauer der Rund-Capelle erhöht.

Dieser Anbau, aus Bruchstein ausgeführt, sticht merklich von dem ältern Theile ab, da die schichtenweise Lage der behackten Bausteine fehlt. Damals verschwand auch die ursprüngliche Eindachung. Alle Oeffnungen des Thurmes sind mit Rundbogen eingewölbt. Auf dem Grundrisse sieht man die unregelmäßige Angliederung des Thurmes zum Rundbaue, so dass man die dem Rundbaue zugekehrte Fläche gebrochen dem Grundrisse anlehnte, infolgedessen die vierte Ecke des Thurmes im spitzigen Winkel, den man abstumpfte, zusammenlief. In der Mauerwerksmasse dieser Ecke be-

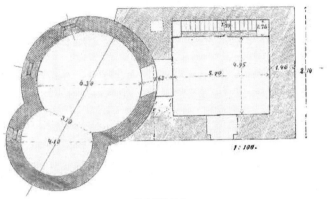

Fig. 6. (Teinitz.)

gedeutete Fenster, jetzt vermauert, sind ganz ersichtlich; andere, die da waren, sind von den späteren Zubauten verdeckt. Das neuerer Zeit durchbrochene Fenster ist nicht eingezeichnet. Mauer und Wölbungen sind aus Granitbruchstein hergestellt. Die Bausteine der äußeren Mauerflächen sind mit dem Hammer zugerichtet und in ziemlich regelmäßigen Schichten gefügt. Die ganze Anlage ist einfach ohne jedwelche bauliche Decoration; nur im Triumphbogen sieht man beiderseits Reste vom Schmiege und Platte.

Wohl im Laufe des 13. Jahrhunderts wurde beim Baue der Ritterburg dieser Capelle der oberwähnte Thurm vorgebaut, der aber keinen kirchlichen, sondern Vertheidigungs-Zwecken diente. Durch zwei Kuppelgewölbe ist derselbe in drei Stockwerke getheilt. Ebenerdig gelangt man von da linkerseits durch eine schief durchbrochene Eingangsthüre in die Rund-Capelle; in das erste Stockwerk gelangt man durch eine Treppe

findet sich ein früher vom zweiten Stock zugänglicher weiter Schlauch unbekannter Bestimmung.

Dieser ehrwürdige Bau wird jetzt von einem Schullehrer als Rumpelkammer benützt, diente aber bis unlängst als Ziegenstall. Inwendig find hie und da in den Wänden einzelne Oeffnungen ausgebrochen; man suchte hier nach verborgenen Schätzen. Einzelne Löcher hat ein Töpfer gemacht, dem die Capelle als Werkstätte diente.

Im ganzen ist das Bauwerk ziemlich gut erhalten, doch aber in der jetzigen Verwendung und in voller Vergessenheit droht ihm die Gefahr des allmähligen Verfalles. Am besten wäre, wenn die Capelle ihrem ursprünglichen Zwecke dem Gottesdienste wieder gewidmet würde, was die Bewohner des Ortes und der Ortspfarrer gewiss mit Freude begrüßen möchten.   *Alois Kroutil.*

76. (Aus der Bukowina.)

Zufolge hohen Erlasses vom 11. September 1898, Nr. 8520, unternahm der unterthänigst Gefertigte

die zum Zwecke der eventuellen Aufdeckung und Erhaltung des Kachelfriefes an der griechifch-orientalifchen Kirche zu *Millefchoutz* erforderlichen Vorerhebungen an Ort und Stelle. Bei eigener Mitwirkung war es möglich geworden, für die Unterfuchung mit einem Maurer, der von einer entfprechenden Leiter aus arbeitete, auszukommen.

Der Mörtel wurde an folgenden Stellen forgfältigft entfernt: 1. an der Südfeite links von der Eingangsthüre; 2. an der Nordfeite ungefahr in der Mitte des Pronaos; 3. an der Haupt-Apfide füdöftlich; 4. an der füdlichen Seiten-Apfide; 5. an der Hauptmauer zwifchen den Stellen 3 und 4.

An den Stellen 3, 4 und 5 wurde keinerlei Spur eines Kachelfriefes entdeckt. An den Stellen 1 und 2 fanden fich Kachel fammt Zwickel von der Größe jener vor, wie fie an der Laternenkuppel gefunden und gelegentlich der 1897 erfolgten Reftaurirung der Kirche wieder verfetzt wurden. Die, Kachel find kreisrund und ebenfalls in zwei Reihen angeordnet, die Zwickel erfcheinen durch befonders geformte Knöpfe ausgefüllt. Aufgedeckt wurden ganz oder theilweife 14 Kachel, welchen aber fämmtlich die glafirte Vorderfeite fehlt, die, jedenfalls um einen recht guten Halt für den fpäter einmal aufgetragenen Mörtel zu gewinnen — entgegen den Kacheln der Laterne, wo lediglich einzelne Knöpfe abgefchlagen waren — ganz weggefchlagen wurde. Diefer Kachelfries war alfo blos an den Außenwänden des Pronaos in einer Länge von rund 28 M. angebracht und reichte bis zu den Seiten-Apfiden.

Da nun mit Sicherheit vorausgefetzt werden kann, dafs auch von den übrigen Kacheln, wenigftens deren größerem Theile, die Vorderfeite fehlt und nur der tiefer im Mauerwerke fteckende Hals vorhanden ift, muß beantragt werden, von der Wiederherftellung des Friefes ganz abzufehen. Es wurde angeordnet, dafs die gelegentlich der Unterfuchung befchädigten Putzflächen unter Aufficht des griechifch-orthodoxen Pfarradminiftrators in Millefchoutz fofort wieder in Stand gefetzt werden.

Bei der Unterfuchung wurde auch conftatirt, dafs die Kacheln gleichzeitig mit dem beftehenden Mauerwerke hergeftellt worden waren, alfo aus der Zeit der Erbauung der Kirche — 1481 — ftammen.

Karl A. Romftorfer, Confervator.

77. (Die ehemalige Stiftskirche zu *Waldhaufen.*)

Die k. k. Central-Commiffion wurde neueftens von einem fachkundigen Augenzeugen, Confervator *Jehlinger,* aufmerkfam gemacht, dafs der letzte Reft eines ehemals angefehenen Stiftes dem Verfalle entgegengeht, wenn nicht baldigft Abhilfe getroffen wird. Die letzt freiftehende Kirche des ehemaligen Chorherrenftiftes *Waldhaufen* (politifcher Bezirk Perg, Ober-Oefterreich) weift bereits recht bedenkliche Schäden auf. Als Ueberreft einer ehemals anfehnlichen Klofteranlage und als künftlerifch gediegener anfehnlicher Bau des 17. Jahrhunderts fcheint wohl die Kirche der Erhaltung werth zu fein. Außer dem Thorthurme fammt Nebengebäude erinnert einzig diefe Kirche an diefes fchon im 12. Jahrhunderte gegründete Auguftiner-Chorherrenftift, das 1790 aufgehoben wurde.

Die erfte Niederlaffung des von Otto Grafen von Marchland gegründeten Klofters war Sabuich, auf dem Berge oberhalb Sarmingftein a. d. Donau, wo heute nur mehr fpärliche Mauerrefte erhalten find. Schon vom Jahre 1161 ift jedoch eine zweite Niederlaffung, eine Stunde einwärts im Thale des Sarming-Baches, urkundlich beglaubigt, nämlich Waldhaufen. Der erfte Platz fcheint bald darauf vom Orden verlaffen worden zu fein, da er fpäter urkundlich nicht mehr genannt wird und fortan nur mehr vom Klofter Waldhaufen die Rede ift. Die meiften Pfarren des Marchlandes wurden im 13. und 14. Jahrhunderte dem Stifte incorporirt, und fcheint felbe fchon damals bedeutende Befitzungen gehabt zu haben. Das Kloftergebäude hatte unter den Huffitenftürmen fehr gelitten. Eine regere Bauthätigkeit ift urkundlich für die Jahre 1348 und 1572 nachgewiefen, die Kloferanlage in ihrer letzten Geftalt weift jedoch keinerlei Refte von früheren Bauten auf, fie fcheint demnach von Grund aus neu aufgeführt worden zu fein. Der Neubau des Kloftere fällt in jene Zeit, in der überhaupt die Kloferanlagen in unferem Lande neu erftanden find, in die zweite Hälfte des 17. Jahrhunderts, als nach Durchführung der Gegen-Reformation die Stifte zu reichen Geldmitteln gelangt waren. Auf dem Thorbogen des noch erhaltenen Thorthurmes ift die Jahreszahl 1671 angebracht, offenbar das Jahr der Vollendung des ganzen Gebäudecomplexes.

Das Klofter follte aber nicht viel länger als ein Jahrhundert mehr beftehen. Ende des vorigen Jahrhundertes, als es an die Aufhebung vieler Klöfter ging, ward auch Waldhaufen hievon betroffen (1784). Diefes Schickfal war übrigens großentheils felbft verfchuldet. Die Vermögensgebarung war in Unordnung und das Stift in Schulden gerathen. So zum Beifpiel war fchon vor der Aufhebung des Stiftes der prächtige Hochftrahlbrunnen, welcher im Vorhofe ftand, dem Stifte Melk zur Tilgung einer Schuld abgetreten worden. (Diefer Brunnen befindet fich noch heute im erften Hofe des Stiftes Melk.) Im Jahre 1785 verzichtete der letzte Probft freiwillig auf feine Würde und wurde die Verwaltung des Vermögens dem Stifte St. Florian übertragen. Dasfelbe ftrebte bald die Enthebung hievon an und fo wurde 1790 das Stift Waldhaufen aufgelöst. Höchft bedauerlicherweife wurde jedoch bei diefer Aufhebung wie faft überall in derlei Fällen allzu radical vorgegangen. Man ging, wie allem, fo bald um den Stiftsgebäuden geradezu graufam um. Unter der Motivirung, die Gebäude feien baufällig, was jedoch ficher nicht anzunehmen ift, wurde alles mit Ausnahme der Kirche und des Hoftractes an der Eingangsfeite (fammt Thorthurm) niedergeriffen. Die befferen Marmorbeftandtheile, Thürbekleidungen, Fenfterftocke u. dgl. kamen nach Laxenburg, um beim dortigen Schlofsbaue verwendet zu werden, was eine fehr beliebte, aber höchft fragliche Ausrede ift,[1] anderes wurde einfach von Bauern weggeführt u. dgl. Jetzt fteht die Kirche einfam inmitten des weiten verödeten Platzes. Die Gartenanlagen, welche noch bis vor wenigen Jahrzehnten leidlich erhalten waren, haben fich Kartoffeläckern u. dgl. platzgemacht.

Aber auch der Kirche droht Gefahr. Diefelbe ftand nämlich inmitten der ganzen ein Rechteck bildenden

---

[1] Wenn fich all - in Laxenburg finden würde, was als dahin gekommen erzählt wird, dann mufste dort ein Riefenfchlofs entftanden fein. Die Red.

Anlage. Sowohl auf der Vorder- als auch auf der Presbyteriumsseite stießen unmittelbar an die Kirche beiderseits die Querflügel der Stiftsgebäude an, von denen man also unmittelbar in die Kirche gelangen konnte. Die entsprechenden Verbindungs-Oeffnungen sind jetzt vermauert. Durch die Niederreißung der an die Kirche angebauten Gebäudeflügel ist die hiedurch freigelegte Kirche ganz auf sich selbst gestellt und wichtiger Stützen beraubt worden. Eine genauere fachmännische Untersuchung dürfte ergeben, daß diese Verbindungsflügel bei der ursprünglichen Construction nicht ganz außer Betracht blieben und dazu beizutragen hatten, den Seitendruck des mächtigen Tonnengewölbes der Kirche aufzuhalten. Nach Abtragung dieser Seitenflügel begann auch thatfächlich das Gewölbe allmählig Risse zu bekommen. Man suchte, als man dies wahrgenommen, durch Aufführung von Stützpfeilern, welche an Stelle der abgebrochenen Theile an die Kirche angebaut wurden, abzuhelfen. Dieselben erweisen sich jedoch als viel zu schwach. Dermalen zeigen sich im vordern Theile der Kirche ein starker Riß quer durch das ganze Gewölbe und kleinere Risse auf der Presbyteriumsseite, so daß hie und da Stücke von Stucco herabfallen und eine Beschädigung von Personen nicht ausgeschlossen ist.

Die Kirche, die wie erwähnt, von einem weiten Tonnengewölbe überspannt ist, zeigt besonders schöne Raumverhältnisse und macht eine stattliche Wirkung. Sehr schön sind die Stuckarbeiten des Gewölbes, elegant und verhältnismäßig maßvoll, offenbar das Werk italienischer Arbeiter, die damals bei den Klosterbauten in Ober-Oesterreich allgemein herbeigezogen wurden. Die Kirche hat kein Querschiff, statt der Seitenschiffe je vier Nischen, darüber Emporen, also ganz der Typus des Barockes jener Zeit. Die Deckengemälde sind sehr flüchtig und gering. Die Fertigstellung der Kirche wurde offenbar eilig betrieben, da auch die meisten Seitenaltäre nur flüchtige Frescobilder in Stuckrahmen enthalten. Uebrigens sind angeblich auch mehrere Altarblätter fortgenommen worden. Ein prachtvolles Orgelgehäuse, datirt von 1677, ziert die Sänger-Empore. Die Sacristei (in der Achse des Schiffes gebaut) enthält eine hohe Marmornische mit drei Wasserbecken und Karyatiden, oben von dem Stiftswappen bekrönt.

Zum Unglücke brannten vor 20 Jahren auch der Thurm der Kirche und der Thorthurm ab und wurden die Kuppeldächer derselben durch einfache Nothdächer ersetzt.

Nachdem schon so viel Unheil über diese Klosteranlage gekommen ist, sollte man doch nicht auch ihre letzten Reste dem Verderben aussetzen.

Nebst dieser Kirche besteht im Orte eine zweite Kirche, die sogenannte Marktkirche, ein Bau in Spät-Gothik, vollendet 1612. Einzelnes in eleganten Renaissance-Formen (darunter ein Sacramentshäuschen) im befriedigenden Bauzustande. Sehr beachtenswerth ist der Hochaltar von Obermayr 1682, der Orgelprospect und ein Schmiedeeisengitter in einer Seiten-Capelle.

78. Conservator geistlicher Rath Graus machte die Mittheilung, daß er vor wenig Wochen die Ruine des vom Stifte St. Lambrecht, und zwar von Abte Johann II. Schachner 1471 erbauten Sperrschloßes Schachenstein am Thore nahe Aflenz (Steiermark) besucht habe, um sich über den Zustand der darin befindlichen Schloß-Capelle zu unterrichten. Dieselbe besteht aus einem oblongen Schiffe von 3·82 M. Weite und 7·50 M. Länge im Langhause, dessen zwei Kreuzrippengewölbe nun eingestürzt sind, sammt der an dem einen Ende errichteten auf einen Stichbogen aufgestützten Well-Empore. Ein Scheidebogen von 72 Cm. Stärke öffnet auf dieses Schiff gegen den quadraten Chorraum von 3·55 M. Weite mit einer Scheitelhöhe von 6 M., desgleichen des Schiffes. Hier steht noch das Kreuzrippengewölbe mit dem schildförmigen Schlußsteine; auch besteht hier der unterwölbte Fußboden, während der Dielenboden des Schiffes durchgebrochen ist. Die Capelle hat zwar durchaus steinerne Gliederungen (Fenstergewände, Rippen, Dienste im Chore, Consolen im Schiffe und den profilirten Scheidebogen), aber ohne besondere ornamentale Ausbildung. Sie ist jetzt von außen her nur sehr unbequem zugänglich. Die Hoffnung, mit der ich sie besuchte, sie werde zu erhalten sein, hat sich wenig gegründet erwiesen.

79. Der Central-Commission ist die Mittheilung zugekommen, daß die Restaurirung der Orgelbühne zu St. Pauls a. d. Etsch als nicht gelungen bezeichnet werden kann. Ursprünglich sollte sie stylgemäß, das ist gothisch geschehen, kam aber eine solche in Renaissance in Ausführung mit plumper Brustwehr, wobei die alten Ansätze abgeschlagen wurden. Derlei Vorkommnisse, die nicht mit den dem Conservator von den Parteien gegebenen Informationen stimmen, sind recht bedauerliche Vorkommnisse, die den Conservatoren ihr Ehrenamt sehr bitter machen. Es wirkte dabei ein Dilettant, der sich bereits an mehreren Orten Tyrols in dieser Weise breit macht. Ein Correspondent schreibt darüber der Central-Commission: „Dieser Restaurator? hat die Orgel-Empore in St. Pauls barbarisch und dilettantisch behandelt. Er ließ die alten Ansätze von den Pfeilern rücksichtslos abmeißeln, um sein Machwerk platzzumachen". In Tisens sind die Altäre so klein ausgefallen, daß man auf denselben kaum Messe lesen kann.

80. Wie Conservator Director Sterz berichtet, ist die Restaurirung der St. Jacobs-Kirche zu Iglau in den letzten Tagen des vergangenen Jahres in höchst gelungener und allseitig befriedigender Weise zu Ende geführt worden. Der Leiter der ganzen Aufgabe war Architekt Richard Völkl. Die wichtigsten Aenderungen wurden am Orgelchore vorgenommen, so wurde die barocke Brüstung entfernt und durch eine stylpassende neu ersetzt, die beiden jüngeren Unterjoche daselbst wurden beseitigt. Das Schiff der Pfarrkirche hat dadurch an Harmonie und Ansehen bedeutend gewonnen. Auch wurde der ganze Raum in bescheidener Weise polychromirt. Im Presbyterium wurden einige größere Wandmalereien angebracht. In einigen Fenstern sind Glasbilder eingesetzt. Die Orgel wurde ausgebessert, ebenso deren barocker Kasten, die Seiten-Capelle restaurirt. Die barocken Einrichtungsgegenstände blieben erhalten, wurden aber sorgfältig hergerichtet; dasselbe gilt von den Altarbildern und dem Deckengemälde in der Marien-Capelle. Der Sacristeigang zum Presbyterium wurde hinsichtlich seiner ursprünglichen Architektur freigelegt. Decorative und figurale Malereien wurden in sehr gelungener Weise neu hergestellt.

Für diefes koftfpielige Unternehmen gaben Prälat *Sigmund Starý* vom Stifte Strachow 42.000 fl. und Pfarrer *Beckert* 9400 fl. an Sammelgeldern u. f. w.

81. Baron *Handel-Mazetti*, Oberft d. R., hat der Central-Commiffion vor längerer Zeit mitgetheilt, dafs fich in der Kirche zu *Aurolzmünfter* (Ober-Oefterreich) von der alten Adelsfamilie der Tannberge 15 Grabmale erhalten haben, die alle noch lesbar find und beftimmten Perfonen diefes Gefchlechtes zugewiefen werden können; zehn bis zwölf weitere Grabfteine find theils oder ganz abgefchliffen, fo dafs nur mehr Wappen-Contourrefte der Familie errathen laffen, auf die fie fich wahrfcheinlich beziehen dürften; eine weitere Anzahl ift unter den Betftuhlen verdeckt und über diefe lafst fich derzeit nichts beftimmtes angeben, wenngleich auch hier das Tannberg'fche Wappen zu erkennen ift.

Der Aushebung und Aufftellung als würdig werden vom Berichterftatter erkannt: beim Eingange in die Kirche von Norden her der Doppelftein der Brüder Hans III. und Wolgang I. von Tannberg, 262 Cm. lang, 138 Cm. breit, theilweife vom Beichtftuhle verdeckt, doch auch theilweife abgetreten (Infchrift der Frauen); vor dem Seitenaltare auf der Evangelienfeite im Boden (unter Betftuhlen) der des Hans III. von Tannberg, geftorben 1455 am 23. Auguft (St. Bartholomäus-

Fig. 7

Abend), 160 Cm. lang, 96 Cm. breit; die Wappen der drei Frauen find abgetreten, fonft gut erhalten Daneben der des Wolfgang I. von Tannberg, geftorben 1450 am 25. April, 196 Cm. lang, 196 Cm. breit. Am Boden nächft dem Presbyterium der Grabftein des Hans IV. von Tannberg zum Wafen, theilweife durch ein Pfeiler-Altärchen verdeckt, ftellenweife abgetreten; der Grabftein feines Bruders Wilhelm, 131 Cm. lang, 79 Cm. breit, findet fich auf dem die Kirche umgebenden Friedhofe als Auftrittsftein vor der Sacrifteithüre, in der Mitte durchgefprungen. Etliche Steine liegen mit der rohen Seite nach oben.

Die älteren Grabfteine diefer Familie befinden fich im Hauptfchiffe gegen das Presbyterium zu im Boden unter den Stühlen. Die neueren Steine diefes Gefchlechtes find fehr gut erhalten und an vollkommen paffenden Plätzen in der Kirche aufgeftellt, theilweife

find diefelben fehr fchön und fehenswerth, davon fechs aus dem 16. Jahrhundert.

Beachtenswerth find zwei Steine für hier begrabene Geiftliche.

Die Central-Commiffion bemüht fich, die wichtigeren Steine zu einer zweckmäßigen Auffteilung zu bringen und die hiefür erforderlichen Geldmittel zu erlangen.

82. Confervator Regierungsrath *Vitus Berger* hat im November 1898 an die Central-Commiffion über zwei intereffante Todtenfchilde falzburgifcher Provenienz berichtet, davon wir eine kurze Nachricht bringen wollen.

In *Fig. 7* fehen wir abgebildet den runden Todtenfchild (1·12 M Durchmeffer), der fich derzeit im Befitze des Herrn Bezirks-hauptmannes Hans Stöckl zu Zell am See befindet. Auf der den Schild felbft umgebenden breiten Umrahmung fteht folgende Infchrift:

"1510 Georg Stöckl von Schwarzeck Probft aufm Heyberg." — Im Tartfchenfchilde erfcheint ein auf einem Dreiberge über einem abgebrochenen Aft fitzender Bär, gegen links gewendet, hält im linken Hinterfuße ein Reifig diefes Aftes, im rechten Vorderfuße ein kleines Stück Holz. Auf dem Stechhelme wiederholt fich die hockende Bärenfigur, jedoch ohne Beigabe. Reiches Helmdeckenwerk füllt den kreisrunden Kern des Schildes aus. Das Wappen ift in Holz gefchnitzt und ftaffirt.

Der zweite Todtenfchild, ebenfalls rund, mit 1·31 M. Durchmeffer, zeigt die gleiche Behandlung wie der frühere, eine bemalte Holztafel, darauf das Wappen im Holz-Relief, ftaffirt, auch theilweife die Tafel felbft polychromirt und eingefafst durch einen fchmalen Infchrift-rahmen, darauf fich folgende Legende befindet: Hie. ligt . der . edl . und . veft . achaez wispeck, erib kamermaifter . des . erczpiftub . zu . salczpvrg . der . geftorben . ift . am . samstag . vor allerheiligentag ano dni 1 . 4 . 8 t . j

Das in der Mitte des Schildes angebrachte (Relief-) Wappen zeigt zwei nebeneinander geftellte Schilde, gemeinfam von einem Spangenhelme überdeckt, als Helmzier ein mit Hermelin bekleideter männlicher Rumpf fammt Caputze, die zugleich eine hohe Spitzmütze bildet und durch eine Art Kronen-

reif gezogen ift; reiche dunne aftartige Helmdecke. Außer dem Doppelwappen, davon eines (rechts) der Familie Wispeck gehört, find noch um das Wappen herum fechs Schilde als Ahnenproben gemalt. Der Schild ift heute ftark und nicht ganz richtig reftauriert.[1] Achaz Wispeck ift in der Kirche zu Ober-Alm begraben, fein Grabftein ift dort erhalten. Der Todtenfchild ftammt demnach von dort her und ift derzeit glücklicherweife im ruhigen Befitze des Salzburger Mufeums.

dabei die Worte: Kafpar Herr zu Volkftorff. Als Gegenftück erfcheint die andere Darftellung mit einem Wappen nach Art der beigegebenen Figur  und mit folgender Infchrift: Iklara Wifspeckin fein gemachel. Diefe Glasbilder dürften zu Anfang des 16. Jahrhunderts entftanden fein.

Aus der Kirche zu Attnang wurden zwei Tafeln copirt. Auf der einen ift in vorzüglicher Weife die heil. Maria mit dem Kinde in herrlicher Strahlenglorie dargeftellt (1494). Die zweite Tafel zeigt den Donator als Canonicus, dabei zu den Fußen ein Wappen im Dreieckfchild, darin ein Herz mit unten angefetztem Dreieck. Die Legende der Tafel lautet: Johannes Laventaler Canonicus pataviensis autorque hujus ecclesiae me? St. Stephan? dedit.

Aus der Kirche zu Pafching wurde eine Glastafel mit der Darftellung des heil. Laurentius abgebildet, eine Arbeit des frühen 14. Jahrhunderts; ferner ein Glasbild mit der Darftellung des heil. Stephan als aufrechtftehende Figur, die ein Buch mit Steinen belegt vor fich hält, derfelben Zeit angehörig, ebenfo wie jenes mit dem Bildniffe St. Anton des Einfiedlers, diefer mit Krückenftab und Glocke und dem Tauzeichen auf dem grauen Mantel, mit dem Schweine und auf lodernden Flammen ftehend.

Sehr intereffant ift eine zweite Tafel aus Pafching, darftellend den heil. Stephan mit der Gebetinfchrift auf einem Spruchbande: S. Stephane, ora pro me peccatore. Zu Fußen des Heiligen lehnt ein unbehelmter rother Schild, darin drei Seeblätter als fchrägrechte Balken. Die Randfchrift lautet: Magifter Johannes sigort de gois plebanus zu herfing.

Aus Nieder-Oefterreich finden wir ein Glasgemalde, vorftellend den heil. Stephan mit den Marterfteinen (16. Jahrhundert) aus der St. Stephans-Kirche in Eggenburg, dann aus der Filialkirche zu Ochfenbach bei Ferfchnitz zwei Tafeln, eine mit einem ftehenden Ecce homo und eine mit dem Ritter St. Georg, der unberitten den Drachen bekämpft; beide Tafeln aus dem Ende des 14. Jahrhunderts, fehr intereffante Arbeiten.

Fig. 8.

83. Der Central-Commiffion lagen am 4. Marz 1898 zwölf ganz vorzüglich ausgeführte Copien von alten Glasgemalden vor, ausgeführt durch die oberofterreichifche Glasmalerei in Linz. Wir halten es für gerechtfertigt, wenn wir die bezüglichen Darftellungen ein wenig befprechen und befchreiben:

Zwei Tafeln ftammen aus der Kirche zu Pupping in Ober-Oefterreich. Die eine enthält das bekannte Wappen der Volkersdorfer in fehr fchöner Ausführung,

84. Wir haben bereits Abbildungen von Innungs- und Zunftfiegeln gebracht. Selbe werden dadurch

---

[1] Heraldifcher Atlas xc. H. G. Ströhl., Heft 5d Hofmann bei Setm?

intereffant, dafs fie meiftens im Siegelbilde die Darftellung eines Heiligen als Zunft-Patron oder Abbildungen von auf das Innungshandwerk bezüglichen
Werkzeugen bringen. Im letzteren Sinne wird hier das
in Fig. 7 abgebildete Siegel
beachtenswerth. Dafselbe ift
kreisrund, mit einem Durchmeffer von 35 Mm. und zeigt
im Siegelfelde, den Tuch-
machern entfprechend, die
große Tuchfcheere, zwei
Weberfchiffchen, eine Faden-
fpule u. f. w., zu oberft die
Entftehungsjahreszahl 1579
und auf beiden Seiten unter
Blätter- und Blumengewinden
die Buchftaben V H und C K,
wahrfcheinlich auf die Namen der Vorftände bezüglich. Die Randumfchrift zwifchen einer äußeren Kranz-
und inneren Perllinie lautet: „Sigill der Tuchmacher
in reichenberg 1579."

Fig. 7.

85. In der Kirche zu *Hvozdna* (Mähren) befindet
fich eine größere Glocke, die folgende Infchrift trägt:
Verbum domini manet in | aeternum | Durch Feir Flos
ich | gos mich 1598 | meifter Georg Hochperger | zu
Olmicz.

86. Gelegentlich eines Befuches in *Reun* wurde
Confervator *Lacher* auf die fehr kleine Kreuz-Capelle
aufmerkfam, die beim Baue des gegenwärtigen Stiftsgebäudes als der öftlichfte Auslaufer des alten im 1350
errichteten Stiftsgebäudes ftehen geblieben ift. Sie
wurde ringsum verbaut und liegen die anftoßenden
Gänge des gegenwärtigen Haufes höher als der Fußboden diefer Capelle, fo dafs eine Stiege in diefelbe
hinabführt. Die Capelle ift leer und nur das gothifche
Gewölbe ift erhalten.

87. Gelegentlich der Reftaurirung der herrlichen
Kirche zu *Straßengel* bei *Graz*, dem Cifterienferftifte
Reun gehörig, hat fich ergeben, dafs eine Anzahl von
Fragmenten von ornamentalen Theilen alter Glasmalereien aus den dortigen Fenftern, die nicht mehr
zur Verwendung gelangten, im Wege des Nachlaffes
nach dem Architekten *Mikowetz* für das culturhiftorifche und Kunftgewerbe-Mufeum in Graz gerettet
wurden.

Auf das Gerücht hin, dafs aus der Steiermark
einige Glasgemälde nach Wien verkauft worden feien,
bemühte fich Confervator *Lacher*, diefen Objecten auf
die Spur zu kommen. Sie fanden fich in der That bei
einem Wiener Antiquar, von wo fie nach München
gebracht werden follten. Es waren deren neun Stücke,
die zweifellos aus der Straßengler Kirche ftammen. Um
fie für das Inland zu retten, hat fie das genannte Mufeum
käuflich übernommen. Gelegentlich der erwähnten
Reftaurirung wurden fie nämlich ausgemuftert und im
Stifte Reun aufbewahrt. In den Mittheilungen der
Central-Commiffion 1858 find die neun Tafeln als noch
vorhanden befchrieben. Sechs Stück find fehr gut erhalten, von tiefer Farbenwirkung und können den
befferen Arbeiten der zweiten Hälfte des 14. Jahrhunderts beigezählt werden. Sie ftellen vor: Jofeph und
Maria auf dem Wege nach Bethlehem — Maria fitzend,

von Engeln umgeben — heil. Jofeph — St. Chriftoph —
zwei der heil. Könige — Erzengel Gabriel mit dem
Lilienzweige — St. Katharina mit Rad und Schwert —
Maria und Jofeph — einen Bifchof und die heil. Martha.

88. Gelegentlich des Anfuchens der nieder-ofter-
reichifchen Gemeinde *Hollenftein* um eine Subvention
zur Herftellung der fogenannten *Kreuzwegfäule* dortfelbft erfuhr die Central-Commiffion, dafs diefe Säule
eine nähere Würdigung verdient. Es ift kein Zweifel,
dafs die heutige Säule — nur fo genannt, ohne je
irgendwie zu fein — ehemals und urfprünglich ein
Sacramentshäuschen war und in der Pfarrkirche ihren
Standplatz hatte. Vor circa hundert Jahren wurde das
Kirchengebäude einem Vergrößerungsbaue in etwa-

Fig. 8. Hollenftein..

gewaltthätiger Weife unterzogen, wobei fie nicht nur
ihren bisherigen gothifchen Charakter nahezu ganz
einbüßte, fondern auch ihre Stellung total veränderte
und man ihr eine andere Achfe gab. Damals erfchien
das Sacramentshäuschen überflüffig und wurde an die
Luft gefetzt, feiner Weihe wegen aber noch erhalten.

Die Mauer, die fich an der Rückfeite des Sacramentshäuschens befindet, wurde bei der Entfernung
desfelben aus der Kirche unbedingt nothwendig, weil
das Häuschen feit 1502 an einem Kirchenpfeiler angelegt war. Bei der Unterfuchung zeigte es fich, dafs es
vormals nie ganz frei geftanden fein konnte, in welchem
Sinne fich auch Baurath *Rosner* als Referent ausfprach.
Ganz eigenthümlich und die ehemalige Diagonal-
ftellung in der Kirche beweifend, ift der Schmuck der
einen Kante des Capellchens durch eine Rittergeftalt
unter einem kleinen Baldachine. Diefes reizende Object der Spät-Gothik, das leider recht zerfallen ift,
empfahl Baurath Rosner der Reftaurirung, die auch
erfolgte. Der Tabernakel — urfprünglich übereck geftellt — mit den verzierten Theilen gegen vorn, fteht

auf einer reich profilirten gewundenen Säule und hat zwei offene nur durch eiserne Gitter verschloffene Seiten. Den Uebergang vermittelt eine Zwifchenplatte mit zwei faft flachliegenden Figuren als Eckträger. Bei der Reftaurirung kam oben ein Kreuzabfchluß und unten eine Doppelftufe hinzu. Fig. 8 .

89. Das Pfarramt zu *Türnitz* (Böhmen) hatte ein neues Glockengelaute zu beftellen und zugleich bedungen, dafs der betreffende Glockengießer die vorhandenen alten Glocken übernehme. Nun hat fich aber herausgeftellt, dafs fich unter den alten Glocken eine folche aus dem Jahre 1510 befindet, vom dortigen Meifter Langenberger gegoffen und mit figuraler Verzierung und Infchrift verfehen. Es befchloß die Gemeinde um die Erhaltung diefer Glocke einzufchreiten, um fie nun als Uhrfchelle zu verwenden, was auch wirklich gefchehen ift.

90. (*Grabftein in Pettenbach aus dem 16. Jahrhundert.*)

In der Rückfeite der Friedhofs-Capelle zu Pettenbach (Ober-Oefterreich) ift ein 93 Cm. hoher und 53·5 Cm. breiter Grabftein eingemauert, welcher den Pfarrer Joachim Korn betrifft, der als folcher von 1551 bis 1571 dort gewirkt hat.[1]

Fig. 9

Erwähnter Grabftein zeigt in feiner untern 58 Cm. hohen Hälfte einen Kelch und in feinem obern 35 Cm. hohen Theile die Infchrift, von welcher hier nur deshalb Notiz genommen wird, weil fie feltfamerweife außer großen, in dominirender Anzahl vorhandenen lateinifchen Lapidarbuchftaben auch noch kleine gothifche Minuskel — f — und überdies eine Combination beider f mit T ff aufweist (Fig. 9).

G. Stockhammer.

91. In dem laufenden Jahrgange der Mittheilungen findet fich auf Seite 40 eine Notiz über die Malereien im Schloße zu *Avio* und wird in derfelben Confervator *Karl Atz*, als die bezüglichen Informationen ertheilt zu haben, bezeichnet. Dies ift infoweit richtig zu ftellen, als befagte Notiz aus Berichten der Confervatoren *Schmölzer*, Atz und Maler *Alphons Siber* zufammengeftellt wurde, ihr aber hauptfächlich die feitens des erfteren ertheilte Information zugrunde gelegt wurde. Profeffor Schmölzer kann als der Entdecker der dortigen Wandmalereien bezeichnet werden. Wie derfelbe unterm 24. Juni v. J. berichtet, ift die auf Veranlaffung der Central-Commiffion eingeleitete Aufnahme diefer überaus intereffanten Malereien als Facfimile in einem Theile bereits fertig, doch mußte im vergangenen Spätherbfte der Ungunft der Witterung und der um diefe Jahreszeit fchlechten Beleuchtungsverhältniffe wegen von der Fortfetzung der Copirarbeiten abgefehen werden, hoffentlich werden diefe Arbeiten baldigft wieder aufgenommen werden Dem Style nach ftehen diefe Gemälde für jetzt ganz vereinzelt, doch dürfte deren Maler von Verona ausgegangen fein. Es ill dies der ränifte Teppichftyl, den diefe Malereien zeigen,

[1] Nach den Afzeichnungen in der Pfarr-Chronik, aus welcher mir der ... Herr Liebhaber in Pettenbach P. *Wolfgang Renchauer* gütigft ... Mittheilung machte.

mit Styleigenthümlichkeiten, die in fehr frühen Perioden, wie es fcheint, regelmäßig wiederkehren, wie zum Beifpiel die kurzen Oberfchenkel und langen Wadenbeine, aber hier in vollendeter Freiheit und Sicherheit.

92. In allerneuefter Zeit wurde, wie Confervator *Lacher* berichtet, für die culturhiftorifche und kunftgewerbliche Sammlung, kirchliche Abtheilung des Joanneum in Graz, ein Reliquienkäftchen angekauft, das aus der ehemaligen Schatzkammer der Grazer Burg ftammt und nach deren Auflaffung unter Kaiferin Maria Therefia dem Domfchatze einverleibt worden war. Es ift ein Ebenholzkäftchen mit hohem Deckel, darin eine Glasplatte eingelaffen ift; die ornamentalen Auflagen find in Silber angefertigt, die Engelsköpfchen an den Seitenflächen und Rofetten aus vergoldetem Silber. Diefes Schmuckkäftchen kam aus dem Domfchatze vor 15 Jahren um 25 fl. in Privatbefitz und um 200 fl jetzt in das befagte Mufeum.

93. Die Notiz 7 diefes Jahrganges (S. 33) muß infofern richtig geftellt werden, als die als unbekannt bezeichnete lateinifche Infchrift, wie Confervator *Bulić* mittheilt, bereits im Bull. dalmato 1881, p. 162, Nr. 51 und alsdann auch anderweitig veröffentlicht wurde. Jedenfalls aber muß es in der Infchrift felbft heißen D(iis) nicht D(eis) und Pude(n)s nicht Pude(u)s.

94. Gegenüber der Stadtpfarrkirche in *Braunau* fteht eine alte Kirche, deren Befitzer der Bonifacius-Verein ift und welche, wie Confervator *Mcindl* berichtet, ein immerhin beachtenswerthes Bauwerk ift. Sie fteht eigentlich am alten aufgehobenen Friedhofe und war dem heil. Martin und Sebaftian geweiht. Sie ift jetzt zu Depotzwecken verpachtet, leider in einzelnen Bautheilen fehr fchadhaft, der Portalftein vielfach zerbrochen, doch die Rofe darüber gut erhalten. Im Schiffe befteht kein Gewölbe mehr, auch die Krypta ift fehr fchadhaft.

95. Die Zeitfchrift des Ferdinandeums bringt im 42. Hefte der dritten Folge unter den Abhandlungen ein fehr lefenswerthes Lebensbild des *David von Schönherr* aus Oswald Redlich's Feder, dabei ein gut getroffenes Porträtbild.

Wir haben unter einem von dem Hinfcheiden des fehr verdienten Confervators *Julian Ritter v. Zachariewicz*, k. k. Hofrathes und Profeffors an der technifchen Hochfchule in Lemberg, zu berichten.

Eine höchft traurige Nachricht ift aus Prag an die k. k. Central-Commiffion gelangt. Am 16. Januar 1899 ift der dortige Dombaumeifter *Jofeph Mocker* im 63. Jahre geftorben. Er war k. k. Oberbaurath und Confervator für einen großen Theil der Stadt Prag, ftand im vollften Vertrauen der k. k. Central-Commiffion. Sein Hinfcheiden bedeutet einen fchweren Verluft im Kreife des Schutzes und der Reftaurirung gothifcher Denkmale in Böhmen. Um den gelungenen Ausbau des Prager Domes hat er fich hoch verdient gemacht; es wird fehr fchwer halten für einen nur einigermaßen ausreichenden Erfatz diefer mit dem Reftaurirungswerke des St. Veit-Domes feit dreißig Jahren fozufagen verwachfenen Perfönlichkeit zu forgen.

Die Reſtaurirung der Miroutz-Kirche in Suczawa (Bukowina).

Von Conſervator *Karl A. Romſtorfer.*

MIT dem Erlaſſe vom 4. Auguſt 1897, Zahl 14757. hat Seine Excellenz der Herr Miniſter für Cultus und Unterricht die bauliche Reſtaurirung und Inſtandſetzung der aus dem Ende des 14. Jahrhunderts ſtammenden, ſeit Jahrhunderten aufgelaſſenen und nunmehr wieder dem Gottesdienſte zuzuführenden *St. Miroutz-Kirche* genehmigt. Als Geſammtkoſtenerfordernis nahm man 88.874 fl. in Ausſicht, vertheilt auf die vier Baujahre 1898 bis 1901. Die Durchführung des Baues iſt einem Bau-Comité übertragen. Anfang Juli wurde mit den Reconſtructionsarbeiten begonnen. Vorerſt mußten die Laternenkuppel und die Wölbungen gänzlich, die Hauptmauern aber durchſchnittlich 1·3 M. abgetragen werden (Fig. 1, Anſicht). Bei dieſer Gelegenheit ergab ſich vor allem, daſs (mit Ausnahme einiger rohen Bemalungen mit geometriſchen Muſtern aus ſpäterer Zeit) im Innern der Kirche

Fig 1. Suczawa.)

an den unteren Theilen der Wände, obwohl dieſelben vielfach den beſonderen für die Aufnahme von Malerei beſtimmten Mörtelbewurf beſitzen, Spuren von urſprünglicher Malerei kaum zu finden waren. Dagegen waren deutlich Malereireſte an den gegen eindringende Feuchtigkeit beſonders geſchützten Stellen der Gewölbe, ſowie in den geſchützten Ecken der Bildniſchen des ſternförmigen Unterbaues der Laterne, endlich an dem äußern ziegelrohbauartig hergeſtellten Cordongeſims und an wenigen Stellen der Wand nachweisbar. Bemerkt ſei, daſs bloß die gegen Nord und Süd gekehrten Felder des Sternſockels Bildniſchen enthielten; die öſtlichen und weſtlichen Felder jedoch waren glatt, ein Beweis daſs die urſprünglich die letztgenannten Seiten durch das Dach größeren Theiles verdeckt geweſen waren. Die Malereiſpuren an den unteren Wandtheilen laſſen vermuthen, daſs das Aeußere nach byzantiniſcher Art, verſchiedenfarbige Stein- und Ziegelſchichten darſtellend, bemalt war. Auch die Malereireſte im Tympanon der Ein-

gangsthüre ſcheinen urſprünglich geweſen und vielleicht ſpäter einmal nachgebeſſert worden zu ſein. Im Jahre 1885 nahm ich noch deutlich eine Engelsgeſtalt, darunter das Bildnis des heil. Georg, die Inſchriften ﺮﻴﻠﻟ und ﺮﻟ reﻭﺮﻴﻪ (heil. Georg") endlich hübſche romaniſche Band-Ornamente wahr, welche heuer wohl ſchon größtentheils verſchwunden waren, und copirte ſie ab. Im eſelsrückenförmigen Steingewände iſt ein Steinmetzzeichen von der Form Y und einer Höhe von 5¼ Cm. bemerkbar. In einem Y Fenſterpfeiler der Laterne, und zwar im erſten Drittel von oben herab, fand man zwiſchen zwei ſtehend eingemauerten Ziegeln eine polniſche Silbermünze, die alſo während der Errichtung oder einer baulichen Veränderung der Laterne ins Mauerwerk gekommen ſein dürfte. Sie ſtellt einen ſogenannten Dreigroſcher vor und ſtammt von Sigismund III. (1587—1632).

Am Dachboden, zwiſchen Mauerfugen, entdeckte man eine jener ſchwediſchen Münzen, und zwar mit dem Monogramme G. A. (Guſtav Adolf), wie ſie am Fürſtenſchloſse und in der Stadt Suczawa ſo zahlreich gefunden und wovon (wie ich ſeinerzeit bereits nachgewieſen habe) wenigſtens die Münzen mit den Monogrammen C. und C. G. und den Umſchriften „Chriſtina", beziehungsweiſe „Carolus Guſtav" am Schloſse ſelbſt (unbekannt noch aus welcher Urſache) geprägt wurden. Ferner fand man am Dachboden eine öſterreichiſche Münze von Kaiſer Franz und einen 22 Cm. langen Nagel, welch' letzterer zur Verbindung der in das Bruchſteinmauerwerk eingelegt geweſenen Holzſchließen diente, endlich einen 11 Cm. langen Eiſenſchlüſſel, der als ſogenannte Schlüſſelbüchſe gedient hat; im abgetragenen Mauerwerke an der Nordſeite aber eine 3 Cm. große gegoſſene Eiſenkugel, die in einem gegen 40 Cm. tiefen nach außen mündenden Canal ſtak, möglicherweiſe alſo von einem gegen die Kirche gerichteten Schuſſe herrührt.

Im Naos ſtieß man auf ein mit Ziegeln ausgemauertes Kindergrab, das allerdings bloß Reſte des Holzſarges, der Bekleidung und ein Haarbüſchelchen enthielt. Jedenfalls wurden die Gebeine, die unzweifelhaft einer fürſtlichen Perſon angehörten, und zwar nachdem die Kirche mehr oder weniger zerſtört und als ſolche nicht mehr benützt worden war, in einem anderen Gotteshauſe beigeſetzt. Ausführlich berichtete ich hierüber bereits am 19. Juli an die k. k. Central-Commiſſion für Kunſt- und hiſtoriſche Denkmale.

Gelegentlich der Herſtellung der Kalkgrube an der Südſeite der Kirche ſtieß man auf zahlreiche Skelette, von welchen die Schädel an das k. und k. Hof-Muſeum geſendet wurden; gleichzeitig fand man ein halb cylindriſch geformtes Vorhängſchloß, das übrigens nicht beſonders alt zu ſein ſcheint. Auch bei Anlegung der Wächterhutte fand man menſchliche

10

Knochen. Die gemachten, zum Theile intereffanten, zum Theile fehr wichtigen Funde, die fpäter den Sammlungen des Landes-Mufeums einverleibt werden follen, verdanke ich der befonderen Umficht des Pofiers *Martin Leugner*, der fich auch um die bisherigen forgfältigft durchgeführten Reconftructions-arbeiten fehr verdient gemacht hat. Was nun diefe felbft anbelangt, fo gingen fie im erften Baujahre fehr flott von flatten. Es wurden nämlich fämmtliche Neuaufmauerungen einfchließlich des Thurmaufbaues und der Laternenkuppel fammt den Verputzungen im Aeußeren der Laterne und im Aeußeren und Inneren des Vorhallenthurmes planmäßig hergeftellt und fehlt lediglich noch die Ausführung der Kuppelwölbung des Pronaos und jener der Laterne. Wie bei den meiften moldauifch-byzantinifchen Kirchen waren auch in der Miroutz-Kirche, und zwar in den Haupt-Pendentifs der Vierung fogenannte Schalltöpfe (in Rumänien refu-

lichen Zeichnungen und Pläne bereits vorlegte. Den Baufortfchritt im abgelaufenen Jahre zeigen fünf photographifche Aufnahmen, die ich am 7. October machte.

Nach dem Schematismus des griechifch-orientalifchen Confiftorial-Episcopates foll einer Tradition gemäß die Miroutz-Kirche als einftige Metropolitan-Kirche des Fürftenthums Moldau und Krönungskirche diefes Landes im 14. Jahrhundert geradezu vom Fürften Dragoş, nach einer andern Sage jedoch vom Fürften Juga, dem Vorgänger des Wojewoden Alexander des Guten, erbaut worden fein (Fig. 2, Grundrifs).

Das letztere wird als wahrfcheinlich bezeichnet, weil Juga nach den moldauifchen Chroniken als der erfte gilt, welcher, nachdem er alle freundfchaftlichen Beziehungen mit Conftantinopel abgebrochen hatte, mit Genehmigung des Patriarchen von Ochrida den Metropoliten Theoctift einfetzte. In den Acten und im Volksmunde wird die Miroutz-Kirche conftant als die

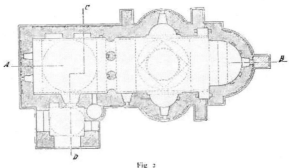

Fig. 2

flat\aregenannt\eingemauert. Sie beftanden aus kleinen dünnhalfigen Thongefäßen, deren verhaltnismäßig fchmaler Boden eingefchlagen war und mit der Oberflache der Wolbung nahezu bündig lag. Gelegentlich der Abtragung der fchadhaften Pendentifs zerbröckelten faft alle. Es wurden nun neue Töpfe von gleicher Große hergeftellt und im neuen Mauerwerke fachgemäß verfetzt, in jedes der vier Pendentifs fechs Stück. Weiters wurden fämmtliche Theile des reich geglioderten Daches abgebunden, die Dachftühle aufgeftellt, die Dächer mit den aus der fürftlich Liechtenfteinfchen Ziegelei zu Themenau bezogenen glafirten Ziegel gemuftert eingedeckt, fowie die aus Kupfer verfertigten Dachfenfter verfetzt, fo dafs im kommenden Frühjahre nur noch die Kreuze aufzufetzen find.

Im nächften Jahre follen die Baumeifterarbeiten fowie die Arbeiten der übrigen Bauprofeffioniften beendet, ferner die Umfriedung mit einem ftylgerechten Gitter und dem reichgehaltenen Thore fowie das für einen Cooperator eventuell Kirchenfänger beftimmte Wohnhaus hergeftellt werden, wofür ich die bezüg-

„alte Metropolie" „zum heiligen Georgiu" genannt. Nach der Chronik des Georgiu Urechi beftand fie ficher fchon zu Beginn des 15. Jahrhunderts; die größte Wahrfcheinlichkeit fpricht nun dafür, dafs fie im letzten Decennium des 14. Jahrhunderts vom Wojewoden Juga errichtet wurde. Der Stadttheil, in welchem diefe Kirche fteht, trägt bis heute den Namen Miroutz. Um das Jahr 1513 foll die Kirche, welche feit 1402 die von Alexander dem Guten gewidmeten Reliquien des heil. Johannes des Neuen, Landespatrons der Bukowina, befaß, durch ein noch unbekanntes Ereignis devaftirt worden fein. Daraufhin wurde die Metropolitie in die benachbarte vom Fürften Bogdan im Jahre 1514 gegründete und von Stephan im Jahre 1522 beendete St. Georgs-Kirche übertragen, bei der fich heute eine Expofitur des Klofters Dragomirna befindet.

Die Reliquien des Heiligen, welche nach 1513 in einer befondern neben der neuen St. Georgs-Kirche errichteten Capelle beigefetzt worden find, bewahrte fpäter mit Unterbrechung die letztgenannte Kirche, in welcher fie feit 1783 ftändig untergebracht find.

Klofterkirche zu Dragomirna.

Von Confervator *Zachariewicz*.

Klofter Dragomirna.

IN der füdöftlichen Ecke des Kronlandes Buko wina liegt das feiner Kirche wegen berühmte Klofter Dragomirna.

Selbes wurde im Jahre 1602 nach Chrifti Geburt von dem moldauifchen Erzbifchofe und Suczawer Metropoliten Anaftafie Krimka, auch unter dem Namen Krimkowicz bekannt, geftiftet, in eben diefem Jahre auch der Bau des Klofters und der Kirche begonnen und in den nachfolgenden Jahren unter der Regierung des moldauifchen Landesfürften Barnowski fortgefetzt und durch denfelben beendet.

Noch vor der Herftellung des jetzigen Klofters und der Klofterkirche beftand in dem gegen Often vor der Klofterringmauer gelegenen Garten eine Brudergemeinfchaft — Skitt — von Kalugiern, die dafelbft in einzelnen Zellen lebten und eine kleine Capelle umwohnten, welch letztere noch gegenwärtig als Skitt oder St. Johanneskirche in unverfehrtem Zuftande dafteht, während der erwähnte Wohnort der ehemaligen Kalugier von den fpäteren und jetzigen Klofterbrüdern zur Ruheftatte des ewigen Friedens auserwählt wurde.

Reich dotirt mit vielen Gütern und Rechten war Klofter Dragomirna ehedem einer der berühmteften der Moldau und es verdankte feinen blühenden Zuftand fowohl dem genannten erzbifchöflichen Stifter und deffen Eltern, die unter dem Namen Joannes und Chriftine Krimka einer fehr begüterten moldauifchen Familie angehörten, als auch dem frommen Sinne und milden Stiftungen moldauifcher Fürften und Privatperfonen.

Namentlich haben laut des im Klofter Dragomirna vorhandenen „kirchlichen Gedächtnisbuches" — Pometnik —, worin die Namen der feligen Stifter des heiligen Klofters Dragomirna aufgezeichnet find, nachftehende Stifter die Dotirung des Klofters begründet. Der urfprüngliche Stifter Erzbifchof Anaftafie Krimka fchenkte demfelben die Güter Dragomireftie, Busciori, Mittokul, Buninec, Birnowa, Napadowa, doch den heute noch vorhandenen vier großen in Silber eingefafsten und vergoldeten Evangelienbüchern. An diefer Schenkung hatten Theil feine Eltern Johann und Chriftine Krimka.

Der Kaluger Gideon Romaneskul fchenkte dem Klofter die Haute des Dorfgutes Scherbaneftie.

Leider wurden diefe Schenkungen im Laufe der Zeit nicht immer im Sinne der milden Stifter für das Wohl der Kirche und Menfchheit verwendet, und während einzelne Klofterforfteher im Befitze fo vieler Güter und Reichthümer dem Wohlleben ergeben waren, feufzten zahlreiche in ihrem geiftlichen Leben verwahrlofte Kloftermönche in äußerfter Dürftigkeit.

Diefe mit dem allgemeinen Wohle, dem Beften des Convents und der frommen Abficht der Stifter im fchreienden Mißklange ftehende Gebarung konnte

dem Scharfblicke des hochherzigen Kaifers Jofeph II. bei feiner denkwürdigen Anwefenheit in der Bukowina in den achtziger Jahren des vorigen Jahrhunderts nicht verborgen bleiben, und es wurde dem frommen Willen der Klofterftifter höhere Rechnung getragen, als unter dem Scepter des genannten höchftfeligen Kaifers in den Jahren 1782 bis 1786, die in der Moldau gelegenen Güter des Dragomirnaer Klofters von der k. k. öfterreichifchen Güter-Adminiftration an moldauifche Bojaren veräußert, aus den in der Bukowina befindlichen Kloftergütern aber der Stock und Stamm des neu gegrundeten g. o. Religionsfondes gebildet und fowohl von dem Kauffchillinge jener moldauifchen wie von den Einkünften der bukowinaer Religionsfondsguter der gefammte neu geregelte griechifch-orientalifche Säcular- und Regular-Clerus der Bukowina nach gerechtem Maßftabe dotirt wurde, der Fondsüberfchuß aber für die weitere Gründung und Erhaltung von griechifch-nichtunirten Schulen des Landes, fowie zu Frommen der Religion und der Menfchheit feine Beftimmung erhielt und unter forgfamer Verwaltung von Seite der k. k. Regierungsbehörden durch fteigende Fructifieirung von Jahr zu Jahr zunimmt.

Anlangend die Kloftergebäude und namentlich die Klofterkirche von Dragomirna, fo ift die letztere ein Meifterwerk byzantinifchen Baukunft. Zehn Klafter bis an den Dachftuhl ragen die durchaus von regelmäßigen Quadern aufgeführten Hauptmauern über die 5' 3' hohen Klofterringmauern empor und verkünden mit dem 7° hohen und mit den feinften Steinmetzarbeiten verzierten Thurme die von höherer Begeifterung getragene Kunft feines Meifters, des hellenifchen Architekten *Dima* aus Maxia in Nikomedien, welcher in der Vorhalle der Kirche unter einem Denkfteine von Marmor mit der altgriechifchen Infchrift begraben ruht: „Der hier ruhende Architekt *Dima* leitete den gothifchen (fic) Bau des Klofters Dragomirna unter der Regierung des Landesfürften Stefan Tomfcha, er opferte feine Mühewaltung und fein ganzes Vermögen dem heiligen Klofter. Gebürtig ift er aus dem Dorfe Maxia in Nicomedien. Er entfchlief hier in Dragomirna und ruhet unter diefem marmornen Denkfteine und bittet, dafs er nicht vergeffen werde in dem kirchlichen Gedächtnisbuche". Neben diefem Grabmale befindet fich zur Rechten ein Grabmal mit einer fehwer zu entziffernden Infchrift, angeblich der Fürftin Maria Maurokordatos und zur Linken angeblich mehrerer moldauifcher Fürften. Nach einer auf der Klofter-Capelle Skitt vorkommenden flavifchen Infchrift find dafelbft namentlich die Grabmäler der fürftlichen Brüder des erzbifchöflichen Stifters Anaftafie Krimka Namens Lupul, Großkanzler, und Simeon, Finanzdirector der Moldau, die das Klofter mitdodirten — während im Pronaos der großen Klofterkirche der erzbifchöfliche Stifter des Klofters in einer mit einem glatten mit keiner Infchrift verfehenen überdeckten Denkfteine befindlichen Gruft begraben ruht.

Von den übrigen Klostergebäuden besteht unversehrt vom Zahne der Zeit durch eine Reihe von nahezu 250 Jahren die 5° 3' hohe Ringmauer mit den sechs

angestrichenem Eisenblech, das Thurmdach mit Weißblech überdeckt. Auf dem ersteren befinden sich zwei und auf letzterem ein eisernes zierlich gearbeitetes

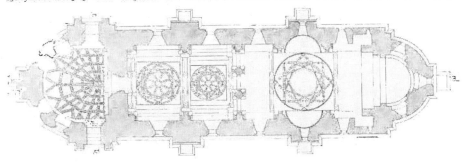

Fig. 1. (Dragomirna.)

mächtigen Thürmen und im Süden des Hofraumes das ursprüngliche „Stiftergebäude" mit seinem über einem einzigen Tragpfeiler kühn gewölbten Saale.

An Stelle der übrigen verfallenen Gebäude wurde in den Jahren 1840 bis 1845 im Westen und Norden des Hofes ein neues großartiges stockhohes Wohn- und Zellengebäude für 25 Kaluger sammt den erforderlichen Gastzimmern und Saal erbaut, worin gegenwärtig fünfzehn Conventglieder mit Inbegriff des Klostervorstehers nach den Regeln des basilianischen Ordens leben.

1. Die große Klosterkirche.

Diese vom erzbischöflichen Stifter zur Erinnerung an die Herabkunft des heiligen Geistes geweihte Kirche ist aus gut bearbeiteten Quadern im byzantinischen Style aufgebaut, sie ist die höchste und bezüglich ihrer feinen Bauart eine der schönsten und geschmackvollsten des Landes.

Sie ist von außen in der größten Ausdehnung 18° 3' lang, 5° 2' breit und bis zum Dache 10° hoch. Die 4' starken Mauern sind von außen mit 8 vier Schuh breiten Stützmauern, die bis zum Dache reichen, diese letzteren aber wieder mit acht bis an die Kirchenfenster reichenden vorgelegten Pfeilern versehen. Der 9' hohe Sockel ist durchaus mit gut ausgearbeiteten Quadersteinen übermauert (s. Fig. 1, Grundriss und Fig. 2, Seitenansicht der Kirche).

In der mittleren Höhe der Kirche läuft ringsum ein steinernes Cordongesimse, welches aus seilartig ineinander verschlungenen Theilen besteht. Das Hauptgesims ist ebenfalls aus Stein, mit überwölbten Tragsteinen und Blattern verziert, woran sich nach unten eine andere Art langerer ebenfalls überwölbter Tragsteine als Fries anschließt. Alle Fenster haben steinerne Verdachungen und zehn davon auch Sohlbanke (Fig. 3.

Die Mauerlinie im Osten der Kirche an der Sanctuarwand ist rund, die an der Kirchenvorhalle siebeneckig gestaltet Fig. 4). Das Dach ist mit roth

Kreuz, die Arme mit vergoldeten Schwertern und ebensolchen Strahlen.

Fig. 2. (Dragomirna.)

Der Thurm selbst ragt 7° über das Dach des Sanctuars empor und ist durch die vorzügliche Feinheit seiner Arbeit berühmt. Er steht auf drei Sockeln, wovon der unterste vierseitig, die weiteren zwei aber

polygon mit verfchiedenen Steinmetzverzierungen fein ausgezackt find. Sockeln und Thurm find ganz von

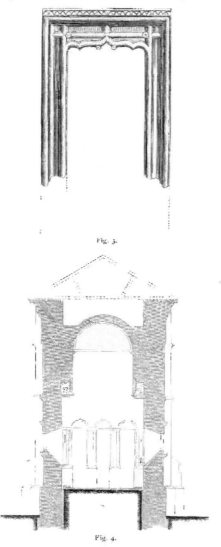

Fig. 3.

Fig. 4.

Quaderfteinen und das Ganze ein Werk ebenfo gelungener, wie mühfamer Kunft (Fig. 5).

Von Norden und Süden der Kirche gelangt man, und zwar auf der nördlichen Seite auf fünf, auf der

füdlichen auf fechs Stufen durch Seiteneingange mit zweiflügeligen Thüren, jede mit vier langen Bändern, Schlofs, Handhabe und Einhängkaften in die *Vorhalle der Kirche*, welche mit Steinplatten gleich der ganzen Kirche gepflaftert ift. Diefelbe erhält genügendes Licht durch vier zweiflügelige mit gehörigem Befchlag verfehene hölzerne Fenfter. Das Gewölbe der Vorhalle ift mit Steinmetzarbeit verziert, ein Theil davon vergoldet. Endlich befindet fich in der Vorhalle das Grabmal der Fürftentochter Maurokordatos und daneben jenes des Baumeifters Dima aus Maxia in Nikomedien, welcher den Bau diefer Kirche leitete.

Fig. 5.

An das letztere Grabmal reihen fich fodann noch zwei weitere, deren Deckfteine keine Auffchrift führen, fondern nur mit Steinmetzarbeiten verziert find.

Ueber vier aufwärts führende fteinerne Vorlegeftufen gelangt man durch eine einflügelige hölzerne, mit ftarkem Eifenblech, Schlofs, Handhabe, fünf Kegeln in Steinfutter und fünf langen Bändern befchlagene Thüre in die erfte Abtheilung der Kirche — *Pronaos* —, deren aus zwei Kuppeln beftehende Gewölbung gleichfalls mit Steinmetzarbeiten verziert find.

Vier zur Hälfte zweiflügelige Fenfter mit Befchlag, mit Verglafung und hölzernem Rahmen geben diefer Abtheilung das erforderliche Licht. In derfelben befindet fich das Grabmal des Snezawer Metropoliten

Anaftafie Krimka, des Stifters der Kirche. Dasfelbe befteht aus einem platten mit gar keiner Infchrift verfehenen Deckfteine.

Aus dem Pronaos gelangt man zwifchen zwei ganzen und zwei Wandpfeilern durch drei Eingänge auf je zwei Stufen in den *Naos* und jenen Raum der Kirche, wo die Bilderwand (Ikonoftafis) und das Sanctuarium fich befindet und über welchem Raume fich das hohe Thurmgewölbe erhebt. Sechs einflügelige Fenfter ohne Befchlag mit hölzernen Rahmen und Verglafung, dann eben folche, nur kleinere vier Thurmfenfter erleuchten diefen Raum. Die Wölbung ift ebenfalls byzantinifch, reich verziert mit Steinmetzarbeit und fo wie die ganze innere Kirche mit Malereien al fresco (Darftellungen aus der Heiligen- und Kirchengefchichte) verfehen, die Malerei zum Theil vergoldet und diefer Raum ebenfalls mit Steinplatten ausgelegt.

Durch die Mitte der Ikonoftafis führt endlich die königliche Thüre für die Priefter und zu beiden Seiten zwei Nebenthüren zu dem Sanctuarium, wo fich auf einem fteinernen Piedeftal der Altartifch erhebt. Auch

Die Vorhalle ift offen mit vier überwölbten Pfeilern und zwei Seiteneingängen verfehen, und mit Ziegeln gepflaftert. Aus derfelben gelangt man über eine Vorlegeftufe durch eine einfache mit Heiligenbildern bemalte Thüre, die mit zwei Kegeln auf Steinfutter, zwei langen Bändern und Schlofs verfehen ift, in die Kirche. Diefelbe ift gewölbt, ebenfalls mit Ziegeln gepflaftert und durch fünf einfache Fenfter von welchem Holze und Verglafung erleuchtet. In derfelben befindet fich die Ikonoftafis und rückwärts derfelben gegen Often der durch die porta regia und eine Seitenthür zugängliche Altartifch von Stein, dann in der Wand zwei Nifchen.

3. Die Capelle des heiligen Nikolaus.

Diefelbe befindet fich im 1. Stockwerke des Einfahrtsthurmes und man gelangt zu derfelben mittelft einer fpiralförmigen aus 21 Stufen beftehenden fteinernen Stiege. Das Vorhaus ift gewölbt, mit Ziegeln gepflaftert und einer Fensteröffnung verfehen. Die

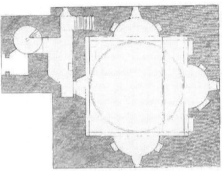

Fig. 6.

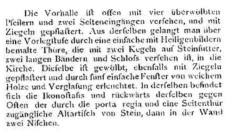
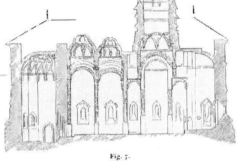

Fig. 7.

diefe Abtheilung ift mit zum Theil vergoldeter Malerei an den Wänden verziert und erhält ihr Licht durch drei den früher befchriebenen gleiche Fenfter, von welchen zwei aufgemacht werden können.

2. Die Skitt oder St. Johannis-Kirche.

Diefe noch vor der Erbauung des Kloſters, alſo vor dem Jahre 1602 hergeftellte Kirche befindet fich vor der Kloſterringmauer und ift von derfelben in dem gegen Often gelegenen Kloftergarten 36 Klafter entfernt. Sie diente ehedem für die dort ringsum in einzelnen Zellen anfäßig gewefenen in Brudergemeinfchaft (Skitt) lebenden Mönche; jetzt ift diefer Platz die Begräbnisftätte der Kaluger und es wird hier wöchentlich an Samstagen, dann bei dem Leichenbegängniße eines Kloſterbruders celebrirt.

Die Kirche ift aus Ziegeln erbaut und hat von außen eine Länge von 5° 3', eine Breite von 2° 3'6" und eine Höhe von 2° 3'; die Mauern find 2' dick und vom Sanctuarium ein Stützpfeiler angebracht, auf dem Dache zwei Kreuze mit Windketten befeftigt.

Eingangsthür in die Capelle von Eichenholz, mit drei Kegeln, drei Bändern in Steinfutter, Schlofs und Handgriff befchlagen.

Der Fußboden ift mit Brettern ausgelegt und in der Capelle die Ikonoftafis aufgeftellt. Zwei Fenfter mit einfachen hölzernen Rahmen, Verglafung und Befchlag erleuchten die Capelle, welche eine Länge von 4° 1' 10" und eine Breite von 3° 2' 5" einnimmt. Im Rücken der Ikonoftafis befindet fich der Altartifch, eine Nifche mit einem kleineren Altare, dann vier leere Nifchen fammt einem Kohlenherde. Diefer Raum wird durch ein Fenfter gleich den obigen beleuchtet (Fig. 6).

4. Der Glockenthurm.

Der Glockenthurm befindet fich zugleich im Einfahrtsthurme und man gelangt zu dem Glockenftuhle aus dem Vorhaufe der vorbefchriebenen Kloftercapelle mittelft 36 einfacher fteinerner Stufen. Die Mauern im Glockenthurme find 5'6" dick und in denfelben vier Fensteröffnungen zur Verbreitung des Glockenfchalls angebracht.

Die Wölbung beim Eingange ift aus Stein, der Glockenftuhl aus ftarken Eichenpfoften.

Einige Bemerkungen über den Bau und deffen Zuftand. Die Kirche ift nach dem griechifchen Ritus, mitten in einem geräumigen von hohen Umfaffungsmauern und Gebäuden eingerahmten jedoch kahlen Hofe, nach Art der in heiligen Tempelhainen eingebauten griechifchen Tempel angelegt. Diefe Art der Kirchenanlage ift nicht allein in Kloſterkirchen griechiſchen Ritus, ſondern für alle Kirchenbauten dieſes Ritus typifch.

Mit Ausnahme des neuen Daches der Kirche, fowie dem des Thurmes ift der Bau ohne Um- oder Zubauten geblieben. Außer mehrmaligem Tünchens der Kirche und des Thurmes mit weißem Kalke, dürfte keine Reconftruction des Gebäudes im Laufe der Zeiten vorgenommen worden fein. Die weiße Kalktünche gibt diefer, fowie vielen in der Bukowina und in Rumänien befindlichen Kirchen einen eigenthümlichen Charakter. Diefe wiederholt aufgeführte Tünche benimmt dem Bauwerk das Ehrwürdige, dem Ornamente die Schärfe des Formausdruckes. Nur die Kirche und die Capelle find in Dragomirna öfter geweißt worden, die Refte des alten Klofters, fowie der Thorthurm erfcheinen ungetüncht.

Die Dächer der Kirche und der Thürme find neu.

Außer diefen Erhaltungsarbeiten fieht man keinerlei Spur eines Um- oder Zubaues.

Diefer Umftand erleichtert das Studium des Baues. Die hier vorliegende Anlage der Kirche ift die im Often Europas bei kleineren Kirchenbauten (und in diefen Ländern wurden die Kirchen zumeift klein angelegt) faft typifch wiederholende.

Zurückzuführen wäre diefe Anlage auf die griechifch-byzantinifchen Mufter. Diefe Bauart ift nicht allein auf die Bukowina und das heutige Rumänien befchränkt. In Süd-Rufsland, Oft-Galizien, Ober-Ungarn, Serbien, Kaukafus u. f. w. erfcheinen die, namentlich alten gemauerten und gezimmerten Kirchen zumeift nach diefer Eintheilung ausgeführt.

Die Dreitheilung des Innenraumes in der heiligen Orientirungslinie nach Pronaos, Naos und Sanctuarium, ift für diefe Gruppen bezeichnend, fowie der vorgelegte Narthex. Auch erhält fich noch vielfach die Sitte, dafs der Pronaos nur von Frauen, den Sanctuarium nur von Männern, während der Andacht benützt wird. Diefer Beftimmung entfprechend, ift dann auch der Fußboden des Pronaos, fowie der des Sanctuariums, der Durchficht wegen, gegen den Boden des Naos erhöht.

Diefer Dreitheilung des Innenraumes entfprechend ift auch die Gewölbeanlage der Kirche durchgeführt. Auch im vorliegenden Beifpiele ift dies der Fall. Diefer inneren Entwicklung der die Kirche bildenden Theile entfpricht zumeift die äußere Bauanlage mit den mehrfachen Kuppeln. Dafs unfere Kirche einftens im Außenbau drei Kuppeln oder Thürme befeffen, könnte nach der Art der Kuppelbildung auch vermuthet werden.

Außer diefer Dreitheilung des Kirchenraumes, find die Kuppelbildungen oberhalb diefer Theile höchft intereffant (Fig. 7).

Das Intereffante diefer Kuppelbildung wird noch erhöht durch die Art wie bei primitiver Anlage und mangelhafter Durchführung der Rechtecke, im Aufbau durch Gurteinlagen das für die Pendentifs nöthige Quadrat hergeftellt wird. Auf die Pendentifs, die mit einem Gurtgefimfe abgedeckt werden, baut fich eine Kuppel auf, an deren innerer Leibung, auf Confolen geftützt, ein nach dem Quadrate, vielmehr Achtort, entwickeltes Gurtgeflechte fich aufbaut, das fodann fcheinbar den polygonalen Tambour trägt. Auf diefem achteckigen Tambour wiederholt fich nachher dasfelbe Spiel der Formen, um einer fphärifchen Kuppelabzufchließen. Die Wirkung diefer Anlage ift eine fehr malerifche.

In den Kirchen der Bukowina und der Moldau findet man wiederholt diefe Kuppelbildungen, welche wohl auf orientalifche Mufter zurückzuführen wären.

Begründet erfcheint diefe Anficht durch den Vergleich der Makfourah in der Mofchee zu Cordoba. Hier ift über rechteckigem Raume durch über Eck geftellte Gurten, nach Art der arabifchen Bauten, das Achteck gebildet, in welchem dasfelbe Spiel des Gurtgeflechtes, wie in den Gewölbebildungen zu Dragomirna, fich vorfindet, um den Unterbau für die Kappe des Raumes zu bilden, welche jedoch abweichend von der in der befagten Kirche zu Dragomirna vorfindigen gebildet ift.

Die ganze Anlage, als auch die Durchführung des Baues, erfcheinen im byzantinifchen Geifte gebildet. Und während die obbefchriebene Dreitheilung mit dem Narthex für den ganzen Orient typifch und auf die griechifch-byzantinifchen Bauten des 8. bis zum 11. Jahrhundert zurückzuführen wäre, erfcheint das Höhenverhältnis der Innenräume mehr durch die fpäteren Bauten Serbiens, Armeniens, des Kaukafus beeinflußt.

Die rein äußerliche und ungefchickt behandelte Formengebung des Details, welche auf gothifche Mufter zurückzuführen ift, fo z. B. die Gurtprofile der Gewölbgurten, das Wappenmotiv, das Netzgeflecht des Narthex u. dgl. ift höchft intereffant und wäre es wohl nicht fo leicht die Frage zu entfcheiden, auf welchem Wege der Einfluß abendländifcher Bauweife in fo fpäter Zeit, in der diefer Bau ausgeführt wurde, hieher verpflanzt wurde. Ob über Ungarn, Polen oder unter dem Einfluße der von Venetianern in Orient ausgeführten Bauten, der Geift der Gothik in diefem Verftändnis durch den Griechen Dima hier zum Ausdrucke kam?

Die Innen-Decoration zeigt, fo wie der Außenbau, eine eigenthümliche Formenbehandlung. Aehnliches weifen unter anderen noch die Dreiheiligen Kirche (Trisvetiteli) in Jaffy und die der Kurtea d'Argyifch in der Walachei nach.

Die Kirche ift inwendig, foweit das Innere nicht übertuncht ift, durchaus bemalt. Ich nehme keinen Anftand, diefe Bemalung fowie die innere Ausftattung in eine fpätere Zeit als die der Bauanlage zu verlegen.

Es find zwar einzelne charakteriftifche Merkmale noch vorhanden, welche die Vermuthung als begründet erfcheinen laffen, dafs vor der jetzigen noch fichtbaren Ausmalung eine frühere polychrome Decorirung beftanden hat, doch hatte ich weder Zeit noch Mittel, um weitere Nachforfchungen in diefer Richtung vornehmen zu können.

Sowohl die Farbenftimmung als die Flächeneintheilung und Behandlung des Details find byzan-

tinifch, wie es die beigefügten Figuren zur Anfchauung bringen.

Die Wirkung der namentlich im Naos und in der Apfide noch erhaltenen Malereien ift eine durch die harmonifche Stimmung der Farben und Töne höchft reizende, beftrickende. Namentlich ift der Kranz der im Triumphbogen, nach Art der Decorirung der Capelle des heiligen Zenon und der heiligen Praxede in der zu Rom unter Papft Pafcal I. im Jahre 817 erbauten Klofterkirche der heiligen Praxede, durch Bilder-Medaillons mit auf abwechfelnd goldgelben und rothen Gründen aufgemalten heiligen Bruftbilder von ausgezeichneter malerifcher Gefammtwirkung.

Bezeichnend ift fowohl die Wahl der Eintheilung der Bild-Decorationen als deren Durchführung, ebenfo das Gemenge altchriftlicher Darftellungen mit fpäteren Motiven der Flächen-Decorationen; diefe alten Motive und die Beibehaltung der byzantinifchen Malweife ift im Oriente, und zu diefem ift wohl diefe Kirche in Drago-

mirna zu zählen, bis in die fpateften Zeiten traditionell beibehalten worden und kann demnach nicht gut fur Zeitbeftimmung der Ausführungen Anhaltspunkte geben. Ich enthalte mich weiterer Erörterungen aus obangeführten Gründen.

Die Skitt oder St. Johannes-Capelle ift ein kleiner Bau, deffen offene Pfeiler-Vorhalle nichts intereffantes bietet und deffen Gewölbe diefelbe Formenbehandlung aufweift, wie das der Thurm-Capelle. Ueberdies haben hier die Erhaltungsarbeiten und mehrfache Uebertünchungen den urfprünglichen Charakter der Decorirung ganz verdeckt.

Das Gewölbe des Capitelfaales, des in der Baubefchreibung erwähnten Stiftergebäudes, das fich auf einen im Innern freiftehenden polygonen Pfeiler ftützt, ift ein in der Behandlung der Formen und der Ausführung rohes und unverftandenes gothifches Gewölbe, welches einen unanfehnlichen niederen Raum überdeckt.

Leinenftickerei aus dem 15. Jahrhundert.

Befprochen von Confervator kaif. Rath Dr. S. Jenny.

(Mit 1 Tafel.)

I.

MIT dem vorigen Jahrhundert ruhte im Familienbefitz ein werthvolles Alterthum, welches nun durch Vergabung an das Landes-Mufeum von Vorarlberg überging. Durch einen zu jener Zeit in Bludenz verftorbenen Frühmeffer Eble ging es auf die ebenfalls dort wohnhafte Familie Butz über, welche daffelbe als Verfehtuch benutzte; als der Vater der noch lebenden Katherine Butz aufgebahrt lag, gefchah es, dafs durch einen umftürzenden Leuchter der innere Theil ausbrannte.

Diefes Tuch erfcheint als Stickerei auf weißem Leinen ebenfo hervorragend durch die Gefchicklichkeit, die fich in ihrer Ausführung kundgibt, als durch die Menge der zur Darftellung gebrachten religiöfen Symbole, die fich innerhalb des marianifchen Typenkreifes bewegen Es erfcheint gerathen, fich lediglich an diefe Erklärung zu halten, ohne der Lockung zu folgen, welche einige Typen in leichter und herkömmlicher Weife auf die „Schönheit der Kirche" zu beziehen rieth.

Die gefammten Bilder find im Kreife durch eine mauerformige Umwallung mit 21 Thürmen eingefafst, von denen jeder mit einer bogenförmigen Fenfteroffnung verfehen ift, welche bis in die Mitte der Mauerhöhe reicht. Es follte wohl im Kreife felbft das Bild der Ewigkeit und in der Art feiner Darftellung die Beziehung zum himmlifchen Jerufalem ausgedrückt werden foll; wirkliche Stadt Jerufalem kann wohl nicht in Frage kommen. Weit eher leiftete die Umfaffung eben nur den Dienft eines abfchließenden Rahmens ohne fymbolifche Bedeutung.

Die Figuren des Mittelbildes find doppelt fo groß als die des Umkreifes ausgeführt und ftellen die im 15. Jahrhunderte ofter vorkommende „Jagd auf das

Einhorn durch den Erzengel Gabriel" vor, und zwar hier mit einer intereffanten Variante. Das vom Nimbus umringte Haupt Maria's umfließt ein langwallender Schleier, ihre Hände legen fich wie liebkofend auf Hals und Maul des Einhorns, das zu ihr geflüchtet ift und das Jefukind auf dem Rücken trägt. Das Kind hält ein hochaufgerichtetes Kreuz vor fich. Auf das Haupt der Jungfrau Maria richtet fich der Flug einer Taube — das Symbol des heil. Geiftes — gefendet von Gott Vater, der mit fegnend erhobenen Händen innerhalb Wolken thront, welche durch eine Wellenlinie mit eingefchloffenen kreisförmigen Flächen in blauer und gelber Farbe dargeftellt erfcheinen. Das Spruchband darunter gibt die Erklärung dazu mit den Worten: ftim der turteltub (Stimme der Turteltaube).

Diefer Hauptgruppe, welche in finniger Weife die Verkündigung des Engels Gabriel mit der heil. Dreifaltigkeit in Verbindung bringt, fehen wir ein länglich viereckiges Thor mit Schloß, Klopfer und Befchlägen in gothifchem Styl vorgefetzt, durch die Infchrift des Spruchbandes als: das verfchloffen tor! (das verfchloffene Thor) diefes Bild, die Reinheit der heil. Maria bedeutend, ift entnommen Ezechiel 44. 6., worin es heißt: „Und er führte mich wiederum zu dem Thor des äußern Heiligthums gegen Morgen; es war aber zugefchloffen". Dafs das auf dem Einhorn reitende Jefukind fchon innerhalb der Pforte fich befindet, kann an Walther von der Vogelweide erinnern (Gedichte, hrgb. von Lachmann [Müllenhof] 4,6: Ezechielis porte, diu nie wart ûf getân, dur die der kunec herlîche wart ûz und in gelân). Vor dem Thore ftein in reicher Gewandung Gabriel, der Engel der Verkündigung, aufgefafst, wie er im 15. und 16. Jahrhundert als der Einhornjäger ofters behandelt erfcheint: feine

Mitth. d. k. k. Centr.-Comm. f. Kunst- u. hist. Denkm., Jahrg. 1899, S. 118.

Leinenstickerei aus dem 15. Jahrh. Bregenz.

Rechte hält eine Lanze, die Linke führt das Hifthorn zum Mund, von dem die Worte des „Ave Maria's" ausgehen: grieß biſt do voller gnaulen der her mit dier (gegrüßt biſt du [Maria] voller Gnaden, der Herr [iſt] mit dir).

In dem gleichen Sinne an die Botſchaft des Engels anknüpfend, heißt es auf dem Spruchbande rechts unten, dem „engliſchen Gruß" entnommen: . . eß heren mir geſcheh nach mir worten ([Siehe, ich bin eine Dienerin] des Herrn, mir geſchehe nach Deinen Worten): anſtatt „Deinen" iſt irrigerweiſe „meinen" geſtickt (Siehe Ev. Lucä I, 38).

Der Verehrung für die zur Mutter des Gottesſohnes auserwählte Jungfrau geben die Spruchbänder zur Seite Ausdruck, und zwar rechts: alß der gilg under dorne alſo iſt min fr**ü**d; (wie die Lilie unter Dornen, alſo iſt mein Freund). Es iſt dieſe Stelle dem Hohenlied 2, 2 entnommen: „Sicut lilium inter spinas, sic amica mea inter filias" mit der Aenderung, daß die Worte der heil. Maria in den Mund gelegt ſind, die den Gottesſohn als „Freund" bezeichnet. In unſeren Gegenden heißen die Lilien heute noch „Ilgen", in Tyrol „Gilgen".

Zur Linken iſt zu leſen: glich alß der ſchin der elbaun bin ich erheeht (gleich dem Scheine der Oelbaume bin ich erhöht). Der etwas dunkel erſcheinende Vergleich der Erholung Maria's bezieht ſich auf eine längere Stelle im Buche Jeſus Sirach XXIV, 17 u. ſp., die wir faſt ganz hieher ſetzen müßten, weil aus verſchiedenen Beſtandtheilen derſelben Lobſprüche Mariens herausgeholt worden ſind: 17: Quasi cedrus exaltata sum in Libano et quasi cypressus in monte Sion. 18: Quasi palma exaltata sum in Cades et quasi plantatio rosae in Jericho; 19: quasi oliva speciosa (dies hat zum „ſchin der elbaun" Anlaß gegeben) in campis et quasi platanus exaltata sum iuxta acquam in plateis u. ſ. w.

Die Hunde, welche Gabriel den Jäger auf die Spur des Einhorns bringen, ſind ihm zu Füßen gezeichnet; ſie heißen: barmherzigkait, gerechtigkait, warhoil und feid nach den Worten des Pſalmes 84 (Vulg.) 11: Misericordia et veritas obviaverunt sibi iustitia et pax osculatae sunt. Ein ſanfter Hund hat keinen Namen beigeſetzt, von einem Treiber iſt nur der Untertheil von dem Feuer, welches das ganze Mittelſtück zerſtört hat, verſchont geblieben; ſein Hund hat das Anſehen eines Rattlers, während von den anderen zwei Merkmale der Windhunde tragen und die beiden letzten deutlich als langhaarig und langöhrig gezeichnet ſind, wie Schweißerüden, die bei der Eberjagd verwendet wurden. Die am Boden ſuchende Schnauze weiſt ebenfalls darauf hin; ſie haben entgegen den ſpringenden Windhunden auf dem Bilde einen ruhigen Gang.

Ein kurzes Spruchband zog ſich von der unteren Ecke des „verſchloſſenen Thores" zu den Hinterbeinen des Einhorns hinauf, welches durch den Brand, der die Gewandung Maria's in ihrem unteren Theile nebſt einigem anderen vernichtete, ebenfalls in Mitleidenſchaft gezogen wurde. Es blieb nur noch der Artikel „der. . ." erhalten, wonach die Inſchrift wohl „der Sohn Gottes" oder ähnlich lautete.

Zu dieſer bisher beſprochenen Haupt- und Mittelgruppe ſtehen nun die religiöſen und myſtiſchen Symbole in mehr oder minder naher Beziehung, theils durch ihren Hinweis auf das Wunder der Menſchwerdung des Gottesſohnes aus einer Jungfrau, theils durch ihre Be-

ziehung auf die Auferſtehung und andere Dogmen. Zumeiſt ſind ſie auch wieder Gebeten, zum Beiſpiel der Lauretaniſchen Litanei (Du Thurm David's, Du elfenbeinerner Thurm, Du Arche des Bundes, Du Pforte des Himmels) entnommen, welche ihrerſeits wieder aus Stellen des alten Teſtaments, mit Vorliebe aus dem Hohenliede ſchöpfen.

Von unten beginnend und nach oben rechts aufſteigend, folge nun die Beſprechung der einzelnen Symbole und ihrer Bezeichnung in den Spruchbändern.

1. Das ausgeſpannte Fell eines unbekannten Thieres, auf dem Spruchbande: dieu ſcheppe jedianis (das Fell Gedeon's). Das Anhängen des u an den Artikel geſchieht öfters im Dialect. Scheppe heißt Haut oder Fell (Vließ). J und G ſtehen häufig, beſonders im Niederdeutſchen für einander, wie Jemſe — Gemſe, ſo gilt Jedianis für Gedeanis oder wie Mayfe für Mayfe in einem ſpäter an die Reihe kommenden Bilde, ſo Gedeanis für Gedeon. Dieſes Vließ Gedeon's (Richter 6, 37) beſpricht Heinrich von Laufenberg 727, 25: gedeons ſchäper zoiget dich, daz vor begoss ein touwe rich, da mit ſo hat bedeidet ſich got des vaters lembelin.

2. Runder Thurm mit ſpitzem Dache auf breit ausladendem Fundamente; auf dem ihn durchſchneidenden Spruchbande: das guldin tor (das goldene Thor) [ſyn.: die goldene Pforte], wie eines der Thore Jeruſalems im Mittelalter genannt wird, unter welches die Begegnung Joachim's mit Anna verlegt wird; wohl der „porta speciosa" der Apoſtelgeſchichte III, 2 analog. Vgl. Wackernagel „Das deutſche Kirchenlied" 1867: II, 435 Ave du biſt der engel hord Ezechiëlis guldin pfort.

3. Moſes mit Hörnern dargeſtellt (2. Moſe 34, 29) kniet, die Hände zum Gebet gefaltet, vor einem Baum, aus deſſen Blätterwerk ein nimbirter Kopf auf ihn niederblickt, welcher nur jener Uriel's ſein kann. Spruchband: der buſch mayſe (der Buſch Moſes), das Symbol der durch Jeſu Geburt unverletzten Jungfräulichkeit Maria's.

4. Hoher runder Bergfried auf breiter Baſis mit Krönung, über welcher ſich nochmals eine Erhöhung von geringerem Durchmeſſer, ein ſchmälerer Mittelthurm mit ſpitzem Dache erhebt, ſo daß zwiſchen beiden ein Umgang verbleibt, eine Thurmform aus dem 15. Jahrhundert, die man der Aehnlichkeit wegen „Butterfaß" nannte. Oberhalb des Thores hängen fünf Wappen in viererlei Quadrirung, von denen das in die Mitte verſetzte wohl der öſterreichiſche Bindenſchild ſein könnte; nach meinem Dafürhalten gefiel ſich die Stickerin viel wahrſcheinlicher in abwechſelnden Formen der bekannteſten Arten. Die Inſchrift des Spruchbandes bezeichnet ihn folgendermaßen: der toren devids mit den ſinden darau die ſchilld ſend (der Thurm David's mit den Feinden, deren die Schilde [Wappen] ſind), alſo nach dem Hohenliede 4, 4: „Dein Hals iſt wie der Thurm David's mit Bruſtwehr gebaut, daran tauſend Schilde hangen und allerlei Waffen der Starken". Thurm David's hieß ein Thurm der Weſtecke der Stadtmauer, wo ſie ausging: ſymboliſch drückt er die Unantaſtbarkeit Maria's aus.

5. Sechseckiger Stern mit der näheren Bezeichnung auf dem Spruchband: der ſtern jakob (der Stern

Jacob'si Dreves: X, 145 haec est clara jakob stella, ib. I, 193 nitida Jacob stella.

6. Die Sonne, als Geficht mit flammendem Rande dargeftellt, ift einerfeits mit dem Begriffe der Ewigkeit und Gottheit, anderfeits und vorwiegend mit dem der Reinheit und Schönheit der heil. Maria in Verbindung zu bringen. Auf dem Spruchbande lefen wir: die morgeretin (die Morgenröthe), anfpielend auf das Hohelied 9, 6: „Wer ift, die hervorbricht wie die Morgen-

rothe, fchon wie der Mond, auserwählt wie die Sonne“. Wie aus der Morgenröthe die Sonne hervorbricht; gold. Schmiede 682 : ô du, vil lichter morgenröt uf-gegangen waerest und Jéfum Crist gebaerest, den ewiclichen sunnen schin, ferner Mone „altdeutfche Schaufpiele“ 61, 88: von dir gar unvorhert geborn ift, die sonne der gerechtigkeit.

(Fortfetzung folgt.)

Wie man die alten Wandmalereien in der Kirche zu Kunětic allmählig verfchwinden machte.

INE fchon lang dauernde Angelegenheit, mit der fich die Central-Commiffion fehr intenfiv befchäftigte, fcheint nunmehr ihre Löfung zu erreichen. Es ift dies die Frage der Reftaurirung der Pfarrkirche zu Kunětic in Bohmen, bezichungsweife des Schutzes und der Erhaltung der in diefem Gotteshaufe aufgefundenen alten Malereien. Diefe Reftaurirungsangelegenheit fpielt feit einer Reihe von Jahren und bietet in ihrem Verlaufe fehr intereffante Momente über die verfchiedenen Arten des Widerftandes, die der Central-Commiffion von gegnerifcher Seite entgegengeftellt wurden.

Die Kirche befteht aus zwei verfchiedenen Bauzeiten angehörenden Partien, die fich als romanifche und gothifche Bauten charakterifiren. Erftere reichen in die erften chriftlichen Zeiten Böhmens zurück (11. Jahrhundert), im 14. Jahrhundert dagegen führte man eine gothifche Kirche auf und verwendete von nun an die damit verbundene kleine romanifche als Sacriftei. Auch der Neubau bewegte fich in befcheidenen Dimenfionen, was Wunder, wenn er heute nicht mehr räumlich ausreicht! Die jetzige Kirche befteht aus Presbyterium, Schiff und Thurm und ift durchwegs mit hübfchen Kreuzgewölben überdeckt. Die Rippen aller vier Gewölbefelder vereinigen fich in einen Freipfeiler, auf den fich das Gewölbe ftützt, ähnlich wie dies bei der Prager Marien-Kirche in Slup der Fall ift. Die Architektur zeigt Formen der ftrengen Gothik und ift gut erhalten. Nur die modernifirten Fenfter und der hölzerne Mufikchor ftoren den feierlichen Eindruck des Gewölbes. Im Presbyterium hat fich ein kleines Sacramentshäuschen erhalten.

Für den Zweck der Reftaurirung unterfchied man bauliche Arbeiten in der Kirche in vor allem durchzuführende, und folche vom kunfthiftorifchen Standpunkte nothwendige, die in eine zweite Gruppe zu verweifen waren und den erfteren nachzuftehen hatten.

Am 6. Mai 1897 erfuhr die Central-Commiffion durch ihre Organe, dafs man bei den Adaptirungsarbeiten in der Kirche auf alte Wandmalereien gekommen war. Man fand bei näherer Prüfung der bemalten Wandpartien ein Maria-Verkundigungsbild im Presbyterium, fo ziemlich befreit von Mörtel und Kalkfchichte; die oberen Gewölbepartien am Triumphbogen waren noch intact. Alles übrige war bereits bis auf das Mauerwerk blank abgeklopft. Später traf man ein kleines Bild im Tympanon des Sacramentshäuschens, vorftellend den aus dem Grabe fteigenden Chriftus.

Obwohl bereits manches Gemälde unrettbar verloren war, fo wurde doch zur Rettung der weiters noch vorhandenen Malerei die Abklopfarbeit eingeftellt, dagegen die Prüfung der Wände mit befriedigenden Refultaten fortgefetzt. Man fand die Bildnisfiguren der Heiligen: Ludmila, Wenzel und Vitus, dann die Darftellung einer größeren Figurengruppe, die man anfänglich für die eines Engelsfturzes hielt. Nachdem fomit conftatirt war, dafs urfprünglich der größte Theil der Kirche bemalt war und ziemlich viel davon unter der Tünche noch beftehe, machte die Central Commiffion Schritte, damit diefes immerhin werthvolle Malereidenkmal erhalten bleibe, da gerade an älteren Malereien in Böhmen nur wenig aufzuweifen ift.

Allein die Auffindung alter Malerei war nicht im Sinne des vom Pfarramte feftgeftellten Reftaurationsprogrammes. Die Gemälde bezeichnete dasfelbe als einfache Wandbilder, die an die Kirchenwände gemalt worden feien, als die Kirche noch eine flache Decke hatte. Als man in der gothifchen Periode die Ueberwölbung durchführte, feien für die Rippen Anfätze und Confolen an den Wänden angebracht worden, wodurch die alte Malerei ungemein gelitten habe und werthlos geworden fei, was jedoch gewifs nicht zutrifft; denn fo bedauerlich wohl die Zerftorung war, fo viel blieb doch noch von den alten Bildern übrig, dafs man fie nach ihrem Werthe beurtheilen konnte, und die Refte umfomehr zu fchützen und zu fchonen waren.

Im weitern Verlaufe geftaltete fich die Reftaurirungsangelegenheit für die Central-Commiffion immer mehr unbefriedigend. Das Pfarramt erklärte, die Wandbilder wären zu fchadhaft, ihre Reftaurirungen würden zu großen Geldaufwand erfordern, viele derfelben feien überdies ganz unäfthetifch, namentlich ein das bekannte Martyrium des heil. Erasmus darftellendes Bild, dann einige nackt dargeftellte Menfchen, verfchiedene garftige Thiergebilde u. f. w. Solche Bilder dienten, hieß es, nicht zur Erbauung, fondern erregten nur Aergernis. Das hochwürdige Königgratzer bifchöfliche Confiftorium theilte diefes Urtheil des Pfarramtes, indem es erklärte, dafs die Kirche kein Mufeum, fondern zum Gottesdienfte, zur religiofen Erbauung der Gläubigen beftimmt fei und fomit die ärgerniserregenden Bilder nicht zu belaffen feien. Der Präfident der Central-Commiffion ftellte hierüber die Frage, wie man bei diefer Auffaffung eigentlich unter Mufeum verftehe? Unter einem Mufeum verftehe man doch einen Ort, wo Gegenftände von hiftorifcher oder

künstlerischer Bedeutung gesammelt, das heißt von anderwärts zur dauernden Aufbewahrung und Sicherung gebracht werden, was aber gewiß nicht von den Kunětiecer Bildern gesagt werden könne, da sie ja für diese Kirche angefertigt wurden und sich noch bis zur Zeit in derselben befunden haben. Was das sogenannte Unästhetische und angeblich Aergernis erregende anbelange, so müß man fragen, ob denn das Volk im 14. und 15. Jahrhundert weniger gläubig gewesen sei als heutzutage, so daß es durch Jahrhunderte kein Aergernis an Bildern gefunden habe, in deren Wiederherstellung man heute eine Gefahr für die Erbauung erblicke? Wenn die kunsthistorische Bedeutung der fraglichen Bilder angezweifelt werde, so falle dabei ins Gewicht, daß Fach- und Kunstverständige nicht blos das ehrwürdige Alter, sondern auch den nicht abzuleugnenden Kunstwerth dieser Darstellungen hervorgehoben haben.

Was nun die Erhaltung der vom Pfarramte als „aufgedunsen" bezeichneten Wandmalereien anbelangte, so lag der Central-Commission das Protokoll der Localcommissionssitzung vom 7. Mai 1897 vor, worin es heißt, es sei nur möglich jene Bilder zu erhalten, beziehungsweise wieder herzustellen die nicht früher beschädigt wurden, diese aber um so mehr, als sie sowohl nach ihrem Inhalte als nach ihrer künstlerischen Ausführung ein interessantes Denkmal der Malerei aus karolingischer Zeit seien. Eben deshalb sollte auch die Restaurirung keinem handwerksmäßigen Maler, sondern einem stylkundigen und fachverständigen Künstler übertragen werden. Die Central-Commission sprach sich demnach am 23. Juli 1897 dahin aus, daß die höchst werthvollen Malereien unter allen Umständen zu erhalten und stylgemäß zu restauriren wären.

Im August 1897 besserte sich die Situation scheinbar, indem das Belassen der Malereien, so weit sie noch vorhanden, ausgesprochen und deren Restaurirung in Aussicht genommen wurde. Da aber neue gothische Seiten-Altäre zur Aufstellung kamen, so erklärte das Pfarramt, das als Rector ecclesiae das erste Wort in Angelegenheit der Pfarrkirche sich zuerkannte, sich das Recht vorbehalten zu müssen, daß für den Fall, als die erwähnten Fresken mit den Altären nicht in Einklang zu bringen waren und der Schönheitssinn arg beleidigt würde, diese Partien der Bildfelder mit verschiebbaren Blechtafeln verdecken zu lassen, ohne daß die Gemälde dadurch Schaden leiden sollten. Die Central-Commission stimmte selbstverständlich dieser Anregung nicht zu.

Nun begann ein neuer Feldzug gegen die Bilder. Es wurde nämlich behauptet, daß die Mauern, welche die Malereien trugen, dringend der Restaurirung bedurften — ein Umstand, den man merkwürdigerweise früher nicht betont hatte und der jetzt die Conservirung und Restaurirung der Malerei zum großen Theile unmöglich machen sollte, da dieselben infolge der angeblich unaufschiebbaren baulichen Restaurirung verschwinden mußten und thatsächlich verschwinden. Auf Veranlassung der Central-Commission erfolgte nun eine neuerliche Untersuchung, und wurde hiebei constatirt, daß die Schadhaftigkeit des Triumphbogens keineswegs eine Vernichtung der dortigen Malerei bedinge.

Die Commission erkannte, daß, wenn auch die eine Seite der Mauer beschädigt und der Bewurf hohl war, durch eine sorgsame Behandlung, durch Ausfüllung und Befestigung der Sparren in dem Mauerwerk über dem Boden die Gefahr eines Zusammensturzes beseitigt werden könnte, ohne die Malerei in ihrem interessantesten und wichtigsten Theile zu vernichten. Daß dies möglich war, ergibt sich daraus, daß eben durch diese Mauer eine Stiege von der Sacristei auf die Kanzel durchgebrochen wurde, was wohl sehr bedenklich gewesen wäre, wenn diese Mauer mit dem Einsturze gedroht hätte.

Im October 1897 wurde neuerdings eine Partie der Bilder geschädigt, indem man pfarrlicherseits, ungeachtet der dringenden Vorstellungen die Malerei in statu quo zu belassen und die Wände des Presbyteriums wegen ihrer Unebenheit abzuklopfen und abzuschleifen für nöthig fand.

Auf solchen und ähnlichen Wegen ist es dem Pfarramte gelungen, sämmtliche Malereien im Presbyterium ohne Rücksicht auf die fachmännischen Weisungen der Central-Commission mit einer kleinen Ausnahme zu beseitigen, um einer modernen handwerksmäßigen Bemalung platzzumachen. Von dem interessantesten Theile der Malereien — jener am Triumphbogen, welche einen imposanten Cyclus des jüngsten Gerichtes darstellte — ist der oberste hochwichtige Theil verschwunden, nur die unteren seitlichen Partien sind noch geblieben (10.000 Märtyrer, St. Ludmilla, Veit, Wenzel, Erasmus, Verkündigung), und selbst diese Bilder sind durch sehr fragwürdige neue Altäre verdeckt. Im Schiffe sind nur die Bilder St. Ursula und St. Barbara, beide in guten Zustande, verschont geblieben.

Das wäre in kurzen die Darstellung des Schicksals wichtiger kirchlicher Wandmalereien, an denen man so lang herummergelte, bis sie in der Hauptsache verschwanden und damit die Reste alter böhmischer Kunst eine schwere Einbuße erlitten haben.

Die Central-Commission berichtete schließlich an das vorgesetzte Ministerium, indem es hervorhob, daß die fraglichen Wandmalereien nach dem Urtheile von Fachmännern von ungewöhnlicher Bedeutung waren. Es hieße ein Verkennen ihrer Aufgaben, wenn sich die Central-Commission nicht von allem Anfange an für die Erhaltung und stylgerechte Restaurirung dieser Kunstschätze ausgesprochen und eingesetzt hätte. Bedauerlicherweise hat die Central-Commission seitens der kirchlichen Organe nicht jenes Entgegenkommen gefunden, welches im Interesse der Sache geboten war, um ein werthvolles Denkmal der Vergangenheit unversehrt der Zukunft zu überliefern. Statt dessen wurde den vom uneigennützigen Eifer der Central-Commission und ihrer kunstverständigen Organe angegebenen Vorschlägen für Erhaltung so werthvoller Kunstperiode in jeder Weise offen und verdeckt entgegengearbeitet und dadurch das erreicht, was von maßgebender Seite verhütet werden sollte und wollte: die fast vollständige Vernichtung des altehrwürdigen reichen Bilderschmuckes der Kirche von Kunětic, die dadurch in künstlerischer Beziehung ziemlich bedeutungslos wurde.

Prähiftorifche Funde auf den Verkehrswegen aus Böhmen nach dem Süden und Südoften.

Münzfunde, Thon- und Holzgefäße aus dem Mittelalter. (Grein, Trebitfch, Bukovsko—Tremles—Neuhaus.)

Von *Heinrich Richly.*

ALS befonderes Intereffe erregend wären in erfter Linie Einzelfunde zu nennen, welche in vom Menfchen in prähiftorifcher Zeit unbewohnten Gegenden gemacht wurden und demgemäß entweder auf Handelswege oder auf die vorubergehende Anwefenheit des Menfchen hindeuten.

In diefer Richtung verdient eine Lanzenfpitze aus Bronze Erwähnung, welche durch ihre ungewohnlich lange Dülle und die Form des Blattes als charakteriftifcher Typus zu bezeichnen ift und jenfeits des linken Donauufers bis über die Gränzen Böhmens[1] hinaus unter die größten archäologifchen Seltenheiten gehört. Sie wurde bei *Grein a. d. Donau* gefunden, dürfte aber auch vom benachbarten Struden[2] ftammen und befindet fich derzeit in den Sammlungen des Budweifer Mufeums. Solche Lanzenfpitzen find im Flußgebiete der Rhône[3] fehr häufig und möchten auf bezügliche Handelsverbindungen hinweifen.

Nicht weniger Beachtung verdient auch ein Bronze-Kelt, welcher zufällig bei Reinigung eines Waffergrabens bei *Trebitfch* in Mähren erhoben wurde. Diefer Fundort ift außer dem nordweftlich in der nächften Nachbarfchaft gelegenen Orte Zašovic, der nördlichft gelegene exponirtefte Punkt, wo prähiftorifche Alterthümer in diefer Richtung in Mähren gefunden wurden und dürfte auf einen Saum- oder Handelsweg zwifchen Znaim in Mähren und Čáslau in Böhmen weifen. Das Fundftück befindet fich im Mufeum der Stadt Iglau.

Ein dritter Einzelfund ift jener eines durchaus Bronzekeltes von *Bukovsko* (bei Veseli a./L.), welcher beim Ackern in einem Erdklumpen gehüllt aufgefunden und durch den Herrn Schullciter *Stufka* in Salmanovic zur Anficht eingefendet wurde. Das Object ift nur fehr fchwach patinirt, von faft fchwarzer Farbe, fcheint übrigens nie im Gebrauch gewefen zu fein. Seine Länge beträgt 18 Cm., die Breite der fcharfen Schneide 3·5 Cm. Unterhalb der in faft zwei Dritteln der Gefammtlänge befindlichen maffiven in fpitzem Winkel zufammenlaufenden nur 2·5 Cm. langen Lappen, ift der Körper mäßig verengt; die Bahn ift geradlinig, 8 Cm. lang und 3 Cm. breit. Ein technifch analoges Artefact in den Památky archaeol. XI. Band, Tab. XXI, Fig. 18.)

Einem viel jüngeren, weil fpät-hiftorifchen Zeitabfchnitte gehört der vor etwa einem Monate gemachte Münzfund bei *Tremles* von Neuhaus drei Stunden weftlich an Derfelbe gefchah, wie immer, auch im vorliegenden Falle ganz zufällig, beim Tiefpflügen eines unmittelbar an den Friedhof der uralten (romanifchen) St. Andreas-Kirche anfchließenden Feldes, und zwar an einer Stelle, wo früher ein alter Steig

geführt hatte. Die Anzahl der in einem mit Bodenwarke verfehenen Thongefäße aufbewahrten, dermalen umher liegenden und mit Erde untermifchten Silbermünzen betrug viele hundert — über taufend — und gelangten in den Befitz der bei der Kartoffelfechfung anwefenden Leute. Der größte Theil wurde nach Prag an das Landes-Mufeum eingefendet und angekauft; ein gleiches gefchah mit mehreren hundert Münzen durch das ftädtifche Mufeum in Neuhaus; abermals andere blieben im Privatbefitze oder wurden anderweitig abgegeben. Das größte Verdienft um das Zuftandebringen der in allen Richtungen zerftreuten Münzen hat fich Profeffor Dr. (Correfpondent) *Novak* erworben, welcher auch mit dem Berichterftatter die Fundftelle befuchte. Soviel fichergeftellt werden konnte, find in dem Münzfunde von Tremles etwa 25 verfchiedene Typen vertreten, darunter jedoch nicht ein Stück bohmifcher Provenienz. Sie ftammen aus dem 13. Jahrhunderte und find öfterreichifcher, bayerifcher und paffauer Herkunft; einige wenige auch vom mährifchen Markgrafen Vladislav. Zu bemerken wäre, dafs zur Zeit der Deponirung des „Schatzes" von Tremles, das und benachbarte Königseck (Kumžak) zur Olmützer Diöcefe in Mähren, das füdlich gelegene Landftein und Neu-Biftritz zum paffauer Bisthum gehörte.

Einer noch jüngeren Periode gehört endlich eine ganze Collection von Thongefäßen an, welche beim Grundausheben zu einem Neubaue an der rückwärtigen Seite des der Probfteikirche in *Neuhaus* gerade gegenüber gelegenem Haufes Nr. 86 und 87 im heurigen Jahre erhoben wurde.

Die durchaus auf der Drehfcheibe mit profeffionsmäßiger Routine, mitunter recht gefchmackvoll hergeftellten, aus Töpfen, Krügen und Bechern beftehenden Gefäße lagen und ftanden dicht gedrängt unter der 60 Cm. ftarke Lage von Kalk und diefer ein 30 Cm. ftarke Lage von Kalk und diefer ein Ziegel- und unterliegender Bretterboden folgte. Die unterfte an 2 M. ftarke Schichte beftand aus grünlichen fehr confiftenten und überriechendem Thon und war mit morfchen Holzftücken durchfetzt; in ihm befanden fich, dem todten Grunde aufliegend, die vorerwähnten Topfwaren.

Töpfe waren bei weitem vorherrfchend und meift von kleinen Dimenfionen, dann weitausgebaucht; ausnahmsweife erreichten einzelne — nach Bruchftücken reconftruirte — Exemplare eine Höhe von 40 Cm. bis 37 Cm. Durchmeffer.

Krüge find ziemlich felten und überhaupt nur in zwei Stücken erhalten; dafselbe gilt von den Bechern, welche entgegen den vorhergehenden gehenkelten beiden Formen ohne diefelben erfcheinen.

[1] Vgl. *Richly*, P. MS. Die Bronzezeit in Böhmen, Tab. IX. Fig. ...
[2] ... unter Beteot über das Mufeum Francisco Carolinum, Jofeph ...
[3] ... Die Bronze... ... affected Watek ...

Photographie and Lichtdruck von J. Löwy, k. k. Hof-Photograph, Wien.

Neben unglasirten, bei weitem überwiegenden Thongefäßen kommen auch innen glasirte vor.

Alle Gefäße sind an der Bauchseite und dem anschließenden Körper ungemein dünnwandig, aber deſſen ungeachtet, weil aus gutem Material gebildet und angemeſſen geformt, ſehr haltbar und in der Conſiſtenz an „Steingut" erinnernd. Gegen die Ränder zu ſind die Wände bedeutend verdickt und dieſe ſelbſt entweder in Geſtalt eines Wulſtes gerade aufſtrebend oder angemeſſen umgebogen, wodurch ſie die Geſtalt einer mehr oder weniger breiten Leiſte, welche entweder horizontal, flach oder geneigt erſcheint, annehmen. In ſeltenen Fällen iſt der Rand papierdünn, wo dann der noch feuchte Thon durch Auflegen und Eindrücken des Daumens in anſchließender regelmäßiger Entfernung durch fortlaufende ovale Vertiefungen wellenförmig verziert wurde, in einem Falle in der angedeuteten Weiſe ſogar doppelt hergeſtellt.

Das ſehr häufig vorkommende Ornament durfte im großen Ganzen auf Strich- und Punktverzierungen zurückgeführt werden; doch bilden dieſe einfachen Grundelemente ein durch die verſchiedenartige Anordnung hervorgerufenes ſehr mannigfaltiges Material. Außerdem wären auch noch ringsumlaufende Parallellinien und ſcharf profilirte hervortretende Kanten zu nennen. Das punktirte Ornament beſteht aus mehr oder weniger großen — bis linſengroßen — Vertiefungen, welche in den feuchten Thon eingepreſſt wurden; ſie bilden mitunter ein gerade fortlaufendes Band oder ſind in eng anſchließenden Halbkreiſen angeordnet oder erſcheinen wellenförmig in mehreren Reihen über einander. Mitunter erſcheinen auch in einfachem oder doppeltem Bande kleine Vierecke in den Thon eingedruckt.

Das Linien-Ornament beſteht aus parallel oder ſchief geſtellten mäßig breiten Leiſten; dieſe ſind mitunter durch horizontale Striche in regelmäßiger Entfernung in Gruppen geſchieden oder durch gekreuzte Linien in Form eines römiſchen Zehn getrennt oder ſie ſind durch Ellipſen, welche nach allen Richtungen ſtrahlenförmig auslaufen, oder nur durch dieſe ſelbſt in Abtheilungen angeordnet. Mitunter erſcheinen dieſe Leiſten in entgegengeſetzter Richtung ſchief geſtellt und durch ſenkrechte geſchieden. Auch in Form eines lateiniſchen N oder Z oder umgekehrten ⌐, ohne jedoch die Bedeutung von Schriftzeichen zu beſitzen, kommen ſie nebſt ſenkrechten, ſchiefgeſtellten und verkürzten derartigen Leiſten vor. Endlich erblicken wir ſie als ineinandergeſchobene ſpitze Winkel, welche dann einer mäanderförmigen Verzierung nicht unähnlich ſehen. Auch parallele kurze Leiſten kommen mitunter ſchachbrettartig in mehreren Reihen als Bandverzierung vor. Alle dieſe Ornamente ſind typiſch für die ſpäte Mittelalter vom 14. Jahrhundert aufwärts, in unſerem Falle[1] wären ſie in die zweite Hälfte des 15. Jahrhunderts zu verlegen.

Beſondere Beachtung verdient endlich auch noch ein mit den oben beſchriebenen keramiſchen Producten mitgefundenes kleines Holzgefäß mit eliptiſcher 6 und 8 Cm. weiten Oeffnung, deſſen Höhe nur 8 Cm. beträgt. Das Ornament wurde auf dem naturfarbigen, wahrſcheinlich geſchnitzten, am Boden kreisrunden Gefäße mit ſchwarzer Farbe in der Geſtalt zweier ringsumlaufenden Bänder, welche theilweiſe mit eingeritztem Wellen-Ornament geziert erſcheinen und zwiſchen den Bändern mit Roſetten und mäanderförmig angeordneten Tupfen ausgeführt.

[1] Nach einem mitgefundenen Topfrundſtück mit der nur fragmentär erhaltenen Fracturumſchrift: Mariane .

Die Façade der Dominicaner-Kirche in Wien.

Beſprochen von Dr. Karl Lind.

(Mit 1 Tafel.)

MAN darf annehmen, dafs der um 1216 geſtiftete Orden des heil. Dominicus ſchon unter Herzog Leopold dem Glorreichen in Wien einen Sitz hatte und dafs die erſten Mönche um 1226 aus Ungarn kamen; einige Jahre ſpäter (1237) wurde die erſte Ordenskirche vom Salzburger Erzbiſchofe Eberhard eingeweiht. Gelegentlich des großen Brandes im Jahre 1258, der einen bedeutenden Theil der Stadt einäſcherte, fiel auch die erſte Ordenskirche zum Opfer. Man kann von dem jugendlichen thätigen Orden annehmen, dafs die Ordenskirche ſchon wieder hergeſtellt oder doch der Vollendung nahe war, als eine neue Feuersbrunſt im Jahre 1262 die Stadt Wien wieder und zwar in fürchterlicher Weiſe heimſuchte und abermals zerſtörte. Jetzt ſcheint es mit der Wiederherſtellung weitaus langſamer gegangen zu ſein; denn erſt vom Jahre 1302 berichten die hiſtoriſchen Quellen, dafs Cardinal Nicolaus Oſtienſis den Chor der Prediger unter großem Menſchenzuſammenlaufe in beſonders feierlicher Weiſe eingeweiht habe. Dieſer neuerliche, erſt dem Beginne des 14. Jahrhunderts angehörige Bau, vielleicht nur ein Presbyterium- und Chorbau für die Mönche — möglicherweiſe auch noch im Anſchluſſe an das alte Kirchenſchiff — und zeitgemäß im fortgeſchrittenen gothiſchen Style projectirt, dürfte wohl bis zur Zeit der erſten Türkenbelagerung beſtanden haben. Leider war die Lage der Dominicaner-Anſiedlung inſofern eine recht ungünſtige, als ſie, nahe der Stadtmauer befindlich, fortwährenden Gefahren ausgeſetzt war, die in den damaligen kriegeriſchen Zeiten jede befeſtigte Stadt bedrohten. Eine arge Gefahr für Wien waren um 1529 gegen Wien rückenden Türken, daher man bei Zeiten ſuchte, die Stadt in guten Vertheidigungsſtand zu bringen. Ein ſolches neues Vertheidigungswerk war der Cavalier, den man links in der Nähe des Stubenthores zu erbauen für nothwendig erkannte. Infolge der Aufbauung dieſes gewaltigen Werkes mußte ein großer Theil der neuen Kirche fallen, wie man denn thatſächlich bei der im Jahre 1878 erfolgten Abtragung des Cavaliers Reſte der beſtandenen Kirche fand.

Man fand in ſeinem Mauerkörper zahlreiche Stein-Fragmente von Fenſter-Roſetten, Capitälen, Fenſtergewänden, ornamentirte und profilirte Steine mit Bemalungsreſten, einen Grabſtein und tiefer dann die

Grundfeſtenreſte eines mächtigen Quaderbaues, der es ermöglichte, den Umfang und Charakter des verſchwundenen Gebäudes thunlichſt klarzuſtellen. Man fand den Umfang einer größeren jüngeren und innerhalb deſſen einer kleineren älteren Kirche bis zum Sockelfchluße. Bei aufmerkſamer Prüfung ſtellte ſich außer Zweifel, daſs beide Fragmente das Presbyterium einer Kirche repräſentiren, und man annehmen darf, daſs der kleine Bau der zweiten Kirche, der nach dem Brande von 1258 entſtandenen angehört, während der größere und charakteriſtiſch gothiſche von dem nach der Zerſtörung von 1262 entſtandenem dritten Baue erübrigt, der aber wahrſcheinlich überhaupt nicht mehr als der hohe Chor war.

Während des Beſtehens des Cavaliers dürfte aber wieder ein neuer Bau der Ordenskirche entſtanden ſein; denn wir finden beiſpielsweiſe auf *Wohlmuet's* Wiener Plane 1547 den Cavalier und hinter ihm nahezu an der Stelle der heutigen Kirche, alſo etwas weiter gegen die Stadt hineingeſchoben, im Vergleiche mit den früheren Anlagen, den Grundriſs einer gothiſchen Kirche mit Rippengewölbe, geradem Chorſchluße und ausſpringenden Strebepfeilern. Auch auf *Hirſchvogel's* Anſicht der Stadt Wien vom Norden her 1547 erkennt man dieſe Kirche mit einem hochaufſteigenden Dache, jedoch ohne Thurm. Dieſe (alſo vierte) Ordenskirche hatte ein faſt ärmliches Anſehen. Allein auch bei dieſer Bau verſchwand, denn beim Abbruche des Cavaliers fand man nahe, und zwar links der heutigen Kirche, Spuren von Mauern und ſpitzbogige Niſchenanlagen, die einem andern Baue angehört haben müſsten, als den früher erwähnten Kirchen, welche ſich unter dem Cavalier befanden. Dieſe — alſo vierte — Ordenskirche dürfte kaum mehr als ein Nothbau geweſen ſein, der ſo ſchnell als möglich nach der erſten Türkenbelagerung und mit recht kargen Mitteln gebaut wurde. Möglich auch, daſs man nur das zerſtörte Langhaus der dritten Kirche, von der man auch das hohe Dach während der Belagerung abgetragen hatte und das außerhalb des Cavaliers ſtand, herſtellte. Dem würde beiſpielsweiſe das Bild der Kirche auf *Meldemann's* Rundbild (1683) nicht widerſprechen.

Dieſe Nothkirche war nicht von langer Dauer, denn 1631 wurde der Grundſtein zu der jetzigen (fünften) herrlichen Kirche gelegt,[1] die mit ihrer mit zwei Thürmen gezierten, aber höchſt geſchmacklos reſtaurirten Rückſeite gegen den Cavalier, gegen die Baſtei und jetzt gegen die Franz Joſeph-Caſerne in der bis heute unveränderten Grundriſsgeſtaltung und mit der Façade gegen die Poſtgaſſe gerichtet iſt.

Thatſächlich beſteht dieſe Kirche heute noch als Bauwerk unverändert, dagegen ſind noch andere Künſtlerhände über ſie gekommen, die ihr innen jene herrliche, vornehm reiche Stucco- und Malerei-Ausſtattung gaben, die wir heute bewundern, und die Façade ſo decorirten, wie ſie ſich heute repräſentirt. Wir finden in der Decoration charakteriſtiſche Merkmale, die auf die Zeit der Carlone deuten, ſowohl der plaſtiſchen Verzierungen an der römiſchen Façade als auch der üppigen Stuccos im Innern nach. Wir dürfen für dieſe Ausſchmückung die ſiebziger Jahre des 17. Jahrhunderts annehmen.

[1] Siehe Berichte u. Mittheilungen des Wiener Alterthums-Vereins XXIV, S. 101. Der Hofmaler Carpoforo Tencala . . . u. XXV . . . XXXI . . . .

Damals war auch *Carpoforo Tencala* als Hofmaler mit der Ausmalung der Stuccofelder des Gewölbes betraut. Eigenthümlich iſt, daſs die Aufſchrift auf dem Giebel der Façade 1631 von templum hoc extinctum ſpricht und in ſpäterer Zeit nicht eine hiſtoriſche Bemerkung beigefügt wurde. Mag es ſein, daſs die erſte Decoration der Façade nur als eine vorläufige gegolten hat, die durch eine eigentliche erſt zu erſetzen war, oder daſs man als einige Decennien ſpäter Hinzugekommene nur als eine Ergänzung oder einen Nachtrag, eine Beigabe des ſchon früher Beabſichtigten betrachtet hat. Zieht man die Darſtellung der Kirche von 1631 auf der Medaille der Grundſteinlegung zu Rathe, ſo zeigt der davon angefertigte keineswegs gelungene Kupferſtich die Façade, man könnte ſagen, unfertig, ohne jede Decoration. Wir finden ſechs Pilaſter an der Vorderwand und am Giebel deren vier, dann ein einfaches Portal mit einem Fenſter und darüber noch eines. Die Heiligenniſchen beſtehen nicht, keine Figuren. Man kann mit voller Beruhigung dieſe Ausſtattung der Façade, oder richtiger die Vollendung in die zweite Hälfte des 17. Jahrhunderts ſetzen.

Wir ſehen auf dem Stiche eine Kuppel über der Vierung der Kirche. Sie iſt nicht mehr und ſcheint baldigſt beſeitigt und durch ein Flachgewölbe erſetzt worden zu ſein, das *Andrea del Pozzo* 1705 mit einem Gemälde (fingirte Kuppel mit blauer Luft) zierte, während das übrige Kircheninnere Carpoforo Tencala ausziert.

Betrachten wir die Façade an der Hand der auf der beiliegenden Tafel erſcheinenden Abbildung! Sie baut ſich auf als eine durch ſechs kräftige Pilaſter einfach gegliederte Wand mit vorſpringendem Mitteltheile, nach Art der durch ihre Einfachheit hochintereſſanten Façade der Carmeliter-Kirche in der Wiener Leopoldſtadt, an welcher man den früheren Barockbau in Ringen zwiſchen der deutſchen Renaiſſance und der Barocke erkennt, während wir hier ein Beiſpiel vornehmſter Art des beginnenden Barockſtyles erkennen, als deſſen Vorboten das hier erſcheinende Giebelſyſtem und die kräftigen Voluten zu betrachten ſind. Als Bekrönung und oberer Abſchluß beſteht nämlich eine giebelartig aufſteigende Mittelwand mit einem niedrigen Spitzgiebel abſchließend. Die Pilaſter ſind mit reichen Capitälen, die unten horizontal laufenden Geſimſe mit Kehlungen geziert. Als Vermittlungen zwiſchen dem breiteren unteren und dem oberen Theile der Façade ſind große Voluten beiderſeits angebracht. Je zwei Figurenniſchen im unteren und oberen Theile der Wand ſind mit Figuren von Ordensheiligen geziert, je eine ſolche Figur ſteht frei beiderſeits des Abſchluſses der breiten unteren Façadewand. Den Giebel zieren zu oberſt ein freiſtehendes Kreuz und an den Seiten eine Steinvaſe und die als Wappen dargeſtellten Ordens-Embleme mit Feſtons umgeben. Die ſchönſte Partie iſt unſtreitig das ſchöne Steinportal mit den Figuren in einer Niſche darüber und das in der Giebelfront angebrachte rundbogige Fenſter mit reicher Rahmen-Decoration. Leider hat die Façade in ihrem Totaleindrucke durch die Regulirung der Straße ſehr gelitten, da nunmehr, ſtatt wie früher eben, erſt der Eingang von der Straße nach Erſteigen von zwölf Stufen erreicht wird. Dieſe Tieferlegung der Straße hat das Bild der Kirche ſchwer geſtört (1847).

Die Kirche St. Petri Ap. zu Dvor und die Filialkirche zu Zavoglje in Krain.

Von Conservator *Konrad Crnologar.*

IE Kirche steht im Dorfe Dvor, eine halbe Stunde östlich vom Pfarrdorfe Billichgraz (Polhovi Gradec), etwa 27 Km. westlich von Laibach. Sie ist zwar jetzt eine Filiale der genannten Pfarre, scheint von der Herrschaft Billichgraz als selbständige Pfarre gegründet worden zu sein, wurde aber im Jahre 1869 sammt Kirchenvermögen dahin übergeben. Die Nachbarschaft Dvor hat sich selbst im vorigen Jahrhunderte eine eigene, dem heil. Nicolai geweihte Filial-Kirche erbaut, das Vermögen wird vom Pfarramte Billichgraz verwaltet.

Die Kirche ist orientirt, besteht aus drei über 10 M. hohen flachdeckigen Schiffen, jederseits durch drei Pfeiler vom oblongen Schnitte mit abgefasten Ecken und vier normalspitzbogigen Arcaden geschieden. Der spätgothische Chor hat drei Travées und den dreiseitigen aus dem Octogone gebildeten Schluß. Im Chore findet sich ein spätgothisches Rhombengewölbe. Die Rippen sind gleich stark und gleich profilirt, ruhen im Chorschlusse auf capitällosen Diensten, sonst auf Consolen, vereinen sich in drei Haupt- und 13 Nebenschlußsteinen, sämmtlich theils figural, theils ornamental im Relief geschmückt. An den drei Schlußwänden finden sich unter den Fenstern Kaffgesimse mit gewöhnlichem Wasserschlag. Die drei ursprünglichen Fenster der Schlußwand sind mäßig breit, doch unverhältnismäßig hoch, ohne Maßwerk und Pfosten, selbst die Nasen fehlen. Draußen hat das Presbyterium sechs dreimal abgetreppte Strebepfeiler. Dieselben wie auch die Fensterleibungen, Sockelbekronung, aus einer einfachen Schräge bestehend, sowie das von den Streben ausgehende normalgeformte sich über die Chorschlußfenster im rechten Winkel brechende Gurtgesimse sind in Werkstücken ausgeführt. Als man den gegenwärtigen Hochaltar im Jahre 1739 aufgestellt hatte, welcher die Fenster theilweise verdeckt, öffnete man an der Nordseite in den spitzbogigen Lunetten drei breite jedoch kurze sehr nachlässig gemachte gothische Fenster, die ursprünglich gewiß nicht vorhanden waren. Etwas recht merkwürdiges sind die steinernen auf Consolen ruhenden Loggien im Presbyterium, sieben an der Epistel-, vier in der Evangelium-Seite im gedrückten Spitzbogen, sämmtlich wohlerhalten. Auf die epistelseitigen gelangt man von der Thurmstiege, die anderen haben eigene Treppen.

Der viereckige Glockenthurm steht an der Epistelseite des Presbyteriums, hat bis zum Dachboden des Schiffes steinerne Wendeltreppen, dann hölzerne Wangenstiegen. Die vier Schallfenster sind durch je eine Säule getheilt, der Kämpfer reicht über die ganze Mauerbreite und trägt zwei Rundbogen. Bei oberflächlicher Besichtigung möchte man glauben, romanische Glockenlucken vor sich zu haben.

Das Thurmdach bildet eine Pyramide mit vier Spitzgiebeln, die jedoch vor etwa 30 Jahren erst aufgeführt worden sind. Früher hatte der Thurm ein barockes Zwiebeldach.

In dem Winkel zwischen dem Thurme und dem Chore ist die Sacristei aus fünf Seiten des Octogons gebildet, zweigeschoßig. Unten ist die eigentliche Sacristei, im ersten Stocke die Schatzkammer, nun Getreidespeicher des Mesners; beide haben hohe aber enge Spitzbogenfenster ohne Maßwerk, doch mit Steineinfassung. Der untere Raum hat ein mit glatten Schlußsteinen versehenes bemaltes Sterngewölbe auf Consolen ruhend. Hier ist auf dem Gewölbe die Jahreszahl 1547.

Wie schon früher erwähnt wurde, haben die drei Schiffe eine gleiche Höhe. Das West-Portal ist über dem Schiffsboden um zehn Stufen erhöht. Am Schiffe fehlen die Streben. Merkwürdigerweise hat die Nordwand keine Fenster. In Alpengegenden pflegt man wohl die Nord-, als die den Stürmen meist ausgesetzte Seite, fensterlos zu gestalten, doch hier in Krain, besonders noch in der Gegend von Dvor, kommen keine solchen Witterungseinflüsse vor, dass die Fenster gegen Norden ausschließen möchte. Der Bau möchte ungemein viel dadurch gewinnen. An dieser Seite befindet sich ein mit zwei Schrägen und einer Hohlkehle profilirtes gothisches Stein-Portal mit einem Wappen.

Die Südseite besitzt drei hohe und enge normalspitzbogige Fenster, einmal getheilt, als Maßwerk erscheint in einem der bischöfliche Stab, im zweiten ein Baum(?), im dritten das päpstliche Kreuz. Merkwürdig ist, dass diese Fenster mit den Bogen (Arcaden im Schiffe) nicht correspondiren. Dazu ist auf dieser Seite noch ein gothisches Portal.

Das Schiff hat sonst nebst dem West-Portale über dem Portale ein Kreisfenster, in den Seitenschiffen je ein Spitzbogenfenster und ein gleiches am Ostende des nördlichen Seitenschiffes.

Was das erwähnte Portal anbelangt, ist es eine wunderbar schön und genau ausgeführte Arbeit mit sehr gut erhaltenen, bunt zusammengewürfelten, aus dem Naturreiche und Architektur entnommenen Reliefdarstellungen.

Ungewöhnlich sind auch die dreitheiligen gothischen Baldachine (Ciborien) an beiden östlichen Abschlußwänden der Seitenschiffe. Die vier Theilungssäulen, auf denen die Baldachine ruhen, haben an ihren Basen Eckknollen. Die Arcaden sind kaum merklich spitzbogig, mit je dreifeldigen Sternrippengewölben versehen. Oben ist eine Plattform. Unter jeder sind je zwei kleine Altäre aufgestellt. Die Felder sind mit Fresken versehen, je vier gut erhaltene Wandgemälde, etwa dem Zeitalter der Aufführung dieser Kirche angehörend.

Die steinerne Kanzel an der Epistelleibung des Triumphbogens, einfach, jedoch angemessen ausgeführt, hat ein sehr schön geschnitztes eichenes Dach, auf dem mehrere wahrscheinlich von den Altären entnommene Statuen stehen.

Die Holzdecke ist eigentlich nur eine Dachbodenverschalung, schon sehr hergenommen. Sie besteht aus geometrisch bemalten etwa 1 M. im Quadrate messen-

den, in ein ftärkeres Gerippe gefafsten Feldern von
fechs Muftern. Darunter findet fich auf einem Felde ein
zweifaches Wappen mit der Jahreszahl 1577. Die Neu-
anfchaffung, refpective Reftaurirung diefer Decke ift
mit ftyliftifchen wie auch technifchen Schwierigkeiten
verbunden und muß gut berathen werden. Die fechs
Pfeiler, wie die darauf ruhenden Gurten und der
Triumphbogen find hellbraun bemalt und mit weißen
und fchwarzen Streifen quadermäßig gegliedert. Nebft
einigen Verzierungen fieht man auf einem Pfeiler das
Schweißtuch Chrifti, Mefs-Requifiten etc. gemalt. Diefe
Faffungen ftammen jedoch aus der Zeit nach dem Jahre
1611, da ich unter diefer Färbelung eine in dem Mörtel
geritzte Auffchrift: „caspar sgonig 1611" gefunden
habe.

Wie fchon erwähnt wurde, war bisher der Thurm
mit Blech bedeckt, die Schiffe, der Chor und die
Sacriftei mit Eichenfchindeln. Heuer wurde der Chor mit
Schieferplatten, die Sacriftei mit verzinktem Blech und
ein Theil des Schiffes mit Eichenfchindeln verfehen. Was
das Baumaterial anbelangt, fo find die Hauptmauern
zumeift aus Bruchftein, die Strebepfeiler, Dach- und
Gurtgefimfe, die fämmtlichen Portale und Wappen,
Rippen, Schlußfteine, Kanzel, Ciborien, Stiegen in dem
Thurme etc., Fenfterleibungen, Sockelbekrönung,
Ecken, Schiffspfeiler, fämmtliche Altarmenfen aus
Werkftein ausgeführt. Die inneren Wände find verputzt,
die äußeren wurden kahl gelaffen, nur die nördlich gewendeten äußeren Wandflächen wurden verputzt.

Sehr werthvoll ift die Kircheneinrichtung. Die
Kirche hat acht barocke Altäre, fämmtlich figurenreich.
Der Hochaltar mit überlebensgroßen Figuren hat im
Schreine den heil. Petrus auf der Kathedra, Wappen
der Freiherren von Billichgraz mit der Jahreszahl 1739.
Sonft find noch fechs kleinere figurenreiche Altäre, je
zwei unter den fchon früher erwähnten Ciborien und
je einer an dem öftlichen Pfeilerpaare im Schiffe. Diefe
wurden vom Jahre 1638 bis 1644 gemacht. Schön find
auch die hölzernen Renaiffance-Leuchter und auf Leinwand gemalte Antipendien.

Ein hervorragendes Kunftwerk ift der im füdlichen Seitenfchiffe ftehende Altar des heil. Valentin.
Eigenthümlich ift die im Mittelfchiffe vom Plafond
lufterartig hängende ftrahlenumrahmte Doppelftatue
der Mutter Gottes, welche von Wippachern zu einer
Zeit einer Dürre gefpendet wurde. Beide Statuen find
faft vollkommen gleich; eine ift gegen den Hochaltar,
die andere gegen den Haupteingang gewendet, doch
dazwifchen als Trennungswand ein vergoldeter Strah-
lenkranz, fo, daß man beide zugleich nicht fieht.

Werthvoll ift eine fteinerne Statue des heil. Petrus,
eine frühgothifche Arbeit. Jetzt ift fie allgemein hinter
dem Altare zugänglich.

Sehr intereffant find die beiden aus den Jahren
1526 und 1640 ftammenden Glocken, die letztere mit
Reversfeiten verfchiedener Münzen gefchmückt.

Abgefehen von den Formen ift die Kirche befonders von Intereffe deshalb, da fie, fozufagen, aus
einem Guffe entftand und weil wir genaue Jahreszahlen
haben. Auf einem Sockelfteine ift die Jahreszahl 1525,
auf dem Weftportale 1544 Infchrift: „gregorivs †
ruckhenftain † magifter † operis † anno † domini †
m.d.xl.iiii," und das Wappen der Hohenwarter mit
der Jahreszahl 1548 darüber. Auf dem Thurme war

unter dem Hauptgefimfe die Jahreszahl 1561. Auf der
Holzdecke bei einem Wappen 1577. Auf dem Gewölbe
in der Sacriftei 1547. Der Hochaltar 1739, der fchon
früher erwähnte Pfeiler 1611. Die Seitenaltäre 1638
und 1644, die Glocken 1526 und 1640. Soviel Jahreszahlen ftehen felten wo zu Gebote. Uebrigens ift diefe
Kirche eine der größeren Kirchen Krains. Ihre innere
Breite im Schiffe beträgt faft 20 M., mithin ift fie
breiter als die größte Kirche Krains — Sittich. Die
innere Länge beträgt ca. 35 M., die Seitenhöhe des
Daches ca. 20 M., die Schiffshöhe bei 11 M. Merkwürdig ift das mit phantaftifchen Reliefen überladene
Portal.

Ungefähr zwei Stunden öftlich von Laibach fteht
im Dorfe Softro unmittelbar am Laibachfluffe eine dem
heil. Ulrich geweihte Doppelkirche, eine Filiale der
Pfarre Softro, deren Pfarrkirche aber St. Leonhardi im
Flecken Sent-Lenart fteht, die Pfarre dennoch ihren
Namen nach dem Dorfe Softro führt.

Zu Valvafor's Zeiten (1689) war fie eine Filiale
der St. Peters-Pfarre zu Laibach. In feinem Werke:
„Ehre des Herzogth. Crain, VIII. Buch, S. 787, wird
fie angeführt: „XIIII. S. Udalrici zu Savogele, fo zwen
Altäre hat: S. Udalrici und S. Marci, und Sonntags
nach S. Laurentii die Kirchweihe", mithin hatte fie fchon
damals zwei Altäre, der dritte an der Epiftelfeite vor
dem Triumphbogen ift erft 1753[1] errichtet worden.

Wer die Kirche zu Zavogle[2] geftiftet und wer fie
aufgeführt hat, wiffen wir nicht; nur fo viel läßt fich aus
dem Baue felbft entnehmen, daß der Stifter über bedeutende Mittel und über genügende Steinmetze verfügt
haben mag, denn es gibt wohl wenige Kirchen in Krain,
die fo ein reiches und präcis ausgeführtes Chorgewölbe
hätten, wie diefe Kirche. Jedenfalls ift fie von einer
Herrfchaft gegründet worden, von den Befitzern der
nordöftlich davon beftandenen feit mehr als 200 Jahren
verlaffenen Burg Ofterberg (Oftro-Softro).

Die Kirche ift orientirt und befteht, wie aus dem
Grundriffe entnommen werden kann, aus zwei Schiffen,
zwei Presbyterien und einem dem größeren Schiffe
fpäter vorgebauten Glockenthurme. Das nördliche
kleinere Presbyterium ift jetzt Sacriftei, nachdem man
feinen Triumphbogen vermauert hat. Es find eigentlich
zwei aneinander gebaute Kirchen, die fie trennende
Mauer ift gemeinfam, die beiden Schiffe communiciren
durch zwei erft fpäter eröffnete oder wenigftens erweiterte Rundbögen.

Betrachtet man den Umftand, daß das große
Presbyterium bedeutend gegen Norden aus der Schiffs-
axe gerückt ift und feine Nordmauer eine gerade
Linie mit der entfprechenden Schiffsmauer bildet, ferner
das gleichartige Gewölbe beider Chöre, fo fcheint es,
daß der ganze Bau nach einem einheitlichen Plane ausgeführt ift, obwohl der nördliche Theil, wie die bedeutend erweiterten Stoßfugen nach dem Erdbeben im
Jahre 1895 zeigen, erft fpäter aufgeführt wurde.

Das Hauptfchiff ift 7·10 M. lang und 4·75 M. breit,
urfprüngliche flachdeckig, fpäter mit einer runden
Tonne überwölbt. Die beiden Fenfter in der füdlichen

---

[1] Nach Catalogue Cleri diöc. Labacensis 1883, p. 115, wo jedoch die Pfarre Softro nur als aus der Pfarre St. Marein erfichtet erfcheint, während dem dort an der St. Peters-Pfarre die Filialen in Zavogle und in Dobrunje, beide dem heil. Ulrich geweiht, hinzugefchlagen worden find.

[2] Bei der Kirche macht der Fluß eine fcharfe Krümmung, gleichfam eine Ecke (vogel, daher Zavogle — hinter der Ecke.

Schiffsmauer find viereckig erweitert worden. Der Sängerchor wurde erft im Jahre 1839 errichtet, was die Jahreszahl auf dem damals viereckig umformten Haupteingange befagt.

Das nördliche Schiff kleiner und etwas niedriger, nur 7 M. lang und 3·30 M. breit, hatte anfangs ebenfalls eine flache Decke und wurde erft fpäter ähnlich wie das Hauptfchiff gewölbt. (Die gefammte Lichtweite der Schiffe beträgt 8·75 M.) In der Weftwand ift hier ein einfaches fteinernes Spitzbogen-Portal und über demfelben ein kleines Rundfenfter mit fpätgothifchem Maßwerk angebracht, zwifchen beiden fteht die Jahreszahl 1633, welche fich jedoch nur auf einen Umbau beziehen kann, denn damals baute man bei uns fchon im Renaiffanceftyle.

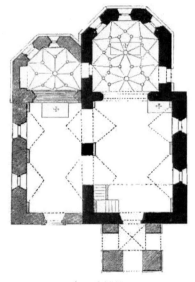

Fig. 1. (Zavoglje.)

Der Hauptchor ift um eine Stufe erhöht, 4·50 M. lang und 3·90 M. breit, etwa 6 M. hoch, vom Schiffe durch einen beiderfeits abgefchragten, 2·60 M. weiten fpitzbogigen Triumphbogen gefchieden. Nur die beiden Chöre haben einen ungleich hohen fchräggedeckten ftark vortretenden Sockel. Das Gewölbe ift ein viel reicher behandeltes als im nördlichen, bildet zwei Travées, wenn man von folchen bei einem fo complicirten Gewölbe überhaupt fprechen kann, und aus dem mit Octogonfeiten conftruirten Schluße. In jeder der drei Schlußwände findet fich ein fpitzbogiges Fenfter ohne Maßwerk, was bei der fo reichen Gewölbeanlage auffällt. Vielleicht ift das Maßwerk ausgeworfen worden, um mehr Licht zu gewinnen, denn man hat ja in der Südmauer dafelbft nicht nur eine Thür (wegen Opfergang?), fondern auch ein viereckiges Fenfter fpäter ausgebrochen.

XXV N. F.

Die Rippen haben das fonft hier gewohnliche Profil mit Plättchen und je einer Schräge und Hohlkehle jederfeits, ruhen auf acht Confolen, deren Form in die Barocke reicht, vereinigen fich in zwei Haupt- und 21 Neben-Schlußfteinen, wovon die erften befonders reich, die übrigen, Rofen und unheraldifche Schilde darftellend, minder reich in Relief verziert find.

Der Nebenchor ift nur 2·70 M. lang und 3·25 M. breit, um die Hälfte niedriger, hat ebenfalls ein Sterngewölbe, welches geringer Dimenfionen halber einfacher conftruirt, doch mit gleichen Rippen, Schlußfteinen und Confolen verfehen ift. Der Hauptfchlußftein ift traubenartig verziert und einer hat ein Steinmetzzeichen in der Form eines Kreuzes. Von den Fenftern ift nur eines unverändert erhalten, fehr klein, fpitzbogig und ftark abgefchrägt, das andere ift viereckig umgeformt worden. Außerdem hat man in der Nordwand eine Nifche ausgehauen, die mit Holz verkleidet als Sacriftcikaften dient, was jedenfalls zur fehr ftarken Befchädigung diefes Theiles durch das jüngfte Erdbeben viel beigetragen haben durfte.

Der Triumphbogen ift hier gut kennbar, man fieht, dafs die Profilirung reicher war. Hier dürfte fchon urfprünglich ein der heil. Marcus geweihter Altar geftanden fein. Wegen der niedriggeftellten Fenfter konnte dies ein Retable-Altar fein. Diefe Kirche war und ift theilweife noch jetzt eine Wallfahrtskirche. Die meiften Befucher kommen am Sonntage nach dem St. Rochustage. Bekanntlich find die beiden Heiligen St. Marcus und St. Rochus Befchützer gegen die Peft, und werden wegen der hier in Krain in der erften Hälfte des 17. Jahrhunderts erfchienenen Peft hochverehrt. Zu diefer Zeit hat man in Krain viele Kirchen dem heil. Rochus geweiht oder ihm zu Ehren Altäre errichtet. Es ift mit wenigftens großer Sicherheit anzunehmen, dafs auch hier zu diefer Zeit die Wallfahrten angefangen haben und nach der Jahreszahl über dem Seitenfchiffs-Portal die Kirche im Jahre 1633 umgeformt worden ift. Da beim großen Zulaufe eine Sacriftei nothwendig wurde, das kleinere Presbyterium einen zeitgemäßen größeren Altaraufbau nicht faffen konnte, fo vermauerte man die Triumphbogen, gewann dadurch eine Sacriftei, und anderfeits konnte man vor derfelben einen anfehnlichen Altar aufftellen.

Zu diefer Zeit dürften die Schiffe auch nach dem neuen Gefchmacke ausgeziert fein. Auch den Thurm hat man erft damals erbaut. Derfelbe fteht auf zwei Pfeilern und der weftlichen Abfchlußmauer des Hauptfchiffes, ohne mit derfelben organifch verbunden zu fein. Da der Thurm wie der nördliche Theil der Kirche erft angebaut wurde, nachdem fich der ältere Bau bereits infolge der Schwere gefetzt hatte, mußten Riffe zwifchen beiden Kirchen infolge der Senkung in den lockeren Sandgrund gefchehen, noch mehr aber bei einem fo ftarken Erdbeben, wie es im Jahre 1895 ftattfand. Das Gewölbe des Nebenfchiffes und des kleineren Chores mußte abgetragen, die ganze Kirche, befonders aber der Thurm, vielfach mit Schließen gebunden werden. Die k. k. Landesregierung bewilligte hiezu 800 fl. Anftatt der projectirten Holzdecke im Nebenfchiffe ift dafelbft wegen Feuerficherheit ein Traverfengewölbe gefetzt worden.

Die Kirche war von außen und innen einft mit Gemälden verfehen. Die füdliche äußere Schiffswand zeigt

18

heute noch meiſt figurale, doch ſchon ſehr verblichene und nach der Ausſage des akademiſchen Malers *Alois Šubic* nicht reſtaurirbare Malereien. Auch das Innere des Hauptſchiffes war gemalt. Ich fand auf der weſtlichen Abſchlußwand unter dem Anwurfe, welcher infolge des jüngſten Erdbebens abfiel, tapetenartige Fresken, jedoch ſehr verdorben. Die vielen Zerklüftungen dürften hier entweder von einem ſtarken Erdbeben (vielleicht vom Jahre 1511) ſtammen oder infolge einer Setzung der Mauern. Im Presbyterium waren Gemälde nicht zu eruiren, ſie ſcheinen unter einem Gypsanwurfe von ungewöhnlicher Harte verborgen zu ſein.

Recht intereſſant ſind zwei ſteinerne Reliefe. Das über dem Seitenſchiffeingange hat vier in Kreuzform geſtellte Köpfe von verſchiedenem Alter. Der untere eines bebärteten Greiſes, über dieſem eines aus dem rüſtigen Mannesalter, rechts und links davon eines Jünglings und eines Kindes. Ein Schlußſtein iſt das nicht, denn es fehlt keiner in der Kirche. Vielleicht ſtellt er vier Menſchenalter oder Jahreszeiten vor?

In die ſüdliche Chormauer iſt ebenfalls ein Relief eingelaſſen; ein alter bebärteter Mann ſchwimmt in einem Fluße und trägt auf ſeinem Rücken ein Kind, welches die Arme um Hilfe ſchreiend, ausbreitet. Jedenfalls iſt hier ein „povodní muž" (Waſſermann), ein ertrinkendes Kind rettend, dargeſtellt. An den heil. Chriſtoph iſt nicht leicht zu denken.

Ferner ſind beim Thurme in der Schiffsmauer auch zwei Römerſteine, einer mit Inſchrift, eingemauert.

Die Kirche iſt von einem kleinen Friedhofe umgeben.

Die Kirche in Borſtendorf (Bořitov) und Lautſchitz in Mähren.

Beſprochen vom Correſpondenten *V. Houdek.*

AM nördlichen Ausgange der ſogenannten mähriſchen Schweiz, des an Naturſchönheiten ſo reichen Zwittawa-Thales, liegt Raitz mit dem fürſtl. Salm'ſchen Schloſſe. Ein Seitenthal führt von da gegen Weſten zu dem Marktflecken Černahora, dem Sitze der ehemals ſo mächtigen Adelsfamilie der Černohorský z Boskovic. Unmittelbar vor Černahora breitet ſich zur Rechten eine Thalmulde zwiſchen wellenförmigem Terrain aus, und in derſelben liegt der volkreiche Ort Borſtendorf (böhmiſch Bořitov, vom altſlaviſchen Perſonennamen Bořita ſtammend). Von einer mäßigen Anhöhe knapp beim Dorfe ſchaut auf dasſelbe die alte Dorfkirche zum heil. Georg herab, deren Thurm und Schiff romaniſch, deren Presbyterium gothiſch iſt.

An die weſtliche Stirnſeite des viereckigen Schiffes, welches im Lichten 10 M. lang 6·40 M. breit iſt, lehnt ſich der gleichfalls viereckige, außen 6·70 M. breite und um weniger längere Thurm an, in welchem ſich der Eingang in die Kirche befindet. Die Thurmmauern weiſen die bedeutende Stärke von 1·60 M. auf. Die Achſe des Thurmes liegt nicht in derſelben Linie wie jene des Schiffes, indem der Thurm beinahe um 0·3 M. von der Mitte der Stirnwand des Schiffes gegen Süden verſchoben iſt, wodurch offenbar der erforderliche Platz für die Schneckenſtiege gewonnen werden ſollte, welche in der von dem Thurme und der Giebelmauer des Schiffes gebildeten Ecke ſteht und deren äußerer Grundriß polygonal iſt (Fig. 1).

Der mit drei Seiten des Achteckes abgeſchloſſene gothiſche Chor iſt geräumiger als das Schiff ſelbſt, indem ſeine lichte Länge 12 M., die Breite 7·60 M. beträgt. Auf der Epiſtelſeite öffnet ſich der Chor mittels eines 3·70 M. breiten Bogens in eine niedrigere, 5·40 M. lange und 2·80 M. breite Seiten-Capelle, während auf der evangelienſeite eines dem Chor jedenfalls auch gleichzeitige Sacriſtei gelegen iſt. (Das über der letzteren befindliche Oratorium ſammt Stiegenaufgang iſt neueſten Datums.)

Schiff und Thurm ſind aus Quadern gebaut. Der im Jahre 1842 etwas erhöhte und mit einer Uhr, ſowie einem neuen Dachſtuhle verſehene Thurm iſt zwar derzeit beworfen; das Schiff iſt jedoch unverputzt geblieben. Der Thurm iſt auf den vom Schiffe abgewandten drei Seiten mit dreimal gekuppelten, durch je zwei Säulchen getheilten romaniſchen Fenſtern verſehen — in Mähren eine große Seltenheit. (Es finden ſich meines Wiſſens ſolche Fenſter nur noch in den Ueberreſten der Olmützer Herzogsburg, ferner am Thurme bei der heil. Geiſtkirche in Teltſch — dermal mit einem Zifferblatte verdeckt —, dann in dem Kreuzgange im Vorkloſter bei Tiſchnowitz, ſowie in den

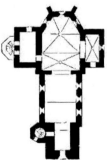

Fig. 1. (Borſtendorf.)

wenigen Reſten des Kreuzganges in Kloſterbruck.) Die Geſammtbreite eines ſolchen Fenſters beträgt 1·55 M., die lichte Höhe 1·38 M. Auf der würfelförmigen Baſis der Mittelſäulchen ſteht der achteckige, 0·62 M. hohe Schaft; derſelbe trägt ein 0·19 M. breites Würfelcapital, welches beiderſeits in die Rundbogen mittels eines nach innen und außen ſich verbreiternden, oben und unten mit Wülſten verſehenen Kämpfers übergeht.

¹ Die Angabe bei *Řehoy* (Kirchl. Topogr. Br. Diöc. II, 253), ſowie bei *Houdek* (Bilder aus der mähriſchen S. hweiz, 323), daſs dieſe Fenſter nur zweifach gekuppelt ſind, entſpricht nicht den Thatſachen.

Dagegen wurden die romanischen Fenster im Schiffe vermauert und daneben, beziehungsweise an deren Stelle neue breite rundbogige Fenster ausgebrochen. Doch find die Spuren der meisten ursprünglichen Fensterchen an der Außenseite der Mauer noch zu sehen; hienach hatte die südliche Längsmauer des Schiffes drei, die nördliche zwei solche Fenster. Auf diesen Schiffsmauern erhielt sich auch vollständig der zierliche romanische Rundbogenfries mit dem Wolfszahn-Ornamente oberhalb desselben.

Das Schiff war ursprünglich flach gedeckt, und zwar mit Brettern, welche zufolge eines Vermerkes in der Boskowitzer Decanatsmatrik vom Jahre 1672 (*Wolny*, Kirchl. Topogr., Br. Diöc., II, 253) bemalt waren. Im Jahre 1842 erhielt das Schiff das dermalige Gewölbe. Auch die Schiffswände waren bemalt und find die Malereien übertüncht. Anläßlich einer Renovirung der Kirche im Jahre 1874 kamen beiderseits Wandgemälde zum Vorscheine. Dieselben werden bei *Wankel* (Bilder aus der mährischen Schweiz) beschrieben und erklärt. Wolny bemerkt l. c., daß auch im Presbyterium Spuren von Wandgemälden zu sehen find. Dieselben find dermal übertüncht, ich habe dort keine gefunden und Dr. Wankel erwähnt in seinem citierten Werke nichts von denselben. Da es wahrscheinlich ist, daß die sammtlichen Wandmalereien in der Kirche gleichaltrig find, so dürften auch die Malereien im Schiffe nicht über das 15. Jahrhundert hinausreichen, wie schon *Baron Sacken* seinerzeit sich geäußert hatte.

Das Presbyterium wurde im Jahre 1480 geweiht und soll 1426 erbaut worden sein. Die Rippen des Kreuzgewölbes desselben find birnförmig profilirt. Deren Consolen haben verschiedene Formen, eine davon hat die Gestalt eines menschlichen Kopfes. Auf den Schlußsteinen dieses Gewölbes find die Wappen der Herren von Boskowitz (Kamm) und Sternberg (Stern), während der Schlußstein des Gewölbes der südlichen Seitencapelle den gekronten nach rechts blickenden Adler aufweist. Von den drei Chorfenstern ift das mittlere vermauert. Die beiden anderen zeigen gut erhaltenes Maßwerk mit Fischblasen-Ornament.

In die Sacristei führt aus dem Presbyterium eine gothische eisenbeschlagene schön ornamentirte Thür. Auf derselben (Evangelien-) Seite des Chores ift in die Wand ein spät-gothisches Sanctuarium mit geschweiftem Bogen, von welchem drei schöne Fialen aufsteigen, eingelassen. Leider ift dasselbe mit einem darüber gehängten Bilde fast vollständig verdeckt!

Außerdem befinden sich im Presbyterium zwei hubsche gut erhaltene Grabsteine aus weißem Marmor mit böhmischen Inschriften und Wappen. Die Inschriften find bei Wankel, jedoch nicht fehlerfrei, wiedergeben.

Das werthvollste Kunstdenkmal dieser Kirche bildet die silberne gothische Monstranz, welche bereits wiederholt (bei Wankel, dann in den kunstarchäologischen Aufnahmen von *Franz*) abgebildet wurde. Auch ein hübscher schmiedeiserner Leuchter verdient Erwähnung (Fig. 2).

Auf der Kirchthurmspitze war — glaube ich — bis 1842 ein schmiedeisernes Kreuz mit der Jahreszahl $\frac{M}{\text{ccc}}$ befestigt. Dieses, dermal in der Borstendorfer Schule aufbewahrte Kreuz, hat jedoch ausgesprochene Renaissanceformen.

Es kann wohl keinem Zweifel unterliegen, daß der jetzige Thurm sammt Schiff im Jahre 1305 (der Jahreszahl des erwähnten Kreuzes) bereits stand. Die Tradition versetzt das Schiff in heidnische Vorzeit. Allerdings befindet sich in der unmittelbaren Nachbarschaft der Kirche ein alt-slavisches Gräberfeld; die hiesigen Funde wurden in der Olmützer Museal-Zeitschrift IX beschrieben und abgebildet. Die architektonischen Ornamente sowohl des Schiffes als auch des Thurmes weisen jedoch auf das 12., höchstens 11. Jahrhundert hin. Die Mittelsäulchen in den Thurmfenstern wenigstens gleichen fast vollständig jenen auf dem Thurme der Kirche in Krenowitz bei Ledeč an der Sazawa, die in den Jahren 1134 bis 1139 erbaut wurde. (*Braniš*, Dějiny umění středověkého v Čechách I, 23.)

Die Kirche in Borstendorf gehört vermöge ihrer architektonischen Ausstattung und ihres verhältnismäßig gut erhaltenen Zustandes zu den beachtens-

Fig. 2 Borstendorf.)

wertheren Denkmalen der romanischen Bauweise in Mähren.

Die Pfarrkirche zu *Maria-Himmelfahrt* in Lautschitz ift ein sehr unregelmäßiger Bau, der das Gepräge verschiedenster Zeitalter an sich trägt und viel Räthselhaftes bietet. Sie ift derzeit dreischiffig, doch ift das nördliche Seitenschiff — mit Ausnahme des vorderen Joches — ein neuerer Zubau, kaum hundert Jahre alt. Das erwähnte vordere Joch dieses Seitenschiffes dagegen dürfte ein Bestandtheil der ursprünglichen ältesten Anlage der Kirche sein. Zu dieser gehört jedenfalls das Mittelschiff, welches jedoch nur in einem einzigen sich an das Presbyterium anstoßenden Joche, das ursprüngliche Kreuzgewölbe (wahrscheinlich aus der Uebergangsperiode), erhalten hat, gleichwie in dem vorderen Joche des nördlichen Seitenschiffes, woselbst zwei Consolen der Gewölberippen die Form von menschlichen Köpfen haben (Fig. 3).

Die beiden rückwärtigen Joche des Mittelschiffes, sowie das ganze südliche Seitenschiff weisen ein spät-

gothisches Netzgewölbe auf. Der Schlußstein des westlichen Joches im Mittelschiffe trägt nach *Wohny's* Kirchl. Topogr. von Mähren (Brünner Diöc. II, 216) die Jahreszahl 1596. (Ich konnte diesen Umstand aus dem Grunde nicht constatiren, weil gerade darunter die beinahe bis zum Gewölbescheitel reichende Orgel steht.)

Vom südlichen Seitenschiffe ist das Mittelschiff durch zwei ungleich starke achteckige Pfeiler getrennt; der vordere (östliche) ist bedeutend stärker als der zweite.

Den rückwärtigen Theil des Mittel- und südlichen Seitenschiffes nimmt ein auf drei freistehenden Pfeilern

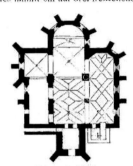

Fig. 3. (Lautschitz.)

und zwei Wandpfeilern ruhender Musikchor ein; diese Pfeiler haben einen achteckigen Schaft und deren Capitäle lassen auf den Uebergangsstyl schließen. Trifft diese Annahme zu, dann war auch das südliche Seitenschiff in der ursprünglichen Anlage einbegriffen und wurde erst nachträglich mit spät-gothischem Gewölbe, sowie wahrscheinlich auch mit dem polygonen Abschlusse gegen Osten versehen. Für den Bestand dieses Seitenschiffes schon zur Zeit der ältesten Anlage dieser Kirche spricht auch der Umstand, daß dasselbe vom Mittelschiffe lediglich durch zwei Pfeiler getrennt ist, von denen der vordere (stärkere) der Uebergangsperiode angehören durfte.

Als eine Besonderheit dieser Kirche ist der Mangel eines Triumphbogens zu bezeichnen. Der die Breite

des Mittelschiffes einhaltende Chor hat außen einen polygonen, innen dagegen einen halbkreisförmigen Abschluß. Von den ursprünglichen Sterngewölbe ist nur die an das Schiff angränzende Hälfte erhalten geblieben; der von ihr durch einen breiten Gurt getrennte Chorabschluß ist dermal mit einer Concha überwölbt.

Am westlichen Ende des Mittelschiffes ist der mächtige und hohe Thurm angebaut, dessen zwei untere Etagen mit der alten Kirchenanlage gleichzeitig sind, während die oberen Stockwerke mit einer

Fig. 4 (Lautschitz.)

Galerie und einem hübsch geformten zwiebelartigen Thurmhelme der Renaissanceperiode angehören. Unter dem Thurme befand sich bis vor kurzem die Sacristei. Im Vorjahre wurde neben dem bisherigen ein zweiter gleich schmaler Eingang aus dieser ehemaligen Sacristei in das Mittelschiff durchbrochen; zwischen diesen beiden Eingängen wurde ein Mauerpfeiler belassen.

Von der inneren Kircheneinrichtung bildet das bemerkenswertheste Stück der gothische Taufstein, (Fig. 4) ohne Aufschrift und Jahreszahl, der leider mit Oelanstrich versehen ist und sogar noch bei der im Jahre 1897 vorgenommenen Polychromirung der ganzen Kirche neuerdings, und zwar mit bunten Farben bemalt wurde (Fig. 4).

Die kirchlichen Kunstdenkmale in Gutaring.

Von *Matthäus Greßer*, Dechant, k. k. Conservator.

DER Markt Gutaring liegt zu beiden Seiten des Gutaringer- oder Urtl-Baches, der auch Peseritz genannt wurde, in einem von Mittelgebirgsauslaufern eingeschlossenen Thalkessel.

Die nahen Erzlager der Kärntner Eisenwurze, welche ja die Pfarre Gutaring gänzlich umfaßt, lockte schon in den Urzeiten zur Besiedlung und Ausbeutung.

Hier sind auch die Durchkreuzungspunkte der Wege von Norden (Sattelbogen, Kreiping) nach Süden (Silberegg, Krapffeld), und von Osten (Mösel, Huttenberg, Candaliae) nach Westen (Althofen, Treibach [Mantu-

cajum]). Es war somit im höchsten Grade befremdend, daß im hiesigen Thalkessel keine Römerfunde gemacht worden sind, während die ganze Umgebung so reich an solchen Funden ist.

Dr. *Kenner* in Wien vermuthete aus dem Vorhandensein der durch Meilensteine documentirten Station Mantucajum, daß ein Seitenweg sich hier nach Candaliae abtrennte. Seine Vermuthung wurde durch Funde von Römersteinen in der Kirche Deinsberg 1884 bestätigt. Dazukommen noch die Funde in Gutaring selbst, welche zu den Schriftsteinen von Deinsberg, die

uns die romischen Anfiedler Vibenus, Manertus, Quartus Quintianus, Saturio, Fortio, Valentinus, Marcellinus, Quintilla, Vibena, Victorinus und Secundina nennen, auch manchen Hausrath derselben, wie zwei Handmühlfteine, vier Webfluhlgewichte, Gefchirrrefte roth und fchwarz etc. an das Tageslicht brachten. Eine gefundene Münze des Kaifers Probus (276—282) dient auch als beiläufige End-Datirung. Dazu kommen noch die Funde in Althofen, Möfel, Kappel, Heidkirchen, Treffling etc., welche als wahrfcheinlich annehmen laffen, dafs eine Wegverbindung von der romifchen Eifenproduction in Hüttenberg über Deinsberg, Gutaring, Undsdorf, Mofer am Rain, Treffling nach der Eifeninduftrieftelle Hohenftein bei Feiftritz-Pulft fich hinzog. Noch im letzten Winter wurde ein Stein, gefetzt von einem Cajus Julius, in Gutaring gefunden, wo auch die vielen Schlackenhalden auf römifche Erzaufbereitungsftätten hinweifen. [1]

Frühzeitig kam nach den Slaven die bajuvarifche Einwanderung; es kamen die Boten des Evangeliums von Salzburg, und bald mochte das Erzftift an den Bau einer Zelle und einer Kirche in diefer Gegend gefchritten fein, wo es fpäter die Hauptmaffe feines Befitzes in Kärnten hatte. Als ein Reft bajuvarifchen Heidenthumes könnte man die noch fortwährend an die Höhlen des „Frauenofens" und den „Frauenbrunnen" fich anknüpfende Sage von den weißen Frauen nahe beim „Heidenwinkel" und „Götzhaber" im Urtlgraben betrachten.

Gefchichte.

Die Gründung der Kirche Gutaring kann wohl mit einigem Rechte dem heil. Virgilius von Salzburg zugefchrieben werden, von welchem die Gefchichte fagt, dafs er Kärnten bereiste und zu Ehren des heil. Rupertus viele Kirchen gründete. Denn die 25 diefem Heiligen geweihten Gotteshäufer in Kärnten gehören zum Theile zu den ältelten und ausgedehnteften kirchlichen Gründungen.

P. *Willibald Hauthaler* (Hauthaler, Ergänzungen zum Schematismus der Salzburger Diöcefe, 1883) macht darauf aufmerkfam, dafs von den 125 St. Rupertus-Kirchen und Capellen wohl neun im Gebiete des alten Provincialfprengels von Aquileja fudwärts der Drau gelegen waren, während kein einziges ficheres Patrocinium des heil. Hermagoras, des Patrones von Aquileja, nördlich von der Drau im alten Sprengel von Salzburg zu finden ift, weshalb man mit Recht wird annehmen dürfen, dafs die fraglichen St. Rupertus-Patrocinien, von einzelnen Ausnahmen vielleicht abgefehen, im großen Ganzen fchon vor 811 entftanden find, da eben in diefem Jahre über Klageführung von Seite Aquilejas durch Kaifer Karl den Großen die Drau als Gränzfluß der beiden Kirchenfprengel feftgefetzt wurde. Somit ift es fehr wahrfcheinlich, dafs auch die Kirche St. Rupert zu Gutaring fchon vor 811 errichtet wurde.

Auch dafs gerade Gutaring nicht den Namen des Kirchen-Patrones hat, ift von Bedeutung. Die Anfiedlung muß zur Zeit der Chriftianifirung fchon bedeutend gewefen fein, da der Name des fo berühmten Kirchen-Patrones den alten flavifchen Ortsnamen nicht verdrängen konnte, wie es wohl in St. Ruprecht bei

[1] Mitth. X. F. XXIV, pag. 58.

Klagenfurt gefchah; diefes hatte früher den Namen Flatfchach.

Welche Bedeutung diefe Gegend in der alten Gefchichte hatte, mögen einige hiftorifche Daten bezeugen. [1]

Die hiefige Gegend kam 831 als Landgericht Krapfeld durch kaiferliche Schenkung an Salzburg.

Die Pfarre Gutaring mag fich wohl hauptfächlich über diefe falzburgifchen Befitzungen erftreckt haben; jedenfalls war fie eine der größten des Landes und dehnte fich über die heutigen Pfarren Lölling, Hüttenberg, Preffen, Waitfchach und einen Theil von Wieting und Dobritfch aus.

Sicher beftand die Pfarre fchon vor dem Jahre 1135; denn im Jahre 1160 urkundet Erzbifchof Eberhard I. zu Laufen, dafs er eine Capelle supra Zozzen an Admont cum jure sacerdotali mit Tauf- und Begräbnisrecht übergeben habe fammt dem Zehent, der dem dort angeftellten Priefter zu reichen ift, „wenn etwa nicht der Abt mit dem Pfarrer von Gutarche inzwifchen ein für fein Klofter nicht nachtheiliges, fondern die Rechte der Mönche förderndes Abkommen treffen follte." [*]

Diefe capella baptismalis hat namlich ein Salzburger Minifteriale Rudbert von Deinsberg erbaut und fammt praedium 1135 an Admont gegeben. [*]

Auf Befehl des Erzbifchofes wurde fie vom Bifchof Roman von Gurk eingeweiht.

Die Kirche Gutaring wird wieder genannt 1162 zu Friefach und 1149 zu Weißenftein.

Nach einem Streite zwifchen Admont und Salzburg über die Bergrechte innerhalb der Pfarre Gutaring beurkundet 1196 Erzbifchof Adalbert zu Salzburg, dafs er den Streit, welcher zwifchen ihm und dem Klofter Admont „pro habendo jure cathedralis in fundo Admontensis ecclesiae super monte Zozzen" beftanden, dadurch beigelegt habe, dafs er dem Klofter für immerwährende Zeiten bewilligt habe: „ut in fundo praedicti montis Zozzen seu etiam in aliis omnibus praedictae ecclesiae (Admont) praediis infra terminos parochia Guttarich sitis in argenti seu cujuslibet metalli venis mediam portionem decimae et custodiae et cummuli (?) publicati et bannorum et acquisitionum pro qualibet litis compositione et montani juris, et in hoc quod vulgo dicitur Spitzrecht et Garrenrecht et Hutfchinft cum omnibus cathmeariarium pertinentiis quiete et proprie deinceps ad suos usus accipiat." [*]

Gutaring war fomit die Hauptpfarre der kärntnerifchen Eifenwurze und muß ein befonderes Anfehen genoffen haben.

Im Jahre 1201 wird hier fogar eine Synode abgehalten, in welcher der Erzbifchof Eberhard II. das alte Gewohnheitsrecht von Admont beftätigt, dafs die Eigenleute jener Kirche angehören, zu welcher fie hinheiraten.

Unter den zwölf namentlich angeführten Zeugen ift auch Bernhard Herzog von Kärnten, jedoch kein Pfarrer von Gutaring genannt.

Erft 1224 am 7. October kommt das erftemal der Name eines Seelforgers von hier vor, und zwar des Viceplebanus Wigman, welcher als Zeuge vorkommt

[1] Als Quellen wurden benutzt die Acten des kärntner fchen Gefchichtsvereines, das Reichsmärkifche Urkundenbuch, Monumenta Carinthiae das Pfarr-Archiv etc.

[*] Steiermärkifches Urkundenbuch b. 3. 102.

auf einer Urkunde, in welcher Erzbifchof Eberhard II. zu Lind den im Streite zwifchen Sekkau und dem Domftifte gefällten Spruch beftätigt.

Dr. *Sepp* „Bayerftamm" fagt, dafs der Name Wichmann = geweihter Mann — für Priefter oft in Urkunden in Bayern vorkommt.

Hier kommt der Name 1251 als Dominus Wichmanus de Kuterich und 1254, 21. September, als Dom. Wikmanus vicarius de Guterich vor.

Die Pfarre Gutaring wird in diefer Zeit möglicherweife mit einer anderen Stelle cumulirt oder einem Klofter zugetheilt gewefen fein, weil kein Pfarrer genannt wird, weil auch im für unfere Diöcefangefchichte fo wichtigen Buche *Hauthaler's*, im liber decimationis 1285 der Betrag der Decima nicht genannt wird, obwohl die Einkünfte genügend groß müßen gewefen fein. Darum bleibt es auffallend, wenn im intereffanten Proceffe, der im Jahre 1691 bis 1721 um die Rechte über die Kirche Maria Hilf zwifchen Gutaring und Wieting geführt wurde, auf eine Urkunde im Stifte St. Peter verwiefen wird, in welcher der Pfarrer Friedrich von Gutaring bekennt, dafs Bifchof Philipp die Pfarrrechte von Wieting 1250 beftätigt und dafs er diefes nach feiner Zuftimmung und Einwilligung gethan habe.

Diefe intereffante Urkunde lautet nach einer gedruckten Gegenfchrift gegen das Urtheil der rota romana vom Jahre 1727:

„Ego Magister Friedericus Plebanus in Guterich hoc scripto confiteor, et protestor, quod Dominus meus Philippus Venerabilis Salisburgensis Ecclesiae electus Ecclesiae apud Wittingen decimam aliaque Jura Parochialia, sepulturam vidilcet et Baptisma, quae ab antiqua eadem Ecclesia obstinuit, de meo consensu et voluntate in omnibus accedente Jure perpetuo confirmavit.

Et quia Sigillum speciale habere meis temporibus non consvevi, Capitulum Friesacense ad meas preces Sigillum suum appendit huic litterae pro evidenti testimonio praescriptorum.

Datum hujus in Frisaco anno Domini 1250."

Ob das Original noch vorhanden ift, ift mir nicht bekannt; für jene Zeit kommt mir der Text und die Redewendung etwas befremdlich vor.

Erft von 1361 an beginnt mit Johann Kraft die fortlaufende Reihe der Pfarrer.

Befchreibung der Kirche Gutaring.

Die Pfarrkirche Gutaring wird alfo ficher im Anfange des 12. Jahrhunderts erbaut worden fein, wahrfcheinlich an der Stelle einer Holzkirche; bis zum Jahre 1000 waren ja nach dem Ausfpruche Altmann's von Paffau die meiften von Holz. Wir haben noch eine Holzkirche am Dreifaltigkeitsberge am Grei.

Die Klofter- und Epifcopal-Kirchen in Gurk, St. Paul, Millftatt, St. Andrä, St. Georgen, Friefach erhielten ihre formenreiche Geftaltung meift nach dem Mufter der romanifchen Kirchenbauten in Sachfen und Salzburg; die Landkirchen jedoch, gleichfam nur Nothbauten, werden in den einfachften Formen und im knappen Umfange hergeftellt. Bei den älteften Kirchen gibt es faft keine Steinmetzarbeit; alles ift Bruchftein; mit Vorliebe werden alte Werkftücke, auch Römerfteine als Thüreinfaffung und Sturz verwendet; daher die einfachen geradlinig gefchloffenen Kirchthore, öfters nur mit eingehauenen großen Kreuzen gekennzeichnet; fo in St. Clementen, Heidkirchen, Hörzendorf und anderen Orten.

Die Pfarrkirche Gutaring zählt drei Beftandtheile, die von Weften nach Often nach einander folgen; ein oblonges Schiff (17·90–7·1 M.), das fogenannte Chorquadrat, welches zugleich den Unterbau des mafiven Thurmes vorftellt (5·40–5·50–7·76 M.); endlich einen polygon abfchließenden Chor als eigentlichen Altarraum.

Bei diefer Anlage erhebt fich nun der Thurm mitten zwifchen dem Schiffe und dem Altarraume, und wir wiffen aus den Unterfuchungen und Vergleichungen vieler Kirchenbauwerke, dafs wir in diefem Falle eine uralte Bauanlage romanifcher Stylperiode vor uns haben, wenn auch hier keine Urkunde von einer folchen fpricht und keines der etlichen 20 kärntnerifchen Portale diefes Styles, kein Säulchen, kein Capital näheren Auffchluß gibt; nur ein Fenfter, rundbogig gefchloffen, unter Dach fichtbar, gehört in diefe Zeit.

Solche Anlagen find gar nicht fo felten; ich zählte in Kärnten bei 40 an der Zahl; viele find ja überbaut worden. Man kann mehrere Unterarten von folchen romanifchen Bauten unterfcheiden. Es gibt dreifchiffige, zum Beifpiel St. Veit, wo in neuefter Zeit mit großer Kühnheit der Rundbogen im Chorquadrat unter dem Thurme entfernt und ein höherer Spitzbogen eingefetzt wurde; Feldkirchen, Offiach, Wolfsberg, wo der Thurm fpäter feitlich geftellt wurde. Die meiften dergleichen Anlagen find jedoch einfchiffig, mit dem Altarraume unter dem Thurme (St. Stephan) oder mit angefügter Apfis: diefe theils rund, theils quadratifch.

Immer war das Schiff oblong mit flacher Holzdecke; auch das Chorquadrat war in dem Falle nicht gewölbt, wenn noch ein gewölbter Altarraum angefügt war; fo in Offiach, wo unter Dach noch die Malerei an der Oftwand des Chorquadrates und die romanifchen Rundbogenfenfter fichtbar find. Diefe Anlage mit dem Thurme über dem Chorquadrate war für viele Kirchen für die Zukunft ein verhangnisvoller Griff. Es war eine Reminifcenz an die hölzernen Dachreiter, die fich in Filialkirchen fo häufig zwifchen Altarraum und Schiff aufbauen; es mag ökonomifch bequem gewefen fein, den Mefsdiener auch als Mefsner beim Gelaute der Thurmglocken nahe und in einer Perfon haben zu können; man wollte etwa auch gern nach außen das Centrum des Gotteshaufes, den Altar fichtbar kräftig betonen, den Altarraum zum „turris davidica, eburnea" zum — Sacramentshaus auch nach außen geftalten, das in gothifcher Zeit im Innern eine fo herrliche Ausgeftaltung fand, zum Beifpiel im nahen Waitfchach und St. Martin am Krappfelde.

In Gutaring war urfprünglich der Altarraum unter dem Thurme; im Jahre 1896 fand man die vermauerte nördliche Thür und rechts die Wandnifche diefes alten Kirchentheiles.

Als die Bevölkerung zunahm, ergab fich die Nothwendigkeit einer Kirchenerweiterung; öftere Brände in dem gefchloffenen Orte ließen es räthlich erfcheinen, die Holzdecke mit dem beliebten Stein- und Rippengefüge der Gothik zu vertaufchen.

Um den Raum zu vergrößern, wurde nach Norden die Kirchenmauer spitzbogig durchbrochen und eine Capelle mit zwei Jochen Grat-Kreuzgewölbe und zwei ftumpfen gotifchen Fenftern im felten Steinwerk angefügt, fodann im Süden eine Sacriftei in der Breite des Chorquadrates ausgeführt, mit Eckftreben, Schrägfockel, Kreuzgewölbe auf kegelförmigen Confolen, gehalten von einem Schlußfteine, der eine funfblätterige Doppelrofette zeigt.

Es zeigt die Formenfprache der Sacriftei, das birnförmige Profil der gelben Sandfteinrippen und das Portal, das in die Kirche führt, mit feinem ftumpfen Spitzbogen, mit Kehle und Stab gegliedert, die befferen Formen der Gothik.

Die wichtigfte Umänderung und Erweiterung der Kirche erfuhr diefelbe durch die Anfügung des Altarraumes und Einwölbung des Schiffes.

Erftere gefchah in der zweiten Hälfte des 15. Jahrhundertes. Ablafsbriefe und Grundverkauf mußten die Geldmittel zu diefen koftfpieligen Bauten liefern.

Im Jahre 1448 am 28. September willigt Erzbifchof Friedrich ein, dafs Pfarrer Lorenz zu Gutaring dem Markte Althofen Güter, unter dem Markte gelegen, bei der Straße gegen Lind und St. Veit in der Weife verkaufe, dafs die Bürger dem Pfarrer und feinen Nachfolgern „wiederumb auf frei aigen ein ewiges Pfundt gelts kauffen und beftellen" follen.

Am 9. Mai 1446 ertheilt Georg, Bifchof von Sekkau, der Rupertikirche in Gutaring einen vierzigtägigen Ablafs, und im nämlichen Jahre verkaufen die Kämmerer ein Gut in Göttfchach dem Gregor zu Kappel.

Der neue Altarraum (9·05 M. lang, 7·40 M. breit, 8·80 M. hoch) wurde in breiten Dimenfionen angelegt, etwas nach rechts erweitert, die Axe jedoch nach links abgebogen, wohl um mit dem Neubau nicht zu nahe an den alten Karner, deffen Axe eine mit der Kirche convergirende Richtung hat, zu ftoßen.

Das fpät-gothifche Presbyterium befteht aus einem Gewölbejoche und dem funffeitigen Schluße aus dem Achtecke, welches unten im Beinhaufe mit der Mittelfäule unter dem Gratgewölbe zum vollen Octogon ausgebildet erfcheint. Das Netz- recte Rautengewölbe fpannt fich über Wandvorlagen, die durch Spitzbogen miteinander verbunden find und, felber ohne Capital und Sockel, Dreivierteldienfte mit polygonen Capitälen und rundem Sockel als Vorlage befitzen. Leere Schlußfteinfcheiben bezeichnen die Gewölbefcheitel; die Rippen haben ein elegantes birnförmiges Profil, die Capitälgliederung, fo einfach fie ift, wirkt recht gefällig. Vier große ftumpffpitzbogige zweitheilige Fenfter weifen Vierpäffe über der im runden Kleeblatt abfchließenden Zweitheilung; das Oftfenfter hat jedoch nur einen geraden Theilungspfoften darüber. Nach außen find keinerlei Strebepfeiler angebracht, nur zweimal mit Wafferfchlägen gegliederte Wand-Lifenen erheben fich an den Ecken vom Schrägfockel.

Am fpäteften wurde das Schiff der Kirche eingewölbt. Da die Mauern für einen folchen Seitenfchub nicht berechnet waren, wurden die Strebepfeiler innen vorgelegt, mit ftarken fpitzbogigen Längsgurten verbunden und zwifchen diefen das Netzgewölbe eingefpannt, das wohl durch die Ungefchicklichkeit der Bauleute eine ganz verfchobene Geftalt erhalten hat.

Den Wandvorlagen find noch hier Dreivierteldienfte mit rundem Sockel vorgebaut, jedoch entwickeln fich die Rippen ohne Capitälbildung. Nur an den Schiffsecken find ftatt Wandvorlagen reichere Confolenbildungen, beftehend aus Kehle, Stäben und Plättchen mit kegelförmiger Endigung angebracht, die Schlußfteine find fcheibenförmig fo durchbrochen, dafs man innerhalb wieder die Durchkreuzung der Rippen erblickt.

Der Orgelchor konnte wegen der niedrigen Geftaltung der Kirche nicht über einen vollen Rund- oder Spitzbogen, fondern nur über einen gebrochenen Spitzbogen (beftehend aus zwei im ftumpfen Winkel zufammenftoßenden Stichbögen) errichtet werden, welchen jedoch eine kräftige Gliederung über die Abfchrägung feiner Sockel durch Hohlkehle, Plättchen und Wulft erhielt. Den Chor trägt ein niedriges Sterngewölbe.

Die Schiffsgewölberippen haben ein kantiges Profil. Die runden Wanddienfte gehen durch Abfchrägung und Wafferfchlag in polygone Profile über.

Die Fenfter waren fpitzbogig; jedoch hat fich nur das öftliche an der Südfeite erhalten; es ift zweitheilig und zeigt im Maßwerk drei fpitze Kleeblattbögen gruppirt.

Die Weftthür, im Stichbogen gefchloffen, führt über drei Stufen in den Kirchenraum. Das füdliche Portal ift, über polygonen hohen Sockelgewänden mit .gefchweiften Spitzbogen mit reicher Gliederung durch Kehlen und Wulfte ausgezeichnet, eine Zierde des Baues.

Das Chorquadrat hat fowohl erft nach dem verheerenden Brande 1728 fein fpitzbogiges Tonnengewölbe erhalten, in welches zwei Kappen nördlich und füdlich horizontal einfchneiden. Der darüber gebaute Thurm mußte fich eine zweimalige Erhöhung über feine altersfchwachen und viel durchbrochenen Fundamente gefallen laffen; in gothifcher Zeit erhielt er vier Spitzgiebel, zwei Gefimfe umzogen oben und unten das mit dem fpitzbogigen Schallfenfter verfehene neue Gefchoß, eine mit Steinplatten gedeckte Pyramide bildete den Abfchluß.

Im vorigen Jahrhundert erforderte der Zeitgeift einen blechgedeckten Kuppelthurm mit Laterne; zu diefem Behufe wurden die Ecken zwifchen den vier Giebelmauern horizontal ausgefüllt. Die Neuzeit 1885 benützte diefen horizontalen, die Sicherheit des Verbandes ftärkenden Abfchluß zum Aufbau eines gothifchen achtfeitigen Helmes mit fpitzbogigen erkerartigen Dachfenftern nach den Plänen des Architekten *A. Stipperger.*

Ueber die gothifchen Veränderungsarbeiten im 16. Jahrhundert berichtet eine Urkunde im Pfarr-Archiv (1524 am St. Jörgentag), welche erzählt, „dafs die Zechmeifter zu Guttaring aus merklicher Noturft zur fiederung und pefferung des Kirchenbau und Glockenthurm, fo fie diefer Zeit aufrichten und machen laffen, wobei viel Koften und Ausgaben nothig waren und die Kirchen nicht vermöglich gewefen ift," drei Joch Wiefen und Bau um 40 Pfund verkaufen mußten.

Es ift alfo die Spatzeit des gothifchen Styles, welcher diefe Arbeiten an der Kirche entftammen. Auf eine vollftändige Befriedigung des Bedürfniffes nach Raumerweiterung und Verfchönerung des Gotteshaufes

mußte man bei einer solchen Plananlage verzichten. Der Thurm mitten vor dem Altare blieb stehen, und jetzt, wo das Schiff gewölbt, der Chor hoch und breit entfaltet ist, werden sie durch die niedrig gebliebene Thurmhalle auseinander gehalten; die Mißstimmung ist irreparabel, zudem der Grundriß ein wahrhaft verschobener ist. Das Schiff hat durch die Einwölbung zwar an Feuersicherheit gewonnen, doch nicht an Raum, Schönheit und Symmetrie; das Gewölbe erscheint drückend, die Wandvorlagen verengern den Raum; das Auge mißt die Höhe nur nach den verticalen Linien der Wände, und da findet es die Kirche sehr niedrig.[1]

Die monumentale und figurale Bemalung der kärntnerischen Kirchen hat im Mittelalter eine hohe Ausbildung und weite Verbreitung gefunden. Die Kirche Gutaring hat noch einige solche Wandmalereien aufzuweisen, die schon in der Carinthia 1890 und in den Mittheilungen der Central-Commission 1890, pag. 143, ihre Beschreibung fanden.

Links neben dem Südportal ist die Darstellung des jüngsten Gerichtes, ähnlich, doch etwas junger als das Mißstatter Gemälde.

An der Südseite des Chores ist eine noch vielfach übertünchte abgeschwemmte Freske den heil. Christoph darstellend; die oberen Theile sind noch kenntlich.

Ueber dem Eingange ins Beinhaus ist gemalt Christus am Kreuze mit Johannes und Maria; es sind auch nur die obersten Theile mehr sichtbar.

Im Innern wurden spärliche Reste von Wandmalereien decorativen Charakters gefunden.

Die Altäre zeigen den Stylcharacter der Barocke und des Rococo.

Der Hochaltar namentlich erfüllt die ganze Breite und Höhe des Altarraumes mit seiner zweistockigen Architectur. Gewundene Säulen, verkröpftes im Winkel nach vorn ausspringendes Gebälk, gebrochene Gesimse, Doppelvoluten, Muschelbildungen kennzeichnen eine gesunkene Geschmacksrichtung und gesuchte Effecthascherei. Die Mittelbilder sind schlechte Oelgemälde, St. Rupert und St. Katharina darstellend; die vergoldeten Holzstatuen jedoch sind eine gute naturalisirende Schnitzarbeit, bewegt, doch nicht affectirt oder knitterig; die Basen sind als Felsstücke dargestellt. Doch trotz aller meiner Werthschätzung und Toleranz gegen alles, was werthvolles die Barocke der katholischen Kirche geschaffen, hier möchte ich doch diesen Altarkolofs gern missen, der die Fenster und den Chorabschluß verdeckt und vom Gewölbe fast erdrückt erscheint, der schuld daran ist, dass man auch an der Nordseite ein Fenster zu seiner Beleuchtung ausbrach und deshalb die zinnen- und fialengekrönte Sacramentsnische beseitigte und ungeachtet dessen die Kirche finster blieb.

Die Seitenaltäre sind schon fast ganz Rococo und wurden 1769, 16. Mai, von einem Tischler in St. Lamprecht hieher geliefert.

Besser und feiner in der Architectur und Malerei sind die zwei Altäre in der Martini-Capelle. Besonders

verdient das Kreuzbild von *Eustachius Gabriel*, dem schwäbischen Maler von Klagenfurt, circa aus 1760, Beachtung. Die feine Abtönung der Farben, die zarte Formengebung des Marienkopfes erregt Bewunderung. Dieser begabte Maler, 1720 in Schwaben gebürtig, gründete in Klagenfurt sich eine zweite Heimat und lieferte für Kärnten eine Reihe geistvoll angelegter und nett ausgeführter Bilder, zum Beispiel ein Altarbild in St. Veit; ein Altarbild in Teinach (Seitenaltar); das Hochaltarbild in Stein bei Viktring. Er malte auch die interessanten gestaltenreichen Gemälde am Gewölbe der Priesterhaus-Capelle in Klagenfurt 1769, wo namentlich ob dem Altare die Anbetung des Lammes, in der Mittelkuppel die Aufnahme des heil. Borromäus in den Himmel schöne Lichteffecte, gute Stimmung und weite Perspective zeigen.

Monstranze, Ciborien und zwei Kelche sind sehr gute getriebene Arbeiten, einige barock, die anderen Rococo, mit Engelsköpfen, geflossenen Reliefs, Blumenranken und Medaillons geschmückt. Ein außer Gebrauch gesetztes Ciborium hat eine kugelförmige Bechergestalt mit Deckel, ganz mit Barock-Ornamenten bedeckt; ein anderes hat gothische Formen. An Holzschnitzereien hat die Kirche ein Relief des letzten Abendmahles und ein Vesperbild; beide schon mehr der Renaissance angehörend; letzteres an Michael Angelo's Pietà erinnernd. Die reich und effectvoll geschnitzten Kirchenbänke aus Nußbaumholz mit eingelegten Ornamenten aus Buxbaumholz verdienen doch auch erwähnt zu werden.

Neben der Kirche liegt südlich die Achatius-Capelle, der frühere Karner; ein einfaches gothisches oblonges Kirchlein, das nur darum erwähnt wird, weil dessen gothische Chorfensterchen eine Umrahmung von gemalten Krappen mit Kreuzblumen zeigen, doch kaum mehr erkenntlich.

St. Gertruden.

Am nahen Hügel, der nach der Ruine Uebersberg abfällt, steht das Kirchlein St. Gertruden, wo, so wie in Salzburg neben dem Rupertus-Dome im Felsen die Capelle zu Ehren St. Gertrudens sich befindet.

Nach hiesigen Aufschreibungen gab es schon 1446 hier eine St. Gertruden-Kirche, und am 24. Februar 1487 wird eine Gottesleichnamsbruderschaft erwähnt, welche, wenigstens in späterer Zeit, in Gertruden ihre Functionen abhielt.

Dem oblongen Schiffsraume ist ein üblich gothisches Chörlein gegen Osten angebaut, das mit Strebepfeilern und mit einem spitzbogigen Kappengewölbe versehen ist. Da jegliche Rippen fehlen, gab es der Decorationsmaler des 17. Jahrhunderts dem Mangel dadurch abzuhelfen, dass er die scharfen Grate als dunkle Streifen gab und eingesetzten Perlstäben. Die Gründe dazwischen blieben weiße Tüncheflächen, auf denen zarte Blumenranken in sehr geschmackvoller Zeichnung sich breiten und verzweigen, die den ganzen Raum der Kappenfelder dicht erfüllen. Diese Ranken beginnen in den untersten Fußenden der Gewölbe mit einer Art Wurzelverfilzung, und ihre äußersten Ausläufer begegnen sich in den Scheitellinien des Gewölbes.[1]

[1] Grazer Kirchenschmuck 1896 mit Abbildung.

Noch eine Malerei kam unter der Tünche zum Vorschein, welche vielleicht eine Scene aus der St. Gertrudis-Legende darstellte; mannigfache Thiere unter Bäumen sind sichtbar, sowie zwei Frauenfiguren. Die oben hinziehende Umrahmung zeigt noch romanische Motive.[1]

Der Hochaltar besteht aus einem Tabernakel mit einem Nischenaufsätze, der mit geschnitzten Arabesken flankirt und gekrönt ist. In der Nische ist die Statuette der heil. Gertrud, rechts und links die der heil. Katharina und Barbara. Der Tabernakel-Bau zeigt toscanische Säulen, dazwischen Muschelnischen, insgesammt noch fast Renaissanceformen guter Arbeit. Die oblonge Kanzel aus hartem Holze mit nett geschnitzten Säulen und Füllungen gehört der Barocke an. Die Kirchen-Patronin kommt auch auf einer Relief-Schnitzerei vor; sie ist auf einem Thronsessel dargestellt, einen Abtstab neben sich und ein Buch in der Hand. Links unten kniet im faltigen Gewande ein Donator, das Barett in den gefalteten Händen haltend. Die noch an die gothische Formengebung erinnernde Arbeit gehört dem Anfange des 16. Jahrhunderts an.

Das Schiff der Kirche hat eine Holzdecke in Naturfarbe; rechteckige, quadrate und sechseckige Felder sind zu achtseitigen Flächen geeinigt und durch profilirte Leisten getrennt.[2]

Die Pfarrkirche in Deinsberg.

Der Name Deinsberg wird urkundlich schon 1116 genannt. Besonders kommt als Zeuge ein Rudolph von Deinsberg öfters vor.

Ein Pfarrer wird erst 1412 als Stifter eines Jahrtages erwähnt, nämlich Johann Löllinger.

1425 den 17. Januar macht Hans, des Leonhard von Eck Sohn, Pfarrer am Deinsberg und Vicar von Gutaring eine Stiftung.

Der Sage nach wäre Deinsberg „die älteste Kirche unter der Alm"; früher sei da ein heidnischer Tempel gewesen. Die gefundenen Römersteine beweisen, dass doch etwas an dieser Sage war. Auch die Ableitung des Namens, der in alter Zeit auch Tunesberc, Tuwinsberg (1161) lautete, deutet darauf hin.

Die Kirche selbst ist ein kleiner einschiffiger Bau, der im Schiffe einst eine flache Decke über einen Spitzbogenfries trug, nun aber in der Tonne mit Zwickeln gewölbt ist. Ein dreiseitig abgeschrägter ziemlich schlanker Spitzbogen bildet den Eingang in das Presbyterium; dieses, hoch und schlank gehalten, hat nur

[1] Mittheilungen der k. k. Central-Commission 1830, pag. 144 mit zwei Abbildungen.

[2] Das holzreiche Kärnten liebte die Verwendung des Holzes zur Eindeckung der Kirchenräume in der romanischen und gothischen Bauperiode, der Altarraum selbst aber war nach alten kirchlichen Traditionen meist gewölbt. Romanische Holzdecken haben wir nachweisbar keine mehr. Eine Holzdecke im Altarraume der Kirche St. Johann in Klein-Glödnitz Carinthia 1893. Nr. 1. In den späteren Zeiten und uns folgende Decken in vier Gestalten erhalten geblieben:

1. Dem Baumaterial entsprechend bestehend aus Langsbrettern mit Leisten über den Fugen und Aufstosslinien; mehr oder weniger mit Masswerkmustern, Ornamenten, zum bemalt zum Beispiel Plessnitz, St. Magdalena bei Kühnsdorf und andere Orte.

2. Mit quadraten Feldern wie cassetirt, gemalte oder geschnitzte Decoration, zum Beispiel St. Leonhard bei Eifenkappel (12 Felder) Meleno, St. Maxina bei Obterwitz (36 Felder), Louzsdorf (bei 20 Felder), Heiligenstadt (abgeriffen), St. Margarethen bei Reichenau (verzweit) Schlanitzen (die aber reichste Decoration), Tollnin Kleinkirchheim, St. Katharina, Pfarre St. Ulrich bei Feldkirchen, Ober-Leipsch (?) Schprilich Aussenracheno.

3. Polygon-Feldendecke, St. Gertrud.

4. Gewölbter mit Stuck übersogene Flachdecken (Wieting Klein-St. Paul, St. Martin am Krappfelde etc.

XXV. N. F.

ein Gewölbejoch mit Kreuzrippen und den Schluß mit fünf Seiten vom Achteck.

Das Schiff hat keine Strebepfeiler. Die Westthur ist im einfachen Spitzbogen construirt. Die Abschragung endet unten mit einem horizontalen Stabe und einem blattförmigen Ablauf. Die alte Balkenthur schmücken originelle Eisenbeschläge.

Der Altarraum ist auch hier wieder ausgezeichnet durch größern Aufwand an Architekturgliedern, welche mehr der Früh-Gothik angehören. Die Rippen zeigen ein birnförmiges Profil und entspringen über kelchformigen Capitälen den Dreiviertel-Diensten, welche in der Höhe der Fensterbank auf kegelförmigen Consolen aufsitzen.

Die drei Ostfenster zeigen strenges Maßwerk, das Mittelfenster einen Vierpaß, die Nebenfenster einen Dreipaß über den spitzen Kleeblattbogen der Zweitheilung. Zwei Fenster sind modernisirt, eines durch die Sacristei vermauert. Außen stützen dreifach abgestufte weit vortretende Streben den Chorbau. Sie sind aus Tuffstein mit abgeschrägtem Sockel und umlaufendem Wasserschlag, oben mit schräger Abdachung gegliedert.

Der Thurm ist dem Schiffe an der Südseite angefügt und bildet im Untergeschoß die Sacristei, durch eine schmale spitzbogige Thür mit der Kirche verbunden und mit einem gratigen Kreuzgewölbe geschlossen. Er steigt ohne Abtheilung empor und schließt sein Mauerwerk mit einem Horizontalgesimse ab. Darüber erhebt sich die vierseitige Dachpyramide, die, wie die Kirche, mit Steinplatten gedeckt ist.

Die Schallfenster des Thurmes sind an jeder Seite anders gestaltet und in schöner Steinmetzarbeit ausgeführt. Eine Seite zeigt nur gekuppelte Spitzbogenöffnungen, eine anderes zweitheiliges mit runden Kleeblattbogen und zwei Vierblatt darüber hat rechteckige Einfassung, ein drittes ist nur eintheilig mit rundem Kleeblattbogen und horizontalem Abschluß ausgeführt. So bereiten die vielen horizontalen Linien der Schallfenster harmonisch mit den horizontalen Abschluß der Thurmmauern vor, und es würde eine von manchen gewünschte Giebelaufmauerung stets als ein unharmonischer Prunk an diesem einfachen Baue erscheinen.

An diesen Thurmfenstern, die in Althofen am alten Thurme, in Wieting, St. Salvator, Piesweg ihre Seitenstücke haben, macht sich schon die Art und Weise der Spät-Gothik erkenntlich, welche nach und nach die constructiven Elemente des Styles, den Spitzbogen, die Strebepfeiler, die Kreuzgewölbe und nur das Decorative an Maßwerk und Nasenbildungen, Füllungen, Krappen, Kreuzrosen oft in reicher, später aber auch in dürftiger unschöner Bildung beibehalt. Innerlich war die Gothik ausgelebt, abgestorben, bevor die Renaissance ins Land tritt.

Der Hauptschmuck der Kirche ist die Glasmalerei im Ostfenster. Zehn Felder in den leuchtenden Formen und Farben der Spät-Gothik zeigen die gedrungenen Gestalten von acht Aposteln in architektonischer Umrahmung und Krönung.

19

Des hohen Alters wegen muß auch der Glocken Erwähnung gethan werden; denn darunter ist eine wohl von den ältesten Zeiten, etwa dem Ende 'des 13. Jahrhunderts; sie zeigt in Majuskeln die zweitheilige Umschrift:

O, REX GLORIE VENI CUM PACE †
DEUS OMO FACTUS EST.

Auch die zweite Glocke mit der Minuskelschrift: „ave † maria † gratia † plena † dominus † " ist beachtenswerth und etwa aus 1500 stammend.

Noch mag ein Oelbild Erwähnung finden, auf welchem die Geheimnisse des Rosenkranzes um ein Marienbild dargestellt find, zu deffen Füßen der Donator feinen Wolmfitz, den alten nun nicht mehr bestehenden Sichelhof in Deinsberg abbilden ließ. Hier hausten ja vor Zeiten die Kulmer.

Nicht immer waren diefe fo eifrige Verehrer der Gottesmutter. Am 5. Februar 1706 gesteht Dechant Jofeph Wabick von Gutaring ein, dafs der Hauptzeuge im fehon erwähnten Mariahülfer Proceffe, Baron von Kulmer in Deinsberg, ein Häretiker und Concubinarier gewefen fei, bis er mit Gottes Gnade auf warmes Ermahnen Sr. Excellenz des Landeshauptmannes Grafen Andreas von Rofenberg in einen anderen Menfchen, einen rechtfchaffenen guten Chriften (laut Zeugnis feines Seelforgers vom Jahres 1690) umgewandelt wurde.

Der Karner in Deinsberg.

Nördlich, nahe beim Altarraume, befindet fich der runde romanifche Karner, wie er fo häufig noch in Kärnten vorkommt und durch die Pietät, die man den ausgegrabenen Knochenüberreften bei Auffammlung und geziemende Aufbewahrung erweifen zu müffen glaubte, nothwendig wurde.

Der Karner in Deinsberg hat einen eigenen Außeneingang in das halb in der Erde liegende Untergemach, das als Beinhaus feine Beftimmung, wie man es an den taufend aufgefchichteten Knochen ficht, vollftändig erfüllte. Vom auffteigenden Terrain des Friedhofes führt dann eine rundbogige Thür in den oberen Raum, der als Capelle eingerichtet war. Diefe Capelle ift rund und hat eine vorkragende Altarnifche im Often, ein Fenfter im Süden und eine Holzdecke. Am Kegeldach ift ein achtfeitiger Dachreiter mit einem Glöckchen Dach und Thürmchen, auch die verticalen Seitenwände find mit Chloritfchiefer in zierlichen Muftern eingedeckt.

Das ganze Innere war mit figuralen und ornamentalen Malereien bedeckt. Der Raum hatte möglicherweife außer dem Fenfter in der kleinen Concha und dem Eingange keine Lichtöffnungen. Beim genannten Fenfter, das eine fchießfchartenartig verengte mit einem Spitzbogen verfehene Lichtöffnung hat, ergab fich, dafs diefe Verengung von einem breiten hölzernen Fenfterftock, der in den urfprünglichen romanifchen Rundbogen eingefetzt wurde und die Licht- und Luftweite auf ein Minimum reducirt, herftammt. Später hat man ein größeres Fenfter rechts von der Thür ausgebrochen.

Die Darftellungen der Wandmalereien bilden einen gefchloffenen Kreis. Längs der Decke find im ganzen neun Bildfelder, unter diefen zwifchen der Apfisnifche

und der Thür je fünf Darftellungen angebracht. Sie ftellen die fchmerzhaften und glorreichen Momente aus der Gefchichte des Heilands dar. Das Figurale ift zumeift verwittert, Gefichtstheile und andere Details fehlen meiftens; man nimmt größtentheils nur die Silhouetten wahr. Hochintereffant ift die Theilung der einzelnen Felder und die unten angebrachte Bordüre. Gothifche Formgebung kommt noch nicht vor, fomit fcheinen die Malereien älter zu fein, als die im Nonnenchore zu Gurk, etwa aus der zweiten Hälfte des 13. Jahrhunderts.[1]

Die Refte eines Flügelaltars.

Von Deinsberg ftammt auch der bedeutende Reft eines Flügelaltars, welcher nun in Gutaring aufbewahrt wird. Es ift ein leerer Mittelfchrein mit etwas ausgefchnittenen ornamentirten Seitenwänden, fchließbar mit zwei Flügelthüren, flankirt von zwei fixen Seitentheilen. Das Brett der Predella ift eine rohe, fpäter übermalte Arbeit; es zeigt zwei Engel mit dem Schweißtuche des Herrn. Die fixen Theile haben links die Bilder des heil. Chriftoph und Rupertus, rechts die Bilder des heil. Oswald und Virgilius; rückwärts find fie nur mit Blatt-Arabesken bemalt.

Gefchloffen tragen die Flügelthüren folgende Darftellungen:

links (immer von oben nach unten): St. Katharina und St. Florian;

rechts: St. Barbara und St. Georg;

geöffnet:

links: St. Nicolaus und St. Andreas;

rechts St. Erasmus und St. Petrus.

Jedes innere Bild hat einen dreigetheilten Hintergrund, oben ein graviertes Goldmufter, dem in der Mitte ein violetter Teppich vorgehängt ift, der jedoch das unterfte Drittel als grünen Untergrund übrig läßt. Andere Hintergründe find wohl auch roth oder violett.

Diefer Altar gehört noch der befferen Gothik des 15. Jahrhunderts an; die Schuhe der Figuren find fehr gefpitzt, die Paftorale mit architektonifchen capellenartigen Knäufen, regelrechten Kletterblumen decorirt. Das Colorit ift in der Leibfarbe etwas grau und kalt gehalten; der Faltenwurf manierirt und knitterig; die Hintergründe mit Granatäpfelmufter belebt.

So fehen wir an unferen einfachen Bauwerken in Gutaring, Deinsberg, den Wellenfchlag der großen Kunftbewegung des ganzen Landes; die Romantik im rundbogigen Karner und der Bauanlage der Ruperti-Kirche, die Gothik von ihren Anfängen bis zu ihrem Ab- und Ausleben in Deinsberg. Während die reiche Formenwelt für die herrlichften romanifchen Bauten Kärntens aus Deutfchland, Sachfen kam, drang die Gothik von Frankreich durch die Baufchule von Fontenay um 1200 bis 1202 nach Viktring, und die Dominicaner von Italien nach Friefach, wo circa 1251 das Langfchiff der Predigerkirche vollendet war und man nach der Bauregel Bonaventura's für Bettelorden fich mit der größten Einfachheit der Bauwerke begnügte. An den Apfiden der Seitenfchiffe der Dominicaner-Kirche nimmt die Romantik Abfchied im romanifchen Bogen des rechtfeitigen Nebenchores, während die

---

[1] Mittheilungen der k. k. Central-Commiffion 1880, pag. 192 mit drei Abbildungen.

linksfeitige Choröffnung fchon den Spitzbogen zeigt. Von diefer Zeit an beherrfcht er die chriftlichen Lande faft unbefchränkt in Architektur, Malerei und Plaftik. Die Regensburger und Wiener Bauhütte übten fpäter ihren maßgebenden Einfluß. Der Glanzpunkt war in Kärnten erreicht in der bafilicalen Leonhardi-Kirche im Lavant Thale. Zuerft meldete fich in der mehr beweglichen Malerei der neue Gaft, die Renaiffance, die in der füdlichen Nachbarfchaft fchon längft aus dem fruchtbaren Boden der Antike entftand und ftets neue Nahrung zog.

Schon 1513 ift am Flügelaltare in St. Leonhard im Lavant Thale die goldene Pforte Jerufalems mit korinthifchen Capitälen und Rundbogen und anderes in neuen Style ausgeführt. Am Altärchen aus Flitfchl, jetzt in Gutaring, vom Jahre 1514, find in Balufterfäulen und anderem Nebenwerk fchon die Motive der Renaiffance erkenntlich. 1520 fagt fchon klarblickend mit etwas Wehmuth Wolfgang Haller am Heiligenblut-Altare: „andre jar — andre war —".

Maria Hilf.

Bezeichnenderweife mußte man 1590 von Deutfchland, von Paffau her den Steinmetzmeifter U. Ultner berufen, um in dem noch nicht gewölbten Mittelfchiffe des Gurker Domes das jetzige Netzgewölbe aufzurichten. Längft hat von Italien aus die Renaiffance ihren formen- und farbenfreudigen Einzug gehalten. Als erfter kirchlicher Bau in diefem Style gilt die Domkirche in Klagenfurt, erbaut 1582 bis 1593[1]; fie benützt fchon die Errungenfchaften Italiens, Süd-Frankreichs und Spaniens in der Anlage eines weiten Hauptfchiffes mit Parallel-Capellen, obwohl letztere für die proteftantifchen Gottesdienft gar nicht nöthig waren, jedoch den neuen Bedürfniffen des katholifchen Gottesdienftes vollkommen entfprechen.[2] Es folgen dann in der hochft fruchtbaren Thätigkeit der nachtridentinifchen Zeit die Bauten der Stadtpfarrkirche 1697, Lavamünd 1658, St. Leonhard (Kunigunden-Kirche), Elifabethinen- (1730), Priefterhaus-Capelle (1769), Heil. Grab bei Bleiburg (1761), Unterdrauburg (dreifchiffig) und die hervorragenden Bauten der Loretto-Kirche in St. Andrä (fehr ähnlich in der Anlage der Kirche St. Kunigund in St. Leonhard) und Villach. Die erftere vom Bifchof Stadion 1687 vollendet, ift wohl eine der weiträumigften Kirchen; in ihrem einzigen 40.7 M. langen und 15.4 M. breiten Schiffe kann manche dreifchiffige Kirche, zum Beifpiel Hohenfeiftritz (11 M. breit) platznehmen.

Sie hat keine Parallel-Capellen, nur zwei find in Kreuzform, jedoch niedriger und fchmäler ihr angefügt. Bis 1792 war die alte vor 1654 gebaute Loretto-Capelle mitten in der Kirche; jetzt befindet fich felbe links nebenan. Das erklärt die große Weite der Anlage und das Fehlen eines jetzt uns abgehenden feparat hervorgehobenen Altarraumes. Zwei Thürme flankiren die mächtige Südfront.

Die Heiligenkreuz-Kirche bei Villach, Länge 33 M., Breite 13 M., 1744 vollendet, ift eine Central-

anlage mit längerem Wettarme; über dem Mittelraume erhebt fich über runden Quergurten und Zwickeln der achtfeitige Tambour mit Kuppel, doch nur von Holz. Die Bauanlage ift borominesk und vermeidet die geraden Linien des Grundriffes innen und außen. Die zwei Wefthürme, welche den praktifchen Eingang mit Vorhalle flankiren, haben fehr fchöne Rococoformen. Durch die faft wie Hufeifen gebogene Einziehung der drei abgerundeten Räume und Gefimfe verliert die Kirche an Durchblick und Licht.

Ein befonders intereffanter Bau diefer Periode ift die Kirche Maria Hilf; auch fie zeigt vom Suchen und Streben der Baumeifter der Renaiffance, in lichter Weiträumigkeit den fo beliebten Centralbau mit Kuppel mit dem Langsbau zu verbinden. Den Kern bildet hier ein quadratifcher Centralraum von vier flarken gegliederten Mauerpfeilern und den zwifchen ihnen eingefpannten Gurten hergeftellt. An diefen Mittelraum fchließen fich nun nach vier Seiten vier gleich Apfiden fphärifch ausgeftaltete Seitenflügel an, welche der ganzen Anlage die Kreuzform verleihen.

Diefes Bau-Schema, nicht gar fo häufig, erinnert an ein hochberühmtes Bauwerk: Maria della confolazione zu Todi in Unter-Italien, entworfen von Bramante, gebaut 1504 bis 1575, und an deffen Nachahmung die Kirche St. Anna zu Jobft bei Blumenau (Länge 15.80 M., Breite 10.11 M., Höhe 9.80 M.), 1741.

Die nördliche und füdliche Vorlage wurde in Maria Hilf etwas gekürzt und ftatt im vollen Halbkreife mehr in einem Kreisfegmente gefchloffen (Länge 22.50 M., Breite 17.40 M., Höhe 16.50 M.). Mittelft dreieckigen Pendentifs geht der Unterraum über einen reichen achtfeitigen Gebälk mit Fries und Gefimfe in die ebenfo vielfeitige Kuppel über, jedoch fo, dafs noch acht fenkrechte Schildwände ebenfoviele in die Kuppelflächen einfchneidende auffteigende Zwickel begranzen. Die Wände find durch fchwach vortretende Pilafter mit Sockel und korinthifirenden Capitälen und dem reich gegliederten ganzen Gebälk belebt. Doch wird wegen der Fenfter auf eine umlaufende Wandgliederung folcher Art verzichtet; fie betrifft nur die Wandtheile zwifchen den Fenftern.

An den Ecken, wo die Mauern der Halbkreisnifchen zufammenftoßen, find durch eine faft dem Quadrate nahekommende Ummauerung des Grundriffes Eckräume entftanden, welche im Often zu Sacrifteien mit Oratorien darüber, im Weften zu Thurmanlagen, auch über Oratorien, welche fich als mittelft Balconen in den Kirchenraum öffnen, verwendet worden find. An vier Orten find unter den Balconöffnungen Nifchen für Beichtftuhle angebracht; über der Kuppel gibt eine Laterne günftiges Oberlicht in die fchönen Räume.

Die Gewölbe find mit zarten, mehr flach gehaltenen Stucco-Ornamenten um Medaillonfelder gruppiert, finnig gefchmückt; felbe gleichen ganz den Stucco-Ornamenten, mit welchen die Krypta in Gurk und die Domkirche in Klagenfurt in den meiften Gewölbe theilen ausgeftattet find.

Das Weftportal ift allein Steinarbeit und hat einen horizontalen Gebälksabfchluß mit rankenverziertem Fries und der Datirung des Baues 1726; alfo gerade zwifchen der Bauzeit von Loretto und Heiligenkreuz. 1734 wurden die Schildbögen der Kuppel, die

---

[1] Grazer Kirchenfchmuck, 1867, Nr. 11.

[2] Wahrfcheinlich war die urfprüngliche Anlage ohne diefe Capellen und es waren, fo wie in den Emporen haltende finitzbozige Unrezute zu beiden Seiten des Mittelraumes über den Seitengängen eine Polster her an die vorftehende Hochwand gelehnt fo dafs auch nach außen der Bau dreifchiffig fich darftellte.

flache Decke der Laterne und die vier Gewölbezwickel mit Bildern der heil. Apostel und zu oberst mit der Darstellung der heil. Dreieinigkeit geschmückt. Von guter decorativer Wirkung sind die vier Evangelisten in kräftigen Farben und großgehaltenem Faltenwurf.

Die Einrichtung: drei Altäre, die Kanzel etc. stimmt zum Baustyle der Kirche. Der Hochaltar hat eine gar originelle Anlage. Der schwungvoll geschnitzte Aufsatz hat die Motive eines Baldachin-Altares in das Barocke mit Geschick übersetzt. Ueber dem zierlich geschnitzten Tabernakel befindet sich als Mittelpunkt das weithin sichtbare Gnadenbild Maria Hilf nach der Passauer Darstellung in reicher Umrahmung, mit einem Strahlenkranze umgeben. Die knienden Frauengestalten Glaube und Hoffnung umgeben das heil. Sacrament und die Mutter der Liebe.

Die Seitenaltäre vom Jahre 1744, rechts der heil. Anna, links dem heil. Johannes von Nepomuk geweiht, zeigen ganz gute Bilder vom Maler *Georg Raf* aus St. Andrä und reich geschnitzte Umrahmung, sehr bewegte affectirte Statuen von *Johann Pocher* aus Salzburg.

Die Orgel ist 1741 in Klagenfurt von *Martin Jäger* (?) verfertigt.

Die sehr bequem construirten Kirchenstühle stammen vom Jahre 1744.

In sechs Jahren, von 1721 bis 1727, wurde diese Kirche von einem unbekannten Baumeister erbaut. Die Baukosten wurden aus den Almosen der Gläubigen bestritten. Welch' Unterschied ist doch in dieser mit etwa um 13.000 fl. erbauten weiträumigen Kirche, welche alle Cultusbedürfnisse so leicht und schön befriedigt, und dem verschobenen engen winkeligen Raum der alten Pfarrkirche Gutaring, wo man kaum zwei Beichtstühle unterbringt und an vielen Punkten nicht zum Hochaltar sieht.

Das Aeußere dieses Kirchenbaues wurde vom Baumeister vernachlässigt, oder es ist die geplante Gliederung unterblieben, wahrscheinlich aus Mangel an den nöthigen Geldmitteln; denn wie uns die Aufschrift der großen Glocke in Gutaring verkündet, hat ein großer Brand im Jahre 1728 die Mutterkirche, also wohl auch den Pfarrhof und den Markt heimgesucht, und da gab es zu bauen genug.

Dem Bauherrn Dechant „Michael Steiger", der gebürtig von Cividale, die italienischen Kuppelbauten in seiner Heimat kennen und schätzen lernte, wird man durch alle Zeiten Dank zollen, daß er auf diesem Berge der Mutter des Herrn eine so liebliche Gedächtniskirche errichtet hat. Das christliche Volk spricht so gern mit dem Psalmisten 120: „Ich erhebe meine Augen zu den Bergen, von welchen mir Hilfe kommt." Gerade die Bergspitzen unseres schönen Kärntner Landes sind mit zahlreichen kirchlichen Bauten gekrönt „es scheint", sagt Msgr. *Graus*, „als sei damit nichts anderes bezweckt worden, als der Natur das Siegel christlichen Lebens aufzudrücken".

Andere Einrichtungsstücke in Gutaring.

1. *Das gothische Flügelaltärchen* aus Flittichl.

Dasselbe besteht nur mehr aus dem Mittelbilde und zwei fixen Seitentheilen, den zwei Flügelthüren welche das Mittelbild verdecken können, und der Predella. Die Krönung fehlt.

Das Mittelbild stellt in alpiner Landschaft in zwei Vollfiguren die heil. Christophorus und Theodul dar. Der landschaftliche Hintergrund zeigt uns die Thätigkeit in den Stolleneingängen eines Bergwerkes, und es ist wahrscheinlich der Raibler Bergbau in den zackigen Felsenkammen der südlichen Kalkalpen damit gemeint.

Die Flügel geöffnet tragen links die Bilder: St. Erasmus und Maria, rechts: St. Sebastian und Margaretha. Geschlossen steht am linken Flügel bittend die Jungfrau Maria, über ihr der herabschwebende heil. Geist, rechts der Engel Gabriel.

Die fixen Flügel waren sehr mangelhaft, nur der linke trägt die Figur des heil. Leonhard. Die Hintergründe oberhalb sind beim geöffneten Altärchen Gold, beim geschlossenen oben grünblau, unten erdfarbig.

Die Predella (0·21 M. hoch, 1·26 M. lang) ist sehr niedrig gehalten und enthält die Donatoren: rechts ein Mann und drei Söhne (Männer) mit einem Knaben, links zwei Frauen, drei Töchter (?); eine mit dem Wappenschilde der Staudach und der Unterschrift Hemma Staudacherin. In der Mitte sind zwei Wappen mit Helmzier; das eine ein aufsteigendes Lämmchen über dem Dreiberg, das andere eine Muschel führend. Die Einrahmung ist roth mit schwarzen Blumenformen. Die Kuhmaulform der Schuhe, die Balusterfäulen der Throne und die Kleidertrachten überhaupt weisen auf das 16. Jahrhundert. Die Datirung beim Bilde des heil. Sebastian, einer jugendlichen Patriciergestalt, weist die Jahreszahl 1514. Die Malereien zeigen schon viel Studium der Natur und miniaturähnliche Ausarbeitung namentlich der Haare.

Das Altärchen wurde durch eine sorgfältige Fixirung und Restaurirung durch den Künstler *Theophil Melicher* vom sicheren Zerfalle gerettet; an den Figuren wurden nur wenige schon abgeblätterte Theile ergänzt.

2. Ein *altare portatile* aus dem 15. Jahrhundert ist noch zu erwähnen. Es besteht aus einer Holzplatte, die einen Serpentinstein umfaßt, unter welchem sich die heil. Reliquien befanden. Die Holzumrahmung ist durch Einschneidung in einer Majuskelschrift innerhalb rechteckiger Linienführung und einem wellenförmigen Weinblatt-Ornament geschmückt. Die Vertiefungen des Ornamentes sind mit rothem und grünem Wachs ausgefüllt. Die Inschrift lautet: „Mane surgens Jacob erigebat lapidem in titulum fundens oleum desuper votum."

3. Im Besitze des Pfarrers ist ein *Holztafelgemälde*, einer noch älteren Zeit angehörig, dessen Urheber rheinischem Einflüsse zugänglich gewesen sein mochte. Es stellt die heil. Familie: Anna mit Maria und dem nackten Jesukinde dar, welches mit einem Rosenkranze um den Hals und in den Händchen gleichsam Gebärvsche macht; Anna stützt es mit beiden Händen, Maria hält einen Schleier dem Kinde vor und blättert in einem Buche.

Der Hintergrund erinnert an eine Rheinlandschaft mit Schloßbauten rechts und links. Statt des blauen Himmels ist damascirter Goldgrund.

4. Eine *gothische Tauffchüffel* mit der sehr abgenützten Darstellung vom Sündenfall und einer Zierschrift als Umrandung, vom 15. Jahrhundert mag noch erwähnt werden.

Uebrigens werden noch manch andere Reste aus der guten alten Zeit, zum Beispiel auch ein romanisches Rauchfaß in den Sammlungen des Pfarrhofes verwahrt.

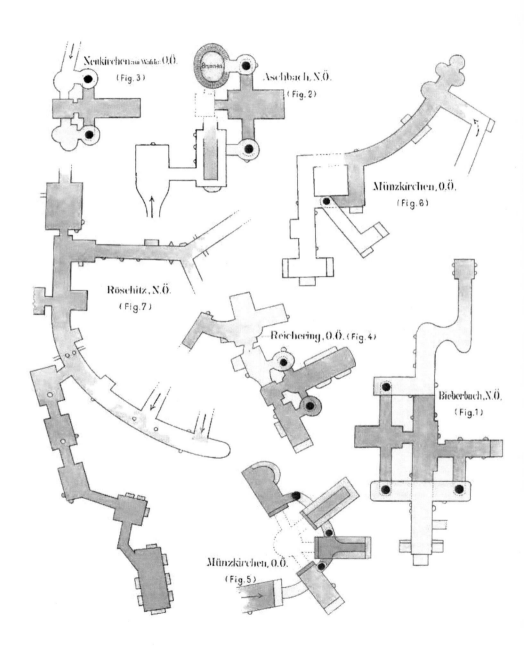

Neukirchen am Walde, O.Ö.
(Fig. 3)

Aschbach, N.Ö.
(Fig. 2)

Brunnen

Münzkirchen, O.Ö.
(Fig. 6)

Röschitz, N.Ö.
(Fig. 7)

Reichering, O.Ö. (Fig. 4)

Bieberbach, N.Ö.
(Fig. 1)

Münzkirchen, O.Ö.
(Fig. 5)

184

Ueber Erdſtälle.

Von P. *Lambert Karner*, Correſpondent.

(Mit 1 Tafel.)

MEINE Forſchungen auf dem Gebiete der künſtlichen Höhlen habe ich auch im Jahre 1898
fortgeſetzt. Neue Höhlen habe ich aufgenommen in Groß-Weikersdorf, in Weinern bei Groß-Sieg-
harts in Nieder-Oeſterreich, ganz aus dem Geſteine
herausgearbeitet; ferner in Ober-Oeſterreich in Weyer,
Neukirchen am Walde und Münzkirchen, daſelbſt wohl
die merkwürdigſte, die ich je geſehen, wegen der außerordentlichen Anlage und Schwierigkeit, dieſelbe zu
durchforſchen.

Im Folgenden führe ich zunächſt die Anzahl der
Höhlenbilder und Ortſchaften, wo dieſelben aufgenommen wurden, an. In Weidling im Thale, bei Gottweig
und am Wagram bei Königsbrunn je eine; Hohenwarth zwei, Roſchitz (heuer) zwei, Klein-Weikersdorf
bei Hollabrunn (heuer) zwei, Watzendorf bei Reidling
an der Tullnerbahn drei, Aſchbach bei Amſtetten zwei;
dort wurde ein Brunnen gegraben und in einer Tiefe
von 4 M. ſtieß man auf eine Höhlenkammer, aus welcher gegenwärtig der Zugang iſt. In Ober-Oeſterreich:
Reichering bei Schwanenſtadt zwei, Neukirchen am
Walde eine, Münzkirchen drei. In Erdberg in Mähren
zehn, und von den Heidenlöchern bei Ueberlingen auf
meine Koſten aufgenommen ſechs, alſo im ganzen
35 Höhlenbilder. Leider ſind andere Aufnahmen von
mehreren Höhlen mislungen und kommen nicht zur Geltung. Dazu kommen Aufnahmen von künſtlichen Hügeln,
Hausbergen, ſo der von Alt-Hoflein bei Böhmiſch-
krut, der ſogenannte Capellenberg, ein Hausberg mit
Ringwall, in deſſen Innern die künſtlichen Höhlen und
Gänge ſich verzweigen und deren gemeinſchaftlicher
Zugang vom Plateau des Hügels war, und zwar dort, wo
jetzt die Capelle ſteht; ferner das Sonnenrad auf dem
Berge zwiſchen Groß-Weikersdorf und Ruppersthal, der
weit und breit die ganze Gegend beherrſcht und von dem
in Ruppersthal die Sage geht, daß dort der heil. Rupert
ſeine erſte Capelle in Nieder-Oeſterreich gebaut und von
hier aus die Chriſtianiſirung in Oeſterreich begonnen
habe. Ferner die zwei großen Hausberge in Haſendorf
bei Waizendorf. Auch die Fundgegenſtände, ſo die
römiſche Urne aus der Höhle von Spek, Bezirkshaupt-
mannſchaft Frankenmarkt in Ober-Oeſterreich; die
Freihandgefäße mit dem Sonnenrade aus der Höhle
von Hühnergeſchrei im Mühlviertel in Ober-Oeſterreich, in deren nächſter Nähe ein Hausberg mit Ringwall — nach dem verſtorbenen Chorherrn *Pailler*, der
einzig bekannte im Mühlviertel — ſich befindet, wurden
photographirt.

Nach nahezu zweiundzwanzigjähriger Forſchung
glaube ich nun auch zu einem Schlußreſultate über
Urſprung und Zweck der künſtlichen Höhlen gelangt
zu ſein, und im Folgenden darzulegen.

Nach meinen vielfachen Erfahrungen ſind dort,
wo künſtliche Berge ſich befinden, immer auch künſtliche Höhlen zu finden, ja, ſie ſind nicht ſelten im
Innern der Hausberge ſelbſt, ſo zum Beiſpiel im Tanz-
berge zu Poſitz in Mähren, ſo genannt, weil alljährlich
der Kirchtag auf dem Plateau dieſes kunſtlichen Hügels
mit Tanz begonnen und geſchloſſen wird, ferner in Alt-
Hoflein, Stillfried, Münzkirchen etc. Auch in Bayern
wiederholt ſich dieſelbe Erſcheinung, wie ich ſie ſelbſt
im Petersberge zu Kiſſing bei Augsburg geſehen, desgleichen in Hohatzenheim im Elſaß, wo auf dem Hügel
eine uralte Kirche, angeblich aus dem 9. Jahrhundert,
ſteht, aus welcher der Sage nach der Eingang in die
Höhlen führte, welche ich ſelbſt geſehen und aus
welchem thatſächlich der urſprüngliche Eingang im
Innern des Berges zum Plateau emporführt, oben aber
verſchüttet iſt. Stammen nun die künſtlichen Berge
nach Dr. *Much* von den Germanen und Quaden, ſo
auch unſere künſtlichen Höhlen, und merkwürdiger-
weiſe ſind in einer Kammer zu Hohenwarth Imitatio-
nen dieſer künſtlichen Berge zu ſehen, indem der Zugang auf der einen Seite mit einer abgeſtutzten Pyramide, auf der gegenüberliegenden Seite mit einem
gerundeten Sockel verziert iſt, ähnlich, wie wir ſie vereint in Hronek und Bergau im Freien ſehen. Ausſchlag-
gebend für ihre Entſtehung durch die Germanen iſt mir
das Capitel 16 von Tacitus Germania, wo er ſchreibt:
„daß kein Volk der Deutſchen in Städten wohnt, iſt
hinlänglich bekannt, nicht einmal zuſammenhängende
Häuſer dulden ſie. Abgeſondert und zerſtreut ſiedeln
ſie ſich an, wo eine Quelle, eine Flur, ein Hain ein-
ladet. . . . Jeder umgibt ſein Haus mit einem Hofraume,
ſei es gegen Feuersgefahr oder aus Unkunde des Bau-
weſens. . . Sie pflegen auch unterirdiſche Höhlen auszugraben — ſolent et ſubterraneos ſpecus aperire —,
die ſie oben dick mit Dünger belegen, als Zufluchtsort
im Winter und zum Behältniſſe der Feldfrüchte, weil
ſolche Orte die Strenge des Froſtes mildern, und wenn
etwa ein Feind einbricht, er nur das Offenliegende ver-
heert, Verſtecktes aber und Eingegrabenes — abdita
autem et defoſſa — unbemerkt bleibt und gerade
darum verfehlt wird, weil man es ſuchen muß."

Eine auffallende Beſtätigung dieſer Angaben des
Tacitus betreffs der Anlage der Häuſer fand ich in
Ober-Oeſterreich, wo wiederholt künſtliche Höhlen
heute noch, abgeſondert von den menſchlichen Wohnungen, zufällig, in der Regel in Hügeln, entdeckt wurden, und gerade in dieſen fanden ſich die für das hohe
Alter derſelben zeugende Funde, ſo in Spek bei Zipf
die zwei römiſchen Urnen, in Hühnergeſchrei die Freihandgefäße mit dem Sonnenrade, in Ober-Schwand
bei Straßwalchen im Salzburgiſchen Gefäßreſte mit dem
Charakter der am Götſchenberg gefundenen, die in die
ſpät-römiſche oder doch in die erſte Völkerwanderungs-
Zeit zu ſetzen ſind, und die auch mit denen überein-
ſtimmen, die ich in Mautern und Stein gefunden. Daß
auch die Maximus-Höhlen in Salzburg urſprünglich
künſtliche Höhlen waren, entnehme ich nicht bloß aus
der jetzt noch erkennbaren urſprünglichen Anlage,
ſondern auch aus den Annalen von Salzburg, ge-

fchrieben von Abt Amand 1661. Dort heißt es zuerft von dem heil. Maximus und feinen Genoſſen: „cavernis e monte partim natura partim arte cavatis latibuli utebantur", und ſpäter leſe ich: „de spelunca s. Maximi, et legimus in antiquis manuscriptis nostris hoc eremitorium primitus a s. Ruperto fuisse in ecclesiam seu capellam consecratum et mutatum". Es hat alſo der heil. Rupert die urſprüngliche Höhle „spelunca" in eine Capelle umgeändert. Ich felbſt verfolgte aus den nun abgeſchloſſenen Höhlen, fo weit es an der ſchroff abfallenden Felswand möglich war, den urſprünglichen Zugang zu den Höhlen, der in Form unferer Erdftallgänge von der Bergeshöhe in die Tiefe führte, und fand an einer anderen Stelle, ebenfalls hinaufſteigend, ein Fragment einer römiſchen Schüſſel, derſelben Form, wie ich fie in Mautern ausgegraben. Die Stelle bei Tacitus „solent et subterraneos specus aperire" etc. wurde von den Philologen bis jetzt auf die fogenannten Getreidegruben angewendet, weil man keine andere Erklärung wußte. Getreidegruben haben aber nach meinen Erfahrungen entweder Trichterform oder find abgerundete größere Räumlichkeiten mit einer Oeffnung an der Decke. Eine folche erſterer Art befindet ſich, offen zutage liegend, in der unmittelbaren Nähe einer künſtlichen Höhle bei Engelmannsbrunn in einer abgeſtürzten Löswand, feitwärts des Fußweges nach Kirchberg am Wagram. Wenn Tacitus zum Schluße des Capitels fagt: „abdita et defossa . . . quaerenda sunt", fo iſt vermuthlich das „abdita" auf die Getreidegruben, das „defossa" auf die unterirdiſchen Winterwohnungen zu beziehen. Doch das iſt Nebenfache. In der Hauptfache aber glaube ich behaupten zu können, dafs das Capitel 16 von Tacitus Germania in erſter Linie auf die meiſten unfererkünſtlichen Höhlen als Winterwohnungen der alten Deutſchen anzuwenden und zu erklären iſt.

Aber auch Plinius, wo er von der Kunft des Webens handelt, ſpricht in „historia naturalis, 19, 2 — nach der neueſten Auflage — „In Germania defossi atque subterra id opus agent". Er bedient ſich hiemit deſſelben Ausdruckes „defossi", wie ihn Tacitus anwendet. Moriz Haupt „Zeitſchrift für deutſches Alterthum", Band 7. Leipzig 1849, bemerkt zu dieſer Stelle des Plinius: „Alſo unterirdiſche Webftätten, wie man es noch jetzt, zum Beiſpiel in Appenzell, für zweckmäßig hält die Gemächer halb in die Erde hineinzubauen. Im beginnenden Mittelalter iſt der gleiche Gebrauch für die Franken und früher nachweisbar; die Arbeitsräume der Weiber werden in der lex salica und in dem capitulare de villis „screona" und „screuna" oder „screo" genannt (Waitz, sal. Recht, 292) ein etymologiſch dunkles Wort; aber es kommt davon das franzöfiſche „escrone" oder „ecraigne", in Champagne und Burgund die Benennung unterirdiſcher Gemächer, wo die Mädchen zur Winterszeit nächtlich beifammen faßen oder ſitzen (du Cange unter screo). Hoch überrafcht war ich, daſſelbe Wort auch in Ober-Oefterreich im Hausrückviertel wieder zu finden. Dort heißen heute die Balcons an den hölzernen Häufern im erſten Stock, an denen man die Wäfche aufhängt, „Schreöt", ein eigenthümlich gutturales Wort, wie es eben nur der Volksmund auszuſprechen imſtande iſt.

Sind nun dieſe Wahrnehmungen von hohem Intereſſe, fo muß noch bemerkt werden, dafs nicht alle künſtlichen Höhlenfyſteme als Winterwohnungen, wie

zum Beiſpiel vielfach im V. U. M. B., fondern theilweife auch als Cultſtätten, und zwar wegen ihrer außerordentlichen gleichartigen Anlage zu erklären find. Zum Beweiſe diefer Annahme füge ich eine Auswahl von Plänen, die im Maßftabe 1 : 100 gezeichnet find und bei welchen die Schattirungen die Tiefenverhältniſſe anzeigen, bei. Ein Blick auf die Pläne (fiehe die beigegebene Tafel[1]) von Bieberbach (Fig. 1), Afchbach (Fig. 2), Neukirchen (Fig. 3), Reichering (Fig. 4) und Münzkirchen (Fig. 5) zeigt in der Anlage der Syfteme eine nicht zu leugnende Gleichheit, und es iſt die Kreuz-, refpective T-Form, die immer wiederkehrt, fo in Afchbach und Neukirchen je einmal, in Reichering und Münzkirchen eine je zweimal und in Bieberbach gar dreimal und auch Münzkirchen (Fig. 6) mit zweimal in diefelbe Kategorie zu ſtellen. Bei allen, mit Ausnahme von Münzkirchen einmal, führte der Haupteingang durch einen 4 bis 6 M. tiefen quadratiſchen Schacht, der in den gegenüberliegenden Wänden mit Vertiefungen zum Einfetzen der Füße verfehen iſt, in die Tiefe. In allen kehren auch die fchwarz markirten 0·5 M. im Durchmeſſer führenden, fenkrecht abfallenden Schlupfgänge in auffallender Regelmäßigkeit wieder. In Reichering, wo man von der oberen Etage ſich in die untere hinablaſst, iſt der fenkrechte Schlupfgang 1·6 M. tief und findet das Hinablaſſen mit rapider Schnelligkeit ſtatt. In Münzkirchen, einmal, miſst die Höhe des fenkrechten Schlupfganges von der Sohle des unteren Ganges bis zur Decke des Ganges der oberen Etage gar 2·7 M. Die übrigen find regelmäßig 0·8 M. tief und münden in einen in rechten Winkel umbiegenden Quergang; man ſteigt hinein, kniet nieder, biegt den Körper den Winkel an, ſchiebt ſich in der horizontalen Gangſtrecke vor, bis man in die Kammer gelangt, in der man dann wieder aufrecht ſtehen kann. Dieſe fenkrechten Schlupfgänge verbinden die Kreuzesarme miteinander.

Was bedeutet denn nun diefe Kreuzform? Ich glaube da auch wieder auf Tacitus Germania, Capitel 2 hinweiſen zu können, wo er von dem aus der Erde entfproſſenen Gott Tuisco Erwähnung macht. Chriſtian Pefch, S. J., fchreibt in feiner Abhandlung: „Der Gottesbegriff in den heidniſchen Religionen des Alterthums": „Die altehrwürdigſten Denkmale unferer Sprache find die Runeninfchriften. In diefen geht aber kein einziger Name auf Odin oder ſonſt einen Gott. Nur T = Tyr iſt als einziger Gottesname ein höchſt feierliches, überaus heiliges Zeichen. Beim Einritzen der Siegrun auf das Schwert mußte Tyr zweimal genannt werden, und da diefe Run fich mit den nöthigen lautlichen Abänderungen bei den verfchiedenſten Stämmen findet, fo iſt damit der Zio-Cult als die fchönſte Form der Gottesverehrung auch aus den deutfchen Denkmälern felbſt erwiefen. (Deutfche Mythol. von Jak. Grimm.) Mit Tius = Tyr iſt höchſt wahrfcheinlich jener Tuisco zufammenzuſtellen, von dem Tacitus erzählt „die Germanen feiern in ihren alten Liedern, welche bei ihnen die einzige Form der gefchichtlichen Ueberlieferung und Urkunden bilden, den erdgeborenen Sohn Tuisco, und feinen Sohn Mannus als die Ur- und Stammväter ihres Volkes". Und fpäter fagt Pefch: „Diefer Tuisco war, wie man weiß, urfprünglich der

[1] Die verfchiedenen Tieffarm der Gänge find durch verfchiedenen Farbenton (i. die fchwarz dunkler) angezeichnet.

arifche Gott des Lichtes." Betrachtet man nun die merkwürdige T-Form der vorgelegten Höhlenpläne, fo glaube ich wohl fagen zu dürfen, wir haben in diefen Höhlen, um mit *Pefch* zu reden, einen Hinweis auf Tyr oder Tius, refpective Tuisco, und gehören diefelben zu jenen deutfchen Denkmälern, die einen unverhofften Einblick in den Zio-Cult als die frühefte Form der Gottesverehrung geftatten. Aber auch den Hinweis auf Tuisco, als den arifchen Gott des Lichtes, glaube ich beftätigt zu finden in den Freihandgefäßen mit dem Sonnenrade aus der künftlichen Höhle von Hühnergefchrei, welche Höhle ebenfalls mehrere fenkrechte Schlupfgänge und ein kleines rondeau-förmiges Kammerlein befitzt, 1·3 M. hoch und ebenfo tief, welches von der inneren fenkrecht fallenden Wand neben dem Eingange und gegenüber in der gerundeten Rückwand mit je zwei gerundeten Säulchen verziert ift, die in der gerundeten Decke fich verlaufen und wo zwifchen den Säulchen an der Rückwand an der Sohle der Kammer ein 10 Cm. hohes beiläufig 30 Cm. vorftehendes gerundetes Poftament fich befindet. Was die Kreuzform anlangt, fo wäre vielleicht auch zu bemerken, dafs das Symbol des Donnar ein Streithammer in Form des T war. Ferner erwähne ich noch, dafs ich auch anderwärts in der Anlage der Höhlenkammern zueinander die Kreuzform vorfand, fo in Langenlois, Neudeck, Ebersbrunn u. f. w.

Welcher Art war nun diefer Cult? Zur Beantwortung diefer Frage beziehe ich mich auf Paufanias 9. Buch, Capitel 39. wo er das Orakel des Trophonius in Lebedea befchreibt und welches ganz für unfere Höhlen Afchbach, Neukirchen etc. gefchrieben zu fein fcheint. Es würde zu weit führen, das ganze Capitel zu citiren, ich erwähne daraus nur folgendes. Er fpricht von einer oberen und unteren Etage. Von der oberen fagt er: „diefer Bau", die er eine nicht von felbft entftandene, fondern mit größter Regelmäßigkeit und Kunft gebaute Erdöffnung nennt, „hat die Form des Gefäßes zum Brodbacken"; auch bei uns vergleicht das Volk vielfach die Höhlenkammern mit Backofen; dann fährt er fort: „Es führt jedoch kein Weg hinab, fondern wenn jemand dem Triphonius fich nahen will, fo holt man eine enge und fchwache Leiter herbei; fteigt man auf diefer hinab, fo fieht man zwifchen dem Boden und der darauf gebauten Wand eine Oeffnung, die mir zwei Spannen breit und eine Spanne hoch vorkam. Ift man unten, fo legt man fich mit Honigkuchen in den Händen auf den Boden, fteckt dann zuerft die Füße in die Oeffnung und rückt dann mit dem übrigen Körper nach, um die Knie in die Oeffnung hinein zu bringen; ift es fo weit, fo wird der Körper augenblicklich nachgezogen und muß dem Knien fo fchnell folgen, wie wenn ein großer und reißender Strom einen Menfchen verfchlingt, den der Strudel gefafst hat." Dies alles pafst man genau auf unfere Höhlen mit den fenkrechten Abftürzen und Schlupfgängen, wo das Vordringen am bequemften mit den Füßen voraus gefchieht. Ebenfo kann man in Rofehitz, wo fünf Kammern nacheinander folgen und jede um 50 Cm. tiefer liegt als die vorausgehende, nur mit den Füßen voraus vordringen, bis man fchließlich durch den winkelförmigen verengten Gang mit größter Anftrengung eingedrungen, in einem capellenförmigen

mit fieben Längsnifchen verzierten Raume fieht, der einem unwillkürlich Staunen und Bewunderung abnötigt! Ich bin überzeugt, wenn man heute jemanden mit den Höhlen nicht Vertrauten in der Finfternis durch einen wagrechten oder fenkrechten Schlupfgang durchziehen würde, er würde von denfelben Gefühlen erfafst werden, wie fie Paufanias empfunden hat! Derartige Orakelorte erwähnt übrigens auch Herodot, Buch 71, Capitel 108, wo er von einem Orakel der Thraken fpricht „einem Tempel mit einer Höhle auf einem fehr hohen Berge" und Strabo, Buch 5, Capitel 3, wo er von den Kimmeriern erzählt, „dafs fie in unterirdifchen Gebäuden wohnend, in einigen Stollen zu einander gehen und die Fremden in den Orakelfitz aufnehmen, der tief unter der Erde liegt." Ich halte nun dafür, dafs wir analog diefen Befchreibungen in unferen erwähnten Höhlen ebenfalls eine Art Orakelftätte haben, und thatfächlich geht in Andorf in Ober-Oefterreich die Sage, dafs dort, wo jetzt die Pfarrkirche fteht, unter welcher künftliche Höhlen fich befinden, die aber nicht mehr zugänglich find, ein Heidentempel geftanden fei, und in Schwarzach in Bayern geht von einem mit Nifchen verzierten Kämmerlein, das durch einen fenkrechten Aufftieg zugänglich ift, die Sage, dafs dort die Alraun ihren Sitz habe.

Aeußerft complicirt ift das Höhlenfyftem (Fig. 5) von Münzkirchen. Die Kammer mit dem Pfeile markirt den gegenwärtigen Eingang. Im Hintergrunde derfelben ift eine Stufe 30 Cm. hoch, und weitere 60 Cm. über derfelben ift mit der Kammerdecke parallel laufend ein 1·3 M. langer, 0·37 M. hoher und 0·5 M. breiter Durchfchlupf, der zu den mühfamft zu paffirenden gehört, die ich kennen gelernt habe. Nach der Ausmündung geht es wieder 60 Cm. abwärts und gelangt man in eine 0·7 Cm. breite, 1·05 M. hohe Längskammer mit einer Sitznifche für den Wächter oder dem, der einen da durchgezogen, an der Stirnfeite. Aus derfelben fteigt man von der Nordwand durch einen 0·5 M. im Durchmeffer haltenden neutralen Schacht 1 M. in die Tiefe und gelangt man nach kurzer Querftrecke in die zweite 0·8 M. breite, 2·5 M. lange Längskammer, mit fchmalen Sitzbänken verfehen; wieder geht es von dort 1 M. fenkrecht aufwärts in eine dritte Kammer mit 0·3 M. breiten Sitzleiften zu beiden Seiten, die eine 0·2 M. breite und 0·4 M. tiefe Rinne freilaffen; und von dort geht es nochmals fenkrecht abwärts in eine gerundete Querkammer mit einer Rundbank längs den Wänden Die Kammern ftanden urfprünglich, nach Angabe des Hausbefitzers, mit einem Centralfchachte in Verbindung, find aber gegenwärtig an den Verbindungsftellen mit Steinen verlegt. Die ganze Höhle ift aus Flies-, die letzte Kammer felbft aus hartem Geftein herausgearbeitet. Als diefe Höhle vor Jahren gelegentlich eines Kellerbaues entdeckt wurde, fand fich eine folche Menge Afche vor, dafs zwei Schlitten voll davon weggeführt wurden. Auch mehrere ganz intacte Gefäße, darunter Deckel mit fehr großen Knöpfen wurden gefunden; fie wurden von der Bäuerin für den Hausgebrauch verwendet, bis fie zerbrachen und weggeworfen wurden. Der Bauer verficherte mir, es fei ihm heute noch leid, dafs er diefe Gefchirre nicht aufbewahrt habe. Von dem Haufe geht die Sage, dafs in demfelben ein Schatz in Geftalt eines Goldklumpens, größer als ein Ziegel, verborgen fei; auch foll dort einft

ein Schloß geftanden fein, einige hundert Schritte oſtlich vom Bauernhaufe, wo das hugelige Terrain von drei Seiten ſchief in die Tiefe abfällt. Ich hatte nur den Wunſch, daſs dieſes ſo merkwürdige Höhlenfyftem von einem Ingenieur fachmänniſch aufgenommen würde, denn der Plan, wie er hier in Fig. 5 auf der Tafel erſcheint, ift, abweichend von meiner Aufnahme, von

einem Herrn Huber, Lehrer in Wien, gezeichnet worden. Im großen Ganzen iſt er zwar richtig, doch iſt die Weltgegend, ſowie die Richtung der Verbindungsgänge und die Lage der Kammera zueinander nicht ganz richtig angegeben, da die drei mittleren Kammern mehr parallel zueinander liegen.

Notizen.

96. Infolge Auftrages Sr. Excellenz des Herrn Präfidenten erlaube ich mir, mich über einen, in der „Revue univerſelle" enthaltenen Auffatz über TorfInduſtrie in nachſtehendem auszuſprechen.

Von allen auf der diesjährigen Ausſtellung zur Anſchauung gebrachten Gegenſtänden hat nichts einen ſo großen Eindruck auf mich gemacht, als der Inhalt des Pavillons für Torf-Induſtrie, und zwar nicht deshalb, weil mich die neue Idee überraſcht hätte, ſondern weil er Gedanken, mit denen ich mich oft befchäftigt, in ſo vollendeter Weiſe in ihrer Verwirklichung gezeigt, weil er die bisher nicht erkannte Bedeutung der Moore, wenn auch nicht in vollen Umfange, ſo doch überzeugend klargelegt hat.

Seit Tacitus, der unſere Heimat „paludibus foeda" nennt, find die Moore unheimlich und gemieden; dem Prähiſtoriker find ſie ein vertrauter Boden. Lange vor der Entdeckung der Pfahlbauten haben die Moore Dänemarks durch ihre Einſchlüſſe überraſchende Rückblicke in eine für immer begraben gewähnte Vergangenheit ermöglicht. In unſeren Ländern haben die ſteinzeitlichen Anſiedlungen im Laibacher Moore eine hohe wiſſenſchaftliche Bedeutung erlangt, und daſs ſie nicht die einzigen find, zeigen die gleichzeitigen, wenn auch vorläufig zerſtreuten Funde im Moore bei Franzensbad und die bronzezeitlichen bei Naklo nächſt Ohnüz. Ich habe mich daher mit Vorliebe und oftmals auf Moorboden bewegt und die ausgedehnten Torfſtechereien in der Umgebung von Salzburg und wo ich ſonſt Gelegenheit hatte, auch anderwärts nach prähiſtoriſchen Reſten abgeſucht. Dieſe Bemühungen find allerdings erfolglos geblieben, aber ſie gaben mir genug Anlaſs, meine Gedanken in manch' anderer Richtung mit dem Moore zu befchäftigen. Eine Zeit lang hatte ich im Sinne, mich ganz der naturwiſſenſchaftlichen Unterfuchung der Moore zu widmen, was jedoch infolge äußerer Umſtände nicht geſchah. Auch der Sohn des Oekonomen verleugnete ſich in mir bei meinen Spaziergängen auf dem Moore nicht, dem es zweifellos ift, daſs im Salzburgiſchen der ebenſo ertragsarme als unſichere Getreidebau durch Verwendung der Torfſtreu entbehrlich gemacht werden kann. Wie oft endlich betrachtete ich die auffallende Faſer des Torfes, die jeden auf den Gedanken ihrer Verwerthung durch Verſpinnen und Verarbeiten zu Stoffen, Teppichen, Papier, Pappendeckel und Dachpappen führen muſs, wenn man ſich gegenwärtig hält, in welch' vorzüglicher Weiſe das doch viel ſpröders Holz und Stroh verarbeitet wird. Der Torfſäure hat man auch bisher keine Aufmerkſamkeit geſchenkt, die eine ſo außerordentliche Kraft befitzt — im Laibacher Moore hat für feine Leinenfafern feit 4000 Jahren, in

Norwegen und Holſtein große Vikinger Schiffe, in Schleswig-Holſtein ganze Maſſen römiſcher Eiſenwaffen conſervirt — und die gewiſs nutzbar gemacht werden konnte.

So wurde mir die Bedeutung der Moore ein vertrauter Gedanke; überraſchend war mir allerdings die hohe Vollendung, welche wie mit einem Schlage in ſo kurzer Zeit erreicht worden iſt, welche insbefondere deshalb die höchſte Anerkennung verdient, weil ſie überzeugend erkennen läſst, welch' ungeheure Schätze in unſeren Mooren aufgeſpeichert liegen.

Dieſe Erörterung hat nun allerdings mit der Archäologie an ſich nichts zu thun; ſie möge dem verziehen werden, der ſich gern auf dem von einem poetifchen Düfter umſchleierten, von unheimlichen Nebelgeſtalten belebten Moorboden bewegt hat. Aber ſo ganz ohne Beziehung zur Archäologie ſteht die TorfInduſtrie nicht; es iſt nicht zweifelhaft, daſs ſie einen außerordentlichen Auffchwung nehmen und zum Beiſpiel mit ihren Stoffen die häßlichen Juteſtoffe verdrängen und zu einer immer rafcheren Ausbeutung wenn nicht aller, ſo doch vieler Torflager führen wird. Wahrſcheinlich werden dann ähnliche Fundſtätten wie im Laibacher und Franzensbader Moore aufgeſchloſſen werden, aber auch auf andere Funde, wie Depots, Opfer, Leichen Gerichteter und Verunglückter kann man ſtoßen, und es iſt deshalb jetzt ſchon geboten, daſs auch die Archäologie dieſer neuen Induſtrie ihre Aufmerkſamkeit zuwende. Zunächſt wird es ſich nur darum handeln, die Inhaber dieſer erſten Unternehmung, die Herren Zſchörner und von Mollwald auf die Möglichkeit von archäologiſchen Funden in den Torflagern aufmerkſam zu machen und dieſelben zu erfuchen, ihnen ihren Schutz zuzuwenden und in vorkommenden Fällen die Central-Commiſſion in Kenntnis zu fetzen.[1]   Dr. M. Much.

97. (Ein Goldſchmuck der fränkifchen Zeit aus Krainburg)

Unter dem faſt ſenkrechten Conglomeratabhange, auf welchem die St. Rochus-Kirche am „Pungart" (Baumgarten) in Krainburg ſteht, befindet ſich eine Flußfchotter-Murre zwiſchen der Save und dem Mühlgraben aus der Kanker, die nur ſpärlich mit Graswuchs bedeckt iſt. Dieſe ganze Murre heißt im Volksmunde Lajh, na Lajhu, wie meinen meinen im Grunde, weil ſich die Fiſche zur Laichzeit hier maſſenhaft aufhielten, bevor die Wehre in Zwiſchenwäſſern errichtet wurde. Auf dem weſtlichen Theile der Parcelle Nr. 407 ſtand in der erſten Hälfte des vorigen Jahrhunderts eine

[1] Dies iſt gefchehen und es iſt von den Genannten die bereitwilligſte Zuſage erfolgt.   Anm. der Red.

Glockengießerei, die mehrere Glocken für die Umgebung lieferte, das Geschäft wurde aber nach kurzer Zeit aufgelassen. Um das Jahr 1800 kaufte der Vater des seligen Bischofs Bartholomäus Widmer von Laibach (1860—1875) das Häuschen im Südwest der genannten Parcelle samt dem dazugehörigen Grunde. Er erbaute rechts daneben einen kleinen Keller und beim Grundausheben fand man eine goldene Broche und goldene Ohrgehänge, von denen man nicht weiß, wohin sie gekommen sind. Im Jahre 1891 bis 1892 ließ der gegenwärtige Besitzer des „Lajh“ Thomas Pavšler auf der Parcelle 395 eine neue Mühle aufführen, wobei Menschenknochen ausgegraben wurden, ebenso in der Südostecke der Garten-Parcelle 397. Im Jahre 1896 durchgrub man den östlichen Theil der Parcelle 407 und nahm die daselbst befindlichen Bäume heraus. Hiebei

fibeln, 4 bis 5 Cm. Durchmesser und 0·5 Cm. Dicke, haben das Aussehen von Rosetten, die Rippen sind aus Silber und oben vergoldet, die Felder sind mit dunkelblauen Glasperlen, dann mit rubinenartigen Scheibchen, etwa aus Glas Amethyst belegt und liegen auf Goldgrund (zur Hebung des Effectes?). Sie sind übrigens aus ihrer Fassung herausgefallen, da der Eigenthümer die Rosetten gleich nach dem Funde ins Wasser gelegt hatte. Die rückwärtigen Nadeln sind ebenfalls weggefallen, aber die Spiralen und Nut erkennt man noch ganz genau (vgl. einen ähnlichen Fund aus einem Heidengrabe bei Patek, Rakonicer Kreis, Archäologische Blätter des böhmischen Museums 1828, S. 4).

Die goldene Haarnadel ist 8·8 Cm. lang, der Knopf daran 1·3 Cm. dick, der Stein aus derselben ist herausgefallen. Das Messer ist 15 Cm. lang; der Kopf des Kammes 21 Cm. lang und 3 Cm. breit; der Bronze-Ring

Fig. 1. (Maxglan).

fand man 16 Skeletgräber und einen goldenen Fingerring, der aber ebenfalls abhanden gekommen ist. Am 17. August l. J. fing man mit dem Baue des neuen Wirthschaftsgebäudes an und fand im Schotter ebenfalls menschliche Knochen. Mitte November l. J. wurde auch der westliche Theil der Parcelle 407 durchgegraben und man fand in der Tiefe von 0·8 bis 1·6 M. ungefähr 30 Skelette, deren Knochen verstreut wurden. Nur eine Schädeldecke ist noch erhalten geblieben und diese zeigt eine ungewöhnlich niedere, nach hinten schief gedrückte Stirn. Leider wurde kein Sachverständiger von den Grabungen in Kenntnis gesetzt und Gefertigter kam an Ort und Stelle erst nachdem schon alles aufgewühlt war.

In einem Grabe, im tiefsten des ganzen Begrabnisplatzes, fand man zwei schöne Scheibenfibeln, eine goldene Haarnadel, ein Messer mit Goldüberzug am Griffe und an der Scheide, und einen Bronze-Ring (vom Gürtel?) mit einem Anhängsel. Die Leiche schien ohne Sarg im Schotter gebettet gewesen zu sein, doch behaupten Augenzeugen, man hatte unter derselben Spuren von einem eichenen Brette gefunden. Auch ein langer eiserner Nagel mit unfertigem (T-formigen) Kopfe und angerostetem Holze fand sich vor. Die Scheiben-

Fig. 2. (Maxglan).

misst 2·5 Cm. im Durchmesser. Die Gegenstände behielt der Eigenthümer für sich.

Simon Rutar, Conservator.

98. Mit großer Befriedigung hat die Central-Commission zur Kenntnis genommen, daß der prähistorische Theil der Sammlung des verstorbenen Conservators Dr. *Stephan Berger* um den Betrag von 17.000 fl. für das böhmische Landes-Museum angekauft wurde. Es ist damit ein lebhafter Wunsch der Commission erfüllt worden, da sie diese bedeutende Sammlung dem Inlande erhalten wissen wollte. Es muß hervorgehoben werden, daß die Funde von Stradonic sich gewiß in dieser Sammlung befinden, sowie jene von Dux, Holubec etc. Der Werth dieser Sammlung ist umsomehr ein ansehnlicher, als Berger ein gewiegter Kenner war und er die in Stradonic massenhaft betriebenen Fälschungen von seiner Sammlung fern zu halten gewußt hat.

99. (*Ein römischer Reliefstein aus Maxglan bei Salzburg.*)
Die im Westen unmittelbar an die Stadt Salzburg grenzende Ortschaft Maxglan besitzt eine über die

190

„Glan" führende steinerne Brücke. Von derselben etwa 200 Schritte entfernt, am Wege zum erzherzoglichen Schloße Klesheim, befindet sich links hart an der Straße eine Schottergrube, deren Sohle in gleicher Ebene mit der Straße beginnt. Der Schotter wird durch Abgrabung des hier ansteigenden Terrains gewonnen. Auf dem ca. 5 M. Höhe erreichenden Schotterlager wurde unter der etwa 40 Cm. betragenden Culturschichte im September dieses Jahres das Bruchstück eines Marmorblockes blosgelegt, welcher auf zwei entgegengesetzten Seiten mit gut gearbeiteten römischen Relieffiguren bedeckt ist. Ausgehauene Vertiefungen in dem Block weisen auf einen zweiten ebenso großen, oberhalb ein-

Fig. 3. (Maxglan.)

gepaßten Stein, der aber bisher nicht gefunden werden konnte.

Der ungleich gebrochene Marmorblock mißt bei 76 Cm. Höhe, 48 bis 62 Cm. in der Länge und ist 40 bis 48 Cm. tief oder stark.

Das Relief der einen Seite zeigt die untere Hälfte eines Mannes mit kurzer Tunica und wahrscheinlich aber den linken Arm herabfallendem Mantel, deßen Falten noch sichtbar sind. Die Füße stecken in bis über die Knöchel reichenden Schuhen und die Stellung der Beine überhaupt ist eine sehr bewegte nach links vorschreitende.

Vor dieser männlichen Figur ist der rückwärtige Theil eines auf den Hinterfüßen sitzenden Säugethieres zu erkennen, welches der Bauart und dem Stummelschwanze nach mit einem Hirschen oder einer Hirschkuh die meiste Aehnlichkeit haben dürfte (Fig. 1).

Im anderen Reliefe tritt eine Person hinter einem Vorhange oder Zelte hervor; der Kopfputz und der in einfachen Falten herabfallende mit einem Gürtel unter der Brust zusammengehaltene Rock deuten ohne Zweifel auf eine Frauengestalt hin. Der rechte Arm ist nach vorwärts ausgestreckt, die Hand fehlt. In der bestimmt erkennbaren linken Hand trägt sie, nach abwärts gerichtet, einen langhalsigen bauchigen Krug (Fig. 2).[1]

Der isolirte Fund ließ anfänglich schwer eine Deutung zu, bis man auf einen runden senkrecht abwärts führenden Schacht unmittelbar neben dem Blocke stieß. Der Schacht hatte einen inneren Durchmeßer von ca. 80 Cm. und war regelmäßig mit roh zubehauenen Steinen ausgelegt, und zwar von einem Materiale, welches sich nicht in der nächsten Umgebung findet, sondern dem Rainberge und theilweise dem Capuciner-Berge entnommen, also zugeführt wurde (Fig. 3).

Ganz lose ohne Bindemittel aufgebaut, ging der Schacht gleichmäßig rund durch die ganze Alluvialschotterschichte bis auf den darauffolgenden Flußsand und war auch ganz mit gleichen Steinen wie die zur Auskleidung verwendeten voll gefüllt, indem wahrscheinlich oben am Rande ein Brunnenkranz solcher Steine sich befand, der hinabgeworfen wurde oder von selbst einfiel.

An der Sohle der Cisterne oder des Brunnens lag eine kleine Schichte ganz reinen, kleinen weißen Salzach-Schotters, während der andere Schotter der Grube eine gelbe und braune Färbung hat. Der Flußsand unter der Schotterschichte setzt sich bis zur Tiefe, in welcher gegenwärtig Waßer auftritt, und noch weiter fort.

Eine etwaige Holzzimmerung war nicht vorhanden oder spurlos verfault, ebensowenig fand sich eine Steinfaßung am Grunde, nur war der unterste Theil der Cisterne mit Lehm ausgeschlagen. Weder auf der Sohle noch überhaupt im ganzen Schachte fanden sich irgendwelche Thonscherben oder Metallgegenstände und dergleichen Artefacte.

Daß der Schacht ein Brunnenschacht oder eine Cisterne war, ist wohl nicht fraglich und der Marmorblock mit seiner figuralen Decoration dürfte immerhin zu einem Brunnen in nahe Beziehung gebracht werden können, obwohl die Cisterne für einen unmittelbaren Zusammenhang mit dem Relief sehr einfach ist.

Aus der Anlage und der Tiefe des Schachtes läßt sich aber der sichere Schluß ziehen, daß der Waßerstand im allgemeinen seit Römerzeit gesunken ist, da gegenwärtig sich Waßer erst etwa 2 M. tiefer zeigt, als es damals hervorgetreten sein muß.

Möglich, daß sich bei Fortsetzung der Schotterentnahme noch weitere Marmorsteine finden, immerhin ist aber auch denkbar, daß die anderen zugehörigen Relieffsteine zum Baue der nahen Maxglaner Kirche verwendet wurden. Ein römischer Schriftstein zum Beispiel verfiel diesem Schicksale, wurde nur durch Zufall bei einer Renovirung der Kirche entdeckt und in das Salz-

[1] Das Figurenfragment scheint mir einen Mann mit einem Hirschen vorzustellen, das andere eine Brunnennymphe, (als sie in Beziehung zur Brunnenschachte gebracht wird.)

burger Mufeum Carolina-Augufteum gebracht, wo auch der jetzige Fund im Lapidarium aufgeftellt wurde. Ueberhaupt find römifche Funde in und um Maxglan keine Seltenheit.

Die Gemeinde Maxglan hat auf Anregung ihres Bürgermeiflers Herrn Dr. *Stölzl* die Grabungen bereitwilligft geftattet und die Arbeiter der Schottergrube zur Verfügung geftellt. Dr. *Alex. Petter.*

100. Herr Ingenieur *Rudolph Machnitfch* in Tolmain hat an die Central-Commiffion unterm 11. Januar d. J. berichtet, dafs bei der Fortfetzung des Straßenbaues nächft Canale zwei Bronze-Gegenftände — ein fehr gut erhaltener Paltab und ein beiderfeitig fpitz zulaufendes vierkantiges Stäbchen — gefunden wurden. Sie befanden fich 4 Cm. unter der Terrainoberfläche in einer fehr engen Felfenfpalte. Diefer Fund hat aus dem Grunde eine Wichtigkeit, weil derartige Fund-Objecte in Krain bisjetzt zu den feltenen Erfcheinungen gehören. Bei Reka an der Idriathal-Reichsftraße, am Fuße einer fteilen Felswand, fand man unter hochangehäuftem Schutte eine Lanzenfpitze aus Eifen, dabei Knochenfplitter und bei einem Hausbaue nächft Tolmain in einer Felfenfpalte einen Bronzering, endlich auf der Höhe zwifchen Kazarcče und St. Lucia ein wahrfcheinlich fchon ausgebeutes Urnengrab mit den Scherben einer ziemlich großen Thonurne.

101. Correfpondent P. *Anfelm Ebner* hat im December 1898 berichtet, dafs der *Römerftein* im fogenannten Pflegermais bei *St. Margarethen* thatfächlich ein Meilenftein, aber ohne jegliche Infchrift ift. Wahrfcheinlich ift derfelbe durch eine Lawine von einem höheren Standorte an den Platz, wo er jetzt liegt, herabgetragen worden. Der Steinklotz wurde nach allen Seiten gewälzt, ohne Schaden zu leiden. Er lag zwifchen alten Holzftücken, oben mit grauen Flechten überzogen, auf der Unterfeite aber nach dem Abwafchen fich wie Elfenbein ausfehend. Ein Weg weiter oben vom Fundorte dürfte der alte Römerweg fein, wo der Meilenftein ftand. An feiner urfprünglichen Standftelle war er ficherlich in die Erde eingelaffen Als ihn die Lawine herabtrug, foll er, wie noch Leute wiffen wollen, eine kurze Zeit aufrecht geftanden und dann, weil einer feften Bafis entbehrend, umgefunken fein.

102. Um die Stadtkirche zu *Allerheiligen* in *Leitmeritz* befand fich früher ein Gottesacker. Diefer Friedhof wurde 1790 im Sinne der jofephinifchen Gefetze aufgehoben. Später wurde derfelbe planirt und die Kirchhofsmauer abgetragen. Dabei gingen die meiften alten Denkmäler, von denen fo manche lokalhiftorifchen oder künftlerifchen Werth hatten, zugrunde. Einige fand man, wie ich fchon unterm 12. September 1897 berichtete, bei der letzten Renovirung der Stadtkirche unter dem Kirchenpflafter, wohin fie aber leider wieder gelegt wurden. Einige andere Denkfteine diefes alten Friedhofes befinden fich noch in Privathäufern, die meiften verfchwanden. Im folgenden follen die mir bekannten etwas näher befchrieben fein.

Am Hofe des Haufes Nr. 5, Pfalzifcher Platz, ift eine 1·5 M. hohe, 70 Cm. breite Marmorplatte eingelaffen. Die Platte zeigt im Hoch-Relief eine ftehende

Kindesgeftalt, ein Gebetbuch in den Händen haltend. In der linken unteren Ecke des Steines ift das Otersdorf'fche Wappen (der von einem Wappenmantel umgebene Schild zeigt zwei nach innen gekehrte Adlerflügel, der über dem Schild befindliche Stechhelm trägt eine Krone, aus welcher ein einköpfiger Adler hervorwächft); in der rechten Ecke ift das Wappen derer von Millefchowka (gefpaltener Schild, im rechten Felde ein einfchwänziger Löwe auf einer gequaderten mit Zinnen gekrönten Mauer, im linken Feld 13 Berge). Die Randfchrift diefes gut erhaltenen Grabfteines lautet:

IOHANNEM THEODOSIV̄. OPTIМᴀᴇ SPEI DVLCISS. FILIV. SIXTVS AB OTERSDORF ET KATARINA A MILESSOWKA PARE. MESTISS. SEPEL. 1508.

Ein zweiter Grabftein hat im Hofpflafter des Gafthaufes Nr. 18 Lange Gaffe feinen Platz gefunden Der Stein ift den Hufen der Pferde ausgefetzt, bereits gänzlich verftummelt, die Infchrift ganz unleferlich. Der Stein, der nicht mehr zu retten ift, trug eine im Hoch-Relief ausgemeißelte Rittergeftalt in voller Rüftung.

Ein drittes Grabdenkmal befindet fich an der fogenannten Hufemühle (Schanzengaffe Nr. 4) nächft dem k. k. Obergymnafium. Es ift dies eine einfache unverzierte Platte, 1 M. hoch, 70 Cm. breit, mit der Infchrift:

EPITAPHIV̄
DOCTISSIMI VIRI DO·
MINI IAKOBI CRI-
SPI AVSTINI IV̄N·
XIIII AÑO 1.6.0.7. REBVS HV·
MANIS EXĒPTI.

Auftini gelido jacet hoc fub cefpite corp,
Dignus honore vir hic multu̅ in honō jacet
jīte pius vates, facre virtutis et artis
claruit ingenio dexteritate. Fide
jam moriens animo fidēli, fufcipe Iefu
hāc animā quæ femper amavit ait.
Ex lacrvmis mūdi fuperas migravit ad auras
vir pius et prudēs lingua animoqe gravis.

Ein Denkmal der hier anfäßigen reich begüterten und weitverzweigten Familie der Mraz von Millefchowka befindet fich unterm Haupteingange des Haufes Nr. 17 in der Neuthorgaffe. Die Platte ift aus Marmor, 194 Cm. hoch, 114 Cm. breit. Die obere Hälfte füllt die von einer Randverzierung umgebene Infchrift, die untere das in Hoch-Relief ausgeführte von zwei Kindesengeln gehaltene Wappen der Familie von Millefchowka. Die Grabfchrift lautet:

ANNO DÑI 1617 10. MARTII OBIIT SPECTATISSIMA FŒMINA LVDMILLA MRAZOWA VXOR DÑI IOANIS GEORGII MRAZII DE MILLESSOWKA : ET NATA EIVS ELIZABET VII. APRIL ATQ. VTRVMQ CORPVS HIC CONDITVM EST.

Endlich liegt auf dem katholifchen Friedhofe, unweit des Kreuzes ein Grabdenkmal, im Volksmunde allgemein „der fteinerne Ritter" genannt. Auf einer

240 Cm. langen, 138 Cm. breiten Platte liegt die erhaben ausgemeißelte Gestalt eines geharnischten Ritters, die eine Hand am Schwerte, die andere an dem mit Straußfedern geschmückten Helme. Unter dem Helm ist ein Schild mit einer sechsblätterigen Rose. In jeder Ecke des Steines befinden sich Wappen, und zwar links oben ein Schild mit einen Rechen; am Schild — Helm, Krone und Hundekopf; links unten ein Schild mit der heraldischen Lilie; am Schild ein Fächer aus Straußfedern; rechts oben trägt der Schild einen Schiffshaken (?); der Helm — Krone und Flügel; der vierte Schild trägt zwei gekreuzte Aeste (?); am Helm befindet sich ebenfalls Krone und Flügel. Zu Füßen des Ritters ist auf einer Tafel die Inschrift:

GESTORBEN DEN 22 MÄRZ 1790.
HIR VNTER DIESEN STEINE RVHET SAMT SEINEN ALTESTEN SOEHNEL
DER EDLE HERR ANTON SCHLEICHER FVRGEWESTER K. K. HAVPTMANN
AVDITOR, DANN BVRGERMEISTER DER K. K. KREYSSTAT LEVTMERITZ,
ERRICHT DVRCH SEINE FRAV CATHARINA GEBOHRENE . . . . MANIN.

Dieser Grabstein scheint allerdings, seiner Inschrift nach, der neuesten Zeit anzugehören; doch ist dieser Stein viel älter; der Ausführung und der Ritterrüstung nach stammt er aus dem 16. oder Anfang des 17. Jahrhunderts. Höchst wahrscheinlich rührt auch er von dem aufgelassenen Friedhofe bei Allerheiligen her, dürfte von der Frau des Verstorbenen erworben und mit obiger Inschrift versehen worden sein.

Früher ragte der Stein nur mit der Ritterfigur über dem Erdboden hervor, so daß er den Stiefeln der Gräberbesucher ausgesetzt war und daher an den erhöhten Stellen bereits etwas abgetreten ist. Vor ca. zehn Jahren wurde der Stein gehoben und untermauert. Leider ist er den Unbilden der Witterung gänzlich ausgesetzt. Wünschenswert wäre es, wenn der Stein senkrecht, vielleicht an der Friedhofs-Capelle eingemauert würde; der Erhaltung wäre er jedenfalls werth!

Heinrich Ankert.

103. (Ein Johann Adam Prunner-Jubiläum.)

Das Jahr 1898 hatte seine Reihe patriotischer Jubiläen; es hat auch ein vergessenes Geschäfts-Jubiläum eines braven Patrioten

Nennt man in Linz die besten Namen, so wird auch Johann Adam Prunner genannt, dieser unsterbliche Wohlthäter seiner Vaterstadt Linz. Es ist ein Act der Pietät, das Andenken an diesen Mann durch eine That aufzufrischen, die in nachstehender Skizze näher beleuchtet wird.

Johann Adam Prunner, der Sohn des geachteten Kaufherrn und Stadtrichters Johann Prunner, übernahm im Alter von 26 Jahren unmittelbar nach seines Vaters Tode zu Beginn des Jahres 1698 — also vor zweihundert Jahren — das Erbe an Hab und Gut und auch den guten Namen, den sein Vater als Vertreter des Burgerstandes seinem Sohne hinterlassen hatte.

Bald war es auch dem jungen thatkräftigen Prunner gelungen, das Vertrauen der Bewohnerschaft von Linz im reichsten Maße zu gewinnen, und schon im Jahre 1700 wurde der hochgebildete Mann, der gesuchte Reden in fließendem Latein zu halten wußte und mit Kaiser Karl VI. in geheimer Correspondenz stand, zum Verordneten des vierten Standes und im Jahre 1720 Burgmaister von Linz erhoben, welche Würde er durch dreizehn Jahre bis zu seinem am 7. Februar 1734 erfolgten Tode in Ehren bekleidete. Im Alter von 62 Jahren wurde der edle Mann nach kurzer Krankheit viel zu früh den Armen und Bedürftigen von Linz entrissen, die sein Andenken auch heute noch segnen und es als das eines Gerechten segnen werden für und für.

Der Leichnam des Verstorbenen wurde in der Gruft der Johannes-Capelle in der Stadtpfarrkirche beigesetzt, 1833 aber wurden die Reste in den „Beinbrunnen" der alten Domkirche übertragen. Doch Johann Adam Prunner hat sich selbst ein Denkmal gesetzt.

Eines der localgeschichtlich interessantesten Gebäude der Landeshauptstadt Linz — ehrwürdiger als an Alter durch seine hochherzige Bestimmung — ist das „Prunnerstift", auch „Heiligen Dreikönigstift" genannt. Eine sinnige Sage umrankt selbes, die so erzählt wird: Johann Adam Prunner, der reiche Handelsherr von Linz, hatte Kauffahrteischiffe auf dem Meere, die unter seiner Flagge segelten. Eines Tages lief im Comptoir Prunner die Hiobspost ein, daß eines der reichbeladenen Fahrzeuge bei einem Seesturme verunglückt sein müsse. Prunner machte das Gelübde, den Werth der ganzen Ladung sammt dem Gewinne zu einer Stiftung auf seinen Namen zu verwenden, wenn sich die schlimme Nachricht vom Untergange des Schiffes nicht bewahrheitete und selbes glücklich der Gefahr entronnen wäre. Dem edlen Manne lag ja die Bemannung näher am Herzen, als die Ladung. Wenige Tage später brachte ein zweiter Bote die freudige Nachricht, daß das Kauffahrteischiff glücklich mit Mann und Maus in den Hafen eingelaufen sei.

Prunner, der Ehrenmann, hielt auch getreulich sein Wort. Da er die Glücksbotschaft am 27. Tage des laufenden Monats erhalten hatte, so machte er seine Stiftung im Betrage von 158.000 fl. zur Nutznießung für 27 bürgerliche Waisenknaben, die Unterricht im Lesen, Schreiben und Rechnen unter einem eigenen Instructor erhielten, dann für 27 Pfründner männlichen und 27 weiblichen Geschlechtes, aus der Gemeinde Linz stammend, die freie Wohnung, Holzgenuß und außerdem jährlich eine Pfründe von 58 fl. für Person erhielten; außerdem wurde noch für 27 Knaben das Schulgeld bezahlt. Johann Adam Prunner erbaute auf den Gründen des von ihm käuflich erworbenen ehemaligen Edelsitzes Eggereck ein großes Stiftshaus, das sogenannte „Prunnerstift" mit daran stoßenden großen Garten. Der Stiftsbrief wurde im Jahre 1736 — also zwei Jahre nach Prunner's Tode — hinterlegt und bestätigt, aber erst im Jahre 1769 endgiltig und rechtskräftig ausgestellt.

Johann Adam Prunner hatte das Stiftungsgebäude auch mit einem lieblichen Kirchlein versehen und zum Unterhalte eines Beneficiaten ein Capital von 12.000 fl. auf Zinsen angelegt, der Kirche außerdem 200 fl. geschenkt und dem Beneficiaten eine Wohnung im Stiftsgebäude angewiesen. Unter der Regierung des Kaisers

Joseph II. mit ihrer durchgreifenden Reform des Armen-
wesens wurden auch die Summen der Prunner'schen
Stiftungs-Capitalien eingezogen und zum Stiftungs-fonde
für heute noch bestehende Waisenunterflutzungen,
Stipendien und Armenpfründen umgewandelt. Das
Beneficium des Seelforgers wurde für den Religions-
fond für einen Domprediger eingezogen.

Zwei Jahrhunderte find verflossen, seit Johann
Adam Prunner als Chef der hochachtbaren Handels-
firma selbständig aufgetreten ist und nicht allein für die
Ehre feines eigenen Haufes, fondern auch für das Wohl
feiner Vaterstadt Linz und als Menfchenfreund für das
feines Nächsten gewirkt hat.

Das Prunner'fche Stiftungsgebäude dient heute
noch im Sinne des Verewigten wohlthätigen Zwecken:
die damit vereinte Kirche foll aber nicht zur Ruine
werden, fchon um des edlen Stifters willen nicht. Es
wäre ein Act der Pietät, wenn von competenter Seite
die Renovirung der Kirche, die ohne erhebliche Kosten
durchführbar wäre, ins Auge gefaßt und in Erwägung
gezogen würde, zumal jetzt, wo durch die Gründung
des Baronin Handel-Haufes die Colonie der Barm-
herzigkeit erweitert worden.

Johann Adam Prunner, der Menfchenfreund, verdient in der Renovation des Kirchleins eine Ehrung
feines Namens und Andenkens. Gegenwärtig ist die
Prunner-Stiftskirche baulich im guten Zustande. Im
Innern find die Gefimfungen, die Capitäle und übrigen
Stucco-Arbeiten, Kleinigkeiten ausgenommen, gut erhalten.

Die fünf Gemälde, welche fich auf die Vierungskuppel, die beiden Bogenfelder über den Seitenaltären, im Presbyteriumgewölbe und Hauptaltarbild
vertheilen, find anfcheinend Fresken von guter Zeichnung.

Die beiden hölzernen Seitenaltäre befitzen Bilder
auf Leinwand. Die hübfche Architektur ist marmorirt
und die Figuren find voll vergoldet. Das im Grundriffe
gefchweifte reich ornamentale Speisgitter ist von
lichtem Untersberger Marmor; die Thüren daselbst
fehlen.

Der Hochaltar in feinen Beftandtheilen, das ist die
Menfa, Podium, Tabernakel und Leuchterfchemmel,
fowie das Altarkreuz, alles verfchwunden. Letzteres war
freistehend. Der Hochaltar-Ueberbau ist al fresco an
die Wand gemalt und die Perfpective desfelben fo ausgetragen, dass man den Uebergang von der wirklichen
Architektur zur gemalten fchwer erkennen kann.

Das Schiff ist abgemauert; von der Kanzel fowie
von der Emporenstiege ist keine Spur zu finden. Mag
fein, dass man auf den Mufikchor durch den Corridor
des Haufes gelangen konnte und dass die Kanzel beweglich eingerichtet war.

Von der Stuhlung ist nur mehr der Standplatz zu
erkennen. Die Fensterglafung war in Rautenform und
wafferhell.

Das Kircheninnere diente feit der Entweihung zu
verfchiedenartigen Zwecken und ist gegenwärtig das
Depot für Möbel von delogirten Parteien!

104. Anläfslich der Notiz 33 im vorliegenden
Bande, betreffend das Epitaphium an der Außenfeite
der Kirche zu *Cogolo* hat Confervator Dr. *Hans*

Schmölzer in Trient Gelegenheit genommen, feine im
XXIV. Bande der Mittheilungen, Seite 52, ausgefprochene Anficht über die Stylbeftimmung und Datirung
diefes Grabmales aufrecht zu halten, wogegen Regierungsrath *Deininger* es als ein Werk der italienifchen
Renaiffance bezeichnet.

Profeffor *Schmölzer* bemerkt, zwar fei das Nifchengrab gerade jener Typus, welcher in der Renaiffance-
periode der bei weitem vorherrfchende, in der romanifchen und gothifchen aber nur felten zur Anwendung
kommende, und ficherlich habe Confervator *Deininger*
darnach geurtheilt.

Weiters bemerkt Confervator Schmölzer: „Es ist
zunächft eine Thatfache, dafs befagtes Epitaphium
wahrfcheinlich bis Mitte des 17. Jahrhunderts als ein
Depositorium für Reliquien diente, welche ein gewiffer
Dolzanus von Cogolo eingefammelt hatte. (Es ist dies
derfelbe Dolzanus, der von Dr. Schmölzer als Erbauer
der Kirche 1432 genannt ist.) Auf den angedeuteten
Zweck des Epitaphiums deutet auch die ftark zerftörte
Infchrift nicht's vom Monumente, die man anbrachte, als
die Reliquien übertragen wurden. So mag die Vermuthung gerechtfertigt erfcheinen, dafs diefes Epitaphium zu eben derfelben Zeit entftanden ift, als die
Reliquien dafelbft aufgeftellt wurden, das ift in der
erften Hälfte des 14. Jahrhunderts". Die Stylformen des
Grabmales widerfprechen einer folchen Annahme nach
Schmölzer's Meinung nicht, ja fie beftätigen fie, „wenn
auch das Vorkommen der Form des Nifchengrabes
in diefer frühen Zeit und an fo abgelegenem Orte
merkwürdig genug ift." Derfelbe glaubt auch hiefür
eine Erklärung zu finden. Er meint nämlich, dafs der in
der Infchrift genannte Dolzanus bei feinem conftatirten Eifer, Reliquien zu fammeln und Abläffe für
feine Kirche zu gewinnen, fich an verfchiedene Bifchöfe
gewendet und an verfchiedene Orte — darunter auch
nach Rom — begeben hat, wo gerade um jene Zeit
die Comasken zuerft das Nifchengrab anwendeten.
So kann es wohl fein, dafs er die Zeichnung für
das Epitaphium von auswärts mitbrachte. Profeffor
Schmölzer findet übrigens alle Details romanifch,
während außer dem Typus fonft nichts auf Renaiffance
erinnert; fo die doppelten in Profile eingefchnürten Stäbe,
gerahmten Pilafter, die eigenthümlich trocken, kantig
und hart gemeißelten Füllungen der Pilafterfchafte, der
Bogenfries mit den Kleeblattfüllungen, die Formen der
Kannen mit den Zweigen in den Bogenzwickeln, die
Hohlkehle als Bekrönung, das Motiv der fegnenden
Hand, die Formen der Buchftaben (Salva nos etc.),
alles dafs habe mit der Renaiffance nichts zu fchaffen,
und dürfe man von den ganz eigenthümlich gefpaltenen
Capitälen der Pilafter behaupten, dafs fie ihre Form
nicht etwa dem Ungefchicke eines fpäteren Künftler's-
verdanken, fondern ebenfalls für das angefprochene
Alter zeugen.

Da der genannte Confervator diefem Epitaphium
eine große Wichtigkeit beilegt, fo hebt er noch hervor,
dafs er nicht glaubt, dafs dasfelbe zu jener Art von
Monumenten gehört, die aus einer verhältnismäßig
fpäten Zeit (Ende des 13. Jahrhunderts) ftammend, dennoch in den Formen und Anlage dem romanifchen
Style angehören, wie die Portale zu Taffullo, Male,
Dimara, Pellizzano; denn die Details diefer Werke
deuten auf ihre fpätere Entftehungszeit und verrathen

das Archaiftifche ihres Charakters. Eine derartige Spur findet fich aber auf dem Monumente zu Cogolo nicht [1]

105. Confervator Regierungsrath *Berger* hat die Central-Commiffion auf die beiden gefchnitzten Thür-

flügel in der Filialkirche zu *Irrsdorf* bei Straßwalchen aufmerkfam gemacht, die der befonderen Beachtung werth find, wie denn Kunftfreunde und Antiquitäten-Liebhaber diefelben mit Kaufluft fchon feit langem umkreifen. Allein die Central-Commiffion gibt fich alle

Fig 4 (Irrsdorf)

Mühe, diefen fetten Biffen unverkäuflich zu halten, und wenn fchon, fo doch ihn für ein inländifches Mufeum zu fichern.

Die zwei hölzernen gefchnitzten Kirchenthüren find mit zwei großen vollgefchnitzten Figuren geziert, Maria und Anna im hochfchwangeren Zuftande vorftellend, jede mit der Relief-Darftellung des Kindleins am Bauche, das Chriftkindlein mit einem zarten Strahlennimbus, unten das Wappen des Pfarrers Berthold, † 1410, der in derfelben Kirche begraben ift. Die beiden koftbaren Thurflügel waren aber urfprünglich nicht für den jetzigen Eingang beftimmt, deffen Portal in Breite und Höhe fie überragen. Zu Füßen der Figur der heil. Maria, die mit einem flammenden Scheibennimbus ausgezeichnet ift, kniet der Stifter der Thürflügel, dabei ein Spruchband von einer gedrückten männlichen Figur gehalten, Infchrift ift nicht bemerkbar; rückwärts eine lilienähnliche Pflanze, Marien gegenüber die Figur der heil. Elifabeth mit großem Scheibennimbus; die Haltung der Hände (erhoben vor fich) und der Körper deutet, dafs die heil. Elifabeth eben den Begrüßungsfpruch fagt über die gebenedeite Mutter. Auch hier zu unterft fieht man eine gedrückte Figur, die die Unterlage für die Anna-Figur trägt. Die Umrahmung der Thürflügel ift theilweife zerftört, oben in den Reften zeigt fie aber noch fehr fchönes gothifches Ornament Die beiden Flügel find im Holze wohl fchon etwas fchadhaft, aber dennoch erhaltbar; die Schlagleifte am linken Flügel fehlt theilweife. Auch find die eifernen Thürbänder auf demfelben rückfichtslos angebracht. Wenn auch anerkannt werden mufs, dafs fich eine derartige äußerft realiftifche Darftellung zu Nachahmungen nicht eignet, fo ift fie doch von folcher Wichtigkeit und Seltenheit, dafs die bezüglichen Thürflügel eine befondere Sorgfalt und pietätvollften Schutz in hervorragendem Maße verdienen.

106. Herr Maler *Rudolph Sagmeifter* hat unterm 11. November 1898 an die Central-Commiffion über die alte Pfarrkirche zu *Neuberg* einen Bericht erftattet, dem wir nachftehendes entnehmen. Befagte Kirche ift ein fpät-gothifcher Bau mit einem der Neuzeit ange-

[1] Die Redaction hat fich entfchloffen, diefen Bemerkungen in den Spalten der Mittheilungen Raum zu geben, nur weil fie die Wichtigkeit des in Rede ftehenden Monumentes anerkannt. Keineswegs aber foll damit ein fachlicher Kampf eingeleitet werden, dem die Mittheilungen fich verfchließen würden, da fie einerfeits den Begründungen des Confervators Schnofer eine große Würdigung nicht verfagen kann und darf, anderfeits aber den nicht weniger begründeten Anführungen des fo angefehenen und verdienftvollen Confervators, Regierungsrath Deininger als gefchätzten Kenners gothifcher Kunft dasfelbe nicht entgegenfetzen will Die Klärung über die eben noch fchwebende Frage über die Fortfchaffung des Epitaphs wird gewifs auf Grund weiterer Studien von der einen und der anderen Seite erfolgen.

 Schliefslich hat der Confervator auf feinen Antrag der Zubehörnummer, die jüngeren Freskon an der Außenmauer der Kirche und ftützt fich die mit die etwa Auftellung fchwer fichtbar Infchrift, fie ich auf dem Kreuze, die lieft Achtzehn wenig Freske Francesco Angelo Valdara Cremitana Val Tenna Trient anno 1713. Das Aufnehmen diefer Malerei ift dem er Pietätsgründen nicht der wegen der Körper wertvoll Tüncheeplitzet an dem freiliegenden fchönen der alt ni Meifter ausftammend naturell wird.

hörenden hölzernen Dachreiter, eine einfchiffige Anlage im Friedhofe gelegen. Der Innenraum ift mit einem zeitgemäßen Rippengewölbe überdeckt. Die zur Sacriftei führende mit Stabwerk umrahmte gothifche Thür ziert ein über ihr angebrachtes Spruchband mit 15 † 14. A † O.

Mit Recht erregt das Interefle die Gewölbemalerei, welche, obwohl im Langhaus durch ungefchicktes Uebermalen und durch verfchiedene Einflüße gefchädigt, doch im Presbyterium gut erhalten ift, was die hier beigegebene Tafel wiedergibt, die Pflanzen find grün, nur die kleineren Blumen bunt. Intereffant ift die mannigfaltige Abwechslung der aufgemalten Blumen. Ueber dem Triumphbogen findet fich eine aufgemalte Schrift, die fich auf die Malerei beziehen dürfte, aber in der dritten Zeile nicht verftandlich ift. Sie lautet:

MDCIII.
XXV. AVGVSTVS
POSHABOS

Die Schlußfteine ftellen Schilde vor, find bemalt und beziehen fich auf das Haus Habsburg mit dem Bindenfchilde, auf das fteirifche Wappen und das Neuberger Stiftswappen.

Aehnliche Gewölbebemalung finden wir in der Stiftskirche (laut Infchrift aus 1461), aber höchft ungefchickt reftaurirt.

107. Die Kirche *S. Maria Maggiore* in *Trient* wurde zu Anfang diefes Jahrhunderts durch einen Blitzftrahl fchwer gefchädigt, die Bedachung, das Gewölbe der Kirche und der Abfchluß des romanifchen Thurmes hatten dadurch arg gelitten. Infolge davon mußte im Jahre 1808 ein neues Gewölbe durch den Bergamasken *Bianchi* eingefetzt werden. Auch der Thurm erhielt die häßliche heutige Kuppel.

In feinem Einbegleitungsberichte die beabfichtigte Reftaurirung diefer Kirche betreffend, bemerkt Confervator *Schmölzer*, daß man mit großer Wahrfcheinlichkeit annehmen kann, daß diefelbe von *Medaglia* (1520—1523) erbaut, aber gar nicht vollendet wurde und erft fpäter ein Tonnengewölbe erhielt, und zwar ein reines Tonnengewölbe ohne jene Zwickel, die das heutige Gewölbe entftellen. Das Weftportal, eine Stiftung des J. Settimanno, entftand 1535. Das Seitenportal an der Südfeite entftammt der ehemaligen Kirche del Carmine in Trient. Der Styl der Kirche, den Medaglia ihr gab, ift der der italienifchen Renaiffance mit noch leifen Anklängen an die Gothik.

Die Kirche hatte im Laufe der Zeiten fehr gelitten und wurde eine eingehende Reftaurirung an ihr fehr nothwendig.

Gegen Ende 1898 erfuhr die Central-Commiffion durch den Confervator Grafen *Karl Lodron-Laterano*, daß die Frage der Reftaurirung diefer, das ift der fogenannten Concilium-Kirche in Trient eingreifbare Formen annehme, indem dafür Projecte von drei Künftlern ausgearbeitet wären und eines aus diefen ausgewählt werden foll. Die Architekten *Nordio*, *Ciani* und Ingenieur *Paor* find die Projectanten. Die Central-Commiffion befchloß bei dem Umftande, als fie von der Sache damals noch keine Kenntnis hatte, zunächft die Vorlage der befagten drei Projecte abzuwarten. Allein fie erhielt ftatt drei nur eines, das

letztgenannten Architekten und Ingenieurs, welches eben der Confervator Profeffor Schmölzer in Trient zur Vorlage brachte. Auch erfuhr die k. k. Central-Commiffion, dafs bereits eine Vorentfcheidung über die Projecte erfolgt war, da diefelben dem Architekten *Beltrazzi* in Mailand zur Wahl vorgelegt waren. Beltrazzi entfchied zu Gunften Paor's, das Baucomite acceptirte diefe Wahl und fo kam nur ein Project der Central-Commiffion zur Vorlage. In der Reftaurirungsfrage einer fo bedeutenden und berühmten Kirche, wie die Kirche S. Maria Maggiore, follte fomit zuerft gewiffermaßen im Auslande entfchieden worden fein! Die Central-Commiffion glaubte daher vorerft doch die Vorlage der beiden anderen Projecte verlangen zu follen.

Durch die Intervention des bereits genannten Confervators Schmölzer kam aber eine beruhigende Aufklärung in diefe Angelegenheit.

Für die Fabbriceria von S. Maria Maggiore ftand es vor allem feft, dafs die k. k. Central-Commiffion das einzige competente Organ fei, in Sachen der Reftaurirung diefer Kirche zu entfcheiden. Allein auf Grund eines Legates von 18.000 fl. feitens eines tridentiner Bürgers an den Reftaurirungsfond ftand dem Podeftà eine Einflußnahme auf die Sache zu und von ihm erhielt der mailändifche Architekt gelegentlich feiner Anwefenheit in Trient Kenntnis von dem Projecte und fprach fich für das Paorfche aus. Das Project Nordio's ftammt aus dem Jahre 1883 und ift unter ganz anderen Bedingungen angefertigt worden. Das Project Ciani entftand 1898 über Einladung feitens des Podeftà, wurde aber vom Projectanten bald zurückgezogen.

Die Fabbriceria hatte alle drei Projecte öffentlich ausgeftellt und die allgemeine Stimmung war für Paor. Die Vorlage der beiden Projecte in Wien war der verfchiedenen Umftände wegen demnach unmöglich geworden.

Die Central-Commiffion ging nun an eine Prüfung diefes einen Projectes und erkannte, dafs in demfelben die häßlichen Bauherftellungen, welche 1808 nach dem Brande ausgeführt wurden, befeitigt find. Nicht genügend erfchien aber dem Referenten die Rückkehr zum urfprünglichen Beftande (wie er aus Medaglia hervorging) angeftrebt worden zu fein, dagegen wurden an der Façade wefentliche Aenderungen in Betreff der fteinernen Hauptgefimfe und des Bogenfenfters projectirt, die als moderne Neuerungen gedeutet werden müßen, wenn auch deffenungeachtet das Paorfche Project künftlerifch immerhin bedeutend ift. Doch das Alte wurde zu viel geändert und das Neue dem Alten ungenügend angepaßt.

Die Central-Commiffion wünfchte daher eine Modification des Projectes, um die Façade in dem überkommenen harmonifchen Bilde zu erhalten.

Erft nachdem Ingenieur Paor das Reftaurirungsproject perfönlich der verfammelten Central-Commiffion erklärte, fand fie fich im Hinblicke auf das praktifche Bedürfnis nach einer befferen Beleuchtung bewogen, mittelft Majoritätsbefchluffes das eine folche ermöglichende Project zu genehmigen. Hinfichtlich des Thurmabfchluffes wurde ein neues Project verlangt.

108. Intereffant ift eine Mittheilung, die aus dem Stifte *Renn* in allerneuefter Zeit an die Central-Com-

mifion gelangte und die fich mit den fchonen alten Glasgemälden in der Wallfahrt-kirche zu *Straßengel* befchäftigte. Für die Reftaurirung diefer Glasmalerei im Jahre 1885 (April—Mai) wurden 5364 fl. 10 kr. veraus-gabt. Die unbrauchbar und nicht mehr verwendbaren Stücke (ca. 6 bis 7 Stücke) erhielt das Stift zurück, da-gegen wurde als deren Erfatz eine entfprechende An-zahl in den Cyclus paffende Bilder angefertigt. Die fämmtlichen in Straßengel befindlichen Fenfter find hinfichtlich der Glasgemälde in gutem Stande und wird zweifellos geforgt werden, dafs alles fo erhalten bleibt. Es ift kein Zweifel, dafs es das hochwürdige Stift an nichts fehlen laffen wird.

109. Die „Wiener Abendpoft“ vom 9. und 10. März d. J., Nr. 56 und 57, brachte einen kurzen aber fehr lefenswerthen Artikel über die Denkmalpflege in Oefterreich, und zwar über die der neueften und allerneueften Zeit. Wenn auch diefer Artikel im Ganzen und Großen fehr kurz abgefafst ift, fo enthält er doch fehr viele Bemerkungen, die in weiteren Kreifen be-kannt zu werden verdienen. Vor allem kommt felbft-verftändlich die *öffentliche* Denkmalpflege in Betracht, und zwar die Thätigkeit der Behörden und ftaatlichen Anftalten, die fich in Beftrebungen und Förderungen, in Anregungen und in materiellen Unterftützungen kund-gibt. Es mufs gleich bemerkt werden, dafs die jetzige Denkmalpflege fich nicht mehr auf Gebäude befchränkt, diefes Wort ift vielmehr in einem weit größeren Umfange aufzufaffen, und umfafst die gewaltigen Bau-denkmäler gerade fo wie die unfcheinbarften Kunft-gegenftände bis zu den Gebrauchsgegenftänden in die vorgefchichtlichen Zeiten hinein, aber auch die fchrift-lichen Denkmale in ihrer Wichtigkeit würdigend, gerade in dem Sinne, in dem die k. k. Central-Commiffion für Kunft- und kunfthiftorifche Denkmale feit ihrem Be-ftande eingriff und noch eingreift. Ein halbes Jahr-hundert ift mit ihrem Wirken bald um. Die Mitthei-lungen (1. Serie 20 Bände, 2. Serie bis zur Gegenwart 25 Bände), Jahrbücher (5 Bände) und zahlreiche Separat-Publicationen enthalten einen reichen Schatz von Nachrichten über die heimatlichen Denkmale. Im Laufe der letzten Jahre entftanden der k. k. Archiv-rath, das öfterreichifche archäologifche Inftitut und der k. k. Kunftrath, und deffen ungeachtet hat unfere Infti-tution an ihrer Bedeutung und Wichtigkeit nichts ver-loren, eher hat deren Wirken zugenommen. Die k. k. Central-Commiffion umfafst in ihrer Wirkfamkeit unfere ganze Reichshälfte in den Fragen der Prähiftorik, der ganzen mittelalterlichen Kunft und der Schriftdenk-male, dagegen theilt fie das inländifche Gebiet hin-fichtlich der Antike mit dem öfterreichifchen archäo-logifchen Inftitut, welch' letzteres aber in feiner Thätig-keit fich durch die öfterreichifch ungarifchen Reichs-grenzen nicht einfchranken läfst, um an der allgemeinen Forfchung nach claffifchen Denkmalen mitzuwirken.

Allein die Beftrebungen des Staates ftehen nicht vereinfamt, fie finden vielmehr die kräftigfte Unter-ftützung in der Verwaltung der kaiferlichen Hoffamm-lungen. Dort ift der Hauptfammelpunkt der aus- und inländifche wichtigften Funde, welche in den letzten Jahren durch inländifche Gelehrte auf claffifchem Ge-biete zutage gefördert worden find.

Der erwähnte Artikel fchließt mit dem nicht un-berechtigten Wunfche nach Mitwirkung der Privat-perfonen bei der Denkmalpflege, fei es am Lande oder in den Städten. Auch diefen Punkt hat die Central-Commiffion bisher in ihrem Wirken nicht un-gewürdigt gelaffen und die Zahl der Confervatoren von anfänglich kaum 30 auf 144 erhöht, während fich die Zahl der Correfpondenten jetzt mit 329 beziffert. Freilich immer noch nicht ausreichend, um zu allen Zeiten und allerorts im Bedarfsfalle interveniren zu können; allein die Möglichkeit, fich bei Funden u. f. w. fchnell guten Rath zu holen, ift vorhanden und wird auch erfahrungsgemäß gern und häufig eingeholt.

Die private Denkmalpflege und die durch Mufeen und Vereine wollen wir demnächft befprechen.

110. An der Kreuzung der Bezirksftraße *Ober-gurk-Sittich* mit der Reichsftraße *Laibach-Rudolfswert*, und zwar in dem nordweftlichen Ecke zwifchen beiden

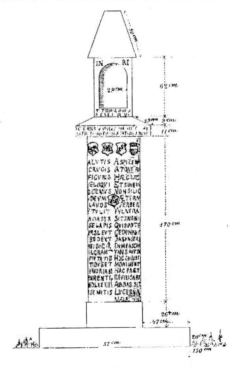

Fig. 4. (Sittich.)

fteht auf einem Acker ein fteinernes Denkmal von fehr eigenthümlicher Form.

Der untere Theil *a b* deffelben ift unzweifelhaft ein römifcher Meilenftein und auch als folcher in feiner

Größe dem in der Nähe gefundenen mit theilweise noch erhaltener Auffchrift verfehenen, nun im Mufeum zu Laibach aufbewahrten Meilenfteine vollkommen gleich geformt. Als folcher wurde er auch vom Herrn Profeffor *Alphons Müllner* in feiner „Emona" (Neur-none) angenommen.

Sein Nebengänger kam ins Mufeum nach Laibach, diefer wurde jedoch fchon im Jahre 1583 vom damaligen Abte Laurentius zu einer Bildfäule umgeftaltet, indem die Schrift abgemeißelt und mit einer neuen Auffchrift erfetzt wurde. Die Stufe am Boden wie der viereckige, mit vier feichten Nifchen verfehene und in eine viereckige Pyramide endende Auffatz find aus anderem Materiale angefertigt und fchlechter erhalten.

Die Hauptauffchriften finden fich auf der Säule. Sie find theilweife, doch nicht viel befchädigt, jedoch fehr fchön gemeißelt und beftehen aus 22 Zeilen.[1]

Nach einer zehnzeiligen lateinifchen Auffchrift kommt eine vierzeilige deutfche, beide in Hexametern verfaßt, darauf die Widmung: „hoc christiani nominis et antiqvae pietatis | monumentvm vt accedentibvs recedentibvs et | hac praeterevntibvs servatoris svi memoriam, | refricaret e vivo lapide poni cvravit lavrentᵛ|abbas sithicens anno virgi: part. MDI.XXXIII."

Das Denkmal ift auf einem privaten Befitze, vorläufig zwar ohne Gefahr, doch anfcheinend ein Eigenthum des Ackerbefitzers.

Auf den hinzugefetzten Theilen find auch Infchriften, jedoch theilweife verwittert. Offenbar war oben ein fteinernes oder eifernes Kreuz.

Am runden Schafte find oben vier Wappen: von Sittich (Papagei), dann ⬡ und ⬡ und ⬡, tiefer unten das Wappen ⬡ des Ab-tes Laurentius, ⬡ eine Weintraube mit zwei Rebenblättern ⬡ und zwei Ranken.

In den vier rundbogigen Nifchen war, feit ich mich noch erinnere, je ein auf Blech gemaltes Bild: St. Aegidy, St. Cosmas und St. Damian, St. Veit und Pietà als Patrone der nahen Pfarren: Weichfelberg, Obergurk, St. Veit und Stift Sittich. Nun verblieb der heil. Vitus noch erhalten. *Konrad Črnologar.*

111. Gelegentlich der Demolirung der alten Pfarrkirche zu *St. Martin* bei *Littai* empfahl der Confervator *Črnologar* die Erhaltung, beziehungsweife Wiederverwendung einiger wichtiger Objecte der alten Kirche, womit fich die Central-Commiffion einverftanden erklärte und was auch von der Local-Commiffion zugeftanden wurde. Dahin gehören vier fteinerne Grabplatten, davon zwei mit Rittergeftalten, die follen im Neubau fo aufgeftellt werden, daß fie genügendes Licht erhalten und nicht durch Kirchenftühle verftellt werden, etwa unter der Sängerempore; dann ein weiterer fünfter Grabftein; ferner die Schlußfteine, Rippenfteine, Dienfte, Sockel und Capitale an dem Presbyterium behufs Wiederverwendung im neuen Presbyterium, daher fie bei der Demolirung mit Vorficht auszulöfen und zu fammeln find; das Hauptportal und der Sacrifteieingang (gothifch), eine hölzerne Kirchenbank mit dem eingefchnitzten Wappen von Lichtenberg (1690), die Glocke im Dachreiter und

ein großes Crucifix. Selbftverftändlich foll bei der Demolirung auf alle etwaigen Funde ein forgfames Auge gehalten werden.

112. Correfpondent Architekt *A. Weber* hat an die Central-Commiffion über das *Katharinen-Kirchengebäude* zu *Komotau* berichtet. Was den Bauzuftand felbft betrifft, fo ift er, fo weit die Ein- und Umbauten ein Urtheil geftatten, als verhältnismäßig günftig zu bezeichnen, da die Art der gegenwärtigen Benützung mit keinen Gefahren für das Gebäude verbunden ift und der verwendete Sandftein ein vorzügliches Baumaterial repräfentirt. Im Parterre ift das Feuerwehr- und Leichenwagen-Depot untergebracht, die zwei Holz-Etagen des Oberbaues find zu Getreidemagazinen verwendet und eingerichtet. Ueberall zeigen fich die Formen des Uebergangsftyles. Gewölbe, Rippen und Confolen find ziemlich gut erhalten, die Gefimfe faft unbefchädigt. Nur der untere Blattkranz der Wandfäulchen-Capitale im Presbyterium ift ftark befchädigt. Im Hauptfchiffe erfcheinen rechteckige Confolen als Träger der Rippen gut erhalten. Das Maßwerk in den Fenftern ift noch vorhanden, nur das des Chorfchluffes hat arg gelitten. Deutliche Spuren von Bemalung find an der Bildhauerarbeit und an den Wänden zu finden. Die nordweftliche Ecke ift dagegen in einem fehr fchlechten Bauzuftand; durch einen großen Brand hat fogar das Steinmaterial dafelbft gelitten.

An der Südfeite finden fich kleine Anbauten, die zum anftoßenden Rathhaufe gehören, wofelbft fich jetzt ausfchließlich die Eingänge in die Kirche befinden.

Die ganze Nordfeite wird von dem Rathhausbaue eingenommen, von dem aus in der Mittelachfe der Kirche ein gothifches Chörlein in die Halle hineinragt und daneben für dafelbe, aber bereits im Rathhausgebäude eingebaut, eine gothifche fteinerne Wendeltreppe. Das Rathhaus und das anftoßende Brauhaus zeigen den mit gothifchen Elementen gemifchten Renaiffanceftyl, find jedoch ganz verbaut und ruinirt; man kann die ehemalige großartige Schloßanlage nur mehr ahnen. Die fchönen Fenfter-Steingewände find neuftens chocoladebraun (!) angeftrichen worden; die Brauhausmauern zeigen noch bedeutende Refte fchöner Fenftergewände. Es wäre wohl fehr zu wünfchen, wenn es in abfehbarer Zeit gelänge, diefe fehr beachtenswerthe Kirche fammt Rathhaus wieder herzuftellen.

113. Eine fehr intereffante Mittheilung kam der k. k. Central-Commiffion von feite ihres Correfpondenten, des k. k. Oberften a. D. *Freiherrn von Handel-Mazzetti* zu.

Herr *Grillmayr*, welcher das alte Wafferfchloß *Wirting* in Ober-Oefterreich mit befonderer Pietät reftauriren ließ und hiebei dem alten Beftande nach jeder Richtung forgfam Rechnung trug, war vor kurzem nur mehr mit den letzten Herftellungsarbeiten in der Schloß-Capelle befchäftigt, als in der im Umbaue begriffenen benachbarten Pfarrkirche zu Offenhaufen durch herabfallendes Mauerwerk die Menfaplatte am linken Seitenaltare zerfchlagen wurde. An Stelle der gebrochenen Platte kam eine neue, nad die alte entpuppte fich bei näherer Unterfuchung als eine ehemalige Grabfteinplatte, die Herr Grillmayr — aber gegen Erfatz durch eine neue — für feine Schloß-

---
[1] Nach *Mitkowitz*: Klofter in Krain, habe, wie die Klofterchronik PP. Puzel behauptet, Abt Laurentius einen Denkftein fetzen laffen, dort, wo die urfprüngliche Klofteranfiedlung beftanden habe.

XXV. N. F.

Capelle übernahm. Der Stein, der außer dem Sprunge, wodurch er in zwei Theile zerfiel, recht gut erhalten ist, kam in die Capellenwand. Wie Oberst Mazetti bemerkt, zeigt der Grabstein das volle Wappen im umrahmten Mittelfelde, begleitet von zwei Wappen weiblicher Ahnen (ohne Helm), dem der Eitzing mit den drei Ballen und dem der Traun, senkrecht gespalten. Die Randumschrift in gothischen Majuskeln lautet:

Fig. 5. (Wiring.)

„Hie leit . Gregorig . Rathalminger . der[gestorben . ist . nach . Christi | gepurd . M . CCCC . darnach in . dem XXVII an Sand . Allexen . tag . dem Got . genad."

Benannter Correspondent bezeichnet das Wappen der Rathalminger in der Darstellung am Grabsteine als heraldisches Unicum. Im Schilde erscheint nämlich ein Widderkopf, der sich als Helmkleinod zwar wiederholt, aber nicht wachsend oder dem Helme oder mit dem Rückentheile in den Helm verlaufend, sondern links

oben schwebend; der Widder beißt in den mit der Helmdecke behängten Helm hinein (Fig. 5).

Ueber das in Rede stehende Geschlecht ist fast nichts bekannt; doch bemerkt der Correspondent, dafs dieser Gregorig, der auch urkundlich Georg genannt wird, 1388, 1396 und 1399 in salzburgischen Kriegsdiensten gegen die Herzoge von Bayern stand. Seine Frau Gertrud, Tochter des Kättringer, brachte ihm den Hof zu Wirting, mit dem er 1385 belehnt wurde. Gestorben am 17. Juni 1428, begraben in Offenhausen, wo die Platte als Altarstein verwendet war.

114. Wir haben bereits vielmals die Grabdenkmale aus den früheren Jahrhunderten zum Gegenstande unserer Betrachtung gewählt und wollen für diesesmal wieder einmal auf diesen Gegenstand zu sprechen kommen. Die beiden jetzt vorzubringenden Grabdenkmale gehören dem Ende des 17. Jahrhunderts an, sind daher bereits ganz eigenthümlich abweichend von denen der vorhergehenden Jahrhunderte gestaltet. Wie einfach und doch gefällig, wie entsprechend waren die Grabsteine im 14., 15. und 16. Jahrhundert. Meist am Boden liegende oder an den Wänden aufgestellte Steinplatten mit der Inschrift am Rande oder in der Plattenmitte (seltener), mit dem Wappen der Betreffenden, auch oft mit deren Figur als Relief in der Mitte der Platte geziert. Nicht selten dienten diese Platten zum obern Abschluße von tumbaförmigen Denkmalen. Später mehrten sich die Decorations-Beigaben durch Fahnen, Ahnenwappen, mittelalterliche Orden, kleine Trophäen, die früher kurzen Inschriften verlängern sich, die Plastik begnügt sich nicht mehr mit der einfachen Figur im Relief. Es kommen auf der Platte noch Heiligen-Bilder, Familiengruppen zur Darstellung; die Figur tritt in das Hochrelief oder in die ganze frei runde Gestalt (besonders bei Tumben), endlich kommt die freie Gruppe und das Standbild. Die jeweilige Stylrichtung hat selbstverständlich immer den führenden Einfluß auf Gestaltung, Material und Decoration festgehalten. Die Gothik zeigt sich nur an den Rüstungen der Figur, in der Schildform, in den Buchstaben der Legende, in der Beigabe von Bekrönungen und Ueberdachungen im Bildfelde und von architektonischen Details. Anders machten es die Renaissance und ihre Stylnachfolger. Sie ändert fast ganz die bisherige Auffassung über die Gestaltung des Grabmales, beseitigt die Platten und schafft mitunter große Kunstschöpfungen. Weit entfernt, diese Reform als verwerflich zu bezeichnen, da sie als Kunsterscheinung gewiß ein wohlbegründetes Anrecht auf unparteiische Würdigung besitzt, muß man doch darin ein ungemessenes Bestreben nach Pracht und größerer Auszierung — die vielleicht nicht immer dabei am richtigen Platze ist und der richtigen Person gewidmet wird —, nach ausgedehnten heroischen Beigaben und figuraler Ausstattung erkennen. Es tritt die Sucht der Ausschmückung des Denkmales mit Waffen, Geschützen und Trophäen, mit wissenschaftlichen Apparaten und Instrumenten, mit Büchern, Urkunden etc. mitunter zu aufdringlich hervor. Der Aufbau wird meist altarähnlich und groß, mitunter ganz phantastisch; Bilder aus dem alten und neuen Testamente, Engel, Genien u. s. w werden beigegeben.

Zahlreiche Beispiele könnten wir hiefür anführen, doch begnügen wir uns mit wenigen. Das Grabmal des

Ernft Rüdiger Grafen Starhemberg, † 1701, in der Wiener Schottenkirche, wir fehen den Genius der Stadt Wien mit einem dem Thurmknopfe des großen Thurmes an der Stephans-Kirche ähnlichen Kopffchmuck, einen Schild haltend, darauf das Bruftbild Starhemberg's in Relief, herum Trophaen aus kaiferlichen und türkifchen Waffen, Fahnen und Roßfchweifen — das Grabmal des Wenzel von Markovic-Zaftrizel und Boskovic fammt Frau in Boskovic (1600) — des

wurde zur Erinnerung an Wierich Philipp Grafen Daun von feinem zweitgeborenen Sohne, Grafen Leopold errichtet. Erfterer geboren 1668, ftarb im Jahre 1741 und war der Sohn des W. Joh. Ant. Grafen Daun und der Anna Maria Gräfin Althann. Er war Feldmarfchall und Ritter des goldenen Vließes, Fürft von Thiano, durch einige Zeit General-Gouverneur der fpanifchen Niederlande und auch zeitweilig der Lombardei, Stadt-Commandant von Wien. Das Monument

Fig. 6.　　　　　(Wien.)　　　　　Fig 7.

Grafen Andreas Khevenhüller, † 1744, in der Schottenkirche zu Wien — des Feldmarfchall Melchior von Rädern (1600) in der Kirche zu Friedland in Böhmen — des Wolf von Saalhaufen, † 1589, in Benfen — der letzten Lofenfteiner in Steyr-Garften u. f. w.

Ziehen wir beifpielsweife die beiden Grabdenkmale von Mitgliedern der gräflichen Familie Daun, die fich in der St. Georgs-Kirche neben der Auguftiner-Kirche in Wien befinden, in Betracht, fo werden wir das eben Gefagte beftätigt finden. Der eine Grabftein

(Fig. 6) ift 4 M. 15 Cm. hoch, theils in rothem, theils in fchwarzem und weißem Marmor ausgeführt, ift mit dem Portrat des Verftorbenen in weißem Stein geziert, dann mit dem Wappen, mit Trophaen aus Fahnen und Kanonenrohren etc. und zwei Futti, davon einer die Kette des goldenen Vließes trägt, der andere mit Helm und Schwert.

Der zweite Grabftein, gewidmet von der Kaiferin Maria Therefia ihrem fiegreichen Feldherrn, dem Sieger von Kolin, Leopold Jofeph Grafen Daun, Fürften von

21*

Thiano, Ritter des goldenen Vließes und Feldmarschall, geboren 1705, gestorben 1766, vermählt mit Josepha Fuchs von Rimbeck, gestorben 1764, trägt den Styl- und Kunstcharakter seiner Entstehungszeit bestimmt zur Schau, ist 6 M. 15 Cm. hoch, aus verschiedenfarbigem Marmor zusammengesetzt. Auf einem sockelartigen Unterbaue ein sarkophag ähnliches Mittelstück, darauf ein niedriger vierseitiger Obelisk, geziert mit dem Bildnisse des Feldmarschalls im Relief, oblonges Medaillon, dabei zwei Fahnentrophäen. Am Sockel und am Obelisken kleine Reliefs mit auf den Verstorbenen sich beziehenden Schlachten-Darstellungen, dann zwei größere Figuren, rechts und links sitzend dargestellt, wahrscheinlich die Geschichte und die Tapferkeit, dann unten

befonders der Freskenreste geboten erscheint. Sehr bedauerlich wäre es, wenn sich die Nachricht bewahrheiten würde, daß man daran gehen will, auf dem kleinen Hauschen im Schloßhofe einen Stock aufzubauen. Es würde dadurch die alte Malerei ganz besonders gefahrdet werden und das ganze Schloß, das heute noch bis auf die kleinsten Kleinigkeiten so erhalten ist, wie es das Wandbild aus dem 13. Jahrhundert zeigt, einen fremden Ausdruck erhalten. Auf diesem Bilde kommt auch das Hauschen genau so vor, wie es heute noch besteht. Zu diesem Aufbaue findet sich gar kein zwingender Grund, da Platz zu Vergrößerungen allenthalben überall hinreichend vorhanden ist.

116. Das bischöfliche Consistorium zu *Stanislau* hat der Central-Commission bekanntgegeben, daß das Verzeichnis der Confervatoren Galiziens im Diöcefan-

Fig. 8.

Steyr.

Fig. 9.

das Wappen und eine Gruppe von Gefchutzrohren. Die Legende befindet sich auf der Vorderwand des Sarkophages. Ein freistehender Genius mit abgebrochener Kerze hält ein ovales Medaillon mit dem Porträt der um zwei Jahre früher verstorbenen und im selben Grabe ruhenden Gattin des Feldmarschalls.[1]

115. Maler *Alphons Siber* hat der Central-Commission die Copie eines Theiles der Wandmalerei im Schloße *Arco* in Südtirol vorgelegt, die als sehr gelungene Arbeit bezeichnet wurde. Man erkennt daraus, daß die thunlichste Erhaltung des Schloßes und ganz

blatte zur Kenntnis der Geistlichkeit der Diöcese gebracht wurde. Eine gleiche Mittheilung hinsichtlich der Diöcese Breslau in Oesterreichisch-Schlesien kam ebenfalls an die k. k. Central-Commission, desgleichen hinsichtlich der Diöcese Parenzo-Pola und der Erzdiöcese Zara, wovon die Central-Commission mit lebhafter Befriedigung Kenntnis nahm.

117. Die ehemalige Nonnenstifts- und jetzige Pfarrkirche zu *Göß* ist im Besitze eines sehr beachtenswerthen romanischen Kreuzes mit geschnitzter Christusfigur. Diese ist vom Fußschemel, darauf die beiden abgesondert angenagelten Füße sich stützen, bis zum Scheitel 80 Cm. hoch, das Lendentuch reicht bis zu den Knieen und wird durch eine Schnur festgehalten.

[1] ... auch ein Bildnis der Kaiferin Maria Therefia ... Siehe *Be*...

Das Crucifix ſtand bisher in der Nonnengruft, jetzt reſtaurirt, befindet es ſich in der Kirche.

118. Im November 1898 wurde die k. k. Central-Commiſſion auf privatem Wege von der beabſichtigten Demolirung eines aus dem 15. Jahrhundert ſtammenden gothiſchen Hauſes auf dem Stadtplatze zu *Steyr* in Kenntnis geſetzt. Es wurde dazu bemerkt, es ſei unglaublich, aber leider wahr, daß ſich niemand berufen gefunden habe, dagegen Einſprache zu erheben. Hundert Städte wären glücklich, wenn ſie ein ſolches Haus mit dem herrlichen gothiſchen Friesbande beſitzen würden. Der Stadtplatz in Steyr iſt berühmt durch ſeine alten gothiſchen Häuſer. Die Central-Commiſſion hat ſich veranlaſst geſehen, den in Steyr domicilirenden Conſervator zur Berichterſtattung über dieſen ganz beſonderen Fall einzuladen.

Conſervator Director *Ritzinger* berichtete, daß er ſich ſchon mit dieſer Angelegenheit ſeit längerer Zeit beſchäftigte. Er bezeichnet das fragliche Gebäude als nicht aus dem 15. Jahrhundert entſtanden, ſondern laut der darauf befindlichen Jahreszahl aus 1681. Der Conſervator bemühte ſich, den einzigen künſtleriſchen Schmuck, den gothiſchen Fries, zu erhalten und ſoll derſelbe in entſprechender Weiſe am Neubaue ſeine Wiederverwendung finden.

Seither wurde der Central-Commiſſion über den Fortgang der Demolirung der für die neuen Sparcaffenbau erworbenen Häuſer, das iſt des ſogenannten Giebel-(Reichel-) Hauſes (Fig. 8) Nr. 22 und des alten Sparcaffengebäudes (Fig. 9) Nr. 20 daneben berichtet. Die Central-Commiſſion iſt der Anſicht, daß durch die Demolirung dieſer Häuſer das ſtimmungsvolle Bild der Stadt, das bisher ein nicht geringes Anziehungsmotiv für Fremde gebildet hat, eine arge und ſchwer reparirbare Schädigung erlitten hat. Was das Alter des Giebelhauſes betrifft, ſo beſtehen doch manche Zweifel und nicht geringe Bedenken gegen die dafür maßgebend ſein ſollende Jahreszahl, die wohl ein zu ſpätes Datum wäre und wahrſcheinlich nur auf die Zeit einer unbedeutenden Reſtaurirung ſich beziehen dürfte, zumal das Gebäude innen und außen auf eine viel ältere Zeit hinweist. Dieſe Façade, die ſich als ebenmäßiger, einfacher und correcter, ſchon einmal moderniſirter Quaderbau darſtellt, wird ebenſo wie das alte Sparcaffengebäude mit ſeinen luſtigen frei concipirten Ornamenten ein Verluſt an der künſtleriſchen Phyſiognomie der alten ſchönen freundlichen Stadt bleiben. Steyr iſt durch ſeine Lage und Gruppirung der Häuſer, durch ſeine Menge alter Profanhäuſer wahrlich ein Juwel unter den öſterreichiſchen Städten, aber trotz dieſer Fülle muß doch das Verſchwinden ſolcher Häuſer lebhaft bedauert werden, denn die Vorrath wird immer mehr gelichtet, bis er aufgezehrt ſein wird.

119. Aus dem Jahresberichte des Conſervators *Schmoranz* (1898) iſt zu entnehmen, daß die Filialkirche zu *St. Peter* und *Paul* in *Koſtelec* in Reſtaurirung genommen wurde. In der *St. Georgs-Filialkirche ob Vorel* wurde eine neue Pflaſterung und Staffirungs-Arbeiten durchgeführt.

Die auf einem Felſen gelegene Kirchenruine zu *Brátrow*, ein Reſt des von den Huſiten zerſtörten Dominicaner-Kloſters, wurde in jüngerer Zeit wieder für kirchliche Zwecke hergeſtellt, die gothiſche Wölbung des Presbyteriums wurde in Holz-Conſtruction nachgeahmt, das Schiff erhielt ein Tonnengewölbe, ein Thurm wurde angebaut. Alles dies war gegenwärtig ſo verfallen, daß eine Reſtaurirung unaufſchiebbar war. Dieſelbe hat bereits begonnen. Auch die heil. *Kreuz-Kirche* in *Chrudim* wurde in Reſtaurirung genommen, der Decanal-Kirche in *Hohe* ſteht derartiges pro 1899 ebenfalls bevor, desgleichen der zu *Königinhof*.

120. Conſervator *Plaßl* in *Kaaden* berichtete an die Central-Commiſſion über einen prähiſtoriſchen Fund, der volle Beachtung verdient. Es iſt dies ein äußerſt zierlicher, der Blüthe der Bronzezeit (zweite Hälfte des 4. Jahrhunderts) angehöriger Palſtab, der auf dem Heiligenberge bei Kaaden im Steingeröll gefunden und im Originale der Central-Commiſſion vorgelegt wurde.

121. *(Römiſcher Grabſtein in Kuchel.)*

Nach einer Mittheilung des Herrn Correſpondenten P. *Anſelm Ebner* in *Maria-Plain* bei *Salzburg* befindet ſich über dem rundbogigen Haupt-Portale des ſogenannten Jägerhauſes im Markte Kuchel (Salzburg), dem Cucullis der vita S. Severini von Eugippius, ein römiſcher Inſchriftſtein eingelaſſen, der wahrſcheinlich beim Baue jenes Hauſes aufgegraben[1] und zur Erinnerung eingemauert wurde. Der kaiſ. Rath und Conſervator Herr Director Dr. *Alexander Petter* in Salzburg überſendete der Central-Commiſſion einen vorzüglich gelungenen Papierabdruck, nach welchem die aus grauweißem Marmor hergeſtellte Tafel mit einem einfach profilirten Rahmen umgeben iſt. Mit dieſem mißt das Denkmal 52·3 Cm. in der Höhe, 55 Cm. in der Breite, die Schriftfläche iſt 45 × 48 Cm. groß. Die ſehr ſchönen Buchſtaben haben in der erſten Zeile eine Größe von 6 und 5, in der zweiten und dritten Zeile 5, in der vierten Zeile etwas über 4, in der fünften Zeile etwas unter 4 Cm. Höhe. Nach dem Papierabdrucke iſt die hier folgende Abbildung (Fig. 10) hergeſtellt.

Fig. 10. (Kuchel.)

Cavecio Loi fil(io) obit(o) annorum L, Vragiso Tes | silli filia) gonju | gi et sibi v(iva) (fecit).

Die einheimiſchen Namen und die Schreibung gonjugi ſtatt conjugi bilden die Merkwürdigkeiten des

[1] Daß die Inſchrift aus Taxenbach ſtamme und nach Kuchel überbracht worden ſei, hält Herr Correſpondent P. Ebner für durchaus unwahrſcheinlich.

Steines. Die letzte Zeile ift leicht weggemeißelt und darüber vom neuen

H 1 6 3 8 W

eingegraben, womit wohl die Anfangsbuchftaben des Tauf- und Zunamens des Bauherrn und das Baujahr des „Jägerhaufes" gemeint find. Dabei hat der Steinmetz für die erfte Ziffer der Jahreszahl den zweiten Buchftaben der letzten Zeile der römifchen Schrift, ein I, benutzt, indem er es nach unten verlängerte und nach der Schreibweife der Zeit einen Punkt darüber fetzte; ebenfo wurde für den erften Schrägftrich des neueren W der Schrägftrich des antiken V (viva) benützt und verlängert. *Fr. Kenner.*

122. (*Römerfunde in Höflein bei Bruck a. L.*)

Einer Mittheilung von befreundeter Seite folgend, die von alten Infchriftfteinen an der Friedhofsmauer von Höflein fprach, befuchte ich im Sommer 1896 diefen Ort. Thatfächlich find in die aus großen Quadern gebaute und in fpäteren Zeitläuften fchlecht und recht mit Bruchfteinen und Ziegeln ausgebefferte Friedhofsmauer wenigftens drei römifche Infchriften-Fragmente eingemauert.

1. Auf der Südfeite (Fig. 11):

Fig. 11.

Sandftein, 0·22 M. hoch, 0·26 M. breit; die Zeilen ftehen zwifchen je zwei vorgeriffenen Linien und tragen noch Mennigfpuren.

2. Auf der Weftfeite (Fig. 12):

Fig. 12.

Fig. 13.

Ob in Zeile 2 nach C und vor dem Punkte noch ein Buchftabe geftanden hat, konnte ich nicht festftellen; ftand keiner, fo wäre die Lefung c(uftos) a(rmorum) le[gionis] möglich, dann wäre in Zeile 1 der Name des Soldaten zu vermuthen, etwa [T.] Ael(ius) V[erus]; Zeile 3 fg. ex vo[l](untate) teft[am]e[n]ti]. Sandftein, 0·90 M. hoch, 0·42 M. breit. Die Buchftaben find zum Theile ftark verfcheuert.

3. Ebenda (Fig. 13):

Sandftein, 0·30 M. hoch, 0·42 M. breit. Die Oberfläche ift faft ganz abgerieben und durch Spatenftiche verletzt, fo daß fich auch nicht feftftellen ließ, ob diefer Zeile andere folgten. Der römifche Urfprung auch diefer Infchrift fcheint kaum zweifelhaft zu fein.

Schon 1846 waren aus Höflein der Deckel eines römifchen Sarkophages mit der Infchrift (CIL III 4545) . . catus Sintaci f(ilius) [an]n. L, h(ic) s(itus) e(st), f(ilius) et filia p(atri) p(osuerunt) und ein Ziegel mit (4661, 4 g) leg. XIII g. in das Wiener Hof-Mufeum gebracht worden, zugleich mit einer Stele (4544): Pollius Danovi f(ilius) an(norum) LXX h(ic) s(itus) e(st), f(ilii) p(atri) p(osuerunt). Als Fundort diefer Stele wird Göttelsbrunn bezeichnet, das etwa 4 Km. weftlich von Höflein liegt; eine genauere Ortsbeftimmung fehlt wie fo oft bei älteren Funden; es wird mir daher nicht verdacht werden können, daß ich die Vermuthung äußere, daß die Fundftelle an der gemeinfchaftlichen Gränze der Gemeinden Höflein und Göttelsbrunn liege, an der — ich erlaube mir diefe Bemerkung der folgenden Darftellung vorwegzunehmen — fich Spuren eines Ruinenfeldes in diefen Tagen gezeigt haben. Fünf Infchriftfteine und einige römifche Ziegel — auch der Pfarrer von Höflein Herr *Binder* hatte, wie er mir mittheilte, einen geftempelten Ziegel[1] und Fragmente von Wandziegeln gefehen — von demfelben Fundgebiete führen zu Fragen über Beftand und Ausdehnung einer römifchen Anfiedlung. Außerdem hatte ich nächft dem Friedhofe von Höflein deutliche Mauerfpuren im Grasboden bemerkt, die zwar nirgends herausragten, aber durch die Verbindung von Ziegeln und Bruchfteinen deutlich den römifchen Urfprung beurkundeten. Endlich zeigte mir ein Blick vom Boden weg in die Landfchaft hinaus, daß ich hier auf einem Punkte ftand, wie er für die Anlage eines kleinen Römerortes oder vielleicht eines kleinen Caftells fich vorzüglich eignete. Das Heidenthor, das Burgfeld von Deutfch-Altenburg und die Kirche und der Tumulus am Stein liegen frei, und die Ebene, aus der fich der niedere Hofleiner Hügel fich erhebt, dehnt fich nach allen Seiten füdlich der Donau bis an die den Horizont abfchließenden Berglinien aus, und jenfeits der Donau liegt das Marchfeld bis an den Thebener Kogel frei.

Der Hügel beherrfcht jenen Feldweg, der in faft fchnurgerader Richtung von Bruck a. L. über das Haid- und das Mitter-, das Ober- und das Unterfeld auf den Schafhof bei Petronell zu läuft, den fogenannten Mitternweg, in welchem der gegenwärtige k. k. Bezirkshauptmann von Bruck a. L. Herr *Karl von Ratzenberg*, ein fcharffinniger und eifriger Beobachter, den Lauf einer Römerftraße vermuthet; eine Vermuthung, die ich zwar zu prüfen noch nicht Gelegenheit gefunden habe, deren Wahrfcheinlichkeit mir aber von vorn herein einleuchtet.

Erft nach zwei Jahren gelang es mir, wieder an die Behandlung diefer Frage zu denken. Die hohe Central-Commiffion bewilligte die Mittel zu Verfuchsgrabungen, und Herr *Nowalski de Lilia*, der zuletzt durch vier Monate an den Grabungen am Donau-Limes mitgewirkt hatte, fand fich nach einem Rundgange mit mir gern bereit, die erften Unterfuchungen zu beauffichtigen. Da die vorgerückte Jahreszeit lang andauernde Arbeiten auf freiem Felde nicht geftattete, follten diefe Verfuche bloß zur ficheren Beantwortung der Frage führen, ob und wo hier eine römifche Anfiedlung gelegen fei. Die Grabungen begannen am

---

[1] Einen im December d. J. gefundenen Ziegel mit einem arg verrichenen und vorläufig unfesbaren Stempel habe ich an mich genommen.

5. December und fchloffen am 10. December, nachdem fie das gewunfchte Refultat gebracht hatten. Am Weihnachtstage begab ich mich neuerdings in Nowalski's Begleitung an die wiederzugefchütteten Fundftellen,

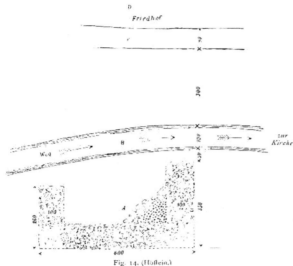

Fig. 14. (Höflein.)

um die Ergebniffe fo gut es ging zu überprüfen und diefen Bericht fertig zu ftellen.

I. Zunächft wurden an der Nordfeite der Friedhofmauer auf dem „Kirchenberge" die aus dem Grasboden herausblickenden Mauerrefte unterfucht. Sie gehörten

nordweftliche Ecke zeigt, mit einem Eftrich aus Bruchfteinen und darunter gegoffenem Beton gepflaftert. In der andern faft ganz zerftörten nordöftlichen Ecke fanden fich keine Spuren des Fußbodens, wohl aber zahlreiche Bruchftücke von Amphoren, roher Terra-sigillata, fchwarzem Gefchirre und Glas. Verfuchsgräben jenfeits des Weges B, in der Richtung gegen die von jenem Mauervierecke nur 3 M. entfernte Friedhofsmauer, blieben erfolglos. Fig. 14 gibt den Plan, Fig. 15 den Verticalfchnitt von Nord nach Süd.

In der der füdlichen Friedhofsmauer nahen Weinbergen behaupten die Arbeiter, wiederholt auf Särge, Steinplatten und Töpfe geftoßen zu fein.

II. 1·2 Km. gegen Südfüdweft find die Aecker jenfeits des durch niedere Wiefen führenden Baches mit Reften von Ziegeln, Gefäßen, Steinen und Glas beftreut. An einer Stelle diefer Gegend, auf dem Acker des Jof. Grießmüller (Nr. 19), fand fich der Reft eines Mauervierecks (Fig. 16). Die Mauern find aus großen und kleinen Bruchfteinen ohne Beimengung von Ziegeln gebildet und verfchieden ftark; die Mauer von Nordweft nach Südoft ift wenigftens 6 M. lang, 0·65 M. ftark und fteckt bis 0·70 M. im Erdboden, die nach Nordoft verlaufende Mauer ift 5 M. verfolgbar, 0·35 M. ftark und fteckt wenigftens 0·30 M. tief in der Erde; die dritte Mauer ift 6 M. lang, wiederholt durch Lücken unterbrochen, 0·45 M. ftark. Im Innern fand fich unter dem Schutt ein Stück Wandbewurf mit rother Farbe. Von hier blickt man gegen

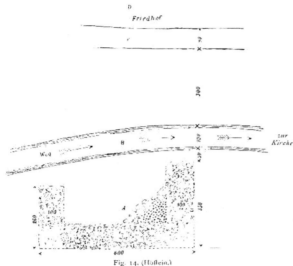

(Fig. 15. Höflein.)

einem viereckigen Gelaffe oder Thurme an, deffen Südfeite durch die tiefere Einbettung eines am Friedhofe vorbei führenden Weges zerftört worden war. Die Nordmauer ift in ihrer ganzen Länge (6 M.), die beiden anderen find 2 und 3·5 M. weit zu verfolgen; die Mauern find 1 M. ftark und ungefähr 0·5 M. tief vom Humus bedeckt. Der Innenraum war, wie die beffer erhaltene

Süden ins Geede (oder Geede) und darüber hinaus zum Heidenberg; fchon die Namen beider Oertlichkeiten laden zu ihrer Unterfuchung ein.

III. Faft 2 Km. gegen Weftweftnord wurde auf dem Acker eines anderen Grießmüller ein vor kurzem in fehr geringer Tiefe aufgegrabener Baureft befichtigt, deffen Fußboden aus Ziegeln beftanden hatte, von

denen drei Stücke sich noch in situ befanden; die Seitenbekleidung aus Sandsteinplatten war bereits herausgenommen (Fig. 17 a, 17 b); angeblich 15 Platten hatte Grießmüller ins Dorf geführt, zwei Bruchstücke liegen noch neben der Fundstelle und zeigen auf der Außenseite innerhalb eines Rahmens einen reich mit Trauben behangenen Weinstock (Fig. 18). Diese Bruch-

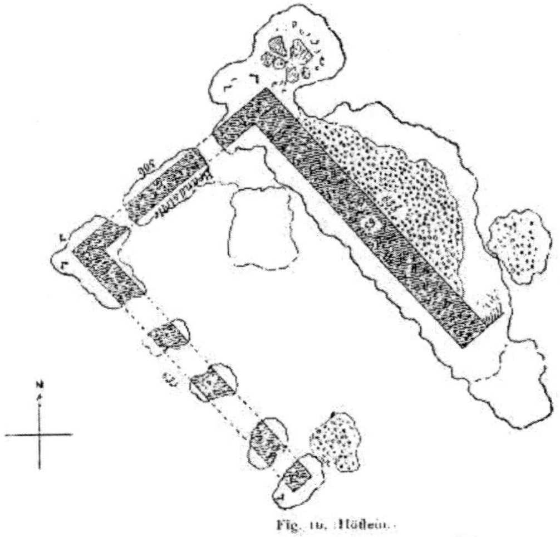

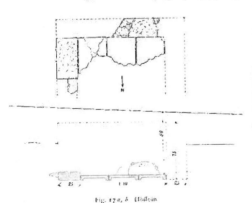

Fig. 16. (Höflein.)

trägt ein tiefes Zapfenloch; schwache Spuren weisen auf eine röthliche Bemalung des Feldes. Nowalski will in Fig. 17 a (Plan) und 17 b (Querschnitt) diesen Baurest als Grab auffassen. An derselben Stelle hat, wie Frau Grieß-müller erzählt, ihr Ehemann vor 40 Jahren das etwa 1 M. hohe „sehr sauber" gearbeitete Stand-bild eines „Ritters" gefunden, der einen „bis an die Knie rei-chenden Mantel" getragen habe; lange Jahre sei der Stein dann im Hofraume ihres Hauses aufbewahrt und erst bei dem Umbaue nach einem Brande irgendwo in die Mauer gefügt worden.

IV. Im Weingarten des Anton Rupp, 150 Schritte von der Friedhofsmauer gegen Westen entfernt, fand sich ein Bruchstück einer Sandsteinplatte (noch 0·30 M. hoch, 0·31 M. breit, 0·12 M. dick); erhalten war darauf die obere Rand-leiste, die linke Randleiste war wenigstens in Spuren zu erken-nen; das Innenfeld, soweit es erhalten ist, zeigt einen männ-lichen Kopf mit kurzgeschornem Haar, von vorn leider arg ver-stoßen. Dieses Stück (Fig. 19) wurde von Herrn Nowalski in den Pfarrgarten ge-bracht.

Fig. 17 a, b (Höflein.)

Fig. 18. (Höflein.)

stücke bilden die linke Hälfte eines Blockes, der 0·75 M. hoch und 1·04 M. dick war; die beiden Stücke sind 0·30, beziehungsweise 0·17 M. breit; die obere Seite

Von Münzen brachte man uns in diesen Tagen nur zwei Kupferstücke: einen Constantius II. mit fel(ix) temp(orum) reparatio und SMHA im Abschnitte, sowie

207

einen Aurelian mit oriens Aug(usti) und $\frac{II}{XXIR}$
(= Rohde n. 253).

Es find alfo wenigftens drei Stellen, an denen der Spaten mit Hoffnung auf Erfolg angefetzt werden kann. Indes gedenke ich nicht, diefe Nachforfchungen in der nächften Zeit fortzufetzen, da die über fo viel reichere Mittel verfügenden Limes-Arbeiten der Wiener Akademie der Wiffenfchaften fehr bald Höflein zu erreichen verfprechen. Hinzufügen will ich noch, daß nach einer Mittheilung des Herrn *Anton Bayer*, Volksfchullehrers in Höflein, zu Anfang der fiebziger Jahre auf dem Wege von Höflein nach Bruck[1] ein Grab geöffnet wurde, das aus großen, angeblich „auf Steinplatten aufgelagerten" Ziegeln gebildet war und in welchem bloß „Armbänder mit blauen gefchnittenen Steinen und irdene Lampen" vorfanden; bloß die Kleingegenftände wurden damals ausgehoben.

Fig. 19. (Höflein.)

Es ift übrigens gewiß hier am Platze, darauf hinzuweifen, daß der im Often Wiens am rechten Ufer der Donau gelegene Landftrich eine genauere Beachtung verdient, als die Localantiquare ihm zuwenden. Ich habe gerade bei meinen Ausflügen nach Höflein mich neuerdings davon überzeugt, daß hier für die Gefchichte des fpäten Mittelalters hier manches zu holen fei, und daß Denkmäler aus dem 16. und 17. Jahrhundert nur deshalb von jenen Forfchern nicht verwendet worden find, weil fie von ihrer Exiftenz nichts wußten. Freilich ift nicht abzufehen, wie die Sache fich zum Beffern wenden foll, fo lang nicht die Grundlagen zu einer tüchtigen Kunft-Topographie Nieder-Oefterreichs gelegt werden, die fich ebenfo auf den Sammeleifer von Helfern aus den gebildeteren Schichten der Bevölkerung ftützt, wie ihn zur Folge hat.

Ich begnüge mich zu erwähnen, daß ich im Haufe des Kaufmannes Brauneiß zwei Steine eingemauert fah, von denen die eine die Auffchrift trug:

DEVS PROPITIVS SIS
MIHI PECCATORI
ITA ORABAT · ET · ROGABAT
DANIEL · FRIDERICVS ·
BLOCCIVS · SENIOR · CANO
NICVS BVDISSINENSIS
ANNO 1057

und darunter im vertieften Felde ein Wappen: Ein Schild, feitlich rund ausgefchnitten und unten abgerundet; darauf ein Kahn mit gefchwelltem Segel, linkshin. Als Helmfchmuck dient ein von Federwerk umgebenes gefchloffenes Vifier, das von einer fieben-

[1] „Weftlich von der Straße in einem der erften Weingarten, die hinter den Weinkellern liegen", Herr *Bayer* auf Grund von Nachfragen bei den Bauern. — „Soviel ich durch Erkundigungen bei den Bauern über die Stelle des fraglichen Grabes erfahren habe, liegt es merkwürdigerweife in der Linie und in halber Entfernung von unferem Friedhofe und den Mauerreften im Kirchenthale, wo im December gegraben wurde"; fo Herr Pfarrer *Binder*. Diefer Herr hat mich durch die freundliche und zuvorkommende Erledigung verfchiedener Fragen, die ich während der Drucklegung diefer Zeilen an ihn gerichtet habe, zu befonderem Danke verpflichtet. Die letzten mir zugekommenen Nachrichten, das darf ich wohl gleich hinzufügen, kündigen eine erfreuliche Erweiterung meiner Nachforfchungen an.

XXV. N. F.

zackigen Krone überragt ift und aus dem ein Eichhorn herauswächft, rechtshin, mit den Vorderfüßen ein Buch haltend. Der andere Stein trägt die Worte:

DEO OPT MAX
CONDITVR · HIC RSSMVS
AC PERILLVSTRIS DNS
DNS : FR MICHAEL POMMER
EX ORD MIN OBSERVAN ·
EPISCOPVS DVLMENSIS
QVI AETATIS HABENS AN٠
LX PIE OBDORMIVIT IN DN
DIE XXIV APRILIS ANNO

und darunter im vertieften Felde zunächft den Schluß der Infchrift, SALVTIS MDCLXV, dann ein Wappenfchild, das unten und an den Seiten etwas ausladet, mit der Darftellung eines jugendlichen gekrönten Mannes, von vorn, den Kopf linkshin gewendet, mit ausgefpreizten Beinen und halbausgebreiteten Armen; in den Händen hält er je ein Kleeblatt; diesmal dient als Helmzier eine Mitra mit einem Stab, der quer hinter das Schild gefteckt unten und oben herausragt. Das ift eben jener Michael Johann Pommer, episcopus Dulmensis, von dem Dechant *Bauer* in feiner verdienftlichen Schrift „Die Stadtpfarrkirche zur allh. Dreifaltigkeit in Bruck a. L." (1896), S. 94 n. 37, aus archivalifchen Quellen berichtet: er habe im Jahre 1664 auf der Pfarre Göttlesbrunn den Priefter Martin Michael präfentirt und fei in Bruck am 24. April 1665 geftorben. Warum diefe Grabfteine in Höflein aufgeftellt und für welche Stelle fie dort berechnet worden find, mögen jene ermitteln, die dies angeht.

Anderes fah ich wohl, ohne aber Zeit zu einer Copie zu finden; von zweien diefer Stücke gebe ich Abfchriften, wie fie mir Herr Pfarrer *Binder* aus dem Pfarrgedenkbuche bot: am füdlichen Dorfende ein Granzftein mit den Worten „GDH Laut Weidbuch wie die dermahligen Mitnachbarn zu Höflein bey Prugg an der Leitha die zu ihren Steuerbarn Häufern gehörig eigenthümliche Gründe in der Zach genannt zur Gemeinweide zufammengetragen und verbleibet und follte zu ewigen Zeiten fein Verbleiben haben. Anno 1579" und ein Gedenkkreuz auf halbem Weg zwifchen Höflein und Scharndorf, das auf der Oftfeite fo befchrieben ift: „Greger ha|mer fchmit|hat diefes|greuz mac|en lafen|gott und|unfer lie|ben Fru z|lob anno| 1658", und auf der Südfeite: „1683|der ftolzer|tirk blagert|wienftatt de|14 iulii mit ftar|ckher macht| gott lob ehr|gefagt der den|tirkhen hat aus'dem land mit·fpott verjagt|den 12 Sept."

Kubitfchek. k. k. Confervator.

123. *(Das römifche Doppelgrab auf dem Fleifchmarkt in Wien.)*

Die Erdaushebungen für den Bau eines neuen Canales auf dem Fleifchmarkt führten am 6. April 1899 zur Aufdeckung einer römifchen Grabftätte, welche, von den Tagesblättern vielfach befprochen, die öffentliche Aufmerkfamkeit mehr als andere ungleich wichtigere Funde, die in letzter Zeit in der Kaiferftadt gemacht wurden, auf fich zog. Immerhin bot auch diefe Aufgrabung manche intereffante Einzelheiten, die in Vertretung des Confervators von Herrn *Nowalski de*

Lilia verfolgt und in dankenswerther Weife feftgehalten wurden. Von ihm rühren auch die hier beigefügten Zeichnungen her.

Die Fundftelle liegt nächft der Ecke, welche der Fleifchmarkt und der Laurenzerberg bilden, gerade gegenüber vom Eingange in die Drachengaffe, in der Straßenbahn neben dem Trottoir, das vor dem Haufe Fleifchmarkt Nr. 19 (k. k. Fahrpoftgebäude) hinlauft.

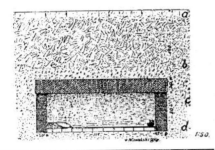

Fig. 20. (Wien.)

Dort gerieth man unter dem Straßenpflafter (Fig. 20) auf eine 1 M. ftarke Schuttfchichte (*a, b*), unter diefer auf eine Humuslage von 75 Cm. (*b, c*). In letzterer, 1·4 M. unter dem Straßenpflafter tief, fand man einen aus zwei mächtigen, 20 Cm. ftarken Steinplatten zufammengefetzten Sargdeckel, darunter ein römifches Doppelgrab von 2·34 M. Länge, 1·4 M. Breite und 60 Cm. Tiefe, das in den gewachfenen Boden (*c, d*) gegraben

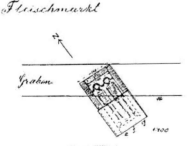

Fig. 21. (Wien.)

und rings mit 20 Cm. ftarken Sandfteinplatten umftellt war. Die linke Langfeite, gegen Südoft, war von einer einzigen folchen Platte gebildet, die geborften vorgefunden wurde; die andere Langfeite, gegen Südweft, zeigte fich aus drei mit Mörtel verbundenen Platten zufammengefetzt. Die beiden Schmalfeiten waren mit je einer Platte von 1·4 M. Breite und 80 Cm. Höhe gefchloffen. Den Boden des Grabes bildete ein Belag von 24 quadratifchen Pfeilerziegeln (Fig. 20), von 26 Cm. auf die Seite und 6 Cm. Stärke, fie trugen den Stempel der X. Legion in fandalenförmiger Umrahmung. Ueber

diefes Ziegelpflafter war eine nur 1 Cm. ftarke Betonlage geftrichen. Auch eine polfterartige Erhöhung war am Kopfende vorhanden; fie zeigte zwei halbbogenförmige Vertiefungen für die Köpfe der Beftatteten und beftand aus Mörtelguß, dem Stücke von Leiftenziegeln beigemengt waren (Fig. 21).

Die Skelette gehören nach den vorläufigen Ergebniffen der Unterfuchung durch Hofrath Profeffor Dr. *C. Toldt* einem Manne und einer Frau an, beide im vorgerückten Alter von etwa 50 und 60 Jahren ftehend, die Frau zur Rechten des Mannes liegend. Die Köpfe waren genau nach Norden gerichtet, fo dafs der Steinfarg, feiner Achfe nach, fchräge zur Richtung des neuen Canales (Nordweft—Südoft) ftand.

Das Grab fcheint fchon in alter Zeit (Epoche der *Avaren?*) geplündert worden zu fein; man fand es mit Erde ausgefüllt, die Beigaben waren ohne Werth. Man hob in der Gegend der Hüften der Beigefetzten das Randftück einer Schale aus Terra sigillata und Fragmente eines Glasgefäßes aus; am Fußende des männlichen Skelettes lagen eine 13 Cm. lange eiferne Lanzenfpitze (Jagdfpieß?), ferner drei Gefäße aus fchwarzem Thon, und zwar eine *Schale (e)*, in welcher zahlreiche Gebeine von Hühnern (Kopf, Kragen und Bruftbeine) lagen, ein *Töpfchen (f)* mit Henkel und kleinem Fuße und ein *Krügelchen (g)* ebenfalls mit Henkel (Fig. 22). An einem Fingergliede des weiblichen Skelettes zeigte fich grüne Patina von einem Bronzeringe, welchen die Frau trug.

Augenfcheinlich bei der Plünderung des Grabes herausgeworfen und verftreut fanden fich außerhalb des Steinfarges, aber knapp neben ihm und in gleicher Tiefe, ein *Bronze-Ring*, aus einem Rundftabe gebogen und gefchloffen, und ein *Kupfer-Denar* von Kaifer *Licinius senior* (307 bis 323 n. Chr.) mit IOVI CONSERVATORI, aus der Münzftätte Siscia, die wohl als Todten-Obolus gedient hat.

Nach den Tiefenverhältniffen war in römifcher Zeit nur die obere Hälfte des Sarges mit dem Deckel über dem damaligen Boden fichtbar; eine Infchrift wurde nicht vorgefunden.

Wichtig ift der Fund als das erfte in Wien aufgedeckte Beifpiel eines römifchen Doppelgrabes und feine noch deutlich erkennbare Conftruction, während andere Steinplattengräber arg zerftört gefunden wurden. Zudem ift es möglich, das Zeitalter, in der folche Särge noch gebräuchlich waren, zu beftimmen, indem das vorliegende Beifpiel nicht vor 307 n. Chr. datirt werden darf, alfo dem 4. Jahrhunderte unferer Zeitrechnung angehört.

Auch in topographifcher Beziehung ift der neue Fund von Belang. Es hat fich bei der heurigen Canalgrabung gezeigt, dafs in dem Boden noch zahlreiche Bruchftücke römifcher Ziegel ftecken, fowohl vor dem Hauptpoftamte (Poftgaffe Nr. 10), als längs des Fahrpoftgebäudes (Fleifchmarkt Nr. 19), namentlich aber vor den Häufern Fleifchmarkt Nr. 10 und 12. Ja vor Nr. 10 hat man ein Ziegel-Fragment mit einem in Wien noch nicht beobachteten Stempel, wohl einer Privatziegelei:

SEPT VIT

da- ift Septimii Vitalis oder Vitaliani ausgehoben.

Dies erinnert lebhaft an die am 2. November 1759 bei der Erbauung des älteren Canales auf dem Fleischmarkt gefundenen zwei Steinfärge, unter welchen ältere Gräber getroffen wurden, fowie an das intereffante, in Form eines kleinen Haufes erbaute Ziegelgrab in der Poftgaffe, vor Nr. 8, das im Jahre 1884 freigelegt und um das Jahr 280 errichtet worden ift.

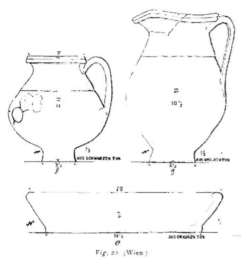

Fig. 22 (Wien.)

Die Orientirung des letzteren ift genau diefelbe wie jene des neugefundenen. Alle diefe Erfcheinungen weifen auf Straßenzüge hin, die von Süden her gegen den Donauhafen (heute Adlergaffe) führten.

Fr. Kenner.

124. Confervator Director *Ad. Sterz* in Znaym hat an die Central-Commiffion berichtet, dafs am 22. März 1899 in der *Schattauer* Thonwaarenfabrik anläfslich einer Humusabdeckung behufs Gewinnung von Thon in einer Tiefe von 40—60 Cm. ein menfchliches Skelet gefunden wurde. Es lag ausgeftreckt und war mit einem Steine befchwert, fiel aber bei der Bloßlegung auseinander. Auf der Bruft follen beim Aufdecken auch Spuren eines zweiten Schädels als dort gelegen zu erkennen gewefen fein. In einer geringen Entfernung fand man Knochenrefte, die annehmen laffen, als wäre ein Menfch in fitzender Stellung begraben worden. Als Beigaben find zu verzeichnen eine 9 bis 10 Cm. lange Nadel, wahrfcheinlich gelegen unter den linken Armknochen, dann ein einfacher unverzierter Armring mit kreisrundem Durchfchnitte, der Ring von ca. 4 Cm. Durchmeffer, endlich ein kleiner herzförmiger Gegenftand (Anhängfel, durchbrochen), alles aus Bronze. Gleichartige Nadeln, wie die in Schattau gefundenen, ergaben fich im Hallftätter Gräberfelde (*v. Sacken:* Das Grabfeld von Hallftatt, Taf. III, Fig. 9) und gleiche Anhängfel in Ungarn (f. *Hampel:* Alterthumer aus der Bronzezeit in Ungarn, Taf. LIV, Fig. 5).

125. Nachdem die Grabung auf dem der Stadt *Cilli* nächft dem Stallner'fchen Garten gehörigen Grunde nunmehr abgefchloffen, ift zu berichten, dafs, während im öftlichen Theile diefes Terrains durchwegs nur fehr zerftörte, an fich geringe Gebäuderefte vorgefunden, im weftlichen Theile Refte von Baulichkeiten bloßgelegt worden find. Der Haupttract beftand aus einem füdöftlichen und einem nordweftlichen Theile, welche ein 2·3 M. breiter Durchgang trennte; beide Theile befaßen Bodenheizungen (Fig. 23). Im füdöftlichen Theile fanden fich an zwei Stellen noch Refte von Mofaikboden *a*, *b*). Die Würfel befitzen 12 bis 13 Mm. Seitenlänge und beftehen: weiß aus Dolomit, fchwarz aus Guttenfteiner Kalk, gelbbraun wahrfcheinlich aus gefärbtem Dolomit (Fig. 24).

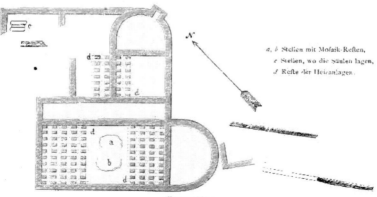

a, *b* Stellen mit Mofaik-Reften,
c Stellen, wo die Säulen lagen,
d Refte der Heizanlagen.

Fig. 23. (Cilli.)

22*

Die über 2 M. tief nach unten fortgesetzte Grabung fand das römische Pflaster bei ca. 80 Cm. vor; unzweifelhaft müßen die gesammten Baureste Jahr-

Fig. 24. Cilli, Reft des Mofaikbodens.

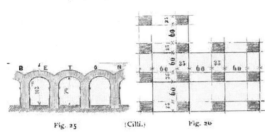

Fig. 25   (Cilli.)   Fig. 26

hunderte lang nach dem Untergange Celejas bloßgelegen sein; im Verlaufe der Zeit hat nach und nach alles, was überhaupt verwendbar war, anderweitig Ver-

werthung gefunden. Die Mauern sind meist aus unbehauenen Rollsteinen, mit gewöhnlichem Mörtel sorgfaltig verbunden, hergestellt; das Material der Stützen und Gewölbe der Heizungen sind Mauerziegel minderer Qualität (Fig. 25, 26); überhaupt fehlt der ganzen Arbeit jene Sorgfalt und Solidität, welche hier die Reste der ersten Kaiferzeit so genau kennzeichnet. Dem Nachdenken gestatten diese Baulichkeiten betreffs der Details ihrer einstigen Beftimmung und Verwendung weitern Spielraum, indem namentlich die beiden apsidenförmigen Halbkreise im Nordoften und Südoften im Boden Celejas (außer bei der Bafilica) noch nie vorgefunden wurden.

Bei 2 M. Tiefe (c) wurden einander parallel gelagert drei Säulen-Cylinder aus Tufffandftein im Durchmeffer von 40 bis 44 Cm. und 140, 155 und 190 Cm. Länge vorgefunden. Die Cylinderform fpricht gegen deren Verwendung als Säulen; wahrfcheinlich waren diefe Refte für Meilen- (Millien-) Steine beftimmt. Der vorgefundene Fuß einer Säule aus Cypollia, der mindeften, weil in keiner Weife wetterbeständigen Art des Bacherer Marmors, ift fchlecht erhalten, zum Zerfallen geneigt. Die gefammten Refte tragen den Charakter einer Baufführung fpät-römifcher Zeit.

An Römermünzen überhaupt wurden 22 Stück gefunden, wovon 13 ob ihres fchlechten Erhaltungszuftandes unbeftimmbar find; sie fanden fich durchwegs vereinzelt und über den römifchen Mauerreften im Mauerfchutte oder Dammerde vor. Von den beffer erhaltenen feien nachftehende hervorgehoben:

IVLIA MAMAEA. ℞ PERPETVITATI AVG(ufti)   (Gall)IENVS AVG.

MAXIMIANVS NOB(ilis) C(aesar) AVG(uftus).   ℞ SACRA MONET(a) AVG(uftoram) ET

CAESS(arium) NOST(rorum)   . . . AQT (Aquileja als Münzftätte).

Diefe befterhaltene Groß-Bronze trägt an der Averseite den Kopf des Kaifers, auf der Reversfeite die Moneta mit der Wage.

CONSTANTINVS AVG(uftus).   ℞ D(ominus) N(ofter) CONSTANTIN(us) VOT . X.

TSTVI (Tenelonica als Münzftätte).

D(ominus) N(ofter) VALENS P(ius) F(elix) AVG(uftus).   ℞ SECVRITAS

ASIS (Siscia, das heutige Siffek, als Münzftätte).

Im Schutte des Grundes der ehemaligen Dampffage Bontanpelli's fand fich ein kleiner Torfo (Relief), 15 Cm. hoch, 15 Cm. breit und 5 Cm. ftark aus Bacherer Marmor, als einzelnes Bruchftück weggeworfen, vor. Die im faltigen Gewande dargeftellte weibliche Geftalt, in der linken Hand den Untertheil eines Füllhornes haltend, ift eine ganz gute Steinmetzarbeit. Das Bruchftück lag in einem vollftändig zerrütteten Schutthaufen ca 1 M. tief (Fig. 27).   *Riedl.*

126. Ein bemerkenswerther Einzelfund wurde vorige Woche in *Wels* gemacht und der Stadtgemeinde Wels für deren Mufeum zugewendet. Es ift dies ein Bronzemeißel in der Länge von 16 Cm., mit einer Schneidenbreite von 3 Cm., grün patinirt; im Abftande von gleichfalls 3 Cm. vom oberen Ende ift ein Bronzedraht in fieben Umgängen darüber gewunden, welcher zur Befeftigung des Holzfchaftes

gedient hatte. Refte des letzteren find innerhalb der Windungen, vom Oxyd imprägnirt, noch erkennbar. Der Draht ift 1 Mm. breit, von halbkreisförmigem Querfchnitte (S. Fig. 28 in halber Naturgröße).

Die Fundftelle ift in der Gemeinde Pirnau, dicht an der Gränze der Stadtgemeinde Wels, 200 M. füdlich vom Bahnkörper der Kaiferin Elifabeth-Bahn, im natürlichen Schotter-Alluvium der Welfer Heide, 1½ M. unter dem Niveau. Es unterliegt keinem Zweifel, daß diefer Gegenftand fchon bei der Anfchwemmung des Gefchiebes fich hier befunden, andererfeits aber doch keine weite Strecke mit demfelben zurückgelegt habe, weil fowohl die Schneide als auch die Kanten der beiderfeitigen Schaftlappen keine folche Abfchleifung zeigen, welche die nothwendige Folge einer folchen Fortbewegung fein müßte.

Dr. *Franz Benack*, Confervator.

127. Am 27. Mai 1899 ftarb Hofrath *Heinrich Ritter von Zeißberg*. Wenngleich in den letzten Jahren nicht mehr im thatfächlichen Verband mit der k. k. Central-Commiffion für Kunft- und hiftorifche Denkmale ftehend, hat diefelbe doch einen pietätvollen Anlafs, fich diefes Gelehrten noch bei feinem Tode zu erinnern; denn er gehörte feit dem Jahre 1873 dem Gremium der Mitglieder diefer Commiffion an, in welchem er bis zu jenem Zeitpunkte verblieb, als er an die Spitze der Hof-Bibliothek geftellt wurde. Diefe

Fig 27. Cilli, Torfo einer weiblichen Figur.)

hochwichtige Aufgabe nahm ihn fo fehr in Anfpruch, dafs er bei feiner bekannten Pflichttreue fich genöthigt glaubte (von der Redaction des Werkes „Oefterreich-Ungarn in Wort und Bild" abgefehen), feine ganze amtliche Thätigkeit nur diefem Inftitute widmen zu müffen und unter anderem auch auf die Mitgliedfchaft der k. k. Central-Commiffion refignirte (1896). Zeißberg, zu Wien im Jahre 1839 geboren, war Schüler des hiftorifchen Seminars, feit 1862 Doctor Philofophiae, 1865 ordentlicher Profeffor der allgemeinen und öfter-

Fig 28 (Wels.)

reichifchen Gefchichte an der Univerfität in Lemberg 1871 an der zu Innsbruck und 1872 an der zu Wien. Im Jahre 1891 wurde er Leiter des Inftituts für öfter-reichifche Gefchichtsforfchung. Er war fchriftftellerifch mit Erfolg thätig und verlegte fich mit Vorliebe auf das Studium der Gefchichte der flavifchen Völker. Sein Werk „Die polnifche Gefchichtfchreibung des Mittelalters" wurde 1873 von der Jablonovsky'fchen Gefellfchaft mit dem Preife gekrönt. Hiebei kam ihm die Kenntnis der polnifchen Sprache ganz befonders zuftatten, die er fich eben mit Rückficht auf feine hiftorifchen Forfchungen mit regem Eifer erwarb.

Bei der Central-Commiffion war er ein überaus werthvolles und nützliches Mitglied. Er referirte

XXV. N. F.

meiftens über galizifche Angelegenheiten, die er mit befonderer Sachkenntnis, Unparteilichkeit und in wohlwollender Rückfichtnahme auf das Land behandelte, ohne dabei die Anfprüche, die die Gefammtheit des Reiches ftellen mußte, zu vernachläffigen. Die Central-Commiffion bewahrt ihrem hochverdienten Collegen, der fich durch fein freundliches Entgegenkommen ftets auszeichnete und mit allen Mitgliedern im beften Einverftändniffe ftand und wirkte, ein ehrendes und auszeichnendes Andenken.

128. *(Schonung alter Baudenkmale u. f. w.)*

Der Landesausfchuß des Königreiches Böhmen hatte die befondere Gefälligkeit, die k. k. Central-Commiffion über die neue Bauordnung für die königl. Hauptftadt Prag und für die königl. Städte Pilfen, Budweis und deren Umgebung unter Uebermittlung des gedruckten Berichtes deffelben an den Landtag Mittheilung zu machen. Die Central-Commiffion hat hievon mit großer Freude und Dank Kenntnis genommen, da fie daraus, weil von ihrem Standpunkte überaus wichtig, mit befonderer Befriedigung erfehen konnte, welch großes Gewicht in den genannten Städten auf die Erhaltung ihrer alten Baudenkmale und der alten Charakterzüge ganzer Gemeinden und einzelner Stadttheile gelegt wird. Es berechtigt dies wohl zu der erfreulichen Hoffnung, dafs diefe Communen in der Fürforge um die Erhaltung des hiftorifchen Charakters der in Anlage und Ausfchmückung äußerft merk- und denkwürdigen werthvollen Baulichkeiten u. a. in pietät- und verftändnisvoller Weife zur Ehre des Landes auch fernerhin verharren werden.

Es ift fehr intereffant, den erwähnten Bericht des Landesausfchuffes etwas näher zu durchblicken und eben jene Beftimmungen fchärfer ins Auge zu faffen, die fich auf Baudenkmale beziehen, deren Erhaltung und Sicherung darin ausdrücklich hervorgehoben ift, wie auch der Fortbeftand und die Forterhaltung des eigenthümlichen Charakters gewiffer einzelner Gemeinden durch ein Gefetz als nothwendig erkannt wird. Es wird anerkannt, dafs leider fehr viel Werthvolles bereits vernichtet, dafs der bisherige gefällige Charakter an vielen Orten durch neue gefchmacklofe Bauten verunftaltet wurde, und erft in der neueren Zeit fich in Böhmen die Ueberzeugung Bahn bricht, dafs die Werthung alter Baudenkmäler und des Charakters einzelner Gemeinden nicht abfällig genug verurtheilt werden kann. Namentlich in Prag, wo wir, wie felten in einer anderen Stadt fo zahlreiche intereffante und werthvolle Denkmale aus der Zeit der Gothik, Renaiffance und der Barocke vorfinden, und wo alle Bedingungen für die Entwicklung einer edlen Architektur nach vorzüglichen Vorbildern in jeder Richtung gegeben find, follte wohl in der alten Tradition fortgefchritten werden. Es wäre einer Stadt, wofelbft hervorragende einheimifche und fremde Künftler wirkten, wie: Arras, Peter Parler, Mathias Reyfek, Beneš von Laun, Ferrabosco, die Dienzenhofer, unwürdig, die alte Kunft nicht zu fchützen und für ihren Fortbeftand nichts zu thun Es foll übrigens nicht unberührt bleiben, dafs die Prager Künftler-Commiffion in der letzten Seffion eine Petition an den Landtag überreichte, damit die Prager Schanzmauern unter der Bedingung der Stadt Prag überlaffen werden, dafs aus dem durch den Verkauf der Schanzgründe gewon-

nenen Gelde ein befonderer Fond zur Erhaltung von Denkmälern und des Profpectes auf die Kleinfeite und den Hradfchin zugewendet werde. Die Central-Commiffion theilt diefe Anfchauungen des Berichtes zum Gefetzentwurfe vollkommen, doch fchweift ihr Blick über die Marken des Königreiches Böhmen hinaus und ruhet auf Oefterreichs Reichshauptftadt und fo mancher andern Stadt, auf welche der obige Klageruf ebenfalls beftens pafst. Ift in Wien beifpielsweife nicht fchon vieles Erhaltenswerthes unwiederbringlich verloren gegangen und wie vieles möchten die Projectemacher noch gern über den Haufen werfen? Was gefchah und gefchieht in Salzburg!

Im Berichte heifst es auf Seite 19: „In vielen Städten werden bisher gewöhnlich die Bedürfniffe nach befferer Communication berückfichtigt und nahm dabei die Meinung überhand, dafs dies am beften nur dann gefchehen kann, wenn für die künftige Regulirung das Syftem der rechteckigen oder quadratförmigen Häufergruppen eingeführt werde. Diefes merkwürdigerweife ungewöhnlich beliebt gewordene Syftem zeigte aber nur zu bald, dafs es die Individualität und den Charakter älterer Städte einfchneidend und gründlich vernichtet".

Derlei an anderen Orten gemachte bittere Erfahrungen bezeichnet der Bericht als erwägenswerthe Warnungen, auf die zu achten ift. Von größter Wichtigkeit ift geradezu der §. 6 des Gefetzentwurfes, der von der Anfertigung von Regulirungsplänen fpricht und unter anderem verlangt, dafs alsdann namentlich der Erhaltung von alten Baudenkmalen und des alterthümlichen Charakters einzelner Gemeindetheile, fowie der Erhaltung alter und der Schaffung neuer intereffanter Profpecte entfprochen werde. Auch fei insbefondere durch eine geeignete Abwechslung von geraden, gebrochenen und krummen Straßen der Einförmigkeit möglichft entgegenzuwirken.

Der dritte Theil des bezüglichen Gefetzentwurfes behandelt im §. 6 die Sicherung der alten Baudenkmale (Statuen, Monumente etc.) und verlangt in nachahmungswerther Weife, dafs derlei Denkmale in einem befonderen Verzeichniffe aufzunehmen find, welches die Baubehörde nach Anhörung der Künftler-Commiffion u. dgl. verfafst und welches der Landesausfchufs nach eingeholter Wohlmeinung der Statthalterei genehmigt. Das bezügliche Verzeichnis ift zu verlautbaren.

Aenderungen oder Ausbefferungen an diefen derartig verzeichneten Gebäuden und Denkmälern u. f. w. vorzunehmen, oder Malereien, Gedenktafeln, Statuen, Gitter etc. zu befeitigen, ift nur dann geftattet, wenn der Landesausfchufs mit der betreffenden Entfcheidung der Baubehörde etc. übereinftimmt. Wird die Vornahme folcher Aenderungen an Gebäuden bewilligt, fo ift die möglichfte Erhaltung des Aeußern der hiftorifch oder künftlerifch denkwürdigen Façaden anzuftreben, wie auch darauf zu fehen, dafs an einzelnen Häufern befonders kennzeichnende Giebel, Wappen, Zeichen, Figuren etc. in ihrer urfprünglichen Form oder doch

annähernd im gleichen Charakter in die neu herzuftellenden Partien aufgenommen werden.

Die Baubehörde ift verpflichtet, darüber zu wachen, dafs bei Ausbefferungen, Um- und Zubauten auch an anderen Gebäuden, welche in dem officiellen Verzeichniffe nicht aufgenommen find, Façaden von kunfthiftorifcher oder künftlerifcher Bedeutung oder andere Denkmäler nicht vernichtet werden, dafs der Ausblick auf malerifche Stadttheile nicht geftört werde und der befondere, künftlerifche und auch malerifche Charakter der öffentlichen Verkehrsflächen und deren Umgebung erhalten bleibe.

Diefer Bericht ift ein fehr lefenswerthes und zu beherzigendes Schriftftück.

Nicht minder intereffant find die einftimmig gefafsten Befchluffe einer am 16. April v. J. auf der Prager Sophieninfel abgehaltenen Verfammlung, welche fich ebenfalls mit der Erhaltung der alten Denkmale in Prag und in weiteren Theilen des Königreiches befchäftigte. Es find deren acht Befchlüffe, die hier kurz mitgetheilt werden follen. Im erften und zweiten Befchluffe wird die ungenügende pflichtmäßige Sorgfalt der maßgebenden Kreife um Erhaltung des alten Charakters des hiftorifch und künftlerifch werthvollen Theiles der Stadt, fowohl in ihrem Gefammtbilde als in den charakteriftifchen Einzelheiten vermifst und darin eine Schädigung der Stadt erkannt. Im Befchluffe 3 wird dagegen eine Verwahrung abgelegt, dafs das malerifche Prag allmählig um feine Schönheit und um fein jahrhunderte altes denkwürdiges Gepräge gebracht wird. In Refolution 4 wird empfohlen, bei Regelung der Stadt den Charakter jedes Stadttheiles zu würdigen und die Frage „Groß-Prag" nur im Bewufstfein der Verantwortlichkeit für Gegenwart und Zukunft zu löfen.

In Confequenz davon fpricht der Befchluß 5 diefe Löfung den heutigen maßgebenden Behörden ab, da denfelben in der jetzigen Zufammenfetzung das genügende Verftändnis mangelt und über das Schickfal Prag's als der Centrale des Landes die Vertretung einer einzelnen Stadt felbftändig und willkürlich zu entfcheiden nicht das Recht haben foll. Die Verfammlung befchloß im Punkte 6 zu verlangen, dafs die fo barbarifch vernachläffigte Umgebung von Prag ein integrirender Theil der Stadt werde und begrüßt (Punkt 7) die in Rede ftehende neue Bauordnung als ein dienliches Mittel, die gewünfchten Verbefferungen zu erreichen, unbeengt und unbehindert von dem Einfluße eines unter dem Vorwande des Rechtes des Privateigenthums nur dem Schalten und Walten egoiftifchen Unternehmungsgeiftes, Bauwuchers und Parcellirungsftrebens dienlichen Vorgehens. Schließlich (8) foll die neue Bauordnung auf alle jene Städte des Königreiches ausgedehnt werden, die für ihre Kunftdenkmale oder den alterthümlichen Charakter Schutz verlangen.

Die Central-Commiffion hat fich über diefe Befchlüffe in der anerkennendften Weife beifällig ausgefprochen.

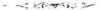

Aus dem Jahresberichte 1898 des Conservators Professor Rutar.

JN Šmartno bei Krainburg fand man im Frühjahre 1898 bei der Erdaushebung für die Grundmauern des neuen Schulgebäudes in einer Tiefe von weniger als 1 M. 13 Brandgräber mit schwarzen Topfscherben, eine Haarnadel, ein Armband, zwei Fibeln und mehrere verbrannte Eisenstücke. Die Gräber gehören zu der prähistorischen Ansiedlung auf der Smarjetna gora, die sich nördlich davon erhebt.

Töplitz bei Rudolfswert (Badeort). Am 15. Mai 1898 fing B. Pečnik auf der Hutweide von Mönchsdorf, genannt „Dolgi deli" zu graben an und fand in einem Hügel zwölf Gräber aus der Hallstätter Periode (fast lauter Thongefäße). Die entsprechende Ansiedlung befand sich südwestlich davon auf dem Hügel, 264 M., der von den Flüssen Radošica, Krka und Sušica fast ganz umflossen wird und daher schon von der Natur aus geschützt war. Der Grund ist durchwegs felsig und auf der Höhe der Kuppe war ein kleines Loch, welches 1897 erweitert wurde. Man fand darunter eine domartige Tropfsteinhöhle, die in archäologischer Hinsicht noch nicht untersucht wurde. Die noch gut erkennbare Umwallung maß bis 800 M. und hatte den Hauptzugang von Norden her (gegenüber der Kulava Sela). Am Walle findet man verbrannte Lehmstücke, Webstuhlgewichte, Schleifsteine und Spinnwirtel, darunter war ein winzig kleines (Spielzeug?). Die dazu gehörigen Hügelgräber (gegen 20 an der Zahl) liegen im Walde Branževec, südlich von der Kuppe 264. Der werthvollste Hügel war Nr. II auf der Parcelle 351, 16 M. im Durchmesser, 3 M. hoch. Er enthielt 42 Skeletgräber (über dem Kopfe eines jeden lag ein Stein), aber nur zwei Brandgräber. Sie enthielten meistens Thongefäße, Lanzen, Gürtel mit Bronzeschließen, Perlen, Fibeln, hohle Armbänder, breite Ohrringe u. s. w. Eine Fibel war von der Certosa-Form aus dem ersten Viertel des 4. Jahrhunderts v. Chr. Von den Thongefäßen hatten einige Töpfe und Schalen, unterhalb drei Füßchen. Ein kleiner hochhalsiger Topf hatte drei Henkel am Halsansatze, ein anderer war ein Multiplications-Gefäß mit accessorischen Töpfchen am Halse. Im Grabe 16 fand man als Schmuckgeschenk zwei Armringe, Ohrgehänge mit hakenförmiger Zusammenstellung und sechs entsprechenden Fibeln. Im Grabe 23 lag eine stark beschädigte Bronze-Situla, auf ihr war mit einem Steine bedeckt, in schönen Figuren ein öffentlicher Festzug mit Gastmahl zum Schlusse dargestellt. Noch größer war der Hügel Nr. V, 20 M. lang, 12 M. breit und 3 M. hoch. Er enthielt lauter männliche Leichen, im ganzen 47, die mit Steinen umlegt waren, so dass man drei Fuhren hätte davonführen können. Gegen die Mitte zu fand man das Grab eines Häuptlings (Nr. 9), welches beim Kopfe ein großes Thongefäß, zwischen den Füßen eine bronzene Situla mit Randern (ähnlich jenen am Magdalenenberge), unter den Knieen einen gut erhaltenen bronzenen Helm, zwei Lanzen, einen Kelt, zwei Certosa-Fibeln, eine Thonschüssel, einen zerfressenen Gürtel und noch viel Bronzerost enthielt. Bis Ende 1898 hatte B. Pečnik im ganzen neun Hügel mit 180 Gräbern aufgegraben. Mit Ausnahme der beiden speciell erwähnten waren alle anderen ärmer und minderwerthig.

Einen ausführlichen Bericht über die Grabungsresultate bei Töplitz wird Herr Custos *Szombathy* liefern, denn die Arbeiten wurden auf Kosten der prähistorischen Commission der kais. Akademie der Wissenschaften vorgenommen.

Vinivrh bei Weißkirchen. Auf dem Südabhange („Strmec") dieses 392 M. hohen Berges befinden sich Gräber aus allen drei Perioden. Die römischen Gräber kommen vor nordwestlich von der Capelle an der alten Straße gegen St. Margarethen, auf einer Terrasse von circa 220 M. Seehöhe, und zwar im Weingarten des Joseph Košak aus Unter-Kronovo, im nördlichen Theile der Parcelle Nr. 1912 der Gemeinde Weißkirchen. Vermischt mit ihnen fand man im Frühjahre 1898 auch La Tène-Gräber, aber die Arbeiter haben viele Alterthümer (Armringe, Fibeln) versteckt und sie heimlich bis nach Laibach verkauft. Anfangs December 1898 fand B. Pečnik römische Brandgräber mit Knochenresten und zerbrochenen Töpfen auf einem Acker ganz unter dem steilen Abhange des Vinivrh. La Tène-Gräber kamen weiter vor auf einem sanft geneigten Acker des nämlichen Košak, Parcelle Nr. 1972, und zwar in großer Menge; desgleichen etwas höher und nordöstlich davon im Weinberge des Lehrers Sribar, Parcellen Nr. 1559, 1562 und 1563, wo schon eine Unzahl von La Tène-Gräbern abgegraben und vernichtet wurde; nur einzelne gebogene Schwerter wurden herausgehoben. Die Leichen lagen mit dem Kopfe gegen die St. Josephi-Kirche zu, mit den Füßen gegen Südwest. Im Weingarten des Anton Padarić aus Prišlava (eben gelegen, circa 20 M. lang und ebenso breit) fand man in der Tiefe von 2 M. 26 Skeletgräber aus der La Tène-Zeit mit eisernen Schwertern, Schilden, Lanzen, Messern, Spitzen, Thongefäßen; bei weiblichen Leichen: Glasperlen, Kettchen, Spinnwirtel, Armringe, große schöne Fibringe u. f. w. Ziemlich nahe an der Josephi-Kirche, südöstlich davon, knapp unterhalb der Bezirksgränze, fand man Mitte April 1898 auf dem Grunde des Schmiedes Joseph Novk, Parcelle Nr. 1640, vier Skeletgräber, von welchen das letzte goldene Riemenbeschläge beim Kopfe hatte. Dieser Grund war vor wenigen Jahren ein Weingarten, der von der Reblaus vernichtet wurde und dann brach lag. Im genannten Frühjahre ließ der Besitzer darauf einen Rübenacker anlegen und bei dieser Bearbeitung wurden die Gräber gefunden. Im October 1898 grub B. Pečnik auf dem nämlichen Grunde weiter und fand in der Tiefe von 2·5 M. in einem weiblichen Skeletgrabe (Kopf gegen West) ein schönes Armband, verschiedene ungewöhnliche Halsperlen und einen Kamm aus Bein. Am 28. October fand er bei einer Kinderleiche wieder einen Beinkamm, dann eine kleine viereckige Bronzeplatte, an den Ecken durchlöchert und vergoldet. B. Pečnik meint diese Gräber dem 6. Jahrhundert n. Chr. zuweisen zu dürfen. Weitere Arbeiten werden jetzt bei der Weinberg-Rigolirung vorgenommen werden.

Laibach. Beim Ausheben des Grundes für das neue Gymnasialgebäude (Ecke der Tomangasse) fand man am 12. Juni einen Sarkophag aus weichem Stein mit Knochen, Grablämpchen und rundem Glasgefäß.

Am 17. Juni wurde ein ähnlicher Sarkophag mit einem weiblichen Skelette herausgehoben. Es fanden sich vor: längliche Glasperlen, ein goldenes Ohrgehänge, ein Armring aus Glas, eine Glasschale, zwei kleine Ringe aus Golddraht und ein Lämpchen. Daneben fand man noch sechs aus Ziegelsteinen zusammengesetzte Gräber; in vieren gab es Beigaben (zwei bronzene Armbänder, drei kleine Töpfe, zwei Lämpchen, ein Balsamarium [Glas], einen Krug und eine kleine Glasurne), in zweien nichts. Leider wurde das Terrain unter dem Hofe nicht durchgegraben, da das nicht in den Plan der Bauunternehmung passte und sich die Musealleitung darum nicht kümmerte. Die Gegenstände kamen ins Landes-Museum. Beim Canalgraben auf der Triester Straße stieß man auf mächtigere römische Seitencanäle, durch welche viel Wasser floß in der Richtung gegen den Hauptcanal, der parallel mit der Triester Straße vom Westabhange des Rosenbachberges (zwischen der k. k. Tabak-Trafik und der Korsikaschen Gärtnerei) gegen den Laibach-Fluß zuführte. Bei dieser Arbeit fand man außer einigen alten Münzen nur eiserne Werkzeuge aus der neueren Zeit.

In der Zeit vom 5. August bis Mitte December fand man beim Grundausheben für das Grajzar'sche Haus an der Wienerstraße, Nr. 24. auf einer Grundfläche von 32·5 × 12·6 M. über 100 römische Gräber aus dem 2. Jahrhundert, die etwa 1 M. voneinander entfernt lagen und ursprünglich 30 bis 40 Cm. tief gelegt waren, während sie bei der jetzigen Oberfläche schon fast 1 M. tief lagen. Die meisten waren Brandgräber (man fand nur zwei Skelette), und zwar ohne jegliche Einfassung, viele auch ganz ohne Beigaben; dann kamen viele Doliumgräber vor; dann Ziegelgräber, bei welchen aber der untere Ziegelstein fehlte und schließlich Urnengräber

(Glasurnen in steinernen Behältern). Dieses Gräberfeld lieferte eine ungemein reiche Ausbeute an römischen Gefäßen und Geräthschaften, wovon natürlich sehr viele ganz zerdrückt (es hatte früher ein Steinmetz sein grobes Material dort liegen), so daß sie nicht mehr zusammengestellt werden konnten. Man fand über 50 Balsamarien und über 30 ganze Birnenkrüge, acht Metallspiegel, acht große Dolien aus grobem Materiale (die zerstörten ungerechnet), wovon die stehenden mit Steinen bedeckt waren; vier ganze Glasurnen in steinernen Behältern und eine Unzahl von zerdrückten; sehr viele Schalen und Trinkbecher aus grünem und blauem Glase, gläserne Schüsseln und sonstige hochhalsige oder vierkantige Gefäße; viele beinerne Haarnadeln und Griffel, bronzene Stricknadeln, aber nur fünf Fibeln. Sehr schön sind die Teller (7) und Schalen (10) aus „terra sigillata" mit den Marken: POLLA, L·SEII, ICRI, ATRIM (?), VRSIO F, SMO......; dann eine Anzahl von Lämpchen mit den Marken: FORTIS, NERI, OCTAVI, POLLI, CERINÍII; viele mit Figuren, zum Beispiel mit dem Pegasus. Als Einzelfunde sind zu verzeichnen: eine Würfelbüchse, ein birnenförmiges Fläschchen aus Bronzeblech (8 Cm. hoch), ein Strigillis, ein Thürschloß, Schöpflöffel, eiserne Messer und eine eiserne Doppelspatel (für die Apotheker?).

Bei Errichtung einer Schutzstation gegen das Unwetter fand man auf Oklukova Gora, östlich von Videm (Steiermark), zwei große römische Fibeln und Topfscherben.

Bürgermeister Gab. Jelovšek von Ober-Laibach fand bei Holzenegg ein Stück eines Serpentinbeiles. Alle diese Gegenstände kamen ins Laibacher Museum.

Prähistorisches und Römisches aus Ober-Oesterreich.

Von Jos. Straberger, Conservator.

I.

Im Weilhart- und Lach-Forste.

IN dem weit ausgedehnten Waldgebiete des Weilhart- und Lach-Forstes an der Westgrenze des Landes Ober-Oesterreich, wo der Boden durch Culturarbeiten keine oder doch nur geringe Veränderung erlitten hat, sind Spuren, welche für die Besiedlung dieses Gebietes in vorgeschichtlicher Zeit zeugen, in nicht geringer Menge vorhanden.

Die archäologische Durchforschung dieses Terrains, die ich mir zur Aufgabe machte und die mich schon durch eine Reihe von Jahren beschäftigt, schritt bisher wohl langsam vor, da mir hiezu nur die wenigen Wochen meines Erholungsurlaubes zur Verfügung standen und ich auch mit den geringen Mitteln, welche mir das Museum Francisco-Carolinum in Linz zur Bestreitung der nicht unerheblichen Grabungskosten zu gewähren vermochte, rechnen mußte.

Bei diesen Arbeiten kann ich auf die eifrigste Mitwirkung des Correspondenten Hugo von Preen, welcher mit anerkennenswerthem Eifer und regem fachlichen Interesse durch eingehende Recognoscirung des betreffenden Landstriches der Sache vorgearbeitet hat, rechnen.

Derselbe hat im Sommer 1879 das achte und letzte Grab der Hügelgruppe zu Gansfuß bei Gilgenberg geöffnet und mir über das Ergebnis Folgendes mitgetheilt:

Der aus Rollsteinen gebildete Hügel hatte eine Höhe von nur 50 Cm. Die im Vergleiche mit den am gleichen Orte früher schon untersuchten Hügeln constatirte geringere Höhe des ersteren erscheint dadurch aufgeklärt, daß von demselben in den fünfziger Jahren ein Theil der Rollsteine zu Nutzzwecken abgeführt worden ist.

Nach erfolgter Abgrabung des Hügels kamen 20 Cm. über dem gewachsenen Boden folgende Gegenstände zum Vorschein, die auf dem dritten Theile der 5 M. messenden, in ganzen Ausdehnung mit Kohle, Asche und Knochentheilen bedeckten Grabfläche ziemlich gleichmäßig vertheilt lagen, und zwar:

Eine eiserne Messerklinge von 10 Cm. Länge;
ein eiserner Nagel, 5 Cm. lang, rund konisch in eine scharfe Spitze auslaufend;
eine Bronzenadel ohne Knopf.

Bemerkenswerth ist der Umstand, dass bei diesem Brandgrabe im Gegensatze zu den früher geöffneten der gleichen Gruppe sehr viele roth, braun und gelblich gefärbte Schüsseln, Teller, Schalen und Urnen vorkamen, die früher so häufigen graphitirten Gefäße hier dagegen ganz fehlten. Nur an einem einzigen rothen Gefäße war der Oberrand mit Graphit bemalt.

Was die Ornamentirung der vorgefundenen Gefäße betrifft, so bot dieses Grab nichts neues. Es wiederholt sich hier das übliche Häckchen-Motiv mit Guirlanden. Bei einer Urne von rothbrauner Farbe erscheint unterhalb des schmalen senkrecht stehenden Randes bei Beginn der Bauchung ein Ornament aus drei parallel stehenden Häckchen, die nach unten größer werden. Es hat den Anschein, als ob diese Verzierung auf einmal hergestellt worden sei, da die Häckchen mit auffallender Genauigkeit parallel gerathen sind.

Die Sortirung der diesem Grabe entnommenen Gefäßscherben ergab vierzehn verschiedene Typen von Thongefäßen, und zwar:

Ein kleines röthliches Gefäß;

eine Urne von rother Farbe;

eine große ziegelrothe Urne, schwach gebrannt, außen rauh und von Rauch geschwärzt, Halsdurchmesser 25 Cm.;

eine rothe Schale, klein;

eine rothe Schale anderer Art;

eine große verzierte Schüssel von grauem Materiale, außen braungelb, innen schwarzroth, Durchmesser des Oberrandes 25 Cm.;

eine verzierte Urne, außen roth mit schwarzen Flecken, innen roth, Randhöhe 1·5 Cm.;

eine große Schüssel aus grauem Materiale, außen und innen mattgelb, Randdurchmesser 20 Cm., Höhe 11 Cm., Bodendurchmesser 6 Cm. (konnte vollständig zusammengesetzt werden);

ein rothes Schüsselchen, Randdurchmesser 14 Cm., Höhe 7 Cm.;

eine Schüssel, Rand grau, sonst roth innen und außen, Randdurchmesser 22 Cm., Höhe 7 Cm.;

eine große plattenartige Schüssel, Material schwärzlich, außen roth, innen gelb;

eine große Schüssel, innen roth, außen schwärzlich, besonders die obere Umrandung, Randdurchmesser 20 Cm., Höhe 9 Cm., Bodendurchmesser 6 Cm.;

ein verzierter Teller von grauem Materiale, innen und außen roth, Randdurchmesser 27 Cm.;

ein flacher rother Teller.

Weiters hat *von Preen* im Sommer 1898 von einer am sogenannten Ochsenwege bei Rothenbuch im Bezirke Braunau am Inn entdeckten, aus zwei großen und neun kleineren Hügeln bestehenden Gruppe je einen von jeder Gattung versuchsweise abgegraben.

Der große Hügel, welcher bei einer Höhe von 1 M. einen Durchmesser von 8 M. hatte, bestand ganz aus Lehm und es zeigte sich keine Spur einer Steinsetzung.

60 Cm. unter der Kuppe fand sich die vasenartige Urne von schwärzlichem Thon, außen graphitirt. Sie konnte, ohne dass sie erheblichen Schaden nahm, gehoben werden.

20 Cm. tiefer lagen auf einer Aschenschichte von geringer Mächtigkeit schlecht erhaltene Fragmente einer eisernen Trense, dann der kugelige Knopf einer Bronzenadel, mehrere Eisenringe und zwei kleine 2 Cm. lange Pfeilspitzen aus Eisen in defectem Zustande; endlich eine große dickwandige Thonurne, im Innern derselben eine kleine ziegelrothe Schale mit rauher Oberfläche und eine zweite etwas größere von schwarzem Materiale.

Nach der Art der Grabanlage und nach der Beschaffenheit der Fundgegenstände zu schließen, gehört dieses Grab der jüngeren Hallstätter Zeit an.

Bei Abgrabung des zweiten kleineren Hügels, welcher eine Höhe von 50 Cm. und einen Durchmesser von 6 M. hatte, zeigte sich, dass derselbe nicht mehr intact war. Die spärlichen aus Gefäßscherben, Knochenresten und Schädeltheilen bestehenden Funde lagen zerstreut auf einer ca. 3 M. ausgedehnten mit großen Steinen (Tuff, Conglomerat) umgränzten 15 bis 20 Cm. dichten, mit Asche durchsetzten Erdschichte. Ueber die Grabfläche wölbten sich mehrere Lagen von Rollsteinen, und diese waren mit Erde überdeckt. Die Profilirung der vorgefundenen Oberrandstücke hart gebrannter Thongefäße stellen es außer Zweifel, dass dieses eine Grab der Römerzeit angehört, wofür auch die Lage des Hügels am „Ochsenweg" eines alten die bekannten Römer-Ansiedlungen Ueberackern und Ranshofen verbindenden Verkehrsweges spricht.

Die für den nächsten Sommer in Aussicht genommene Durchforschung der noch vorhandenen neun Hügel dieser Gruppe dürfte jedenfalls die wünschenswerthen näheren Aufschlüsse bezüglich des durch die Stichproben constatirten Vorhandenseins prähistorischer und römischer Gräber in ein und derselben Gruppe liefern.

II.

Micheldorf im Kremsthale.

An Einzelfunden aus vorgeschichtlicher Zeit, welche in Ober-Oesterreich im Jahre 1898 zufällig oder gelegentlich von Bodenculturarbeiten und son-

Fig. 1 und 2. (Micheldorf.)

stigen Erdbewegungen gemacht wurden, sind zu verzeichnen:

24*

Ein Steinhammer;

ein Steinmeißel;

vier Mefferklingen aus Bronze, gefunden bei Micheldorf im Kremsthale gelegentlich der Materialgewinnung für die Kirchdorfer Cementfabrik.

Diefe von den Steinbrucharbeitern verheimlichten, insbefondere wegen der eigenartigen Form der Bronzeklingen, welche in Fig. 1 und 2 in natürlicher Größe anfchaulich gemacht find, und auch in anderer Hinficht intereffanten Fundobjecte kamen aus zweiter Hand in den Befitz des hiefigen Mufeums, es mangeln daher genauere Angaben über die Lagerungsverhältniffe und fonftigen Begleiterfcheinungen.

III.

Blumau bei Kirchdorf im Kremsthale.

Ein Steinhammer, gefunden zu Blumau bei Kirchdorf im Kremsthale.

Dr. *Kenner* beklagt in feiner 1872 erfchienenen Arbeit „Ueber die römifche Reichsftraße von Virunum nach Ovilaba und über die Ausgrabungen in Windifchgarften" das Fehlen vorrömifcher Alterthümer in jener Gegend diesfeits der Alpen, von welcher damals mit Ausnahme eines 1867 in einem Torfmoore bei Windifchgarften gefundenen Bronzemeißels noch nichts bekannt war. Bereits 1874 kamen indeffen das Linzer Mufeum in den Befitz eines Spinnwirtels, eines Steinhammers, des Bohrzapfens eines Steinhammers und eines theilwefe bearbeiteten Steines mit angefangenem Bohrloche, die fämmtlich bei Micheldorf gefunden wurden.

In neuefter Zeit haben Profeffor P. *Sebaftian Mayr* in Kremsmünfter und deffen Nachfolger als Schul-Infpector des Bezirkes Kirchdorf Profeffor *Hans Commenda*, welche beide dem Verwaltungsrathe des Mufeums in Linz angehören, in Anknüpfung an die fehr gute Wandtafel über Alterthümer das Intereffe der Bevölkerung und der Lehrerfchaft auf derartige Funde gelenkt.

Es ift hiedurch gelungen, weiteres Material, wie oben gezeigt, zur Ausfüllung diefer Lücke zu gewinnen und berechtigt dies, da auch die Direction des Kirchdorfer Cementwerkes energifch Einfluß nimmt, für die Zukunft zu erfreulichen Hoffnungen auf weitere Vervollftändigung unferer Kenntniffe.

IV.

Kaufing bei Schwanenftadt.

In Kaufing bei Schwanenftadt wurde gelegentlich der Fundamentaushebung für die Erweiterung des dortigen Fabriksgebäudes ein Bronze-Palftab und zu Henhart im Gerichtsbezirke Mauerkirchen ein kleines Exemplar eines Bronze-Palftabes gefunden, welche beide gefchenkweife in den Befitz des Linzer Mufeums gelangt find.

V.

Kleinmünchen.

Von hervorragendem Intereffe find Funde aus der älteren Hallftätter Zeit, welche bei den im Sommer 1898 durchgeführten Arbeiten zur Regulirung des durch Hochwaffer im Vorjahre arg gefchädigten Flußbettes der Traun und des Traunarmes zwifchen Kleinmünchen und der Einmündung in die Donau gemacht worden find, nämlich: eine Bronze-Speerfpitze; ein Bronze-Palftab und ein Steinbeil. Diefe Gegenftände lagen ca. 4 M. tief im Schottergrunde und find in vollkommen gutem Erhaltungszuftande.

Unter den gleichen Verhältniffen find dortfelbft in den letztvergangenen Jahren mehrere ebenfalls der älteren Hallftätter Zeit angehörige Artefacte zutage gefördert worden, von welchen insbefondere ein Kupfer-Gußkuchen, zwei Schleiffteine und ein zweifchneidiges fcharfkantiges Steinbeil hervorzuheben find.

Der Traun-Fluß bringt infolge feines mächtigen Gefälles große Schottermaffen mit fich, welche er theils durch feine Nebenflüße erhält, theils den Diluvial- und Alluvial-Gefchiebmaffen feines eigenen auf der Unterftrecke fehr auenreichen und vielgefpaltenen Bettes entnimmt.

Nur gegenüber dem Ebelsberger Schloße, wo die Hochterraffe am rechten Ufer unmittelbar an das Flußgerinne herantritt, wird fein fonft von Wels ab 1·5 bis 2 Km. breites Hochwafferbett bis auf etwa die Hälfte durch einen Vorfprung des älteren Alluviums auf dem linken Traun-Ufer eingeengt, welcher durch die Knickung der Bahntrace unmittelbar nördlich der Station Kleinmünchen markirt wird. Von da folgt diefes fefte Ufer über die Neumühle und Spinnfabrik bis zur Eftmühle beim Orte Zizlau an der Traun-Mündung nach Nordweft ab, um das Wagram des Donau-Ufers zu bilden.

Es ift alfo die Strecke Blümelmühle, Füchfelhof-Eftmühle der natürliche Brückenkopf für eine Ueberfetzung des unteren Laufes der Traun. Das alte Hochufer eignete fich zu einer Anfiedlung in prähiftorifcher Zeit fehr gut, für deren Vorhandenfein auch der Umftand fpricht, dafs die vorerwähnten, an diefer Oertlichkeit gefundenen Stein- und Bronze-Gegenftände keine Spur der Abnützung zeigen, daher eine größere Ortsveränderung nicht erlitten haben können.

VI.

Pöfting bei Ottensheim.

Die Mufeal-Verwaltung in Linz wurde von der k. k. ober-öfterreichifchen Statthalterei unterm 7. Juli 1898

Fig. 3. (Pöfling.)

in Kenntnis gefetzt, dafs laut Vorfallenheitsberichtes der k. k. Bezirkshauptmannfchaft in Linz am 27. Mai 1898 bei Abgrabung des Lehmbodens in der Scheuer

des Pöftinger Gutes zu Pöfling in der Pfarre Walding, Gerichtsbezirk Ottensheim, in einer Tiefe von 60 Cm. die Gebeine von drei Individuen gefunden wurden, welche nach Angabe des Arztes über taufend Jahre dafelbft gelegen fein dürften; dafür fprachen auch zwei vorgefundene, wahrfcheinlich aus Bronze hergeftellte Ringe von 8 Cm. Durchmeffer und Topffcherben. Die Gebeine wurden im Friedhofe zu Walding beerdigt.

Als ich von diefer Mittheilung Kenntnis erhielt, begab ich mich fofort nach Walding und Pöfling, um an Ort und Stelle die nöthigen Erhebungen bezüglich diefes Fundes zu pflegen.

von zwei älteren und einem jüngeren Individuum in Reihen geordnet lagen und die Gefäße, welche bei Abgrabung der fteinharten Drefchtenne zertrümmert wurden, bei den Schädeln der mit den Füßen gegen Often gerichteten Skelette ftanden, welche Umftände auf ein ordentliches Begräbnis fchließen laffen.

Diefe Angaben hat auch Herr Dr. *Nicolaus Ambos*, praktifcher Arzt in Ottensheim, als richtig beftätigt.

Fig. 3 zeigt das Oberrandftück eines der gefundenen Gefäße und Fig. 4 und 5 zeigen die beiden Armringe in natürlicher Größe. Letztere find aus

Fig. 4 (Pöfling.)

Fig. 5. (Pöfling

Pöfling, ein kleiner Ort mit wenigen zerftreuten Häufern, liegt nördlich der Donau, 1·5 Km. vom Ufer entfernt, an der von Ottensheim über Freudenftein nach Landshaag führenden Bezirksftraße.

Da die Gebeine bereits im Waldinger Friedhofe beerdigt waren, fo befchränkte fich meine Erhebung auf die Befichtigung der Fundftelle und der aus Topffcherben und Bronze-Ringen beftehenden Funde, welche der Hauseigenthümer Franz Zauner forgfältig aufbewahrt hatte und fie mir über Erfuchen für das hiefige Mufeum bereitwilligft ausfolgte.

Von dem Gendarmerie-Poftencommando in *Ottensheim*, welches zuerft Kenntnis von dem Funde erlangte und hievon die Anzeige erftattete, wurde mir über Befragen die Auskunft ertheilt, dafs die Skelette

Bronze, von ganz gleicher Größe, und weichen nur hinfichtlich der Verzierungsweife, welche bei beiden höchft primitiv ift und ebenfowenig Kunftformen als technifche Fertigkeit verräth, voneinander ab. Die Gefäßfcherben zeigen das bekannte Wellenlinien-Ornament, das häufig auf Topfgefäßen provincialer Erzeugung aus der Römerzeit vorkommt, mehrfach aber auch für ein den Slaven eigenthümliches Decorationsmotiv gehalten wird.

Dafs im frühen Mittelalter der Landftrich an dem linken Donauufer von der Rottel auf- und abwärts von Slaven befiedelt war, dafür zeugt der Name Tabor des Schloßberges in Ottensheim und auch die Stiftungsurkunde des Klofters Kremsmünfter, in welcher flavifche Grundbefitzer von Puchenau (zwifchen Linz und Ottensheim) angeführt find.

Die Culturgruben bei Dobřan in Böhmen.

Vom Correfpondenten *J. K. Hraſe*.

AUF der Oftfeite der Irrenanftalt zu Dobřan bei Pilfen erftrecken fich große Feld-Complexe, welche in neuerer Zeit von der Stadt Dobřan, der fie angehören, der Anftalt zur Gemüfecultur verpachtet wurden. Zu diefem Zwecke ließ die Direction der Irrenanftalt den Boden tief durchgraben, düngen und umwerfen, um eine größere Bodenfruchtbarkeit zu erzielen.

Bei diefen Arbeiten zeigten fich auf mehreren Stellen fchwarze Erde, Afche, Kohle, gebrannter Lehm, verfchiedene größere und kleinere Scherben, größere und kleinere Stücke vom rohen unbearbeiteten Feuer-

ftein und aus demfelben verfertigte Pfeile, Meffer, Meißel, ferner kleinere und größere Stücke von Serpentin und aus demfelben gearbeitete Geräthfchaften, als: Meißel, Aexte, Hämmer und endlich geglättete größere Sandfteine. Da fich bei andauernder Arbeit derartige auffallende Gegenftände immer mehr und mehr ergaben, machten die Arbeiter den Primarius der Anftalt Herrn Dr. *J. Hellich* und fpäter den Director der Anftalt Herrn Dr. *Johann Hrafe* auf diefe Erfcheinung aufmerkfam, welche alfogleich die nothwendigen Schritte zur Erhaltung und Aufbewahrung der gefundenen Gegenftände machten und gleich-

zeitig den Ausgrabungen die gehörige Aufmerksamkeit schenkten.

Beide Herren erkannten bald, daß es sich hier um eine wichtige prähistorische Ansiedlung handle und daß die ausgegrabenen Gegenstände aus prähistorischen Culturgruben stammen. Den Arbeitern wurde aufgetragen, bei diesen Arbeiten aufmerksam zu sein und alle gefundenen Gegenstände der Direction zu übergeben. Auf diese Art gelang es den beiden Herren eine große Anzahl von Feuerstein- und Serpentin-Sachen, Scherben aus verschiedenen Gefäßen, sowie auch einige Schleifsteine zu gewinnen und dem königl. böhmischen Landes-Museum in Prag zu übersenden.

Zu gleicher Zeit wurde ich von dieser Fundstelle benachrichtigt und zur Besichtigung und eventuellen Durchforschung der prähistorischen Fundstelle eingeladen, welcher Einladung ich gern Folge leistete. In den Ferien 1897 und 1898 verweilte ich deshalb in Dobřan.

Gleich bei der ersten Besichtigung des Terrains, auf der Ostseite der Anstalt, das sich zu einem kleinen Bächlein neigt, bemerkte ich nach den vielen schwarzen Erdflecken, daß zahlreiche Gruben bereits aufgemacht und ausgegraben waren.

Nach Besichtigung der vorgelegten Gegenstände schritt ich selbst zum Durchgraben und Durchforschen dieser prähistorischen Culturgruben. Die Form derselben ist entweder länglich, mit geraden steilen Seitenwänden oder kesselförmig. Die Länge derselben mißt zwischen 2 bis 3 M., die Breite 1 bis 2 M. und die Tiefe 1 bis 1·2 M. In einigen Gruben war der Boden mit Lehm ausgefüllt, der infolge des in denselben bestandenen Brandes roth gebrannt wurde. Einige dieser Gruben hatten auch die Seitenwände mit Lehm angestrichen, wahrscheinlich deshalb, damit die Erde nicht herunterrolle. Der oberste Theil der Gruben war unter dem Humus mit Asche ausgefüllt. Gleich unter der Asche befanden sich Stückchen Kohle, dann Scherben und verschiedene steinerne Werkzeuge, sowie Eisenschlacken, die durch den intensiven Brand aus dem eisenhältigen Gestein, das hier häufig vorkommt, entstanden sind.

Man fand:

I. Gegenstände aus Feuerstein.

1. Fein gearbeitete Messer, die 6 bis 9 Cm. lang und 1 bis 1·4 Cm. breit sind; von denselben wurden weit über 200 Stück gefunden.

2. Pfeile, 40 Stück, 4 bis 7 Cm. lang und 1 bis 3 Cm. breit.

3. Sägen, 26 Stück derselben Größe.

4. Kleine Meißel in großer Anzahl.

5. Größere und kleinere Stücke von rohem Feuerstein.

II. Gegenstände aus Serpentin.

1. Streithämmer und Aexte, theils spitziger, theils ovaler Form. Die größte Zahl derselben war jedoch mehr oder weniger gebrochen.

2. Meißel verschiedener Länge (8 bis 16 Cm.) und Breite (4 bis 6 Cm.). Dieselben sind schön polirt. Von denselben wurden gegen 40 Stück gefunden.

3. Schleifsteine länglicher (bis 8 Cm.) und abgerundeter Form, die wahrscheinlich zum Poliren der feineren Gegenstände benützt wurden.

4. Bohrzapfen, die bei der Bohrung der Streitäxte und Hämmer ausgefallen sind.

III. Gegenstände aus Sandstein.

1. 20 Stück große und kleine Schleifsteine, auf denen die bereits beschriebenen Flint- und Serpentinstein-Geräthe geglättet wurden. Dieselben sind 20 bis 33 Cm. lang, 25 Cm. breit, ursprünglich, wie an den beiden Seitenwänden zu bemerken ist, 12 Cm. hoch und sind in der Mitte durch das beständige Schleifen um 2 bis 5·4 Cm. vertieft. In einem dieser Schleifsteine bemerkt man schöne Conglomerate von Turmalin, weißem und rothem Quarz u. s. w. eingesprengt.

2. Ein Webestuhlgewicht, 13 Cm. hoch, ein wenig abgestutzt, unten 10 Cm. breit und 2 Kg. 270 Gr. schwer. Zwei Seitenwände sind glatt, ein Beweis, daß sich dieses Gewicht zwischen zwei Leisten des Webestuhles bewegte, eine Vorrichtung, die noch heute an mehreren Webestühlen in den Dörfern bemerkt werden kann.

3. Zwei Webeschiffchen (?). Länge des einen = 14 Cm., Breite an der Spitze 2·5 Cm., an der entgegengesetzten Seite (Handseite) 4·3 Cm. Vom zweiten wurde nur die Hälfte gefunden. Nebst diesen Geräthen befanden sich noch drei Spindelwirtel, aus grauem Lehm gearbeitet.

Außer diesen Sachen wurden auch zahlreiche Ueberreste thierischer Knochen, namentlich Rinder-, Schweine- und Pferdeknochen, die natürlich schon morsch waren, gefunden.

IV. Scherben von Gefäßen.

1. Viele sind grob und ohne Ornament, die meisten jedoch haben sehr feine einfache und combinirte Ornamente und deuten auf eine verhältnismäßige Intelligenz ihrer Verfertiger. Viele Scherben sind Ueberbleibsel von großen halbkreisförmigen Henkeln mit groben Löchern, andere von kleinen niedlichen Gefäßchen, mit rundem Boden oder gebrochenen gürtelförmigen oder in den Gürtel gestochenen Verzierungen. Auf vielen erblickt man aufgelegte Wülste mit Eindrucken, die sich in der Form eines Gürtels um das Gefäß zogen.

Aus dem Mitgetheilten geht hervor, daß alle diese Gegenstände der Ansiedlung eines prähistorisch unbekannten Volkes, das sich hier längere Zeit aufhielt, angehören und ähnlich sind den Culturgrubengegenständen der Pilsener Umgebung bei Kyšic und Stáhlav.

Zum Schluße spreche ich den beiden Herren Director Dr. J. Hraše und Primar Dr. J. Hellich für ihre, mir bei der Nachforschung geleisteten Dienste den wärmsten Dank aus.

Aus dem Staats-Museum zu Aquileja.

Vom Conservator Dr. E. Maionica.

IM Jahre 1879 wurden in der Gegend Mariniane auf einem Grundstücke, welches damals dem Grafen *Cassis*, jetzt den Herren *Candutti* aus Romans gehört, ungefähr in der Nähe der Fundstelle Nr. 46 meiner Fundkarte von Aquileja (Wien 1893), zwei überlebensgroße Kaiferstatuen gefunden, von welchen eine hier (Fig. 1) abgebildet ist.[1] Diefelbe ist aus feinkörnigem weißen Marmor. Die Höhe beträgt 2·20, die Breite 0·90, die Gesichtslänge 0·28 M.

Abgebrochen find die linke Hand und beide Füße, von welchen nur einige Bruchstücke mit Spuren der

Fig. 1.

Schuhe, die am Gelenke geknüpft waren, erhalten find. Der rechte Arm, der angesetzt war, wie dies aus der vorhandenen Vertiefung sammt Ansatzvorrichtung hervorgeht, fehlt. Die Nase und viele Gewandfalten, befonders am unteren Rande links, find beftoßen. Erworben im Jahre 1880 (Sculpturen-Inventar Nr. 188). Vgl. Wegweifer des Staatsmufeums 1884, 14, 1. *Bernoulli*, Röm. Ikonographie II, 154 f. Abgebildet in der Leipziger „Illustrirten Zeitung" 1884, S. 137.

Die Statue steht auf dem rechten Beine und hat das linke etwas vorgefetzt. Die Unterarme find halb

[1] Ueber die andere fiehe Seite 209

erhoben, der Kopf ist leife nach rechts gewendet, das Haar über der Stirn, welche nach oben etwas vortritt, gekräufelt, die Nafe ftark gebogen, der Mund und das Kinn fcharf markirt, das linke Ohr etwas hoher als das rechte, der Hals lang und mit einer Furche, der Adamsapfel hervortretend. Ernfter aber nicht unfympathifcher Ausdruck eines etwa dreißigjährigen Mannes.

Die Bekleidung befteht aus einer Aermel-Tunica und einer über das Hinterhaupt gezogenen Toga, deren Gewandfalten tief geführt find und der Tracht der erften Kaiferzeit entfprechen (vgl. Verzeichnis der Berliner Sculpturen 1891, Nr. 341 u. f. w.). Zufammen mit der Statue wurde ein *Scrinium* gefunden, welches mit viereckiger Schloßplatte und herabhängenden Henkelriemen verfehen, vielleicht an der rechten Seite des Poftamentes geftanden hat. Die Arbeit ift fehr kräftig und forgfältig, befonders in der Behandlung der Gewandfalten; die Rückfeite ift nur angelegt, die Oberfläche zeigt Spuren der Verwitterung.

Im Mufeum befindet fich feit Auguft 1897 ein zweiter Marmorkopf, der diefelben Gefichtszüge wie die Statue zeigt. Derfelbe gelangte früher zufammen mit anderen Sculpturen und Infchriften aus Aquileja (zum Beifpiel C. V. 790, 1230, 1338, 1638, 1653, 1708) ins Haus *Romano-Shuelz* in St. Rocco bei Görz, fpäter ins Görzer Landes Mufeum, aus welchem er mit der übrigen römifchen Steindenkmälern infolge eines mit der Görzer Landesvertretung getroffenen Uebereinkommens dem Staats-Mufeum zu Aquileja als Depot übergeben wurde.

Der Kopf ift aus grobkörnigem weißen Marmor und zum Einfetzen auf eine Statue beftimmt. Die Höhe beträgt 0·38, die Gefichtslänge 0·18 M. Die Nafenfpitze und manch andere Stelle des Gefichtes find beftoßen. Die Züge entfprechen faft vollkommen denjenigen der Statue, nur hier ift das befonders lange Haar im Nacken fichtbar, da das Hinterhaupt nicht umhüllt ift.

Es ift hinreichend bekannt, dafs bei den vielfachen Maßregeln militärifcher und politifcher Natur, welche zur Sicherung der Alpen- und Donauländer in der erften Kaiferzeit getroffen wurden, Aquileja derart in den Vordergrund trat, dafs es durch den Aufenthalt von Mitgliedern des kaiferlichen Haufes und eines Theiles der Prätorianer den Charakter einer Refidenzftadt gewann.

In folcher Zeit werden fich gewifs den Bewohnern Aquilejas Gelegenheiten zu Loyalitätskundgebungen für das Kaiferhaus ergeben haben, und thatfächlich find trotz Vernichtungen und Verfchleppungen in Aquileja noch etliche Denkmäler vorhanden, welche zu diefen den Julifch-Claudifchen Haufes geftiftet wurden. Die Infchrift C V 852 gilt dem Auguftus, die C V 853 dem Nero Julius, dem Sohne des Germanicus (geb. 6—5 n. Chr., geft. 31 n. Chr.); im Jahre 1891 wurden bei Monaftero Spuren eines tempelartigen Gebäudes entdeckt, dabei lag ein Architrav-Stück mit der

Infchrift GERMANICO (Jahresberichte über das Staats-Mufeum in Aquileja 1882 bis 1891, Wien 1898, S. 100 ff.). Die bekannte Silberfchale aus Aquileja in den kunfthiftorifchen Sammlungen des Allerhöchften Kaiferhaufes in Wien (vgl. *Sacken* und *Kenner*, Das k. k. Münz- und Antiken-Cabinet, pag. 335, Nr. 41) wird auf Agrippa, Germanicus, Claudius oder Nero bezogen.

Unter den Marmorbildwerken befitzt das Staats-Mufeum eine Statue von Kaifer Claudius, welche 1879 zufammen mit der hier befprochenen gefunden wurde; ferner eine im Jahre 1894 ausgegrabene Gewandftatue einer Matrone, welche vermöge der Ausführung und der noch erhaltenen Spuren der Haartracht (der Kopf fehlt) wahrfcheinlich einer Frau julifchen Geblütes gegolten haben wird. Eine Marmorbüfte verräth die Züge des jugendlichen Auguftus, ein fchöner Marmorkopf diejenigen der Agrippina senior, die Ueberrefte eines Kopfes aus Aquileja in der Sammlung Toppo in Buttrio

bei Udine weist die Haartracht der fogenannten Octavia auf.

Nun haben beide Köpfe, die hier befprochen wurden, große Aehnlichkeit mit den Münzporträts des Tiberius, welcher nach Sueton (Tib. 7) Grund hatte, an Aquileja zu denken, als ihm das Pfand feines Eheglückes, das Kind, welches zu Aquileja zur Welt gekommen war, fchon in früher Kindheit ftarb. Tiberius' Verbindung mit Julia dauerte vom Jahre 11 bis 6 v. Chr., und in diefer Epoche fchien deffen Stern im Haufe des Auguftus aufgehen zu wollen; aber fchon im Jahre 6 v. Chr. hatte der ftolze Claudier feine unwürdige Gattin verftoßen und fich in die Verbannung nach Rhodus begeben. In den Jahren 11 bis 6 v. Chr., als Tiberius (geb. 19. Auguft 42 v. Chr.) 31 bis 36 Jahre alt war und nach Agrippa's Tode in voller Gnade bei Hofe lebte, dürften die Bewohner Aquilejas Ehrenbildniffe dem Prinzen, der ihnen fo nahe ftand, gewidmet haben.

Aus einem Berichte des Profeffor Dr. W. Neumann an die k. k. Central-Commiffion ddo. 7. October 1897.

IV.

Von Stagno fuhren wir nach Ragufa und Lacroma. *Ragufa*, befonders das Dominicaner-Klofter, kommt fo oft in den Acten der Central-Commiffion vor, dafs es überflüßig erfcheint, die herrliche Stadt hier mit den längftbekannten Lobeserhebungen und Schilderungen dem Lefer vorzuführen. Nur foviel fei gefagt, dafs, als ich bei Porta Pille die Stadt betrat, der in den Acten der Central-Commiffion öfter vorkommende Brunnen noch immer nicht freigelegt war.

Das nächfte Ziel war die Infel *Lagofta*. Die Annäherung an die Infel ift nur bei großer Vorficht ungefährlich; denn viele Klippen, Lagoftini genannt, drohen dem Schiffe Verderben. Wir fuhren gegen Valle Magazzini, wohin uns fchließlich unfer Schiffsboot brachte. Das Thal, in welchem ein Paar nicht einladende Gebäulichkeiten fich befinden, riecht nach Sardinen und Sardellen, denn hier ift der Verladeplatz für die Fäßchen mit Sardellen. Der Weg den wir nun zu einem Pafsübergang hinauf einfchlugen, gehört zu den fchlechteften, die ich in Dalmatien gefehen. Hinauf ging es noch an, aber abwärts erfchien er gefährlich. Wohl 400 Fuß hoch ftiegen wir bis zu einer Capelle, wo wir den Ort Lagofta überblickten, der wie in den Trichter eines Kraters hineingebaut erfchien, obfchon allerdings an einen wirklichen Krater nicht zu denken ift. Der Weg zur Kirche ging ziemlich in den hoechften Partien des Keffels dahin. Vor der Kirche eine Terraffe, von der man den Ort überblicken konnte. Ganz in der Nähe, etwas tiefer waren ein paar unfcheinbare Capellen. In der Pfarrkirche ift ein Bild S. Cosma e Damiano von *Lanfranco*, welches *Schellein* rentoilirt und hergeftellt hat. Lanfranco ift geboren 1581, geftorben 1647. In den wiffenfchaftlichen Mittheilungen aus Bosnien V, S. 537, bringt *Radić* Nachrichten und Urkunden über diefes gewöhnlich für einen Tizian gehaltene Bild. Nach

Radić ift das Bild 1632 zu Rom von Cavaliere Giov. Lanfranco und Giov. Scrivetti gemalt worden. Ein prachtvoller Tabernakel, den ein Deutfcher: Urban di Lurgge (!) in Ragufa 1638 verfetzt hat, exiftirt nicht mehr. (Radić bringt die Rechnungen.) Am Seitenaltare rechts befindet fich eine 1545 (1595?) gemalte Grablegung Chrifti, welche wahrfcheinlich durch einen Reftaurator fo gründlich gereinigt wurde, dafs alle Lafuren vollftändig verfchwunden find. Das Bild macht einen jämmerlichen Eindruck. Im rechten Seitenfchiffe an der Südwand befindet fich ein ziemlich gutes fpätvenetianifches Oelgemälde S. Madonna del Carmine. Die koketten Mienen fallen befonders unangenehm auf. An dem in dem gothifchen Triumphbogen eingefetzten Bogen ift, wie auch in Deutfchland, das jüngfte Gericht al fresco gemalt. Beim Austritte aus der Kirche wurde ich durch die Schönheit des bronzenen Weihwaffergefäßes überrafcht, das laut Infchrift von *Bonino de Boninis* ftammt.

Der Weg zum Grunde des Keffels war fchrecklich, aber die Mühe wurde belohnt durch den Anblick eines Gemäldes in der Capelle Madonna del Campo, das wir hier nicht vermuthet hätten. Es ift fignirt *Franciscus Biffolus* und fteht noch dazu mit einer Infchrift in Stein in Verbindung: Virgini Matri Boninus de Boninis Decanus Tarvifinus Aere suo f. f. 1516 (reftaurirt 1807). Sowohl der Donator als der Maler waren aus Treviso. Francesco Biffolo ift von 1492 bis 1530 als Maler thätig, zunächft Schüler des Bellini, an den auch diefes Bild erinnert. Es ftammt aus der Zeit, da die Infel im Befitze der Ragufaner fich befand, und ift auf Holz gemalt, das leider ftark zerfprungen ift. Madonna in throno mit dem nackt ftehenden Chriftuskinde, zur Füßen des Thrones der oft dargeftellte Engel die Laute fpielend. Der Donator kniet links vor dem Throne, neben ihm St. Cosmas und Damian, auf der

rechten Seite des Bildes St. Johann Bapt. und St. Sebaſtian. Leider iſt die ihm Jahre 1807 vorgenommene
Reſtauration ſo ſchlecht als nur denkbar ausgeführt
worden. Von der oberen Kirche hieher und zurück
zum eigentlichen Orte brauchten wir 1³/₄ Stunden im
Ganzen. Der Weg war ſo ſchlecht, wie ich kaum
irgendwo in Syrien einen ähnlichen geſehen habe.

Außer dieſem Orte iſt nichts auf der Inſel, was
die Central-Commiſſion intereſſiren würde. Die Tropf-
ſteingrotte würde dann intereſſiren, wenn prähiſtoriſche
Funde gemacht worden wären. Allein man wußte mir
nichts über ſolche Funde zu erzählen.

Als wir zum Schiffe gekommen waren, ſahen wir,
daß das Aneroid ſehr ſtark gefallen ſei und der Capi-
tän kündigte an, daß unſer Ausflug bald ein Ende
finden werde.

Wir landeten auf *Curzola*, und zwar im Angeſichte
der *Badia*. Es war ſchwer zwiſchen den ſehr vielen
Klippen ſich hineinzuzwängen. Ein größeres Schiff
hätte überhaupt den Verſuch alſogleich aufgeben
müßen. In einer wie idylliſchen ſtillen Bucht liegt die
alte Badia, nun ein Franciscaner-Kloſter. Darüber ragt
der *Monte Vipera* in die Lüfte, links auf einer Höhe
liegt *Lombarda*. Die Franciscaner haben den alten
Benedictiner-Charakter des Baues nicht zu verwiſchen
vermocht. Hinter dem Hochaltar eine Mariä-Himmel-
fahrt gemalt nach Tizian. Ein Crucifix, wie man ſie
Sacro volto nennt, aus Holz, iſt auf dem Altar aufgeſtellt: die Tafel zu Füßen des Gekreuzigten gibt die
Jahreszahl 1521. Da alle dieſe Crucifixe nach dem
Sacro volto von Lucca gemacht ſind, iſt auf ihr Alter
kein Schluß erlaubt. Das Holz iſt ſo wurmſtichig, daß
die Füße ſchon wegzufallen beginnen; der Guardian
fragte mich, ob es kein Mittel gebe, dem Wurmfraße
ein Ende zu machen. Ich weiß keines. Die Sache kam
ſpäter in die Acten der Central-Commiſſion. Das Refectorium hatte eine ähnliche Ausſtattung, wie das in der
Stadt Lefina.[1]

40 Minuten, nachdem wir das Kloſter verlaſſen,
legten wir vor der Stadt Curzola an. Ein Theil der
maleriſchen alten Stadtmauern iſt ſchon gefallen, der
Reſt wird wahrſcheinlich auch nicht mehr lang ſtehen.
Der erſte Weg war zu dem hochgelegenen Dome, wo
der Conſervator Canonicus *Natale Trojanis* ſelbſt den
Führer machte. Die Wache haltenden Löwen (man
vgl. die Dome von Spalato, Trau, Sebenico) und die
zu einem Knoten verflochtenen Doppelſäulen am Portal erinnern an Italien. Der Stein wird auf der Inſel
gebrochen und iſt ſehr geſchätzt, weil er den Unbilden
der Temperatur guten Widerſtand leiſtet. Der Dom,
eine ehemalige Abteikirche S. Marco, ſtammt aus dem
14. Jahrhundert. Der Canonicus machte mich auf die
nun vermauerten Loggiotte hoch oben an den Längs-
wänden des Mittelſchiffes aufmerkſam, deren Eröffnung
er wünſchte, ſowie eine paſſende Umgeſtaltung der
Mittelſchiffdecke. Auch dieſer Act iſt der Central-
Commiſſion ſchon vorgelegen. Das Hochaltarbild
ſtammt von Tintoretto. Das Crucifix mit den knieenden Donator, dem Biſchofe, ſoll von Baſſano ſtammen;
das Altarblatt auf dem Dreifaltigkeits-Altar ſoll nach
Modrić, Dalmazia, p. 160 von Jacopo da Ponte gemalt
ſein. Das ſchöne Madonnenbild von Ridolfi hat Director
Scheltein 1876 reſtaurirt.

[1] Ueber Badia (= Otok) ſiehe Starohrватska Prosijeta 1897, S. 86.

XXV. N. F.

Auf dem Wege zur Allerheiligen-Kirche konnte
ich den Thürklopfer am Hausthore des Notars Raffaei
Arneri bewundern. Faſt dieſelbe Mache wie in Capo
d'Iſtria: Neptun ſtehend zwiſchen zwei Löwen, die mit
den Köpfen abwärts dargeſtellt ſind. Ein Meiſterſtück
iſt dieſer Thürklopfer auf jeden Fall.

Man ſagte mir, daß die kleine Allerheiligen-
Kirche der erſte Biſchof von Curzola 1303 gebaut habe.
Es war dies Johannes Crusius (Ivan Krozijo) 1300 bis
1312, er hat hier eine Allerheiligen-Bruderſchaft ge-
gründet. *Radić* (a. a. O. S. 356) berichtet über ein
Altartriptychon mit vielen Tempera-Bildchen. Noch
aus dem 14. Jahrhundert könnte ein Crucifix ſtammen,
welches Radić der Allerheiligen-Bruderſchaft zuſchreibt.
Im Ganzen ſind drei auf Holz gemalte Crucifixe dieſer
Capelle auf die Bruderſchaft zurückzuführen. Auf dem
flachen Plafond ſind die fünfzehn Geheimniſſe des
Roſenkranzes dargeſtellt. Als Maler nennt man mir den
Trifone Cocoglia, wahrſcheinlich einen Bewohner von
Curzola. Im Obergeſchoße befinden ſich zehn Holztafelgemälde, die aus Candia hieher gebracht worden
ſeien; ich konnte folgende Bilder als byzantiniſch bezeichnen, ſowohl dem Style als auch den Inſchriften
nach: 1. heil. Georg, 2. Madonna Hodigitria, 3. M. Pe-
leuſa, 4. drei Heilige, 5. Sanct Theodorus und Johann
Bapt., 6. Mann und Frau?, 7. der Heiland mit Aufſchrift ΕΓΩ ΕΙΜΙ, 8. heil. Georg, 9. und 10. ſind anders
ſtyliſirt.

In der Dominicaner-Kirche, welche wirklich recht
ärmlich daſteht, iſt auf dem Hochaltar eine Copie des
heil. Petrus Märtyrer nach Tizian (der Altar wurde
vom Biſchofe Spanich [1675—1708] errichtet).

Eine kleine reizende Façade aus der Früh-Renaiſ-
fance hat die Annunziata-Kirche; jetzt gehört ſie zum
Gebäude der Finanzwache. Mir that ſehr leid, daß das
ſchöne Werk ſo verſteckt iſt, und daß, wenn einmal
Umbauten nothwendig werden, das Werk zerſtört
werden dürfte. Vielleicht könnte der Conſervator
Canonicus *Trojanis*, der ſichere Kenner der Geſchichte
Curzolas, genaueres über die Kirchen zu Allerheiligen
und Annunziata bringen und vielleicht auch auf dieſe
kleine Façade inſoweit Acht haben, als er, wenn ihr
Gefahr droht, nach Thunlichkeit ſie zu erhalten ſtrebe.

Nachts war Sturm, doch erhielt ſich das Wetter
des nächſten Tages günſtig. Wir fuhren in den Hafen
von *Valle grande* (der ebenfalls zu Curzola gehört).
Valle grande hat als Ortſchaft ſich bedeutend gehoben. Die Hafenbauten ſind gewachſen, die Bewohner-
ſchaft hat von 500 Seelen (im Jahre 1854) ſich auf
3000 gehoben. Die Kirche, welche einer kleinen
Seelenzahl genügte, iſt jetzt viel zu klein. Wir fahen es
ſelbſt, daß ein großer Theil der Beter außerhalb der
Kirche ſtehen mußte, innen war abſolut kein Platz.
Wir ritten dann noch etwa 1¹/₂ Stunden entfernten
Orte *Blatta*, der an einen Hügel hingebaut iſt. In der
Pfarrkirche überraſcht uns das große Allerheiligenbild
auf Holz gemalt. Ueber Madonna mit dem nackten
Kindlein auf dem linken Knie, vorn (heraldiſch) rechts
St. Sebaſtian und St. Franciscus, links St. Laurentius
und ein heil. Biſchof (Ludwig?). Unten aber iſt die In-
ſchrift: Questa pala fù compita et portada per M. Jacobo
Canavelli condam M. Marco pro curator MDXXXX
adi XV Agusto.

Wir befichtigten die reiche und intereffante Sammlung des Herrn *Kalogerà*, welche von prähiftorifchen Stücken angefangen, drei verfchieden geformte Kelte, Stücke aus allen Culturepochen der Infel aufweist. Silberne attifche Münzen (von Gradina) in fehr guter Erhaltung. Eine erft jüngft gefundene griechifche Infchrift entzifferte unfer Reifegenoffe Profeffor Dr. *Kubitfchek*. Es wäre fehr zu wünfchen, dafs diefe namentlich an Münzen reiche Sammlung immer dem Lande, alfo etwa der Infel oder dem Mufeum von Spálato erhalten bleibe und nicht über die Landesgränze wandere.

Am nächften Morgen wurden fehr früh die Anker gelichtet, es war erft $\frac{3}{7}$ Uhr als wir in der Stadt *Lefina* den Fuß auf das Land fetzten. Die Schönheiten der Stadt find fchon fo oft gefchildert, dafs ich am beften thue, den Hauptzweck meines Befuches von Lefina einzig und allein zu befprechen. Lefina ift als klimatifcher Curort erklärt worden und erhält an paffender Stelle ein Sanatorium. Dazu find die Gebäude auserfehen, welche feitlich und rückwärts der berühmten Loggia des Sanmicheli fich befinden. Allerdings foll das Wohnhaus 16 M. hinter der Loggia entfernt neu aufgebaut werden; allein ob der modern aufdringliche Bau, der natürlich eine kroatifche (ob auch eine italienifche, das weiß ich nicht) Auffchrift erhalten foll, nicht neben der in herrlicher Einfachheit daftehenden Loggia die Augen ausfchließlich auf fich lenken werde, fteht dahin. Natürlich find auch hier verfchiedene venetianifche Löwen, die an den zu demolirenden Gebäuden angebracht waren, entfernt worden. Was doch die Kroaten diefe Wappenthiere haffen! Der Bürgermeifter, dem ich es beibrachte, dafs diefe Wappenthiere heute gar keine nationale Bedeutung haben, fondern nur als fchöne Sculptur zu erhalten feien, verfprach, zwei diefer Thiere wieder an einer paffenden Stelle im Neubaue einmauern zu laffen. Leider hatte ich beim Befehen des Aufriffes der Loggia felbft, die zu reftauriren ift und viel Arbeit macht, nicht eine Photographie der antiken Beftandes vor mir. Es war mir die Baluftterbekrönung der Loggia wohl befremdlich langweilig vorgekommen, nur wufste ich nicht warum? Den Grund fand ich zu Haufe, man hatte auch hier im Entwurfe die Löwenzier, welche die Baluftren in richtiger Weife unterbricht, weggefchafft. Dafs es eine ernfte Forderung der Central-Commiffion ift, die Loggia fo herzuftellen, wie fie Sanmicheli gebaut, mit aller Wappenzier, verfteht fich von felbft.

An den Namen *Verbosca*, einem kleinen Ort öftlich von Lefina, knüpft fich die Sage, dafs die St. Lorenzo-Kirche einen echten Tizian befitze. Der ganze fchmale Hafen des Ortes, mehr einem Fluße ähnlich, war mit den kleinen dalmatinifchen Kuttern reich bevölkert. St. Lorenzo ift eine befeftigte Kirche. ja noch mehr, an fie angebaut ift der Brunnen. Sie gleicht mit diefem Refervoir mehr einem Befeftigungswerke als einer Kirche. Der Hochaltar, in welchem fich der Tizian befinden foll, ift noch in Reparatur. Es foll ein moderner Renaiffance-Altar aufgeftellt werden und ift dem Bildhauer *Rendić* die Arbeit übergeben worden. Aber, feine Kunft in allen Ehren, Altäre bauen kann er nicht. Zudem paßt ihm diefer nicht den echt Bildern nicht in feinem Entwurfe gepaßt. Der Pfarrer fragte mich, ob diefe drei Bilder feparat an die Wand zu befeftigen

feien. Ich meinte, die Anlage des Altars fei verfehlt, denn diefe drei Bilder gehören unmittelbar zur Compofition. Ich konnte in dem heil. Laurentius nicht einen Tizian erkennen. Gut ift das Rofenkranzbild von Baffano. Schon fprach man von einem ungefähren Koftenvoranfchlag für die Bilder-Reftauration, foll die auch in Ragufa gemacht werden? Allerdings hat kaif. Rath *Gerifch* aus der Madonnenkirche von Verbosca zwei Bilder von Alabardi in feinem Reftaurirtatelier (Chrifti Himmelfahrt und eine Pietà), fo dafs zu hoffen ift, dafs man auch für die anderen Bilder fich an die richtige Adreffe wenden wird. In diefer Marien-Kirche foll eine „Geburt Maria" von Paolo Veronefe fein. Ich bekam mit der Zeit das Taufen der Bilder mit berühmten Namen fatt. Ein recht bedeutendes Bild „die heil. Katharina" ift fignirt: Opus Constantini Jane Rethym. 1650. Am Carmine-Altar ift ein dem Rofenkranz verherrlichendes Bild, fignirt: 1659 (S)TEFANO. LESTI. F.

Das Schiff brachte uns nach *Cittavecchia*, wo gerade die Auffindung einer 6 M. tiefen Höhle Auffehen erregte. Man fand prähiftorifche, aber unbedeutende Stücke: eine Menge Topffcherben, Spinnwirtel, Menfchenknochen und folche von Sauriern. In der *Spalatii*fchen Sammlung find die Münzen von Pharia, namentlich eine filberne, beachtenswerth. Ein paar Tanagra-Figuren wurden ebenfalls hier gefunden und dürften, wenn fie echt find, heimifche Arbeit fein. Die antike Nekropolis lag etwas außer der Stadt auf einer Anhöhe. Der Thurm vor der St. Stephans-Kirche gehört unter die cyklopifchen Bauten der Stadt. Immerhin könnte man annehmen, dafs der urfprüngliche Bau für fepulcrale Zwecke errichtet war. In der Dominicaner-Kirche fah ich Bilder ohne Rahmen, im Convente eine Anzahl von Gemälden fehr verfchiedenen Werthes, fämmtlich vernachläffigt. Das Kirchlein Sanct Nicolò hat zwei ganz gute Seitenaltarbilder. Der Hochaltar ift in reicher Schnitzerei ausgeführt, die drei Statuen derart bemalt.

In einem Keller in der Stadt konnte ich die mächtigen antiken Mauern bewundern, welche einen ziemlich fchmalen Gang zwifchen den beiden Mauerzügen haben.

Was mich fehr wunderte, war, dafs hier, fo weit weg von Agram, diefelbe Vorliebe für das Agramer Mufeum befteht, wie in Arbe. Aber es hatte auch das Agramer Mufeum die fehr kluge Höflichkeit, den Dr. A. B....i zum Correfpondenten zu ernennen. Derfelbe fendet feine Berichte nach Agram, er das von mir ihm abgerungene Verfprechen, der Central-Commiffion auch gelegentlich einen Bericht einzufenden, halten wird?[1] Der Name *Hvar*, den die Infel bei den kroatifchen Einwohnern führt, hält den antiken Namen *Pharia* feft. Die Gefchichte der Cultur reicht hier bis ungefähr 392 v. Chr. Die älteften Pharier könnten jenes antike Mauergebäude, das die Subftruction des Thurmes bildet, und die koloffalen Mauern, die ich in der Stadt gefehen, erbaut haben. Noch einmal taucht der Name Pharus als das Statthalters der Königin Teuta auf. Er bemächtigte fich der Infel und hob von den römifchen Bewohnern Tribut ein. Das war ungefähr 228, denn die Teuta regierte 240—228 v. Chr. Von da an begann der Kampf zwifchen den Römern und Illy-

[1] 1899 hörte ich, dafs Herr Dr. B. fich in Amerika befinden foll.

riern, der mit der Unterjochung Dalmatiens 168 v. Chr. endete.

Wir fuhren nach Solta, wo wir übernachteten, um am frühen Morgen die Wanderung zu beginnen. Allein der nächfte Morgen war trüb, es regnete, ja es drohte ein unerquicklicher Landregen fich vom Himmel niederzulaffen. Die Reife hatte hiemit ihr fchnelles Ende gefunden.

Leinenftickerei aus dem 15. Jahrhundert.

Befprochen von Confervator kaif. Rath. Dr. S. Jenny.

II.

7. Der Pelikan, wie er feine Jungen mit dem eigenen Blute nährt, hier als Symbol der Schwangerfchaft Maria's aufzufaffen. Im Halbkreife umzieht ihn das Spruchband mit den Worten: **hum ofter wind durch minen gorten**, und auf der fliegenden Kehrfeite noch rückläufig und verkehrt: **oac (komm' Ofterwind, durch meinen Garten fahr)**. Auch hier tritt das Hohelied erklärend ein, denn wir finden die Stelle faft buchftäblich in Cap. 4, 16 wieder: „Stehe auf Nordwind und komm' Südwind und wehe durch meinen Garten, dafs feine Würze triefen". Da jene Winde in unferen Breiten nicht zu den gern gefehenen wie in Paläftina zählen, wo der vom Libanon wehende Nordwind Kühlung brachte, der Südwind vom rothen Meere her ein feuchtwarmer die Vegetation fteigernder Wind war, wurde jedenfalls bei uns mit Abficht der Oftwind jenen fubftituirt, weil diefer der erfrifchende den Himmel klärende in unferem Lande ift. Marienlied: Germania 31, 298, 128: ein öfterwint von dir waet fanfte, suoze und dâbi linde, er hat gefieget an dem winde, der acquilo geheizen ift .... often, weften, die fint blieben. daz ist din süeze barmunge, diu hat des tiufels kraft betwungen.

8. Eigenthümlicher, nach dem Sechseck conftruirter Bau, umgeben von einem Gitter mit fechs Thoren, entfprechend den Gebäudefeiten; über dem anfcheinend nicht gebrochenen Dache erhebt fich nochmals ein fechsfeitiger Aufbau mit kuppelförmiger Bedachung; das Spruchband dem Bilde benennt ihn: **der vefchloffen brun** (der verfchloffene Brunnen), entfprechend dem Hohenlied 4, 12: „Du bift ein verfchloffener Garten, eine verfchloffene Quelle, ein verfiegelter Born", was als Symbol: Maria, der Born des Heils befagen will.

9. Altar, in deffen Mitte fich ein Zweig mit drei Blumen erhebt; auf der Menfa fieht man drei Kreuze, an der rückwärtigen Kante des Altars acht verticale Striche, welche ebenfoviele Leuchter bezeichnen; die Vertheilung der richtigen Siebenzahl fcheint der Darftellerin Schwierigkeit bereitet zu haben, weshalb fie fich zur zählbaren entfchied. Spruchband: **die ruot aron** (die Ruthe Aaron's), wie es in Ebräer 9, 4 heißt: „die gegrünet hatte" oder „der Stab Aaron's", wie fie in IV. Mofe 17, 8 genannt wird (die ohne Mann Fruchtbare). Vgl. das Melker Marienlied: Jû leit in erde aaron eine gerte: die gebar nüzze, mandalon also edile. die süezze hâst dû füre brâht, muoter âne mannes rât, S. Maria.

10. Links vom Altar fteht in reich geftickten Talare, die Hände fegnend gegen den Altar erhoben, eine männliche Geftalt, entweder Priefter mit der Hin-

deutung auf Chriftus (Meffopfer, Altarfacrament) oder Aaron felbft oder auch Jefaias, deffen Prophezeiung in Cap. 7, 14 in gedrängter Form im Spruchbande wiedergegeben ift: **niem wor ain junchfra wirt geberu** (nimm wahr [fiehe] eine Jungfrau wird gebären).

11. Phönix, der über dem brennenden Thurmdache einer Burg fich aus den Flammen erhebt, bezieht fich hier nicht auf die Auferftehung wie gewöhnlich, fondern ift ein Marienfymbol, wie im Defenforium BMV: Fenix, fi in igne fe renovare valet, Cur mater Dei digne origo non generaret. — Oder „goldene Schmiede" von Konrad von Würzburg 361 : dû bist ein fiur des lebetagen da fich der Fenix inne von altem ungewinne ze vröuden wider mûzete.

12. Segelndes Schiff mit einem Bootsmann, das Schifflein Petri, fonft die chriftliche Kirche bedeutet, hier gewifs ebenfalls ein Marienfymbol: vgl. Lieder Muskatsblüts, erfter Druck, beforgt von E. von Groote, Köln 1852, 55, 34 des fchiffes ist die meit, da die gotheit fich in verbark mechtlich und ftark, das fchiff belew unverhonwen. ib. 56, 58 des fchiffes last werlich ist got Jefu Crist.... Vgl. Dr. Anfelm Salzer v. c. S. 93.

13. Löwe, der die todtgebornen Jungen durch fein Gebrüll zum Leben erweckt = Auferftehung Jefu. Diefes Bild blieb, wie die beiden vorigen, ohne Spruchband, wie ich vermuthe, weil es an Raum gebrach. So fehr es Widerfpruch erregen könnte, dürfte auch diefes Bildchen als Marienfymbol aufzufaffen fein. Wir finden bei Salzer, S. 54, eine Stelle aus der „goldenen Schmiede" aufgezeichnet: du bist des lewen muoter, der finiu (?) töten welfelin mit der lûten ftimme fin lebende machet fchöne. Uebrigens fagt auch Salzer, dafs der Löwe felten mit den Geheimniffe der Menfchwerdung Chrifti in Verbindung gebracht werde.

14. Ein in Form dem „guldin tor" genau nachgebildeter, aber auf zwei Drittel feiner Größe reducirter Thurm, auf dem Spruchbande **die porl** (die Pforte) benannt. Außer den bereits angeführten findet noch eine Stelle im Hohenlied 7, 4: „Dein Hals ift wie ein elfenbeinerner Thurm", „Deine Nafe ift wie der Thurm auf Libanon", auf welche fich vielleicht das Bild beziehen könnte; aber auch hier wird der Bezug auf Maria der einfachere und paffendere fein, obgleich man an die Schönheit der Kirche denken möchte.

15. Eine von zwei Rundthürmen mit fpitzem Dache flankirte, dem Pallas der Burg ähnliches Gebäude, hohe Fenfter und ein geräumiges Portal laffen mehr den Charakter des Bewohnbaren als des Wehrhaften zum Ausdrucke gelangen. Spruchband: **die**

ard) des herren (die Arche des Herren), gewöhnlich als Sinnbild der chriftlichen Kirche gedeutet; hier aber, wie in der Lauretanifchen Litanei „foederis arca" auf Maria zu deuten. Siehe „Der Schatzgräber" (Salzer a. a. O., S. 10): du gotes fchrin, du himellade, da fich got felber in betwang, do er fich durch die himel fwang in dinen megetlichen lip. Die Stickerin dachte fich „die Arche des Bundes" im jüdifchen Heiligthum faft wie einen Reliquienfchrein mit architektonifchen Formen ausgeftaltet, nur dafs fie in diefer Ausbildung weiterfchritt und einen burgähnlichen Bau (Façade mit zwei Eckthürmen flankirt) erftehen ließ. An die Arche Noa's ift nicht zu denken, fondern an 2. Buch Mofis, Cap. 25, 10 f. Zu beachten ift, dafs alle fechs Thürmchen, deren Zeichnung auf der Stickerei erfcheint, auf dem Plateau oben einen fehr fpitzen, nicht befonders hohen Thurmhelm tragen.

16. Zwifchen dem Spruchbande über der Arche und dem Vließe Gedeon's blieb ein fchmaler Raum frei, in welchem die halb kniende die Hände betend erhobene Stiftergeftalt Platz fand. Sie erfcheint als geharnifchter Ritter mit Schnabelfchuhen und fpitzen Kniebuckeln, in einer fogenannten gothifch-deutfchen Rüftung mit Schallern und Bart, wie fie um 1470 getragen wurde. Es gibt diefelbe einen ficheren Anhaltspunkt zur Datirung der Stickerei, als der zweiten Hälfte des 15. Jahrhunderts angehörend; zu demfelben Refultate gelangt Herr Profeffor *Wackernell* durch das Sprachliche, das er als fehr eigenthümlich bezeichnet. Seiner Mifchung wegen — es ift vorwiegend Alamannifch mit Bayerifchem gemengt — denkt er fogar an eine ältere Vorlage. Ueber des Ritters Kopf zog fich ein Spruchband hin, deffen vom Feuer verfehrtes Ende noch übet . . . n mier erkennen läfst, vermuthlich der Schluß der Epitaph-Infchrift, etwa zu ergänzen: „gnade übet an mier". Das Stammfchloß des Ritters könnte immerhin das Vorbild für die Zeichnung der „arche des herrn" abgegeben haben.

Das ganze Tuch fetzt fich aus zwei Theilen von 46 und 94 Cm. zu einer Gefammtbreite von 140 Cm. zufammen (Länge 171 Cm.), offenbar weil zu damaliger Zeit ein breiteres Gewebe nicht erftellt wurde. Die Naht fuchte man alle Möglichkeit zu verbergen; fo ift fie unter dem Mantel Maria's durch die Plattftichausfüllung ganz zugedeckt und weiter oben dem Blick entzogen, indem die leine Außenlinie des „Thurm David's" mit ihr zufammenfällt.

Zum Beftieken wurden Leinenfaden in dreierlei Farben verwendet, indigoblaue für fämmtliche Contouren (jene im Kettenftich, die Buchftaben im Stylftich ausgeführt), roftgelbe überall dort, wo es fich um Ausfüllung befchränkter Flächen (Kopfhaare, Thuren, Fenfter, Dächer) handelte; durchwegs damit beftickt zeigt fich nur Sonne, Stern, Löwe mit feinen Jungen, auch das Schiff verlangte es, um fich vom umgebenden Waffer abzuheben. Auch für einzelne, fichtlich hervorzuhebende Theile, wie im Gefichte der Mund, an Vogelköpfen Auge und Schnabel, der Saum der Gewänder, Achfelfchilde des Ritters, die Leuchter auf dem Altar, die Halsbänder der Hunde u. dgl. diente die roftgelbe Farbe. Zur Ausfüllung großer Flächen diente allerorten der weiße Faden und in deffen Verarbeitung offenbart fich eine große Meifterfchaft und technifche Findigkeit durch ein wohlüberlegtes Be-

ftreben, durch die Art der Stickerei den Gegenftand möglichft zu kennzeichnen.

Für die bloßen Körpertheile wählte die Darftellerin eine geradlinige Flächenausfüllung mittelft Plattftich, der Faden erfcheint hierin in der ganzen Länge des zu füllenden Raumes gefpannt, was er in Wirklichkeit nicht ift, da er immer wieder in regelmäßigen Abftänden und kürzeren Stichen zurückgenäht ift. Auch bei den Oberkleidern der Gewandung, dem Mantel der heil. Maria, des Engels Gabriel, fand die Plattftichausfüllung Anwendung, um defto wirkfamer die kunftvolle Ornamentik der Unterkleider hervorzuheben. Keines diefer Gewänder ift gleichförmig behandelt; während das Kleid der heil. Maria einen homogenen aus kurzen Stichen gefteppten Stoff darftellt, laufen um dasjenige des Engels breite Bordüren aus vier Reihen Stichen, indeffen Doppelfaden den leeren Raum dazwifchen in Quadrate eintheilen. Das wallende Gewand des Mofes ift mit kurzen dicht fich berührenden Stichen bedeckt, zwifchen welchen erbfengroße Ovale ausgefpart geblieben. Mit neben- und übereinander fich reihenden Kreisbogen im Feftonftich ift der Talar Aaron's gefchmückt, während das Gewand Gott Vaters den Eindruck eines grobgewirkten Hemdes dadurch bewirkt, dafs leere und beftickte kleine Quadrate abwechfeln.

In den Flügeln Gabriel's, dem Federkleide der Vögel ahmt eine grätenförmige Stickerei die Gefieder und die großen Schwungfedern nach. Das Vließ Gedeon's ift mit Plattftich vollftändig ausgefüllt, ebenfo das Fell des kleinen Hundes; die großen Hunde bieten an ihrem Leibe in die Augen fallende Verfchiedenheiten; zwei derfelben find fchachbrettartig behandelt, das Fell des dritten ift mit einigen Reihen Rhomben bedeckt und das des vierten ftellt eine gefleckte Behaarung vor, indem die Stickweife auf dem Kleide Mofes' wiederholt wurde. Ganz abweichend von den Hunden bedecken horizontal laufende Zickzackftreifen das Fell des Einhorns, deffen an der Stirn fich herabbiegendes Horn in blauen Stichen contourirt ift, welche auf der Photographie undeutlich zur Erfcheinung gelangt find.

Für das Mauerwerk an Thoren, Thürmen und Gebäuden wählte die Darftellerin fehr verfchiedene Stickformen, um die einzelnen architektonifchen Gliederungen, wie Fuß, Kranzgefims, Ausladung und Dach wirkfam auseinander zu halten. Durch einzelnftehende geftickte Quadrate werden boffirte Werkftücke angedeutet, das Schachbrett in wechfelnder Anordnung findet an der Schloß-Façade (Arche des Herrn) und auf dem Dache deffelben Verwendung. Für die Ausladungen dient verfchieden geftaltetes Netz- und Gitterwerk. Mag wie immer das durch die Stickerei ausgedrückte Bild in feiner technifchen Behandlung variirt fein, fo handelt es fich durchwegs um ein Product des Zier-, refpective Spitzenftiches.

Zum Schluße obliegt es mir, einer angenehmen Pflicht zu genügen, indem ich mit geziemendem Danke der Unterftützung hier gedenke, welche mir der Referent der hohen k. k. Central-Commiffion Herr Dr. *Wilhelm Neumann*, Theologie-Profeffor an der Wiener Univerfität, diefer Abhandlung erwiefen; insbefondere behilflich es fich mir erwies zu heben, dafs fämmtliche altdeutfche Literaturnachweife, als deren Quelle Dr. *Anfelm Salzer* „Die Sinnbilder und Beiworte Marien's", Linz 1893, zu nennen ift, von genanntem Herrn herrühren.

Infchriften der Glocken und Grabfteine der St. Veits-Kirche zu Krumau,

aufgenommen von dem Vermögensverwalter diefer Kirche *Alexander Sacher*, anläßlich der Neuverfaffung des Kirchen-Inventares 1897

Thurm-Glocken.[1]

I. Im Kirchthurm,

1. Die Sturm- oder St. Veits-Glocke.

Diefe Glocke ift ca. 45 Ct. oder 2520 Kg. fchwer, hat einen Durchmeffer von 152 Cm., ift reich verziert und hat am oberen äußeren Rande nachftehende Umfchrift:

„Gott ruft durch mich das Volk zu fich
hört meine Stimme williglich".

In der Mitte der Glocke befindet fich ein Relief „Die Verkündigung Mariae" mit nachftehender Ueberfchrift:

„Ave Maria gratia plena
Dominus tecum". †

Ueber dem Relief ftehen die Namen nachftehender Heiligen:

„S. Joannes † S. Matthaeus †
S. Lucas † S. Marcus †
S. Vitus".

Auf der entgegengefetzten Seite ift das Relief des heil. Veit. Am unteren Rande befindet fich nachftehende Umfchrift:

„Goss mich Nicolaus Löw in Prag Anno 1671".

2. Die Halbzwölf Uhr-Glocke.

Diefe Glocke ift 15 Ct. oder 840 Kg. fchwer, hat einen Durchmeffer von 114 Cm., ohne Verzierungen und hat am oberen Rande nachftehende Umfchrift:

„A fulgure tempestate libera nos
domine jesu christe †".

In der Mitte der Glocke befindet fich Chriftus am Kreuze, diefem gegenüber der heil. Adalbert, zwifchen diefen beiden je ein Relief, einen mit Stricken gebundenen Heiligen darftellend. Am unteren Rande der Glocke ftehen die Worte:

„† Silvius Creuz goss mich in Linz anno 1748".

3. Die Ave Maria-Glocke.

Diefe Glocke ift 8 Ct. oder 448 Kg. fchwer, hat einen Durchmeffer von 89·5 Cm. und ift glatt. Am oberen Rande befindet fich nachftehende Umfchrift:

„jesus † maria † venceslaus † sygysmundus †
albertus † kaspar † melyhar † baltasar †"

1 Codex XIV. a, P. 14 u. f.

4. Die Horas-Glocke.

Diefe Glocke ift 3¼ Ct. oder 182 Kg. fchwer, hat einen Durchmeffer von 67 Cm. und ift ohne äußeren Schmuck. Am oberen Rande ftehen die Worte:

„jesus filius mariae †"

5. Die Puls-Glocke.

Diefe Glocke ift 2½ Ct. oder 140 Kg. fchwer, hat einen Durchmeffer von 59 Cm. und ift glatt. Am oberen Rande befindet fich nachftehende Umfchrift:

„† Lucas. Marcus. Mateus. Johannes"

6. Die Sterbe-Glocke.

Diefe Glocke zeigt auf der Vorderfeite Chriftus am Kreuz, diefem gegenüber das fürftl. Schwarzenberg-fche Wappen. Am unteren Rande befindet fich folgende Umfchrift:

„Georg Wenzel Koller in Budweis 1737".

II. Im Caplanhaufe.

1. Die Marien-Glocke.

Diefe Glocke hing früher in dem ob dem Caplanhaufe fituirten Thürmchen und befindet fich dermalen in der aufgelaffenen Haus-Capelle diefes Haufes. Sie hat am oberen Rande eine Verzierung und unter derfelben nachftehende Umfchrift:

„S. Maria ora pro nobis — C. M. P. Haag 1689".

In der Mitte der Glocke befindet fich ein Relief, die heil. Maria mit dem Jefukinde, auf der Mondfichel ftehend.

Der Thurm, die Uhr.[1]

In der oberften Etage des Thurmes find die beiden Schellen der Uhr angebracht, und zwar eine kleinere, welche glatt ift, und eine größere, welche am oberen Rande ein kleines Wappen und nachftehende Umfchrift hat:

„ave marya yst ym hymel erwacht ⎫
hat uns das vater unser auf erden ⎪ 1. Zeile
pracht und den glauben haben ⎪
dye hayly — ⎬
gen apostel gemacht khayn fromer ⎪
hat das nye veracht und ym 1359 ⎪ 2. Zeile
yar pyn ych vam yohst hyn- ⎪
termayer gemacht". ⎭

1 A. III. Pag. 11.

Todtengrüfte und Grabsteine.[1]

I. Grüfte.

1. Unter der St. Johannes-Capelle befindet sich die Gruft, in welcher die Fürstin Eleonora Magdalena, geb. Fürstin von Lobkowitz, Gemahlin des Fürsten Adam Franz zu Schwarzenberg, seit 5. Mai 1741 unter einem granitnen Gruftdeckel ruht, welcher nachstehende Inschrift hat:

> (Herzogshut)
> *Hier Liget*
> *Die*
> *arme Sünderin*
> *Eleonora.*
> *Bittet Für Sie.*
> (Todtenkopf)
> *Obiit Die 5ta Maii*
> *A. 1741.*

II. Grabsteine.

a In der Kirche.

Zu beiden Seiten der Johannes-Capelle befinden sich in der Mauer die von dem Mausoleum Wilhelm's von Rosenberg stammenden zwei aus rothem Marmor ausgehauenen, reich verzierten Grabsteine, und zwar links jener Wilhelm's von Rosenberg.

Dieser hat in der Mitte die fünfblättrige Rose und das Wappen Wilhelm's mit dem goldenen Vliess und trägt nachstehende Inschrift:

> „*Gvilielmus Ursinus, Domus Rosenbergi-*
> *cae Gubernator, Aurei Velleris Eques,*
> *D D: Impp: Ferdinando I. Et*
> *Maximiliano II. à consiliis, Nostro*
> *Rodolpho —*
> *Etiam Ab Arcanis, Supremus*
> *Regni Boemiae Burggravius, etc.*
> *Pragae Prid. Cal. Sept. M.D.XCII. Aetatis*
> *Suae Anno —*
> *LVII. Vita Funttus. Cujus Anima*
> *Deo Vivat*".

Auf der entgegengesetzten Seite ist eine ebensolche Marmorplatte angebracht, welche in der Mitte das Familienwappen der dritten Gemahlin Wilhelm's von Rosenberg Anna Maria geb. Markgräfin von Baden hat und nachstehende Inschrift aufweist:

> „*Anna Maria Marchionifsa Badensis, —*
> *Comes In Sponhaim etc; Philiberti*
> *Marchionis Badensis Comitis In*
> *Sponhaim; Ducis —*
> *Bavariae Alberti Sororis Filia Gvilielmi —*
> *Ursini Rosensis Conjux Obiit Trebonae,*
> *Anno M.D.X.VIIC. Die XXV. Aprilis.*

An der Südseite, zwischen dem Haupteingange und dem Aufgange zum Chore befindet sich ein Relief aus rothem Marmor, zwei betende Priester vor Christus am Kreuze darstellend, mit nachstehender Inschrift:

> „*Georgius Zetel netolicen Canonic ecclae Prage. Archidia-*
> *cotq bechinen. Paroch' Crumnovien.*
> (ex 1569)".

[1] C. XVIII Pag. 48, 49 50.

---

1. An den äusseren Mauern der Kirche.

Rechts von dem nördlichen Haupteingange der Kirche befindet sich in dem Strebepfeiler ein Grabstein aus Marmor mit einem Wappen, darin ein Hirsch, oberhalb welchem sich nachstehende Inschrift befindet:

> „*Anno 1560 Im Sambf-*
> *tags vor gots Auffartstag*
> *Starb der Edl und Vest Georg*
> *Strahotinsty von Strahotin,*
> *des Wolgebornen Herrn, herrn*
> *von Rosnberg seiner gnaden ge-*
> *wesner Camerer Dem got der*
> *herr genedig sein welle*".

Neben vorstehendem Grabstein befindet sich in der Kirchenmauer ein Grabstein aus Granit mit nachstehender Inschrift:

> 1 „*Im Jar nach der Geburt Christi*
> 2 *Jesu M.D.XCIX den VII. Tag Mai ist in Gott*
> 3 *dem Heiland christiklich[1]*
> 4 *entschlaffen und ruhet alhie †*".

In der Mitte des Steines befindet sich ein Wappen und unter diesem:

> 5 „*† die ehrenreiche und*
> 6 *tugendha* *ffte fraw*
> 7 *Apolonia Lauttin sambt*
> 8 *ihrer Tochter Elisabeth*
> 9 *denen Gott eine frohliche*
> 10 *Aufferstehung verleyken*
> 11 *wolle* *Amen.*"

Unter dem Gewölbe, über welches die Stiege auf den Chor führt, ist neben vorstehendem Steine ein marmorner Grabstein mit nachstehender Inschrift an der Kirchenmauer befestigt:

> „*Egregius vir dñs Joannes*
> *Streiller generosorũ dominorũ*
> *Rossenbergensiũ in negotiis ger-*
> *manicis Secretarius et questor*
> *obiit 23 augustii Anno salutis*
> *humane 1549 eius aīa requiescat*
> *in dño.*"

Unter dieser Inschrift befindet sich ein Wappen mit einem Pferd.

Am kleinen Thurme befindet sich gegen Westen ein Grabstein aus Marmor mit einem grösseren und darunter drei kleineren Wappen, beziehungsweise Maurer-, Steinmetz- und Zimmermeister-Zeichen, oberhalb welchen sich nachstehende Inschrift befindet:

> „*Hie ligen dy Erber Mo-*
> *nen Michel Rubik Sta*
> *ynmecz Margaretha*
> *und Katherina Symon*
> *Cristof Girzik den*
> *Got genadt ien Allen*
> *anno dñi MCCCCCXVIII*".

[1] Die stehend gedruckten Buchstaben „dand christi" sind abgeklungen.

2. Am Caplanhaufe. Pag. 52 — 53.

Links vom Eingange in das Caplanhaus, gegenuber der Eingangsthüre der Kirche, befindet fich in der Mauer ein Grabftein aus Granit mit einem Wappen, oberhalb welchem fich nachftehende Infchrift — mit erhabenen Buchftaben — befindet:

„Leta 1591 tuto
gest pochowan uro-
zeney Wladyka pan
Getrzich Slatin-
skey z Slatinky slaw-
neho domu Rozm-
berskeho sluzieb-
nik a niekdy heyt
man na Krumlowie
czieskem 12. mies
ice   pras
yn (Wappen)   cc².

3. Am Friedhof. Pag. 53—54.

Beim Caplanhaufe liegen zwei Grabfteine aus Granit.

Der erfte hat um das ausgehauene Bruftbild eines Mannes, unter welchem fich das Bäckerzeichen befindet, nachftehende Infchrift, wovon fich die deutfche innerhalb der lateinifchen befindet:

1 „Anno domini 15
2 { die obiit in duo prudens atq providus
  { vir Matt
3 hais Planckl civis hu
4 { ius civitatis cuius animae deus
  { omnipotes misereatur."

Der zweite Grabftein zeigt in der Mitte eine weibliche Figur mit dem Bäckerzeichen, welche nachftehende, theilweife unleferliche Infchrift hat:

1 „. . . . . netur[1]
2 { Anno domini 1573[2]
  { die 3. septebris obiit in domino
3 honesta atq casta
4 virgo Anesca M[2]
5 atthiae Plänkl hui civitat' conciri. . . . [1]

Diefe beiden Grabfteine werden auf Koften der Stadtgemeinde am Caplanhaufe aufgeftellt werden, um fie vor weiterem Schaden zu fchützen.

Mathias Plankl war Befitzer des jetzigen Caplanhaufes, welches im Jahre 1499 von dem Kanzler Peter II. von Rofenberg Wenzel Ritter von Rovne angekauft und den Caplänen der Krumauer Pfarrkirche zur Bewohnung gefchenkt wurde.

[1] Die punktirten Stellen find gänzlich abgefchlagen.
[2] Die ftehend gedruckten Buchftaben find unleferlich.

Aus der Kunftgefchichte des Klofters Stams.

Von Dr. G. Hager, k. Confervator am bayer. Nationalmufeum.

IN einem Auffatze „Kunftftudien in Tyrol" (Beilage zur „Allgemeinen Zeitung", München 1897, Nr. 77 und 78 vom 6. und 7. April, wieder abgedruckt in „Neue Tyroler Stimmen" 1897, Nr. 80 bis 84 vom 9. April ff.) habe ich auf den Renaiffance-Hochaltar der Klofterkirche von Stams in Tyrol mit der Darftellung des Baumes des ewigen Lebens hingewiefen, der fchon früher von Atz in feiner Kunftgefchichte von Tyrol und von A. Ilg in dem Begleittexte zu Otto Schmidt Interieurs von Kirchen in Oefterreich befprochen worden ift. An gleicher Stelle habe ich die hohe baugefchichtliche Bedeutung erörtert, welche die 1272 bis 1284 erbaute Ciftercienfer-Kirche von Stams durch ihren urfprunglich funftheiligen, dem Fünfapfiden-Schluß hat. Ebenfo habe ich die Stuccaturen aus dem 18. Jahrhundert erwähnt. Der Werth, welcher dem Hochaltar und den Stuccaturen für die Kenntnis der Kunftbeziehungen zwifchen Tyrol und Bayern zukommt, veranlaßt mich, hier aus dem Stamfer Klofter-Archive mehrere Urkunden mitzutheilen,

welche über die Herftellung des Altars, über den Umbau und die Ausfchmückung der Kirche Auffchluß geben. Mit Vergnügen benütze ich die Gelegenheit, dem hochwürdigen Herrn Abt von Stams für die freundliche Unterftützung meiner Forfchungen nochmals meinen beften Dank auszudrücken.

Der Vertrag, welcher am 18. November 1609 mit dem Bildhauer Bartholomäus Steinle in Weilheim abgefchloffen wurde, lautet: „Nachdeme der erfam fürnemb Maifter Barthlme Steinle Bürger vnnd Pildthawer zu Weilhaim im obern Lanndtes Payrn, fambt zwayen feinen Pildthawer Gefellen vnnd ainem Junger dem Hochwürdigen . . . . . Herrn Melchiorn Abbt vnnd regierunden Prelaten des würdigen Sanct Johannen Gotshaus vnnd Cloffers Stambs, im obern Yhnthal der fürftlichen Graffchafft Tyrol gelegen, auf dero Begern in derfelben Gotshaus vnnd Cloflerkürchen alda, welche als das Haubt- vnnd zway Neben Gwelber allerdings von newem gemacht vnnd renoviert worden, etliche Altär wie nachvolgt am fibenundzwainzigften tag Aprilis dies fcheinenden fechzeehenhundert neunten Jars, zemachen in Arbait angefanngen, vnnd bishero

alberait fünff, als S. Trium Regum oder Ducis etc., item B. Mariae Virginis, S. S. Trinitatis, S. Michaelis Archangeli vnnd S. Urſulae Alltar ausgemacht, verfertigt vnnd aufgeriecht hat, zu welſichem Werckh vnnd Arbait aber Ihre Gnaden dem Maiſter vnnd Geſellen im Gotshaus das Holcz, Nagl, Leim vnnd annderes, auch Coſt, Speiß, Tranckh vnnd Ligerſtat nach Notturfft, ſambt was von Tiſchlerarbait darzue gemacht hat werden müeſſen, völlig dargeben laſſen, vnnd haben hierüber für ſolliche zuegebracht vnnd verrichte Pildthawerarbeit der . . . . ſünff Alltär gemeltem Maiſter Barthlmeen Steinle, für in vnnd ſeine Geſellen zu geben vnnd zu bezalen verſprochen vnnd zuegeſagt benenntlichen zwayhundert Gulden, doch mit diſem ſonnderbaren lautern Geding, was vnnd ſovil an diſen fünff Alltärn yezt oder khünfftig noch nit völlig ausgemacht vnnd zu richten vonnöten würdet ſein, ſolle ers Maiſter Barthlme zu völliger Enntſchafft, auch das Ihre Gnaden daran ain gnedige Gefallen vnnd Benüegen (!) tragen, in Ihre Gnaden Coſft ohne weitere Beſoldung ſfeiſſig außmachen. Hierüber haben Ihre Gnaden anheut dato vermeltem Maiſter Barthlme den groſſen Cohr Alltar, darein (auſſer annderer Arbait) in achtzig geſchnizleter gros vnnd klainere allerlaj Pilder khumben ſollen, darzue ainen newen Tabernacl im Alltar, alſo auch noch zween als S. Bernhardj vnnd Benedicti, auch widerumben Beatae Mariae Virginis Alltar in der Cloſterkürchen von newem ze machen, ze ſtellen vnnd auf ze ſeczen, auch mit aller hier zue erforderten Notturfften gar fertig ze machen. Item was in Auffeezung an andern alten Alltärn vnnd alten Tabernacl in gemeltem Gotshaus yezt vnnd khünfftig zu gannzer völliger Verfertigung zu böffern vnnd ze machen vonnöten ſein möchte, alles in Ihre Gnaden Coſft, Speis, Tranneckh, Ligerſtat, Holz, Nagl vnnd Leim, vnnd Außrichtung, was von Träxler vnnd TiſchlerArbeit zu ſollichem Werck vonnöten würdet ſein. Darzue aber Maiſter Barthlme das ſeinig auch treulich zu thuen, zu helffen vnnd zu raten ſchuldig ſein ſolle, ſleiſſig zu richten vnnd auf ze machen, auf- vnnd angedingt, vnnd geben hier Ihre Gnaden gemeltem Maiſter Barthlmeen für Maiſter- vnnd Gſellenlohn zu gennzlicher ſtäter Vergnüegung, zu Zil vnnd Zeit, wie ſy ſich zu baiden Thailen deshalben wol mit einannder zu vergleichen haben werden, in guetem genemem Gelt benenntlichen ſibenhundert Gulden tyroliſcher gannzer Lanndtswerung, vnnd ſein Maiſter- Hausfrawen Verehrung zwelff Taller. Solſichem allem getreulichen nachzekhumben, zu gleben, auch veſſt vnnd vnwiderſproechlich zu halten vnnd darwider in khainerlai Weiſe zu reden, haben baid Thail wolgemelter Herr Prelath vnnd Maiſter Barthlme aneinannder mit Mundt vnnd Hannden zuegeſagt, gelobt vnnd verſprochen. Hierauf zu Vrkhundt vnnd Becrofftigung der Sachen ſeindt deshalber zwaj gleichlautennde Spanzetlen mit ainer Hanndt geſchriben verferttigt vnd yedem Thail aine zu Hannden zeſtellt worden. Darumben ſeindt Zeugen die erbaren vnnd furnemen Oswaldt Gſaſſer, Richter, vnnd Philipp Küechl, Schreiber, bede Ihre Gnaden Diener zu Stambs. Beſchechen den achtzechennden Tag Monats Novembris nach Chriſti Geburt im ſechzehen hundert neunten Jare".

Tritt man in die Kirche, ſo lenkt, wie ich in den tyroliſchen Kunſtſtudien ſagte, der bis an die Decke emporreichende Altar ſofort die Aufmerkſamkeit auf ſich, freilich nicht, ohne daß Zweifel in dem Beſchauer aufſteigen, ob das Werk denn auch den Meiſter lobe. Aber was ſtörend wirkt, nämlich der grellblaue Baldachin, der den Hintergrund des Altars bildet und die gänzliche Vergoldung ſämmtlicher Figuren vom Kopf bis zu den Füßen, ergibt ſich bei näherem Betrachten als Zuthat des 18., beziehungsweiſe des 19. Jahrhunderts. Abgeſehen von dieſen Miſtönen erſcheint der Aufbau des Altars ebenſo eigenartig als kühn. Er beſteht aus einem hölzernen Gerüſt mit zwei vortretenden Säulen; an dieſem ſteigen zwei zu beiden Seiten des Tiſches aus dem Boden wachſende Bäume auf, die ſich beim Tabernakel kreuzen und dann weit ausbiegen, um in vielfachen Verſchlingungen bis zur Decke emporzuſtreben, wo ſie in zwei mit einander verſchlungenen umgeſchlagenen Spitzen enden. In den ſpitz-ovalen Oeffnungen, welche durch die Verſchlingung der Ranken gebildet werden, ſtehen zahlreiche Holzfiguren. Das Ganze erinnert an die reichen Bekrönungen ſpät-gothiſcher Flügelaltäre: das verſchlungene Aſtwerk, das ſich dort über dem Schrein erhebt, hat hier vom geſammten Altar platzergriffen. Aber nicht rein ornamental wie an mittelalterlichen Altar iſt das Rankenwerk verwendet. Es verſinnbildet vielmehr den Baum des ewigen Lebens, der eine ſo große Rolle in der Kunſt des Mittelalters ſpielt. Darauf deuten die Figuren des Adam und der Eva, welche am Fuße der beiden Stämme lehnen, erſterer auf die Hacke geſtützt, letztere einen Apfel und einen Todtenkopf haltend. Ueber dem erſten Menſchenpaare knieen ſeitlich von dem (nicht mehr in urſprünglicher Form erhaltenen) Tabernakel die beiden Stifter des Kloſters. Oberhalb des Tabernakels entfaltet ſich in mehr als achtzig Figuren die Heiligenwelt der katholiſchen Kirche, vertreten vor allem durch Maria, die erſte Patronin der Ciſtercienſer, welche (wie auf dem älteren Hochaltar von 1376) zwiſchen den beiden Johannes, den beſonderen Titelheiligen des Kloſters, ſteht, ferner durch die Heiligen, welche in Ciſtercienerorden vorzüglich verehrt werden oder in der Stamſer Kirche bis dahin Altäre hatten, wie Petrus und Paulus, Benedict und Bernhard, Katharina, Laurentius, Stephanus, Auguſtinus, Chriſtophorus u. ſ. w. Ueber der lebensgroßen Standfigur der heil. Jungfrau iſt Mariä Himmelfahrt im Beiſein der Apoſtel dargeſtellt. Zu oberſt an der Spitze des Baumes hängt Chriſtus am Kreuz. Der Sinn, welcher der Compoſition zugrunde liegt, iſt klar: durch Adam und Eva iſt die Sünde und der Tod in die Welt gekommen; Chriſtus hat die Erlöſung gebracht, deren Früchte durch die Fürbitte der Mutter Gottes und der übrigen Heiligen dem Einzelnen vermittelt werden. Erinnert ſchon das Rankenwerk an die Spät-Gothik, ſo gemahnt auch die ausſchließliche Verwendung von Holzfiguren an das Mittelalter; mittelalterlich iſt ferner der Gedankenreichthum im Aufbau des Altars. In den Einzelheiten der Ausführung aber ſteht der Meiſter ganz auf dem Boden der neuen Zeit, der Renaiſſance, die in Bayern und in den öſterreichiſchen Alpenländern ſo eifrige Pflege gefunden hat. Die Figuren ſind im Stylcharakter jener Periode ſehr gut geſchnitzt, frei von unangenehmer Manier; ſie haben Aehnlichkeit mit den Arbeiten Hans Krumpper's. Steinle ſtellt ſich mit dieſem großen Werk den erſten bayeriſchen Meiſtern

der Regierungszeit des Kurfürsten Maximilian I. achtunggebietend zur Seite.

Der Stamser Altar ist das einzige erhaltene Werk Steinle's, das bis jetzt nachgewiesen ist. Von dem Künstler wissen wir noch, daß er in den Jahren 1612 bis 1626 sieben Altäre und eine Orgel für Kloster Wessobrunn geschnitzt hat. Er war 1624 Mitglied des inneren Rathes in Weilheim und starb zwischen 1626 und 1630.

Auch der Meister, welcher die Schreinerarbeit an dem Stamfer Choraltar verfertigte, war ein Weilheimer. In einem Spaltzettel vom 22. Mai 1610 wurde „dem fürnemben *Wolfgangen Kürchmayr*, Bürger vnnd Maister des Tischlerhanndtwerchs zu Weilhaim obern Lanndt Payrn, nachvolgende Arbaiten im Gotshaus vnnd Closterkürchen alhie zu Stambs in Ihre Gnaden des Herrn Prelaten Coñt, Speiß vnnd Trannckh, auch sichere Ligerstat, die gemelter Maister neben anndern Hanndtwerchsleuten (wie vorheer beschehen) haben solle, zu verrichten an- vnnd aufgedingt. Nemblichen vnd erstens daß vorgedachter Maister.... den großen Cohraltar, widerumben S. Bernhardi vnnd Benedicti vnnd dann noch vnnser Frawen Alltar, was von allerlaj Tischlerhanndtarbait hierzue vnnd daran zu machen gehörig vnnd vonnöten sein würdet, alles fleißig vnnd follichermassen verrichten vnnd fertig machen solle, daran Ihre Gnaden ain guets gnedigs Gefallen tragen vnnd wol zufriden sein mügen, zu wellichen Alltar Arbaiten aber Ihre Gnaden dem Maister alles Holz, Nögl, Leimb vnnd Torfursten (auffer den Werchzeugs, mit deme sich der Maister selbs fürsehen vnnd gefaßt machen solle) an die Hanndt geben vnnd zuestellen sollen vnnd wellen. Furs Annder solle auch besagter Maister.... die allten Alltar in der Closterkürchen vnnd anndern Cappellen, wann es an ime begert würdet, ohne Widerred vnnd ainiche weitere Ergözlichait helffen aufrichten. Zum Dritten vnnd von obgemelten aufgedingten Arbaiten haben Ihre Gnaden besagtem Maister... zu ainem entlichen abgeredten verainten vnnd beschlossnen Geding in parem guetem Gelt zur Zeit, wann die Arbait verfertigt, zu geben zuegesagt vnnd versprochen benenntlichen ainhundert fünffundzwainzig Gulden Reinisch, yeden Gulden per sechzig Kreuzer gerait gueter Lanndtswerung, vnnd sein Maisters Hausfrawen zu ainer Verehrung zwen Taler, yeden zu siben Pfundt Perner gerechnet etc. etc. Darumben seindt Gezeugen die erbarn vnnd fürnembe Melchior Föderle Maister des Maurerhanndtwerchs zu Pollingen obern Lanndts Payrn vnnd Philipp Küechl, Schreiber zu Stambs." Sicher dürfen wir annehmen, daß der hier als Zeuge genannte Maurermeister Melchior Föderle aus dem nur eine halbe Stunde von der Stadt Weilheim entfernten Dorfe und Kloster Polling in Stams damals als Baumeister thätig war. Föderle stammt vermuthlich aus der Familie Pfoderl, aus welcher im 18. Jahrhundert der tüchtige Zimmermeister Johann Pfoderl in Bernried am Starnberger See bekannt geworden ist, der die Dachstühle des Schloßes in Schleißheim und der Klosterkirchen in Dießen und Ettal erstellte.

Hundert Jahre später begegnen wir in Stams abermals bayerischen Künstlern. Am 1. März 1731 wurde zwischen dem Abte Augustin und „Herrn *Franz Xaveri Feichtmayr* von Augspurg, auch Herrn *Joseph Fischer*

von Fießen, Stuckhadorn" ein Accord abgeschlossen „vmb vnd vonwegen von denenfelben bei vnd in alhiesign bereits neu erpauten Closter Kirchn zu vollfiehren ybernombenen Stuckhador Arbeit". „Nemblichen erstens verspricht vnd verobligiert sich vorgedachter Herr Franz Xaveri Feichtmayr nöben bedeüten Herrn Joseph Vischer mit allein alle weiße quadratur-, sondern auch die krauße Stuckhador Arbeit in der gannzen Closter Kirchen vnd sambentlichen beihabenden Capellen von oben bis vnten nach den ihnen bereits behendigten vnd beederseits beliebten Riß, zu Sr. Hochwürden vnd Gnaden vnd löbl. Convents Contento vnd bößten Vergniegenheiten zu verförttigen vnd zu vollenden". Sie erhalten Kammerdienerkoft, sowie Wein und zwei Brot täglich, der Palier sammt noch zwei Gesellen erhält Nachtisch mit den anderen Handwerkern und Bedienten, „zu ieder Mahlzeit ain Trinkhl Wein nöbst ain Nachtisch Laibl Proth". Außerdem haben sie Liegerstatt. „All netige Materialien, sambt denen Häfen, Pembßlen vnd andere betirfftige Gschür vnd Sachen, auch nottwendige Handtlanger" werden vom Kloster gestellt. Die Summe, welche die beiden Stuccatoren erhalten sollten, ist in dem Vertrage nicht eingesetzt. Aus einem beiliegenden Conto geht aber hervor, daß Feichtmayr 2000 fl. erhielt. Die erste Auszahlung erfolgte am 18. August 1731 mit 600 fl., es folgen Zahlungen im September, October und November. Im Conto heißt es weiter, daß außer dem Accord verfertigt wurden der „Baltakhin" (hinter dem Hochaltar) um 75 fl., „das Aufliegen belangent vo den Herrn Wolkher" um 75 fl., „sechs Ramen von Zierarbeit" um 200 fl. Zur Erläuterung sei bemerkt, daß die Quadraturarbeit im Ziehen von Stäben und Rahmen, die „krauße Arbeit" aber im freihändigen Auftragen der Ornamente, hier vor allem des verschlungenen Laub- und Bandwerkes, besteht.

Ueber Franz Xaver Feichtmayr aus Wessobrunn, später in Augsburg ansäßig, habe ich in meinem Werke „Die Bauthätigkeit und Kunstpflege im Kloster Wessobrunn und die Wessobrunner Stuccatoren" (Oberbayerisches Archiv, Bd. 48, 1894) gehandelt. Weitere Nachrichten hat *J. L. Spousel* in feiner vorzüglichen Publication über die Abteikirche zu Amorbach (Dresden, Hoffmann, 1896) und *A. Buff* in seiner gründlichen Abhandlung „Die Anfänge der Stuccaturkunst in Augsburg bis in das 18. Jahrhundert" (Zeitschrift des historischen Vereines für Schwaben und Neuburg, Bd. 23) gebracht. Die Stuccaturen der Klosterkirche von Stams find als Werk der Wessobrunner Stuccatorenschule von Bedeutung. Sie zeigen vorwiegend das Laub- und Bandwerk des Früh-Rococo. Auffallend find die vielen vollrunden Engel, welche wie angepappt erscheinen. Eine eigenartige Form haben die Pilaster-Capitäle. Die Mitte des Capitals wird von einem stehenden Leuchter eingenommen, hinter welchem schräg zwei Krummstäbe nach oben steigen, deren Curven die Voluten des Composit-Capitäls erfetzen Die Flamme des Leuchters vertritt die Stelle der sonst zu oberst in der Mitte angebrachten Rosette. Den übrigen Raum füllen zu beiden Seiten des Leuchters unterhalb der Krummstäbe Mitren. Vielleicht geht der Entwurf zu diesen Capitalen auf den Innsbrucker Baumeister *Gumpp* zurück. In dem Vertrage mit dem Hofmaler *Franz Michael Hueber* von Innsbruck betreffs Aus-

malung des „Hoffaales im Neuen Bau" in Stams vom 7. Mai 1721 wurde feftgefetzt, dafs Huber zu malen hat „auf folche Weis vnd Formb, wie es der Herr Paumeifter Gumpp demfelben beraits an die Handt gegeben vnd refpective vorgefchriben".

Die Malereien diefes Fürften- oder Hof-Saales zeigen fchwere Barockformen. Sie beftehen aus Figürlichem und aus Imitation von Stuccaturen an Wänden und Decke. Das Wandgemälde über dem Kamin ift mit den Anfangsbuchftaben des Meifters F. M. H. bezeichnet. Huber erhielt für die Arbeit 700 fl.

In dem Vertrage mit Franz Xaver Feichtmayr wurde der Maler Wolker erwähnt. Auch das Concept des Accords mit diefem Maler *Johann Georg Wolcker* von Augsburg vom 27. October 1730 liegt im Klofter-Archive. In der Einleitung des Vertrages wird gefagt: „Demnach in der... Clofter Kürchen... die groffe Gefahr fich erzeiget, das nach Befundt der Pauverftändigen das darauf befundene groffe Gewölben begunte einzufahlen, mithin um folcher groffen Gefahr vnd bei lenger gelaffenen Anftandt gewis zu gewartten gehabten Schaden vnd Einfahl vorzubiegen der... Herr... Abbt... auch das gefambte iobl. Convent fich dahin bewogen befunden, nit allain fothann alt vnd

ruinofen Gewölben, fondern auch die darauf geftandene alt vnd berait alldorthen abgefauften Tachftuchl abzubröchen vnd widerumben diefe nöben 6 Cappellen, damit difes Gottshaus etwas erwittert werde, von neuem aufzupauen vnd herrzuftöllen fich refolvierte, wie dann mann auch mit folcher Herftöll- vnd Avferpauung im Werckh begriffen vnd alles unter Tach gebracht, nun auch die Notturfft erfordert, das... fowohl in denen Cappelen neue Altär vnd Plöter darein gemacht, auch die Kürchen mit ainicher Mahlerey aufgezieret werde, zumahlen auch vmb folche Mahlereyarbeit der kunftreiche Herr Johann Georg Wolckher von Augspurg, welcher von dem hochlöbl. Reichs Stüfft Kayferhaimb (Ciftercienferklofter Kaisheim bei Donauwörth) hiezue recomendieret, fich angemeldet". Wolker macht fechs Altarblätter, malt die ganze Kirche „nach dem gemachten Riß" in Fresco und erhält Erfatz der Reifekoften, Wohnung und Verpflegung (diefe mit zwei Gefellen) und 3000 fl. An einem Deckengemälde des Langhaufes findet fich die Infchrift: Huius templi picturas invenit delineavit pingendoque absolvit egregia manus Joannis Georgii Wolcker. Das Chronoftichon der Infchrift ergibt zweimal die Jahreszahl 1732, welche fomit die Vollendung der Malereien bezeichnet.

Die Waffenfammlung im fürfterzbifchöflichen Schloße zu Chropin in Mähren.

Von *Karl Gerlich.*

(Mit 2 Text-Illuftrationen.)

WÄHREND aus luftiger Bergeshöhe malerifch gelegene Schlößer und romantifche Burgruinen weit ins Land grüßen, fehlen zumeift der Ebene Mährens die ftolzen Herrfcherfitze alter Gefchlechter, um fie noch einförmiger erfcheinen zu laffen.

In der durch ihre Fruchtbarkeit weit bekannten Hana-Ebene finden fich nur zwei Wafferburgen vor, eine in Tobitfchau und eine wenig bekannte in Chropin. Erftere bietet mit ihren Zinnen und hohem Thurm aus der Ferne ein anziehendes Bild, das Schloß zu Chropin ift als Architekturwerk von untergeordneter Bedeutung.[1] Aus der Ueberfchrift über dem Portal ift zu lefen, dafs diefes Gebäude vom Cardinal-Fürftbifchof Franz Dietrichftein im Jahre 1615 erbaut wurde. Und doch ift diefer nüchterne Schloßbau durch den Umftand werthvoll, dafs er eine ziemlich reichhaltige Waffenfammlung birgt, die aus dem Mürauer Zeughaufe übrig geblieben ift.

Als das Bergfchloß Mürau in ärarifchen Befitz übergegangen war (4. Juni 1855), wurde die Waffenfammlung von dort in das fürfterzbifchöfliche Schloß zu Chropin übertragen; nach *Wolny* foll fie noch im Jahre 1839 neben jener in Vottau bei Znaim die reichhaltigfte in Mähren gewefen fein. Aus früheren Nachrichten läfst fich erkunden, dafs der Waffenbeftand des Mürauer Zeughaufes mit Beuteftücken aus Kaifers

Leopold I. zweitem Türkenkriege bedeutend vermehrt wurde; im Jahre 1758 wurde fie, um fie vor den Preußen zu fichern, nach Olmüz überführt, dann wieder

Fig. 2. (Chropin.)

nach Mürau zurückgebracht. Im Revolutionsjahre 1848 wurden die fürfterzbifchöflichen Beamten, Förfter und Bedienfteten aus dem Zeughaufe bewaffnet, wobei manches Waffenftück verloren gegangen fein mochte.

[1] Wohl beftand hier, wie erzählt wird, eine alte Vefte; von der ift jetzt keine Spur mehr vorhanden, über die Stelle, wo fie geftanden haben foll, zieht nur der Pflug feine tiefen Furchen.

Der Ortswechfel gefchah unter dem Cardinal-Fürft-erzbifchof Fürftenberg, welcher im Chropiner Schloße den großen Waffenfaal herrichten ließ, nebft diefem noch zwei Räumlichkeiten des erften Stockwerkes zur Unterbringung der Waffenfammlung anwies.

Ein Vergleich des jetzigen Beftandes mit dem Inventar vom 9. April 1691 (ein älteres Inventar ftammt aus dem Jahre 1684, ein neueres vom Jahre 1789), welches im Programm des k. k. deutfchen Staats-Gymnafiums in Kremfier 1889 von Dr. K. Lechner veröffentlicht wurde, ergibt, dafs jetzt im Schloße zu

Fig. 1. (Chropin.)

Chropin nur ein Bruchtheil der Waffen des Mürauer Zeughaufes aufbewahrt wird. Die prunkvolleren Stücke find im fürfterzbifchöflichen Schloße in Kremfier unter-gebracht.

Die Anordnung der Waffenfammlung ift keine chronologifch-fynchroniftifche, vielmehr erfolgte die Aufftellung nach decorativen und romantifchen An-fchauungen.

Die Sammlung vertheilt fich, wie erwähnt, auf drei Räume des erften Stockwerkes: auf den Gang, den Bankettfaal und den Ritterfaal. Der gefchloffene Gang ift mit einem Gewölbe verfehen und mit fechsfeitigen

Ziegeln gepflaftert. Den Stiegenaufgang fchließt eine fchmiedeeiferne Thüreinfaffung ab. An den Wän-den ftehen auf Gewehrftändern 236 Gewehre alter Conftruction, neben dem Stiegenaufgange find Ge-wehre, Bruftharnifche, Sturmkappen und Fahnen pyra-midenförmig gruppirt, von gußeifernen Mörfern um-geben. Unter den Fenftern lehnen mehrere barocke Wappenfteine aus dem Schloße Mürau. Eine große Thür führt aus diefem Raume in den Ritterfaal, eine kleinere vermittelt den Eingang ins Bankettzimmer. Diefes ift ein trauliches Gemach mit einer Balken-decke; die zwei Fenfter find mit Putzen-fcheiben verfehen. In der Mitte fteht ein großer Tifch mit gefchnitztem Unterbau und kreisrunder Platte von 1½ M. im Durch-meffer. Um den Tifch herum ftehen fechs Stuhle mit fchön gefchnitzter Lehne. Links vom Eingange befindet fich eine Credenz, reich befetzt mit verfchiedenem Gefchirr, und ein großer Kachelofen. Diefer fteht auf fieben Marmorfüßen und ift aus Majolica-Kacheln in vier Schichten zufammengefetzt. Die Kacheln find mit dem Wappen des Ol-müzer Fürftbifchofs Karl II., Grafen von Lichtenftein (Fig. 1) und farbigen Orna-menten geziert. An den Ornamenten er-kennt man flavifche Motive, wie fie heute noch auf Leinenftickereien vorkommen: der Granatapfel, die Erdbeere, die Zwiebel, die Tulpe, die Rofette find durch Rankenwerk verbunden; auch ein palmettenähnliches Mufter kommt vor.

Urfprünglich war der Ofen viel größer, beim Umbaue wurden viele Kacheln be-fchädigt, diefe find in einer Kifte deponirt, es würde fich empfehlen, diefe an ein Mufeum (eventuell an zwei) zu übergeben.

Auf der Credenz ftehen flache Metall-fchüffeln (77 Cm. im Durchmeffer), mit gra-virtem Boden und Rand, dann tiefe kleinere Schüffeln und Schalen; Zinnkrüge mit birn-förmigem Deckel (30 Cm. hoch), Humpen aus Zinn (45 Cm. hoch), auf dem Deckel ein Löwe als Schildträger, Bierkrüge mit Deckel (43 Cm. hoch), zwölf flache Zinnteller (19 Cm. im Durchmeffer), geprefst in Nürn-berg; die Darftellung in Hautrelief zeigt a) die Auferftehung des Heilandes im Mittel-felde, rund herum auf dem Rande die zwölf Apoftel; b) das Opfer Noë's, Jahreszahl 1619, ringsherum vier Scenen aus dem alten Teftamente: Erfchaffung der Eva, der Baum der Erkenntnis, der Sündenfall und die Vertreibung aus dem Paradiefe; c) im Mittelfelde Ferdinand III., herum im Kreife Rudolph I., Albrecht I., Friedrich III., Albrecht II., Friedrich IV., Max I., Carol V., Ferdi-nand I., Max II., Rudolph II., Matth. (Fig. 2); d) Mittel-feld leer, der Rand mit vegetabilifchem Ornament.

Außerdem find ornamentirte Krüge und Teller aus Steingut und Porcellan, Vafen und Krügeln aus Thon, mehrere Glaskelche mit eingerizten Blumen in mehreren Etagen vertheilt. Erwähnenswerth find ferner: eine türkifche Kaffeekanne aus Kupfer, eine Zeltlaterne und eine Lichtputzfchere.

26*

Die Wände find mit Stangenwaffen, Schildern, Helmen und eifernen Kappen behängt. Am Mittelpfeiler find türkifche Fahnen, kreisrunde geflochtene Schilde, geftickte Pfeilerköcher angebracht. Lange Flintenläufe mit Feuerftein- und Radfchlößern, arabifche Handfeuerrohre und ein Panzerhemd, ein venetianifches Artillerie-Pulverhorn und Kanonenrohre find zu einer Gruppe vereinigt.

Der geräumige Ritterfaal (Flächenraum gegen 120 Q.-M.) reicht durch zwei Stockwerke; die groß caffettirte Decke hat in der Mitte 63 in Farben ausgeführte Wappen, meift den Gliedern der Fürftenberg'fchen Familie angehörend; der Boden ift mit fechsfeitigen rothen und fchwarzen Ziegeln gepflaftert. Zwölf Fenfter theils mit Putzenfcheiben, theils mit gewöhnlicher Verglafung laffen das Tageslicht in den weiten Raum voll hereinfluten. In der Mitte der Längswand befindet fich ein großer einfach gehaltener Kamin aus rothem Marmor. Die Wände find in Manneshöhe mit Tafelwerk verfehen, mit der Vertäfelung zufammengewachfen umgibt eine hölzerne Bank die ganzen Wände; auf dem vorladenden Gefimfe und an den Wänden find Schutz- und Angriffswaffen vereint arrangirt; außerdem ift an einem Pfeiler in der Gruppe um eine vollftändige Rüftung eine Anzahl von Stangenwaffen aufgeftellt, darunter zwei arabifche Doppelbeile mit kreisrunder convexer Beilfchneide; Helme mit aufgemaltem Scheinbart, ein intereffanter Pferdemaulkorb in durchbrochener Arbeit mit dem Spruche: Gott helf uns allen (Majuskeln) und mit der Jahrzahl 1521.

Die ganzen Rüftungen, fieben an der Zahl, beftehen aus gefchloffenem Helm, theils Burgunderhelme mit niedrigem Kamme, Fafsbruft, gefchobenen Achfelftücken mit und ohne Brechrand, fteifen Flügen ohne Schwebefcheibchen, Armkacheln mit großen Mufcheln, Fingerhandfchuhen. Die Diechlinge find nicht gefchoben, die Füße decken fchwere Kuhmäuler, im Rift gefchoben. Umgürtet ift jede Rüftung mit mächtigem Schwerte, links ein Schild angelehnt, blank, ohne Wappenzeichen Auf Confol-Brettern ftehen Bruftharnifche mit Grat, abwechfelnd mit Helmen, Kugelhelmen, Eifenkappen, runden Schilden aus Eifen und Meffing.

Hoch an der Wand fehen wir verfchiedene Stangenwaffen, deutfche Helmbarden mit durchbrochenem Beil und Haken, ungewöhnliche Waffen der Fußknechte, Kriegsfenfen — eine Bauernwaffe, die in den Empörungskriegen eine Rolle fpielt —, zweizinkige Gabeln, eine Zinke hakenförmig umgebogen, von Schaaren gebraucht, die für ihre Bewaffnung felbft zu forgen hatten; Schlagwaffen: mächtige Streitäxte, Morgenfterne. Alle diefe find mit (Büchfen) Hakenbüchfen und Musketten fächerförmig an den Wänden vertheilt; Solingerklingen ftecken kreuzweife in den Harnifchen. (Klingenzeichen ＞ Jahreszahl 1592.)

Auf dem Kamingefimfe endlich ruhen Mörfer aus Gufseifen neben Kanonenrohren aus Bronze.

Wenn vom wiffenfchaftlichen Standpunkte mancher Einwand gegen die Aufftellung der verfchiedenen Waffen erhoben werden könnte, da die Anordnung derfelben mehr auf Bewunderung als auf Belehrung berechnet ift, fo ift die Waffenfammlung im fürfterzbifchöflichen Schloße zu Chropin mehr als von bloß localem Intereffe.

Kunft-topographifches aus Südtyrol.

Von Profeffor Dr. *Hans Schmölzer*, k. k. Confervator.

I.

RIENT, die uralte Bifchofsftadt und in der Weltgefchichte bekannt als Sitz jenes großen Concils, welches hier, allerdings mit Unterbrechungen, vom Jahre 1545 bis 1563 abgehalten wurde, war vom Jahre 1027 an, feitdem es vom Kaifer Konrad dem Salier von der Mark Verona losgelöft und fammt den umliegenden Thälern mit allen gräflichen markgräflichen und herzoglichen Rechten dem Bifchof Ulrich und feinen Nachfolgern gefchenkt worden war, bis zum Jahre 1803 auch die politifche Hauptftadt des gleichnamigen geiftlichen Fürftenthums. Gar mancher kunftliebende Mann faß auf dem Stuhle des heil. Vigilius, und ihre künftlerifche Beftrebungen wurden auch für die weiteren ihrer Herrfchaft unterworfenen Thalgebiete von maßgebendfter Bedeutung.

Trient wurde auch in kunftgefchichtlicher Beziehung der Mittelpunkt des Fürftenthums, wie es der politifche war; von hier gingen zum großen Theile die Einflüße aus, welche auch draußen auf dem Lande Richtung gebend wurden. Es dürfte daher gerechtfertigt erfcheinen, an diefer Stelle, wenn auch nur in kurzen Zügen, den Entwicklungsgang der Kunft, insbefondere wie er fich in der Baugefchichte Trients zeigt, zu fkizziren, zumal der Verfuch hier zum erftenmal gemacht wird.[1] Wefentlich beftimmend für diefe Entwicklung ift die Lage der Stadt an der großen Verkehrsader zwifchen Deutfchland und Italien, und zwar in unmittelbarer Nähe der Spraeigränze beider großen Culturvolker. Die Bevölkerung Trients und der Hauptthäler des Gebietes war, mit alleiniger Ausnahme einiger Striche der Valfugana, im wefentlichen jederzeit eine italienifche.[2] Wir werden uns daher nicht wundern, wenn wir die Kunft in diefem Gebiete einen italienifchen Charakter tragen fehen, es aber anderfeits nach der Lage der Stadt und des Gebietes auch begreiflich finden, wenn wir in beftimmten Epochen der Kunftentwicklung ein ziemlich ftarkes Hereinfpielen deutfcher Kunft wahrnehmen, ein viel ftärkeres,

[1] Werthvolle Beiträge liefert *B. Riehl* in feinem Werke: Die Kunft an der Brennerftraße, Leipzig 1898, S. 271 ff.

[2] In Trient felbft war indeffen das deutfche Element frühes ungleich ftärker vertreten als jetzt, und insbefondere war fein Einfluß in den wichtigften Dingen von fehr bedeutendem.

als *Riehl* in dem oben citirten Werke anzunehmen geneigt ift.

Für das Mittelalter ift das wichtigfte Bauwerk der Stadt der prächtige romanifche Dom. Schon der erfte der regierenden Kirchenfürften Ulrich II. (1022 bis 1055) begann mit dem Baue,[1] den dann Bifchof Altmann aus dem bayerifchen Grafengefchlechte der Sulzbach (1124 bis 1149) fortfetzte und bis zur Höhe der jetzigen Seitenfchiffenfter förderte. Im Jahre 1146 den 18. oder 19. November fand die Weihe des damals Fertiggeftellten durch den Patriarchen von Aquileja Peilegrino da Povo ftatt. Hierauf fcheint die Arbeit am Dome für einige Zeit ganz eingeftellt worden zu fein. Erft als der thatkräftige Friedrich von Wanga, der Sproßling eines mächtigen tyrolifchen Adelsgefchlechtes, 1207 den bifchöflichen Stuhl von Trient beftieg, wurde der Bau und zwar nach etwas verändertem Plane wieder aufgenommen. Sein Baumeifter war *Adamo d'Arogno* ein Comaske. Bonelli theilt in feinem Werke: Monumenta ecclesiae Tridentinae III, pg. 50, die Grabfchrift des Meifters wie folgt mit: *Anno Domini M·CC·XII ultima die* (Februarii) *praesidente venerabili Tridentino Episcopo Federico de Wanga et disponente huius Ecclesiae opus incepit et construxit Magister Adam de Arognio Cumanae Dioc. et circumtuit ipse, sui filii, inde sui Aflatici cum appendiciis intrinsece ac extrinsece istius Ecclesiae magisterio fabricarunt.* (Cuius) *et suae prolis hic subtus sepulcrum manet.* (Or)*ate pro eis.*[2] Adam d'Arogno behielt die Anlage des früheren Baues bei, wie er unter Ulrich II. begonnen wurde und die im allgemeinen Dispofitionen wefentlich dem Domen der erften Hälfte des 11. Jahrhunderts in Deutfchland entfpricht,[3] geftaltete aber im einzelnen vieles um. Sein Werk ift die prächtige Choranlage, wie wir fie jetzt fehen; von ihm rühren die umlaufenden Zwerg-Galerien her; er wölbte den Dom ein. Dafs übrigens auch noch zu Anfang des 14. Jahrhunderts an dem Dome gebaut wurde, beweist eine Angabe Alberti's in den Annali dei principato ecclesiastico di Trento,[3] wonach Wilhelm von Caftelbarco, der mächtige Dynaft im Lagerthale, 1309 das fudliche Querfchiff aufführen ließ. Es ift diefe Angabe zwar neuerdings angezweifelt worden. Eine eingehende Unterfuchung diefes Theiles des Baues und des ganzen fudlichen Seitenfchiffes läfst aber deutlich erkennen, dafs wir es hier mit einer jüngeren Bauperiode zu thun haben. Selbftverftändlich müßte dann auch die Einwölbung in diefe fpätere Zeit gefetzt werden. Die nunmehr abgebrochene und durch eine neue erfetzte Kuppel über der Vierung, der obere Theil des einen ausgebauten Thurmes, das Atrium vor dem Nordthore find bekanntlich erft in der erften Hälfte des 16. Jahrhunderts erbaut worden.

Ueber den künftlerifchen Charakter und die künftgefchichtliche Stellung des Trientner Domes ift fchon vieles gefchrieben worden. Die Anfichten über denfelben find einander oft diametral entgegengefetzt: Be-

weis genug, dafs wir es nicht mit einem Bauwerke zu thun haben, in deffen Styl die Zugehörigkeit zu einer beftimmten Gruppe von Monumenten fich klar ausfpricht. Ift auch der Gefammtcharakter des Domes im wefentlichen der der lombardifchen Bauten der gleichen Stylperiode, fo zeigen fich im einzelnen doch ganz entfchieden deutfche Einwirkungen. Dafs der Grundrifs mit deutfchen Domanlagen des 11. Jahrhunderts eine ausgefprochene Verwandtfchaft hat, ift fchon hervorgehoben worden. Aber auch die fchlanken kräftig aufftrebenden Pfeilerbündel und das durch fie bedingte Uebergewicht der Entwicklung des Baues in die Höhe gegenüber der Breite ift wefentlich deutfch. Dafs die Seitenfchiffe in italienifcher Weife faft zu gleicher Höhe mit dem Mittelfchiffe aufgeführt find, kann daran nichts ändern, wenn auch der Gefammteindruck dadurch bedingt wird. Vor allem deutfch ift aber die Einbeziehung der Thürme — urfprünglich waren deren zwei projectirt — in die Façade.

Von anderen kunftgefchichtlichen Bauten Trients aus dem Mittelalter erwahnen wir die Kirche S. Apollinare in Piè di Caftello vom Jahre 1319[1] und jetzt profanirte Kirche S. Lorenzo aus dem 12. Jahrhundert,[2] welch' letztere den italienifchen Stylcharakter viel reiner ausführth als der Dom.

In den umliegenden Thälern fcheinen befonders zur Zeit des Bifchofs Altmann zahlreiche Kirchenbauten aufgeführt worden zu fein, wie die vielfachen urkundlichen Nachrichten über Einweihungen in jenen Tagen fchließen laffen. Allerdings hat fich davon nur weniges bis in unfere Zeit erhalten.

Von den unmittelbaren Nachfolgern Friedrich's von Wanga hatten wohl die meiften andere Sorgen, und während der zahlreichen Kämpfe, die fie bald mit unbotmäßigen Edlen, bald mit aufrührerifchen Unterthanen durchzufechten hatten und in denen ihre Macht eine gefährliche Einbuße nach der andern erlitt, blieb für die Pflege der Kunft wenig Raum. Zu einem neuen Auffchwunge gelangte die Fürftenmacht der Tridentiner Bifchöfe erft wieder unter dem gelehrten weltgewandten und thatkräftigen Heffen Johannes von Hinderbach, der 1465 den bifchöflichen Stuhl von Trient beftieg. Diefer Kirchenfürft gemahnt in mehr als einer Beziehung an die hervorragendfte Geftalt unter allen Bifchöfen Trients, an den Cardinal Bernhard von Cles. Seine Grabfchrift rühmt ihn als:

.... Hinderbachius ille Johannes,
qui princeps huius praesul et urbis erat,
Caesaris arcanus confultor, juris alumnus,
pace fua laeta perdomuit populos.
Oppida reftaurans perpulchris moenibus ornat
et Divi templum condidit ipfe Petri,

und ein gleichzeitiger Chronift berichtet: Idem epifcopus ecclesiam Sancti Petri fundamentis de novo aedificavit.... Multa ornamenta ad divinum cultum fieri fecit. Palatium epifcopale *(Palazzo pretorio)* in bona parte reformavit. Castrum Boniconfilii prius intus ligneum ac latericium reparavit ac marmoreum fecit cum columnis, fornicibus ac testudinibus fontemque ad Castrum conduxit. Castrum

---

[1] Nach *Bonelli*: Notizie istorico-critiche della Chiesa di Trento, ruhrt von ihm die Anlage der Krypta und die Erhöhung des Chores her. Beides ift nun verfchwunden.

[2] Diefe Grabfchrift befindet fich nach jetzt, allerdings um der Zeit hart mitgenommen, an einem Pfeiler der Apfis des Domes in der Nähe des öftlichen Einganges in denfelben. Die Ergänzungen rühren von *Bonelli* her, der fie nach einem in feinem Befitze befindlichen Manufcripte vornahm.

[3] *Riehl* a. a. O. S. 117.

[3] *Alberti*, Annali del principato ecclesiastico di Trento, reintegrati ed annotati da Tomaso Gar. Trento 1860, pg. 75.

[1] *Alberti*, Annali del principato eccl. di Trento, pg. 223; L. *Cesarini Sforza* nello Archivio Trentino, Anno XIII. Fasc. 1. pg. 103 und neueftens *Riehl* a. a. O., S. 236 f.

[2] Dafs S. Lorenzo im Jahre 1235 bereits ftand, bemerkt Herr v. *Vettelini*, Beiträge zur Gefchichte Tyrols in der Zeitfchrift des Ferdinandeums Innsbruck 1889. 33. Bd., S. 69.

Theni *(Tenno bei Arco)* vetustum et ad ruinam tendens de novo reformavit. Castrum Coredi *(im Nonsberg)* per autecessorem suum constructum in multis refecit et aedificia plura in aliis castris fecit;[1] und ein anderer ebenfalls gleichzeitiger Bericht meldet, daß Hinderbach in der Kammer, in welcher das Kind Simon gemartert wurde und die er in eine Capelle habe umwandeln laſſen, die Geſchichte der Paſſion Chriſti und Scenen aus dem Leben des heil. Simonin habe malen laſſen, und zwar ſei dies im Jahre 1477 geſchehen.[2] Leider find uns dieſe Malereien nicht erhalten geblieben. Sie würden gewifs ein intereſſantes Licht auf die Kunſtgeſchichte Trients während dieſes Zeitraumes werfen. Reſte von ehemaligen Fresken in der Kirche von S. Marco in Trient, die um die Mitte des 15. Jahrhunderts entſtanden ſein dürften, beweiſen, daß die deutſche Kunſt damals nach Trient übergriff; denn dieſe Fresken ſind unzweifelhaft von einem der Bozner Schule des 15. Jahrhunderts angehörenden Meiſter ausgeführt worden, und zwar wahrſcheinlich von demſelben, der auch die Fresken im Innern des Kirchleins auf dem Calvarienberge bei Bozen ausführte. Und daß dies kein vereinzeltes Beiſpiel iſt, daß dieſe Bethätigung und dieſer Einfluß deutſcher Kunſt in der nächſtfolgenden Zeit in Trient und dem italieniſchen Landestheile überhaupt noch zunahm, erſehen wir aus den ſpeciell im Nons- und Sulzberge, aber auch anderwärts noch vorhandenen zahlreichen Reſten deutſcher Flügelaltäre, die zum weitaus größten Theile der Bozner Schule entſtammen und in der zweiten Hälfte des 15. und zu Anfang des 16. Jahrhunderts entſtanden ſind. In Trient ſelbſt lebt und arbeitet um die Wende des Jahrhunderts ein Maler, der einzige uns namentlich und durch Werke bekannte Trientner Maler dieſer Zeit, *Hieronymus von Trient*, deſſen Kunſt in ſehr hohem Grade an die gleichzeitigen deutſchen Tyroler Meiſter erinnert: ſo ein Chriſtus vor Pilatus von 1502 im Muſeum zu Trient, die Fresco-Malereien am Thorthurm Porta Aquila und ein Bild im Dome (im nördlichen Querſchiffe), das ich ebenfalls mit Wahrſcheinlichkeit dieſem Meiſter zuſchreibe. Es ſtellt die Gottesmutter ſitzend und mit dem Kinde im Schoße zwiſchen den Heiligen Georg und Vigilius dar. Unten links kniet der Stifter (Georg von Neydeck?).

Auch in der Kirchenbaukunſt dieſer Zeit macht ſich deutſcher Einfluß entſchieden geltend, allerdings in den Formen, die in Tyrol die gebräuchlichen und ihrerſeits wieder nicht ganz frei von italieniſchen Einwirkungen ſind. Unter dem Biſchof Johannes von Hinderbach erſtand als wichtigſter Bau dieſer Art die *Peters-Kirche*.[3] An einem Strebepfeiler derſelben hat ſich noch folgende deutſche Inſchrift erhalten:

Den Perler hant
bezalt Hans
Dietmar von
Traminn 1472.

Es iſt eine ſpät-gothiſche Hallenkirche, deren Schiffe durch je drei achteckige Pfeiler getrennt ſind. Die Seitenſchiffe haben ungefähr die halbe Breite des Mittelſchiffes, der Chor iſt eingezogen und aus fünf Seiten des Achteckes geſchloſſen. Die Rippen des Netzgewölbes entſpringen ganz unorganiſch aus dem Mauerkörper über den capitälloſen Pfeilern zwiſchen den die Profilirung der Pfeiler beibehaltenden Arcadenbögen. Am Aeußern dienen dreifach abgeſtufte Strebepfeiler als Widerlager.

Eine zweite ebenfalls ſpät-gothiſche Hallenkirche Trients, die aber jetzt profanirt iſt und ein Stockwerk als Einbau erhalten hat, iſt die *Magdalena-Kirche*. Am Gewölbe des Chores findet ſich neben dem Trientner Adler das Wappen des Biſchofs Georg von Neydeck (1505—1514), in deſſen Regierungszeit alſo der Bau dieſer Kirche zu ſetzen iſt. *L. Cesarini Sforza*[1] gibt als Jahr der Erbauung 1513 an und berichtet, daß die Kirche auf Koſten eines gewiſſen *Johann Paurenfeindt*, der mehrmals Conſul der Stadt war, erbaut worden ſei. Thatſächlich ſteht auch dieſer Name: Joannes Paurnfeint, am Thürſturz des Weſt-Portales, und zwar mit der Jahrzahl 1515 und ſeinem Wappen. Während aber die Kirche noch durchaus die ſpät-gothiſchen Formen: achteckige Pfeiler ohne Capitäle, das Gewölbe die zu einem Netze ſich veräſtelnden, gut profilirten Rippen, daneben Seitenſchiffe von der halben Breite des Mittelſchiffes, einen aus dem Achteck conſtruirten eingezogenen Chor, und ſo in allen dieſen Punkten eine große Verwandtſchaft mit der Peters-Kirche zeigt, iſt dieſes Portal bereits im Style der Früh-Renaiſſance ausgeführt.

Es wurden alſo in Trient noch zu Ende des 15. und zu Anfang des 16. Jahrhunderts Kirchenbauten aufgeführt, welche durchaus dem in deutſchen Tyrol damals herrſchenden ſpät-gothiſchen Style folgen, und, wie wir noch ſehen werden, es geſchah dasſelbe auch in anderen Theilen des italieniſchen Landestheiles, die allerdings auch in ſocialer und wirthſchaftlicher Beziehung in noch engerer Verbindung mit den deutſchen Gegenden Tyrols ſtanden, nämlich im Thalgebiete des Avifio und am Cismone. Von einer ſtrengen Scheidung kann alſo auch auf dem Gebiete der Baukunſt nicht geſprochen werden. Es iſt ſogar ſehr wahrſcheinlich, daß man ſich zur Ausführung dieſer gothiſchen Kirchenbauten auch deutſcher Baumeiſter der benachbarten Gegenden bediente, wie denn damals und ſchon früher ſich in dem nicht zu fernen Neumarkt eine ganze Localſchule von tüchtigen Kirchenerbauern gebildet hatte.[2]

Anders in der Profan-Architektur. Hier dringt unter Biſchof Johannes von Hinderbach der venetianiſch-gothiſche Styl ganz entſchieden durch. In ſchönſter Weiſe ausgebildet ſehen wir ihn an der prächtigen Loggia des Castello del Buon Conſiglio, ebenſo in den um den inneren Hof herumlaufenden Galerien, an denen in eigenthümlicher, aber echt venetianiſcher Weiſe noch romaniſche Stylelemente auffallen. Bekanntlich ließ Hinderbach dieſe Bauten in den Jahren 1475 bis 1485 ausführen.[3]

Von anderen Bauten der Stadt, welche dieſen Styl noch ganz oder theilweiſe erkennen laſſen, die jedoch gegenwärtig meiſt nicht mehr erhalten oder architektoniſch meiſt von geringer Bedeutung ſind, erwähne ich nur die Hofſeite des *Palazzo Podetti* (einſt Geremia) in der Via larga, ferner ein Haus am Anfange der

[1] *Bonelli*, Monumenta ecclesiae Tridentinae. Vol. III. Pars II. pg. 107.
[2] *Bonelli*, ibidem.
[3] *Ambrosi*, Annali etc. pg. 472.

[1] Archivio Trentino. Anno XIII. fas. 1. pg. 78.
[2] *B. Rieht* a. a. O., S. 215.
[3] *A. Ilial* in den Mittheilungen der k. k. Central-Commiſſion. Bd. XXIII. S. 97 ff.

Via del Suffragio und ein interessantes, doch leider sehr herabgekommenes Portal im Vicolo Scorciafighi. An einzelnen Häusern Trients, die wohl aus derselben Zeit stammen dürften, begegnet uns übrigens auch der deutsche Erker.

Eine neue Epoche tritt für die Baukunst mit dem Regierungsantritte des Bischofs *Bernhard von Cles* (1514—1539), des späteren Cardinals, ein. Sie charakterifirt sich durch das Eindringen der italienischen Renaissance, welche in der Profan-Architektur zur ausschließlichen Herrschaft gelangt, und zwar in den etwas trockenen Formen der venetianischen Weise, in der Kirchenbaukunst aber mit der älteren Gothik einen ganz eigenthümlichen Compromiß eingehen mußte: auch dies ein Beweis, wie sehr man die Gothik liebgewonnen hatte und wie hartnäckig man an ihr festhielt.

In Trient selbst wurde unter Cles in den Jahren 1520 bis 1523 die Kirche *S. Maria Maggiore* durch den Architekten *Antonio Medaglia*, einen Comasken, erbaut. *Riehl* erkennt ihr reinen Renaissance-Charakter zu[1] und im wesentlichen wird man ihm darin auch recht geben müssen, obwohl die Raumverhältnisse nicht ganz diesem Style entsprechen, das Aeußere der Apsis deutlich gothische Anklänge in der Gliederung und der Fensteranlage aufweist und der Vergleich mit anderen gleichzeitigen und vom gleichen Architekten herrührenden Kirchen vermuthen läßt, daß die Einwölbung ursprünglich in anderer Weise geplant sein mochte.[2] Ganz anders verhält es sich aber mit zwei anderen Kirchenbauten dieser Zeit, welche ebenfalls dem Bischof Bernhard von Cles ihre Entstehung verdanken und unter der directen Einwirkung dieses kunstsinnigen Kirchenfürsten erbaut wurden: der prächtigen Pfarrkirche in dem nahen *Civezzano* (1536) und der Kirche in *Cles* auf dem Nonsberge. In ihnen spricht sich der Geist dieser localen Schule, die sich um diese Zeit, in den ersten Decennien des 16. Jahrhunderts, in Trient gebildet hat, am reinsten und deutlichsten aus. Ich habe übrigens schon an anderer Stelle darauf hingewiesen, daß wahrscheinlich auch eine Tradition der Comasken auf den Charakter dieser Richtung Einfluß gehabt habe.[3] Das Charakteristische derselben ist eben, wie schon angedeutet, die ganz eigenthümliche grelle und unvermittelte Verquickung noch rein spät-gothischer Stylelemente mit den neuen Renaissanceformen, wie dies ganz besonders deutlich an der von *Medaglia* erbauten Kirche in Civezzano zutage tritt. Aus derselben Schule ist aber auch die Hofkirche in Innsbruck hervorgegangen, welche ganz dieselbe Mischung von Stylformen zeigt. Ihr Erbauer ist *Andrea Crivelli* aus Trient, der bereits mehrfach von Cles bei seinen Bauten, so auch am Castell, verwendet worden war und noch unter *Antonio Medaglia* seine Schule gemacht hatte. Trientner, oder Comasken, welche der Trientner Schule angehörten, waren seine Bauführer. Damit beantwortet sich auch die Frage, welche *Riehl* aufwirft:[4]

„Wie kommt es, daß sich hier in der Hofkirche zu Innsbruck der Architekt durch den starken Nachklang des gothischen Styls in gewissem Sinne selbst untreu wird, da doch die Vorhalle derselben Kirche ganz italienisches Gepräge trägt, so daß sie ebensogut in Trient stehen könnte"? Nein, nicht bloß die Vorhalle: der ganze Bau könnte in Trient stehen und würde gerade hier, besonders wenn das unter Kaiser Leopold I. entfernte Netzwerk der Rippen noch bestünde, in keiner Weise überraschen. Nicht locale Einflüsse, die etwa in Innsbruck von Seite des Hofes thätig waren, haben dem Innern der Hofkirche neben dem Renaissancedetail den wesentlich deutschen Grundcharakter in der Anlage gewahrt; ganz derselbe deutsche Grundzug tritt an der Kirche zu Civezzano hervor, aber gerade so, wie in Innsbruck, wuchert daneben die italienische Renaissance empor. Auch in Civezzano ist der Kirche, die in ihrem Innern rein spät-gothische Formen zeigt, ein elegantes Renaissance-Portal vorgebaut, und die Umfassungsmauern mit ihren hohen mit spät-gothischem Maßwerk versehenen Fenstern sind durch hohe schlanke Wandpfeiler aus rothem Marmor mit eleganten weißmarmornen Renaissance-Capitälen gegliedert: würdigen Seitenstücken zu den hohen schlanken Rundpfeilern mit den Renaissance-Capitälen in Innsbruck, die nebenbei bemerkt, auch das ganz gleiche Material aufweisen. Das Stylgemisch, das an der Innsbrucker Hofkirche auffällt und den guten *Crivelli* fast in den Geruch der Untreue brächte, ist eben begründet in der Schule, welche der Trientner Meister in seiner Heimat durchmachte. In dieser selbst aber ist es eine Folge des hartnäckigen Festhaltens an der deutschen Gothik (in welcher ja kurz vorher in Trient selbst noch zwei Kirchen gebaut wurden), selbst dann noch, als ihr in der italienischen Renaissance eine mächtige Nebenbuhlerin entgegentrat.

In der Profan-Architektur herrscht, wie schon gesagt, seit dem Regierungsantritte des Bischofs Cles, und wohl vor allem durch den Neubau des Castells begünstigt, die venetianische Renaissance. Pilaster auf hohen Sockeln mit oder ohne Rahmenprofile und mit meist ziemlich roh gearbeiteten Capitälen fassen alle Geschosse der Façade ein. Auch gemalte Pilaster kommen vor: so am Palazzo Podetti und an der Casa Salvadori in der Via larga. An den Portalen und den Fenstereinfassungen finden wir die trockenen schreinermäßigen venetianischen Formen, oft mit Füllschemeln aus edleren Gesteine. Oefters kommen gekuppelte Fenster mit Renaissance-Säulchen als Bogenträgern vor, da und dort die Vereinigung dreier Fenster zu einer Loggia, auch mit vorspringendem Balcon, dessen Brüstungs-geländer dann immer die ganz specifisch venetianischen Formen zeigt. Ein Beispiel für diesen Styl ist der Palazzo *Podetti* in der Via larga, dessen Straßen-Façade sicherlich noch zu den frühesten Denkmalen der Renaissance in Trient zählt. Andere Bauten in diesem Style sind der Palazzo *Salvadori* in der Via larga und die Casa *Pernetti* in der Via Mazzurana. Am Palazzo *Tabarelli* derselben Gasse, der zu Anfang des 16. Jahrhunderts vom Domherrn Antonio de Fatis Tabarelli erbaut wurde, erschwingt sich diese Richtung, vielleicht von Bologna her beeinflußt, sogar zu einer Rusticafaçade, allerdings — und dies ist bezeichnend — im obern Stockwerk mit facettirten Quadern. Das kräftige Erdgeschoß fällt durch

[1] A. a. O., S. 138.
[2] Die jetzige Einwölbung stammt erst aus dem Jahre 1808. Es ist mir durchaus wahrscheinlich, daß *Medaglia* diese Kirche gar nicht fertig gebaut hat, nach seinem Plane aber die Einwölbung in einer Weise hätte erfolgen sollen, wie die etwa die Kirche in Cles zeigt. Daß dadurch ein Zwieft entstanden wäre, ift richtig, aber bei den beiden anderen im Texte genannten Kirchen ift dieser Fall.
[3] Mittheilungen der k. k. Central-Commiffion, Bd. XXIII, S. 193.
[4] A. a. O., S. 60.

die Böfchung, die demfelben gegeben ift, auf und gemahnt hier in den Bergen an die Stadt im Waffer, an Venedig, ebenfo die Einfaffungen der Portale und der Fenfter mit dem fchwächlichen, hier doppelt auffallenden Leiftenwerk. Die gekuppelten Fenfter haben Säulchen mit fchönen Früh-Renaiffance-Capitälen. Im 18. Jahrhundert wurde ein zweites Stockwerk aufgefetzt mit ganz zopfigen Medaillons in dem Bekrönungsfries. Das Gebäude, von der Tradition niemand einige Mauerrefte felbft zugefchrieben, ift der augenfälligfte Palaftbau Trients. Von einem anderen Palafte aus diefer Zeit, von welchem ich noch vor Jahren einige Mauerrefte emporragen fah und der einft zu den befferen Monumenten der Stadt gehört haben dürfte, dem Palazzo *dei Giroldi da Prato* in der Via Calepina, ift nur noch ein bemerkenswerthes Portal in der Via S. Trinità erhalten. Daffelbe, in bramantesken Formen der Früh-Renaiffance ausgeführt, trägt die Jahrzahl 1512, ift alfo noch vor dem Portale in S. Maria Maddalena entftanden. Zwei Halbfäulen mit gefchmackvollen Capitälen fchließen die im Halbrund gefchloffene Thüröffnung ein und tragen ein einfaches, aber claffifch geformtes gerades Gebälk. Der Palaft wurde 1845 durch Brand zerftört, nachdem er bereits früher geraume Zeit als Zuckerraffinerie gedient hatte. Auch der Palazzo *Monti* (jetzt Rohr) an der Ecke der Via Suffragio und Via S. Marco gehört noch wefentlich diefem Style der Zeit des Cles an, wenn er auch erft um die Mitte des 16. Jahrhunderts entftanden fein dürfte, worauf die derbere Behandlung der architektonifchen Formen fchließen läfst.

Zeigt fich die Profan-Baukunft im Zeitalter des Cardinals Cles als wefentlich unter dem Einfluße der Baukunft Venedigs und der ober-italienifchen Früh-Renaiffance ftehend, fo trat fchon unter feinen nächften Nachfolgern, den Bifchöfen aus dem Haufe der Madruzzo, infofern eine Veränderung ein, als fich der Einfluß des nahen Verona in der Baukunft, alfo vor allem der Einwirkung *Michele Sanmicheli's* und feiner Bauten, in diefer Stadt immer mächtiger fühlbar machte. Und diefer Einfluß ift es, der der Stadt im ganzen und wefentlich auch heute noch fein Gepräge aufdrückt und ihr bauliches Ausfehen beftimmt. Hatte man auch keine trotzigen Palaftbauten oder Stadtthore gleich jenen in Verona aufzuführen, fo wollte man doch, felbft an fonft recht befcheidenen Bauten, in der Einfaffung der Portale und nicht felten auch der Fenfter durch Verwendung der Ruftica und Anbringung von mehr oder minder grimmigen und durch ihre Größe auffallenden Masken als Schlußfteinen des Thorbogens etwas von dem Eindrucke jenes Bauftyles erhafchen. Eines der charakteriftifchften Gebäude diefer Art ift der Palazzo *degli Alberi*[1] außerhalb der Stadt, welchen Gian Gaudenzio Madruzzo, der Vater des Cardinals Chriftoph Madruzzo, noch in der erften Hälfte des 16. Jahrhunderts und vielleicht nach einem Plane *Sanmicheli's* felbft erbauen ließ. Ferner erwähne ich als ebenfalls fehr bezeichnend den Palazzo *Roccabruna* (fpäter Guarienti della Torre) in der Via S. Trinità, den Palazzo *Sardagna* in der Via Calepina, den Palazzo *Bortolazzi* in der Via Oriola, den Palazzo *Rossi* auf der Piazza S. Martino (mit argen Uebertreibungen diefes

Styles) und endlich den Palazzo *Zambelli* in der Via lunga, das großartigfte Privatgebäude Trients und von einem Fugger um 1581 erbaut.

Und wie in der Bauweife diefer fpäteren Zeit, fo war Verona fchon feit dem Anfange des 16. Jahrhunderts in der Façadenmalerei Vorbild. Es gab einft eine ziemliche Anzahl mit Fresken über und über gefchmückter Hausfronten in Trient, von denen allerdings jetzt die meiften ganz oder doch nur gute Theile verfchwunden find. Der Zeit ihrer Entftehung nach gehören fie faft alle dem Zeitalter des Cles, das heißt der erften Hälfte des 16. Jahrhunderts an. Nur die Malereien am Palazzo *Monti* fallen in die zweite Hälfte deffelben. Gleich am Domplatze fallen jedem Fremden zwei Häufer auf, welche ihren Façadenfchmuck noch ziemlich vollftändig erhalten haben. Das eine mit einfarbigen allegorifchen Figuren und Darftellungen gilt als ein Werk des *Marcello Fogolino*; das andere verräth mit feinen bäuerifch derben Figuren und einem fchönen Puttenfries die Auffaffung des *Aliprandi* von Verona. Ausfchließlich decorative Motive kamen vor wenigen Jahren an der Façade der Casa Salvadori in der Via larga zum Vorfchein, die ihrer Ausführung nach einen einheimifchen Maler vermuthen laffen. An der reichbemalten Façade des Palazzo Podetti, ebenfalls in der Via larga, find im Erdgefchoffe ein Glücksrad, zwifchen den Fenftern des erften Stockwerkes Scenen aus der römifchen Gefchichte (Curtius und Mucius Scaevola), fo wie eine höfifche Gefellfchaft dargeftellt. Recht gut erhalten haben fich die Gruppenbilder im zweiten Stockwerke diefes Palaftes, da fie durch das vorfpringende Dach gegen Witterungseinflüße beffer gefchützt find. Mit vieler Wahrfcheinlichkeit will man in einer Geftalt Kaifer Max I. erkennen, der 1508 diefen Palaft bewohnte. Diefe Malereien fcheinen mir nicht italienifcher, fondern deutfcher Herkunft zu fein, wenn auch italienifche Elemente darin unverkennbar find. An *Latanzio Gambara* von Brescia erinnern die größtentheils zerftörten Fresken an der Casa Pernetti in der Via Mazzurana. Das am beften erhaltene Monument diefer Gattung ift die reiche Bemalung der Casa Garavaglia in der Via S. Marco, infchriftlich ein Werk *Brusasorci's* vom Jahre 1551. Es find Scenen aus der römifchen Gefchichte, darunter eine wildbewegte Reiterfchlacht, und Midas und Apollo dargeftellt.

Wir haben bei diefer kurzen Darftellung des Entwicklungsganges der Baukunft Trients bis gegen das Ende des 16. Jahrhunderts das Hauptmonument der Stadt neben dem Dome, nämlich das Castello del Buon Consiglio, die einftige Refidenz der Bifchöfe, ganz beifeite gelaffen, da dafelbe erft jüngft in den Mittheilungen der k. k. Central-Commiffion durch *A. Wözl* eine eingehende Darftellung erhalten hat.[1]

Damit verlaffen wir Trient, um uns dem in vielfacher Beziehung intereffanten und merkwürdigen Fleims-Thale zuzuwenden.

Schon die wirthfchaftliche und Verfaffungsgefchichte diefes Gebietes, das durch Jahrhunderte faft eine kleine Republik im Staate bildete, ift höchft eigenthümlich.[2] Obwohl das Thal zum geiftlichen Fürften-

[1] *A. Wözl*, Das Caftell del Buon Configlio zu Trient. Mittheilungen der k. k. Central-Commiffion N. F. Bd. XIII, S. 23 ff. [2] Vgl. den Auffatz *T. v. Netola*, Die Thal- und Gerichtsgemeinde Fleims und ihr Staatsrecht in der Zeitfchrift des Ferdinandeums, Innsbruck 1873.

[1] Seit 1796 durch Brand verwüftet, beherbergt er jetzt eine Bauernfamilie.

thume Trient gehörte, war feine Verbindung mit demfelben jederzeit nur eine fehr lofe. In den Jahren 1111 und 1112 fchloffen die Abgeordneten der freien Bauerngemeinde Fleims mit Bifchof Gebhard zu Bozen die unter dem Namen *Patti Gebardini* bekannten öffentlichen Verträge, betreffend die Steuerleiftung und die Gerichtsbarkeit, welche bis zu Anfang unferes Jahrhunderts als Magna Charta Libertatum von den Fleimsthalern eiferfüchtig gewahrt und vor jeder Beeinträchtigung gefchützt wurden. Diefe beiden Freiheitsbriefe bildeten die Grundlage jener Autonomie der Thalgemeinde in der Regelung ihrer inneren Verfaffungs- und Wirthfchaftsverhältniffe, welche auch von den folgenden Bifchöfen und Landesherren, wenn auch nicht begeiftert, fo doch immerhin ftillfchweigend anerkannt wurde und dem Thalmark jenes ungewöhnliche Maß von Freiheit verbürgte, dafs die erlauchte Republik Venedig die Magnifica Comunitas Flemmarum mit dem ftolzen Titel *"sereniffima sorella"* beehren durfte. An der Spitze der Generalgemeinde, wie die Vereinigung der verfchiedenen Gemeinden des Thales genannt wird, ftand ein auf ein Jahr gewählter Scario, welcher mit den gewählten Vertretern der einzelnen Gemeinden, den Regolani, die executive Gewalt ausübte. Die legislative Gewalt war in älterer Zeit der Vollverfammlung aller Thalgenoffen vorbehalten, welche fich anfänglich immer "sub porticalia Ecclesie sancte Marie Plebis Flemmi" zu verfammeln pflegten, um die gemeine Mark zu beftellen und über Streitigkeiten und Markfrevel "cum confilio juratorum" zu richten. Denn ihre Verfammlung war ganz nach alter germanifcher Art zugleich Gemeinde- und Gerichtsverfammlung, wie denn überhaupt die Gemeindeverfaffung des Fleimsthales auf wefentlich germanifcher Grundlage aufgebaut ift. Wir werden im Folgenden fehen, dafs, wie im Rechts- und Wirthfchaftsleben, fo auch in der Kunft wenigftens bis ins 16. Jahrhundert der deutfche Einfluß die Richtung beftimmt, und gehen nun nach diefer kurzen Abfchweifung zur Betrachtung der einzelnen Kunftdenkmale diefes Gebietes über.

Der Hauptort der ganzen Thalgemeinde ift

Cavalese.

Die Pfarrkirche in *Cavalese*, in alten Zeiten im ganzen Thale einfach *La Pieve* genannt, fteht abfeits von der Marktgemeinde auf einem abgeplatteten frei in das Thal vorfpringenden Hügel. Es ift dies das *Forum Plebis Flemmarum*, durch Erinnerung an uralte Freiheiten und Volksrechte geheiligter Boden. Unter mächtigen Lindenbäumen fteht der fogenannte *Banco de la Resen*. Hier pflegten fich in fpäterer Zeit die von dem Scario entbotenen Markgenoffen oder ihre Vertreter zu verfammeln, um das Wohl des Gemeinwefens zu berathen; hier faßen die Richter aus dem Volke, um Recht und Gefetz zu wahren und die Uebelthäter zu ftrafen. Ein kreisrunder fteinerner Tifch mit gemauertem Fuße, deffen Platte in der Mitte ein weites rundes Loch aufweist, ift von zwei concentrifchen Reihen ebenfolcher Bänke umgeben, derart, dafs je den beiden Zutrittsöffnungen des inneren Kreifes die Mitte der äußeren Kreisbogen entfpricht. Es ift diefer *Banco de la Resen* ein rechtsgefchichtliches Denkmal hohen Ranges und feltenfter Art, deffen unveränderte

Erhaltung eine Ehrenfache, ja eine heilige Pflicht der Marktgemeinde Cavalese und der ganzen Thalgemeinde ift.

Die der Mutter Gottes geweihte Pfarrkirche von Cavalese gehört in ihrer heutigen Geftalt verfchiedenen Bauperioden an.[1] Den älteften Theil bilden die zwei Gewölbejoche unmittelbar vor dem Chore.

Sie gehören noch dem Baue an, der urkundlich von Bifchof Altmann am 17. Mai 1134 geweiht wurde.[2] Die Arcadengurten find noch romanifch profilirt, rundbogig und ruhen auf achteckigen Pfeilern auf. Eigenthümliche, ebenfalls noch an romanifche Formen erinnernde Kämpfer tragen den Chorbogen. Diefer felbft, gedrückt fpitzbogig, fowie das fpitzbogige Kreuzgewölbe mit Rippen, die das gothifche Birnprofil zeigen und unmittelbar von den Pfeilern abfetzen, wurden wohl erft im 15. Jahrhundert gebaut. Die ältere Kirche war einfchiffig und hatte wahrfcheinlich eine flache Decke.

An diefe zwei Joche wurden dann noch drei weitere und ebenfo die jetzigen Seitenfchiffe angebaut. An Stelle der polygonen Gewölbeftutzen erfcheinen hier Rundpfeiler, auch diefe ohne Capitale, und die Rippen fetzen in gleicher Weife von dem Körper der Pfeiler unmittelbar ab, um in Spitzbogengewölbe zu einem Netze zu veräfteln. Den Rundpfeilern entfprechen die ganz abnorm fchmalen und fehr niedrigen Seitenfchiffe Wanddienfte. Die Rippen fowohl im Mittelfchiffe als in den Seitenfchiffen haben mit ihren gefühllofen Profilirungen ganz das Ausfehen, als wären fie aus Holz hergeftellt; ja, in den Seitenfchiffen erfcheinen fie beim Zufammenftoßen am Scheitel gegenfeitig verpölzt. Die Wappen der Bifchöfe Alexander von Masovien (1423—1444), Georg Hack (1446—1465) und Georg von Neydeck (1505—1514) am Gewölbe beziehen fich offenbar darauf, dafs unter diefen drei Bifchöfen an der Kirche gebaut wurde. Und zwar wird in die Regierungszeit der beiden erfteren der Umbau und die Einwölbung der älteren, früher romanifchen Kirche fallen, während die Erweiterung zur dreifchiffigen Kirche unter gleichzeitiger Verlängerung des früheren Baues um drei Joche unter Georg von Neydeck vorgenommen wurde, worauf auch die fpät-gothifchen Bauformen hinweifen. Im Jahre 1610 wurde an das nördliche Seitenfchiff noch ein viertes Schiff angefügt. In breiteren und niedrigeren Verhältniffen als die übrigen Theile angelegt und blos mit Gräten am Kreuzgewölbe verfehen, öffnet es fich in maffigen fchwerfälligen und gedrückten Rund-Arcaden auf viereckigen Pfeilern gegen die Kirche. An das linke wie an das rechte Seitenfchiff wurden dann, ebenfalls noch im 17. Jahrhunderte, Capellen angebaut, und zwar an die linke die Capelle des Rofario, erbaut von der Familie Giovanelli und 1647 mit Fresken gefchmückt, wie eine Infchrift an dem gegen das Langhaus fich öffnenden Bogen befagt. Diefelbe lautet:

IOA. IACOBVS CALAVINVS
TRIDENT: ARCHIP. ET DECANVS
FOR. SACELLVM D. VIRGIN. DIC

---

[1] Die auf die einzelnen Bauperioden bezüglichen Infchriften und Jahreszahlen an verfchiedenen Theilen der Kirche entftammen offenbar der Zeit der letzten Renovirung, find alfo nicht authentifch.

[2] *Bonelli*, Notizie istorico-critiche della chiesa di Trento Vol. II. pg. 66.

XXV. N. F.

27

ATVM MYSTERIIS S. ROSARI AC
OPERE FRIGIO PROPRIO ERE EX
ORNAVIT 1647.

Die Capelle ist im Grundrisse ein Octogon und wird von einer ebenfalls octogonalen Kuppel überdacht. Ihr gegenüber, an das rechte Seitenschiff angebaut, ist die Capelle der Madonna del Carmine, eine Stiftung der Familie Firmian, die noch heute das Patronat über dieselbe ausübt.[1] Die Capelle bildet im Grundrisse ein oblonges Viereck, das in der Kuppel in ein Achteck übergeht. Sie dient als Grab-Capelle des Grafen Georg von Firmian, worauf sich auch eine Inschrift auf einem sonst ganz werthlosen großen Gemälde (von Panzo) an der linken Seite der Capelle bezieht, die ich hier anführe:

HIC IACET
GEORGIVS COMES DE FIRMIANO
DOMINVS MEDIAE CORONAE
ET CASTRI MECHEL
MARESGALLVS HÆREDITARIVS
PRINCIPIS TRIDENTI ET DVX
VALLIS FLEMARVM.

Der jüngste Theil der Kirche ist der jetzige Chor. Der berühmte aus Cavalese gebürtige und in Rom als Director der Akademie von S. Luca 1798 verstorbene Maler *Christoph Unterberger* erbot sich, seiner Heimatgemeinde unentgeltlich das Hochaltarbild für die Pfarrkirche zu malen, wenn der alte Chor abgebrochen und ein neuer nach seinen Plänen erbaut würde. Die Gemeinde ging auf seinen Vorschlag ein, und 1780 wurde mit dem Neubau begonnen. *Unterberger* erweist sich in demselben ebenso als classischer Eklektiker, wie er es in seinen Gemälden ist. Außerdem ist die ganze Anlage des Chores: der gerade Abschluß, an welchem das Altarbild in einem Marmorrahmen angebracht ist, und die beiden großen Seitenfenster, mit besonderer Rücksicht auf die günstige Wirkung des Bildes berechnet.

Das Aeußere der Kirche bietet architektonisch wenig bemerkenswerthes. Die Umfassungsmauern sind ungegliedert, Streben oder auch nur Lisenen fehlen, ebenfalls ein Beweis für die verhältnismäßig späte Entstehung des jetzigen Langhauses. Originell ist der Thurm an der Nordseite der Kirche. Der Entwurf zu demselben rührt von dem Fleimser Maler *Joseph Alberti* (1664—1730) her; erbaut wurde er von den Brüdern *Misconell*. Diese Thürme, zu denen Maler den Entwurf geliefert haben: der erwähnte der Pfarrkirche zu Cavalese, der Thurm neben der Kirche der Heiligen Fabian und Sebastian ebendort von *Antonio Longo* und der Thurm von Tesero ebenfalls von *Longo*, sind eine Specialität des Fleims-Thales, deren Haupteharakterzug in der Häufung von Geschoßen aller möglichen Ordnungen besteht. Gewöhnlich ist der Unterbau bis zu den Schallochern ohne Gliederung, wohl weil man dabei noch das Mauerwerk der ehemaligen Thürme beibehielt. Dann aber geht es in einer wirklich ganz

abenteuerlichen Weise fort. Auf ein Geschoß mit spitzbogigem Schalloch, das durch einen nach oben zu sich gabelnden Pfosten zweigetheilt ist, folgt ein zweites mit romanischem Triforium. Am Thurme der Pfarrkirche in Cavalese zeigt dieses Geschoß noch als besondere Eigenthümlichkeit an den vier Ecken tabernakelartige Ausbauten, die durch Säulchen gegliedert sind. Hierauf folgt bei allen diesen Thürmen ein drittes als Hauptgeschoß mit im Style der Hoch-Renaissance ausgeführt. Mächtige Pilaster flankiren ein großes halbrund geschlossenes, portalartiges Schalloch und tragen ein kräftig profilirtes Gesimse mit geradem Giebel, zu dessen Seiten Obelisken aufragen. Nun folgt wohl gar noch ein viertes Geschoß mit einem mächtig hohen Fenster und erst über diesem der Helm, dem man gern die Gestalt einer Glocke gab.

Gehen wir nun zur Betrachtung der inneren und äußeren Ausstattung der Kirche über, so sind in erster Linie die Sculpturen zu nennen, welche das West-Portal zieren. Es genügt ein Blick, um zu erkennen, dafs der ganze gegenwärtige Portalbau erst in späterer Zeit, vielleicht zu Anfang des 16. Jahrhunderts gelegentlich der Verlängerung der Kirche, möglicherweise aber, und zwar mit Rücksicht auf das geringe Verständnis, das sich in der Zusammensetzung der einzelnen Theile bekundet und das wenigstens für den Anfang des 16. Jahrhunderts nicht vorausgesetzt werden kann, noch später hier aufgestellt wurde, während es früher als Portal der älteren Kirche diente. Die architektonischen Formen sind jene der späteren Gothik, neuerdings ein Beweis, dafs man auch jenen ältern Bau nicht früher als etwa um die Mitte des 15. Jahrhunderts anzusetzen hat. Auf je zwei kleinen Löwenleibern, welche in einen Kopf zusammenstoßen — eine romanische Reminiscenz — erheben sich candelaberartig gegliederte, in den Profilen gothische Basamente und über diesen gothisches scharf profilirtes Pfostenwerk, das in halber Höhe von umgekehrten spät-gothisch behandelten Baldachinen unterbrochen wird. Zwischen die Pfosten spannen sich zwei sich kreuzende Schenkel eines geschweiften Bogens als Laibung des Portales. Den oberen (geraden) Abschluß des Ganzen bilden ganz misverständlich in die Mauer eingesetzte gothische Baldachine. An Figuralem sehen wir unten an den Basamenten die Apostel Petrus und Paulus, auf den Baldachinen in halber Höhe des Portales je einen Bischof und in dem Bogenfelde in etwa meterhohen Figuren die Verkündigung; links den Erzengel, rechts die Gottesmutter und über der Mitte Gottvater, von welchem das Kind mit dem Kreuze auf den Schultern ausgeht. Außerdem sind an den Pfosten noch verschiedene andere Heilige in kleinem Maßstabe angebracht und über der Verkündigung drei Engelchen dargestellt. Ueberall zeigen sich noch Spuren der einstigen Polychromirung der Figuren sowohl, als auch der Architekturglieder. Nur als Curiosum will ich erwähnen, dafs der Gedanke der Darstellung, welcher im 6. Jahrhundert von der Kirche als ketzerisch verdammt wurde (Verbum aeternum non ex Virgine carnem sumpsisse), zu einer ganz fabulosen Ansicht über das Alter dieser Sculpturen geführt hat, die doch durchaus den Styl des 15. Jahrhunderts aufweisen, wenn man es ihnen auch deutlich genug ansieht, dafs der Schöpfer derselben in die Schule der Holzschnitzer gegangen und mit dem Materiale, in welchem das ganze Portal

[1] Nach den Notizie topografiche-storiche di Fieme, die handschriftlich in der Bibliothek des Ferdinandeums zu Innsbruck sich befinden, hatte diese Capelle Vigilio de Firmian, der 1453 Vicar am Heimathsde war, erbauen lassen, wie angedeutet des Styles der Capelle wenig wahrscheinlich ist. Dieser Vigil flard nach Architecto, I'egioni da Firmian, Pisa 1878 Tav. IV. im Jahre 1509

ausgeführt ift, dem weißen Marmor, fchwer, aber vergeblich gerungen hat. Die Figuren find von gedrungenen Verhältniffen, mit breiten Gefichtern und niedrigen Stirnen; die Gewandbehandlung der Figuren der Verkündigung ift noch einfach und fchwungvoll, an den Engelchen aber macht fich bereits die mehr bewegte malerifchere Weife der fpäteren Zeit bemerkbar. Schließlich fei noch erwähnt, dafs die Sculpturen durchaus deutfchen Kunftcharakter an fich tragen. Diefem Portale ift ein auffallend weiträumiges Atrium vorgebaut, das eine einfache aber nicht unelegante Holzdecke ziert. Es ftammt aus neuerer Zeit, erinnert uns aber daran, dafs die Mitglieder der Fleimfer Markgenoffenfchaft in den älteften Zeiten fich regelmäßig „sub porticalia ecclesie sancte Marie plebis Fiemmi" zu verfammeln pflegten, was vermuthen läfst, dafs auch die ältefte Kirche ein größeres Atrium aufgewiefen haben wird.

Eine Vorhalle wölbt fich auch über dem südlichen Seiteneingang. Zwei Säulchen auf alterthümlich fteilen Bafen, welche urfprünglich wohl nicht hieher gehörten, und mit ziemlich roh gearbeiteten Renaiffance-Capitälen tragen drei Halbkreisbogen, die an der Wand auf Pfeilern mit cannelirten Kämpfern auffetzen. Das Kreuzgewölbe ift mit fehr hübfchen Grotesken gefchmückt, welche forgfältiger Erhaltung werth find. Im Lunettenfelde über dem geraden Thürfturze ift ein Fresco: Maria mit dem Kinde zwifchen den Heiligen Barbara und Katharina in Halbfiguren gemalt. Die Bauformen diefes Atriums entfprechen der Zeit des Bifchofs Bernhard von Cles, und die Malereien weifen nach Italien.

Das Fleimsthal ift die Heimat einer ganzen Reihe zum Theil hochbedeutfamer Maler, welche im 17. und 18. Jahrhundert blühten. Von *Orazio Giovanelli* und *Jofeph Alberti*, in dem noch etwas von der Vielfeitigkeit der Künftler des Renaiffance-Zeitalters zu verfpüren ift und der zahlreiche Schüler hinterließ, ausgehend, erreichte diefe Fleimfer Schule, wenn man von einer folchen fprechen darf, da fie ja keinen beftimmten in eigenthümlichen Charakter aufweist, es wäre denn, dafs mehrere der ihr Angehörenden ausgefprochen Eklektiker find, mit den beiden *Unterberger* aus Cavalefe, die fich mehr oder minder eng an *Mengs* anfchloffen, ihren Höhepunkt. Die Pfarrkirche von Cavalefe ift nun, was ihre innere Ausftattung anlangt, ein wahres Mufeum von Werken derfelben. Dafs das Hochaltarbild, die Himmelfahrt Marias darftellend, ein Werk *Chriftoph Unterberger's* ift, wurde fchon erwähnt. Allerdings rührt nur die Skizze zu dem Bilde von dem berühmten Meifter her; an der Ausführung des Bildes hinderte ihn der Tod, und fie blieb feinem Sohne *Jofeph* vorbehalten. Das Bild gelangte in die Kirche erft 1813 zur Aufftellung, in welchem Jahre auch der jetzige Hochaltar errichtet wurde. Derfelbe ftammt aus der Kirche S. Marco in Trient. Der obere Theil deffelben fteht in der Capelle S. Maria del Rosario. Das Hochaltarbild, licht und klar in der Farbe, hat doch etwas gemachtes und froftiges in der Empfindung. An der

linken Chorwand fehen wir ein großes Gemälde, das letzte Abendmahl darftellend, von *Jofeph Alberti;* leider ift das Bild fchon fehr verdorben, und das gleiche gilt von dem an der Epiftelfeite hängenden Gemälde mit den vier Evangeliften von *Franz Unterberger*. Dagegen ftrahlt ein anderes Bild: die vierzehn Nothhelfer von *Orazio Giovanelli* (geft. 1640), aus Carano, einem Schüler *des jüngeren Palma*, noch in feiner urfprünglichen Frifche. Das Colorit ift warm und kraftig, in den ftark bewegten Gewändern zeigen fich vielfach prächtig wirkende Reflexe. In der Capelle der Madonna del Rosario ift das Kuppelfresco, die Himmelfahrt Marias in einer reichen Gloriole von Heiligen, ein ziemlich unbedeutendes Werk des *Francesco Furlanell* von Teffero, eines Schülers des *Orazio Giovanelli*, und 1646 gemalt. Von dem gleichen Meifter ift auch das große Tafelgemälde der Schlacht bei Lepanto in eben diefer Capelle. *Furlanell* vollendete das Bild noch unmittelbar vor feinem im Jahre 1686 erfolgten Tode, und dies durfte auch die große Ungleichheit der Ausführung im Einzelnen erklären. Auch die abwechfelnd runden und oblongen Gemälde in Oel auf Leinwand, welche in dem ftuckirten Kuppelfries eingelaffen find und Scenen aus dem Marien-Leben darftellen, find von feiner Hand. Die Farbe entbehrt der Leuchtkraft, und die Bewegungen find oft hart. Das Altarbild des Rofenkranzaltares ift ein Werk *Antonio Longo's* von Varena bei Cavalefe. Dem *Furlanell* möchte ich auch das Altarbild des Antonius-Altares in der Pfarrkirche zufchreiben, eines der beften Bilder der Kirche, das zeigt, was *Furlanell* zu leiften imftande war, wenn er fein Können einfetzte. Ein weiteres Werk diefes Malers und zwar vom Jahre 1664 ift das lebensgroße Portrat des Grafen Georg von Firmian in der Capelle S. Maria del Carmine. Es ift dies ein Hauptwerk der Fleimfer Schule des 17. Jahrhunderts. Der Graf kniet in voller Rüftung an einem Betfchemel. In der fchlichten Charakteriftik, der ficheren und breiten Vortragsweife zeigt fich die Meifterfchaft des Künftlers. Uebrigens ift es für die Stellung der Malerei im Thale bezeichnend, dafs für das Grabmal des Grafen — denn die Stelle eines folchen vertritt ja eigentlich das Bild — nicht der Bildhauer, wie wohl anderwärts, fondern der Maler zu forgen hatte. Ehemals zierte die Wand gegenüber ebenfalls ein Gemälde *Furlanell's* St. Georg als Drachentödter darftellend. Dafelbe wurde aber von einem Blitz zerftört und ift jetzt durch einen faft- und kraftlofen niederfchwebenden Engel des unbedeutenden Fleimfer Malers *Vanzo d. Ae.* erfetzt.

Endlich wären noch die Fresken am Portal-Atrium und an der Weft-Façade der Kirche zu erwähnen, an jenem die Verkündigung, an diefer Mariä Himmelfahrt darftellend. Es find Werke des 1762 zu Varena geborenen Malers *Antonio Longo*, der in feinem Heimatthale zahlreiche Kirchen mit den Schöpfungen feines flotten Pinfels gefchmückt hat. Eine auf diefe Fresken bezügliche Infchrift an der Weft-Façade, die auch hiftorifches Intereffe bietet, fei hier mitgetheilt:

OB VALLEM A TOT PERICVLIS PRESERVATAM & BAVARORVM
& GALLORVM DOMINATV LIBERATAM SVA & PIORVM VOTA
ERGA GLORIOSISS.PATRONAM & ADVOCATAM LVBENS MERITO
PENICILLO SOLVIT PR. ANTONIVS DE LONGIS ACCA DE ROMA
MDCCCXIV.

27*

Ein zweites hervorragendes und kunstgeschichtlich bedeutsames Gebäude in Cavalese ist der *Palazzo vescovile* oder l'Palazzo della Comunità generale. Die Bischöfe von Trient pflegten schon im 11. Jahrhundert einen Theil des Sommers in der kühleren Luft von Cavalese zuzubringen[1] und deshalb dürfen wir wohl vermuthen, dafs schon in sehr frühen Zeiten dort eine Art Sommer-Residenz derselben gestanden habe. Freilich ist von dem Baue aus jenen fernen Zeiten nichts mehr erhalten. Nach *Bonelli*[2] wäre an der Außenseite des Palastes das Wappen des Bischofs Heinrich III. (1310—1336) gemalt gewesen, und man kann daher geneigt sein, diesem Kirchenfürsten einen wesentlichen Antheil an der Erbauung oder Restaurirung des Gebäudes zuzuschreiben. Später diente der Palast als Sitz der fürstbischöflichen Vicare und Capitani. Der jetzige Bau ist wesentlich ein Werk des Cardinals Bernhard von Cles, welcher ihn in den Jahren 1537 bis 1539 gründlich umbauen ließ, um ihn zu zeitweiligem Sommeraufenthalt zu benützen. Im Museum zu Innsbruck finden sich sieben Originalschreiben des Cardinals an seinen Hauptmann im Fleimsthal Simon Botsch Erbtruchsefs von Tyrol, welche sich auf die Arbeiten an diesem Palaste beziehen.[3] Als Baumeister wird in denselben mehrfach *Andrea Crivelli*, der Erbauer der Hofkirche zu Innsbruck, genannt. Dafs es sich nicht um einen vollständigen Neubau handelte, geht daraus hervor, dafs in den Schreiben ausdrücklich sowohl von der „newen Arbeit", als auch von dem „was an den alten Gemächern mit Verwerfen, Verweißen und sonst anderer Gestalt zu bessern ist", gesprochen wird.[4] Auf diese Bauthätigkeit des Cles weist im gegenwärtigen Palaste auch das mehrfach an den Thürstürzen vorkommende Wappen des Cardinals sowie sein bekanntes Emblem, sieben von einem Bande umwundene Stäbchen, hin. Aber auch unter dem Nachfolger des Cles, unter dem Bischof Christoph von Madruzzo (1539—1567), wurde an der Verschönerung des Palastes zu Cavalese gearbeitet. Dies geht aus einer von der Zeit hart mitgenommenen Inschrift hervor, die sich an der Nord-Façade des Palastes befindet und folgendermaßen lautet:

CHRISTOPHORO MADRVO EPO
TRIDENTI ET . . . IVBENTE HEC
SVNT INSTAVRATA INSIGNIA
SVISQ POSTERIS ALIA PIGEDI
LOCA RELICTA SVNT.

sowie auch eine andere mir nicht verständliche Inschrift:

SVIRS RI
ANO DNI
MDXXXX

an ebendieser Façade der Zeit dieses Bischofs angehört und sich wohl auf die Vollendung der Malereien an derselben bezieht.

Gegenwärtig ist das Gebäude, das in den Besitz der Generalgemeinde gelangt ist, stark in Verfall gerathen. Der Giebel der Haupt-Façade mußte im zweiten Decennium dieses Jahrhunderts wegen der Gefahr des Einsturzes abgetragen werden. Es scheint denselben das kaiserliche Reichswappen geziert zu haben, da noch ein Theil der Kette des Toison-Ordens am Simse sichtbar ist. Zur Zeit sind in dem Gebäude die Gerichtsgefangnisse untergebracht, wie auch der Gefangenwächter darin seine Wohnung hat; zum andern Theile dient es Zwecken der Generalgemeinde.

Von der einstigen Ausschmückung haben sich im Innern nur noch in dem Hauptsaale und in einem Nebengemache gemalte Friese erhalten, die aber die höchste Aufmerksamkeit und die sorgfältigste Erhaltung verdienen. Der den Hauptsaal unmittelbar unter der jetzt fehlenden, chemals sicherlich bemalten Decke umlaufende Fries ist durch gemalte Pfeilerchen mit Rahmenprofilen und Füllungen in Braun und Grau in vierzehn gleiche Abtheilungen geschieden. Zwei derselben sind durch eine später durchgebrochene Thür halb zerstört, die übrigen aber noch größtentheils sehr gut erhalten. Die Mitte eines jeden Feldes nimmt eine figurale Darstellung ein: zwei aneinander gefesselte Barbarengestalten in antiker Auffassungsweise oder zwei Satyren, Pluto raubt die Proserpina, eine mit Lorbeer bekränzte Frauengestalt hält ihre Rechte über ein brennendes Becken, Leda mit dem Schwane, ein Meerweib mit zwei Jungen, eine Cleopatra u. s. w. Von diesen figuralen Mittelstücken gehen zu beiden Seiten von Delphinleibern prachtvoll geschwungene Akanthusranken aus, die in Harpyen, monströse Vögel oder andere geflügelte Wesen und fabelhafte Ungethume enden. In der Mitte zwischen der figuralen Mittelgruppe und den Bestien am Ende des Gerankes sehen wir, außerordentlich geschickt in das Ganze hineincomponirt, nackte vorzüglich bewegte Genien, welche sich mit Speeren oder brennenden Fakeln gegen die drohenden Scheusale vertheidigen oder vor ihnen entsetzt fliehen. Herrlich sind die Contraste in den Bewegungen. Ueber der Mitte der einzelnen Abtheilungen sind abwechselnd das Clesische Emblem oder zwei von einer Fascie umwundene Oelzweige in eine Cartouche gemalt. An der Ostseite des Saales war ehemals das Wappen der Cles dargestellt, das nun aber zerstört ist, sowie an der Südseite auch die trennenden Pfeilerchen in der Mitte Wappen als Füllungen trugen.

Sind schon Erfindung und Zeichnung an diesem Friese von hoher Vollkommenheit, so ist insbesondere die coloristische Wirkung von außerordentlicher Feinheit, vor allem aber das Incarnat der Figuren von einer Frische und Wärme, wie es nur ein großer Künstler darzustellen weiß. *Semper* will daher auch diese Fresken als Werke des *Marcello Fogolino* ansprechen.[1] Allein die vollkommene Uebereinstimmung dieses Friefes in Erfindung und Ausführung mit jenem im Palazzo Madruzzo in Trient und den urkundlich dem *Dosso Dossi* angehörigen Malereien im Castell del Buon Consiglio in Trient nöthigt uns, sowohl die Friesmalereien im Palazzo Madruzzo zu Trient,[2] als auch diese Fresken im Palazzo vescovile zu Cavalese dem großen Ferraresen zuzuschreiben, wenn sie auch nicht durchwegs alle von seiner Hand ausgeführt sind. Wenigstens im Palazzo Madruzzo in Trient zeigen sich ganz

---

[1] *Alberti*, Annali del principato ecclesiastico di Trento, pg. 6.
[2] *Bonelli*, Monumenta eccl. Trid. I, pg. 94.
[3] *Zeitschr. des Ferdinandeums* LXXV, III.
[4] Nr. 14 des einzigen Sammelbandes.

[1] Wanderungen und Kunststudien in Tyrol, Innsbruck 1844, S. 171.
[2] Mit diesem Palaste hatte übrigens die Familie dieses Namens, wie hier hinzugefügt werden mufs, nie etwas zu thun. Vgl. L. Cesarini Sforza im Archivio Trentino Anno XIII, Fasc. I, pg. 49.

deutlich in der Ausführung eine vorzüglichere und eine schwächere Hand. Ich bemerke hier, daß auch die Malereien in diesem Trienter Palaste bisher den Kunstforschern unbekannt waren.

Der Fries in einem der Nebengemächer des Palastes in Cavalese unterscheidet sich von dem des Hauptsaales zunächst dadurch, daß der Grund desselben tief dunkelblau gehalten ist. Ferner zeigen die vier Wandstreifen keine Unterabtheilungen; nur an den Enden, in den Ecken, sind grau gehaltene Pilasterchen mit einer schwarzen Scheibe in der Mitte als Einfassung gemalt. Im Ornamente tritt hier das Vegetabile ganz zugunsten des eigentlich Grotesken zurück, und die fratzenhaften Gestalten, welche das Geranke erfüllen und beleben, sind hier womöglich noch abenteuerlicher und monströser, auch die Bewegungen und das dramatische Leben gesteigert. Das Colorit ist ernster, düsterer.

An der Nordseite des Gemaches ist in der Mitte des Frieses das clesische Wappen dargestellt, flankirt von zwei drachenartigen zähnefletschenden geflügelten Fabelwesen, deren Körper von dem Wappen weg, die Köpfe aber ihm zugewendet sind. Im dem Stabgeranke zu beiden Seiten ist je eine wilde Bestie angeordnet. Die Enden des Gerankes laufen beiderseits in je einen sehr markant gezeichneten Kopf, einen männlichen und einen weiblichen aus.

In übereinstimmender Weise sind auch die drei anderen Seiten dieses Gemaches behandelt. Die Ostseite zeigt in der Mitte das Wappen des Bisthums, flankirt von zwei Putten, die mit brennender Fackel und Spieß bewehrt sind sich gegen zwei grimmige Eber vertheidigen; das Geranke endigt hier in einen Faun und einen Putto. An der Südwand flankiren zwei geflügelte Wappenthiere den Tridentiner Adler. Zwei Ziegenböcke sowie ein Uhu und ein Affe beleben die beiden Ranken. Das Wappen der Westwand ist fast gänzlich zerstört. Zwei gegen ein die beiden Wappenhalter, geflügelte Drachen, kämpfende Genien, von welchen einer von rückwärts gesehen wird, ein Widder und ein Faun bilden die in das Stabgeranke eingeordneten figuralen Elemente, ein Putto mit einer Fackel und ein zweiter in fliehender Geberde die Enden desselben. Die Zeichnung, die Kraft der Farbe, die markante Charakteristik und drastische Energie in den Bewegungen, der Reichthum der Erfindung stellen diese Malereien auf eine Stufe mit jenen im Hauptsaale, denen sie aber an Feinheit der coloristischen Wirkung erheblich nachstehen, wie denn auch die stärkere Betonung des Figuralen nicht sehr zugunsten dieses Frieses ausgefallen ist. Im Ganzen ist auch dieses Werk noch gut erhalten, in einzelnen Partien zwar übermalt und stark verstaubt.

Auch in einem Gange zeigen sich noch Spuren von Malereien unter der Tünche, ebenso hat sich in demselben noch die alte Decke erhalten, wenn auch ziemlich schadhaft. Geometrische polychrome Muster umgeben das clesische Emblem.

Weniger gut ist der Zustand der Malereien an der Façade des Palastes. Aus der oben mitgetheilten Inschrift und dem in derselben gebrauchten Ausdruck »posteris alia pingendi loca relicta sunt« geht indirect

hervor, daß diese Malereien der Cardinal Christoph von Madruzzo ausführen ließ, und nach der zweiten der citirten Inschriften zu schließen, fällt die Ausführung derselben in das Jahr 1540, also in den Beginn der Regierungszeit dieses Fürsten. Dargestellt sind an der Façade, deren Erdgeschoß gemalte Quaderung zeigt, das Urtheil des Paris und der Kampf der Horatier und Curiatier. Es folgt dann ein Feld, in welchem zwei nackte Putti die Sigle W tragen, während zwei andere auf den Armen eines Gerankes sitzende ein E halten. Rechts von dieser Darstellung begegnen wir abermals derselben Sigle mit einem Putto oberhalb und einem zweiten unterhalb derselben. In allen diesen Malereien an der Façade machen sich schon erheblich barocke Einflüße geltend, die Gewandung ist sehr schwungvoll, doch auch schon stark manierirt behandelt, das Fleisch rosig, die Stellung mehrfach affectirt und die ganze Mache gegenüber den Malereien im Innern des Palastes sehr vergröbert.

In der *Kirche der Franciscaner* zu Cavalese, einem Barockbau aus dem letzten Decennium des 17. Jahrhunderts, hängen an den Wänden des Schiffes sechs große Oelgemälde des *Francesco Furlanell*, Stiftungen verschiedener Wohlthäter, mehrere auch mit der Jahrzahl 1690, also wie es scheint erst nach dem Tode des Meisters vollendet. Sie stellen einzeln verschiedene Heilige des Ordens mit ihren Attributen dar, haben eine bedeutende Leuchtkraft der Farbe und gute Modellirung. Tiefen braunen Schatten stehen helle rosige Lichter gegenüber, die Auffassung ist eine vornehme und wenn sich auch barocke Elemente finden, von den Uebertreibungen dieses Styles ist kaum eine Spur vorhanden, was in Anbetracht der Zeit der Entstehung dieser Gemälde immerhin von bemerkenswerther Bedeutung ist. Es ist eine gediegene Tradition aus der besten Zeit der venezianischen Schule in ihnen noch lebendig, neben welcher sich allerdings auch ein weichlicher füßlicher Zug, der dieser Zeit angehört, äußert. Die coloristische Wirkung ist meist von großer Feinheit, die Färbung kräftig und warm.

Schließlich möchte ich aus Cavalese der Curiosität halber noch zwei Hausmarken mittheilen, welche mir gelegentlich unterkamen. Die eine befindet sich mit der Jahrzahl 1650 am Gebäude der k. k. Bezirkshauptmannschaft, die andere am Hause Nr. 137.

Halten wir nun Umschau in der Umgebung des Hauptortes des Fleimsthales. Auf mäßig geneigtem Abhange nördlich von Cavalese liegen die Ortschaften Carano, Dajano und Varena, die mit ihren hochgiebeligen Kirchen und malerischen Thürmen der Landschaft ein reizendes Aussehen geben.

(Fortsetzung folgt.)

Die alte griechisch-orthodoxe Pfarrkirche in Wolczynetz und die zu Toporoutz.

Vom Conservator *K. A. Romstorfer*.

DIE Erstgenannte — zur heil. Maria Geburt — ist ein Holzbau, welcher im Jahre 1775 von der Kirchengemeinde errichtet wurde. Patron ist das Kloster Barnowski zum heil. Grabe Christi in Jerusalem. Die Wände sind im Blockbau aus rechteckigen, innen gehobelten, außen mit verticalen Brettern verschalten Balken, 25 Cm. kräftig construirt; das steile weit vorspringende abgewalmte Dach ist mit Schindeln eingedeckt und mit zwei kleinen eisernen zierlichen Kreuzen geschmückt. Der Kirchenraum besteht aus dem Pronaos *P* mit der Eingangsthüre auf der Südseite, dem Naos *N* und der Altar-Apside *A*. Die Gesammtlange beträgt rund 15, die Breite 7 M. Eigenthümlich ist hier die Apside geformt, welche eine dem regelmäßigen Sechsecke sich nähernde Figur bildet (Fig. 1). Die Ueberdeckung des Naos ist mit Blockbalken tonnen-

boutz; eine Entscheidung ist hierüber bis nun noch nicht getroffen.

Die Ikonostasis ist im allgemeinen einfach gehalten; blos die Königsthüre, eine Anzahl Säulen und wenige Rahmenprofile sind geschnitzt, und zwar roh, vorwiegend das Trauben-Ornament, im übrigen barocke Formen zeigend von geringem Kunstwerthe, doch, gleich den ebenfalls wenig Kunstwerth besitzenden Bildern, recht gut erhalten. Mehrere Bilder zeigen das Datum, und zwar 1797 Mai 27., 1797 März 27., dann 1796; der Name des Malers wurde nicht gefunden. Die Ikonostasis, dann einige sonstige kunsthistorisch werthlose Gegenstände, und zwar zwei große Holzleuchter, ein Tetrapod, ein Sängerpult, ein hölzerner Luster, ein weicher gewöhnlicher Kasten für Ornate und diverse an den Wänden im Naos und Pronaos befindliche Bilder mögen ebenfalls mit der Kirche selbst verschenkt werden, darunter auch das die ganze Nordseite der Vorhalle einnehmende Bild, das jüngste Gericht in sehr drastischer Weise darstellend. Dieses Bild, dilletanten-

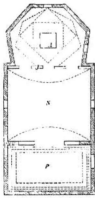

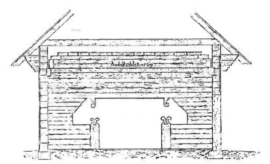

Fig. 1   (Wolczynetz.)   Fig. 2

gewölbartig, die des Pronaos zum Theile mit Pfosten spiegelgewölbartig gebildet. In besonderer Art ist die Decke der Apside aus starken Pfosten derart überdeckt, daß die Oeffnung durch die darüberliegenden Pfosten mehr und mehr verengt wird. Eigenthümlich ist ferner die Wand zwischen Pronaos und Naos hergestellt, welche den im Pronaos (dem sogenannten Weiberstande) befindlichen Andächtigen thunlichst freien Durchblick auf die Ikonostasis *I* gewährt (Fig. 2).

Infolge des großen Seelenzahl entsprechenden in Durchführung begriffenen Neubaues könnte die Holzkirche, deren Bauzustand mit Ausnahme der Dacheindeckung ein sehr guter ist, einer ärmeren Gemeinde geschenkt und ehedem mit Weise erhalten werden. Um dieses Geschenk bewirbt sich sowohl die Gemeinde Slobodzia Oprischeny als auch die Gemeinde Ger-

haft nachgemalt ähnlichen alten Wandmalereien in einzelnen Klosterkirchen der Bukowina, rührt vom Jaromonachen *Varnava Sindelar*, nachmaligem Klostervorsteher in Suczawitza her, der es an Ort und Stelle gegen Entgelt von der Gemeinde ca. 1860 malte.

Von demselben Maler befindet sich ein zweites etwa 1 M. hohes Bild in der Vorhalle, allerdings dilettantenhaft, doch mit größerem künstlerischen Gefühle hergestellt, die Entschlafung Marias darstellend. Es ist fignirt und mit 1859. Juli 15. datirt. Ich ließ das Bild herabnehmen, und da zeigte sich eine neuere umfangreiche Inschrift, welche besagt, daß das Bild früher das Datum 1600, Juni 15., trug, vom Maler blos restaurirt wurde und ehedem im Riede Bahna bei Stircea, wo einst eine Kirche bestanden haben soll, im verwahrlosten Zustande aufgefunden wurde. Das Bild hätte man auf

gut Gluck dem Serethfluße überlaffen, die Wellen deffelben trugen es aber nicht flußabwärts, fondern in entgegengefetzter Richtung his Wolczynetz, wo man es dann für die Kirche behielt. Diefem Bilde nun möge man fchon aus hiftorifchen Gründen einen paffenden Platz im neuen Gotteshaufe von Wolczynetz einräumen. Das gleiche möge aus Gründen der Pietät auch mit dem in der Vorhalle befindlichen, laut Infchrift 1852 renovirten Bilde: Chriftus am Throne, flankirt von zwölf kleinen Bildern, die Apoftel darftellend, ferner dem darüber befindlichen Kreuze und der Darftellung von Maria und Johannes, fowie mit den zwei Bildern Chriftus und Maria, gefchehen, welche von einer alten Ikonoftafis ftammen, die fich muthmaßlich in einer vor der jetzigen Holzkirche in Wolczynetz beftandenen Kirche befand.

Dagegen würde es fich empfehlen, nachftehende intereffante entbehrlich oder unbenützbar gewordene Objecte den Sammlungen des Bukowiner Landes-Mufeums in Czernowitz zuzuweifen, und zwar:

Ein Leinwandgürtel mit in Seide geftickten Rofetten; ein Kelch aus Zinn; ein gefchriebenes Pfalmenbuch, von welchem Titel- und zahlreiche Blätter bereits fehlen, aber mit hübfch gezeichneten Initialien und Kopfleiften, einfach in Leder eingebunden; eine Meffingfchüffel, 30 Cm. im Durchmeffer, mit eingeprefster Darftellung der Verkündigung Marias, umgeben von kirchenflavifchen, nur zum Theile noch erhaltenen Infchriften und geprefsten Rofetten.

Der freiftehende Glockenthurm aus Holz ift ziemlich einfach gehalten und foll mit der Kirche verfchenkt werden. Die fünf kleinen Glocken aus jüngerer Zeit haben keinen kunfthiftorifchen Werth und follen in drei größere Glocken umgefchmolzen werden.

Die feit Ende des 15. bis in das 18. Jahrhundert in den Donaufürftenthümern, insbefonders aber in der Moldau einfchließlich des jetzigen Bukowina errichteten Kirchen orthodox-orientalifchen Bekenntniffes folgen in ihrer Anlage fowohl als im Aufbaue einer befonderen Stylart, die fich bald zu völlig typifchen Formen entwickelte und die wir als „moldauifchbyzantinifch" bezeichnet haben. Insbefondere find es die mit Kloftern in Verbindung ftehenden, vielfach als Begräbnifftätten der Wojewoden und Bifchöfe errichteten Gotteshäufer, welche alle übrigen an Größe und an Reichthum überragen, wie z. B. Neamțu in Rumänien, Dragomirna, Putna, Solka, Suczawitza und Suczawa in der Bukowina, ferner felbftändige Begräbniskirchen von Bojaren, wie z. B. Arbora. Die größte Zahl findet fich in der Moldau und der fudlichen Bukowina, während im Norden unferes Kronlandes und in Oftgalizien maffiv errichtete Kirchen aus der citirten Zeit nur noch vereinzelt zu finden find. Faft als ifolirt von jener Gruppe ift die griechifchorthodoxe Pfarrkirche in *Toporoutz*, 13 Km. nordöftlich von Czernowitz, zu bezeichnen. Als Pfarrkirche für die zahlreichen Einwohner des genannten Dorfes ift felbe weitaus zu klein.

In den Kirchenacten befindet fich ein altes in rumänifcher Sprache und mit cyrillifchen Lettern gefchriebenes Document, welches nach der mir durch den Pfarrer Herrn *Dyonifius Mitrofanowics* freundlichft

zur Verfügung geftellten Ueberfetzung folgendermaßen lautet:

„Anmerkung über den Bau der Kirche des Dorfes Toporoutz und Patronat. Der Patron diefer Kirche ift Miron Barnowski Mowila, Wojewod. Sie wurde im Jahre 1560 erbaut und feiert das Kirchweihfeft des heil. Propheten Ilie. Die Kirche, aus Stein hergeftellt und gewölbt, hat keine Thurme; bedeckt ift fie mit Schindeln; oberhalb befinden fich drei Kreuze von

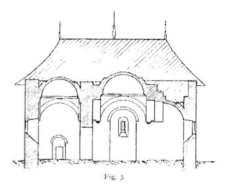

Fig. 3.

Eifen; fie ift 9 Klftr. lang, 3½ Klftr. breit, 7 Klftr. hoch. Im Innern der Kirche find drei Abtheilungen. In der erften fteht der Altartifch von Holz, links der Zertwennik, gehauen in Stein, rechts das Rauchfals. Auch ift ein Bild „hornoji sidalescheze" angebracht. In der zweiten befindet fich die Ikonoftafis in Ordnung; auch zwei Kirchenfahnen und ein großes Proceffions-Kreuz find hier aufbewahrt. In der dritten ift der „Pridwor" und befinden fich hier einige alte Bilder. Neben der Kirche fteht der Glockenthurm aus Eichen, gedeckt

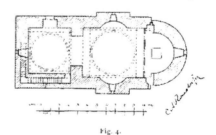

Fig. 4.

mit Schindeln, und mit einem Kreuze aus Eifen. Auch find zwei Glocken, die eine im Gewichte 23½ Oka und die zweite 13½ Oka. Die erfte hat gekauft Stephan Rojko aus dem Dorfe, die zweite ift vom Klofter des Barnowski geliefert worden. Um die Kirche herum befindet fich der Friedhof mit guter Umfriedung von Brettern, 30 Klftr. in der Länge, 18. Klftr. in der Breite."

Im Schematismus der Bukowiner griechifch-orthodoxen Archiepiscopal-Diocefe ift die Bemerkung zu

finden, dafs der Furft der Moldau Myron Mowila Barnova (Barnowski) von 1626 bis 1630 regierte und im Juni 1633 in türkifcher Gefangenfchaft zu Conftantinopel enthauptet wurde. Es wird deshalb bezweifelt, dafs die Kirche bereits 1560 errichtet wurde, und die Vermuthung ausgedrückt, dafs die richtige Zahl vielleicht 1660 wäre. Es heißt ferner, dafs im Teftamente diefes Fürften (Punkt 9) folgende Stelle enthalten ift: „Biserica de la Toporauți, unde zac oasele părintelui meu — Dumnedeu săl pomenească — să aibă (esecutorii testamentului) a o găti de ispravă" — zu deutſch: „Die Kirche von Toporoutz, wo die Gebeine meines Vaters ruhen — Gott möge fich feiner erinnern — follen fertigftellen die Vollftrecker des Teftamentes". Die Kirche, wenigftens ein Theil derfelben mit dem Grabe des Vaters des Wojewoden, beftand deshalb ficher bereits zu Beginn des 17. Jahrhunderts und ift es nicht unwahrfcheinlich, dafs fie thatfächlich fchon im Jahre 1560 als Begrabniskirche der Familie errichtet worden war. Wie bei vielen anderen Kirchen mag vielleicht auch hier die Vorhalle erft fpäter zugebaut und auf diefe Weife die Kirche vollendet worden fein, was fich ohne bedeutende Befchädigungen am Mörtelverputz im Momente nicht conftatiren läfst. Noch fei bemerkt, dafs Myron Mowila Barnowski auch die feftungsartige Ringmauer der im Jahre 1602 errichteten Klofterkirche in Dragomirna aufführen ließ; er ftiftete ferner Klofter und Kirche Maria Himmelfahrt in Jassy, Hangu auf dem Berge und das Klofter Barnowski in Jaſſy, das Euftrat Dabisha vollendete.

Was nun die Anlage und den Bauzuftand der Kirche betrifft, fo ift hierüber zu berichten, dafs die oben angegebenen Längen- und Höhenmaße der Wahrheit ziemlich genau entfprechen; nur die Breite mit 3⅛ Klftr. ift etwas zu gering angefetzt (Fig. 3).

Dem mit einer auf vorkragenden Bögen ruhenden Kuppel bedeckten Naos fugt fich die Haupt-Apfide mit dem Altare an, während die Seiten-Apfiden blos durch fegmentförmige Mauernifchen angedeutet erfcheinen.

Der Pronaos ift ganz ähnlich eingewölbt, doch ift die Kuppel niedriger und fteht mit dem Naos durch eine große Bogenöffnung in Verbindung. Diefe Oeffnung wurde ungefähr im Jahre 1870 an Stelle einer dafelbft beftandenen kleinen Thüre, von welcher Refte der Steingewände noch vor der Kirche liegen, ausgebrochen. Originell ift die in der Mauerdecke aufgefparte vom Pronaos aus zugängliche Dachbodenftiege aus Stein (Fig. 4). Die Eingangsthüre, mit gothifchem Stabwerk-Steingewände, ift klein, ebenfo find die wenigen Fenfter fehr klein, blos ca. 35 Cm. breit; eine zweite kleine Thüre wurde aus Sicherheitsgründen vom Altarraume direct ins Freie führend, ausgebrochen. Das Innere ziert eine nun wohl faft gänzlich verrauchte Makerei. Diefelbe, aus einzelnen bandartigen Ornamenten, dann kleinen in den Pendentifs angebrachten Medaillons mit den vier Evangeliften und einer nolen Marmorirung beftehend, ift wohl nicht urfprünglich und von geringem Werthe. Die Ikonoftafis hat geringen Kunftwerth und ftammt aus ca. 1880. Der Fußboden befteht aus Bruchfteinen und ift bereits fehr defeċt. Im Naos befindet fich ein primitiver hölzerner emporartiger Einbau, welcher vor einigen Jahren errichtet wurde, zum Zwecke der Raumgewinnung für die Schuljugend. Steinmetzzeichen wurden bis jetzt nicht aufgefunden.

Der gefondert ftehende gemauerte Glockenthurm ift aus jüngerer Zeit und befindet fich in gutem Zuftande. Verhältnismäßig gut erhalten ift auch die gemauerte Einfriedung der Kirche.

Der Bauzuftand der Kirche ift, mit Ausnahme des Fußbodens und theilweife des Schindeldaches, ein fehr guter. Auf eine Aenderung des Baues zum Zwecke der Gewinnung von Raum, kann in keiner Weife eingerathen werden, da ein Zubau infolge Durchbrechens der ftarken Bruchfteinwände die Feftigkeit der Kirche, namentlich der Wölbungen arg fchädigen würde und deffenungeachtet nicht viel Raum der geringen Breite wegen gewonnen würde.

Die Pfarrkirche der Stadt Teplitz.

Von Confervator *Franz Laube*.

EBER dem Portale, dem Haupteingange zur Kirche im Thurme zu Teplitz felbft, war ein Ornamentftein lofe eingefetzt, fo zwar dafs er nicht vermauert nur mit einigen Steinchen oben und zu beiden Seiten eingezwängt, aber mit der Vorderfeite nach innen, und die rückwärtige Seite überputzt nach außen zu ftehen kam, wodurch er unbefchädigt erhalten blieb.

Diefer Stein hat eine Breite von 1·5 M. und eine Höhe von 0·75 M. Links zeigt er das Wappen in Relief der Familie Wehynsky (Kinsky) von Wehynitz mit den Eberzahnen, rechts das der Familie Wrezowic mit dem Halbmonde.

Ueber beiden Wappen findet fich die Jahreszahl 1593, unter denfelben in Fracturlettern die Infchrift:

„Radisla Wehin z Wehin". Estera Wehin z Wrzeso",
„Radislav Wehinitz von Wehinitz — Efther Wehinitz
von Wrzezowic "

Radislav (der Aeltere) Wehinitz erbaute an Stelle des früheren hölzernen einen fehr zierlichen und hohen fteinernen •Glockenthurm, welcher Bau am 18. Mai 1594 vollendet wurde. Er war im Jahre 1593 begonnen worden und der in der Rede ftehende Votivftein ift als der eigentliche Grundftein diefes Baues zu betrachten.

Der Thurm ftand jedoch nicht länger als bis zum 18. Juni 1645, an welchem Tage er durch Blitz in Brand geſteckt und zerftört wurde, um allerdings noch im felben Jahre, doch nur nothdürftig und viel niederer als zuvor, aufgebaut und am 7. November d. J. vollendet zu werden (*Hallwich*, Töplitz. Eine deutfch-böhmifche Stadtgefchichte. S. 285 u. 383).[1]

[1] John II. 208 und lautete: „Nach Eingang und Abtretung des vorigen fehr zierlichen und hohen Thurmes welcher erbaut und vollendet im Jahre 1593 den und 18. Mai und hernach mit Verhangnuß Gottes a. o. 1645 den 18. Juni zwifchen 7 und 8 Uhr nachmittags durch Einfchlagung des Wetters abgebrannt worden . . . ift diefer neue in etwas kleinerer Kirchthurm bei itzigen fchweren Kriegszeiten zu Gott des Allmächtigen Lob, Ehr und Preis aufs fchleunigfte als es hat fo fein können erbaut und vollendet worden den 7. November 1645."

Die ganze äußere Anlage der Stadtkirche, ein Rechteck im Grundrisse, ist so einfach als sich nur denken läßt. Das Innere der Kirche ist dreischiffig, das Mittel- oder Hauptschiff deckt ein Satteldach und über die beiden niederen Seitenschiffe findet sich je ein Pult-

dach, das sich an die höhere Mauer des Mittelschiffes anlehnt. Der Thurm im Quadrate stellt sich dem Mittelschiffe in gleicher Breite vor und ist ebenso einfach, dem Baue der Kirche entsprechend (Fig 1). An der Westseite desselben ist die Vorder-Façade und befindet sich ein halbkreisförmiges Bogenthor (Haupt-Portal), dessen Schlußstein in der Mitte die Jahreszahl 1790 und unter dieser die der Renovirung 1895 in plastischen Buchstaben und Ziffern trägt. Je ein Pilaster rechts und links, über dem Architrav ein einfaches Kreuz ist die eigentliche einzige architektonische Zierde, außer den einfachen Bekrönungen der Seitenthüren und der Fenstereinfassungen. Ueber diesem Haupteingang und unter dem kleinen breiten Fenster der Mesnergehilfenkammer wurde damals der Votivstein gefunden und blosgelegt.

Weiter nach oben wird die Façade durch das Fenster der Mesnerwohnung und über dieser durch die ovale Schallöffnung der Glockenstube unterbrochen; diese Anordnung wiederholt sich auch auf der Nordseite, auf der Südseite aber ist nur die Schallöffnung.

Das ganze Innere des Thurmes bildet eine Vorhalle mit weiterem und höherem Bogeneingange im Hauptschiffe. In dieser Vorhalle wurden ehedem die Verstorbenen, deren Särge auf gewöhnlichen Wägen geführt waren, aus den zu Teplitz eingepfarrten Dörfern gebracht, eingesegnet und bewegte sich von hier aus der Zug zu dem nahen Friedhofe, jetzt Seume-Park, bis 1865, in welchem Jahre die Friedhöfe weit außerhalb der Stadt verlegt wurden. Bis 1743 war der Friedhof um die Stadtkirche.

Die kleinen Thüren seitwärts des Thurmes führen in die Seitenschiffe, in deren Langseiten je eine Thüre in der Mitte sich befindet. Die Vorderseite des Thurm-Quadrates beträgt 11·25 M., die der Seitenschiffe je 8 M., sonach die ganze Breite der Kirche 17·25 M. An dem Vorsprunge des Thurmes rechts der südlichen Seite ist der kleine Treppenthurm angebracht, dessen Wendeltreppe oder Schneckenstiege, hölzerne Stufen

Fig. 1. (Teplitz.)

in theilweise steinerner Spindel eingelassen, zu den drei Emporen über das Mittel- und die beiden Seitenschiffe, dann auf den Orgel- und Sänger-Chor über dem Mittel-

schiffe, weiter in die Mefsnerwohnung, noch höher in die Glockenstube führt und oben bei der Wohnung des Thürmers oder Thurmwächters endet.

So viel über das Aeußere der Kirche, das Innere ist demselben vollkommen entsprechend. Der prachtvolle Hochaltar ist ein wahres Meisterstück der Barocke und Holz-Sculptur, und habe ich auf meinen Reisen in Oesterreich, Nord- und Süd-Deutschland u. f. w. nirgends einen solchen gefunden, der in Conception, in der Verhältnissen und der künstlerischen Ausführung diesem gleich käme. Er ist ein würdiges Seitenstück zu der Dreifaltigkeits - Säule und scheint der Schule des Meisters *Braun* zu entstammen.

Es sei mir noch gestattet, einige kurze geschichtliche Daten über die Entstehung der Stadtkirche zu Teplitz anzuführen, welche ich dem Buche *Hallwich's* „Eine deutschbohmische Stadtgeschichte", Teplitz 1886, entnehme.

„Teplitz war der Lieblingsaufenthalt der Herzogin Judith, Tochter des Landgrafen Ludwig III. von Thüringen, später 1158 Königin. Von ihr wurde im Jahre 1156 ein Kloster der Benedictinerinen gestiftet und St. Johann dem Täufer geweiht. Zugleich ist dieser der Schutzpatron der warmen Quellen und das Haupt Johann des Täufers, des Klosterpatrones der Benedictinerinen zu Teplitz, das Wappenbild der von

Otokar II. zur Stadt erhobenen Gemeinde. Im Jahre 1352 wurde eine nicht weit davon, innerhalb der Stadtmauer in der Vorstadt gelegene zweite Kirche, Sanct Maria, ausdrücklich die größere (ecclesia major) genannt, erbaut.[1] Im Jahre 1421 wurde das Kloster von hufitischen Schaaren, die von Dux nach Teplitz zogen, heimgesucht, die Nonnen unter Schimpf und Hohn vertrieben und das Gebäude in Brand gesteckt,[2] schließlich von christlichen Streitern 1526 gänzlich zerstört.[3]

Um den Bedürfnissen der deutschen protestantischen Curgäste Genüge zu thun, errichtete Wolf von Wrzesowitz an der Nordseite des Schloßes zu Teplitz eine neue Kirche, die „Schloßkirche", deren Bau zuverlässig 1568 vollendet, in derselben nur vorläufig während der Sommermonate deutscher protestantischer Gottesdienst abgehalten wurde."

Die Bedachung oder Helme des Thurmes und des Thürmchens mit Schiefer statt der früheren einfacheren zwiebelartigen mit Schindeln wurde 1879 auf 1880 durchgeführt.

Die Jahreszahl 1790 auf dem Schlußsteine des Hauptportales der Kirche rührt jedenfalls von einer Renovirung derselben her.

[1] Hallwich, S. 35.
[2] S. 58 u. 59.
[3] S. 63

Die Curatie-Kirche zu Karres in Tyrol.

Besprochen von *Joh. Deininger.*

(Mit 2 Textbildern.)

IM Mittelgebirge unter den Schroffen des Tschirgant unweit dem Oberinnthaler Städtchen Imst liegt das Dorf Karres. Infolge der schluchtartigen Verengung des Innbettes in dieser Gegend steigt auch die Landstraße aus der Thalsohle zur Mittelgebirgshöhe hinan und führt an dem genannten Dorfe vorüber. Unmittelbar an der Landstraße ist die Dorfkirche gelegen, deren schlanker spitzhelmig bekronter Thurm weithin sichtbar ist, wogegen der schmale langgestreckte Kirchenbau und das Dorf nur aus nächster Nähe erblickt werden können.

Die Kirche zu Karres stammt zum großen Theile aus der zweiten Hälfte des 15. Jahrhunderts und ist ein Baudenkmal, das in mehrfacher Hinsicht besonderes Interesse verdient. Nicht allein dadurch, dafs bei diesem einschiffigen gothischen Kirchlein von der typischen Anlage tyrolischer Kirchenbauten aus dieser Kunstperiode durch ein geringes Vortreten der Kreuzschiffarme zwischen Langhaus und Presbyterium abgewichen wurde, sondern auch durch die elegante Ausbildung des im Verhältnis zum Kirchenbaue sehr mächtigen Thurmes, dessen Helm an vornehmer Wirkung alle ähnlichen Kirchthurmhelme des Landes übertrifft.

Urkundlich wird diese Kirche schon 1447 erwähnt, doch geweiht wurde sie erst anno 1493 durch den Brixner Weihbischof Konrad Reichard zu Ehren der Heiligen Petrus und Stephanus. Die im Curatie-Archive zu Karres befindliche Weihurkunde nennt diese Kirche eine „Ecclesia filialis S. Stephani in Cars plebis Ymst" und am Frohnbogen derselben findet sich die Inschrift:

„DIVO . STEPHANO . LEVITE . ET . PATRONO . ECCLESIAE".

Wegen des Thurmausbaues, welcher erst im Jahre 1596 erfolgte, wobei man angeblich, ohne die zur Leistung eines Geldbeitrages für denselben verpflichtete Nachbargemeinde Karöston zu befragen, zu kostspielig gebaut hatte, entstand ein „Stritt und Widerwillen" zwischen den Gemeinden Karres und Karösten, welcher aber bald gütlich beigelegt wurde.

Bei einer Gesammtlänge von 28·5 M. besitzt diese Kirche nur eine Schiffbreite von 9 M. (Fig. 1). Sie ist nach Südosten orientirt und der quadratisch angelegte Thurm an die Südwestseite des Presbyteriums angebaut. Das ebenerdige Thurmgeschoß dient als Sacristei und wird von einem Kreuzgewölbe überspannt. Von dem rechtsseitigen kurzen Kreuzarme führt eine an dessen Stirnseite vorgebaute steinerne Stiege zur Linken zum oberen Thurmgeschoße, von wo aus sie ihre Fortsetzung in einer Holztreppe findet und zur Rechten eine Stiege zur Kanzei. Das Portal, welchem im 18. Jahrhunderte ein auf plumpen Säulen ruhendes Vordach vorgesetzt wurde, ist reich profilirt und in seinen Einzelformen mit den Portalen der gothischen Pfarrkirche in Imst sehr verwandt. Ueber dem Portal-Spitzbogen befindet sich ein einfaches Rundfenster ohne Maßwerk. Strebepfeiler sind nur an den Ecken der Stirnfront angeordnet, während solche an den Langseiten und am Presbyterium durch Lisenen von dreieckigem Querschnitte ersetzt sind, welche das in der Fensterbankhöhe durchgeführte Kaffgesimse durchdringen. Gleich den

Eckſtrebepfeilern beſitzen diefe Liſenen Giebelverdachungen mit eingefügten Dreipäßen.

Die Fenſter an den Langſeiten ſowie an den Polygonſeiten des Presbyteriums zeigen ſchöne Verhältniſſe und ſind ſchlank und ſpitzbogig ohne Maßwerk. Sämmtliche architektoniſche Gliederungen ſowie die Gebäude-Ecken und Fenſterleibungen ſind in Tuffſtein ausgeführt und dieſer ſicht-

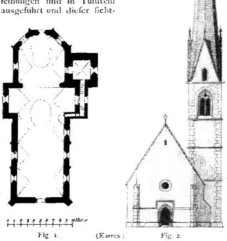

Fig. 1. (Karres) Fig. 2.

bar gelaſſen, während das aus unregelmäßigen Kalkſteinen aufgeführte Mauerwerk der Kirche und des Thurmes größtentheils verputzt iſt.

Durch ungebrochene Verlängerungen der Dachflächen des ſteilen mit Schindeln gedeckten Lang-

hauſes werden auch die kurzen Kreuzſchiffarme überdacht. Unter dem Dachſaume der Langſeiten ſchließt ſich unmittelbar an das ſteinerne den oberen Mauerabſchluß bildende Hohlkehlengeſimſe ein ca. 1·5 M. breiter Maßwerkfries, der auf dem Wandverputze grau in Sgraffito-Technik ausgeführt iſt. Auch dieſer Fries bildet eine Reminiscenz zu den reichen ſgraffitirten Maßwerkfrieſen an der Pfarrkirche zu Imſt und iſt wie dieſe wohl erhalten geblieben.

Im oberen Winkel des Kirchengiebels findet ſich die Jahrzahl 1756. Zu dieſer Zeit wurde ſelbe Kirche im Innern ihres gothiſchen Stylcharakters entkleidet und das Gewölbe derſelben nach Entfernung des Rippenwerkes verändert. Seine Flächen ſind nun mit Stuck-Ornamenten und Fresco-Gemälden decorirt.

Im Presbyterium ſind die runden Wanddienſte bis zum Gewölbeanlaufe unverändert erhalten geblieben, wogegen jene des Langhauſes durch Pilaſter erſetzt wurden, unter welchen ſich noch Spuren von Sockeln der ehemaligen Wanddienſte erkennen laſſen.

Die Fresken in den am Gewölbeſcheitel hergeſtellten drei ovalen Feldern beſitzen einigen künſtleriſchen Werth und zeigen eine techniſch vollendete Ausführung. Das Gemälde am Presbyteriumsgewölbe ſtellt St. Stephan dar mit der Pflege von Kranken und Armen beſchäftigt, darüber: den Heiligen vor Maria mit dem Jeſukinde knieend. Das zweite Deckengemälde verſinnlicht die Darbietung des Jeſukindes im Tempel, darüber Gott Vater und Chriſt. Geiſt; das dritte Gemälde: Chriſtus als Knabe im Tempel lehrend, darüber die heil. Dreifaltigkeit.

Der Thurm (Fig. 2), deſſen Glockenhaus unter den ſteilen Helmgieben ſich an den vier Seiten mit großen maßwerkgezierten Schallfenſtern öffnet, enthält drei Glocken, die ſich ſchon in dem früheren, muthmaßlich kleineren Thurme, befunden haben dürften. Die größte dieſer Glocken zeigt die Inſchrift: „mich gos Hans Reiter 1519".

Hinſichtlich der Inneneinrichtung dieſer Kirche iſt noch zu bemerken, dafs im Jahre 1843 der gegenwärtige Hochaltar und die Kanzel im gothiſirenden Style durch den renommirten Tiroler Bildſchnitzer *Franz Renn* (geb. 1784, geſt. 1875) hergeſtellt wurden.

Die Kirche St. Cosmas und Damian in Kärnten.

Beſprochen und illuſtrirt von *Paul Grueber.*

(Mit 1 Tafel und 1 Text-Illuſtration.)

IN einem kleinen Seitengraben des Gurk-Thales, in der Nähe der Eiſenbahnſtation Treibach, iſt die zu St. Stephan am Krapfelde gehörige Filialkirche St. Cosmas gelegen. Dieſelbe bildet ein recht intereſſantes Kirchenobject, welches ſeiner urſprünglichen Anlage nach vielleicht bis in die romaniſche Bauperiode zurückgreift. Urkundliche Daten über dieſes Kirchlein konnten jedoch bis jetzt nicht aufgefunden werden.

Der Grundriſsanlage (ſ. die beigegebene Tafel) nach wurde der Bau in drei weſentlichen Abſchnitten zur Herſtellung gebracht; der älteſte Theil iſt der Thurm (Fig. 1) mit dem ſeitlich anſchließenden Chorraum. Daran gliedert ſich das Schiff mit dem Muſikchore, welches an der Außenwand, dem Portale, die jetzt allerdings ſchon ſchwer leſerliche Jahreszahl 1551 trägt. Aus neuerer Zeit ſtammt der Sacriſtei-Zubau, an welchem ober dem weſtlichen Fenſter die

18*

Jahreszahl 1735 zu lefen ift, fowie das Opferhäuschen neben dem Haupt-Portale und das Oratorium neben dem Thurme.

Das mit einem horizontal durchlaufenden fchwach ausladenden Gefimfe abgefchloffene Thurmmauerwerk ift mit einem einfachen Zeltdache gedeckt, welches noch in feiner urfprünglichen Form erhalten fein dürfte. Ebenfo find die an der Nord- und Weftfeite vorhan-

Fig. 1. (St. Cosmas und Damian.)

denen gekuppelten gothifchen Thurmfenfter auf die erfte Anlage zurückzuführen, während die Fenfteröffnungen der Süd- und Oftfeite fpäter eine Modification erlitten haben, und, einem fpäteren Gefchmacke folgend, mit Mittelpfoften und Radmaßwerk verfehen worden find. Der Chorraum fammt Schluß aus dem Achtecke ift mit einem Gewölbe überfpannt, deffen Rippennetz in den Anläufen auf Dreiviertel-Dienften ruht. Die Dienfte felbft laufen auf zwei Drittel des geraden Mauerwerkes aus und fchließen mit Confolen

ab. Drei diefer Confolen find mit tragenden Figuren: dem Kopf des Erlöfers und dem Ofterlamm geziert. In den Schlußfteinen des Chorgewölbes find ein leerer Wappenfchild, der Kopf des Erlöfers und das Ofterlamm angebracht.

Der gewölbte Schiffraum, welcher mit einem complicirten, gegliederten Rippennetze verfehen ift, wird durch die feltene Anordnung der zum Mittelchore führenden Stiegen befonders bemerkenswerth.

Um das Schiff in gleicher Breite durchführen zu können, wurde das Hauptmauerwerk in dem Abfchnitte des Chores beiderfeits auf die Stiegenbreite hinausgefchoben, wodurch fich die etwas abnormale Grundrifsform ergeben hat.

An der Außenfeite der Kirche finden fich an den Quadern des Thurmmauerwerkes und an den Strebepfeilern, und zwar an den in der Grundrifsabbildung bezeichneten Stellen nachfolgende Steinmetzzeichen:

$$ ♀ 平 ♀ ₱ $$

Ferner ift im Sockel am Chorabfchluße eine kleine Nifche mit gothifcher Umrahmung dicht am Boden angebracht, und endlich befindet fich, ebenfalls dicht am Boden, an der Ecke des füdlichen Schiffvorfprunges ein Römerftein eingemauert. Um die Kirche herum ift, wie dies zumeift üblich, der Friedhof fituirt, wofelbft eine ziemlich große Capelle von quadratifchem Grundriffe mit hohem Zeltdache auffällt, die Zwecken befonderer Aufopferung dienen foll.

Im Friedhofsterrain liegt neben dem Thurme eine Steinplatte mit der Auffchrift: "PEST 1715", an welche fich nachfolgende Sage knüpft:

Als zu diefer Zeit in dortiger Gegend die Peft herrfchte, hing das Volk an dem Glauben, dafs, wenn diefer gefürchteten Seuche rafch freiwillig ein Opfer gebracht würde, diefelbe eine folche Gegend verfchone. Um ein derartiges Opfer in voller Form darbringen zu können, fei im Kreife der Berufenen der Befchluß gefafst worden ein Grab zu öffnen und in dasfelbe jene Perfon lebendig einzufcharren, welche beim nächften Gottesdienfte die Kirche vor Beendigung der heiligen Handlungen verläfst. An dem auserfehenen verhängnisvollen Tage befand fich unter den Andächtigen auch ein Mädchen, welches zu Haufe eine fchwerkranke Mutter hatte. In kindlicher Liebe um das Wohl der Mutter beforgt und geängftigt mit dem Gedanken, diefelbe könne ihrer Hilfe bedürfen, verließ das Kind die Kirche ehe die Meffe zu Ende war. Von den fanatifirten in das Vorhaben eingeweihten Perfonen ergriffen, wurde das Mädchen erbarmungslos in die Grube geftürzt und begraben. So wurde die Peft jener Gegend ferne gehalten!

Wollen wir lieber diefer grauenvollen, aber immerhin möglichen Gefchichte keinen Glauben beimeffen und annehmen, dafs der Peftftein das Auftreten der Seuche in diefer Gegend bekundet, was umfo wahrfcheinlicher ift, als aus dem Memorabilien-Buche des nicht allzu entfernt liegenden Guttaring zu entnehmen ift: "1715 Peft in Guttaring. 399 Perfonen geftorben".

Ueber die dem Peftgrabe gegenüber im Thurmgemäuer eingemeißelte Jahreszahl 1724 weiß der Volksmund nichts zu erzählen.

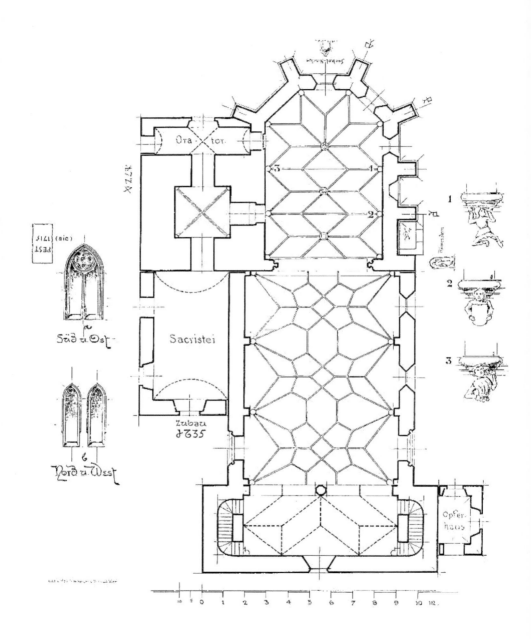

250

Notizen.

129. Unweit *Tremles* bei *Neuhaus* in *Böhmen* steht, wie Correspondent Profeſſor *G. Naum* in Neuhaus berichtet, in der Mitte des Ortsfriedhofes eine kleine nur 10·25 M. lange dem heil. Andreas geweihte Kirche, deren romaniſche (5·8 M. breite und 5·35 M. tiefe) Apſide das älteſte Baudenkmal jener Gegend iſt. Vermuthlich im 17. Jahrhundert fand eine Reſtaurirung derſelben ſtatt, zu welcher Zeit die letztere ein fünf-kuppeliges Gewölbe und drei Strebepfeiler erhielt. Die Fenſter wurden moderniſirt. Damals zierte man den Raum mit Wandmalerei aus; darunter fanden ſich auch die Wappen der Lucia Ottilie von Neuhaus 1604, des Wilhelm Slavata und der Polixena von Pernſtein, die ſich oft in Neuhaus aufhielt und 1587 mit Wilhelm von Roſenberg und 1592 mit Zdenko von Lobkowitz[1] verheiratet war.

Die Glocke in derſelben hat folgende Aufſchrift: Maria & Hans Neubauer hat mich gegoſſen Verbum Domini manet in aeternum. 1581. — Durchmeſſer 4 Dcm.

Zu dem Friedhofe führt ein kurzer Fahrweg über eine Wieſe, woſelbſt man im vorigen Herbſte einen zum Theil ſchon zerſchlagenen Topf fand; derſelbe enthielt eine ſehr beträchtliche Anzahl von Silbermünzen, die aber ſofort, wie üblich, nach allen Richtungen verſchleppt wurden und verſchwanden. Nur mit Mühe war es möglich, eine halbwegs maßgebende Anzahl von Münzen von den circa 400 Stücken zu retten, die der Topf enthalten haben mag. Letzterer war aus gelblichem Thon auf der Scheibe angefertigt und hatte am Boden einen Durchmeſſer von 0·114 M. Die Münzen repräſentirten circa 34 Typen von Denaren, wahrſcheinlich von den Markgrafen von Mähren und von Wladislaw IV. (geſtorben 12. Auguſt 1222) herrührend.

130. Der nieder-öſterreichiſche Landtag hat eine Subvention von 300 fl. für die Reſtaurirung der gothiſchen Wegſäule außerhalb Hainburg gegen *Theben-Wolfsthal* zu bewilligen. Die Central-Commiſſion hat davon gewiſs mit lebhafter Befriedigung Kenntnis genommen, doch iſt dieſe Säule unter den Denkmälern in und um Hainburg, die reſtaurirungsbedürftig ſind, von geringſter Bedeutung und am wenigſten ſchadhaft, beſitzt auch dem künſtlichen Charakter nach nur wenig Bedeutung. Obige 300 fl. repräſentiren ein Drittel der zu bedeckenden Koſten und kommen erſt zur Flüſſigmachung, wenn auch die reſtlichen zwei Drittel geſichert ſind. Auffallend iſt, daſs man die reſtaurirungsbedürftige Lichtſäule als eine öffentliches Denkmal bezeichnet, weil ſie im Hofe des Schulgebäudes ſteht, an deſſen Stelle die alte Pfarrkirche ſtand und wo auch der ganz ignorirte Karner noch ſteht. Die Säule wurde eben nicht im Hofe errichtet, ſondern ſo wie der Karner neben der Kirche und kam in neueſter Zeit durch den Umbau, reſpective Neubau des Schulgebäudes in dieſe Situation. Die beliebte Auffaſſung, daſs dieſe beiden Denkmäler keine öffentliche ſeien, iſt eine irrthümliche; denn abgeſehen von der rein kirchlichen Beſtimmung

[1] Dieſes Wappen ziert den zwölfſeitigen Waſſerbehälter der Fabrik in Renkoš, den Adam II. durch den Neuhauſer Steinmetz Chriſtoph Carolar anfertigen ließ.

beider Objecte, ſtehen ſie ja nicht in einem Privathauſe, ſondern im Schulhauſe, einem gewiſs öffentlichen Gebäude. Es iſt recht zu bedauern, daſs für dieſe beiden und wichtigſten Denkmale nicht ein Fürſprecher gefunden hat, deſſen Worte der Landtag gewiſs auch gewürdigt hätte.

131. Die Kenntnis von der Exiſtenz der Gegend *Bukovica* (Dalmatien) dürfte wenig verbreitet ſein, denn es beſitzt keine Straße und liegt abſeits; doch auch jener, der es kennt, wie der Geiſtliche, beſchäftigt ſich nicht mit Archäologie, denn es bleibt ihm keine Zeit übrig, da er dort gleich einem Miſſionär weilt.

Das Dorf *Medvigje*, welches über 1500 Seelen zählt, befindet ſich inmitten der karſtigen und gebirgigen Bukovica. Oeſtlich der orientaliſch-chriſtlichen Kirche erhebt ſich ein ziemlich umfangreicher Hügel, welcher im Volksmunde „Gradina“ heißt und der Tradition wie der Unterſuchung nach eine große und wichtige Befeſtigung war. Im Weſten der „Gradina“ befindet ſich heutigen Tages noch die Spur eines Feſtungsthores. In dieſer Ruine giebt es genügend Inſchriften. Gelegentlich meiner Durchreiſe durch Bukovica machte mich ein Bauer aufmerkſam, daſs ſich auf der Spitze der „Gradina“ ein römiſcher Stein mit einer Inſchrift befindet.[1]

Vor einigen Monaten hat ein Bauer in der Gradina gegraben und iſt dabei auf alte Ruinen und auf unter der Erde ſteckende Reſte von Häuſern geſtoßen, welche ausſehen, wie wenn ſie geſtern gebaut worden wären; der Mörtel iſt ſo hart wie Stein, wenn man mit der Hacke darauf ſchlägt. Auch giebt es da genug Moſaik und Arabesken. Ein 70 Cm. breiter und mehr als 1 M. langer Stein wurde in Gradina gefunden und beim Baue der orientaliſch-chriſtlichen Kirche zum Altar gebraucht. Auf dieſem Steine befand ſich eine Inſchrift, allein die Buchſtaben waren verwiſcht, ſo daſs man ſie nicht entziffern konnte. Außer Inſchriften findet man auch Münzen des römiſchen Kaiſers Nerva, ſo daſs der Ort mindeſtens 1800 Jahre alt iſt. Südlich von „Gradina“ findet man die dem heil. Ivan Uſik, genannt Kapelac,[2] geweihte Kirche, nach der Tradition die älteſte in Gradina; in derſelben befindet ſich auf dem Altar eine Pala, die von Werth ſein dürfte. In der Nähe dieſer Kirche erhebt ſich ein kleiner Hügel mit wunderbarer Ausſicht, wo die Fratres wohnten und noch jetzt kann man die Ruinen der alten Kloſtergebäude bemerken.

Grabungen könnten durch dieſe zweifelloſen Ergebniſſe Aufklärung geben, welcher Art die damalige Bevölkerung war. *N.*

[1] Die Inſchrift iſt bereits 1857 von *Ljubić* im Bull. dell'Iſtituto di corriſpondenza Archeol. p. 48 und im Corp. Inſcript. lat. III. 1 ex 2847. ad Suppl. Nr. 9528 mitgetheilt. Sie iſt von einem Sextus Thorius Capito dem Andenken ſeines Vaters Dento gewidmet und zugleich der Erinnerung an den Wohnmeiſter und an die Angehörigen desſelben.
[2] Unter den 38 verſchiedenen heil. Johann, die der niederöſterreichiſche Amtskalender in ſeinem Taufnamenverzeichnis aufzählt befindet ſich keiner, deſſen Name mit demjenigen des in der Correſpondenz angeführten heil. Ivan oder Ivo kommt vor. Ich habe daher den Namen unverändert, wie im Original gelaſſen. Vielleicht auch iſt Annex ecclesiaſticus (transo-slavicus. A. A. S. Belland. Oct. Tom. XI. Wenn es nicht S. Joa. de Urtica presb. conf. † 1143) ſein ſollte, der zu Compoſtella verehrt wird (torotefna). II. 2. p. 131. 2 Juni.

132. Die Adaptirungsarbeiten in den Räumlichkeiten des ehemaligen berühmten Ciftercienferklofters *Sittich*, das fo wie die dazu gehörige Kirche von diefem Orden wieder übernommen worden, gehen rafch vorwärts. Zuletzt war das Refectorium in Arbeit genommen worden, das fehr reftaurirungsbedürftig war, da es feit der Klofteraufhebung als Holzlage verwendet wurde. In einem kleinen Raume, der ehemals als Weinkeller diente und nun wieder als folcher dienen foll, findet fich an allen vier Wänden fo wie auch am Gewölbe eine fehr originelle Bemalung mit Weinreben und anderen Schlingpflanzen, die erhalten bleiben foll. Die Kirche befitzt auch viele Grabdenkmale, fo wie fie auch beim Eingange mit fchönen Stuccos geziert ift, das jüngfte Gericht darftellend.

133. Dem Präfidium der k. k. Central-Commiffion für Kunft- und hiftorifche Denkmale wurde von offi-

der Ruine *Kunétte* durch die Abnahme von dort gebrochenen Schotter und Steinen, was auf das wärmfte begrüßt wurde. Die Schotterbrüche nähern fich bereits fo fehr dem Hauptgebäude, dafs deffen Beftand fraglich wird; in den Burghof find fie bereits eingedrungen.

135. Confervator *Jeblinger* machtedie Central-Commiffion auf einen eigenthümlich geformten Koffer aufmerkfam, welcher im nördlichen Thurme der *St. Bartholomäus-Collegiat-Kirche* in *Friefach* im unterften fenfterlofen Gefchoffe gefunden wurde. Der Confervator bezeichnet denfelben als ganz ähnlich mit jenen, die er auf der Wartburg fah und welche als feitruhen der heil. Elifabeth gezeigt werden. Die Friefacher Truhe ift, wie die beigegebenen Abbildungen zeigen, aus einem Baumftamme durch den Zimmermann angefertigt und ift im Innern durch Querbretter in ein

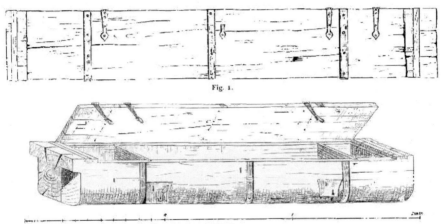

Fig. 1.

Fig. 2.

cieller Seite zur Kenntnis gebracht, dafs die an die Nonnberger Nonnen aus Salzburg (O. S. B.) übergehende *Stiftskirche* in *Gurk* als Pfarrkirche verbleibt und dafs die übrigen Anregungen der Central-Commiffion in Rückficht genommen wurden; demnach die Zurückrückung des Nonnenfriedhofes, die Freilegung der drei Apfiden (welche einer behördlichen Befichtigung ftets zugänglich bleiben), fofort eintreten wird; auch foll am Dome nichts ohne Bewilligung der k. k. Central-Commiffion geändert werden.

134. Confervator *Dvořak* in *Pardubic* hat an die Central-Commiffion einen fehr beachtenswerthen Bericht über das Wirken der dortigen archäologifchen Commiffion des Mufeumvereines vorgelegt, worin derfelbe nicht nur der vandalifchen finnlofen Befeitigung aller charakteriftifchen alten Baudenkmale diefer alten Stadt entgegenarbeitet, fondern auch dahin wirkt, dafs durch die Stadtgemeinde nicht weiterer Einfluß genommen wird auf die unverantwortliche Zerftörung

langeres mittleres und zwei kürzere Fächer, je eines an den Enden des Innern, getheilt. Den Deckel bildet ein Pfoften, vom Zimmermann mit der Breithacke behandelt. Die fchmiedeifernen Befchläge find ganz einfach mit Klobenverfchluß eingerichtet. Ein Schloßfchild hat mittelalterliche Motive und ein Schlüffelloch für einen Bohrfchlüffel. Beide Schließen find feitlich eingelaffen. Zwei der Kloben greifen in das Schloß ein, ein dritter nur in das Holz, ein vierter ift gebrochen. Es ift kein Zweifel, dafs wir es hier mit einem dem Mittelalter angehörigen Koffer zu thun haben, in welchem Paramente und Geräthe aufbewahrt wurden. Ob er je zur Reife verwendet wurde, ift wohl fehr fraglich. Dort, wo man den Koffer gefunden hat, könnte nach der Meinung des Profeffors Dr. *Wilhelm Neumann* die geheime Sacriftei gewefen fein, wie fich eine folche in Magdeburg noch befindet. Der Friefacher Kirchenbau fällt mit fächfifchen Bauten zufammen. Immerhin ift das Object fehr intereffant und forgfältigen Erhaltens werth, die oben mitgetheilte Deutung fehr wahrfcheinlich.

136. Conſervator Director *V. Berger* berichtete jüngſt an die Central-Commiſſion über die Fortſchritte in der Reſtaurirung der alten Burg *Mauterndorf* im *Lungau*. Der Bergfrit wurde in Bearbeitung genommen, doch wurde jede Veränderung vermieden und nur an den alten theilweiſe ſchadhaften Beſtand die heilende Hand gelegt. Jetzt kommen die Ergänzungen des inneren Ausbaues daran und ſollen einige Räume des Palas bewohnbar werden.

137. Es iſt doch eigenthümlich, daſs ſich in Nieder-Oeſterreich eine Kirche befindet, die theilweiſe noch hochwerthvolle Architekturtheile des romaniſchen Styles aufweiſt, ohne daſs die wiſſenſchaftliche Welt ſich mit dieſem Objecte beſonders beſchäftigt hätte. Wir erinnern an die heutige Pfarrkirche zu *Klein-Mariazell*, die früher die Kirche des dort beſtandenen Benedictiner-Kloſters gleichen Namens war. Beſagtes Kloſter entſtand zur Zeit des heil. Leopold, und unzweifelhaft reicht die heutige Kirche in dieſe Zeit (ca. 1140) zurück. Freilich wohl haben die ungariſchen Schaaren unter König Bela um 1250 und 1251, dann ſpäter die Türkeneinfalle, dann wiederholter Brand, die Zeiten der Gothik und noch vielmehr jene der Spät-Barocke an der Umgeſtaltung der Kirche viel geleiſtet, ſo daſs man heute bei flüchtiger Betrachtung ſie für eine einheitliche und impoſante Schöpfung aus dem Ende des 17. Jahrhunderts hält, als nämlich Abt Roman Wollrab (1681—1699) im Jahre 1683 ſie in Geſchmacke beſagter Zeit umgeſtalten ließ; allein den urſprünglichen Charakter konnte man nicht ganz verwiſchen. Sehr wahrſcheinlich ſtehen noch die urſprünglichen Schiffspfeiler und ſind nur von modernen Beigaben überdeckt, aber die beiden Portale ſind in ihrer Urſprünglichkeit erhalten geblieben.

Die Kirche zeigt noch ganz die Verhältniſſe eines romaniſchen Baues, im Grundriſſe wie auch in der Gewölbe-Conſtruction der drei Schiffe und des breiten Querſchiffes. Höchſt beachtenswerth ſind die beiden Portale, davon das an der linken Seite des Seitenſchiffes in ſeiner romaniſchen Durchführung ganz unverändert geblieben iſt, während das Haupt-Portal in der Façade entſprechend dem Mittelſchiffe einige nebenſächliche Aenderungen in gothiſcher Zeit erdulden muſste. Die k. k. Central-Commiſſion bemüht ſich, der ſehr reſtaurirungsbedürftigen Kirche eine Unterſtützung zu verſchaffen, um ſie halbwegs wenigſtens in ihrer urſprünglichen Schönheit herzuſtellen und einzelnes ihrer Ausſtattung wieder in würdigen Stand zu bringen, zum Beiſpiel die prachtvolle Orgel etc.

138. *(Aus Frieſach.)*

Die Wiederherſtellungsarbeiten am alten abgebrannten Bartholomäus-Dome zu Frieſach haben ſeit ihrem Beginne die Central-Commiſſion ſtark in Anſpruch genommen, die nicht ſo glatt gingen, wie es im Wunſche der Central-Commiſſion angeſtrebt wurde. In neueſter Zeit eingelangte Berichte laſſen entnehmen, daſs nun die ſchon begonnenen Arbeiten an den bereits genehmigten Thürmen und den Emporen-Triforien, dann an den Fenſtern und an der Innenmalung weitergeführt wurden. Fertiggeſtellt wurden die Bedachung, die Thurmabſchlüße mit den beiden oberſten Stockwerken ſammt Fenſterreihen auch nach

außen, die Eckpfeiler an den Thürmen, die Abklopfung der Innen-Architektur, der Kirchenwände und Gewölbe, dann die Herſtellung der Fenſter der Chores.

Die Kirche wurde neugepflaſtert, einzelne Grabſteine wurden in den Boden des nördlichen Seitenſchiffes eingelaſſen, andere ſollen an den Innenwänden aufgeſtellt werden. Lobenswerth iſt die gelungene Reſtauration der 52 Kirchenſtühle, ſchön geſchnitzte und eingelegte Barockarbeit.

Die Wiederherſtellung des horizontalen Geſimſes als Abſchluß der Weſt-Façade ſcheint wünſchenswerth; die romaniſchen Kirchen zu Gurk und St. Paul könnten hiefür als Muſter dienen Uebrigens wäre ſorgfältigſt der ſächſiſche Baucharakter der Façade zu wahren. Haben wir leider die alte Form der Sekkauer Façade vollſtändig verloren, ſo ſollte doch der Charakter jener Bauformen, die durch die Berührung der Alpenländer mit der hochentwickelten ſächſiſchen Kunſt ins Land kamen, hier nicht verdeckt werden oder verſchwinden. Mit Hirſauer Bauten hängen Sekkau, Gurk und Frieſach nicht zeſammen, wohl aber mit der ſächſiſchen Bevölkerung des Stiftes Reichenberg, mit dem Wirken St. Godehard's, der aus Kremsmünſter nach Hildesheim kam, dann mit Salzburg, deſſen Erzbiſchof Konrad I. (1106—1147) ehemals Domherr in Hildesheim war und der, wie einſt ſein Vorgänger Gebhard, nach Sachſen floh, wenn ihm zu Hauſe der Boden zu heiß wurde (1116).

Anders mag es mit St. Paul ſein, da dieſes die Hirſauer Reform annahm, dort mag man nach Hirſauer Traditionen forſchen. Eine Verweiſung der Bartholomäus-Kirche nach Hirſau erſcheint nicht zuläſſig. Richtig iſt die Anregung des Conſervators *Grüßer* auf eine nach dem Gurker oder St. Pauler Stifte herzuſtellende Portalanordnung an der Weſtfront. Der projectirte Portalvorbau erſcheint bei der unmittelbaren Nähe der Bergwand ganz unnöthig und aus den hiſtoriſchen Gründen unzuläſſig. Dagegen empfiehlt ſich an der Weſtfront ein großes oblonges, oben im Rundbogen geſchloſſenes Fenſter anzubringen. Die Reſte der anderen Fenſter ſollten nicht völlig verſchwinden, ſondern im Mauerwerk erkennbar erhalten bleiben. Was die Fenſter in dem unteren Geſchoße der Thürme betrifft, ſo bleibt wohl nichts übrig, als dieſelben nach denen in den oberen Geſchoßen zu bilden, wenngleich die Central-Commiſſion dieſelben erſt nach ihrer Ausführung genehmigt hat und der Conſervater ſie nach den erhaltenen Reſten gebildet wiſſen wollte, was immerhin Beachtung verdient. Jedenfalls erſcheint es wünſchenswerth und empfohlen, daſs dem Conſervator bei jeder Conſervirungsarbeit Gelegenheit gegeben werde, ſein Votum abzugeben. *N.*

139. *(Zur Geſchichte der Wiener Hofburg-Capelle.)*

Die erſte Nachricht über den Brand der Capelle datirt vom 18. Februar 1669; es iſt dies ein Decret an den „HoffErrath Herrn Quintin Gr. Jörger alß Inſpector über das kaif. Burggebau", des Inhaltes, daſs er, der von Sr. Majeſtät ergangenen Reſolution nach, die „abgebrente Capellen widerumb vor allem ehiſten erheben und repariren laſſen wolle".

Für Baumaterialien werden dem kaif. Hofbauſchreiber Johann Philipp Quentzer (Quinzer?) am

24. Juli 1669 2000 fl. bewilligt und er angewiefen, diefen Betrag unaufgehalten zu beheben.

Die Unkoften belaufen fich 1671 bereits auf 12.000 fl.

19. April felben Jahres werden Quintzer 1500 fl. aus dem Hofzahlamt bewilligt.

Quintzer legt zu verfchiedenen Malen Rechnungen. 21. Mai 1673 bringt er einen Auszug all jener Beträge, die man Handwerksleuten noch fchuldet — insgefammt 2953 fl. 16 kr., darunter für den „Maler Tencalo 275 fl., Stokhator 500 fl., Hoffmahler 50 fl.“ u. f. f.

Nach weiteren zehn Jahren erhält Quenzer wieder ein Decret — 30. November 1683 —, dafs die in jüngfter Belagerung durch die feindlichen Gefchütze „zerlöcherte vnd an dem gemeür vnd fenftern fchadthafft wordtene Hofcapelen dem negften widerumb reparirt werden folle“.

Das Altarbild in der „neue gebauten Capellen“ wurde vom Kammermaler Franz Luxen (Frans—Frantz Leüxen) im Jahre 1667 vollendet und wurden ihm hiefür 400 fl. zugefprochen.

Ueber feine Eingabe um völlige Bezahlung des Betrages[1] erhielt mit 21. April 1667 der Obrifte Schöfambts-Lieutenant H. Ehrlinger ein „Gfchäfftl“, dem Camermaler Franz Leüxen weitere 150 fl. zu verabfolgen.

Bildhauer Joh. Frühwirth und Maler Joh. Chrift. Werner vollführen im Jahre 1680 Arbeiten in der Hofburg-Capelle.[2] *Alf. Sitte.*

140. *(Ein Wappen der Carrati von Carrara vom Jahre 1620 im Schloße Krumau.)*

Auf der alten Schanzmauer, die auf dem Tummelplatze im Schloße Krumau zwifchen dem Schloße und dem Schloßgraben, der in unferem Jahrhunderte Bären beherbergt hat, liegt, ift eine Tafel aus rothem Marmor eingefügt, die bekundet, dafs diefe Schanzmauer im Jahre 1620 unter der Regierung des Kaifers Ferdinand II., der damals Befitzer der Herrfchaft Krumau war, durch den kaiferlichen Feldhauptmann und Gubernator Ferdinand Carrati von Carrara, welcher mit feinen Truppen vom 12. November 1618 bis 24. September 1620 das Schloß Krumau befetzt hielt, errichtet worden fei.

Fig. 3. (Krumau.)

Auf diefer Tafel, welche 77 Cm. hoch und 43 Cm. breit ift und von der wir eine Abbildung beifügen, ift auch das Wappen der Carrati de Carrara zu fehen.

A. Mörath, Correfpondent.

141. *(Ein Wandgemälde aus dem 14. Jahrhunderte in der Pfarrkirche zu Spital in Oberkärnten.)*

Beim Umbaue der Pfarrkirche zu Spital wurde, als man das Gewölbe der Sacriftei niederrieß, an der linken Seitenwand, alfo an der alten rechten Außenfeite des Mittelfchiffes, ein mittelalterliches Wandgemälde zutage gefördert, das nur einige Tage fichtbar war. Der Photograph *Franz Großmann* veranftaltete von dem gut erhaltenen unteren Theile des Bildes eine photographifche Aufnahme. Der obere Theil des Gemäldes war fchon bei der Aufdeckung zerftört. Das Wandgemälde wurde ohne Beifein des Confervators mit Waffer abgefpült und leider, wie die Schäfte der Infchriften auf dem Lichtbilde verrathen, die Züge der gothifchen Majuskel mittelft Farbe aufgefrifcht, fo dafs die Infchriften größtentheils felbft für den Paleographen unbeftimmbar geworden find.

Man gewahrt in der Mitte des Bildes in der Mandorla eine mächtige fitzende Geftalt, deren oberer Theil fehlt. Es ift offenbar Chriftus als Weltrichter

[1] April 1667.

Hochlöb. Kay: Hoffkhamer.

Gnedig vndt Hochgebüentunde Herrn.

Ewer Excl. vndt G. wierdt verhoffentlich vnbewuſt fein, waſ maſſen mier auf befelch Ihro Kay: May: ds Altarblat in der Neue gebauten Capellen in die Burckh Zumachen Anbefohlen worden. Vndt die hochlöbl: Kay. Hoff Kamer weg meiner arbeit mit mier auf 400 fl. gedingt; Auch H. Erling Ihr Kay: May: Schiffleutenandt deftweg ein Decret zuegefchickht: fo mier auch darauf 100 fl. bezahlt hat.

Weillen ich dan Selbiges Altar Blat zu Contento vollendet, vnndt mier weg mein arbeiths Lohn noch 300 fl. aufftendig Verbleibt.

Alſ gelangt an Ewer Excll. vandt g. mein gehor: bitten: Sye geruehen bey gedachten H: Erling. die gned: Verordnung Zu thun, damit ich Zu meiner bezahlung gelang. khönne. Mich gehor: befehl.

Eur Excll. vndt g.

Gehorfambfter vndt
diemitigfter
Frans Luxen Camermaler.

[2] Verzaichnus maß auff befehl Ihro Excll: Herrn Herrn Conradt balthaſſer Graffen von Stahrenberg p p Statthaltern albier in die khay: Hoff Capellen An Mahler Difchler vndt bilthauer arbeith verricht worden wie volgt.

Anno 1680.

Erftlichen daß Bilt der allerheyligften Dreyfaltigkheith In einer glory ſteent fambt (?) hoch Neygemacht fambt Vier darneben khnyenten Engeln Welche die fchrifften halten Vndt dreyen Engelskhopffen zufamen die Bilthauer arbeith . . . . 90 fl

Item den alten Aldar abgetragen auch außgebeſſert Vndt wide (?) aufgericht auch darzwifchen auff daß feft daß bilt Neben anderen Zu gehorungen auffgericht Vndt mit Silber gezieret ift fambt dem Tifchler fo darbey gearbeithet Zufamben . . . . 30 „

Vndt dan dem Mahler Vor obbemelte arbeith als den alten Altar auffs Neye Zuvergulten Vndt auß Zufaſſen fambt den New gemachten Figuren Vor alles Zufamen . . . . 285 „

Mehr 2 abriß des gantzen Werkhs gemacht Jeden derfelben pr. 3 fl Zufamen . . . . 6 „

Suma . 411 fl

Johann Früwirth burgl.
Bilthauer Vndt Johann
Criftoph Werner burgl.
Mahler.

Aus den Herrfchaftsacten des Hofkammerarchives Nr. 17714 W, Fasc. 22.

dargestellt. Rechts davon steht ein männlicher Heiliger in Tunica und weitem Mantel, barfuß. Er legt die Hand schirmend und empfehlend auf das Haupt eines Ritters, der vor ihm kniet und betet. Einen ähnlichen Vorgang nehmen wir links vom Weltrichter an der anderen Seite wahr. Eine göttliche Frau in langem faltigen Gewande, beschuht, legt gleichfalls die Hand auf eine vor ihr kniende und betende Frau. Die knienden Figuren sind vollständig erhalten, von den beiden stehenden fehlt der obere Theil. Spruchbänder mit Inschriften sind zwischen den genannten Figuren und dem Mittelbilde angebracht. Unter der Mandorla, die in diese Darstellung theilweise einschneidet, erblickt man geöffnete Gräber in der Form von Truhen, sechs Todte in Linnen gehüllt ragen mit den Köpfen und Schultern heraus, als ob sie sich erheben wollten.

Der Sinn der Darstellung ist klar. Die Donatoren dieses Bildes werden von Maria und Johannes, welche man auf den jüngsten Gerichtsbildern zur Seite des in der Mandorla thronenden Richters erblickt, der Gnade des Weltrichters empfohlen. Der Name des Donators ist in gothischen Majuskeln zu lesen. Er lautet: Henricus Cevelirius T. Der Wappenschild desselben rechts zeigt im weißen Felde einen schwarzen sitzenden Hund mit weißem Schweife und Halsbande.

Das Gemälde gehört dem 14. Jahrhunderte an. Dies beweist die Form des Schildes in der für das 14. Jahrhundert charakteristischen Bildung des fast gleichseitigen an den Seiten etwas ausgebogenen Dreieckschildes, ebenso die Form des Lendners, das ist des Wappenrockes, der gegürtet ist. Am Gürtel hängt der Dolch, das Haupt wird von der Panzerkappe theilweise bedeckt. Auch der durchgängige Gebrauch der gothischen Majuskel weist auf das 14. Jahrhundert, da bekanntlich gegen Ausgang dieses Jahrhunderts die gothische Majuskel schwindet und an ihre Stelle der Gebrauch der gothischen Minuskel tritt.

Dr. *Fr. G. Hann*, Conservator.

142. In der *Hof-* und *Franciscaner-Kirche* zu *Innsbruck* befindet sich ein altes Stehkreuz von kunstvoller Ausführung, mit dem ehemals ein werthvoller Kreuzpartikel in Verbindung stand, der späterhin in eine Monstranze eingefügt wurde. Auf ein bezügliches Anfuchen des Superiors der PP. Franciscaner in Innsbruck genehmigte die k. k. Statthalterei daselbst die Wiederverfetzung des Kreuzpartikels an das genannte Stehkreuz und die bei diefem Anlaffe vorzunehmende Restaurirung des letzteren.

Wie aus der nachfolgenden Beschreibung hervorgeht, ist jenes Stehkreuz in Verbindung mit dem reichgezierten Kreuzpartikel auch von kunsthistorischem Interesse. Wenngleich über die Provenienz des ganzen Objectes, das im Verlaufe der Zeiten mehrfachen Veränderungen unterworfen war, urkundliche Nachrichten fehlen, fo liegt doch die Vermuthung nahe, dafs die Uebergabe diefes Stehkreuzes mit dem Kreuzpartikel von feltenfter Größe an die Franciscaner-Kirche, welche anno 1563 zum heil. Kreuze geweiht wurde, mit diefer Einweihung in Beziehung fteht. Es erfcheint nicht ausgefchloffen, dafs jenes Stehkreuz fammt Kreuzpartikel ein Gefchenk des Begründers diefer Franciscaner-Kirche, des Kaifers Ferdinand I. ist.

Das Stehkreuz ist einschließlich des 30 Cm. hohen Sockels 107 Cm. hoch, aus Birnbaumholz mit Ebenholz-Fournieren und Silberverzierungen verkleidet, desgleichen theilweise mit einem Mosaik aus Lapislazuli. Der Sockel ist nach oben mit einer fegmentförmigen Bedachung abgefchloffen, beiderfeits find Voluten im Charakter deutfcher Renaiffance der zweiten Hälfte des 16. Jahrhunderts angefügt, welche mit aufmontirtem getriebenen Silber-Ornament geziert find. An der Vorderfeite des Sockels befindet fich ein rechteckig begränztes gegoffenes Relief aus Silber, welches die

Fig. 4. (Innsbruck.)

Geißelung Chrifti darftellt. Unter diefem Relief ist ein Silberftreifen angebracht mit der gravirten Infchrift:

„MOSAICVM. EX. SEPVLCRO. SS. AP. PETRI. ET. PAOLI. "

Diefe Infchrift bezieht fich auf ein aus kleinen Lapislazuli-Würfeln gebildetes Mofaik, welches den mittleren Theil der Vorderflächen des Kreuzes mit Ausnahme jener Stelle ziert, wo ehedem das Kreuzpartikel befeftigt war. An den oberen Enden der Voluten, am Sockel befinden fich plaftifche Engelfiguren aus Silber gegoffen, desgleichen auf der Sockelverdachung zu beiden Seiten des Kreuzfußes. Diefe vier Figuren find durchwegs fchön modellirt und tadellos ausgeführt.

Während die vorerwähnten Bestandtheile des Stehkreuzes im Style der Renaissance gehalten find, zeigen die offenbar später beigefügten in Silber gegoffenen und unter fich gleichen Verzierungen an den oberen drei Kreuzenden barocken Charakter.

Der Kreuzpartikel, deffen Stamm 5·4 Cm. und der Querarm 3·2 Cm. Länge befitzt, ift aus dunkelbraunem Holze in der Form des chriftlichen Kreuzes gebildet und in ein Gehäuse aus vergoldetem Silber mit verglastem Deckel verfenkt. Am Vereinigungspunkte der Kreuzarme des Partikels befindet fich ein Diamant, am oberen Kreuzende eine große Perle und an den übrigen Ecken je ein kleiner Rubin in runder Goldfaffung. Die Seiten des Kreuzpartikels find mit kleinen Perlen umrahmt. Das einfach in Kreuzform gehaltene Partikelgehäufe ift von einem reichen durchbrochen gearbeiteten Goldfchmuck mit Email, Perlen und Edelfteinen umgeben. Die bezüglichen Faffungen an den vier Kreuzenden find im Style edelfter Renaissance gearbeitet. Kleine weiß emaillirte Voluten und grün emaillirte Blätter umgeben je eine Diamant-Raute an jedem Kreuzende. Ueber dem oberen befindet fich in einer mit zwei Perlen gezierten fchön geformten Goldumrahmung ein rechteckig geftalteter Smaragd (8 Mm. lang und 4 Mm. breit). An den einfpringenden Ecken der Kreuzarme des Partikelgehäufes zieren vier gleich große Perlen von 7 Mm. Durchmeffer und zwölf kleinere Perlen die unteren Seitenkanten des Gehäufes. Zwifchen den oberen Enden des Partikelgehäufes befinden fich in fpäterer Zeit eingefügte barocke Faffungen aus Gold mit rothem und grünem Email, welche oben gefchliffene Rubinen enthalten, von welchen jener an der linken Seite kreisrund von 8 Mm. Durchmeffer, der an der rechten Seite oval von 9·5 Mm. Länge ift.

Die oberfte Endung diefer koftbaren Umrahmung des Partikelgehäufes ift etwas befchädigt, doch find alle übrigen Theile derfelben gut erhalten.

Am Stehkreuze ift das Mofaik mehrfach befchädigt, desgleichen find es die Ebenholz-Fournieren am Kreuze und deffen Sockel, endlich die Silberverzierung am rechten Ende des Querholzes, welche offenbar bei einer durch ungeübte Hand vorgenommenen Reparatur (beim Auskochen und Ausglühen) jenes Theiles theilweife abgefchmolzen wurde.

Gelegentlich der gegenwärtig im Zuge befindlichen Herftellung einer dem Style der Silberverzierungen an den Kreuzenden entfprechenden Umfaffung des Kreuzpartikels und der Wiederbefeftigung desfelben (einfchließlich feiner oben befchriebenen Umrahmung) an dem Stehkreuze werden die Befchädigungen an letzterem wieder reparirt.

Die Reftaurirung wird nach Angabe und unter Leitung des Confervators durchgeführt werden.

Joh. Deininger.

143. Das Gewerbe-Mufeum zu *Leitmeritz* verwahrt derzeit einen fchön gravirten Siegelftock der Leitmeritzer Bräuerzunft aus dem Jahre 1522. Die filberne Siegelplatte desfelben ift kreisrund, hat einen Durchmeffer von 33 Mm. Im Bildfelde (Fig. 5) fteht ein geharnifchter Ritter mit Krone und Mantel, in der Rechten ein langes Schwert, in der Linken ein Fähnchen mit dem einköpfigen Adler. Unzweifelhaft ftellt

diefe Figur den heil. Wenzel[1] vor. Links zu Füßen ift ein kleiner gekrönter Schild mit zwei Malzerfchaufeln, wie fie auf den meiften Bräuerzunftfiegein vorkommen,

Fig. 5. (Leitmeritz.)

angebracht. Ein Spruchband um den Rand des Siegels trägt die Legende: « PECZETCZECHVSLA DO WNICKEII O. Zu beiden Seiten der Ritterfigur ift die Jahreszahl 1522 (das Herftellungsjahr des Siegelftockes) vertheilt angebracht. *Aukert.*

144. Confervator Direktor *Sterz* hatte im Monate März v. J. über die Kirche zu *Wolframs* an die Central-Commiffion berichtet. Diefelbe zeigt fich als zwei Bau-

Fig. 6. (Wolframs.)

[1] Ich erinnere nur an das Votivgefchenk der Prager Brauergenoffenfchaft in der St. Wenzels-Capelle im Prager Dom, welches ein bronzenes Tempelchen vorftellt, in deffen Innerm die Figur des heil. Wenzel fich befindet. Gegoffen wurde diefes Votivgefchenk 1532 vom Meifter *Peter Vifcher* in Nürnberg.

perioden entstammend; das Presbyterium fällt nämlich in die Zeit der Früh-Gothik und dürfte in seiner Urfprünglichkeit noch bestehen. Es ist der heutige Abfchluß der Kirche, bestehend aus fünf Seiten des Achteckes und einem Rippengewölbe, dessen sechs Rippen stränge in einen Schlußstein zusammenlaufen. Dafelbft befindet sich eine gothische Sanctuarium-Nifche. Der Altar gehört in die Zeit der Barocke. Dem Presbyterium liegt ein quadrater Raum — das ehemalige flachgedeckte Schiff, jetzt tonnenartig mit Kappen gedrückt überwölbt — vor; weiters ist ein höchst einfacher Raum mit der Orgelbühne angebaut. Unter der Kirche dürfte sich ein Gruftraum befinden. Der Thurm über dem erften Raume ist ohne jede Bedeutung.

Das wichtigste ist das an der Nordfeite des alten Schiffes angebrachte Portal, das noch der Früh-Gothik angehört und sich unverändert erhalten hat (Fig. 6, fpitzbogige Blende und zwei Eckfäulen).

145. (Die gothische Lichtfäule auf dem Friedhofe in Tifens bei Meran.)

Da es bekanntlich schon frühe unter den Chriften Sitte ward, die Gräber der Abgefchiedenen mit Lich-

Fig. 7. (Tifens.)

tern zu fchmücken, ja an den Grabern der Heiligen ewige Lampen zu unterhalten, so liebte es das Mittelalter auf dem Friedhofe für alle dort Beftatteten eine allgemeine Lampe brennen zu laffen. Brannte diefes

ewige Licht zuerft etwa in einem Fenfter der felten fehlenden Friedhofs-Capelle oder in der Laterne des Karners, wofür noch viele Beifpiele wie in Frankreich fo auch in Böhmen deutlich fprechen, fo betrachtete es die ausgebildete Steinmetzkunft vom 14. bis 16. und felbft im Einzelnen noch im 17. Jahrhundert als eine ihr erwünfchte Aufgabe eigene, zierliche Häuschen hiefür zu fchaffen. Einfachere Anlagen diefer Art bauten sich confolenartig an den Kirchenmauern auf, wie zu St. Stephan in Wien, an der Pfarrkirche von Bozen u. a. O., reichere erheben sich frei auf einem fäulenoder pfeilerartigen Unterbaue (vgl. Mitth. d. Centr.-Comm. für Kunft- und hift. Denkm. vom Jahre 1862 u. dgl.). Eine der fchonften aus dem Mittelalter auf uns gekommenen Todtenleuchten ist wohl jene 9 M. hohe zu Klofterneuburg, in den oberen Stockwerken des achteckigen Baues, mit Reliefs der Paffionsgefchichte gefchmückt (Abb. l. c., Taf. VII). Einige einfachere erhielten sich auch in Tyrol, als: zu Schwaz, Brixen (Domkreuzgang), zu Unterinn, Lengmoos und Wangen bei Bozen (in letzterem Orte von einem knieenden Engel bekrönt).

Von größerem Interesse ist auch das Lichthäuschen zu Tifens bei Meran. Diefer Bau erhebt sich über einem viereckigen Sockel mit einer Bafis aus Schräge, Hohlkehle und Stäbchen in fteiler Anlage und trägt eine Viereckssäule, an welcher die Ecken mit kräftigen Rundftäben befetzt sind, welche über gewundenen Sockeln eine fteile attifche Bafis gleich einem Säulchen zeigen, während die dazwifchen liegenden Flächen durch tiefe Hohlkehlen ausgenommen find, fo daß der ganze Unterbau fehr leicht und zierlich ausfieht. Vermittelft Hohlkehlen und Stäben in zwei Reihen übereinander erweitert sich diefer Träger zu oberft bedeutend, um das eigentliche offene Häuschen für die ewige Lampe zu ftützen. An diefem finden wir wiederum die Ecken mit fäulchenartig behandelten Stäben belebt und die drei Lichtöffnungen mit einem durch Hohlkehlen verzierten Rahmen eingefaßt. Merkwürdigerweife ist hier an diefem Lichthäuschen das vierte Feld gefchloffen; wahrfcheinlich, um den zarten freien Eckftützen befferen Halt zu geben und den Windanfall abzufchwächen. Ueberdies ging dies hier auch gut an, weil das Häuschen zu oberft im Friedhofe errichtet wurde und fo die Lichtftrahlen vermittelft der gefchloffenen Wand kräftiger über den davor liegenden Friedhof hingeworfen wurden. Ein reicheres Gefims bildet den Abfchluß des Häuschens und vermittelt zugleich den Uebergang zu der niedrigen Steinpyramide, welche ein verhältnismäßig maffives Kreuz krönt, das durch Hohlkehlen profilirt ift. Da der Zahn der Zeit fich dem bereits 400jahrigen Beftande diefe aus weißem und rothem Sandfteine der nächften Umgegend angefertigte Todtenleuchte ftark angenagt hat, fo wäre recht zu wünfchen, dafs recht bald eine gründliche Reftaurirung vorgenommen werden könnte, um diefen erhaltenswerthen Kleinbau vor dem ficheren Verfalle zu bewahren. *Atz.*

146. Der Central-Commiffion wurde zur Kenntnis gebracht, dafs in der Pfarrkirche von *Kuěvkovic* in Böhmen sich Spuren alter Wandbemalung ergeben haben. Infolge deffen wurden mit großer Vorficht bedeutende Wandflächen freigelegt, doch zeigten sich

29*

die Malereien fo fchadhaft, dafs eine Reftaurirung nicht mehr erhofft werden kann. Die Kirche ift ein gothifcher Bau aus dem 13. bis 14. Jahrhundert, befteht aus dem dreifeitig gefchloffenen Presbyterium mit Außenftrebepfeilern, dem Schiffe und dem vorgelegten Thurme, der romanifche Charaktere zeigt. Die Kirche mag zur Zeit als die Prämonftratenfer in Seelau in der Gegend großen Einfluß hatten, entstanden fein. Die Fresken gehören in eine frühe Zeit, vielleicht noch in das 14. Jahrhundert. An der Stirnfeite des Schiffes rechts des Süd-Portales fieht man ein Gemälde, das eine Scene vom letzten Gerichte darftellt und eine Rittergeftalt (theilweife), links diefes Portales ein vollkommen erhaltenes Bild, St. Georg vorftellend. Im Presbyterium eine Mater dolorofa und das Martyrium Chrifti. Auch vier Glasmalereitafeln befitzt diefe Kirche, wahrfcheinlich auch noch aus dem 14. Jahrhundert (St. Adalbert, Erzengel Gabriel, St. Matthäus und König David vorftellend). Eine Thurmglocke von fehr fchönem Guße ftammt aus 1554.

Das intereffantefte Stück der Einrichtung ift die Emporenthür; diefelbe ift aus zwei gezimmerten Eichenpfoften hergeftellt, in zwei Zeilen ift darauf das Alphabet eingetheilt (Majuskeln). Als Abfchluß der zweiten Zeile fcheint „R. 1539" zu ftehen. Unter der zweiten Zeile find zwei gewundene heraldifche Pfeile fchief übereinander gelegt angebracht, vielleicht das altböhmifche Wappen der Herren von Duba. Die Thür ift mit einem hölzernen Schloße verfehen, Klinge und Schubriegel von Birnholz. Die Thür ift ganz morfch und droht zu zerfallen, fie hängt heute nur noch mehr an dem fchönen gothifchen Befchläge, welch letzteres eine Schmiedearbeit aus dem 14. Jahrhundert ift. Die Thürflügel follten wohl in ein Mufeum kommen und durch gleiche neue erfetzt werden.

147. Die *Frohnleichnams-Kirche zu Krakau* (Vorftadt *Kazimierz*) ift von ganz befonderer kunftgefchichtlicher Bedeutung, daher auch die Central-Commiffion eine Reftaurirung derfelben zum Zwecke der Erhaltung in ihrem alten Beftande fehr empfehlenswerth hält und fich lebhaft für die Erwirkung eines Staatsbeitrages intereffirt. Es fcheint deshalb nothwendig, dafs die Leitung der Reftaurirungsarbeiten in die Hände eines vertrauenswürdigen und gewiffenhaften Architekten gelegt werde und die Central-Commiffion felbft einen entfprechenden Einfluß darauf durch ihren Confervator ausübe. Leider find die Mittel des lateranenfifchen Chorherrnftiftes fo gering, dafs eine Reftaurirung ohne Staatsbeitrag gar nicht möglich ift. Die Kirche, ein Werk der Gothik mit befonders polnifchem Charakter, ift von ungewöhnlich großer Anlage und ihre ftylvolle Charakteriftik in gänzlicher Reinheit bewahrt. Befonders intereffant ift der Weftgiebel, ein architektonifches Mufterwerk und Wahrzeichen der Stadt. Im Innern haben fich gefchnitzte Chorftühle und eine Anzahl ftehender Monumente und Steinplatten mit Reliefs erhalten. Die Kirche wurde zu Beginn des 14. Jahrhunderts erbaut und hatte für die Vorftadt diefelbe Bedeutung, wie die Marien-Kirche für ganz Krakau. Befonders Elifabeth von Oefterreich, deren Wappen noch heute auf der Vorderfeite der Kirche fichtbar ift, hat das Klofter reichlich befchenkt.

Leider ift das Gebäude nach allen Richtungen hin fchadhaft; es fehlt am Dache fowohl in der Holzarbeit, wie auch in der Ziegelbedachung felbft. Die Façaden und Strebepfeiler find feit langem her fchon reparaturs-bedürftig. Die alten farbigen Fenfter im Chore bedürfen dringend einer Ausbefferung, die werthvollen Glasmalereien müßen in ihrem Beftande gefichert werden. Am Thurme fammt Helm find ftarke Stein- und Dach-Reparaturen unvermeidlich.

148. Confervator Civil-Architekt *Jeblinger* hat an die Central-Commiffion berichtet, dafs fich zu *Perg* in Ober-Oefterreich auf einem Wiefenplatze der Gemeinde eine Granitfäule befindet, welche im Volksmunde als die *Prangerfäule* von Perg bezeichnet wird. Sie foll früher auf dem Marktplatze in der Nähe des Brunnens geftanden fein. Der Volksmund erzählt, dafs an ihr Frauensperfonen, die uneheliche Kinder geboren, zur Strafe und Schande aufgeftellt wurden; Kopf und Hände derfelben wurden in die fogenannte Geige gefpannt (zwei folche befitzt noch jetzt die Gemeinde) und an den Seiten der Säule waren fo viele Strohbüfchel angebracht, als die betreffende uneheliche Kinder hatte. Die Säule liegt der Länge nach auf der Erde, und zwar theilweife eingefunken in den Boden. Sie liegt feit 1876 an diefer Stelle, wohin fie vom Rathhaufe, vor dem fie ebenfalls lag, gebracht wurde, als man nämlich dafselbe umbaute. Die freiliegende Seite der Säule ift ftark verwittert, da fie allen Unbilden der Witterung in diefer Lage ausgefetzt ift und auch unter der Dachtraufe eines Haufes fich befindet. Die vordere Seite ift mit Moos verwachfen und beffer erhalten. Der Sockel liegt dabei. Ein Capital ift nicht vorhanden, hat vielleicht nie exiftirt; die Säule ift ein Werk der Renaiffance (fie trägt die Jahreszahl 1587) und verdient Erhaltung und Aufftellung, wofür fich auch die Central-Commiffion ausfprach.

149. Confervator Propft Dr. *Jofeph Walter* in *Innichen* hat der Central-Commiffion mitgetheilt, dafs fich an der Außenfeite der dortigen *Anna-Kirche* ein größeres Wandgemälde befindet. Das Kirchlein fteht am Friedhofe nächft der Pfarrkirche und bildet eine Doppel-Capelle. davon im unteren Theile noch Spuren des alten romanifchen Baues fich vorfinden, während die obere Capelle mit einem fchönen gothifchen Gewölbe verfehen ift. Das Kirchlein präfentirt fich nach außen infolge der forgfältigen Stein-Architektur recht fchön und bildet ihre befondere Zierde das große Leidensbild, das die füdweftliche Mauerfläche ausfüllt. Man erkennt in dem Bilde eine fehr fchätzenswerthe Arbeit aus dem Beginne des 16. Jahrhunderts, das einer forgfältigen Reftaurirung werth ift; manches ift verblaßt, manches leider verwifcht.

150. Aus *Steyr* find der k. k. Central-Commiffion für Kunft- und hiftorifche Denkmale zwei recht intereffante Nachrichten zugekommen. So berichtet unterm 9. Mai d. J. Confervator Director *Ritzinger*, dafs in dem Haufe der *Haas*'fchen Buchdruckerei gelegentlich des Abbruches einer Mauer 41 Stück fehr gut erhaltene Ducaten gefunden wurden, von denen 38 aus der Zeit des ungarifchen Königs Sigmund ftammen, die übrigen drei Stück find Venetianer Zechinen des Dogen Michael

Steno. Die Central-Commiſſion erkennt in dieſem Funde (Ende des 15., Anfang des 16. Jahrhunderts) keine numismatiſchen Seltenheiten, hält ihn aber doch wichtig für die fachwiſſenſchaftlichen Kreiſe der Varietäten und Münzbuchſtaben wegen.

Ein zweiter Denkmalfund hat ſich in *Garſten* bei Steyr ergeben, und zwar im ſogenannten Beamtentracte, einem abgelegenen Seitenhofe der Strafanſtalt. Man fand nämlich als Canaldeckplatte die untere Partie eines trefflich gemeißelten Grabſteines, ein Fragment (80 Cm. hoch und 98 Cm. breit) einer rothen ſchwarzweiß geäderten Marmorplatte. Darauf erſcheint eine tiefgehauene Sculptur, vorſtellend einen Abt im prieſterlichen Kleide mit dem Stabe, *en face* ſtehend. Zu Füßen der Figur befindet ſich ein Hund, um deſſen Kopf ein Spruchband mit den Worten: „Venite post me" angebracht iſt. Das Plattenfragment iſt mit einem erhöhten Rande umgeben und ſteht auf demſelben folgendes Inſchriftbruchſtück: „Adalbertus abbas." Die Andeutungen, die dieſer Stein gibt, weiſen zweifellos dahin, dafs wir es mit dem Reſte einer Grabplatte zu thun haben, die dem Abte Adalbert von Garſten (1444—1461) gewidmet war. Dieſer Abt erwarb dem Stifte das Recht der Pontificalien für den jeweiligen Abt. Schade, dafs der andere Theil der Platte, die obere Partie der Sculptur, bisher nicht gefunden werden konnte. Das Steinfragment wurde nächſt des Einganges in die Lofenſteiner Capelle in die Mauer eingelaſſen.

151. In der letzten Zeit fand ich vier Steinkreuze, die ſich jener Gruppe anſchließen, die hier wiederholt angetroffen wurden; eines ſteht in einem Grasgarten nächſt der Mengmühle in *Markersdorf* an der böhmiſchen Nordbahn. Es iſt tief eingeſunken, hat 70 Cm. Höhe, 85 Cm. Breite und 30 Cm. Dicke, iſt aus Sandſtein, trägt in Umriſſen einen Säbel eingeritzt. Das Kreuz ſoll zu einer Zeit geſetzt worden ſein, als vom Rothenhofe[1] bis zur Kirche nur drei Häusler waren. Da nun in Markersdorf erſt um 1580 urkundlich Häusler erwähnt werden, ſo könnte damit ein Schlufs auf die Zeit der Errichtung dieſes Kreuzes gezogen werden.

Das zweite Kreuz befindet ſich nächſt *Leipa* auf einer Wieſe links am Spitzbergwege; es iſt 98 Cm. hoch, 58 Cm. breit und 28 Cm. dick, aus Sandſtein, ohne Schrift und Zeichen. Ebenfalls ohne Schrift und Zeichen iſt auch das dritte Kreuz, es ſteht in *Jägersdorf* bei *Leipa*, rechts von der Straße, nächſt dem Hauſe Nr. 30. Bei einer Höhe von 98 Cm. hat es eine Dicke von 29 Cm., ein Kreuzarm (der rechte) iſt verſtümmelt, im ganzen iſt es noch 65 Cm. breit.

Das vierte Kreuz, ebenfalls in der Nähe von Leipa, und zwar an der Straße nach *Dobern*, knapp vor den erſten Häuſern dieſes Ortes, iſt 136 Cm. hoch, 52 Cm. breit, 18 Cm. dick, iſt aus Sandſtein und trägt die Zahl 1543. Gefunden wurde dieſes Kreuz beim Straßenbaue Leipa—Reichſtadt 1848 im Erdboden. Es ſollte als Baumaterial verwendet werden, wurde jedoch auf vieles Zureden erhalten und von der Gemeinde Dobern auf einem Sockel aufgeſtellt. In dieſen Sockel grub man die

[1] An Stelle des Rothenhofes war das Schloß von Markersdorf. In demſelben wurden im October 1625 der letzte Wartenberger Otto Heinrich und ſeine Gemahlin Eliſabeth von den aufrühreriſchen Unterthanen grauſam ermordet.

Worte ein: 1543 — Errichtet hir ohne Kunſt und Zier — dieſes Kreuz zum Andenken — Dafs wir an Gott ſeine Lehren denken — Nachdem vom Alterthum vernicht. — Gmd Dobern 1848 aufgericht.

Heinrich Ankert.

152. (Die Pfarrkirche zu Zeltſchach.)[1]

An dieſer Kirche wurden unlängſt mehrere Reſtaurirungen des Baukörpers vorgenommen und die ſpitzbogigen Fenſter mit Butzenſcheiben verſehen; das Chorquadrat erhielt ein neues Kreuzgewölbe mit Scheinrippen auf kleinen kegelförmigen Conſolen, das

Fig. 8. (Zeltſchach.)

romaniſche Fenſter, das ſich im Süden ober der Sacriſtei befindet (Fig. 8), mußte zur Feſtigung des Thurmauerwerks vermauert werden, blieb aber doch im Verputz markirt. Im Süden wurde ein neues Rundfenſter mit einem Vierpaß-Maßwerk hergeſtellt. Die Chorbrüſtungen und die Dienſte der Blatt-Capitäle

Fig 9. (Zeltſchach.)

wurden abgeſtockt. Die ganze Kirche wurde neu gepflaſtert, die gothiſche Sacriſteithür mit gothiſchem Steinwerk verſehen. Ein altes Sculpturwerk — das

[1] Ueber dieſe Kirche ſiehe Mittheilungen der k. k. Central-Commiſſion Jahrg. 1898. S. 205 u. f.

Lamm Gottes darstellend — welches im Chorquadrate beim Eingange in die Sacriftei angebracht war, wurde für eine fpätere Verwendung aufbewahrt (Fig. 9).

An diefer Kirche finden fich folgende Steinmetzzeichen (Fig. 10): a) an der Südfeite, b) am Portale, c) an der Wand-Loggia.

Fig. 10 a. (Zeltfchach, Südfeite.)

Fig. 10 b. (Zeltfchach, Portal.)

Fig. 10 c.
(Zeltfchach, Rundltreppe.)

Folgende Infchriften finden fich an den dortigen Glocken:

1. OMNES SANCTI ET SANCTAE DEI INTERCEDITE PRO NOBIS. LORENZ PEZ IN CLAGENFVRT HAT MICH GOSSEN ANNO 1653.
Bilder: St. Maria, St. Andreas, St. Katharina, Crucifixus.

Unterhalb: HERR CHRISTOPH WIDER DERZEIT PFAR-HERR VND HANS PACHER MATHES FERCHER ZECH-LEITH DES EHRW. GOTTSHAVSES IN ZELTSCHACH LASSEN MICH GIESN.

2. Ecce crucem domini fugite partes adversae vicit Leo de tribu Juda. All.

Unterhalb: HERR CASPAR BRABVRG DERZEIT PFARIERR MATHIAS FRIZ VND GEORG HAGENN KIRCHENBROCZ ZV GOTTES EHR BIN ICH GEFLOSSEN MARX MATHIAS ZECHENTER HAT MICH GEGOSSEN, KLAGENFVRT ANNO 1727.

3. Franz Vinz. Gollner in Klagenfurt 1856, Nr. 160 Opus.

4. Oben in gothifchen Minuskeln, unten in großen Lateinbuchftaben: got pehiete diefes Gotteshaus und alle die da gengen ein und aus. Unten: HERR ANDREAS WYNDER PFARRER VND VEITH LIEBER THOMAN PELZER VLRICH MOSHERR ZÖCHLEITH ALLHIE.... DIESE GLOGEN GIESEN LASSEN ZV VÖLKENMARKT DVRH GEORG FIERING ANO 1605 IAR.

Bilder: zwei Bifchöfe, Chriftus am Kreuze, Johannes und Maria.   Größer.

153. Von Noreia (Neumarkt in Steiermark) zogen zwei wichtige Verkehrsadern gegen Norden: die eine über den Hohentauern- und den Pyhrn-Paß gegen Ovilava (Wels), die andere über die Radftädter Tauern gegen Juvavum (Salzburg). Beide mußten das obere Ennsthal kreuzen, jene etwa bei Liezen, diefe bei Altenmarkt nächft Radftadt. Das breite flache Thal, das vom Oberlaufe der Enns durchzogen wird, bildete

eine natürliche und bequeme Zwifchenverbindung jener beiden großen Straßen, die, wie die Gräber- und Infchriften-Funde beweifen, thatfächlich in römifcher Zeit benützt worden ift. In diefem Thale, das nicht vielmehr als ein Drittheil der Länge des ganzen Ennslaufes befitzt, find an verfchiedenen Punkten römifche Infchriften conftatirt worden, während fie am Mittellaufe der Enns durch das Gefäufe und an ihrem Unterlaufe bisher ganz fehlen und erft unweit ihrer Mündung das Ruinenfeld von Lorch uns Ausbeute gewährt, Außer Admont haben Liezen, Wörfchach, Gröbming und Schladming uns Infchriftfteine geliefert. Nun ift in dem zwifchen Gröbming und Schladming gelegenen Pruggern ein neues Zeugnis der römifchen Cultur in diefem Thale gewonnen worden. Seine Kenntnis verdanke ich einer Mittheilung des dortigen Oberlehrers Herrn Jof. Pultar. Es handelt fich um eine Platte aus Kochofenftein (0.42 × 0.52 × 0.08), die am 25. April 1899 in der Nähe von Pruggern, da wo fich der Gangfteig und der Fahrweg zum Gute Tanglmayer kreuzen, in der Tiefe von 0.5 M. inmitten alten Gemäuers ausgegraben wurde und gegenwärtig noch im Befitze des Ferd. Neuwirth vulgo Huber in Pruggern ift.

Die Infchrift ift in guten Charakteren, etwa des 1. Jahrhunderts n. Chr., eingegraben:

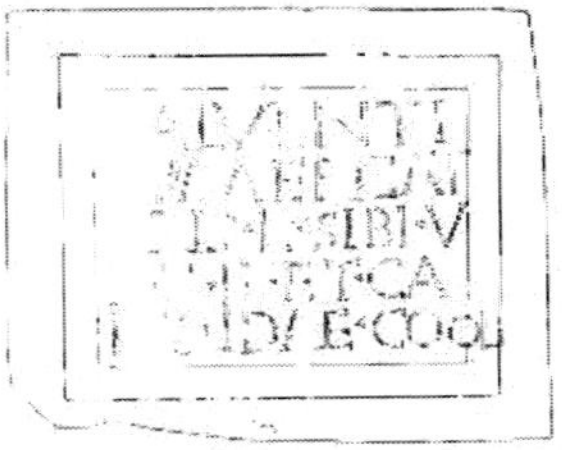

Calventi-
us Mercat-
oris l'ibertus) sibi v-
iv(u)s f(ecit) et Ca-
adidae co(niugi) ob(itae)

und dann wohl das Alter der Veritorbenen, wenn nicht etwa ob[sequentis si]mae gefchrieben ftand oder gefchrieben werden follte. Die Auskünfte, die ich über den Zuftand der auf der unteren Randleifte eingegrabenen letzten Zeile erhalten habe, genügen nicht zur Entfcheidung diefer Frage.   Kubitfchek.

154. Gewand-Statue des Claudius. Feinkörniger Marmor von fchönem gelblichem Tone. Hoch 2 M. und gefunden 1879 zufammen mit der Togaftatue des Tiberius in der Gegend „Marignane", in der Nähe des fogenannten Circus (vgl. Maionica, Fundkarte von Aquileja 1893, S. 44 ff. und hier S. 169) auf einem Grundftücke des Grafen Cassis.

Abgebildet „Leipziger illuftrirte Zeitung", 1884, S. 137. Vgl. Wegweifer durch das Staats-Mufeum 20 und 97; Bernoulli, römifche Ikonographie II, 309; Occioni Bonaffors, bibliografia storica friveilana II, 1887, Wien, p. 109 s., n. 952.

Die Figur fteht auf einer unregelmäßig geformten 0.11 M. dicken Plinthe, welche größtentheils erhalten ift, das rechte Standbein unterftützt durch einen niedrigen viereckigen Pfeiler; das linke Bein etwas übertrieben gebogen, infolgedeffen berührt der linke Fuß nur mit den Zehen die Plinthe und ift mit einem ent-

fprechenden puntello verfehen. Sie trägt eine Tunica, deren Falten fowohl am erhobenen Oberarme, als auch längs der ganzen rechten Seite, hier mit Gürtung, fichtbar find, darüber einen auf der Schulter gefpangten Mantel, der in doppelter Zeuglage prächtig fich entfaltet und an den rückwärtigen Zipfeln bei dem Pfeiler mit Gewichtftücken befchwert ift. Der linke Arm war gefenkt und vom Mantel umhüllt, was aus den noch erhaltenen Spuren der fchwer befchadigten linken Seite des Oberkörpers augenfcheinlich hervorgeht. Unterhalb des Gewandes find beide Beine zweimal gebrochen. Die Befchuhung befteht aus dünnen Socken, in denen die Zehen durchfcheinen und aus Sandalen mit zwei breiten Bändern, die über dem Rifte und dem Knöchel in zwei Schleifen fich vereinigen (calceus patricius).

Die Gewandbehandlung, welche an die Art der berühmten Sophokles-Statue im Lateran erinnert, erhöht den Eindruck der ftolzen Geftalt, deren Tracht an Kaiferftatuen felten vorkommt und wahrfcheinlich das Bild eines Triumphators? darftellt. Nach der flächenhaft behandelten Rückfeite, auf der die Mantelfalten nur in großen Zugen angedeutet find, war die Figur zur Auffftellung an einer Wand beftimmt.

Mit der Statue zufammen kam ein 0·25 M. hoher unbärtiger Kopf zum Vorfchein, der in geringerer Arbeit und aus anderem weißeren Marmor hergeftellt ift, in die Höhlung ziemlich genau einpafst, aber aufgefetzt etwas zu klein fich ausnimmt. Bis auf die fehlende Nafe und Befchädigungen der Ohren ift er vollkommen erhalten, die Rückfeite ift nur angedeutet. Das in den Nacken herabreichende Haar ift kurz, die Stirn ift gefaltet, der Blick düfter, der Mund gefperrt, die Ohren ziemlich groß, der Hals etwas lang, das vordere Haar fcharf abgefchnitten und ftufenartig gebüfchelt. Mit den Originalmünzen des Claudius verglichen (vgl. auch *Bernoulli* II, Taf. XXXIV, n. 9—12) ftimmen viele Merkmale diefes Kopfes überein, fo dafs die Porträtähnlichkeit kaum zu verkennen ift.

Da jedoch der Oberkörper der Statue gewiffe fchwere Formen aufweift, die vielleicht der dargeftellten Perfon eigenthümlich waren, und da gerade Sveton ca. 50 vom Wuchfe des Caligula eine ungewöhnliche Größe des Leibes im Gegenfatze zu dem fchlanken Halfe und den fchmächtigen Schenkeln hervorhebt, durfte nach dem Sturze des Caligula (41 n. Chr.) und nach der Zerftörung feiner Bildniffe (Dio LX, 4) der Kopf des Claudius auf die Statue des Caligula nachträglich aufgefetzt worden fein.

Wie fich auch immer die Sache verhalten mag, Aquileja's Bedeutung gerade in der erften Kaiferzeit war eine folche, dafs gewifs keine Veranlaffung gefehlt haben wird, fei es dem Caligula, fei es dem Claudius Ehrenbildniffe zu errichten.

155. *(Gräberfund in Klagenfurt)*

An der Nordfeite des Weichbildes von Klagenfurt, öftlich vom Kreuzbergl, zwifchen diefem und dem Glan-Fluße, liegt der umfangreiche Gebäude-Complex des nach dem Pavillon-Syfteme neu aufgeführten allgemeinen Landeskrankenhaufes. Etwa 20 M. von der füdlichen Linie diefer Gebäude entfernt, weftlich vom fogenannten Perona-Stöckl, wird gegenwärtig der Grund für das neu zu errichtende Kinderfpital ausgehoben. Hiebei ftießen die Arbeiter nach Abhebung der nicht ftarken, etwa 15 Cm. dicken Humusfchichte auf eine Steinplatte, welche einen gleichfalls von Steinplatten gebildeten Schacht bedeckte, der 1 M. in die Tiefe reichte und 1·5 M. im Quadrat einnahm. Etwa zehn Schritte weftlich wurden noch drei ähnliche, aber kleinere folcher Steinkiften gefunden. Den Inhalt derfelben bildete, wie der bauführende Polier verficherte, fchwarze — jedenfalls vom Leichenbrande herrührende, aber vollftändig verworfene und uns nicht mehr zugängliche — Erde, fowie eine Reihe von Gegenftänden, die in der Bauhutte aufbewahrt waren und uns vorgewiefen wurden. Wir fanden drei Krüge geringerer Größe aus glattem röthlich-gelben und ein Töpfchen aus fchwarzem Thon, drei Schalen, welche an der Außenfeite gerippt und mit allerlei Scherben gefüllt waren, die man in jenen Steinfärgen gefunden hatte. Ueberdies fahen wir da die untere, die Bodenhälfte eines grünlichen kleinen fehr dünnwandigen und äußerft zierlichen Glasgefäßes, welches in zarten Linien Refte der urfprünglichen Ornamentlinien zeigt, welche figurale Darftellungen einfchloffen, deren geringe erhaltenen Refte wohl erft nach Reinigung und Befeitigung der anklebenden Erde zu erkennen fein dürften, was auch von anderen Fundftücken gilt. Endlich wurde uns eine Fibula vorgewiefen, welche, ehemals groß und ftark, offenbar durch Brand arg gelitten hatte. Aus denfelben Särgen ftammen drei weitere Fibeln und ein Topf in der Größe der früher erwähnten, jedoch beffer erhalten als diefe. Die Objecte find für das Mufeum des kärntnerifchen Gefchichtsvereines beftimmt.

Die Steinplatten waren von den Arbeitern bereits zerfchlagen und als Baumaterial verwendet worden. Die nicht vorhandenen wenigen Bruchftücke, die wir in Augenfchein nehmen konnten, ftammen jedenfalls vom nahegelegenen fogenannten *Schmalzbergl*, einer kleinen Bodenerhebung vor dem öftlichen Ende des Kreuzberges. Dr. *P. Odilo Frankl.*

156. Mit Bezug auf die erftattete Anzeige von der Auffindung des römifchen Denkfteines „TERTIVS RIGONIS. F Ar" beehre ich mich zu berichten, dafs der Grundbefitzer *Jof. Pfeifer* zu Klein-Gorelze, einem kleinen Dorfe bei St. Leonhard, 1½ Stunde füdöftlich von Markt Tüffer, bei Gewinnung von Steinmaterial zur Verbefferung feiner Fahrftraße in feinem Hochwalde unmittelbar unter dem Rafen auf die Refte eines mit feiner Längsfeite von 9 M. von Sudoften nach Nordweften fich erftreckenden Gebäudes und innerhalb diefer an zwei Stellen, und zwar an der einen auf vier, an der anderen auf acht menfchliche Skelette ftieß, welche vom Kopf zu Fuß, von Nordoft nach Sudweft eingebettet, lagen. Eigenthümlich ift, dafs, wie Pfeifer ganz beftimmt behauptet, er das Geficht bei allen nach unten gekehrt, ferner jene acht Skelette auf einen fo auffallend engen Raum zufammengedrängt vorfand, dafs diefe Menfchenrefte entweder abfichtlich fo zufammengepfercht oder aber als Skelette hier begraben wurden. Der Raum felbft, worin fie lagen, zeigt keine Spur eines regelmäßigen Grabes und kann nur als eine ganz einfache Grube bezeichnet werden. Die Decke der Refte bildeten regellos vorliegende Steinplatten und Trümmer; nur der eingangs erwähnte Denkftein fand fich als normalliegende Deckplatte, die

Schriftseite nach unten, vor. Außerdem wurden nur bereits als Bruch verlaffene Scherben von Gefäßen einfachfter Topfform aus Schwarzhafner Thon, auf der Drehfcheibe gefertigt, vorgefunden.

Der mehrgedachte Denkftein fand fich in neun Stücke gebrochen vor; doch ift es gelungen, denfelben vollkommen zu verbinden und er befteht aus einem ganz roh gearbeiteten 73 Cm. hohen, 78 Cm. breiten und 26 Cm. ftarken Körper von neogenem grobkörnigen Tufffandftein. Die von oben nach unten fich verjüngenden Buchftaben nehmen an Reinheit und Sorgfalt von oben nach unten fo auffallend ab, daß die Verfchiedenheit von drei Händen, die nacheinander die drei Theile der Infchrift eingegraben haben, hier deutlicher wahrnehmbar find, als in anderen ähnlichen Fällen.

Bezüglich des Textes der Infchrift:

TERTIVS
RIGONIS · F(ilius)
ANN(orum) C
TERTIA · BELATVLL(i) · F(ilia) AN(norum) C
LATINVS · F(ilius?) · FECIT
SPE . . (te) TATVS · TERTI · F(ilius)
AN(norum) X

erfcheint auffallend, daß das Alter des Tertius, des Sohnes Rigo's eben fo wie jenes der Tertia, der Tochter des Belatullus gleich, und zwar mit 100 Jahren angegeben ift und es bleibt die Frage offen, ob man es mit der Altersangabe beider genau genommen oder bei beiden fich auf Angabe einer runden Summe befchrankt habe.

Der Erhaltungszuftand der Skelette wie der einzelnen Skelettheile war ein an fich fchlechter, überdies ungleich; ebenfo läßt fich das Vorliegen des Römerfteines mit den Reften in keine Verbindung bringen; im Gegentheile fcheint die Annahme berechtigter, daß, wie wir dies in hiefiger Gegend immer wieder finden, man auch diefen Stein, der zufällig nicht zu weit entfernt vorlag, um ihn überhaupt zu verwenden, an diefer Stelle als Deckplatte ausnutzte.

Die ganze Umgebung des Fundortes, auch heute nur fchwach befiedelt, war bis zur jüngften Zeit vornehmlich Hochwald; der nächfte ftarker bewohnte und befuchte Punkt war die fudlich davon etwa eine Stunde entfernt gelegene Karthaufe Gairach, die im vorigen Jahrhundert aufgehoben wurde. Doch ift der Fund auch damit felbft als etwaige zeitweilige Begräbnifftätte kaum in Verbindung zu bringen, indem Gairach feit ältefter Zeit einen mehr als genügend großen Friedhof befaß, überdies Klein-Gorelze von dort nur nach Ueberwindung eines ganz anftändigen Anfteigens erreichbar ift. R.

157. Correfpondent Profeffor Dr. *Mofer* hat der Central-Commiffion mitgetheilt, daß in *Černikal* (Küftenland) am Fuße der Burgruine behufs Gewinnung von Baufteinen Grabungen vorgenommen wurden, bei denen eine Culturfchichte aufgedeckt wurde, darin man ein feines kleines Steinbeil, das Randftück eines Glasgefäßes und einige Gefäßrefte jüngeren und älteren Datums fand. Als Material für das Beil vermuthete man als fehr wahrfcheinlich Chloromelanit. Die Beile aus diefem Materiale haben einen fehr befchränkten Verbreitungskreis, und da auch andere Mineralien, wie dunkler Serpentin, Diorit u. f. w. zuweilen das äußere Anfehen des Chloromelanits zeigen, fo empfahl die Central-Commiffion die Einleitung einer wiffenfchaftlichen Unterfuchung des Materials. Diefelbe wurde im naturhiftorifchen Hof-Mufeum durchgeführt und ergab, daß das Beilchen nach Prüfung der Härte (über 6) und des fpecififchen Gewichtes (3·41) dann der optifchen Eigenfchaften thatfächlich aus dem leider wenig bekannten Chloromelanit gefertigt ift.

158. (*Prähiftorifche Funde aus der Gegend um Rudolphfladt im füdlichen Böhmen.*)

Die Umgebung von Rudolphftadt (Bergftadtl) bei Budweis ift ziemlich coupirt und feit altersher wegen des hier betriebenen Bergbaues bekannt; heute ift die gebirgige, an Steinen reiche Gegend die eigentliche Vorrathskammer für Haus- und Wegbauten des fteinlofen Budweifer Beckens, und dadurch Veranlaffung, daß das ganze Terrain — bereits früher durch die Anlage zahlreicher Muthungen, Schürfe und Stollen untergraben — ganz durchwühlt, mit Gruben und Steinbauten bedeckt und der einftige Stand der Dinge gar nicht mehr erkenntlich und nachweisbar ift. Diefe Lage der Dinge ift auch Urfache, daß noch beftehende Zeugen der einftigen Anwefenheit des Menfchen in prähiftorifcher Zeit, heute mit Schotter bedeckt oder behufs Steingewinnung gänzlich abgetragen wurden. Aber auch von ehedem gemachten prähiftorifchen Funden weis die hiefige Landesbevölkerung nichts zu berichten. Nur auf den Fund einiger Skelette in unmittelbarer Nähe von Rudolphftadt wurde ich aufmerkfam gemacht, fand aber in der Nachbarfchaft des Fundortes nur recente, glafirte Thongefäßfcherben!

Das gänzliche Fehlen von Alterthumsfunden gilt indes nur der nächften Umgebung von Bergftadtl und den von mir unterfuchten Nachbarsorten, wodurch bekanntermaßen die Möglichkeit fpäter zu gewärtigender derartiger Funde keineswegs ausgefchloffen erfcheint. Nach dem Süden und Norden, fowie nach den Weften hin find zahlreiche prähiftorifcher Gattung bekannt; in weftlicher Richtung find diefelben jedoch nur fpärlich vertreten und weifen auf eine viel jüngere,

beziehungsweise die jüngfte prähiftorifche Culturperiode hin, fie fchließen an die bekannten derartigen
Fundftätten von Straž (Platz), Homolka und Neuhaus.

Eine in nördlicher Richtung zunächft gelegene
Nekropole aus der jüngften Heidenzeit ift jene von
Újezd Červený (Roth-Aujezd). Hier hat Herr Haupt-
mann d. R. *Lindner* aus Budweis in der Südweftfeite
einige Hügelgräber in mufterliltig fyftematifcher Weife
durchforfcht und über die Refultate feiner Grabungen
Bericht erftattet. (Mittheilungen der Anthropologifchen
Gefellfchaft in Wien, Band XXIII, 27.)

Ich habe diefe Hügelgräber aufmerkfam befichtigt
und möchte hier einige allgemeine Bemerkungen an-
fchließen.

Die Umgebung von Rudolphftadt, fowie jene der
benachbarten und auch in nördlicher Richtung vorhandenen Ortfchaften bildet eine von Brod beginnende,
gegen Oft und Nord anfteigende, durch zahlreiche
fchluchtartige tief eingefchnittene Thäler und Waffer-
läufe durchfeuchte Ebene, welche die Höhe von 500 M.
überfchreitet und an einzelnen Punkten auch noch
höher hinaufragt (zum Beifpiel Berg Baba oberhalb
Rudolphftadt, 563 M), und fpeciell in Vavra-Berge
zwifchen Jelmo und Červený Ujezd eine Höhe von
530 M. erreicht. Inmitten des Waldes befindet fich hier
die in Rede ftehende, von der Laudbevölkerung der
Nachbarsorte allgemein unter dem Namen *„Do Hrobů"*
(In die Gräben) benannte Nekropole.

Der Vávra-Berg ift am Scheitelpunkte ganz flach
und bildet ein ausgedehntes Hochplateau, welches
nach dem Nordoften allmählig abfällt, nach dem Südweften aber durch waldbedeckte Thalgründe begranzt
erfcheint. Der ganze Berg ift mit Wald beftanden und
Eigenthum des Fürften Schwarzenberg.

Die unregelmäßig angeordnete etwa 20 Schritte
im Durchmeffer haltende Nekropole dürfte aus 80 bis
90 Grabhügeln beftehen; fie find meift aus Erde auf-
gefchüttet; Steine find nur felten vorhanden und an der
Oberfläche nie erfichtlich.

Bezeichnend für die Grabhügel der Nekropole
„Do Hrobů" ift es, dafs fie aus dem an Ort und Stelle
vorhandenen Material errichtet wurden, und dafs fich
demzufolge bei jedem derfelben eine Grube, ein Graben
oder eine ringsherum laufende muldenförmige Vertiefung befindet, aus welcher das Erdreich ausgehoben
und zur Errichtung des betreffenden Grabhügels verwendet wurde. Ein ähnlicher wenig pietätvoller Vorgang ift mir aus früheren (älteren) Culturperioden,
namentlich der Bronzezeit, unbekannt.

Diefe Weife Hügelgräber zu errichten, war auch
Veranlaffung, dafs das Terrain zwifchen denfelben die
fie umgebende Grabenfohle oft um einen halben Meter
überragt.

Die Geftalt der einzelnen Grabhügel ift in der
Regel kreisrund, doch kommt auch die Viereckgeftalt
vor. Eine ganze Reihe derartig befchaffener Hügelgräber erftreckt fich inmitten der Nekropole von Often
nach Weften; andere befinden fich zwifchen den
übrigen normal geftalteten Grabhügeln, deren Durchmeffer zwifchen 7 bis 12 Schritten variirt und deren
Höhe 1 bis 2·5 M. beträgt. Die viereckigen Hügelgräber find meift die anfehnlichften: 6×8—10×11—
—10×12 Schritte im Durchmeffer. Ihre Oberfläche ift
horizontal.

Die meiften Hügel find vollkommen erhalten; nur
einige wurden von unberufener Hand angegraben; jene
an der Südweifte — wie bereits erwähnt — von Herrn
Hauptmann Lindner fyftematifch durchforfcht. An der
Grabungsftelle fand ich einen Urnenfcherben und zwei
Bruchftücke von Hornftein.

Die Entfernung der einzelnen Grabhügel unter
einander ift verfchieden und beträgt oft nur zwei, mitunter aber auch 10 bis 20 Schritte.

Die Hügelgräber der Nekropole „Do Hrobů"
unterfcheiden fich alfo. wie fchon gefagt, von folchen
älterer Culturperioden fchon an der Oberfläche wefentlich dadurch, dafs fie aus dem an Ort und Stelle vorhandenen Materiale durch Ausbebung deffelben an
einer, an mehreren oder an allen Seiten und Aufwerfen
oder Auftragen gebildet und nach Wunfch erhöht
wurden, und dafs fie infolge diefes, auch jetzt noch
deutlich wahrnehmbaren Vorganges, auf einer oder
auf allen Seiten der Peripherie mit einer Grube verfehen oder mit Graben umgeben find.

Ein ähnliches Vorkommen beobachten wir an den
Hügelgräbern im Walde Klobasna bei Vefeh a./L., in
Homole bei Neuhaus, bei Újezd-Oftrolov u. a. a. O.;
im allgemeinen aber überall dort, wo Grabhügel der
jüngften prähiftorifchen Gattung — mit Leichenbrand
— und meift nur noch durch das Wellen-Ornament
charakterifirt, vorzukommen pflegen. An Fund-Ob-
jecten find derartige Grabhügel ausnehmend arm, fogar
Thongefäße find fehr felten; meift finden fich nur ge-
brannte Knochen, Kohlenftücke und Afche.

Bezeichnend für eine flavifche Nekropole ift der
Name „Do Hrobů", welcher fich auch bei anderen,
gleichalterigen Grabftellen, als bei Újezd Oftrolov
u. w. a. aber auch bei Nekropolen viel älterer Provenienz — von der neolithifchen Periode abgefehen
zum Beifpiel bei Křtěnov nächft Moldautein wiederholt.

Eine Grabung in der Nekropole bei Ujezd Červený war fchon aus dem Grunde unftatthaft, weil zu
diefem Zwecke vorerft die Bewilligung des Eigen-
thümers hätte eingeholt werden müffen und auch Tag-
löhner fehr fchwer zu befchaffen gewefen wären. —

In dem durch die unermüdliche Furforge des
Herrn Hauptmanns d. R. Lindner muftergiltig geord-
neten Mufeum der Stadt *Budweis* befindet fich eine
Collection von Bronze-Artefacten, welche durch den
genannten Herrn zuftande gebracht und theils gefchenkweife erhalten oder angekauft wurde. Die in
Rede kommenden Artefacte erregen insbefondere aus
dem Grunde befonderes Intereffe, weil fie einem
Depotfunde der Bronzezeit angehören, welcher in der
Nähe von *Kosova* (Koffau) füdweftlich von Újezd
kamenný (Steinkirchen) ganz zufällig bei.Aushebung
eines Grabens im Torfmoore zutage gefördert wurde.

Der Depotfund von Kosova befteht in einer Reihe
fchön patinirter Bronze-Artefacte, und zwar in einer
Zufammenftellung verfchiedener Objecte, wie fie bei
uns — foviel bekannt — noch nie in Gemeinfchaft aufgefunden wurden. Diefe Conftellation ift ein neuerlicher
Beweis für die bekannte Gleichzeitigkeit der Erzeugung und vorausfichtlichen Verwendung folcher Ge-
brauchsfachen aus Kupfer oder Bronze in der Bronzezeit.[1]

[1] Eines diefer Fundftücke ergab bei der über Anregung des Regierungsrathes Dr. *Mack* im chemifchen Laboratorium der Kunftgewerbefchule des

Der in Rede ftehende Fund befteht aus nachfolgenden Objecten:

Zwei maffiven ftielrunden Ringen mit eingerollten
Enden, fogenannter Hofpoziner Typus;

zwei analogen Ringen mit zugefpitzten Enden;
zwei kleinen, den vorftehenden technifch analogen
Ringen (etwa ein Drittel der vorgenannten);

acht kleinen Arm- oder Handringen, davon einer
flach, außen gewölbt;

acht Arm- und Handfpiralen mit 3, 5, 6, 7, 8 und
14 Umdrehungen.

Die kleinen Ringe find typifch für die Bronzezeit.

Der Depotfund von Kosova ift auch noch aus dem
Grunde von hervorragender Bedeutung für die einftigen
prähiftorifchen Verhältniffe des füdlichen Böhmens,
weil er ein wichtiges Verbindungsglied zwifchen dem
Dépôt-Fund von Na Hradci und Plavnice vorftellt, und
fehr geeignet und erwünfcht erfcheint, die Richtung
des hier über Freyftatt in Niederöfterreich an das linke
Ufer der Donau führenden Handelsweges — in der
Bronzezeit — genauer zu beftimmen.

Zu erwähnen wäre noch ein Steinbeil (Meißel),
welches fich im Befitze des Schulleiters Herrn Kolin
in Veselý a./L. befindet, und dadurch befonderes Intereffe erweckt, da es bei Týnce an der Sázava (Tábor,
Neveklov zwei Stunden füdlich) gefunden wurde, und
folchergeftalt, an die zahlreichen Funde aus der jüngeren Steinzeit im nördlichen und mittleren Böhmen
anfchliefsend, gewiffermaßen die Richtung damaliger
Verbindungen mit dem füdlichen Böhmen (Radimov,
Stráž, Neuhaus, Holický in Böhmen und Eibenftein in
Nieder-Oefterreich, fämmtlich Einzelfunde), alfo fchon
in der neolithifchen Periode anzudeuten fcheint.

Beachtung verdient auch eine Nadel mit rundem
oben abgeflachten Kopfe, deren Alter zwar nicht
genau beftimmt werden kann, die aber derartigen
Bronze-Artefacten älterer Provenienz fehr nahe kommt.
Diefelbe ift von erhöhtem Intereffe, weil fie bei Reinigung eines Brunnens bei Valy (Budweis, Lomnic
1½ Stunden nordöftlich) gefunden wurde und in diefer
Gegend des füdweftlichen Böhmens — obzwar dem
Alter nach nicht genügend verbürgt — als Unicum
dafteht.

Auch befindet fich im Befitze des obgenannten
Herrn eine Collection von römifchen Kupfermünzen,
deren Provenienz jedoch, ungeachtet dringender Anfrage, noch immer nicht fichergeftellt werden konnte.

Ich habe auch den bei Veselí a./L. gelegenen,
mit noch theilweife erhaltenen Erdwällen umgebenen
Ort Tališ (Teller) unterfucht, deffen eigentliche Beftimmung nicht ganz klar war. Derfelbe hat eine ellip-
tifche Geftalt, ift auf zwei Seiten mit einem tiefen
natürlichen Graben, auf der dritten mit dem fchon erwähnten künftlich aufgeworfenen, theilweife noch erhaltenen Wall umgeben. In früherer Zeit mag die fehr
kleine, nur 20 bis 35 Schritte im Durchmeffer haltende natürliche Erderhebung mit Waffer umgeben
gewefen fein. Nach den gefundenen Graphit- und Thon-

fcherben dürfte der befeftigte Platz Tališ mit dem
feinerzeit erwähnten Veftenhof bei Koftelec an der
böhmifch-mährifchen Gränze ungefähr gleichalterig und
demnach nicht unter das 14. Jahrhunderts zu verlegen
fein. (Aus dem Jahresberichte pro 1896 des Confervators H. Richlý.)

159. (Römifche Baurefte im Sann-Thale.)

Die bereits längere Zeit fortgefetzte Forfchung
nach der Nekropole der „Claudia Celeja" ließ mich in
der Erftreckung des Sann-Thales von Cilli gegen Weft
bis Heilenftein, und zwar durchwegs nördlich der
Hauptfahrftraße wie der Bahnlinie Cilli—Wöllan wiederholt zwifchen den bebauten Saatflächen partienweife
Geröllhaufen, und mit deren Steinmaterial gemifcht
immer wieder jene dem geübten Auge ganz unverkennbaren Bruchftücke römifcher mit Stempeln der
am längften einft hier ftationirten Legio II. Italica (Pia
fidelis) verfehener Ziegel, vornehmlich Dachziegel, in
der Ackerkrume der benachbarten Saatfelder aber
reichlich dann Mauerfchutt finden, weshalb ich die bezüglichen Grundbefitzern nahelegte, falls fie bei Bearbeitung des Bodens auf Mauerrefte ftoßen follten, mich zu
verftändigen, indem die Unterfuchung diefer ihnen zur
Befeitigung der Hemmniffe bei ihrer Arbeit dienlich
werden könnten, und fo gefchah es, dafs jüngft die
Bewohner des Dorfes Sotfchitz fich bereit erklärten,
ein Terrain, welches nordöftlich von diefem Orte, füdlich von Neuklofter, öftlich von Heilenftein liegt, unterfuchen zu laffen, und 13 Arbeiter genügten, um in einem
Tage feftzuftellen, dafs dafelbft ein Complex römifcher
Baulichkeiten vorliege, welcher ringsum weit über das
in fo kurzer Zeit unterfuchte Terrain hinausreichte.

Um Zeit und damit Geld zu fparen, wurden, nachdem
ich die Hauptrichtung der Grundmauern von Südweft
nach Nordoften, mithin im rechten Winkel von Sudoft
nach Nordweft feftgeftellt, in den Diagonalen, das ift
um 45° von den angedeuteten Richtungen abweichend,
Röschen vorläufig nur zu dem Zwecke gezogen, um zu
conftatiren, womit wir es überhaupt hier zu thun haben.
Die Arbeit wurde wefentlich dadurch erleichtert und be-
fchleunigt, dafs die Mauerrefte feicht, oft fchon mit ca.
30 Cm. untertags erreicht wurden, wodurch fich aber
auch anderfeits erklärt, warum eben nur ftellenweife
und überhaupt nur geringe Brandrefte vorliegen. Ganz
verfchieden von den Mauern Celeja's beftehen die
dortigen Mauerrefte nur aus behauten milden gelb-
braunen durch Mörtel verbundenem Sandftein. Während wir bei den Grabungen in Cilli und in unmittelbarer Umgebung der Stadt nur felten Ziegel mit dem
Stempel der einft im Sann-Thale ftationirten Legion
finden, ftießen wir, und zwar im häufigften in der Mitte
des unterfuchten Gebietes, in überwiegender Zahl auf
mit Stempel verfehene Ziegel, und es liegen derzeit im
hiefigen Local-Mufeum nachftehende Typen vor. Die
gewöhnlichen fchmalen Mauerziegel fehlen faft ganz;
am häufigften find Dachziegel, wie wir felben im Sann-
Thale immer wieder begegnen, und zwar Falzziegel 22
bis 28 Mm., fo wie die zugehörigen halbkreisförmigen
Deckziegel 15 bis 18 Mm. ftark, endlich quadratifche
Pflafterziegel von 28 Cm. Seitenlänge und 45 Mm.
Starke.

Die Situationsfkizze zeigt, dafs dafelbft ein bedeutender Gebäude Complex vorliegt, von welchem die bis-

herige Unterfuchung eben nur den kleinften Theil blos-
zulegen imstande war und der aus einer im Nordoften
fituirten ftarken Umfaffung und den inneren nach Südweften fich erftreckenden Baulichkeiten beftand. Dem-
enfprechend fchwankt die Stärke der Mauern ungemein;
fo fanden fich im Süden Mauerrefte von kaum 45 Cm.
Stärke, während die Refte im Nordoften bis 130 Cm.
ftark find. Material, noch mehr Herftellung
der Ziegel wie der Mauern zeigt von geringerer Güte und Sorgfalt als jene Refte, die
wir im Boden Celeja's felbft vorfinden; auch
der Umftand, dafs die Richtung der Mauern
nächft Sofchitz nicht fo genau eingehalten
ift, als bei jenen Baulichkeiten Celeja's,
welche wir als der erften Kaiferzeit zugehörig anzufprechen berechtigt find, endlich das auffallende Vorwalten mit Legions-
ftempel verfehener Ziegel durfte zu der
Vermuthung berechti-
gen, dafs man es in dem
mehrgedachten Terrain
mit einer nahe dem Ein-
fluße der Wolska in die
Sann, als einen für die
Vertheidigung wie für
die Flußüberfetzung
wichtigen Punkte gele-

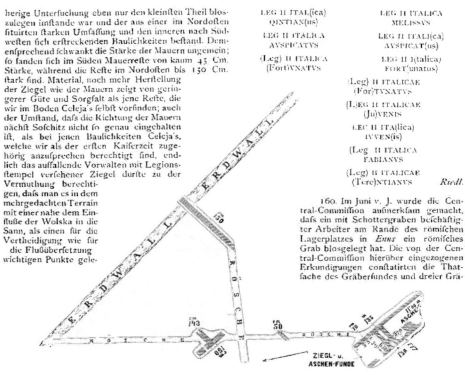

Fig. 11. (Sannthal.)

LEG II ITAL.(ica)
QINTIAN(us)

LEG II ITALICA
AVSPICATVS

(Leg) II ITALICA
(Fort)VNATVS

LEG II ITALICA
MELISSVS

LEG II ITAL(ica)
AVSPICAT(us)

LEG II I(talica)
FORT(unatus)

(Leg) II ITALICAE
(For)TVNATVS

(L)EG II ITALICAE
(Ju)VENIS

LEC II ITA(lica)
IVVEN(is)

(Leg II ITALICA
FABIANVS

(Leg) II ITALICAE
(Tere)NTIANVS   *Riedl.*

160. Im Juni v. J. wurde die Central-Commiffion aufmerkfam gemacht,
dafs ein mit Schottergraben befchäftig-
ter Arbeiter am Rande des römifchen
Lagerplatzes in *Enns* ein römifches
Grab blosgelegt hat. Die von der Central-Commiffion hierüber eingezogenen
Erkundigungen conftatirten die Thatfache des Gräberfundes und dreier Grä-

genen, in fpät-römifcher Zeit beftandenen Militarftation,
einem Vorwerke der Militärftadt Celeja zu thun habe.
Wenn gleich in Anbetracht der im Verlaufe von ca.
15 Jahrhunderten ftellenweife kaum ca. 30 Cm. ftark
gewordenen Tagdecke die Hoffnung werthvoller Funde
hier ebenfo gering ift wie in Cilli, fo wäre es unbedingt
von hohem Intereffe, dort wie an den übrigen öftlich
von hier gelegenen Punkten, wie füdlich von Birnbaum
u. a., wo auf Grund vorgefundener Legionsziegel gewifs ähnliche Anfiedlungen zu erwarten find, durch fortgefetzte ins Detail gehende Grabung ein thunlichft voll-
ftändiges Bild und damit maßgebenden Auffchluß über
die Bedeutung diefer römifchen Anlagen zu erlangen.

Stempel der Pflafterziegel überhaupt:

LEG II ITA (Legio II. Italica)

Diverfe Stempel der Dachziegel:

(Leg II) ITALICA	(Leg) ITALIC(ae)
(Pom) PII.IANVS	(P) OMPIIANVS
LEG II ITALICA	LEG II ITALIC(a)
POMPII.IANVS	POMPIIANVS

ber im Nordweften des Standlagers und im Südweften
der Stadt. Erfteres aus der zweiten Hälfte des 3. Jahrhunderts, das andere ein Frauengrab in einem Ziegel-
farge aus ungefähr derfelben Zeit. An der anderen
Stelle ein nicht datirbares Grab. Die Beigaben der
Gräber kamen in Privathände, die des Ziegelgrabes ins
Local-Mufeum. Am meiften überrafchte die Auffindung
eines Grabes im oberften Theile der Stadtmauer,
welche an jener Stelle 7 M. hoch ift und 2·15 M. in der
Mauerdicke erreicht. Es ift Gußmauerwerk mit Kiefel-
fteinen der Ennsbettes gemengt und auf beiden Seiten
mit Bruchfteinen und Granitquadern belegt. Ueber den
Urfprung diefes letzteren Grabmales fchien es nothwendig, näheres über die Beigaben zu erfahren, allein
einer Befichtigung desfelben ftehen bedeutende Hinderniffe entgegen. Nur eine ganz kleine Partie der Beigaben
konnte geprüft werden. Deren nähere Unterfuchung
ergab, wie Hofrath Profeffor *Toldt* erklärte, dafs die
Fund-Objecte — nur Knochenrefte, jedenfalls nicht von
einem Menfchen ftammend, fondern von Thieren —
höchft wahrfcheinlich Hausthieren (Schwein) angehören.
Vom Standpunkte des Hiftologen war nichts zu bemerken.

30*

161. 1. In *Althofen* (Kärnten) beim vulgo Stein-wender am Sand wurde dieser Tage beim Abgraben des südlichen Straßenrandes ein römischer Inschriftstein gefunden, welcher 48 Cm. lang, 42 Cm. breit und 20 Cm. dick ist. Die Schriftfläche ist vertieft und mit einem Wulste und einer Kehle umrahmt.

Die gut erhaltene Inschrift hat sechs nach unten an Buchstabengröße abnehmende Zeilen, welche ich in folgender Weise zu lesen versuchte: Rufius . Musicus . et . Vibena . Igenvi . filia . uxor . vivi . fecerunt . sibi . et . Masculo . filio . annorum . VII .

Der Fundort ist an der Straße, welche von Stammersdorf (Römischer Fundort, Mittheilungen 1884, pag. CXLVII) über Kappel (römischer Fundort; Anlage des Pfarrhofes wie ein römisches Lager, vide Kärnt. Kunst-Topographie) nach Althofen führt.

In der Nähe bei Unzdorf kreuzt diesen Weg ein uralter Feldweg, welcher wohl die römische Wegverbindung der Fundorte Treffling, Unzdorf, Altenmarkt bei Althofen, Guttaring, Deinsberg, Hüttenberg etc. bildete. Der Stein wird am Stadelgebäude am Fundorte eingemauert und so erhalten werden.

Bemerkenswerth ist an der Inschrift der Name Vibena, welcher in der Form Vibina und Vibeno in Althofen (*Jaborníg* Nr. CCLXXIII), als VIBENVS in Deinsberg und Hüttenburg, auch in Klagenfurt (*Jaborníg* CCCLX) als Ulpia Vibenia vorkommt.

2. Aus *St. Walburgen* stammt eine Thonlampe in meiner Sammlung; sie wurde aus den gefundenen Bruchstücken vom Museumsdiener *Kaiser* in Klagenfurt hergestellt und das fehlende Schnabelende ergänzt. Der Name des Fabrikanten VIBIAN befindet sich in Lapidarbuchstaben an der kreisrunden mit zwei Rinnen eingefaßten Standfläche.

3. Vom gleichen Fundorte Walburgen im Görtschitz-Thale stammt auch eine römische Bogenfibula aus Bronze, eine Silbermünze (Denar) des Kaisers Vespasian und eine Bronzemünze desselben Kaisers. Die Funde wurden im Jahre 1895 bei der sogenannten Winklerhube gemacht.

4. In der Nähe von Walburgen, beim vulgo Pribernig fand man ferner (1888) einen Dolch aus Bronze, die Griffzunge ist abgebrochen und fehlt. Bei dem sich verbreiternden Theile zwischen der Heftplatte und der Klinge sind scharf erhöhte Randleisten und ein Nietloch. Die Klinge ist länglich blattförmig mit dachförmigem Mittelgrat. Die Länge ist fast 14 Cm. bis zum Nietloche. Der Dolch gleicht ganz dem Funde in Donawitz (Mittheilungen 1897, pag. 188). Die Patina wurde ihm leider abgeschabt; er befindet sich nun in meiner Sammlung.

5. Zum Althofner Funde muß ich noch berichten, dass im sogenannten Schwarzhause im oberen Markte Althofen unter den jetzigen Gartenparcellen, inmitten alter Gebäudemauern sich Kellerräume befunden haben müssen, da man hie und da auf unterirdische Hohlräume stößt. Im Keller dieses sehr alten Hauses fand man auch das Bruchstück eines Steinhammers aus Serpentin. Dasselbe zeigt an der Bruchstelle das halbe Bohrloch, welches misglückte, daher hat der Besitzer dieses Werkzeuges ein neues Bohrloch angefangen, jedoch dasselbe unvollendet gelassen; ein Beweis, wie werthvoll in der Steinzeit ein solcher Stein zu sein dünkte und wie schwierig die Bohrung muß gewesen

sein. Die Länge ist 12 Cm., die Breite 5·5 Cm., die Dicke 4·5 Cm. (Vide prähistorischer Atlas, Taf. IX, Fig. 15).

6. Dass Römersteine, bei aller Wichtigkeit, welche dieselben für die Geschichte eines Landes haben, und bei aller Sorgfalt, womit man solche Denkmäler zu erhalten strebt, wieder verloren gehen können, verschwinden durch die Unwissenheit der Menschen, dient folgendes leider wieder als Beweis. Der interessante Schriftstein in *Ebersdorf* ob Althofen (Mittheilungen 1888, pag. 205), welcher der zweiten Hälfte oder dem Ende des ersten Jahrhunderts angehören dürfte und von Julia ihrem Gatten Tiberius Claudius Rufinus, einem Duumvir (von Virunum) gesetzt worden ist, wurde beim Baue der Ziegelfabrik (freilich ohne Wissen und gegen den Willen des Besitzers) vom italienischen Maurermeister als Fundament in die Grundmauer der Presmaschine verwendet und dabei zertrümmert. Seine Größe, welche sowohl die Aufbewahrung als die Verschleppung verhinderte, ist ihm zum Verhängnis geworden. *M. Größer*, k. k. Conservator.

162. Im heurigen Frühjahre fand man, wie Correspondent P. *Anselm Ebner* in *Maria-Plain* berichtet, an der Nordseite eines Privatgartens in Gnigl gelegentlich der Anlage einer Umzäunung — beim Setzen der Holzsäulen — viel Mörtel und Ziegelmaterial römischer Provenienz, auch ein ca. 2 M. langes Stuck der von Ost nach West gerichteten Mauerflucht mit rothem grünem und braunem Verputz.

163. Am 14. Juni d. J. hat die k. k. Bezirkshauptmannschaft *Tulln* anher berichtet, dass man bei Aushebung der Fundamente zum Baue eines landwirthschaftlichen Lagerhauses außerhalb des Frauenthores dafelbst auf Römergräber gestoßen sei. Ein ausgemauertes Grab, darin sich neben einem wohl erhaltenen Skelete eine auffallend große Thränenflasche sammt einem Glase (schillernd) befand. In der Nähe fand sich noch eine kleinere Thränenflasche, so wie ein spiral gewundenes Armband aus Bronze. Diese Fund-Objecte wurden von der Stadtgemeinde Tulln in Verwahrung genommen.

164. Funde aus der älteren Steinzeit gehören in Böhmen noch zu den Seltenheiten. Umso bemerkenswerther ist der Fund von Mamuth-Ueberresten zu *Freihöfen*, zumal es bei diesem den Anschein hat, dass an der Fundstelle die Knochenreste eines ganzen Mamuths gelegen waren. Conservator *Ludwig Schneider* berichtete hierüber an die Central-Commission.

Aus der Ziegelei *Morávek* hat das historische Museum in Königgrätz bereits seit Jahren Mamuth-, Rhinoceros- und andere Thierreste erhalten, namentlich aber im Herbste 1897 eine Beckenknochenhälfte vom Rhinoceros, deren Aeste bereits vor vielen Jahren abgehackt worden waren, denn die Hiebflächen sind mit braunen Mangandendriten und festem tuffartigen Kalk bedeckt. Auf Grund dieses Fundes hat der Conservator am 3. Januar 1898 die Ansicht ausgesprochen, dass in der Zieglei zu Freihöfen eine Station der diluvialen Menschen sich befinde. Der Fund eines Mamuths-Skelettes beweist, dass diese Annahme richtig war.

Der Fund von Freihofen ift recht intereffant auch mit Bezug darauf, dafs die Fundverhältniffe auffallend mit den Fundverhältniffen eines Mamuth-Skelettes übereinftimmen, welches Profeffor *Kartenko* bei Tomsk im April 1896 ausgegraben und worüber derfelbe in dem Correfpondenzblatte der deutfchen anthropologifchen Gefellfchaft 1896, pag. 43, einen kurzen Bericht erftattet hat. Auch in Freihöfen liegen die kleineren und leichteren Knochen (Rippen und Wirbel) zerftreut, zu unterft und auf ihnen lagen die großen Stücke (Unterkiefer und Oberfchenkelknochen), während die beiden Stoßzähne und die beiden Beckenhälften rechts einen befonderen Haufen bildeten. Von dem eigentlichen Schädel wurden bisher nur die beiden Stoßzähne mit den anhängenden ausgefprengten Oberkieferpartien und an *Werkzeugen zwei große Feuerfteinmeffer* gefunden.

Auch die Lagerungsverhältniffe find intereffant. Auf dem Schottergrunde lagert etwa 2·5 M. feiner vollkommen ungefchichteter Löfs, der fich nach Ausfage der Arbeiter fehr leicht verarbeiten läfst, hierauf folgt eine fchwache Schichte eines thonigen Niederfchlages, welcher fich fenkrecht zerklüftet und, wie es fcheint, kohlige Refte von Pflanzenwurzeln enthält; auf diefer Schichte liegen zerftreut kleine Kiesknollen und an einer Stelle knapp an der Lagerftättes des Mamuth-Skelettes (links) die feinfchieferigen Ueberrefte eines ausgetrockneten Waffertümpels, und zwar in demfelben Horizont wie das Skelet. Oberhalb der Kiesbrockenlage find noch etwa 2·5 M. kalkhaltiger Löfs, welcher im Waffer fchwer aufweicht und zu verarbeiten ift, und Ackerkrumme.

165. Confervator Dr. *Ifidor Szaraniewicz* in Lemberg hat an die k. k. Central-Commiffion unterm 24. Mai d. J. berichtet, dafs in *Zwinogrod* bei *Bobrka* auf einem Acker, der als der „der alten Kirche" benannt wird, eine Urne mit Afche und eine römifche Fibel ausgeackert wurden. Römifche Grabfunde wurden

Fig. 12. (Zwinogrod.)

bisher nur fpärlich in Galizien gemacht, daher diefes Fundes hier gedacht werden foll. Wir bringen hier in Fig. 12 die Abbildung der Fibel, in Fig. 13 und 14 von Scherben der Urne und in Fig. 15 und 16 des Schmuckftückes.

166. Confervator *Franz Graf Coronini* hat im Auguft d. J. an die Central-Commiffion berichtet, dafs er, aufmerkfam gemacht vom Confervator Gymnafial-Profeffor *Maionica* auf zwei alte Infchriftfteine, welche in nächfter Nähe der Vorhalle der Bafilica zu Aquileja bisher als Deckel von Sarkophagen dienen, aber infolge der Benützung als Sitzbanke feitens der Bevölkerung eine ftarke Abnützung erfahren und dem völligen Verderben entgegengehen, diefe Steine von

dort wegnehmen und ihre Anbringung unter Dach in der Bafilica-Vorhalle derartig durchführen werde, dafs fie leicht befehen werden können und ihre Erhaltung gefichert erfcheint. Die Leitung der Uebertragung und Aufftellung beforgte Confervator Maionica. Der

Fig. 13. (Zwinogrod.)

erfte verewigt, unter Benützung eines römifchen Grabfteines, an welchem im oberen Theile noch drei Geftalten fichtbar find, den um das Jahr 1090 erfolgten Verzicht des Herzogs Heinrich von Karnten-Eppenftein, Bruders des Patriarchen Ulrich I. von Aquileja,

Fig. 14. (Zwinogrod.)

auf die Vogteirechte über die Kirche von Aquileja. Am Rande des Steines mit den eben erwähnten Geftalten liest man noch einerfeits „Einricus dux" recht deutlich, anderfeits fchwer entzifferbar den Frauennamen „Lui-

Fig. 15 und 16. (Zwinogrod.)

carda" (feine Frau?). Die dritte Figur foll vielleicht den Patriarchen Ulrich I. darftellen?

Im Texte felbft ift die erfte Zeile noch ziemlich leferlich, doch ift derfelbe durch Dr. *Bartoli* ganz bekannt, der ihn einer vom Notar Guglielmo 1196 verfafsten authentifchen Abfchrift entnahm, die fich ehemals im Archiv von Aquileja befand.

Die zweite Infchrift preist in lateinifchen Hexametern einen offenbar vornehmen Verftorbenen, deffen Name nicht angegeben wird und dürfte aus dem 13. oder 14. Jahrhundert ftammen.[1]

167. *(Römifche Münzfunde in der Bukowina.)*

Der unterzeichnete Correfpondent hat fchon feit einer Reihe von Jahren fein Augenmerk befonders auf römifche Funde in der Bukowina gelenkt, da diefelben doch vielleicht einmal einige Auskunft über die Intenfität des Einflußes der römifchen Herrfchaft in diefem Theile des alten Dacien bieten dürften. Bisher find aber nur Funde von römifchen Münzen zu verzeichnen, da die fonft als römifch bezeichneten Objecte (vgl. meine Gefchichte der Bukowina I, 2. Aufl., S. 21 f.) zweifelhaft find. Ueber diefe Funde von römifchen Münzen hat der Unterzeichnete auch bereits einigemal an die Central-Commiffion berichtet (vgl. Mittheilungen der Central-Commiffion Band XIX, Notiz 61: Lucius Verus in Czernowitz; Band 21, Notiz 139: Trajan in Czernowitz und in Rofch bei Czernowitz; Band 25, Notiz 54: Trajan und Antoninus aus einem großen Depotfund in Ploska). Vor kurzem hat derfelbe auch über eine Münze der Lucilla († 183) aus dem Römerwalle bei Boryszkówce, einem der Bukowina benachbarten galizifchen Dorfe nördlich vom Dnieftr, berichtet. Nun find dem Berichterftatter zwei Münzen vorgelegt worden, welche im Jahre 1898 in bukowiner Dorfe Doroszoutz am Dnieftr gefunden worden find. Die eine derfelben ift ein wohlerhaltener Denar von Lucius Verus: As. L VERVS AVG ARM PARTH MAX; Bild — R TR.P VI IMP IIII COS II, ftehende Frauengeftalt, darunter PAX. Die andere Münze, auch ein Denar, ift fehlechter erhalten; insbefondere find die Legenden zum größten Theile ausgerieben. Auf der Averfeite ift jedoch deutlich (VE)SPASIANV zu lefen, und zwar nicht, wie gewöhnlich von links nach rechts, fondern in der entgegengefetzten Richtung. Dies mag die Münze fchon damals zu einem Schauftück gemacht haben, das als eine Seitenheit von Hand zu Hand wanderte. So erklärt fich auch der Fund diefer Münze von Vefpafianus neben jener von Verus in der Bukowina. Die meiften Münzen, welche dafelbft nämlich gefunden wurden, gehören dem 2. Jahrhundert an; die Reihe beginnt mit Trajanus, der Dacien erobert hat. Der hiedurch gefteigerte Verkehr nach dem Norden, vielleicht auch das Vordringen römifcher Heeresabtheilungen in die Bukowina und bis in die Dnieftr-Gegend erklären die verhältnismäßig reichlichen Münzfunde des 2. Jahrhunderts. Mit dem Herandrängen neuer Völker vom Norden und Often und dem beginnenden Verfalle des römifchen Daciens hören auch wieder diefe Funde auf. Zu diefen Schlüßen ift man bereits aus den bisher verzeichneten Funden berechtigt. Im übrigen find erft weitere Funde abzuwarten.

R. F. Kaindl.

168. *(Archäologifche Funde aus Galizien.)*

Der unterzeichnete Correfpondent ift fchon wiederholt auf intereffante Funde in dem an die nördliche Bukowina angrünzenden Theile von Galizien, befonders im Winkel zwifchen Dnieftr und Zbrucz, auf-

merkfam geworden. Erft in der jüngften Zeit ift es ihm aber mit Sicherheit gelungen, einige Funde zu Geficht zu bekommen. Sämmtliche Funde rühren aus Boryszkówce am Zbrucz her.

Der Steinzeit gehört eine Axt aus Feuerftein an. Sie ift 10 Cm. lang und an der Schneide 4 Cm. breit. Das Kopfende ift faft quadratifch, da die Axt fehr dick gehalten ift. Gefchliffen find nur die Breitfeiten, und zwar nur in dem Theile zur Schneide. Diefe ift ziemlich gut erhalten; da die Axt auf der einen Seite bedeutend mehr abgefchliffen ift als auf der anderen, fo liegt die Schneide „einfeitig". Intereffant ift an diefem Stücke die faft 6 Cm. lange Narbe zwifchen einer Breit- und einer Schmalfeite, an welcher Stelle ein ebenfo langer Span wohl durch einen unvorfichtigen Schlag beim Herftellen der Axt abgefplittert wurde.

Ferner ift der Fund einer Römermünze zu verzeichnen. Es ift eine wohlerhaltene Münze der Lucilla († 183 n. Chr.). Sie rührt aus dem durch Boryszkówce verlaufenden Erdaufwurfe her, der als Römerwall bezeichnet wird. Da die Münze gerade deshalb als befonders wichtig erfcheint, möge hier ihre Befchreibung folgen. Avers: LVCILLAE AVG ANTONINI...... Kopf. — Revers: Auf einem Stuhle fitzende Frauengeftalt, nach links blickend; in der vorgeftreckten Rechten hält fie einen Kranz, die Linke ruht auf der Stuhllehne. An der Umfchrift ift zu lefen CO..A, alfo wohl Concordia. Diefe Münze wurde vor etwa zwei Jahren gefunden.

In den letzten Monaten wurden endlich beim Ackern auf der Oertlichkeit „Na Strzalce" einige Refte der eifernen Ausrüftungsftücke eines Kriegers aus prähiftorifcher Zeit gefunden. Diefelben beftehen aus folgenden Objecten:

1. Einer fchönen Lanzenfpitze. Diefelbe ift faft 27 Cm. lang und die breitefte Stelle der flach gehaltenen und mit einer Rippe verfehenen Klinge mißt 4 Cm. Als die Erde, welche das Schaftloch verftopfte, entfernt worden war, fielen zu beiden Seiten der zum Festhalten des Schaftes dienenden Niete zwei kleine Kohlenftückchen heraus. Diefe find natürlich Ueberrefte des Schaftes. Man darf daher annehmen, dafs die Lanze und wohl auch die anderen Rüftungsftücke im Feuer gelegen waren und durch diefes zum Theile vernichtet wurden.

2. Einem Schildbuckel oder vielleicht dem oberen Theil eines Helmes. Das Stück hat eine annähernd trichterförmige Geftalt. Der Theil, welcher der Röhre des Trichters entfprechen würde, ift jedoch nicht röhrenförmig, fondern ift voll und etwa 4 Cm. lang. Die Ränder des Trichters find flach getrieben, alfo unter 90° zur eben befchriebenen Spitze. Ein Theil diefes Randes und des Trichters ift abgebrochen. In dem vorhandenen Theile des Randes ftecken noch zwei Nägel, von denen einer etwa 2 Cm. lang ift. Die Form des Randes und die Länge diefes Nagels dürften die Anficht begründen, dafs wir es mit einem im Mittelpunkte eines hölzernen Schildes befeftigten Buckel zu thun haben. Der Durchmeffer des ausgeflachten Randes beträgt 12 bis 13 Cm. u. f. w.

Dr. R. F. Kaindl.

169. Zufolge einer Anzeige des Gendarmeriepoftens *Haugsdorf* in Nieder-Oefterreich wurden bei

[1] Beide Infchriften hat Thumher *Bartoli* in feiner Antichità di Aquileja ...... e profani (Venedig, Abriaii, 1747) auf S. 374 und 358 (Nr. DXLIV u. DXXIV) veröffentlicht.

der Erdaushebung im Ziegelwerke des Herrn *Schönhofer* in *Jetzelsdorf* Thongefäße gefunden, was die Central-Commiffion beftimmte, darüber nähere Erkundigungen einzuziehen. Herr Schönhofer hatte über hierortiges Anfuchen die Güte, die Fundftücke zur Anficht einzufenden und zugleich mitzutheilen, dafs auf der Fundftelle wiederholt Gefäße, jedoch im gebrochenen Zuftande, dann menfchliche und thierifche Knochen zum Vorfchein gekommen find, insbefondere

Fig. 17. (Jetzelsdorf.)

fei er felbft gegenwärtig gewefen, als man zwei menfchliche Skelette ausgegraben hatte, welche fich mit den Scherben zerbrochener Kochgefäße und mit Afche in verbrannter Erde befanden. Die Grube war 2·5 M. tief, hatte oben beiläufig 1 M., unten 1·5 bis 2 M. im Durchmeffer. Regierungsrath Dr. *Much* referirte hierüber an die Central-Commiffion und bemerkte:

Aus dem vorftehenden ergibt fich, dafs es fich an diefer Stelle zuverläffig um Gräber handelt. Die

Fig. 18. (Jetzelsdorf.)

eingefendeten Scherben ftammen von größeren und kleineren Gefäßen, find ziemlich gut gebrannt, enthalten faft keine Beimifchung größeren Sandes und zeigen nicht geringe handwerksmäßige Fertigkeit. Eine diefer Scherben gehörte einem Siebe an. Das eine der beiden faft ganz erhaltenen Gefäße (Fig. 17) zeigt die bekannten typifchen Formen der Gefäße aus den Gräbern der liegenden Hocker, wie man fie oft in Nieder-Oefterreich, Mähren und Böhmen, aber auch

an der nördlichen Gränze diefes Landes, namentlich in Schlefien findet.

Sie find durch die ftarke Entwicklung des Halstheiles bemerkenswerth, wogegen alle anderen Gefäßtheile fehr zurücktreten, der Bauch meift nur als Kante angedeutet ift, an die fich fofort der Fuß des Gefäßes anfchließt. Der Henkel fetzt mit feinem unteren Ende an den Bauchkanten an und erreicht mit feinem oberen Ende nie den Rand. An dem vorliegenden Stücke ift übrigens der Rand ringsum abgebrochen. Zumeift hat der Boden eine Umbe.

Das zweite Gefäß (Fig. 18) ift faft kugelformig und weicht nicht nur durch diefe Form, fondern auch durch die Verzierung von den Gefäßen der vorliegenden Höcker ab, welche in weitaus überwiegender Zahl unverziert find, fo dafs es, da auch die Maffe abweicht, den Anfchein hat, dafs die beiden Gefäße zeitlich nicht zufammengehören. Bekanntlich fallen die Gräber der liegenden Hocker mit den befchriebenen typifchen Gefäßen in den Beginn der Bronzezeit.

Von Metallgegenftänden wird nichts berichtet, was bei deren Vorkommen in diefen Gräbern nicht auffällt. Die gefundenen thierifchen Knochen gehören dem Rinde, Schweine und Hirfchen an.

Herr Schönhofer berichtet auch von birnförmigen Gräbern, die auf dem Fundplatze vorkommen, etwa 2·5 M. tief, an der Oeffnung 1 M., am Boden 2 M. im Durchmeffer, mit fchwarzer Erde gefüllt. Am Boden findet fich Afche mit Gefäßfcherben und Knochen — Herdgruben.

Nach den vorliegenden Zeugniffen befindet fich alfo hier eine dem erften Abfchnitte der Bronzezeit angehörige mit den benachbarten in Zellerndorf gleichzeitige Graberftätte. Ob die dazwifchen eingeftreuten Herdgruben derfelben Zeit angehören, läfst fich Mangels erhaltener Funde nicht fagen; find fie jünger, dann wäre der verfchiedene Charakter der Gefäße erklärt.

170. Correfpondent *Zündel* in *Gemeinlebarn* hat im Juli 1899 an die k. k. Central-Commiffion berichtet, dafs nördlich gegen die Dorffeite in der Nähe des 1885 aufgedeckten Gräberfeldes in neuefter Zeit wieder verfchiedene Funde gemacht wurden. Bei Herftellung eines Zaunes ftieß man in geringer Tiefe auf ein wohl fchon etwas zerftörtes Brandgrab mit Bruchftücken einer größeren fchwarzen Urne und andere Gefäße verfchiedener Größe. Von der Urne fehlte der obere Theil, wohl fchon früher zerftört oder verfchleppt.

Gelegentlich einer Erdaushebung neben einem Holzfchuppen wurden nebeneinander drei Brandgräber gefunden, darin Brandknochen, fchwarze Brandafche, einzelne Scherben, Pfeilfpitzen und das Bruchftück eines ftarken Bronze-Gegenftandes — eigentlich drei Stücke ineinander verfchmolzen. Daneben fand man in einer Tiefe von 10 Cm. bis 1 M. das Skelet einer jüngeren Perfon, Zähne und Kopfknochen gut erhalten, die anderen Knochen morfch.

In demfelben Grabe fand man beim Einlegen von Weinreben eine gut erhaltene Urnenfcherbe und Brandknochen. Die Urne höchft einfach geformt, nicht graphitirt, zerfprang an alten Sprüngen beim Heben. Das Grab war feicht, die Funde lagen kaum einen halben Meter unter der Grasflache.

In einem neuangelegten Baumgarten, weftlich vom Dorfe, wurde das Skelet eines Hockers gefunden, 70 Cm. im feften Diluvial-Schotter eingebettet, feitlich liegend, Geficht gegen Often, ziemlich gut erhalten. Dabei ein Bronze-Halsband aus plattem Draht, fpiralig gewunden in mehreren Stücken, fechs kleine Anhängfel und ein Fingerring aus rundem Draht; als Seltenheit fanden fich noch zwei röhrenförmige polirte Fragmente aus weißer Maffe. Das Grab fteht zwar ifolirt, ift aber von dem anderen nicht verfchieden.

Gelegentlich des Straßenbaues nördlich des Dorfes und in demfelben felbft wurden einzelne prähiftorifche Gefäßfcherben und Bronze-Fragmente, die aber fchon längft an ihren urfprünglichen Lagerorten auf die jetzigen Fundftellen verfchleppt wurden, gefunden.

In der fogenannten Frauendorfer Schottergrube traf man ein Hockergrab, dabei eine Schale mit durchbohrten Narben.

171. Confervator *Sterz* hat an die Central-Commiffion berichtet, dafs in nordöftlicher Richtung nächft dem Neuftifte bei *Znaim* Arbeiterhäufer erbaut wurden. Gelegentlich einer Grundaushebung dafelbft kam man auf eine Grabftätte prähiftorifchen Charakters, in welcher Spiral-Bronzeringe und ein Schmuckgegenftand gefunden wurden; diefe beiden Objecte kamen in den Befitz eines Fachlehrers, der fie aber wieder zu Gunften des ftädtifchen Mufeums der Gemeinde übergab. Seitens der Gemeinde wurden noch am felben Tage die angränzenden Grundbefitzer von den noch zu erhoffenden Fundftätten verftändigt, und diefe ficherten, die in ihren Gründen etwa vorkommenden Funde der Gemeinde zu Gunften des ftädtifchen Mufeums zu. Es fanden fich am nächftfolgenden Tage nach Auffindung der erften Fundftätte neuerlich zwei Grabftätten, und zwar kamen die fogenannten Hockern vor; die Ruheftätten waren in bekannter Art mit Steinhüllen umgeben, wovon eine mit Bronzen und den obligaten Töpfen verfehen war. Ein viertes Grab enthielt nur Scherben, eine Nadel und einen Ring aus Bronze. Die Fundftätten liegen unter dem Fundamente der im Baue begriffenen Häufer; es dürfte fich aber feldeinwärts noch manch anderes Grab befinden. Diefe Grabftätten werden fich bei neuen Grundaushebungen conftatiren laffen. Auch wurden ein paar Steinwerkzeuge gefunden.

Mit den angedeuteten Funden ift zweifellos und neuerlich dargelegt, dafs in Znaim eine größere Anfiedlung fich befand, und zwar war die Lagerftätte dort, wo fich jetzt der Heidentempel befindet, die Lagerftätte (Wohnftätte) im Stadtgebiete und infbefondere dort, wo fich derzeit das Verforgungshaus und die Albrecht-Caferne befindet, und in öftlicher Richtung davon haben wir die Ruheftätte der damaligen Bewohner anzunehmen.

Der Confervator bemerkte noch, dafs fich kein ganzer Schädel vorfand und fich die vorfindlichen Knochen hauptfächlich auf die Röhrenknochen befchränkten, eine anthropologifche Beftimmung der Race konnte fomit nicht erfolgen.

273

REGISTER

DER

IN DIESEM (XXV.) BANDE ANGEFÜHRTEN PERSONEN-, ORTS- UND SACH-NAMEN.

* Die Sternchen bei den Seitenzahlen bedeuten die Anmerkung.

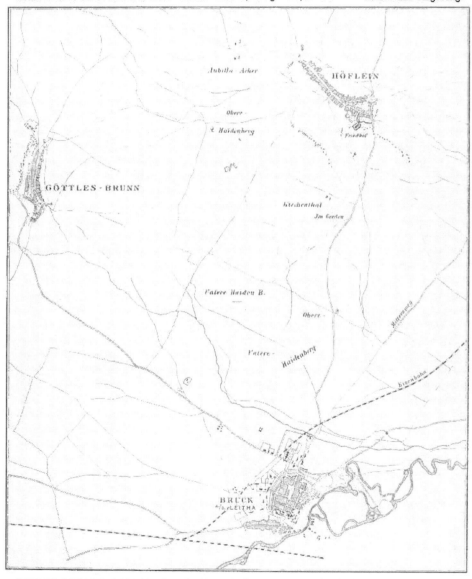

1 Das Mauerviereck II (S. 157 und Fig. 13).   3 Angeblich Fundort römischer Steine.   5 Fundstelle IV (S. 158 und Fig. 16).
2 Baurest III (S. 157 und Fig. 14, 15).   4 Grabungsstelle I (S. 157 und Fig. 11, 12).   6 Grab (S. 159 Anmerkung).